INSTITUCIONS DEL DRET CIVIL DE CATALUNYA

DRETS REALS

INSTITUCIONS DEL DRET CIVIL DE CATALUNYA

Volum IV

DRETS REALS

LLUÍS PUIG I FERRIOL
Catedràtic de Dret Civil

ENCARNA ROCA I TRIAS
Catedràtica de Dret Civil

amb la col.laboració de:

JOAN M. ABRIL CAMPOY
Professor Titular de Dret Civil

M. EULÀLIA AMAT LLARI
Professora Titular de Dret Civil

tirant lo blanch
València, 2007

© LLUÍS PUIG i ENCARNA ROCA

© D'AQUESTA EDICIÓ: TIRANT LO BLANCH
C/ Arts Grafiques, 14 - 46010 - València
TELFS: 96/361 00 48 - 50
FAX: 96/361 41 51
Email:tlb@tirant.com
http://www.tirant.com
Llibreria virtual: http://www.tirant.es
DIPÒSIT LEGAL: V -
I.S.B.N.: 978 - 84 - 8456 - 948 - 0
IMPRIMEIX: GUADA IMPRESORES, S.L. - PMc Media, S.L.

Índex sistemàtic

CAPÍTOL I
INTRODUCCIÓ ALS DRETS REALS

CAPÍTOL II
LA POSSESSIÓ (I)

CAPÍTOL III
LA POSSESSIÓ (II)

CAPÍTOL VI
LA DONACIÓ

CAPÍTOL VII
LA DONACIÓ (II)

CAPÍTOL VIII
MODIFICACIÓ I EXTINCIÓ DELS DRETS REALS

CAPÍTOL IX
EL DRET DE PROPIETAT

CAPÍTOL X
EL DRET DE PROPIETAT

CAPÍTOL XI
LA COMUNITAT ORDINÀRIA INDIVISA (I)

CAPÍTOL XII
LA COMUNITAT INDIVISA ORDINÀRIA (II)

CAPÍTOL XIII
LA PROPIETAT HORITZONTAL

CAPÍTOL XIV
LA PROPIETAT HORITZONTAL SIMPLE

CAPÍTOL XV
LA PROPIETAT HORITZONTAL COMPLEXA I PER PARCEL·LES

CAPÍTOL XVI
COMUNITATS ESPECIALS

CAPÍTOL XVII
EL DRET REAL D'USDEFRUIT

CAPÍTOL XVIII
EL DRET REAL D'USDEFRUIT (II)

CAPÍTOL XIX
EL DRET REAL D'USDEFRUIT (III). EL DRET D'ÚS I EL DRET D'HABITACIÓ

CAPÍTOL XX
EL DRET DE SUPERFÍCIE I EL DRET DE VOL

CAPÍTOL XXI
ELS DRETS DE CENS

CAPÍTOL XXII
ELS DRETS DE CENS (II)

CAPÍTOL XXIII
LES SERVITUDS

CAPÍTOL XXIV
LES SERVITUDS (II)

CAPÍTOL XXV
ELS DRETS D'ADQUISICIÓ

CAPÍTOL XXVI
ELS RETRACTES LEGALS

CAPÍTOL XXVII
ELS DRETS REALS DE GARANTIA

Llista de mots abreujats

CC:	Codi civil
CCC:	Codi civil de Catalunya
Cdec:	Codi de comerç
CDC:	Compilació del Dret civil de Catalunya
CE:	Constitució espanyola
CF:	Codi de Família
CS:	Codi de successions per causa de mort
D:	Decret
DOGC:	Diari Oficial de la Generalitat de Catalunya
EAC:	Estatut d'Autonomia de Catalunya
LAR:	Llei d'arrendaments rústics
LAU:	Llei d'arrendaments urbans.
LCon:	Llei Concursal
LEC:	Llei d'Enjudiciament civil
LFP:	Llei de Fundacions privades
LH:	Llei Hipotecària
LOPJ:	Llei Orgànica del Poder judicial
LU:	Llei d'Urbanisme de Catalunya
RD:	Reial Decret
RDGRN:	Resolució de la Direcció General dels Registres i del Notariat
RDGEJD:	Resolució de la Direcció General d'Entitats jurídiques i Dret
RH:	Reglament Hipotecari
STC/SSTC:	Sentència/sentències del Tribunal Constitucional
STS/SSTS:	Sentència/sentències del Tribunal Suprem
STSJC/SSTSJC:	Sentència/sentències del Tribunal Superior de Justícia de Catalunya
TC:	Tribunal Constitucional
TEDH:	Tribunal Europeu de Drets Humans
TS:	Tribunal Suprem
TSJC:	Tribunal Superior de Justícia de Catalunya

Llista de títols de revista abreujats

ADC: Anuario de Derecho civil
CCJC: Cuadernos Civitas de Jurisprudencia Civil
LCB: La Llei de Catalunya i Balears
RDN: Revista de Dret Notarial
RDP: Revista de Derecho Privado
RCDI: Revista Crítica de Derecho Inmobiliario
RJC: Revista Jurídica de Catalunya

Bibliografia general

En els diferents capítols d'aquesta obra es troben referències a obres generals sobre Drets reals, que no estan recollides en la bibliografia específica que figura al final de cada capítol. Per una millor informació del lector, la ressenyem a continuació.

ALBALADEJO GARCIA, M. *Derecho civil. Derecho de bienes.* 10ª edición. EDISOFER, Barcelona, 2004.

BADOSA COLL, F. (Director). MARSAL GUILLAMET, J. (coordinador). *Manual de Dret civil català.* Marcial Pons. Madrid, Barcelona, 2003.

DIEZ PICAZO, Luís. *Fundamentos de Derecho civil patrimonial.* III. 4ª edición. Editorial Civitas, Madrid, 1995.

DIEZ PICAZO, L.-GULLON BALLESTEROS, A. *Sistema de Dereceho civil,* T. III, 7ª edición, Editorial Tecnos, Madrid, 2001.

EGEA, J.-FERRER, J. *Codi civil de Catalunya i legislació complementària amb notes de concordança i jurisprudècia.* 13ª edició. EUB, Barcelona, 2007.

LACRUZ BERDEJO et alii. *Elementos de Derecho Civil. III Derechos reales.* Tomo II, a cargo de A. Luna. 2ª edición. Dykinson, Madrid, 2003.

MONTES PENADES *et alii, Derecho civil. Derechos reales y Derecho inmobiliario registral.* València, 200º.

PEÑA BERNALDO DE QUIRÓS, M. *Derechos reales. Derecho hipotecario.* 4ª edición. Centro de Estudios Registrales. Madrid, 2001.

PUIG BRUTAU, José. *Fundamentos de Derecho civil.* T. III, 4ª edición. Bosch, Barcelona, 1988.

Capítol I
Introducció als drets reals

1. NORMATIVA VIGENT A CATALUNYA

Es troba en el llibre cinquè del Codi civil de Catalunya, Llei 5/2006, de 10 de maig, aprovada pel Parlament de Catalunya en exercici de les seves competències sobre conservació, modificació i desenvolupament del dret civil català segons l'article 129 EAC. L'apartat II del seu preàmbul posa de manifest que aporta una regulació nova d'institucions fonamentals del dret de coses que, d'altra banda, refon i modifica parcialment la legislació aprovada pel Parlament sobre la matèria i hi dóna unitat interna.

En aquest volum es fa una exposició dels drets reals, que constitueixen una de les anomenades parts especials del dret civil des de la perspectiva del dret privat, que s'organitza segons el model que resulta de l'article 33.1 CE, en el qual es reconeix el dret a la propietat privada i a l'herència; amb la conseqüència doncs que l'ordenament jurídic espanyol es fonamenta en el reconeixement de la propietat privada com un instrument al servei de la dignitat de la persona segons l'article 10 del mateix text constitucional, amb efectes fins i tot després de la mort del titular del dret real, com resulta del mateix article 33.1 esmentat, que de forma explícita reconeix el dret a l'herència en interès dels particulars. Sembla prou clar que l'estudi de la problemàtica jurídica entorn els drets reals des de la perspectiva del dret privat implica donar una visió parcial de la seva problemàtica, inconvenient que en part supera el mateix llibre cinquè, ja com constata l'apartat II del seu preàmbul "quan és pertinent, subratlla la seva profunda imbricació amb la normativa, sovint qualificada d'administrativa, que configura la propietat moderna, tan imbuïda de la seva funció social, com és el cas de les normes urbanístiques o d'habitatge, agràries, forestals o medioambientals, i del patrimoni cultural.

2. EL DRET REAL

I. Concepte

Com s'apuntava fa uns moments, s'exposa en aquest volum la part del dret civil que regula la matèria que en termes jurídics s'anomena drets reals, dret de coses o dret de béns, que és aquella part del dret civil que regula les qüestions que fan referència a la utilització i a les facultats jurídiques que l'ordenament jurídic confereix a la persona sobre béns econòmics, amb exclusió de les altres persones.

Presenta dificultats notables fixar el concepte de dret real, tan a nivell legislatiu com doctrinal, perquè es tracta d'una categoria jurídica mancada d'uns precedents clars, encara que ja en el dret romà es troba l'expressió *ius in re* que fa referència —amb un caràcter molt general— al dret que correspon a la persona sobre una cosa. Amb tot existeix un consens que l'origen remot de la categoria jurídica que anomenem dret real té el seu origen en la distinció que estableix el dret romà entre l'anomenada *actio in rem* i l'*actio in personam*, ja que segons la Instituta 4,6,1 totes les accions que es poden exercitar en les causes entre particulars presenten dues modalitats; es parla d'acció personal quan s'exercita en base a un contracte o un delicte, que imposa a l'obligat lliurar una cosa o prestar un servei o una activitat determinada, mentre que escau l'exercici d'una acció real quan el defenent no ha assumit una obligació envers l'agent que planteja el litigi respecte a una cosa que posseeix com a seva quan la titularitat no correspon a ell. Aquesta contraposició inicial entre *actio in personam* amb referència a les relacions obligatòries i l'*actio in rem* en relació únicament amb el dret de propietat, encara que després es va fer extensiva a les controvèrsies judicials respecte a la titularitat de determinats drets sobre la cosa (per exemple drets d'usdefruit, servitud o superfície), va portar a establir que l'*actio in personam* és la que es pot exercir enfront a una persona determinada o contra els seus hereus, mentre que l'*actio in rem* és la que es pot exercitar enfront una persona que es determina en base el fet de trobar-se en una situació determinada respecte a la cosa que l'agent reclama com a seva (BIONDI).

Arribats a aquest punt s'imposa precisar que la distinció apuntada entre l'*actio in personam* i l'*actio in rem*, de caràcter essencialment processal com s'ha vist, s'arriba a convertir en una distinció de tipus substantiu, que permet delimitar jurídicament la categoria del dret real o *ius in re* en contraposició amb el dret personal. El trànsit de *l'actio in rem* a un *ius in re* té el seu origen en la doctrina dels glossadors sobre els texts romans, que els porta a l'assimilació de *l'actio* al *ius* a partir de la consideració que tan el dret com l'acció deriven de la mateixa font, amb la conseqüència que el titular del dret és a la vegada titular de l'acció que el protegeix, d'on se'n deriva que si existeix una *actio in rem* ha d'existir també un *ius in re*, ja que tan el dret com l'acció es caracteritzen per la possibilitat que el dret es pugui exercitar sempre i davant qualsevol situació en què es pugui trobar la cosa, argumentació que porta a conceptuar el dret real com un dret que recau directament sobre la cosa (FAIREN).

II. La distinció entre el dret real i el dret personal

Es tracta d'una distinció essencialment controvertida, respecte a la qual es fan únicament unes acotacions sense aprofundir en el problema. D'acord amb el que s'ha precisat a l'apartat anterior, resulta que el dret personal o de crèdit es fonamenta en una relació jurídica que s'estableix entre persones concretes i determinades, que s'identifiquen com a part creditora i part deutora, i com que segons la tesi més admesa la relació jurídica és sempre una relació entre dues o més persones, això determina que no es pugui configurar jurídicament el dret real com el poder directe del titular sobre un bé, perquè això suposaria establir una relació jurídica entre la persona i un objecte, incompatible amb el caràcter intersubjectiu de la relació jurídica. Cal afegir ara que aquesta objecció no desmenteix la configuració del dret real com un poder directe i immediat del seu titular sobre un bé, ja que aquesta relació es pot qualificar de relació d'utilitat, que té la seva transcendència jurídica, perquè es tradueix en el fet que el bé proporciona al titular del dret totes o algunes de les utilitats que se'n poden derivar (BETTI). Sense oblidar que aquesta relació d'utilitat —amb transcendència jurídica— es pot convertir en una veritable relació jurídica quan un tercer entre en contacte amb el bé, ja que d'aquest contacte se'n pot derivar un conflicte d'interessos amb el titular del bé, que originarà una relació jurídica entre els afectats.

Sense necessitat de tractar amb més deteniment el problema, creiem es pot concloure que existeix una diferència significativa entre el dret real i el dret personal, que es centra en el fet que el dret real permet al titular satisfer el seu interès sobre el bé objecte del seu dret, mentre que l'objecte del dret personal o de crèdit és força més ampli, ja que es concreta en la conducta que ha de realitzar el deutor per tal de satisfer un interès del creditor, conducta que es pot traduir en el lliurament d'una cosa, en la realització d'una determinada activitat o en l'obtenció d'un resultat o, també, per la via d'imposar al deutor una omissió. Una segona consideració que cal fer és que la relació obligatòria s'estableix entre persones concretes i determinades, circumstància que no concorre en els drets reals, que poden originar una relació jurídica entre el seu titular i qualsevol tercer —inicialment indeterminat— que en un moment posterior estableix una connexió determinada amb el bé objecte del dret real que pot originar un conflicte d'interessos amb el seu titular. I amb la precisió final que la distinció entre el dret real i e dret de crèdit no ha de portar a establir una diferència radical entre ambdues categories jurídiques; ja que si es prescindeix de la distinció extrema que sens dubte existeix entre el dret de propietat i el dret de crèdit en diners, entre aquests dos extrems es troben diferents tipus de drets reals i obligacionals que presenten característiques comunes i també diferencials. Criteris que imposen determinar la seva adscripció a una categoria o altra perquè així ho exigeix la naturalesa de les coses i, també, perquè facilita l'exposició de la matèria, tota vegada que permet perfilar les característiques pròpies del dret real i del dret de crèdit (ROCA SASTRE).

III. Característiques dels drets reals

Pressuposada la conveniència de mantenir la distinció entre drets reals i drets personals o de crèdit com a modalitats que s'inclouen en la categoria més general dels drets patrimonials, sembla oportú fer ara unes precisions per tal de fixar les característiques que delimiten el dret real. Inicialment l'hem de configurar com un dret que correspon a la persona sobre un bé. Una definició més explícita configura el dret real o *ius in re* com el dret que atribueix al seu titular un poder directe i immediat sobre la cosa, que pot exercitar sense intervenció d'una prestació debitòria i que imposa a tots un deure general de respecte, en el sentit que ha de ser respectat per tothom i, en conseqüència, ha de ser protegit davant qualsevol tercer (GORDILLO CAÑAS). Interessa fer ara unes breus consideracions sobre les característiques de la immediativitat i l'absolutivitat.

Quan es diu que el dret real atribueix un poder immediat o directe sobre un bé, que pot exercitar el seu titular sense la cooperació de cap més persona, amb això es pressuposa que el dret real origina un contacte directe entre el bé i el titular del dret, circumstància que concorre certament en la majoria dels drets reals, com resulta respecte el dret de propietat de l'article 541-1, de l'article 561-2 respecte el dret d'usdefruit o dels articles 569-12 i 569-13 pel dret de penyora; però aquesta característica no concorre en el dret real d'hipoteca, segons resulta dels articles 1875 i 1876 CC i dels articles 104 i 145 LH ni en els drets reals d'adquisició, ja que de l'article 568-1 en resulta que el seu contingut essencial es tradueix en una limitació de les facultats dispositives del propietari del bé. En canvi s'observa que determinats drets personals o de crèdit atribueixen al seu titular un poder directe i immediat sobre un bé, com succeeix per exemple en el contracte d'arrendament segons l'article 1554,1r CC. Amb aquestes consideracions es vol posar en relleu que la immediatesa en sentit físic o material no origina en tots el casos l'existència d'un dret real; amb la conseqüència doncs que si es vol mantenir la immediatesa com una de les característiques pròpies dels drets reals, s'ha d'entendre en el sentit que entre el titular i el bé existeix una connexió o inherència permanent, perquè la destrucció del bé determina l'extinció del dret real, de la mateixa manera que la transmissió del bé determina que l'adquirent ha de respectar el dret real creat amb anterioritat a la transmissió en aplicació de la regla *res transit cum onore suo,* que no s'aplica en els casos de drets personals, com resulta per exemple de l'article 1571 CC pels casos de venda de finca arrendada.

Pel que fa referència a l'absolutivitat, cal recordar que el principi de relativitat de les relacions obligatòries *ex* article 1257 CC és compatible amb el fet que també els drets personals imposen a qualsevol tercer de respectar el dret del creditor en aplicació del conegut principi general de dret *alterum non laedere* (segons el Digest 1,1,10-1), que des d'aquesta perspectiva no permet establir una diferència radical entre els drets reals i els drets personals. Que en canvi apareix com a més significativa si es relaciona amb la característica de la immediatesa o inherència del dret real sobre el bé, que comporta a la vegada que el titular del dret real pugui fer efectiu *erga omnes* i, per tant, excloure o oposar el seu dret a qualsevol tercer que pertorbi la seva posició jurídica o que adquireixi el bé sense la seva voluntat, fet que suposa configurar l'absolutivitat del dret real com la possibilitat que s'ha de reconèixer al seu titular de perseguir el bé allà on es trobi i davant qualsevol tercer, amb les limitacions que a vegades estableix la llei per tal de protegir la seguretat del tràfec jurídic. O si es vol expressar de manera més sintètica, la immediatesa o inherència que caracteritza el dret real determina que sigui objecte de protecció davant de qualsevol tercer que pertorbi el dret, protecció que des d'aquesta perspectiva es pot qualificar d'absoluta.

IV. Situacions dubtoses

La impossibilitat d'establir distincions excessivament radicals entre els drets reals i els drets personals o de crèdit determina que a vegades apareguin —o hagin aparegut— institucions difícils d'encaixar en una o altra categoria dels drets patrimonials. Esmentem breument les següents:

A) *L'ANOMENAT IUS AD REM*

Si prescindim de precedents remots intranscendents pel dret actual, la manifestació més significativa del *ius ad rem* apareix en el segle XVIII amb la finalitat de donar una resposta a la posició jurídica del creditor quan la relació obligatòria imposava al deutor lliurar una cosa certa i determinada al creditor. Ja que en aquest supòsit es pensava en l'oportunitat d'atribuir al creditor la titularitat d'un *ius ad rem* sobre el bé, respecte al qual el deutor ostentava encara el dret de propietat; compatible amb l'atribució al creditor d'un dret real sobre el mateix bé, amb la particularitat de tractar-se d'un dret real d'eficàcia relativa, ja que no es podia oposar *erga omnes,* sinó únicament enfront d'un nombre determinat de persones, com eren el deutor, els seus hereus i els tercers que havien adquirit de mala fe (MARTÍNEZ-CARDOS RUIZ). Un intent més modern de donar vida al *ius ad rem* com a situació intermèdia entre el dret real i el dret personal es concreta respecte a les anotacions preventives que es poden practicar en el Registre de la Propietat a l'empara dels articles 42 i 69 LH; tesi a la qual s'ha objectat que amb independència de la configuració jurídica que es vulgui donar al *ius ad rem*, en qualsevol cas no es pot dir que les anotacions preventives emparin situacions de vocació al dret real, ja que en casos determinats es pot anotar preventivament en el Registre de la Propietat un dret real que ja existeix, mentre que en altres casos l'anotació preventiva no es refereix a un dret real ni a una suposada vocació a un dret real (DIEZ-PICAZO). De la mateixa manera que no sembla oportú invocar la categoria jurídica del *ius ad rem* per atribuir el dret de propietat de la cosa al primer comprador en els casos de doble venda segons l'article 1473 CC, ja que la preferència del primer comprador que no ha rebut la possessió del bé objecte de la compravenda en detriment del segon comprador de mala fe, al qual s'ha lliurat la possessió del bé, es fonamenta en el criteri adoptat pel legislador de solucionar aquest conflicte d'interessos d'acord amb el principi de la bona fe que informa tot l'ordenament jurídic segons l'article 111-7.

En resum hem d'entendre que les preteses versions actuals del *ius ad rem* no aboquen a una situació intermèdia entre el dret real i el dret personal o de crèdit, sinó que s'han d'incloure dins la categoria dels drets personals, encara que tenen com a particularitat que s'adrecen a l'obtenció d'una titularitat real sobre un bé concret. Tesi que d'alguna manera avala la STS de 20 de febrer de 1995 que després de fer una referència a la categoria jurídica del *ius ad rem*, conclou que es tracta d'un dret personal adreçat al lliurament d'un bé, amb la conseqüència que amb anterioritat al lliurament el creditor no té la condició de propietari i per tan està mancat de legitimació per a l'exercici d'una demanda de terceria de domini.

B) LES OBLIGACIONS PROPTER REM

Com a categoria intermèdia entre els drets reals i els drets personals o de crèdit s'esmenten també les obligacions *propter rem*, que es caracteritzen per les notes següents: *i)* aquest tipus d'obligacions imposen al deutor realitzar una prestació normalment de caràcter positiu; *ii)* característica fonamental d'aquesta obligació és la seva ambulatorietat, en el sentit que la persona del deutor no es determina segons les seves circumstàncies personals sinó *per relationem* a una cosa, que no implica indeterminació de la persona del deutor sinó la seva determinació pel fet de trobar-se en una posició jurídica respecte a la cosa i, a la vegada, que la transmissió de la cosa sobre la qual recau el dret real, implica transmissió de l'obligació sense necessitat de comptar amb l'assentiment del creditor i que el transmitent s'alliberi del vincle obligatori i el deute l'assumeixi l'adquirent; i *iii)* i finalment les obligacions *propter rem* es caracteritzen per la seva accessorietat respecte al dret real que les acompanya, ja que l'extinció del dret real determina l'extinció de l'obligació *propter rem*, de la mateixa manera que la transmissió del dret real comporta la transmissió de l'obligació *propter rem* (HERNANDEZ GIL).

De les característiques esmentades resulta que les obligacions *propter rem* presenten com a tret identificador la possibilitat que la persona del deutor es determini de forma indirecta o *per relationem*, perquè es tracta de situacions que es produeixen en relació amb una cosa, circumstància que tal vegada explica que s'anomenin en ocasions —encara que amb una oportunitat discutible— obligacions reals. En tot cas resta clar que les obligacions *propter rem* s'adscriuen a la categoria dels drets personals o de crèdit ja que no impliquen càrrega ni gravamen sobre la cosa, perquè la titularitat sobre la cosa compleix únicament la funció d'individualitzar la persona del deutor. Una manifestació actual de les obligacions *propter rem* es troba en el règim de la propietat horitzontal, perquè l'obligació de contribuir a les despeses comunitàries s'assumeix des de l'adquisició d'un element privatiu de l'edifici; vegeu en aquest sentit l'article 553-5 que regula el supòsit com un cas d'afectació real.

C) DRETS REALS IN FACIENDO

Com s'ha posat en relleu en apartats anteriors, el dret real imposa a qualsevol persona que entra en contacte amb la cosa el deure de respectar la situació de poder que el dret real atribueix al seu titular, mentre que el dret personal o de crèdit imposa per regla general el deure de realitzar una conducta positiva amb la finalitat de satisfer l'interès del creditor (vegeu l'article 1088 CC). D'aquesta asseveració se'n deriva que el dret real no pot imposar una conducta positiva o *in faciendo*, afirmació que es considera vàlida amb caràcter general, amb l'excepció de l'anomenada *servitus oneris ferendi*, que segons el Digest 8,5,6-2 permet que el contingut de la servitud es concreti en la facultat de donar suport a la construcció d'un edifici, paret o columna i que el propietari del predi gravat amb aquesta servitud assumeix l'obligació de reparar la paret per tal que el titular del dret real de servitud pugui mantenir el seu dret de recolzar la construcció.

Aquest precedent no justifica l'existència de la categoria jurídica dels drets reals *in faciendo*. Si ens atenem al dret vigent, cal esmentar que l'article 566-1.1 preveu com a contingut possible del dret real de servitud fer un ús determinat de la finca que té la condició de predi servent o en la reducció de les facultats dominicals del titular de la finca servent, però no imposar al titular d'aquest predi una conducta activa. Cert que l'article 566-6.2 preveu la possibilitat que els titulars del predi servent hagin de contribuir en casos determinats i de forma proporcional al sosteniment i conservació de la servitud, però del precepte no se'n deriva que ens trobem aquí davant d'un dret real *in faciendo*, perquè es tracta d'una relació jurídica accessòria de la relació jurídica que ha originat el dret real de servitud, que no pot anar més enllà d'aquesta, en la qual el *facere* a càrrec del titular del predi servent no forma part de la servitud, sinó que compleix la funció purament instrumental de fer possible i permanent l'exercici de la servitud (BIONDI).

V. Classes de drets reals

En aquest apartat es fa una enumeració i classificació dels drets reals que admet el dret civil català actual, és a dir, els drets reals que tenen una normativa específica segons el nostre dret.

Aquest intent presenta una dificultat inicial amb referència a la possessió, ja que si ens atenem las precedents romans la possessió es qualifica a vegades com un fet —en paraules del jurista PAULUS *possessio est rei facti, non iuris*—, mentre que segons el Digest 41,2,49-1 la possessió es qualifica de dret perquè *non tantum corporis, sed iuris est*. En qualsevol cas es tracta d'un fet que té transcendència jurídica, perquè atribueix al posseïdor un conjunt de facultats emparades per la llei. A partir d'aquesta consideració es pot concloure que la possessió confereix al titular un poder de fet sobre la cosa semblant al que es deriva d'un dret real i, també, que confereix al posseïdor unes accions enfront el tercer que pertorba la seva situació possessòria, que des d'aquesta perspectiva permeten configurar la possessió com un dret real. Amb la precisió que es tracta en tot cas d'un dret real que s'ha de qualificar de provisional, perquè el dret del posseïdor o *ius possessionis* preval inicialment en els procediments possessoris fins i tot davant del dret de propietat, és a dir, mentre no es decideixi en el judici declaratiu que correspongui a qui s'ha d'atribuir definitivament el *ius possidendi* (PEÑA BERNALDO DE QUIROS). En tot cas ara sols cal constatar que l'article 521-1.1 configura la possessió com el poder de fet sobre una cosa o un dret, exercit per una persona com a titular (sobre el sentit d'aquesta expressió vegeu *infra*, capítol II,1).

En contraposició a la possessió qualificada com a dret real provisional o com un poder de fet amb transcendència jurídica existeix la categoria més definida dels drets reals definitius, respecte a la qual s'estableix la distinció entre el dret de propietat anomenat dret real ple o absolut i la categoria més heterogènia dels drets reals limitats. El dret de propietat es qualifica de ple perquè és a la vegada absolut i excloent, ja que atribueix al seu titular totes les facultats que es poden exercir sobre els béns, encara que en els temps actuals les facultats del propietari tenen un abast més limitat com a conseqüència de la funció social inherent a la propietat privada (article 541-2). El caràcter absolut i excloent que hem atribuït al dret de propietat és de totes formes compatible amb la possibilitat d'atribuir la seva titularitat de forma simultània a una pluralitat de persones, fet que origina les anomenades situacions de comunitat en les seves modalitats de comunitat ordinària, propietat horitzontal, comunitat especial per torns i de comunitat especial per raó de mitgeria.

El caràcter absolut o ple que hem atribuït al dret de propietat és compatible amb el fet que el dret de propietat que recau sobre un bé es vegi limitat per l'existència d'un gravamen que recau sobre el mateix bé que, per tant, limita en part les facultats normals del propietari. D'aquesta manera apareixen al costat del dret de propietat els anomenats drets reals limitats, que en l'aspecte positiu atribueixen al seu titular unes facultats sobre béns de propietat aliena, mentre que en l'aspecte negatiu restringeixen o comprimeixen les facultats normals del propietari en el cas concret. D'aquí se'n deriva també que la categoria jurídica dels drets reals limitats pressuposa una confluència en el temps i sobre un mateix bé del dret de propietat i un o més drets reals limitats, que es classifiquen en la forma següent:

- Els drets reals de gaudiment que faculten el seu titular per utilitzar o gaudir en tot o en part les coses de titularitat aliena, que presenten com a modalitats més significatives el dret d'usdefruit, els drets d'ús i d'habitació, els drets d'aprofitament parcial, el dret de superfície, els drets de cens, les servituds i el dret de vol.

- Els drets reals d'adquisició preferent que limiten les facultats de lliure disposició del propietari, en el sentit que el titular d'un dret real d'adquisició preferent pot adquirir un bé determinat amb preferència a qualsevol altra persona. Aquesta modalitat dels drets reals limitats es regula en el títol VI, capítol VII en les seves modalitats dels drets voluntaris d'opció, tanteig i retracte i en la dels retractes legals de confrontants i de torneria.

- I com a darrera categoria cal esmentar els drets reals de garantia, que són aquells drets accessoris que es constitueixen amb la finalitat d'assegurar el compliment d'una obligació i que impliquen, a la vegada, atribuir al seu titular la facultat de disposar del bé gravat sense la voluntat del seu propietari per tal de fer efectiu el deute garantit. El Codi civil de Catalunya regula com a drets reals de garantia el dret de retenció, la penyora, l'anticresi i determinades modalitats de la hipoteca.

VI. Autonomia privada i drets reals

Qüestió molt i tal vegada excessivament controvertida és si sols poden qualificar-se de drets reals els que admet i regula la llei, que aboca a la tesi del *numerus clausus* de drets reals, o si s'ha de considerar que l'ordenament jurídic permet que els particulars, a l'empara del principi d'autonomia privada puguin crear drets reals diferents dels que preveu la llei, fet que suposa admetre la teoria del *numerus appertus* de drets reals, amb la possibilitat subsegüent de crear drets reals atípics.

A nivell legislatiu la teoria del *numerus appertus* té una fonamentació seriosa, com resulta de l'article 2,2n LH, que permet s'inscriguin en el Registre de la Propietat els drets reals innominats que modifiquen de present o en el futur qualsevol de les facultats inherents al dret de propietat o als drets reals immobiliaris. I és precisament en base a aquests preceptes que existeix un corrent doctrinal que amb més o menys convicció admet la possibilitat de crear drets reals atípics; criteri que segueixen també les RDGRN de 20 de setembre de 1966, 14 de maig de 1984 i 4 de maig de 1993. Un argument favorable a la tesi del *numerus appertus* es pot derivar també de l'article 545-4.2, que atorga un marge ampli a l'autonomia de la voluntat a l'hora d'establir les limitacions voluntàries que constitueixen els drets reals limitats.

A nivell doctrinal s'oposa que la relació d'utilitat que s'estableix entre la persona i el bé, com a característica dels drets reals, s'estableix en base a un interès general —en contraposició a la relativitat que presideix les relacions contractuals (article 1257 CC)—, que no es pot deixar a l'arbitri dels particulars (BIONDI); la possibilitat d'oposar el dret real a qualsevol tercer requereix un suport legal i, també, que l'obligació de qualsevol tercer de respectar una titularitat real exigeix una determinada publicitat respecte a la seva creació i transmissió per tal que tinguin efectivitat, que no és oportú deixar a mans de l'autonomia privada. Es tracta sens dubte d'objeccions serioses, a les quals no s'ha de donar un abast excessivament general, ja que la teoria del *numerus appertus* no ha d'implicar que els particulars puguin atribuir la condició de dret real a qualsevol pacte que hagin convingut a l'empara de l'article 1255 CC, ja que el pacte hauria de reunir almenys les requisits que delimiten la categoria jurídica del dret real. I es pot afegir encara que aquestes precisions doctrinals s'han de contrastar amb la realitat jurídica, econòmica i social dels nostres temps, que d'alguna forma donen suport a la teoria del *numerus appertus* en matèria de drets reals. Ja que com posa en relleu la doctrina, en l'àmbit d'aquesta part del dret civil existeix una llei de variabilitat històrica que estableix una correlació entre la tipificació dels drets reals amb les finalitats d'ordre econòmic i social que es volen assolir i amb les línies fonamentals de l'argumentació social i de la política jurídica (DIEZ-PICAZO). I des d'una perspectiva semblant s'addueix que cal admetre l'autonomia privada en matèria de drets reals, amb la finalitat de donar una resposta als interessos econòmics dels particulars en les seves relacions patrimonials, que justificarà la creació d'un dret real atípic sempre que serveixi per a satisfer una funció econòmica, social i jurídica amb criteris d'efectivitat i rendabilitat, que en darrer terme justifiquen el seu reconeixement i existència en el tràfec jurídic (ROMAN GARCIA).

Esmentem, finalment, que no s'ha de confondre la possibilitat de crear drets reals atípics amb la possibilitat de delimitar el conjunt de poders, drets, facultats, deures i obligacions que els drets reals de creació voluntària confereixen al seu titular. A aquest darrer aspecte es refereix l'apartat II del preàmbul del Llibre cinquè del Codi civil de Catalunya quan precisa que: "Aquest codi parteix dels principis bàsics de llibertat civil, que es manifesta deixant a l'autonomia de la voluntat un camp molt ampli d'actuació en la constitució i en la configuració dels drets reals limitats i de les situacions de comunitat, en la limitació dels drets de tanteig i de retracte legals als casos indispensables i en l'establiment d'una regulació dels drets reals limitats que gairebé sempre és subsidiària del pacte entre les parts".

3. LA RELACIÓ JURÍDICA REAL

Encara que el dret real comporta essencialment una relació d'utilitat entre un bé i el titular del dret, també els drets reals determinen el naixement d'una relació jurídica entre persones determinades amb referència al bé, sotmesa en general al règim de les relacions jurídiques (MONTÉS PENADÉS). Aquesta relació jurídica es dóna a vegades entre persones determinades —per exemple entre el titular de la finca predi dominant i el titular del predi servent—, i altres vegades entre persones inicialment indeterminades, però que en un moment posterior poden tenir un conflicte d'interessos amb el propietari. Des d'aquesta perspectiva interessa fer les consideracions següents:

I. Subjectes

La possibilitat d'esdevenir titular d'un dret real és una qüestió que afecta a la capacitat jurídica, que porta a l'afirmació que qual-sevol persona pot ésser titular de drets reals segons l'article 14 CE, amb independència de quina sigui la seva capacitat d'obrar, que en tot cas afectarà la possibilitat d'adquirir o no per determinat títol un dret real. També poden ésser titulars de drets reals les persones jurídiques, amb independència que tinguin la condició de persones jurídiques públiques, com per exemple la Generalitat de Catalunya segons l'article 137 CE i l'article 1 EAC, o privades, com resulta de l'article 38 CC i, de forma més concreta, de l'article 17.1 LA i de l'article 6.1 LF. Dels articles 13 i 33 CE en resulta que poden ésser titulars de drets reals les persones naturals i jurídiques espanyoles i estrangeres. Encara que aquesta equipa-ració es considera compatible amb les restriccions que estableixen determinades normes estatals pels estrangers, que recauen sobre parts del territori en base a la protecció de la defensa nacional.

Si una pluralitat de persones són titulars simultàniament d'un dret real, s'origina la situació de comunitat, que es regula en el llibre cinquè del Codi civil de Catalunya sota la rúbrica "De les situacions de comunitat"; que segons l'article 551.1 té lloc quan dues o més persones comparteixen de forma conjunta i concurrent la titularitat de la propietat o d'un altre dret real sobre un mateix bé o un mateix patrimoni.

II. Objecte: bé en sentit jurídic

A) CONCEPTE

S'ha esmentat abans que la part del dret civil que ara ens ocupa, és a dir els drets reals, s'anomena també dret de coses o dret de béns, expressions que de forma immediata posen de manifest que l'objecte fonamental dels drets reals són les coses o els béns del món exterior, que imposa per tant establir el concepte jurídica de cosa i de bé. Si ens atenem a l'article 333 CC, s'observa que el legislador estatal empra com a sinònimes les expressions cosa i bé, encara que a nivell doctrinal es discuteix aquesta sinonímia; mentre que el legislador català les contempla com a categories diferents ja que considera les coses com una sotscategoria, juntament amb els drets patrimonials, que s'inclouen en la categoria més general dels béns, segons resulta de l'article 511-1.1 on es preveu que "Es consideren béns les coses i els drets patrimonials".

Amb la finalitat de determinar el concepte jurídic de bé sembla convenient fer una referència a la categoria del dret, que en un sentit també molt general es defineix com el poder que l'ordenament jurídic atribueix a la persona amb la finalitat de satisfer un interès que mereix ésser protegit. D'aquesta definició en resulta que l'objecte del dret subjectiu presenta moltes varietats segons es projecte sobre una relació jurídica o una altra. En aquest punt interessa posar en relleu que l'article 511-1 atribueix la condició de béns a les coses i als drets patrimonials, precepte que des d'un primer moment serveix per excloure de la categoria dels béns, almenys en el sentit del llibre cinquè del Codi civil de Catalunya que regula els drets reals: *i)* els drets de la personalitat, anomenats a vegades béns de la personalitat, atès que la seva finalitat no és altra que protegir la dignitat de la persona (vegeu en aquest sentit l'article 10 CE); *ii)* els drets o les potestats familiars que s'atribueixen a determinades persones amb la finalitat de protegir els interessos de les persones mancades de capacitat d'obrar; i *iii)* els drets de crèdit que imposen al deutor el deure de realitzar una prestació determinada, que es pot traduir en el lliurament d'un bé, en una activitat o en una omissió (vegeu l'article 1088 CC), però que fins i tot en el supòsit d'imposar al deutor l'obligació de lliurar un bé determinat, el bé no és objecte de la relació jurídica sinó en tot cas objecte indirecte i, des d'aquesta perspectiva, objecte directe de la prestació. D'aquesta enumeració en resulta que el concepte de bé, considerat com objecte de la relació jurídica real, es refereix a una entitat exterior a la persona que existeix en el temps i en l'espai (LACRUZ). Aquest objecte pot ésser una entitat material, que origina el concepte de cosa en el sentit de l'article 511-1, és a dir un objecte corporal susceptible d'ocupació, o una entitat immaterial que permet considerar com a bé, als efectes del llibre cinquè del Codi civil de Catalunya, els drets patrimonials segons el mateix precepte.

Respecte al concepte jurídic de cosa l'article 511-1.2 exigeix en primer lloc que sigui un objecte corporal sobre el qual el titular del dret exercita un poder determinat. Aquesta característica ens porta a recordar la distinció entre les anomenades coses corporals i les incorporals (o drets), que segons la tradició romanista es centra en el fet que les coses corporals són aquelles coses *quae tangi possunt* (segons el Digest 1,8,1-1), expressió que en el context actual hem de fer extensiva a les entitats que es poden percebre per qualsevol dels sentits humans, amb independència que es tracti d'entitats que es trobin en estat sòlid, líquid o gasós; i amb independència també que es tracti de coses individuals o d'una agregació de coses corporals, ja que si bé és cert l'agregació sols es pot percebre per mitjà de la intel·ligència, per raons pràctiques té la consideració de cosa corporal (BIONDI).

Segons el mateix article 511-1.2 el concepte jurídic de bé es projecta sobre les coses corporals sempre que tinguin la condició d'ésser "susceptibles d'apropiació". A l'hora de fixar el sentit d'aquesta expressió és oportú recordar que ens trobem aquí davant d'una modalitat del concepte més general de bé, que en sentit etimològic es projecta sobre aquelles entitats que proporcionen un benestar o un avantatge al seu titular en l'esfera de les seves relacions socials (segons el Digest 50,16,49). En aquest sentit s'inclouen en el concepte jurídic de bé les coses futures que quan arribin a existir siguin susceptibles d'apropiació, perquè poden prestar una utilitat que presenta un valor susceptible d'ésser protegit segons les concepcions socials vigents, com resulta per exemple de l'article 566-2.3 que permet constituir un dret real de servitud que constitueixi una utilitat futura o, també, el dret de vol que permet construir en el futur sobre un edifici o solar edificable (article 567-1). Com també s'inclouen en el concepte jurídic de coses les que ja existeixen, però que en el moment actual estan mancades de titularitat —les anomenades tradicionalment *res nullius*—, sempre que en un moment posterior puguin ésser objecte d'apropiació, com resulta de l'article 542-20,a) que permet adquirir el dret de propietat per ocupació respecte a les coses corporals abandonades mitjançant la seva apropiació per mitjà d'un acte material. Mentre que resten al marge del concepte jurídic de cosa aquelles entitats materials o corporals que si bé és cert proporcionen una utilitat evident a totes les persones en general, aquesta utilitat general les converteix en coses no apropiables per determinades persones, com succeeix en relació amb les anomenades tradicionalment *res communes omnium* (l'aire, l'aigua corrent o el mar), o aquelles entitats materials a les quals no arriba el poder de dominació de la persona, que des d'aquesta perspectiva no són susceptibles d'apropiació, difícils de delimitar amb seguretat en els temps actuals com a conseqüència dels espectaculars progressos tècnics que vivim.

L'article 511-1.2, encara que no amb caràcter absolut, atribueix també la condició de cosa a les energies, però únicament en la mesura que ho permeti la seva naturalesa. La configuració jurídica de l'energia com a cosa no presenta problemes en relació amb la característica de l'apropiabilitat en el sentit que hem exposat, ja que l'energia elèctrica, hidràulica, genètica o altres semblants proporcionen utilitats o avantatges al seu titular. Més dubtós és atribuir a l'energia el caràcter de la corporeïtat, que tal vegada seria més correcte qualificar-la de bé immaterial ja que no és perceptible pels nostres sentits, encara que sí ho són els mitjans de transmissió de l'energia (BIONDI).

En termes absoluts no tenen la consideració jurídica de coses els animals, ja que segons l'article 511-1.3 "Els animals, que no es consideren coses, estan sota la protecció especial de les lleis. Només se'ls apliquen les regles dels béns en allò que ho permet llur naturalesa". Tradicionalment els animals s'havien inclòs en la categoria jurídica dels béns mobles corporals, i més concretament en la sotscategoria jurídica dels béns mobles que es traslladen d'un lloc a altre per ells mateixos, motiu pel qual s'identificaven sota la denominació de semovents, enfront els altres béns mobles corporals que es traslladen d'un lloc a l'altre com a conseqüència d'una activitat humana. Inicialment el precepte diu que els animals no es consideren coses, si bé el mateix precepte diu que se'ls apliquin les regles dels béns "en allò que permet llur naturalesa". Afirmacions de difícil precisió, que ens porten a pensar que el criteri del legislador és no atribuir als animals el caràcter absolut de cosa com objecte d'un dret real, però sense que això suposi atribuir-els-hi una subjectivitat encara que limitada, ja que els danys materials ocasionats a un animal seran en el seu cas objecte de sanció com a danys que experimenta una cosa i no com a danys personals (vegeu l'article 30.2, 3 i 4 de la Llei catalana 22/2003, de 4 de juliol, de protecció dels animals respecte als maltractaments i agressions físiques que sofreixin). Per altra part els animals també es consideren jurídicament coses —en el sentit d'objecte d'un dret real—, ja que es pot adquirir un dret de propietat sobre els animals caçats mitjançant l'ocupació (article 542-20). Però aquest tractament parcial que reben com a coses s'ha de relacionar amb l'article 2.2 de la mateixa Llei, que atribueix als animals la condició d'éssers vivents dotats de sensibilitat física i psíquica, i també de moviment voluntari, mereixedors d'un tracte que en procuri el benestar; i amb el seu article 11.2 quan preveu que el sacrifici dels animals s'ha de fer, en la mesura que sigui tècnicament possible, d'acord amb les condicions i els mètodes que s'estableixin via reglamentària.

En la categoria més general dels béns l'article 511-1.1 inclou, a més de les coses corporals, els drets patrimonials. El precepte recull vells precedents, ja que si bé és cert que inicialment sols s'atribuïa la condició de bé o de cosa a les corporals, a mesura que evoluciona l'organització econòmica i familiar es supera aquest sentit estricte, com posa en relleu el Digest 50,16,23 quan precisa que *rei apellatione causae, et iure continentur,* que atribueix la condició de béns a les coses i als drets, és a dir, aquelles entitats que no es poden percebre mitjançant els sentits humans sinó per mitjà de la intel.ligència; criteri que segueix també l'article 511-2, que després d'enumerar en els seus apartats a), b) i c) les coses corporals que tenen la condició de béns immobles, després el seu apartat d) atribueix la mateixa condició als drets reals que recauen sobre els immobles. De totes formes cal precisar que segons l'article 511-1.1 no tots els drets es consideren béns, ja que aquesta condició sols s'atribueix als drets que es poden qualificar de patrimonials perquè tenen com a finalitat satisfer interessos econòmics del seu titular. Hem de concloure per tant que als efectes del llibre cinquè del Codi civil de Catalunya tenen la condició de béns no sols les coses corporals susceptibles d'apropiació sinó també els drets, sempre que tinguin caràcter patrimonial.

L'article 511-1 també permet atribuir la condició de béns a les creacions objecte de normativa específica en matèria de propietat intel.lectual i industrial, que són essencialment la Llei de propietat intel.lectual aprovada pel Reial Decret Legislatiu 1/1996, de 12 d'abril, amb les modificacions introduïdes per la Llei 5/1998, de 6 de març, de protecció jurídica de les bases de dates; la Llei 11/1986, de 20 de març, de patents, la Llei 17/2001, de 7 de desembre, de marques i la Llei 16/1993, de 23 de desembre, de protecció jurídica de programes d'ordenador. D'acord amb aquesta normativa els drets de propietat intel.lectual i industrial tenen la condició de béns en la seva modalitat de drets patrimonials, perquè atribueixen un dret de propietat sobre béns incorporals, encara que es manifesten exteriorment en coses materials, ja que la creació intel.lectual o tècnica té una existència independent del mitjà material que serveix per a transmetre-la i per a fer-la perceptible a les altres persones (BIONDI). I la patrimonialitat d'aquests drets sobre béns immaterials no ofereix dubtes, ja que la seva normativa permet al seu titular l'explotació econòmica dels mateixos dins els límits que estableix la llei en cada cas concret.

B) BÉNS IMMOBLES I MOBLES

La distinció entre béns mobles i immobles procedeix del dret romà i s'ha mantingut en el decurs dels segles en base a uns criteris essencialment econòmics, que reprodueix de forma gràfica el conegut aforisme *res mobiles, res vilis* i perdura en els ordenaments jurídics actuals en base a uns criteris econòmics i jurídics que han estat objecte de crítica intranscendent, ja que la distinció s'ha mantingut i l'admet també el Codi civil de Catalunya. Jurídicament la distinció té jurídicament les seves repercussions en matèria de capacitat o legitimació per a disposar de determinats béns (vegeu els articles 151,a), 159, 212 i 217 CF i també en la matèria que ara ens ocupa dels drets reals, ja que determinats drets reals limitats sols poden recaure sobre béns immobles i altres únicament sobre béns mobles, com es veurà en el seu moment.

En base a aquestes consideracions passem a exposar breument la posició del legislador català sobre la matèria, que es concreta a l'article 511-2, que en el seu apartat 1 precisa que "Els béns, per llur naturalesa o por llur destinació, poden ésser immobles o mobles". La distinció s'estableix amb caràcter omnicompresiu, ja que es projecta sobre els béns corporals i els immaterials o drets.

a) Béns immobles

En un sentit etimològic són béns immobles els que no es poden traslladar o transportar d'un lloc a altre, si bé cal precisar que aquest concepte no s'aplica de forma estricte en l'àmbit jurídic, ja que el legislador per raons d'oportunitat considera adient ampliar la categoria jurídica dels béns immobles. De totes maneres aquesta categoria s'estableix amb caràcter taxatiu, ja que sols s'atribueix als béns que esmenta l'article 511-2 en els seus quatre apartats, tesi que confirma l'apartat 3 del mateix precepte quan precisa que tenen la consideració de béns mobles "els altres béns que les lleis no qualifiquen expressament com a immobles"; criteri restrictiu que es fonamenta en el règim especial que a vegades s'estableix en relació amb els béns immobles que d'una forma o altra postula l'exigència d'una interpretació estricta.

Segons l'article 511-2.2,a) tenen la condició de béns immobles "El sòl, les construccions i les obres permanents". Es tracta de la modalitat més clara dels anomenats béns immobles per naturalesa, respecte a la qual s'ha de precisar que: i) per sòl hem d'entendre la superfície de la terra o finca configurada com a part de la superfície terrestre tancada per una línia poligonal formada por un cos sòlid; ii) també tenen la condició de béns immobles les construccions, expressió que cal entendre en el sentit d'edificis qualsevol que sigui la seva destinació que formen una unitat amb el sòl sobre el qual s'assenten, ja sigui de forma permanent o almenys estable, amb l'exclusió subsegüents de les construccions ocasionals; i iii) les obres permanents que no suposen construcció o edificació, sinó reparació, seguretat, transformació, comoditat o ornament realitzades en un bé immoble, sempre que segons el precepte es puguin qualificar de permanents.

L'article 511-2.2,b) atribueix la condició de béns immobles a "L'aigua, els vegetals i els minerals, mentre no siguin separats o extrets del sòl". Els béns que enumera el precepte tenen també la consideració de béns immobles per llur naturalesa, en relació amb els quals interessa fer les precisions següents: i) la configuració de l'aigua com a bé immoble resulta també de l'article 66 RH, que permet constituir com a finca independent el predi que ocupen les aigües de domini privat i, encara que no s'arribi a constituir

com a finca independent, l'aigua té també la condició de part
integrant de la finca on es troba segons el Digest 43,24,11 pr.;
ii) els vegetals mentre no siguin separats del sòl tenen també la
consideració de béns immobles perquè s'incorporen necessàriament
al sòl i no poden tenir vida independent fóra del sòl (BIONDI),
amb la conseqüència de perdre la condició de béns immobles
des que es separen del sòl per qualsevol causa (segons el Digest
18,6,9); i *iii)* respecte a la condició jurídica dels minerals com a
béns immobles és una solució congruent amb la condició de bé
immoble que l'apartat a) del precepte atribueix al sòl, que s'ha de
fer extensiva al subsòl, circumstància que explica que el mineral
deixi de tenir la condició de bé immoble des que s'extreu del sòl
(segons l'article 511-2.2,b) i com ja va tenir ocasió de precisar la
STS de 18 de febrer de 1970.

S'atribueix també la condició de bé immoble segons l'article
511-2.2,c) a "Els béns mobles incorporats de manera fixa a un bé
immoble del qual no poden ésser separats sense que es deteriorin".
Es tracta de la categoria anomenada tradicionalment béns immobles
per incorporació o per destinació segons l'article 511-2, que d'acord
amb una terminologia d'arrel germànica es poden qualificar també
de parts integrants. El precepte es refereix als béns mobles que
s'integren o formen part d'un bé immoble amb la finalitat que pugui
ésser utilitzat d'acord amb el seu destí, sempre que la separació
del bé moble del bé immoble al qual s'ha incorporat impliqui un
deteriorament de qualsevol d'ells. En base al precepte que ara es
considera tenen la condició de béns immobles per destinació les
instal.lacions de calefacció, d'aire aconduït o les conduccions d'aigua
d'un edifici. La STS de 18 de març de 1961 atribueix la condició
de béns immobles a les banyeres, radiadors i tuberies exteriors
des que s'immobilitzen per la seva unió o agregació a un bé im-
moble; mentre que la STS de 26 d'abril de 1978 refusa atribuir
la condició de béns immobles per destinació als radiadors que es
troben en un edifici en construcció abans d'ésser incorporats a
l'edifici. S'atribueix també la condició de bé immoble per destinació
al parquet adherit al sòl instal.lat en un edifici (STS de 27 de
novembre de 1978). En qualsevol cas la unió del bé moble al bé
immoble ha d'ésser fixa perquè la separació implicaria destrucció
o deteriorament (STS de 24 de març de 1992).

Per últim l'article 511-2.2,d) atribueix la condició de béns im-
mobles a "Els drets reals i les concessions administratives que
recauen sobre béns immobles, ports i refugis nàutics, i també els

drets d'aprofitament urbanístic". En un breu examen del precepte hem de precisar que tenen la consideració de béns immobles: i) els drets que reuneixen la doble característica d'ésser drets reals i a més que recaiguin sobre un bé immoble, amb la conseqüència que la manca de qualsevol d'elles determinarà que el bé incorporal o dret s'hagi de qualificar de bé moble segons l'article 511-2.3; ii) les concessions administratives que recauen sobre béns immobles perquè en aquest cas el bé es concreta en la facultat d'explotar una obra pública que recau sobre un bé immoble per naturalesa (per exemple un canal o una autopista); iii) els ports i refugis tenen també la condició de béns immobles perquè segons la legislació administrativa sobre la matèria el concepte de port es refereix fonamentalment al conjunt d'espais terrestres, aigües marítimes i instal.lacions que permeten realitzar les operacions de tràfec portuari o proporcionen redós a les embarcacions en cas de temporal; i iv) els drets d'aprofitament urbanístic tenen també la condició de béns immobles, amb la precisió que l'aprofitament urbanístic no es refereix a l'espai aeri que es troba sobre la finca, respecte al qual el propietari exerceix els seus drets, sinó que es refereix a un dret real autònom que recau sobre un bé immaterial o incorporal diferent del dret de propietat sobre el sòl o la superfície de la finca.

b) Béns mobles

Segons l'article 511-2.3 "Es consideren béns mobles les coses que es poden transportar i els altres béns que les lleis no qualifiquen expressament com a immobles". En primer lloc el precepte confereix la condició de béns mobles a les coses corporals que es poden transportar d'un lloc a altre com a conseqüència d'una activitat humana, amb la precisió que aquesta mobilitat s'ha de relacionar amb l'article 511-2.2,c) que permet posar en relleu que en els casos de coses mobles per destinació o que tenen la condició de parts integrants d'un bé immoble, encara que materialment es puguin traslladar d'un lloc a altre mitjançant la seva separació del bé immoble al qual s'han incorporat, si la separació determina el deteriorament del bé moble incorporat, ja no té la condició de bé moble sinó de bé immoble per incorporació; mentre que el bé moble que es troba dins d'un bé immoble conserva la condició de bé moble, encara que el trasllat impliqui que s'ha de desmuntar (LARENZ).

També tenen la condició de béns mobles els animals d'acord amb la tradicional categoria jurídica dels semovents, perquè es poden traslladar d'un lloc a altre per ells mateixos. Tradicionalment els animals s'han adscrit a la categoria jurídica de les coses corporals mobles, però ja hem esmentat abans que l'article 511-2 no atribueix als animals la condició de coses, encara que permet se'ls hi apliquin determinades normes que fan referència a les coses mobles.

Per últim l'article 511-2.3 estableix una norma de tancament a l'hora de delimitar la categoria jurídica dels béns mobles, ja que atribueix aquesta condició als altres béns que les lleis no qualifiquen expressament de béns immobles. L'adverbi "expressament" posa en relleu que el criteri del legislador no és altre que establir un llistat taxatiu de béns immobles, amb la conseqüència d'atribuir la condició jurídica de béns mobles a tots els altres béns.

En la categoria jurídica dels béns mobles s'inclouen no sols les coses corporals mobles, a les quals s'acaba de fer referència, sinó també els drets reals que recauen sobre béns mobles, com és el cas del dret de penyora segons l'article 569-12. Com igualment s'inclouen en la categoria jurídica dels béns mobles els drets personals o de crèdit, encara que de forma indirecta afectin a un bé immoble, com és el cas dels drets derivats d'un contracte d'arrendament de finques o d'un contracte d'obra, encara que recaigui sobre un bé immoble.

C) UNIVERSALITATS DE COSES

La unió material de coses pot originar la categoria jurídica dels béns immobles per incorporació segons l'article 511-2.2,c), mentre que en el cas de les universalitats de coses ens referim a la unió ideal de dues o més coses homogènies o heterogènies, que en aspectes determinats reben un tractament unitari i en altres casdascún dels elements que integren el conjunt són objecte d'un tractament jurídic diferent. En matèria d'universalitats de coses és tradicional la distinció entre universalitats de fets i de dret, que dóna oportunitat de fer les precisions següents:

a) Universalitats de fet

Integren les universalitats de fet una pluralitat de béns mobles diferents, que permet puguin formar part de la universalitat de fet totes les entitats que s'adscriuen a la categoria jurídica dels béns mobles segons l'article 511-2.3 i també els animals, amb la possibilitats doncs de poder-se formar una universalitat de fet amb una pluralitat de béns mobles homogenis, cas més freqüent, o heterogenis. De totes formes aquesta pluralitat de béns mobles singulars sols origina una universalitat de fet quan tots els elements simples que integren la universalitat tenen un titular únic i la voluntat d'aquest no és altra que atribuir un destí unitari als béns singulars que integren la universalitat de fet.

Manifestacions concretes de les universalitats de fet es troben a l'article 569-16.2 i 3 que permeten constituir un dret de penyora únic sobre els béns el valor dels quals es determina en el tràfec tenint-ne en compte el nombre, el pes o la mida o sobre un conjunt o paquet de valors; i també a l'article 54 de la Llei estatal de 16 de desembre de 1954 sobre hipoteca mobiliària i penyora sense desplaçament de possessió, que permet constituir un dret de penyora únic sobre col.leccions d'objectes de valor artístic o històric. També pot recaure sobre una universalitat de fet el dret d'usdefruit, ja que l'article 561-3.1 preveu la possibilitat de constituir un usdefruit sobre una part dels béns d'una persona.

b) Universalitats de dret

A diferència de les universalitats de fet que sols es poden constituir sobre béns mobles, les universalitats de dret estan formades per una pluralitat de béns mobles, béns immobles i elements passius, materialment diferenciats entre ells, però dotats per l'ordenament jurídica d'una cohesió, per tal d'assolir unes finalitats que el legislador considera protegides de forma més escaient si els diferents elements que integren la universalitat reben en aspectes determinats un tractament unitari.

Com exemple fonamental de les universalitats de dret s'esmenta l'herència, que d'acord amb la tradició romanista es configura jurídicament com una *universitas,* configuració que ha passat a l'article 1,I CS, segons el qual "L'hereu succeeix en tot el dret del seu causant. Consegüentment adquireix els béns i els drets de l'herència i se subroga en les obligacions del causant que no s'extingeixen per la mort". S'inclou també entre les universalitats de dret l'empresa, que des d'aquesta perspectiva es defineix com el conjunt de béns que reben una organització per part del seu titular, amb la finalitat d'exercir una activitat econòmica; i d'aquest intent de definició se'n deriva que a l'empresa s'hi troben un conjunt d'elements personals i patrimonials, integrats aquests darrers per béns mobles i immobles, la titularitat dels quals correspon a l'empresari, drets de crèdit, drets sobre béns immaterials, clientela i altres elements adreçats a l'obtenció de beneficis econòmics.

D) EL PATRIMONI

a) Concepte

Encara que el llibre cinquè del Codi civil de Catalunya relatiu als drets reals no regula de forma directa el patrimoni, sembla oportú fer en aquest capítol introductori unes breus consideracions sobre el mateix, ja que ofereixen la possibilitat de considerar de forma unitària, pel fet de tenir un sol titular, el conjunt de relacions jurídiques que afecten a la persona i que tenen un contingut econòmic perquè tenen un valor en diners.

D'aquestes consideracions preliminars se'n pot deduir que el patrimoni està destinat a satisfer les necessitats de la persona, consideració que d'una forma o altra ha originat la teoria personalista del patrimoni, que el concep com una emanació de la personalitat, ja que els elements que integren el patrimoni es converteixen en un instrument destinat a satisfer les necessitats del seu titular, amb la finalitat de poder desenvolupar de forma escaient els valors que l'ordenament jurídic atribueix a qualsevol persona segons l'article 10 CE. En contraposició a aquesta configuració personalista del patrimoni ha aparegut una altra configuració de caràcter eminentment objectiu, segons la qual i en les seves manifestacions més extremes s'arriba gairebé a personalitzar el patrimoni i es converteix el seu titular en un òrgan de gestió en garantia dels seus creditors en base a l'article 1911 CC. No sembla oportú aprofundir en aquests moment sobre la polèmica. Considerem suficient esmentar que el patrimoni s'unifica idealment en la persona del seu titular amb la finalitat de satisfer les seves necessitats d'acord amb els postulats que informen l'ordenament jurídic i si el seu titular es desvia d'aquestes finalitats, s'estableixen amb caràcter més aviat excepcional un conjunt de facultats a determinades persones amb la finalitat de corregir una actuació reprovable en la gestió dels afers patrimonials; possibilitat que d'una forma o altra explica i justifica que el titular del patrimoni vegi restringides les seves facultats de lliure gestió en els casos de prodigalitat (segons l'article 242 CF), o en les situacions concursals (vegeu l'article 21 de la Llei 22/2003, de 9 de juliol) i, també, quan determinades persones exerciten les anomenades acció revocatòria i subrogatòria en base a l'article 1111 CC, amb la finalitat de reconstruir la solvència patrimonial del deutor.

Pel que fa referència a l'aspecte més concret de determinar els elements que integren el patrimoni, recordem inicialment que si la teoria del patrimoni ofereix l'oportunitat de contemplar de forma unitària en aspectes determinats el conjunt de relacions jurídiques de caràcter patrimonial que afecten a la persona, el patrimoni està format pel conjunt de béns susceptibles de valoració en diners. En conseqüència integren el patrimoni el conjunt de titularitats que recauen sobre els drets reals, els drets de crèdit, els béns immaterials, les energies i el dret hereditari (argument article 29 CS). No és necessari que es tracti de drets ja nascuts o perfeccionats, ja que també tenen contingut econòmic determinats drets en formació amb transcendència jurídica, com és el cas de la usucapió. També forma part del patrimoni la possessió, encara que es configura la possessió com un fet, ja que en qualsevol cas es tracta d'un fet amb transcendència jurídica, perquè la llei li atribueix en aspectes determinats uns efectes de caire patrimonial (segons els articles 521-1.1, 522-1 i 2 i 522-3). Com també forma part del patrimoni la condició de soci d'una societat, que permet participar en els seus beneficis i en el patrimoni que resulti de la liquidació.

Enfront aquests drets de caràcter patrimonial s'exclouen del patrimoni els drets personals o familiars, que no es poden valorar en diners. Sens perjudici que la lesió d'algun d'aquests drets confereixi al seu titular la possibilitat d'obtenir una indemnització en diners, que s'integrarà en el patrimoni. Tampoc formen part del patrimoni les qualitats o aptituds de la persona, com pot ésser la seva capacitat laboral, els seus coneixements professionals o la seva experiència en el món dels negocis; ni tampoc les expectatives d'adquisició que no s'han convertit en expectatives jurídiques, encara que la frustració d'una finalitat de guany pot comportar en ocasions un dany patrimonial rescabalable, que s'integrarà en el patrimoni (LARENZ).

Qüestió molt discutida és si el patrimoni està integrat únicament per les relacions jurídiques actives o si també formen part del patrimoni els elements passius o obligacions. És difícil donar una resposta única al problema plantejat, perquè en ocasions es considera que sols forma part del patrimoni l'actiu (vegeu l'article 205 CF), mentre que en altres ocasions es considera oportú prendre en consideració el passiu (article 1,I CS).

La funció que hem assignat al patrimoni d'unificar en el seu titular el conjunt de relacions jurídiques que tenen un contingut econòmic, també posa de manifest que el patrimoni conserva la seva identitat substancial, encara que en el decurs del temps es modifiquin els seus elements actius i passius. En conseqüència s'aplica al patrimoni el principi de la subrogació real.

b) Modalitats

Les consideracions que s'han fet a l'apartat anterior ens han servit per a delimitar jurídicament l'anomenat patrimoni personal, és a dir, el patrimoni del qual n'és titular qualsevol persona física o jurídica. Ara convé afegir que al costat del patrimoni personal s'esmenten també com a modalitats del patrimoni:

- El patrimoni separat que s'origina quan un conjunt de béns es sotmet a un règim general diferent del que s'estableix pel patrimoni personal perquè es tracta de béns que s'adscriuen a unes finalitats determinades; fet que suposa a vegades concretar sobre els béns que integren el patrimoni separat les relacions jurídiques passives assumides pel seu titular, atribuir al patrimoni separats unes fonts d'adquisició d'altres béns amb aplicació del principi de la subrogació real i conferir la seva gestió al mateix titular a terceres persones amb facultats de gestió en interès aliè. Com a casos més significatius de patrimonis separats s'esmenten l'herència acceptada a benefici d'inventari (articles 35 i 36 CS), el benefici de la separació de patrimonis (article 37 idem) i l'herència sotmesa a un gravamen fideïcomissari segons els articles 180 i següents del Codi de successions. També s'adscriuen a la categoria jurídica dels patrimonis separats el patrimoni de l'absent (articles 184 i seg. CC) i el de la persona declarada morta segons l'article 196 del mateix Codi.
- El patrimoni col.lectiu que té com a característica fonamental que la seva titularitat s'atribueix a una pluralitat de persones, que a l'empara del principi d'autonomia privada poden establir el seu règim en cada cas concret en atenció a les finalitats del patrimoni col.lectiu; amb aplicació també del principi de la subrogació real i amb l'eventualitat que en el futur per-

drà la seva indivisibilitat quan es procedeixi a la divisió o
partició entre els cotitulars. Tenen des d'aquesta perspectiva
la condició de patrimonis col.lectius els que es deriven dels
règims de comunitat absoluta o limitada de béns entre els
cònjuges (art, 66 i seg. CF o la comunitat hereditària segons
els articles 1,I, 47, 48 i 50 CS).

- I el patrimoni de destí o patrimoni de titularitat interina,
  que s'estableix quan la llei considera oportú mantenir unifi-
  cades les relacions jurídiques mancades actualment de titular,
  perquè es pensa que es tracta d'una situació temporal, i per
  aquest motiu es confereix amb caràcter provisional la seva
  gestió a un titular interí mentre no es resolgui la situació
  de pendència o interinitat. S'adscriuen a la categoria dels
  patrimonis de destí els béns que integren el patrimoni del
  qual pot esdevenir titular la persona concebuda però encara
  no nascuda (articles 29 i 965 CC) i l'herència jacent segons
  l'article 8 CS.

E) FRUITS

a) Concepte i classes

El llibre cinquè del Codi civil de Catalunya es refereix als fruits
de forma reiterada i asistemàtica, ja que després d'establir el seu
concepte a l'article 511-3 torna a fer referència als fruits a l'article
552-3 com un dels efectes de la possessió, en els articles 541-3 i
541-4 a l'hora de regular la seva titularitat i adquisició pel pro-
pietari dels béns fructífers, a l'article 552-6.2 en relació amb les
facultats de gaudi dels cotitulars en les situacions de comunitat
ordinària indivisa i, també, en els articles 561-2.2 i 561.1 respecte
a l'adquisició dels fruits per l'usufructuari. En aquest capítol in-
troductori ens limitem fonamentalment a fer unes precisions sobre
el concepte i règim jurídic sobre adquisició dels fruits.

A l'apartat anterior hem configurat el patrimoni com el conjunt
de relacions jurídiques que tenen un contingut econòmic perquè
es poden valorar en diners. Des d'aquesta perspectiva es pot dir
que tots els béns que integren el patrimoni proporcionen al seu
titular uns avantatges, ja que permeten fer ús d'aquests elements
d'acord amb la seva naturalesa, que en els casos generals supo-
sarà mantenir íntegre el valor d'aquests béns i fins i tot la seva
destrucció o el seu consum si es tracta de béns consumibles o

deteriorables. Ara cal afegir que aquestes utilitats que el titular pot obtenir dels béns que integren el seu patrimoni, que es pot expressar també amb l'expressió capital, no s'han de qualificar jurídicament de fruits perquè el concepte jurídic de fruit implica obtenir uns beneficis o avantatges que excedeixen dels béns que els produeixen, ja que suposen obtenir uns rendiments del capital mitjançant la seva utilització segons les lleis de la naturalesa, amb la col.laboració a vegades de l'activitat humana o, també, en virtut d'una relació jurídica establerta sobre la cosa fructífera (BIONDI).

L'article 511-3 estableix una regulació genèrica dels fruits en funció de l'article 511-1. Com s'ha posat de manifest en apartats anteriors, aquest darrer precepte inclou en la categoria jurídica dels béns les coses i els drets patrimonials, i és precisament en base a aquesta bipartició que el precepte estableix la distinció entre els fruits de les coses i els fruits dels drets. Segons l'article 511-3.1 "Els fruits d'una cosa són els seus productes i els altres rendiments que se'n poden obtenir d'acord amb llur destinació". Aquesta distinció ens porta a la categoria tradicional dels fruits naturals, és a dir els fruits que es deriven directament de la cosa mare que els produeix; amb bon criteri s'ha suprimit la distinció intranscendent que s'havia establert entre els fruits naturals que produïa la cosa mare de forma espontània i els fruits industrials que es produïen amb intervenció de l'activitat humana adreçada a l'explotació del bé. Els fruits naturals es produeixen periòdicament mentre perdura la capacitat reproductiva de la cosa mare, amb independència fet que la reproducció esdevingui en períodes regulars o irregulars de temps i amb independència, també, que el fruit reprodueixi o no la cosa mare.

El precepte atribueix la condició de fruits als productes de la cosa mare, expressió que s'ha d'entendre en el sentit que s'adscriuen a aquesta categoria jurídica els rendiments que produeix la cosa periòdicament segons la seva naturalesa vegetal o animal, de forma natural o amb intervenció de l'activitat humana i que no afecten al seu valor patrimonial, ja que la producció dels fruits no suposa una disminució important del valor de la cosa mare que els produeix, perquè els fruits es tornen a produir periòdicament en el futur durant un cert temps. El precepte atribueix també la condició de fruits naturals als altres rendiments que s'obtenen de la cosa d'acord amb la seva destinació, expressió que permet incloure en la categoria dels fruits els altres rendiments que s'obtenen de la cosa, encara que aquests rendiments suposin esgotar de forma progressiva la possibilitat de produir en el futur fruits successius, com és el cas dels minerals que s'extreuen de la mina, els arbres que formen part d'una explotació forestal o l'aigua que s'extreu d'una deu. Amb la precisió que aquests rendiments sols tenen la condició de fruits quan s'obtenen "d'acord amb llur destinació", és a dir, d'acord amb el criteri de la normalitat perquè s'obtenen de la cosa mare segons la seva destinació econòmica (BIONDI). La STS de 3 d'octubre de 1979 no atribueix la condició de fruit natural de la finca als animals objecte del dret de caça, però ofereix la possibilitat d'atribuir la condició de fruits al dret a caçar.

A la categoria tradicional de fruits dels drets o fruits civils es refereix l'article 511-3.2 quan precisa que "Els fruits d'un dret són els rendiments que se n'obtenen d'acord amb llur destinació i els que produeix en virtut d'una relació jurídica". En primer lloc el precepte atribueix el concepte de fruits civils als rendiments que s'obtenen d'un dret d'acord amb la seva destinació i si es relaciona aquesta expressió amb l'article 511-1, que atribueix la condició de coses als objectes corporals, resulta que l'article 511-3 atribueix la condició de fruits als rendiments que es poden obtenir d'un bé immaterial o dret d'acord amb la seva destinació econòmica; que permet atribuir la condició de fruits civils als rendiments que pugui obtenir el seu titular de la propietat intel·lectual o industrial o de l'explotació d'una empresa, en contra del criteri que va mantenir la STS de 5 de gener de 1925, favorable a conferir als beneficis empresarials la condició de fruits industrials, tesi molt criticada per la doctrina. Tenen igualment la condició de fruits civils els que s'obtenen d'un bé en virtut d'una relació jurídica establerta sobre la cosa mare que produeix els fruits, que en aquest cas s'obtenen com a contraprestació per la cessió de la cosa mare, encara que la contraprestració es percebi *in natura;* com succeeix en els supòsits d'interès d'un capital, les rendes vitalícies, la renda derivada d'un arrendament o els fruits que es perceben com a contraprestació en el contracte de parceria (vegeu STS de 14 de desembre de 1998)

b) Atribució

Per definició els fruits s'atribueixen al propietari de la cosa mare que els produeix (vegeu l'article 541-3.1) i si es tracta d'una situació de comunitat ordinària indivisa, els fruits s'atribueixen a cada cotitular en proporció a llur quota (vegeu l'article 552-6.2). En aquests casos el propietari de la cosa mare ho és també dels fruits mentre estan units a ella (els anomenats fruits pendents), perquè formen una cosa única, com resulta del Digest 6,1,44 *fructus pendens pars fundi esse videtur;* encara que el propietari gaudeix de la facultat d'establir relacions jurídiques que únicament afectin a la cosa mare i no als fruits pendents (segons l'article 111,2n LH) o, també, d'establir relacions jurídiques sobre els fruits pendents que no es fan extensives a la cosa mare (segons l'article 52,1r LHM). Per altra part el propietari de la cosa mare continua essent propietari dels fruits naturals que produeix després de la seva separació, és a dir quan ja han esdevingut una cosa independent, perquè l'atribució dels fruits al propietari forma part del contingut del dret de propietat.

Arribats a aquest punt interessa assenyalar que l'atribució dels fruits al propietari de la cosa mare té una marcada excepció, ja que segons l'article 541-3.1 els fruits pertanyen al propietari "llevat que existeixi un dret que n'atribueixi la percepció a una persona diferent", que pot ésser la persona titular d'un dret real o personal sobre la cosa mare que atribueix els fruits a aquest titular. Si es dóna aquesta situació, mentre els fruits naturals es troben units a la cosa mare el seu propietari ho és també dels fruits, encara que el dret a percebre'ls no correspon a ell sinó al titular d'un dret real limitat sobre la mateixa cosa, que per tant ostenta la facultat d'adquirir els fruits mitjançant l'exercici de l'acció real escaient (BIONDI). En qualsevol cas, i amb independència de fer efectiva la facultat d'adquirir aquests fruits pels mitjans escaients en cada cas, el titular del dret real limitat adquireix un dret de propietat sobre els fruits naturals des del moment en què es separen de la cosa mare que els produeix (com precisa l'article 541-4.1). Es tracta per tant d'un mitjà originari d'adquirir el dret de propietat, ja que la separació opera com una forma d'adquisició automàtica, encara que la separació del fruits de la cosa mare s'esdevingui per cas fortuït o mitjançant la intervenció de tercera persona (LACRUZ BERDEJO-DELGADO ECHEVARRIA); sens perjudici que en aquest cas el titular del dret real hagi d'exercitar una acció real enfront la persona que ha separat el fruit de la cosa mare si manté de forma indeguda la seva possessió.

Els fruits s'atribueixen també al possïdor de bona fe segons l'article 522-3.1, que per tant fa seus els que ha percebut mentre la seva possessió es pot qualificar de bona fe segons l'article

521-7.1 i 2; amb la conseqüència que des que es converteix en posseïdor de mala fe ha de restituir els fruits que s'han produït (vegeu l'article 522-3.2), perquè no ha adquirit en cap moment un dret de propietat sobre els fruits que ha percebut indegudament. Vegeu sobre aquestes qüestions *infra*, capítol III, 2, 1).

Respecte als fruits civils segons l'article 511-3.2 la situació és menys complicada, ja que s'adquireixen en proporció a la durada del dret que atribueix els fruits, com resulta dels articles 541-4.2 i 561-6.3.

En relació amb els fruits que anomenem naturals en base a l'article 511-3.1, precisem que la seva producció exigeix normalment unes despeses, que s'han de rescabalar en el cas que s'atribueixin a un nou titular el dret a percebre'ls, fet que origina una liquidació de la situació possessòria anterior; vegeu l'article 522-3 respecte a la liquidació de les situacions possessòries, l'article 541-3.2 en relació amb el dret de propietat i l'article 561-6.2 pels casos d'usdefruit.

BIBLIOGRAFIA SUMÀRIA

GIORGIANNI, *La obligación. Parte general de las obligaciones* (traducció espanyola). Barcelona, 1958; FAIREN, *Derechos reales y de crèdito. Apuntes dogmáticos para el estudio de su distinción,* a RDN, 1959, núm. XXIII, pàg. 95 i seg. i XXV-XXVI, pàg. 155 i seg.; BIONDI, *Los bienes* (traducció espanyola). Barcelona, 1961; HERNANDEZ GIL, *Concepto y naturaleza jurídica de las obligaciones "propter rem",* a la RDP, 1962, pàg. 858 i seg.; BETTI, *Teoría general de las obligaciones* (traducció espanyola). Madrid, 1969, volum I; ROCA SASTRE, *Derecho Hipotecario.* Barcelona, 1968, tomo II; LARENZ, *Derecho civil. Parte general* (traducció espanyola). Madrid, 1978; BIONDI, *Las servidumbres* (traducció espanyola). Madrid, 1978; MARTINEZ-CARDOS RUIZ, *El "ius ad rem",* a la RDP, 1988, pàg. 3 i seg.; ROMAN GARCIA, *La tipicidad de los derechos reales.* Madrid, 1994; GORDILLO CAÑAS, *Bases del Derecho de Cosas y Principios Inmobiliarios Registrales: sistema español,* a l'ADC, 1995, pàg. 527 i seg.; MONTES PENADES *et alii, Derecho civil. Derechos reales y Derecho inmobiliario registral.* València, 2001; SIERRA PEREZ, *Obligaciones "propter rem" hoy: los gastos comunes en la propiedad horizontal.* Valencia, 2002; BADOSA COLL, *Materials per a un Codi de Dret Patrimonial de Catalunya,* a "L'exercici de les competències sobre dret civil de Catalunya (Materials de les Onzenes Jornades de Dret Català a Tossa)". València, 2002, pàg. 193 i seg.; YUFERA SALES, *Sobrevolando el libro quinto del Código civil de Catalunya,* a la RJC, 2006, pág. 937 i seg.

JURISPRUDÈNCIA CITADA

Tribunal Suprem

5 de gener de 1925: fruits.
18 de març de 1961: béns immobles
18 de febrer de 1970: béns immobles.
26 d'abril de 1978: béns immobles
27 de novembre de 1978: béns immobles
3 d'octubre de 1979: fruits
24 de març de 1992: béns immobles
20 de febrer de 1995: *ius ad rem*
14 de desembre de 1998: fruits

Direcció General dels Registres i del Notariat

20 de setembre de 1966: autonomia privada i drets reals
14 de maig de 1984: autonomia privada i drets reals
4 de març de 1993: autonomia privada i drets reals.

Capítol II

La possessió (I)

1. CONCEPTE

S'ha concebut la possessió com el poder que té una persona en relació a una cosa o coses. Aquesta és la postura que accepta l'art 521-1,1 que defineix la possessió com "el poder de fet sobre una cosa, o un dret, exercit per una persona", com a titular, directament o a través d'una altra persona.

A Catalunya, la possessió s'havia regulat d'acord amb els sistemes romà i canònic, per bé que mediatitzats pel Codi civil i les lleis processals, sobretot pel que fa a la protecció de la possessió i els interdictes possessoris. Certament, però, en els altres aspectes possessoris, els mateixos autors catalans no tenien problemes en aplicar el Codi civil, el qual, segons MARTÍ MIRALLES, tenia una forta influència del dret romà. La Llei Hipotecària de 1909 admeté la possibilitat d'inscriure la possessió i per aquesta raó, BORRELL I SOLER tot i definint-la com una relació de fet, posava de relleu que la llei protegeix per igual al posseïdor que al propietari, mentrestant no sigui vençut per una altra persona que demostri tenir un millor dret sobre la cosa, d'on resultava que la possessió segons aquest autor, és un dret real per la seva naturalesa, que s'equipara al domini i que resulta protegit per la Llei hipotecària. El mateix autor acceptava la distinció entre *ius possessionis* i el *ius possidendi*, de manera que poden coincidir o no, de forma que es pot donar el cas que una persona tingui el dret de possessió, mentre que una altra tingui el dret de posseir. En definitiva, per a BORRELL, la possessió i el conjunt de facultats que atribueix, corresponien *naturalment* al propietari en ús del domini i en aquest cas era quan s'havia de considerar com un dret; però adverteix que també pot ser considerada com a fet i en aquest sentit, *"es el ejercicio de las facultades del dominio, sobre una cosa, por el que la tiene como propia, pero prescindiendo de si lo es"*. Com a conclusió es pot dir que el més important per als autors catalans anteriors a la Compilació era que aquesta possessió portava a la usucapió i per aquesta raó es considerava sempre lligada a la propietat.

La llei 5/2006, de 10 de maig regula la possessió per primera vegada en el dret català, de forma completa i amb criteris sistemàtics propis, definint-la com un fet, la qual cosa decanta la concepció de la mateixa possessió, fins i tot quan es posa en relació amb la regulació de la usucapió en els arts 531-23 a 531-29. A partir d'aquí s'ha de plantejar quina és la raó per protegir una situació que difícilment encaixa en un sistema jurídic fonamentat en el reconeixement de drets subjectius, als quals s'atribueixen accions per a la seva protecció i efectivitat. La vella discussió relativa a si la possessió ha de ser considerada com un fet o bé un autèntic dret subjectiu no s'elimina en la regulació del Codi civil de Catalunya. Efectivament, en la definició de l'art 521-1.1 s'inclou l'expressió *poder de fet* que ens porta de nou a la necessitat de repensar quines són les raons per a la regulació d'aquesta institució, deixant de banda, per ara, l'obvia raó de servir de base per a l'adquisició dels drets reals per mitjà de la usucapió (vegeu capítol V). Perquè, a més, la regulació catalana, per bé que resulta més clara i entenedora que la establerta al Codi civil, per tal com està despullada de determinades influències patides històricament en el territori del Codi civil, no resulta tan allunyada de la seva germana, com per no haver heretat alguns trets bastants semblants.

Es ben conegut que les diverses postures teòriques sobre la possessió deriven de la distinció romana sobre els diferents elements requerits perquè una determinada relació de fet amb una cosa pogués gaudir de protecció jurídica. Es tracta del *corpus*, considerat com el contacte directe amb la cosa, en definitiva, la tinença material de la mateixa cosa, i de *l'animus*, considerat com la pretensió de tenir la cosa com a amo i comportar-se com a tal en relació a la mateixa cosa. Aquesta distinció s'ha plasmat clarament en l'article 521-1 quan la defineix com a *poder de fet sobre una cosa*, la qual cosa equival al *corpus* romà, i en el segon paràgraf del mateix art 521-1 s'exclou de la categoria *possessió*, l'exercici del poder *sense aparent voluntat externa d'actuar com a titular del dret*, la qual cosa equival, evidentment, a *l'animus* romà. En aquest sentit, s'adopta la teoria més influent sobre els autors catalans, que fou la mantinguda per SAVIGNY, per a qui calia que en la possessió concorreguessin aquests dos elements, havent-se de destacar en aquest punt que en l'actual definició de l'article 521-1 *animus* equival a *concepte d'amo*, entès en el sentit de la intenció de tenir la cosa com a titular de la mateixa. Aquesta fou clarament la inicial exigència del Dret romà, per bé que després es va ampliar la protecció possessòria a altres tenidors que no eren amos i el mateix succeeix en el Codi civil català: el creditor pignoratici (art 569-12); el retenidor, que sense ser un posseïdor a títol propi inicialment, ho acaba essent en constituir-se el dret real de retenció (art 569-3); l'usufructuari (art 561-2.2); l'usuari (art 562-6), així com el titular del dret d'habitació (art 569-9), etc. són posseïdors.

Amb aquests precedents, la regulació catalana ens porta de nou a la discussió, interminable en relació al Codi civil, que caracteritza la possessió com a *fet qualificat*, com a *fet inicial que es converteix en dret* (LACRUZ), o com un autèntic dret real, de contingut menor (ALBALADEJO), o de protecció temporalment claudicant (DIEZ PICAZO). La regulació catalana refereix clarament que la possessió és un *poder de fet*, la qual cosa l'acostaria més a la teoria del fet que genera una protecció jurídica, però que no pot tenir la categoria de dret real, ja que està mancada de la defensa acordada per l'ordenament català a aquests i gaudeix d'una forma de tutela específica, determinada en l'article 522-7 i desenvolupada en l'article 250 LEC, que s'estudiarà en el proper capítol (vegeu cap. III).

Els arguments que permeten mantenir aquesta tesis són:

1r. L'article 521-2,1,*a*, en regular l'adquisició de la possessió, estableix que s'adquireix "quan els posseïdors subjecten la cosa o el dret a l'àmbit del seu poder"; d'aquesta manera la llei reconeix que la possessió es pot adquirir no solament per mitjà de formes jurídiques, sinó per la simple aprehensió material, la qual cosa la diferencia clarament de la propietat, dret subjectiu per excel·lència, les formes d'adquisició de la qual són sempre jurídiques, fins i tot en la usucapió. Després s'haurà d'estudiar si aquesta possessió adquirida per mitjà d'actes físics, té o no les característiques requerides que la facin adient per merèixer la protecció acordada per l'ordenament jurídic; però el que cal dir és que encara que sigui de manera violenta, s'haurà adquirit la possessió. Solament es pot admetre aquesta possibilitat si es considera com un fet.

2n. L'article 521-3.1 estableix que "totes les persones *amb capacitat natural* poden adquirir la possessió", que inclou els menors d'edat i els incapaços, com es dedueix del que disposa el mateix article 521-3.2. La raó és que estan duent a terme un fet i per a això no es requereix una específica capacitat, d'acord, a més, amb el que disposen els articles 155 i 209 CF. Es pot objectar que el mateix article 521-3.2 determina que per a "exercir les facultats pròpies de la possessió", els menors i els incapacitats necessiten l'assistència de llurs representants legals, de manera que per a l'exercici dels drets inherents a la possessió s'exigeix plena capacitat, en no estar inclosos aquests actes en els que la llei permet fer segons la capacitat de la persona; però aquesta és una situació que té un caire clarament processal, ja que aquestes persones no poden actuar en els processos de què es tracti, degut a la seva manca de capacitat i d'acord amb el que disposa l'article 7 LEC. La conclusió és que aquesta segona part de l'article 521-3 no estableix una limitació referida a l'adquisició de la possessió, sinó que queda concretada als aspectes processals de la possessió que s'hagi adquirit d'acord amb l'article 521-3.1.

3r. Encara que aquest argument no es dedueix de la regulació catalana, resulta indispensable per a la integració de la possessió en l'àmbit general de l'ordenament civil. Es tracta de l'article 5 LH, que impedeix la inscripció dels *títulos referentes al mero o simple hecho de poseer*". Comparant aquesta disposició amb els articles 1 y 2 LH, que permeten la inscripció dels drets reals, es demostra que en l'ordenament espanyol en general i el dret català no és una excepció, la possessió es considera com un simple fet i que, per aquesta raó, no té accés al Registre de la propietat, on solament s'inscriuen drets. I tot això a diferència del que passava en la Llei hipotecària de 1909, que sí admetia aquesta possibilitat, la qual cosa justificava les opinions dels autors catalans de començament del segle XX.

2. ELS ELEMENTS DE LA POSSESSIÓ

I. La tinença

En el Codi civil de Catalunya, la possessió es defineix per la concurrència de dos elements que fan que es tracti de possessió i no d'una altra figura; solament quan concorrin aquests dos elements, la possessió serà objecte de protecció, d'acord amb les regles establertes a l'article 522-7. Es tracta de *la tinença* i el *concepte possessori,* és a dir, el títol que s'exterioritza en exercir el poder sobre la cosa. Aquests elements apareixen clarament especificats en l'article 521-1.

En el sistema català actual la tinença és la base física de qualsevol forma possessòria, de manera que no es pot dit que hi hagi possessió quan no hi ha relació física amb la cosa, ja sigui personalment, ja sigui per mitjà d'una altra persona, amb l'excepció que suposa l'article 521-8,*e* i que ja examinarem. Històricament, la detenció o la tinença no constitutien possessió per elles mateixes, si no anaven acompanyades d'un títol dels que atorgaven protecció interdictal, com el de l'usufructuari, per exemple. Però la situació va canviar quan les lleis processals anteriors al Codi civil van legitimar per exercir l'interdicte de retenir o recobrar la possessió no solament a aquella persona que gaudís d'un títol dels protegits en el Dret romà, sinó també a qualsevol que detingués la cosa; aquesta solució va afectar també al Dret civil català en aplicar-se de forma general la Llei d'Enjudiciament civil de 1881, la qual cosa es repeteix en la vigent Llei processal de 2000, l'article 250.4 de la qual legitima la reclamació possessòria per retenir o recobrar la possessió d'una cosa o d'un dret a qui n'ha estat privat o n'ha vist pertorbat el gaudi. Per tant, la moderna regulació les accions possesòries elimina la tinença com una forma autònoma de possessió.

Sense tinença no hi ha possessió, però la sola tinença tampoc concedeix la qualitat de posseïdor. L'article 521-1.2 torna a la diferència històrica en considerar que no és posseïdora la persona que té la tinença de la cosa "amb la tolerància dels titulars" o bé quan la té "sense la voluntat aparent externa d'actuar com a titular del dret". En aquests dos casos, el detenidor no és posseïdor i, per tant, no podrà gaudir de la protecció establerta en l'article 522-7, incloses les accions processals corresponents. D'aquesta manera es pot dir que en el Dret català hi ha dues classes de tinença: la del posseïdor, que ve qualificada per l'exercici del poder sobre la cosa; i la del no posseïdor, que en el seu cas, pot provenir d'una tinença exercida reconeixent el poder per posseir en una altra persona o sense voluntat real de ser considerat posseïdor (la de l'empleat en relació a les coses que es venen en la botiga on treballa), o la tolerada pels posseïdors (la de qui cull bolets en el bosc d'una altre persona). A aquests dos casos previstos expressament en l'article 521-1, s'han d'afegir els previstos en l'article 521-2.2, que exclou la possessió clandestina i la violenta, en aquest darrer supòsit, mentrestant els posseïdors s'hi oposin i amb la particularitat de l'article 521-8.e, que s'estudia més endavant (cap. III).

Per tant, la tinença que serveix com a element per a determinar que existeix possessió és una relació física amb la cosa, *un poder de fet*, que és independent de qui la tingui, ja sigui el mateix titular o una altra persona en nom seu, sempre que subjecti la cosa o el dret a l'acció de la voluntat del posseïdor. D'acord amb això, la conclusió més important que es treu de la definició oferta per l'article 521-1 és que la simple tinença, que no és mai una forma possessòria, sí que pot trobar-se en l'ordenament jurídic, la qual cosa succeirà quan algú exerceixi un poder sobre la cosa sense aparença externa de titular, per tolerància, de forma clandestina o de forma violenta; en aquest quatre casos ens trobem davant de formes de tinença no possessòries, per la qual cosa no gaudeixen de la protecció establerta a l'article 522-7.

I així en el dret català, la tinença pot ser: i) *un poder de fet* que dóna lloc a la possessió i sense el qual aquesta no existeix, i ii) *un poder de fet* que no dóna lloc a la possessió, perquè es troba en alguna de les situacions descrites en els articles 521-1.2 ó 521-2.2. Per tant, la possessió requereix sempre la *tinença*, però no tota tinença atorga la possessió al tenidor.

La tinença es manifesta, per altra banda, de forma diferent segons quina sigui la classe d'objecte posseït: a) si es tracta de *béns immobles*, haurem de considerar que és tinença la possibilitat d'accedir-hi (art. 521-2.b); b) si es tracta de *béns mobles*, la tinença es pot manifestar per la possessió material de la cosa, encara que no l'hem de considerar extingida quan l'exercici del poder en què consisteix es trobi impedit o interromput temporalment (art. 521-6.3), incloent-se en aquest cas la pèrdua, i c) si es tracta de drets, la tinença consisteix en la possibilitat d'exercitar-lo.

Un cas especial el planteja el referit article 521-6.3, que ens diu "que la possessió és continuada encara que el seu exercici sigui impedit o interromput temporalment, sens perjudici del que disposa l'article 521-8.e". Si la tinença és la base material de la possessió i sense ella no existeix possessió, quina és la situació d'aquella persona a qui han arrabassat la cosa, de manera que la relació física la té una altra persona? Es tracta d'un cas diferent al previst en l'article 521-1.2, que ja hem estudiat; ara el que volem plantejar és la situació de la persona que ha estat objecte d'un robatori, o bé quan la possessió s'exerceix de manera clandestina. Una primera resposta seria la de considerar que aquests actes impedeixen en tot cas que el posseïdor segueixi essent-ho; independentment de les acciones que corresponguin a qui ha estat privat de la possessió front a qui ha comès l'acte de despossessió, aquest mateix acte impediria que el que ha patit la privació pugui ser considerat posseïdor. Però aquesta conclusió no pot ser mantinguda mentrestant es puguin interposar les accions possessòries de l'article 250 LEC, la qual cosa es reconeix també en l'article 521-6.3 que es remet a allò que disposa l'article 521-8.e que estableix el termini d'un any per a l'adquisició de la possessió pel la persona que ha realitzat algun d'aquests actes: durant aquest any, el desposseït segueix essent posseïdor, malgrat que ja no tingui la tinença, perquè algú li ha arrabassat. El desposseït conserva la possessió de forma fictícia i això per fer veritat el brocard *spoliatus ante omnia restituendus*. Solament la inacció del despullat deixant passar l'any des de la data de l'espoliació produirà que qui hagi realitzat l'acte de despossessió adquireixi la possessió.

II. L'ànim de titular

Per bé que l'article 521-1.1 no ho exigeixi directament, de la seva mateixa regulació es dedueix que el segon element de la possessió es manifesta en la intenció del posseïdor de tenir la cosa com a tal. Això es pot deduir del que disposa el paràgraf segon d'aquesta disposició, quan exclou la possessió d'aquella persona que té la cosa o el dret "sense la voluntat aparent externa d'actuar com a titular", entre els que es poden incloure els que exerceixen la possessió de forma clandestina. De manera que aquest requisit, derivat del romà *animus,* ve a significar, en el dret català, que la persona que té la tinença exterioritza una voluntat de seguir mantenint-la i de fer-la servir per als seus propòsits (DÍEZ PICAZO).

3. LES CLASSES DE POSSESSIÓ

Allò que tradicionalment s'ha inclòs sota l'expressió que dóna títol a aquest apartat, no consisteix altra cosa que la descripció de les diferents situacions en què la persona es pot trobar respecte de la cosa o el dret objectes de la possessió. El Dret català fuig de les definicions que es troben en el Codi civil, amb encert, ja que algunes de les contingudes en els articles 430, 431 i 432 CC no responen a necessitats actuals i produeixen més d'una perplexitat. Certament algunes de les normes catalanes porten a la distinció de diferents possibilitats, algunes de les quals no poden ser qualificades com a possessió, la qual cosa significa l'exclusió de la protecció acordada i la remissió a les concretes normes per a cada concreta situació, d'acord amb el que disposa l'article 521-1.2.

I. La possessió en nom propi i en nom aliè. El servidor de la possessió

Aquesta distinció es troba en l'article 521-1.1, quan estableix que aquest poder de fet en què es s'exercita la tinença, pot ser "exercit per una persona, com a titular, o per mitjà d'una altra persona". Aquesta disposició no descriu diferents classes de possessió, sinó les diferents situacions en les què un posseïdor es pot trobar en relació a la cosa o dret objecte de la possessió. L'article 521-1.1 es refereix a les formes a partir de les quals una persona pot ser titular de la possessió, ja que el poder en què consisteix pot exercitar-lo personalment o bé per mitjà d'una altra persona, és a dir, *un servidor de la possessió*. Un exemple ens aclarirà l'article: pensem que un propietari d'un cotxe el pot conduir ell mateix o bé pot emprar un xofer; en ambdós casos el propietari serà posseïdor. Aquesta és una conseqüència de la qualificació de la possessió com a fet, perquè aquesta distinció no es refereix tant a la titularitat de la possessió, sinó a l'exercici: la possessió solament es pot tenir en nom propi, mentre que l'exercici es pot realitzar per mitjà d'altres persones, tesis que està recolzada clarament per la regulació de l'article 521-1.1, que es refereix fonamentalment al servidor de la possessió.

Per això l'exercici de la possessió es pot dissociar perfectament de la titularitat i això es pot produir en algun dels següents casos, que pot servir-nos d'exemple: a) el representat, sigui legal o voluntari i el mandatari posseeixen per un títol que implica el reconeixement de la possessió d'una altra persona, com passa en l'article 521-3.2; b) el gerent, dependent de comerç, funcionari, etc., solament posseeixen per a una altra persona; és a dir, són *servidors de la possessió*, com es dedueix de l'article 521-1.1.

D'aquí que en aquests casos es pot distingir entre la *possessió superior* i la *possessió subordinada* o en nom aliè, de manera que aquesta segona s'exerceix tot reconeixent que la cosa o el dret posseïts ho són en virtut d'un títol, normalment contractual, que implica el reconeixement d'una possessió a la qual se subordina la d'aquell que posseeix en nom aliè i que fa que aquesta segona no tingui la qualificació de tal en l'ordenament català. En aquest sentit s'ha declarat que no existeix autèntica possessió *ad usucapionem* quan es posseeix per a una altra persona i així s'ha reconegut per la jurisprudència del Tribunal Suprem, en sentències de 29 abril 1987 (la usucapió no es por obtenir pel precarista o per l'administrador) i de 18 octubre 2001 (la possessió de fet per un altre no és suficient per accedir-ne a la titularitat per mitjà de la usucapió). L'article 521-1.1 recull la norma generalitzada en l'ordenament jurídic espanyol que admet la figura del *servidor de la possessió*, entenent com a tal aquella persona que té la tinença de la cosa, reconeixent el dret d'una altra persona; no té un títol que el legitimi per posseir, sinó l'autorització del posseïdor o la tolerància i per això, no és posseïdor ell mateix. És un autèntic instrument per a l'exercici de la possessió i per això no usucapeix ell mateix, perquè no té la cosa o el dret en concepte de titular.

II. Possessió mediata i immediata

El dret alemany introduí aquesta categoria, que és acceptada en la doctrina espanyola, però que resulta difícil encabir-la en la regulació catalana de la possessió. Es nomena *possessió mediata* la que es té per mitjà de la possessió d'una altra persona; s'inclouen aquí els casos del nu propietari o del propietari-arrendador. *Possessió immediata* és aquella que es té en contacte físic amb la cosa; s'inclourien aquí els usufructuaris i també els arrendataris. Per bé que no es troba recollida en el Codi civil, aquesta distinció ha estat acceptada per la jurisprudència del Tribunal Suprem, ja que l'article 432 CC serveix de fonament a aquesta distinció, de la que es dedueix que quan una persona posseeix a títol de tenidor de la cosa, reconeixent el domini en una altra, existeixen en realitat dos posseïdors, ja que el propietari no perd la possessió del seu dret de propietat, per bé que materialment no tingui la cosa (Veure sentències del TS de 30 setembre 1994, 10 juliol 1992 i 17 novembre 1999).

Ara bé, essent ja difícil acceptar aquesta distinció en la regulació del Codi civil, resulta artificiosa en el Dret català, perquè aquest, com també el Codi civil, admet la que hi ha situacions que creen una cadena de relacions possessòries provisionals específiques sobre la mateixa cosa o dret, ordenades de forma vertical, distingint el posseïdor del dret, normalment en aquests casos, el propietari, del posseïdor material de la cosa, tal com es dedueix, per ex., de l'article 521-4. Els exemples que posem a continuació demostren aquest plantejament: i) quan la cosa és objecte *d'usdefruit*, el nu propietari posseeix el dret de propietat i l'usufructuari, la cosa; ii) *en l'arrendament*, l'arrendatari posseeix la cosa arrendada i l'arrendador, si és propietari, el dret de propietat; iii) quan *l'usufructuari arrenda la cosa objecte de l'usdefruit* (art. 561-9.2), l'arrendatari posseeix la cosa, l'usufructuari, el dret d'usdefruit i el nu propietari, el dret de propietat.

En aquests casos hi ha objectes diferents de la possessió, per tant no cal introduir la distinció de què tracta aquest apartat, per tal com es permet en el dret català la desintegració de les facultats sobre una mateixa cosa, com es demostra en l'article 521-4.1 que estableix que "diferents persones poden posseir un mateix bé si els conceptes possessoris són compatibles", com passa en els exemples posats.

4. L'OBJECTE DE LA POSSESSIÓ

L'article 521-1.1, en definir la possessió, estableix que pot ser-ne objecte una cosa, o un dret. Amb això, el Codi català supera l'anterior teoria derivada del dret romà, d'acord amb la qual els drets, per tal com són coses immaterials, no podien ser objecte de la possessió en el sentit propi de la paraula, per bé que se'ls aplicava la mateixa doctrina, per mitjà del que s'anomenava *quasi-possessió*. Avui l'article 521-1.1 admet clarament que el poder en què la possessió consisteix s'exerceixi també sobre els drets, independentment que puguin ser objecte d'apropiació física. De totes les maneres, per interpretar l'objecte de la possessió d'acord amb l'article 521-1.1 s'ha de recórrer a l'article 511-1.2 que defineix les coses com a "els objectes corporals susceptibles d'apropiació i també les energies en la mesura que ho permeti la seva naturalesa" i exclou de la consideració de *coses*, els animals (vegeu capítol I). Aquesta definició, però, tot i essent útil per a la determinació de l'objecte de la possessió, resulta insuficient, ja que els animals poden ser-ho, així com els drets, que no apareixen definits en una disposició destinada a donar un concepte de béns;

certament l'article 511-1.1 considera *béns* els *drets patrimonials*, però a diferència de les coses, no els defineix. En resum i pel que fa a la determinació de l'objecte sobre el qual recau el poder en què la possessió consisteix, cal dir que aquest està descrit en l'article 511-1.

En l'article 521-1.1, com ja s'ha dit, desapareix la històrica categoria de la *quasi-possessió*, ja que aquesta disposició inclou el poder que s'exerceixi sobre qualsevol dels objectes a què es refereix, i tindrà sempre la consideració de possessió, amb les conseqüències específiques segons sigui l'objecte.

I. Les coses com a objecte de la possessió

A diferència de la regulació del Codi civil, a Catalunya existeix un tractament indistint de les qüestions referides a la possessió, sense que, en general, influeixi la diferent naturalesa de l'objecte de la possessió. Així es por comprovar en l'article 521-1.2 en tractar dels actes tolerats i dels actes aparents; en l'article 521-3, en establir la capacitat per adquirir la possessió; en l'article 521-7, relatiu a la possessió de bona i mala fe i en els articles 522-2.3 i 4, relatius a la liquidació de les situacions possessòries. La distinció es recull a l'article 522-5 referida al deteriorament de *la cosa o el dret posseïts*. En tot cas s'ha de recordar que en aquestes disposicions l'expressió *cosa*, està utilitzada en sentit jurídic i no en sentit vulgar, havent de reconduir-se el concepte a les normes ja citades del mateix Codi. Es tractarà, per tant, de coses corporals susceptibles d'apropiació, excloent-se les coses futures perquè els manca aquesta condició i en qualsevol cas, si s'ha creat algun dret sobre elles, l'objecte de la possessió serà aquest dret i no la mateixa cosa. Més dificultats planteja la possessió de les energies que són béns, en el sentit definit en l'article 511-1, per bé que immaterials, encara que la seva característica d'ésser susceptible d'apropiació, els permet ser objecte de possessió. Poden ser objecte de possessió les coses individuals, les parts d'una mateixa cosa (p.e. un traster annex a un pis), i les universalitats. Respecte de les coses immaterials i d'acord amb el que disposa l'article 511-1, tenen la condició de béns, per la qual cosa poden ser objecte de possessió, per bé que s'han de distingir els drets, com succeeix amb la propietat intel·lectual i la propietat industrial, dels productes de l'exercici d'aquests drets. En relació als primers, ens trobem davant de l'objecte possessori *dret*, mentre que en relació als seus productes, ens trobem davant de la possessió de *coses*.

Més problemes pot plantejar la possessió *sobre animals*, donat que l'article 511-1, 3 diu expressament que els animals "no es consideren coses", per bé que es remet a les regles "dels béns en allò que ho permeti llur naturalesa". I això clarament es produeix en relació a la possessió, de la mateixa manera que són susceptibles d'ocupació, la qual s'adquireix per apropiació material (article 542-20).

En canvi no poden ser objecte de possessió aquelles coses que no són susceptibles d'apropiació, segons l'article 511-1.2, tant si aquesta impossibilitat és física (l'aire, per exemple), com si és jurídica, com passa amb les coses que es troben fora del comerç dels homes, en relació a les quals hi pot haver tinença (p.e. la droga), però no possessió. El mateix passa amb les coses de domini públic. Aquesta norma serà fonamental per a la usucapió, ja que exclosa la possibilitat de posseir, s'exclou coherentment la usucapió que consisteix en "la possessió del bé" durant el temps fixat (art. 531-23.1).

II. Els drets com a objecte de la possessió

Els drets patrimonials són *béns*, segons l'article 511-1,1; en conseqüència, l'article 521-1.1 admet la possessió de drets. Ara bé, el problema es troba sobre la classe de dret que es pot posseir, independentment de la seva qualificació com a bé des del punt de vista jurídic.

Respecte a la possibilitat de posseir els drets, s'han formulat diferents doctrines. Alguns autors consideren que només es poden posseir els drets reals (PÉREZ GONZÁLEZ-ALGUER) i n'exclouen els drets de crèdit, explicació que podria tenir un argument a favor si tenim en compte que en la regulació de la usucapió, l'article 521-23.1 admet solament la dels drets reals; altres autors entenen que són susceptibles de possessió tant els drets reals com els drets de crèdit, sempre, però, que tinguin un exercici durador i no s'esgotin en un sol acte (ALBALADEJO, DÍEZ PICAZO); d'aquesta manera serien objecte de possessió l'arrendament i l'usdefruit, tesis admesa per la sentència del Tribunal Suprem de 19 gener 1965. Finalment, altres autors consideren que no podran ser objecte de possessió els drets que s'esgoten amb el seu exercici, perquè aquest els extingeix (COCA).

La postura que aquí es manté és que el Dret català admet la possessió dels drets de crèdit i dels drets reals, de manera que es poden admetre els següents tipus de drets-objecte de la possessió:

a) Els drets reals

b) Els drets de crèdit, que es posseeixen fins i tot quan no legitimen per a la possessió de la cosa sobre la qual recauen els esmentats drets.

c) En tots els casos en què no es produeix relació material amb la cosa, l'objecte de la possessió és el dret i no la cosa. És el cas del nu propietari, de l'arrendador, del deutor pignoratici, etc.

5. EL CONTINGUT DE LA POSSESSIÓ

En parlar del contingut de la possessió, estem plantejant la pregunta *què és posseir* i deriva d'allò que disposa l'article 521-1.1, quan diu que "la possessió és el poder de fet sobre una cosa o un dret". Certament, el contingut de la possessió variarà segons l'objecte sigui una cosa o un dret, perquè quan es tracta d'una cosa, el contingut el proporciona la tinença física de la cosa, mentre que si es tracta d'un dret, el contingut és l'exercici. A diferència del que succeeix en el Codi civil, però, el Codi civil català no distingeix entre els diferents possibles objectes i com ja s'ha vist de la transcripció de la definició de l'article 521-1-1, no es pot interpretar que existeixen diferents conceptes possessoris depenent de la naturalesa de l'objecte posseït: en tots ells, serà "el poder de fet", que s'haurà d'acompanyar clarament amb "la voluntat externa d'actuar", bé com a titular del dret, bé com a detenidor de la cosa. D'acord amb això, s'ha de dir que la voluntat del subjecte posseïdor determina quina serà la postura que tindrà en relació a l'objecte posseït.

La tinença a què es refereixen les disposicions civils catalanes comporten la necessitat de definir-la i de determinar-ne els efectes, i així, la *tinença* consisteix en una relació directa, generalment exclusiva i total del posseïdor amb l'objecte posseït.

a) Es tracta d'una *relació exclusiva,* perquè solament aquell que té dret a posseir té possibilitats de tenir la cosa en el seu poder o d'exercir el dret i, per tant, pot impedir a qualsevol tercer que adquireixi la possessió sense la seva autorització o la transmissió (arts. 521-8 i 531-2). D'acord amb això, l'article 521-4.1 admet la possibilitat que coexisteixin diferents posseïdors sobre un mateix bé "si els conceptes possessoris són compatibles". Aquesta norma solament és correcta en el sentit de l'article 521-5, que regula els supòsits de copossessió quan es produeix una situació de comunitat, perquè en els altres casos, com ara el servidor de la possessió, el mateix dret català es preocupa d'excloure la seva qualitat de posseïdor.

En conseqüència, l'article 521-4.2 estableix els criteris per determinar qui té dret a posseir en aquells casos en què més d'una persona pretengui posseir la cosa o el dret; aquests criteris són: i) la persona que posseeixi en el moment de formular-se la pretensió, és a dir, el posseïdor actual; ii) si hi ha dos o més posseïdors, el més antic, situació que només es pot referir a supòsits de comunitat i llavors la regla és complexa, encara que també es poden considerar casos com el de la possessió conjunta dels cònjuges (art 9 CF) i en aquest supòsit, sí resulta aplicable; iii) si les dates de la possessió coincideixen, el que presenti títol, i iv) "si totes aquestes condicions són iguals, l'objecte de la possessió es diposita judicialment mentre se'n decideixi la possessió o la propietat d'acord amb el que estableixen les lleis".

En el cas que existeixi copossessió perquè hi ha una comunitat, s'haurà d'aplicar la regla de l'article 521-4.2 *in fine*, és a dir, dipositar judicialment l'objecte la possessió del qual es discuteix l'exclusivitat i dirimir les diferències per mitjà del corresponent procediment. D'aquí que la regla sigui l'exclusivitat, amb excepcions quan es tracta dels casos de què s'ha parlat.

b) Es tracta *d'una relació directa*. El concepte possessori que s'exerceix per mitjà de la tinença implica que el poder de fet s'exercita per regla general, de manera directe i sense intermediari. Amb això s'exclou la categoria alemanya que distingeix entre possessió mediata i possessió immediata, que ja s'ha vist, perquè la possessió mediata no és tal en sentit propi, sinó que s'ha produït un canvi de l'objecte possessori per la creació d'un dret que produeix un canvi en l'objecte de la possessió (usdefruit, per exemple, que converteix el propietari en nu propietari).

Aquesta relació directa es pot exercir bé pel mateix posseïdor, bé per un representant, com regula l'article 521-1.1 en dir que el poder de fet es pot exercir pel titular o "per mitjà d'una altra persona", que no serà posseïdor, sinó representat del mateix.

El Codi català no regula, però, el cas de la pèrdua de la cosa posseïda, com ho fa l'article 461 CC, per bé que l'article 521-8,e) en regular la causa de pèrdua de la possessió a través de la possessió d'un altre, sembla donar a entendre que la de qui l'ha perdut es manté durant l'any que triga en adquirir-la aquell que ha trobat la cosa, conclusió que ve confirmada per la presumpció de continuïtat de la possessió establerta a l'article 521-6.3.

c) Es tracta d'una *relació total* i per aquesta raó solament es pot compartir la possessió sobre un mateix objecte si els conceptes possessoris són compatibles (art. 521-4.1).

d) Existeix *plena autonomia en la fixació del contingut de la relació possessòria*. Aquell que posseeix actua de manera autònoma exercint el poder de fet en què la possessió consisteix. Per tant i per manca d'aquesta característica, no serà posseïdor el servidor de la possessió, perquè actua subjecte a la voluntat del posseïdor, sense poder determinar el contingut de la tinença que sí ostenta. La tinença del servidor no és possessió, perquè és un instrument per mitjà del qual resulta efectiva la d'aquell que té el dret a posseir. Per aquesta raó se li ha negat legitimació en els antics interdictes possessoris.

D'aquí que no es consideri possessió aquella relació de fet amb les coses o els drets que no permeti fixar de manera autònoma el seu contingut o també quan la relació de tinença s'ostenta en virtut d'una relació de servei amb el posseïdor (art 521-1.1). I també com a conseqüència d'aquesta plena autonomia, que es pugui invertir el concepte possessori, com veurem en el proper apartat.

6. EL CONCEPTE POSSESSORI

El Codi català no fa referència directa a la distinció que apareix en l'article 432 CC, en virtut de la qual existeixen dos conceptes: el d'amo o el de simple detenidor. Però es pot deduir de la mateixa redacció dels articles 521 i 531-24.1, de manera que la simple detenció no permet la usucapió; el que passa en el Dret català és que se substitueix el concepte d'amo, que havia estat objecte de moltes crítiques per part dels intèrprets del Codi civil, pel concepte de *titular*, de manera que en el dret català hi haurà també dos conceptes possessoris: *el de titular de la cosa o el dret* i el mer *detenidor*, que no té títol i que no serà posseïdor o al menys no tindrà dret a usucapir.

I. La possessió en concepte de titular

En la interpretació d'aquesta expressió es pot entendre que hi ha dues possibles opcions: o bé titular equival a propietari, o bé significa la persona que ostenta el corresponen dret real, ja sigui el de propietat, ja sigui qualsevol altre que l'autoritza a posseir (MORALES; en contra ALBALADEJO i COCA). És en aquest darrer sentit que s'usa en la sentència de 23 juny 1986.

Ara bé, cal que distingim el sentit de la paraula segons es tracti de posseïdor simple o de posseïdor *ad usucapionem*. En general, *titular* és aquella persona que exerceix el poder de fet que li autoritza el títol que li permet la possessió de la cosa o del dret; pot ser tant un usufructuari, com un arrendatari o un dipositari, malgrat que aquests dos darrers no poden mai adquirir per mitjà de la usucapió la titularitat que tenen sobre la cosa perquè es tracta de drets d'obligacions no susceptibles de ser adquirits per usucapió, segons l'article 531-23.1. I també ho serà el precarista. En canvi si es tracta d'un posseïdor *ad usucapionem*, el significat de l'expressió es restringeix perquè segons l'article 531-23.1. solament es poden adquirir per usucapió *la propietat* i els *drets reals possessoris*. Tot això matisa el concepte quan ens referim al dret civil català. Per tant la interpretació que es doni a la paraula *titular* quan és emprada en l'article 521-1.1 és més àmplia que la interpretació de la mateixa paraula en l'article 531-24.1.

II. El concepte de tenidor

Es pot definir de forma negativa, de manera que serà tenidor aquella persona que no és titular. El Codi civil català, però, ens dirigeix cap a situacions en les que la relació de la persona amb la cosa o el dret és sempre de simple tenidor: així es troben en aquesta situació el ja estudiat servidor de la possessió i també aquell que posseeix sense la voluntat externa d'actuar com a titular, perquè o bé reconeix el dret d'una altra persona, o bé realitza actes clandestins, que exclouen la possessió segons l'article 521-2.2, o bé aquells que posseeixen per tolerància del titular. En canvi no l'exclouen totalment els actes violents, perquè malgrat que l'article 521-2.2 estableixi que "no es pot adquirir mai amb violència mentre els posseïdors anteriors s'hi oposin", l'article 521-8, e) admet que s'adquireixi per aquesta via, "si la nova possessió dura més d'un any", de manera que la violència no determina l'adquisició per mitjà de l'acte violent pròpiament dit, però sí a través de la passivitat de l'antic posseïdor quan no s'hi ha oposat durant el termini d'un any que té per exercir les accions possessòries.

III. La permanència del concepte possessori: la inversió

La fixació del concepte possessori es produeix en el moment d'adquirir la possessió material sobre la cosa o el dret que en són objecte. A partir d'aquest moment, queda fixat el concepte amb caràcter permanent, de manera que l'article 521-6.2 estableix que "es presumeix que els posseïdors mantenen el mateix concepte possessori que tenien quan van adquirir la possessió", presumpció que, com veurem a continuació, admet prova en contrari. En general, el concepte possessori inicial depèn de la voluntat del posseïdor (COCA), encara que normalment no es fixa de forma unilateral, sinó d'acord amb la forma en què s'hagi adquirit la possessió, segons l'article 521-2. No obstant, la possibilitat que es provi que es posseeix per un títol diferent de l'inicial és un efecte de l'autonomia de la voluntat en la determinació del contingut i de la mateixa flexibilitat de la possessió; quan té lloc aquest canvi, es diu que s'ha produït *una inversió del concepte possessori*. La sentència de 10 d'octubre de 1996 afirma que "la interversión unilateral que el Derecho romano prohibía —*neminem sibi ipsus causam possessionis mutare posse*— (Digesto 41,2,3,19) es ahora admisible a tenor de lo dispuesto en el art 436 CC, aplicable en Cataluña, que si bien presume que la posesión se sigue disfrutando en el mismo concepto en que se adquirió, admite la prueba en contra. La mutación del *animus* por parte del usucapiente requiere que el cambio de voluntad del poseedor se exteriorice mediante un comportamiento no clandestino [...]".

Els requisits per a què es produeixi una inversió són els següents:

1r. Canvi de la voluntat del posseïdor, manifestat per l'exercici d'un concepte diferent d'aquell que fins aquell moment ostentava sobre la cosa o el dret objecte de la possessió (sentència de 18 febrer 1988).

2n. No cal que el canvi es realitzi públicament, per bé que si el que es vol és que tingui efectes possessoris, ha de fer-se públicament i més si el que es busca és començar a usucapir, perquè la llei exigeix que la possessió i el concepte siguin públics (art.

531-24.1), donat que els actes clandestins no afecten la possessió (art. 521-2).

3r. Que es provi la inversió del concepte possessori, donada la presumpció de continuïtat del concepte establerta a l'article 521-6.2 (sentència de 7 febrer 1997).

La inversió del concepte possessori pot respondre a propòsits molt diferents i d'aquí, pot produir també efectes molt diferents i normalment tindrà raó de ser en les possessions *ad usucapionem*.

El canvi es pot produir per algun d'aquests actes:

1r. *Per un acte unilateral del posseïdor.* És aquella situació en la que el posseïdor per ell mateix i de forma unilateral, canvia el concepte possessori: per exemple, estava posseint com a arrendatari i passa a fer-ho com a propietari. En principi es tracta d'un acte il·lícit, que pot tenir la qualificació de despulla i, per tant, tindria cabuda en algun dels actes previstos en l'article 521-2.2 i que permetria el titular, normalment propietari encara que no necessàriament (pot ser, p.e., un usufructuari que ha arrendat i que l'arrendatari canviï el concepte pel de propietari), exercir les accions possessòries corresponents en la seva defensa front a un acte d'inversió del concepte (la més clara seria l'acció de l'article 250.4 LEC).

2n. *Per un acte bilateral.* El concepte possessori, evidentment, pot canviar per un acord entre els interessats, que ha de considerar-se, en principi, com a lícit. Això succeeix en la *traditio brevi manu*, en la que la persona que adquireix la propietat de la cosa l'estava ja posseint per un títol diferent (art. 531-4), o bé en el cas del *constitutum possessorium,* en el que el propietari aliena la cosa o el dret i continua posseint-lo per un concepte diferent (art. 531-4).

3r. *Per sentència.* Aquí el canvi en el concepte possessori es produeix com a conseqüència d'una sentència dictada en relació al dret a posseir.

IV. Les conseqüències del concepte possessori

La possessió està protegida en l'ordenament jurídic a través de les presumpcions possessòries; es tracta de les de bona fe (art. 521-7), la presumpció de títol (art. 522-1), a les que s'ha d'afegir l'equivalència del títol, tractat al Codi civil català com a supòsit d'irreivindicabilitat (art. 522-8).

A) LA PRESUMPCIÓ DE BONA FE

L'article 521-7.2 estableix que "la bona fe es presumeix sempre". El mateix article ens haurà dit abans en què consisteix la bona fe, la qual cosa ha de coordinar-se amb el que disposa l'article 521-7.3, sobre la cessació dels efectes de la bona fe.

La bona fe és un efecte del concepte possessori i està relacionada i deriva del títol. L'article 521-7.1 ens diu que "la bona fe en la possessió és la creença justificable de la titularitat del dret" i afegeix que en cas contrari, "la possessió és de mala fe". Aquesta regla és una concreció específica per a la possessió de la més general sobre la bona fe, continguda en diverses regles del mateix Codi, des del Títol preliminar (art 111-7) fins a les establertes per a l'accessió, sota l'empara de la regla general de l'article 542-10 (articles 542-7 i 542-9) i el dret de retenció (art 569-4).

La bona fe del posseïdor consisteix en la creença sobre la titularitat del seu dret a posseir; aquesta mateixa definició s'empra en l'article 542-10 en relació a la bona fe de qui planta, conrea o construeix en sol aliè. Es pot aplicar tant a les persones físiques com a les jurídiques, però en aquest darrer cas s'ha de referir als membres que tinguin la condició d'òrgans socials (DIEZ PICAZO). En general, ve referida al moment adquisitiu de la possessió i requereix el següent:

1r. Que existeixi títol, però sigui ineficaç; en aquest sentit, la bona fe pot crear-la el títol *putatiu*, és a dir, aquell que proporciona una apariència de legalitat, que legitima la bona fe; un exemple en els dóna el testament nul que crea un hereu aparent (art 64 CS). El mateix pot succeir quan es posseeix en virtut d'un títol nul (sentència de 28 novembre 1998).

2n. Que el posseïdor n'ignori la ineficàcia, però aquesta ignorància no pot consistir solament en un simple estat psicològic, sinó que s'haurà de fonamentar en l'existència d'un títol, putatiu o nul. La pregunta que podem fer-nos a continuació es refereix a la possibilitat que existeixi bona fe sense títol; en realitat el Codi català no preveu aquesta situació i encara que pugui produir-se, no tindrà cap efecte jurídic, ja que aquesta possibilitat no es preveu en un dels efectes més importants, com és el relacionat amb la liquidació de la situació possessòria, com examinarem (vegeu capítol III). Podrà servir per exonerar el posseïdor de les conseqüències de la pèrdua de la cosa posseïda, previstes en l'article 522-5.1.

Contràriament, doncs, la *mala fe* consisteix en el coneixement de què el títol que s'ostenta no legitima per posseir, ja sigui perquè essent nul, es coneix la causa que produeix la nul·litat, o bé es posseeix sense cap títol, o bé hi ha actes clandestins o violents, de manera que en contraposició, la mala fe deriva del coneixement de la ineficàcia del títol o de la seva inexistència, tal com estableix l'article 521-7.1.

La presumpció de bona fe és *iuris tantum*, la qual cosa significa que pot ser destruïda mitjançant la prova en contrari, d'acord amb l'article 521-7.2; això implicarà que aquell que negui aquesta presumpció haurà de provar-ho, de manera que el posseïdor queda alliberat d'aquesta prova. Malgrat això, el posseïdor pot reconèixer, per actes propis, la seva mala fe. En aquest cas s'aplicarà la regla de l'article 521-7.3 i els efectes cessaran en el moment en què es reconegui la mala fe.

La presumpció de bona fe és *personal:* afecta solament l'interessat, de manera que en la situació de copossessió, cada posseïdor serà de bona o de mala fe segons no conegui o conegui els defectes del seu títol: la mala fe o la bona fe no són solidàries. La bona fe es també *permanent*, ja que continua mentrestant no es produeixi un fet que faci canviar la ignorància que la produeix. Què succeeix en el moment en què el posseïdor coneix la ineficàcia del seu títol? Es tracta d'una situació de mala fe sobrevinguda, prevista en l'article 521-7.3, que tindrà efectes en la fase de la liquidació de la situació possessòria, sobretot en allò relatiu a la percepció de fruits (art 522-2) i els efectes del deteriorament o la pèrdua de la cosa posseïda (art 522-5). Cal recordar, per bé que es desenvolupa en el capítol dedicat a la usucapió (vegeu cap V), que el dret català no exigeix la bona fe per a la possessió *ad usucapionem.*

La jurisprudència del Tribunal Suprem ha vingut considerant que la prova de la mala fe és una qüestió de fet i, per tant, de lliure apreciació pels Tribunals d'instància (sentències de 14 octubre 1996 i 8 octubre 1997, entre moltes d'altres).

B) *LA PRESUMPCIÓ DE TÍTOL*

L'article 522-1 estableix la presumpció segons la qual "els posseïdors són titulars del dret en concepte del qual posseeixen", de manera que en presumir el títol, l'article citat presumeix el dret que aquest títol expressa. En definitiva estableix la mateixa

norma que l'article 38 LH. L'article 522-1.2 conté una excepció
al principi de presumpció de títol que té lloc en aquells casos en
què la cosa objecte de la possessió estigui registrada a nom d'una
altra persona, ja sigui en el Registre de la Propietat si es tracta
d'un immoble, ja sigui en el Registre de Béns mobles; això és
coherent amb els respectius sistemes registrals que proporcionen
al titular inscrit una presumpció de títol en els articles 38 LH
i 15.2 de la llei 28/1998, *de ventas a plazos de bienes muebles*.
Ara bé, l'article 522-1.2 no converteix, per tal com tampoc no ho
són, les presumpcions dels titulars inscrits en *iuris et de iure*
i també d'acord amb els sistemes registrals formals, permet la
prova en contra del titular registral, mitjançant la presentació
d'un títol que justifiqui la possessió. Pensem, per exemple, en un
usdefruit no registrat, de manera que el Registre de la propietat
publica la propietat plena de qui en realitat és un nu propietari;
d'acord amb el que disposa la disposició comentada, es permetria
a l'usufructuari aportar el seu títol per destruir la presumpció
que deriva de la inscripció.

C) *LA IRREIVINDICABILITAT*

L'article 522-8 recull la norma segons la qual, "l'adquisició de
la possessió d'un bé moble de bona fe i a títol onerós comporta
l'adquisició del dret en què es basa el concepte possessori, encara
que els posseïdors anteriors no tinguessin poder de disposició su-
ficient sobre el bé o el dret". La norma semblant, que no igual,
de l'article 464 CC ha produït un dels debats més llargs i sense
fruit en el Codi civil.

La norma del Codi civil català sembla poc influenciada pel dret
romà, d'acord amb el qual regia la regla *ubi rem meam invenio,
ibi vindico*, de manera que el propietari sempre podia reivindicar
la cosa, mentre que per al dret germànic, que influí clarament el
dret francès, quan la cosa havia sortit voluntàriament de l'àmbit
de poder del posseïdor, no podia ser posteriorment objecte de rei-
vindicació si es trobava en poder d'un tercer que l'hagués adquirit
de bona fe; en conseqüència, en els casos que la cosa hagués sortit
de l'àmbit de poder del posseïdor de forma indeguda (robatori, furt,
etc.) s'incomplia la regla i el posseïdor desposseït podia exercir
amb èxit l'acció reivindicatòria front a l'adquirent.

Aquesta disposició presenta els següents problemes:

1r. L'adquisició del tercer de bona fe es produeix quan la cosa que adquireix ha sortit legalment de l'àmbit de poder de l'antic posseïdor, no quan ho ha fet il·legalment. Això implica diverses qüestions: la primera, que cal determinar quin mecanisme utilitza la llei per consolidar l'adquisició feta en aquestes circumstàncies, i la segona, que s'han de determinar els requisits per a què aquesta consolidació pugui produir-se.

Respecte del mecanisme de la consolidació, s'han formulat dues tesis entorn a l'article 464 CC, que no es poden reproduir directament en l'estudi de l'article 522-8: la primera entén que es tracta d'una usucapió immediata, que ensopega amb el greu inconvenient de la manca de possessió, ja que la cosa s'adquireix *ipso iure*, si concorren els requisits que estudiarem a continuació. Sembla més convincent la tesi que considera que aquest és un cas d'adquisició *a non domino* establert legalment i més si tenim en compte el que disposa l'article 544-2.1 en relació als efectes de l'acció reivindicatòria, que "comporta la restitució del bé, llevat dels casos en què les lleis determinen la irreivindicabilitat" i un d'aquests casos és, clarament, l'article 522-8. Aquesta tesis implica que l'adquisició amb bona fe i a títol onerós és un supòsit d'ir-reivindicabilitat, perquè es consolida la feta per l'adquirent, que podrà oposar-la com a excepció en una reclamació de l'anterior propietari (en aquest sentit s'havia pronunciat la jurisprudència del Tribunal Suprem des de molt aviat, en la sentència de 11 juliol 1900, fins la més recent de 3 març 1980). En el mateix sentit que aquí, BADOSA entén que l'article 544-2.1 considera la irreivindicabilitat com una qualitat jurídica de la cosa que la fa no restituïble.

La disposició analitzada conté dues regles; la general és la referida a la protecció de la bona fe, entesa en el sentit ja estudiat i contingut en l'article 521-7.1, és a dir, "la creença justificable de la titularitat del dret"; aquesta bona fe no equival a títol, com en l'article 464 CC, sinó que directament produeix l'adquisició del bé moble concret que es transmet, estalviant els problemes d'interpretació de la paraula *títol*, que han dividit a la doctrina civilista. La segona és l'excepció a l'anterior, que té lloc en el cas de l'article 522-8.3, quan l'objecte de la transmissió sigui un bé moble "perdut, furtat, robat o apropiat indegudament", amb l'excepció que aquests béns s'hagin adquirit en subhasta pública. La jurisprudència del Tribunal Suprem ha admès sempre que la subhasta proporciona un títol inatacable i està protegida per la regla de l'equivalència del títol (sentència de 25 febrer 1992).

D'acord amb això anterior, doncs, els requisits per a la consolidació de l'adquisició seran: a) que l'objecte adquirit sigui un bé moble; b) que l'adquirent sigui de bona fe, és a dir, que reuneixi les característiques de l'article 521-7; c) que el transmetent actuï de forma voluntària i no s'hagi produït cap acte de privació illegal de la cosa transmesa, i d) que la transmissió sigui a títol onerós. Quan concorrin aquests requisits, l'adquirent obté el dret en què es basa el concepte possessori.

2n. Què és el que s'adquireix? L'article 522-8 supera la discussió mantinguda en la interpretació de l'article 464 CC, que estableix que en aquests casos, la possessió equival a títol. L'article 522-8 estableix directament que s'adquireix el dret corresponent segons el concepte possessori, és a dir, per tant, que la possessió dona un títol adequat al concepte, sense que sigui necessari usucapir per adquirir la titularitat definitiva. I això, segons el mateix article 522-8.1, independentment que el transmetent no tingui poder de disposició sobre la cosa o el dret. Per posar un exemple, una transmissió d'un bé moble efectuada per un hereu fiduciari. D'aquí que la possessió de bona fe legitima l'adquirent com a titular efectiu del corresponent dret o cosa, segons el concepte possessori en virtut del qual, s'ha transmès la cosa o el dret.

3r. L'excepció: la privació il·legal. Com ja s'ha vist, l'article 522-8.3 manté l'acció reivindicatòria del propietari dels béns mobles que es trobin en una d'aquestes situacions: i) que s'hagin perdut; ii) que hagin estat furtats o robats o bé, que hagin estat objecte d'apropiació indeguda. I això fins i tot en el cas que l'adquirent sigui d'absoluta bona fe, per tal com concorrin els requisits que l'article 522-8 estableix en el primer paràgraf. Estan inclosos aquí tres casos diferents: i) cosa perduda, és a dir, aquella que hagi sortit de l'àmbit de poder del posseïdor sense la seva voluntat; ii) les coses furtades o robades, és a dir, objecte d'aquests delictes segons el Codi Penal, i c) coses apropiades indegudament, també d'acord amb els conceptes penals; en aquest sentit i interpretant l'article 464 CC, la sentència de 22 gener 2002 hi va incloure tot tipus de despulla constitutiva d'abús de confiança.

En aquests casos, la cosa o el dret tenen una característica que els acompanya i que impedeix que l'adquirent a títol onerós i de bona fe consolidi l'adquisició.

4t. L'àmbit d'aplicació de l'article 522-8. La norma d'aquesta article es pot aplicar a aquells casos en què concorre manca de capacitat o manca de poder de disposició de l'alienant; quan la bona fe no concorri en l'adquirent, sinó en el subadquirent, amb les limitacions que s'estableixen en l'article 522-8.3, i quan, malgrat que la cosa es trobi en algun dels casos de l'article 522-8.3 en què el posseïdor hagi estat desposseït contra la seva voluntat, l'adquirent hagi de ser considerat de bona fe per haver adquirit les coses en subhasta pública o "en un establiment dedicat a la venda d'objectes semblants al dit bé i establert legalment". De manera que l'article 522-8 s'aplica tant a les parts d'un contracte que tinguin la característica de la bona fe segons descriu l'article 521-7, com a autèntics tercers que no han tingut cap participació en l'acte de despossessió, sempre, en aquest cas, que hagin adquirit les coses o els drets en els establiments o en la forma prevista en l'article 522-8.3. I en canvi, quan es tracti de coses perdudes, furtades, robades, etc., no es produeix l'adquisició *a non domino* i solament podrà l'adquirent consolidar la seva adquisició per mitjà de la usucapió. L'acció reivindicatòria comporta la liquidació de la situació possessòria, d'acord amb l'article 544-2.2.

Per tant, el joc de l'article 522-8 produeix com a efecte principal impedir la reivindicació dels béns objecte de la transmissió, excepte quan la cosa s'ha perdut, ha estat robada o sostreta, en quins casos, l'adquirent no pot oposar-se amb èxit a l'acció reivindicatòria del vertader propietari o titular i llavors solament podrà adquirir la cosa quan hagi consumat el temps exigit en l'article 531-27 per a la usucapió de les coses mobles, amb l'excepció de l'article 522-8.3 quan la venda s'ha efectuat en subhasta o en un establiment autoritzat, en què s'elimina també l'acció reivindicatòria.

L'adquirent haurà de provar que concorren els requisits per a l'adquisició *a non domino*. L'article 522-8.2 estableix l'obligació pels adquirents de donar a conèixer les dades de les persones que els van transmetre el bé, i si no ho fan, responen dels danys i perjudicis causats.

BIBLIOGRAFIA SUMÀRIA

BORRELL I SOLER. *Derecho civil vigente en Catalunya*. 2ª edició 1944. Barcelona, Bosch casa editorial; MARTÍ MIRALLES, Juan. *Spoliatus ante omnia restituendus*. 1972, Tarragona, Instituto de Estudios Tarraconenses "Ramón Berenguer IV"; MORALES MORENO., Antonio Manuel. *Posesión y usucapión*. Consejo Superior de Investigaciones científicas, Madrid, 1972; COCA PAYERAS, Miguel. Comentari als articles 430-445 CC a Paz-Ares, Bercovitz, Diez Picazo, Salvador (directores) *Comentario del Código* civil. Ministerio de Justicia. Madrid, 1991, T. I, pp 1160; MIQUEL GONZÁLEZ, José Mª. Comentari als articles 446-467, Comentario cit. P. 1201; MARTIN PEREZ. *Comentarios al Código civil y Compilaciones forales.* T. VI, 2ª edición 1993, Madrid, EDERSA; BADOSA COLL, Ferran. "Els sistemes adquisitius a Catalunya". Ponència a les XIV Jornades de Dret català a Tossa, 2006; civil.udg.es/tossa/2006/textos/pon/2/fbc.htm; ESPIAU ESPIAU, Santiago." La adquisición de la propiedad y la reivindicabilidad de las cosas muebles perdidas en la Ley catalana 25/2001, de 31 de diciembre, de la accesión y la ocupación". *Libro Homenaje al Profesor D. Manuel Albaladejo Garcia.* Murcia, 2004, I, p. 1509; ID. "La adquisición de buena fe de bienes muebles en el Código civil de Catalunya".civil.udg.es/tossa/2006/textos/com/2/see.htm; ID. *La equivalencia de la posesión al título y la aplicación del art 464 CC en Cataluña.* Barcelona, Atelier, 2004.

JURISPRUDÈNCIA CITADA

Tribunal Suprem

11 de juliol de 1900: Irreivindicabilitat de les coses mobles adquirides de bona fe.

19 de gener de 1965: posseïbilitat dels drets de crèdit.

3 de març de 1980: Irreivindicabilitat de les coses mobles adquirides de bona fe.

29 abril 1984: el precarista no és un posseïdor *ad usucapionem.*

23 de juny de 1986: concepte de titular.

29 abril 1987: no es pot obtenir la possessió a través del precarista.

18 de febrer de 1988: concepte de titular. Inversió del concepte possessori.

25 de febrer de 1992: adquisició de cosa moble perduda o furtada per mitjà de subhasta pública. Títol per a l'adquisició.

10 de juliol de 1992: Possessió mediata i possessió immediata.

30 de setembre de 1994: Possessió mediata i possessió immediata.

10 d'octubre de 1996: inversió del concepte possessori. Aplicació a Catalunya.

14 d'octubre de 1996: Presumpció de bona fe: qüestió de fet.

7 de febrer de 1997. Bona fe: presumpció *iuris tantum.*

8 d'octubre de 1997: Presumpció de bona fe: qüestió de fet.

17 de novembre de 1999: possessió mediata i possessió immediata.

18 d'octubre de 2001: la possessió de fet per un altre no legitima per a usucapir.

22 de gener de 2002: el concepte de privació il·legal inclou figures properes a l'abús de confiança.

Capítol III
La possessió (II)

1. L'ADQUISICIÓ I L'ACABAMENT DE LA POSSESSIÓ

La tinença que genera el dret a posseir i a seguir posseint té un inici i un final. A l'adquisició de la possessió es refereix l'article 521-2 i la pèrdua en què consisteix la finalització de la situació possessòria està regulada a l'article 521-8.

Com ja s'ha vist en el capítol anterior, tant les persones físiques com les jurídiques poden adquirir la possessió i ser, per tant, posseïdores i per a ser-ho han de complir algun dels actes reconeguts com a modes d'adquirir en l'article 521-2. I en relació als subjectes que adquireixen la possessió es poden deduir dues regles del Codi català:

1ª Que no es requereix capacitat d'obrar per adquirir la possessió, tal com es dedueix de l'article 521-3 i això perquè no s'exigeix que la possessió s'adquireixi per mitjà d'un negoci jurídic, tal com es dedueix del que disposa l'article 521-2, per bé que els menors i els incapacitats no puguin exercir les facultats inherents a la possessió sinó per mitjà dels seus representants legals; a diferència del Codi civil que limita la capacitat dels menors i incapacitats per adquirir la possessió, el Codi català no distingeix, de manera que d'acord amb el que entén una bona part de la doctrina, els menors podrien adquirir la possessió per mitjà d'un negoci jurídic anul·lable, per exemple i d'acord amb l'article 1301 CC, perquè produeix els seus efectes mentrestant no sigui anul·lat i entre aquests efectes es troba la possessió. D'aquesta manera s'ha de considerar que el Dret català admet també l'adquisició de la possessió de drets per part de menors i d'incapaços i d'aquesta manera encara resulta més coherent la limitació per a l'exercici dels drets establerta a l'article 521-3.2.

2ª La segona regla deriva del que disposa l'article 521-1, és a dir, que pot adquirir directament la mateixa persona que fruirà de la possessió o bé, una altra en nom seu, que tant pot ser un representant legal, en el cas dels sotmesos a potestat dels pares, potestat prorrogada i tutela, com un representant voluntari, sigui el mandatari i també el servidor de la possessió.

I. Les vies per adquirir la possessió

L'article 521-2 no descriu els diferents fets que poden donar lloc a l'adquisició de la possessió i es refereix en abstracte a la subjecció de la cosa o el dret al poder de l'adquirent, tot seguint la definició que dona l'article 521-1.1, i la posada a disposició de la cosa o el dret, d'acord amb les relacions existents entre els antics posseïdors i els nous. En definitiva, però i tot i simplificant els modes d'adquirir la possessió establerts a l'article 438 CC, l'article 521-2 es refereix a dues grans formes d'adquirir: la possessió com a situació de fet, a la qual respon l'apartat 1, a), i l'adquisició derivativa, a la qual es refereix l'apartat 1,b) de l'esmentat article 521.

A) ADQUISICIÓ DE LA POSSESSIÓ PEL FET DE QUEDAR LA COSA O EL DRET SUBJECTES A L'ÀMBIT DE PODER DE L'ADQUIRENT

Com s'ha dit abans, es tracta de la situació prevista a l'article 521-2.1,a) i inclou l'ocupació material de la cosa o del dret, entre les quals podem trobar, per exemple, l'adquisició de fruits, l'ocupació material de la cosa o el dret, etc. Es pot criticar, com succeeix també en l'article 438 CC, que aquesta causa s'apliqui tant a les coses com als drets, perquè donada la característica normalment immaterial d'aquests darrers, resulta difícil l'aprehensió material; ara bé, cal tenir en compte que d'acord amb l'article 521-1, la possessió és un poder de fet sobre una cosa o un dret i és una forma d'adquirir aquella que consisteix en la subjecció "de la cosa o el dret a l'àmbit" del poder del posseïdor. D'aquí que qualsevol acte que suposi aquesta *subjecció*, independentment de quin sigui l'objecte posseït, produirà l'adquisició de la possessió i, per tant, si bé l'ocupació material és segurament la forma més visible i habitual, també s'adquirirà per qualsevol altre acte, com ara el lliurament de les claus del lloc on es troben les coses, perquè aquest suposa subjectar la cosa a l'àmbit del poder la qual cosa determina que s'esdevingui posseïdor.

També, però, se subjecta la cosa o el dret a l'àmbit de poder de la persona quan s'han executat actes violents, però això sempre i mentrestant que el posseïdor anterior s'hi oposi, la qual cosa s'estudiarà en parlar de l'article 521-8.

B) L'ADQUISICIÓ DERIVATIVA

En aquest cas no es produeix una adquisició per mitjà d'actes materials que subjecten la cosa al poder del posseïdor, sinó que en virtut d'una relació jurídica existent entre l'antic posseïdor i el nou, les coses o els drets objecte de la possessió es posen a disposició d'aquests darrers. Normalment, per tant, s'adquireix per la transmissió duta a terme per l'antic posseïdor a favor del nou. El cas típic és el previst a l'article 531-2 que defineix la *tradició* com "el lliurament de la possessió d'un bé pels antics posseïdors als nous". D'aquesta manera, la tradició servirà per transmetre la possessió i si ha concorregut el títol, produirà la de la propietat. Les classes de tradició previstes en l'article 531-4 seran també supòsits d'adquisició de la possessió, perquè en tots ells es posa a disposició la cosa o el dret.

L'article 521-2.1,b) requereix una relació jurídica entre posseïdor nou i antic, en virtut de la qual, aquest darrer transmet la possessió.

C) L'ADQUISICIÓ DE LA POSSESSIÓ PER DECISIÓ JUDICIAL

L'article 250.1,3r LEC recull l'antic interdicte d'adquirir, ara nomenat acció possessòria; d'acord amb aquesta disposició, es decidiran en judici verbal les demandes que "pretendan que el Tribunal ponga en posesión de los bienes a quien los hubiese adquirido por herencia, si no estuviesen ya poseídos por nadie a título de dueño". Aquesta acció té com a finalitat donar la possessió a l'hereu que no la té, per mitjà de la intervenció judicial, perquè s'ha de tenir en compte que d'acord amb el que disposa l'article 6 CS, "l'hereu que accepta solament té la possessió de l'herència si l'ha presa". Per a l'efectivitat d'aquesta norma es requereix que no existeixi cap altre posseïdor a títol d'amo o d'usufructuari i, per tant, s'exclourà en relació a aquells béns de l'herència sobre els quals es pot prendre possessió directament, com passa en l'article 271.4 CS, és a dir, que el testador ho hagi autoritzat, que es tracti de llegat d'usdefruit universal o en el cas que s'hagi distribuït tota l'herència en llegats, supòsit permès a Tortosa.

Un segon supòsit d'adquisició judicial de la possessió es produeix en els articles 2056 ss LEC 1881, en vigor d'acord amb la disposició transitòria única, 1 LEC 2000; es tracta d'un expedient de jurisdicció voluntària d'adquisició de la possessió, que té com a objecte decretar "la posesión judicial de una finca o fincas que no se hayan adquirido por título hereditario" (article 2056 LEC 1881). Qui interposa aquest encara nomenat *interdicte* ha d'acompanyar el títol fonamentador del seu dret, que ha d'estar inscrit al Registre de la Propietat i s'ha d'acompanyar una certificació expedida per l'encarregat del Registre, conforme existeix aquesta inscripció. Altres casos de possessió adquirida judicialment es produeixen en l'execució que consisteix en l'entrega d'una cosa moble determinada i si qui té el deure d'entregar-la no ho fa, diu l'article 701.1 LEC 2000 que "el tribunal pondrà al ejecutante *en posesión* de la cosa debida" i, finalment, ol cas previst a l'article 727.3 LEC 2000 que com a mesura cautelar, preveu la possibilitat del dipòsit de la cosa moble objecte del litigi.

II. La pèrdua de la possessió

L'article 521-8 regula els casos de cessament de la possessió, que constitueixen causes de pèrdua; les normes reguladores de la pèrdua de la possessió estan relacionades amb la naturalesa de poder *de fet* que la llei li atribueix, de manera que la solució que es donarà a determinades situacions depèn dels fets i no de la possible i hipotètica intenció del tenidor de la cosa. Les causes establertes a l'article 521-8 no són *numerus clausus*, donat que poden produir-se altres casos de pèrdua, com ara l'acció de desnonament del precarista, que elimina la possessió que tenia fins aquell moment i l'èxit de l'acció reivindicatòria per part del titular del dret que el legitima per posseir.

Les causes de pèrdua de la possessió establertes a l'article 521-8 es poden agrupar en dues categories: a) les causes *voluntàries*, en les quals intervé la voluntat del posseïdor i que en l'article de referència són la cessió (article 521-8, a) i l'abandonament; b) les causes *involuntàries* i que en aquest article són la pèrdua o la destrucció total de la cosa (apartat c), el fet de convertir-se la cosa fora del comerç dels homes (apartat d) i la possessió per altri (apartat e), per bé que en aquesta darrera s'hi combinen elements voluntaris i involuntaris.

A) *LES CAUSES VOLUNTÀRIES*

En l'article 521-8 com ja s'ha dit, existeixen dues causes de pèrdua: l'abandonament i la cessió.

-L'abandonament consisteix en el desapoderament voluntari de la cosa o del dret, amb la intenció de deixar-la de posseir. Hi concorren dos elements: la voluntat de deixar de posseir i deixar de tenir la cosa fora de l'àmbit de la voluntat, és a dir, del poder de fet que la caracteritza. Si no concorren aquests dos elements, no es tractarà d'un abandonament, sinó d'una pèrdua que *per se* no provoca la de la possessió. Aquesta norma s'ha de relacionar amb l'article 543-1.1 que estableix que "la propietat s'extingeix per renúncia dels propietaris si, a més, abandonen *la possessió de la cosa que n'és l'objecte*" i que segons l'article 543-2, no es pot presumir. D'aquesta manera s'haurà de demostrar que el posseïdor ha abandonat voluntàriament la cosa per tal de considerar que s'ha produït la causa que estem estudiant, de manera que si no es produeixen aquestes dues circumstàncies descrites abans, no hi haurà abandonament i, per conseqüent, se segueix mantenint la possessió, com passa quan s'hagin perdut les coses, com demostra l'article 542-22.1 quan estableix que els animals o objectes mobles corporals que per "llurs característiques, estat de conservació, funció o destinació econòmica són habitualment posseïts per algú no es poden adquirir per ocupació", perquè la possessió resulta protegida per l'article 543-2 i per tant, en el cas de l'article 542-22 es produeix una presumpció de pèrdua i no d'abandonament. Per a què actuï aquesta causa d'acabament de la possessió, no cal que la cosa surti de l'àmbit d'influència del posseïdor, sinó que és suficient que es patentitzi l'estat d'abandonament (DIEZ PICAZO).

Una qüestió interessant es planteja la doctrina entorn a la capacitat per a perdre la possessió per acte d'abandonament voluntari. En general es considera que la possessió no es pot perdre voluntàriament per aquelles persones a qui la llei no els reconeix la capacitat d'obrar (MIQUEL GONZÁLEZ), de manera que en tractar-se d'un negoci jurídic de tipus abdicatiu, si no existeix capacitat o aquesta està viciada, es tractarà d'una altra causa o d'un altre acte.

-*La cessió voluntària.* D'acord amb l'article 521-8 a) es perd la possessió per la "cessió voluntària dels béns que en són objecte a una altra persona, en un concepte incompatible amb la possessió de la persona que fa la cessió". És a dir que constitueix una causa d'acabament de la possessió el traspàs de la cosa o el dret a una altra persona per mitjà de la tradició, que d'acord amb l'article 531-2 consisteix, precisament, en el lliurament de la possessió. Hem de distingir en aquest cas, però, els efectes de la tradició segons el que es pretengui transmetre: certament, en l'article 531-2 el traspàs de la possessió acompanyat del corresponent títol, produeix el de la propietat si el transmetent era propietari i produeix solament el de la possessió si no ho era; d'acord amb això, cal dir que per adquirir la propietat cal la cessió de la possessió, mentre que la simple cessió no produeix *per se* l'adquisició de la propietat, ja que perquè es produeixi aquest efecte, calen altres requisits, d'acord amb l'article 531-1 (vegeu capítol IV). Resulta evident que la simple transmissió de la possessió per part d'aquell que no és propietari no transmet la propietat, però sí que en tot cas produeix el traspàs possessori (MIQUEL GONZÁLEZ).

Perquè es produeixi l'acabament de la possessió per aquesta causa cal que sigui *voluntària*, és a dir que hagi existit un negoci jurídic, a títol onerós o gratuït, en virtut del qual s'hagi lliurat la possessió. Aquesta norma està d'acord amb l'article 521-2.2 que exclou la violència com a forma d'adquirir la possessió, però en aquest cas, "sempre que els posseïdors anteriors s'hi oposin", per bé que ja veurem que aquesta regla no és absoluta, ja que cal integrar la causa d'acabament prevista en l'article 521-8 e), per bé que en aquest darrer cas, l'adquisició de la possessió no es produeix per un acte voluntari, sinó per una decisió legal: "si la nova possessió dura més d'un any".

La mateixa disposició afegeix que la possessió acaba quan es traspassa a una altra persona el bé concret "en un concepte incompatible amb la possessió de la persona que fa la cessió". La llei s'està referint al casos de constitut possessori previst, sobretot, a l'article 531-4,e) que considera com a forma de tradició i per tant, de lliurament, "l'expressió en el contracte del fet que els adquirents ja tenien el bé en llur poder per un altre títol", com quan es ven un bé arrendat als arrendataris que posseïen el bé venut en aquest títol. Quan el títol pel qual s'ha transmès la possessió és nul, cal considerar que la cessió de la possessió és plenament eficaç, de manera que el cedent l'ha perduda i el cessionari l'ha adquirida, sens perjudici de les accions corresponents, entre les quals es troba l'acció publiciana regulada a l'article 522-7 (DIEZ PICAZO).

La cessió es pot fer directament al nou posseïdor, a la persona que el representi o al servidor de la possessió.

B) LES CAUSES INVOLUNTÀRIES

En el sentit que ja s'ha dit abans, són causes involuntàries la pèrdua o destrucció total de la cosa, el restar fora del tràfic jurídic i la possessió d'un altre si dura més d'un any.

-*La pèrdua o destrucció total* de la cosa o l'extinció dels drets posseïts, és causa d'acabament segons l'article 521-8.c). Es tracta, com s'ha dit abans, d'un cas de pèrdua involuntària de la possessió per tal com s'ha produït la destrucció o pèrdua física de la cosa o bé l'extinció del dret, per la causa que sigui. Com afirma la doctrina, aquest cas no inclou la pèrdua de les coses en el sentit que la cosa s'hagi extraviat perquè el posseïdor n'ignori el lloc on es troba (DIEZ PICAZO). Encara que en el Codi civil català no hi hagi una disposició paral·lela a l'article 461 CC, la mateixa solució d'aquest es pot deduir de la norma de l'article 542-22 sobre les troballes i per tant, en el cas que la cosa estigui perduda definitivament s'haurà acabat la possessió, però no mentrestant existeixi encara la possibilitat de recuperar-la. Si la pèrdua, però, ha durat més d'un any, es perdrà la possessió per aplicació de la causa e) de l'article 521-8, no per la causa c), però s'hauran d'haver produït els requisits que s'hi preveuen.

-*El fet de restar la cosa o el dret fora del tràfic jurídic*. Es tracta dels casos en què manca en absolut la qualitat de què la cosa estigui en el comerç dels homes. De totes maneres, el fet que determinades coses tinguin restringida la seva presència en el mercat, com ara passa amb les armes, les drogues, etc., no implica que no existeixi possessió, per bé que es fa difícil admetre que el tenidor tingui en aquest cas accions possessòries per a la seva recuperació o conservació (LACRUZ).

-*La possessió d'una altra persona per més d'un any* fins i tot l'adquirida en contra dels posseïdors anteriors. El principi segons el qual la violència no és una causa per a adquirir la possessió està recollit a l'article 521-2.2 i d'acord amb aquest principi, no es pot adquirir la possessió mentrestant existeixi una persona, posseïdora, que s'hi oposi; d'acord amb el mateix principi, quan una persona ha estat privada il·legalment de la possessió, per tal de recuperar-la haurà d'exercir les accions possessòries previstes a l'article 522-7, o les accions publiciana (article 522-7.2) o reivindicatòria (article 544-1). I de la mateixa manera, l'article 521-2.2 recull en el modern dret civil català el principi *spoliatus ante omnia restituendus*, establert en el dret romà, d'acord amb el qual aquell que es prenia la justícia per la seva ma de forma violenta podia ser fins i tot vençut en el judici interdictal interposat en contra seva per la persona que l'havia despullat violentament de la possessió. Malgrat que d'acord amb el dret canònic, el lladre podia ser despullat pel propietari de la cosa immediatament d'haver estat comès el robatori (*in continenti*), i també desprès quan no es tractava d'un lladre ocult sinó manifest (MARTÍ MIRALLES), això solament podia passar en virtut de l'anomenada *exceptio domini*.

Fruit d'una extensa interpretació històrica dels principis romans i canònics, l'article 521-8.e) admet que s'adquireixi la possessió quan el posseïdor despullat hagi deixat passar un any des de l'acte que ha produït el cessament físic en la possessió sense haver interposat cap de les accions corresponents per recuperar-la, regla que sembla contradir el principi anteriorment exposat, ja que aquell que despulla violentament a un altre de la cosa o dret objecte de la possessió, arribarà a ser posseïdor i, per tant, protegit, un cop ha transcorregut l'any previst en la disposició que s'està comentant per la passivitat de l'anterior posseïdor despullat.

D'acord amb aquestes normes i per tal d'interpretar aquesta disposició, cal estudiar dos tipus de violència: la violència exercida per adquirir la cosa o el dret i la violència exercida per recuperar-los. Respecte del primer tipus de violència, que aquí qualificarem com a *violència adquisitiva*, el Codi civil català parteix del principi ja assenyalat d'acord amb el qual l'article 521-2.2 reprova aquesta forma, amb l'excepció que els anteriors posseïdors no s'hi oposin. Aquest principi resulta confirmat pel que disposen els articles 521-8 i 531-27.2, en relació a l'inici del termini per a la usucapió de les coses furtades, robades o objecte d'apropiació indeguda. Fins aquí el principi tal com apareix formulat al Dret civil català.

Però la protecció no és en ella mateixa un dret, la qual cosa pot arribar a fer admetre que en l'ordenament català, com passa també en el Codi civil, si es produeixen determinades circumstàncies, l'actuació violenta pot dur a l'adquisició de la possessió. En aquesta situació es poden tenir en compte dos aspectes que es refereixen als principis abans referits: i) *front a terceres per-*

sones, aquell que ha adquirit la possessió de manera violenta és un posseïdor aparent i, per tant, s'aplica el que disposa l'article 522-7.1, de manera que gaudirà de la protecció que li proporcionen les accions possessòries per evitar qualsevol acte impeditiu de tercers. S'ha de tenir en compte que per a l'exercici d'aquestes accions només s'ha d'acreditar la tinença material de la cosa o el dret, perquè el títol pel qual es posseeixen no és objecte de discussió en aquests procediments; ii) *front a l'autèntic posseïdor,* aquell que ha comés actes de despullament de la possessió té una posició subjecte a l'exercici de les corresponents accions possessòries pel posseïdor despullat durant l'any següent a l'acte obstatiu de la possessió; mentrestant no hagi caducat l'acció, el despullat *és el posseïdor,* ja que l'article 521-8,e) determina que l'adquisició es produeix "si la nova possessió dura més d'un any"; passat aquest termini, doncs, el despullat deixa de ser posseïdor i per recuperar la cosa o el dret dels quals ha estat privat haurà d'exercitar les accions que corresponguin al títol en virtut del qual posseïa i si és propietari, l'acció reivindicatòria.

D'aquesta manera es pot dir que front a qui té el poder de fet sobre la cosa o el dret, qui ha realitzat l'acte de privació no ostenta cap tipus de possessió, però pot oposar-se als actes obstatius realitzats per tercers, però no pot oposar-se amb èxit a les accions interposades pel posseïdor despullat, sempre que aquest reclami pels mitjans legals a l'abast. Ara bé, transcorregut un any des de l'acte de privació, qui l'ha realitzat pot oposar la seva possessió front al posseïdor-despullat i això succeeix especialment en l'àmbit de les accions possessòries i fins i tot abans d'aquest termini, si el despullat utilitza mitjans no admesos en l'ordenament jurídic per recuperar la possessió de la cosa o l'objecte. Ara bé, una cosa és que es pugui adquirir la possessió per l'exercici d'actes violents i una altra molt diferent que com a conseqüència de l'aplicació d'aquesta norma, que té com a fonament la protecció de l'aparència, s'apliquin a aquest posseïdor tots els efectes típics de la possessió, perquè en no estar inclosa la violència entre els conceptes possessoris típics d'acord amb l'article 521-2.2, no produirà els efectes corresponents com es dedueix clarament de l'article 531-27.2. En conclusió, doncs, la violència unida a la manca d'activitat del posseïdor, permet adquirir la possessió, per bé que la il·legitimitat de la forma adquisitiva la sotmet al termini durant el qual el posseïdor despullat pot exercir les accions possessòries.

Pel que fa a la que s'ha nomenat *violència recuperadora*, respon al principi abans al·ludit *spoliatus ante omnia restituendus* i d'aquesta manera qui es cregui amb dret per recuperar una cosa i, en conseqüència, privar-ne a qui l'ha obtingut de forma no adequada al sistema jurídic, ha d'actuar per mitjà dels procediments establerts legalment, ja que d'altra manera, deixa d'estar protegit i es converteix a la seva vegada en despullant i, per tant, legitimat passivament en les accions possessòries que interposi el despullant-despullat. Solament podrà exercir l'acció reivindicatòria o la corresponent al dret que tenia per posseir. Aquesta norma s'aplica també als supòsits en què un posseïdor per un determinat títol, inverteix el seu concepte possessori de forma unilateral (vegeu capítol II).

Certament i deixant al marge la possessió adquirida de forma violenta, aquesta disposició també s'aplica a altres casos en què algú adquireix la possessió sense títol.

3. LA PROTECCIÓ DE LA POSSESSIÓ

El fet mateix de la possessió es va protegir des del Dret romà a través d'accions específiques que rebien el nom *d'interdictes possessoris*. La vigent LEC 2000 ha prescindit d'aquesta denominació i les nomena *accions possessòries*. En el Codi civil català, l'article 522-7.1 estableix que "els posseïdors i els detentors tenen pretensió per a retenir i recuperar llur possessió contra qualssevol pertorbacions o usurpacions, d'acord amb el que estableix la legislació processal". D'aquesta manera s'han d'aplicar les normes contingudes als articles 250 i concordants LEC.

A més, l'article 522-7.2 recupera per al dret vigent *l'acció publiciana*, que és aquella que té com a finalitat la recuperació de la possessió front a posseïdors de pitjor dret, així com la que correspon al posseïdor *ad usucapionem* front a altres de pitjor dret.

I. Les accions possessòries

L'antiga Llei d'Enjudiciament civil de 1881 reconeixia al posseïdors quatre tipus d'interdictes: el de recuperar i recobrar la possessió; el d'adquirir-la; el d'obra nova i el d'obra ruïnosa. La doctrina, però, entengué que solament els dos primers eren pròpiament interdictes possessoris, ja que solament aquests servien per protegir aquesta situació. L'article 522-7 sembla estar d'acord amb aquesta doctrina, ja que reconeix pretensió per *retenir* i *recuperar* la possessió. L'interdicte d'adquirir parteix, precisament, de la manca de possessió de l'hereu i solament es pot aplicar en aquesta seu, i les altres dues accions possessòries, obra nova i obra ruïnosa, no requereixen l'acreditació de qui les interposa sigui posseïdor, per la qual cosa difícilment poden ser considerades com a tals.

A) *LES ACCIONS PER RETENIR I RECOBRAR LA POSSES-SIÓ*

L'article 250 LEC 2000 inclou entre les demandes que s'han de substanciar pel tràmit del judici verbal "las que pretendan la tutela sumaria de la tenencia o de la posesión de una cosa o derecho por quien haya sido despojado de ellas o perturbado en su disfrute" (art. 250.1, 4° LEC), confirmat per l'article 439.1 LEC que es refereix a la inadmissió de les demandes "que pretendan retener o recobrar la posesión si se interponen transcurrido el plazo de un año a contar desde el acto de la perturbación o el despojo". Es tracta de judicis de caràcter sumari, la finalitat dels quals es la restauració a la situació anterior a l'acte de pertorbació o privació produïts. En aquests procediments no es discuteix, per tant, el dret que ningú tingui a seguir posseint, sinó que l'únic que es pretén es tornar les coses a la situació en què es trobaven abans que s'hagués produït l'acte obstatiu a la possessió, la realització del qual es troba impedida per l'article 521-2 LEC.

Cal distingir els dos tipus d'acció: i) si es tracta d'una acció dirigida a *retenir la possessió*, el posseïdor pertorbat ha de demanar que se li mantingui la possessió i que cessin els actes pertorbadors; ii) si es tracta d'una acció destinada a *recuperar la possessió*, s'ha de reposar el posseïdor en la situació en què es trobava abans de l'acte de privació, sens perjudici que després, en el procediment adequat, es pugui discutir el títol o el millor dret dels litigants.

Està legitimat per interposar l'acció possessòria de retenir i recobrar la possessió aquell que es trobi en la tinença o la possessió de la cosa o el dret, d'acord amb el que disposen els articles 522-7.1 i 250.1, 4 LEC. En conseqüència, tot posseïdor està legitimat per exercitar aquestes accions quan s'ha produït la pertorbació o la privació i això amb independència de la forma en què vagi adquirir-la o del títol que tingui i és per aquesta raó que abans s'ha dit que front a tercers, està legitimat aquell que va adquirir la possessió de manera violenta. Existeixen, però, casos especials: i) qualsevol dels coposseïdors pot, en benefici de la comunitat, exercitar les accions possessòries front a pertorbacions produïdes per tercers; també es poden exercir front a un coposseïdor que pertorbi o inquieti la possessió dels altres; ii) l'arrendatari pot interposar les accions possessòries front a l'arrendador i també aquest front a l'arrendatari i és evident que ambdós estan legitimats per protegir-se front a pertorbacions provinents de tercers; iii) l'Administració està legitimada per aquest tipus d'accions; iv) no s'admet la legitimació passiva del servidor de la possessió i v) el precarista està també legitimat front a tercers.

L'acció possessòria s'ha d'interposar contra aquell que hagi efectuat l'acte de pertorbació o privació; per tant, s'entén que estan legitimats passivament tant l'executor material dels actes, com aquelles persones que van ordenar-los. S'ha de tenir en compte que en aquest tipus de demandes no hi ha litisconsorci passiu necessari.

L'acció s'ha d'interposar en el termini d'un any a comptar des de l'acte de pertorbació o privació (arts. 121-22 i 439.1 LEC); per bé que la doctrina ha discutit si es tracta d'un termini de prescripció o de caducitat, el manament d'aquest darrer article va dirigit al jutge en el sentit que li imposar la no admissió d'aquestes demandes presentades després d'haver transcorregut un any des de l'acte obstatiu de la possessió: això fa que s'hagi de considerar com un termini de caducitat i no de prescripció, la qual cosa (DIEZ PICAZO) està més d'acord amb l'interès general protegit amb aquestes accions. Aquí es manté la postura favorable a la caducitat.

A diferència de la LEC 1881, la Llei actualment vigent no estableix els efectes de l'admissió de l'acció. Conforme a l'article 447.2 LEC, "no producirán efectos de cosa juzgada las sentencias que pongan fin a los juicios verbales sobre tutela sumaria de la posesión" i d'aquesta manera es pot discutir en un procediment posterior el dret dels litigants per posseir la cosa o el dret discutits.

B) LES ACCIONS D'OBRA NOVA I D'OBRA RUÏNOSA

L'article 250.1, 5 i 6 LEC recull els nomenats abans *interdicte d'obra nova* (article 250.1,5 LEC) i l'*intedicte d'obra ruïnosa* (article 250.1,6 LEC). En la primera d'aquestes accions es busca "la suspensión de una obra nueva" (art. 250.5 LEC); en el segon, "la demolición o derribo de obra, edificio, árbol, columna o cualquier otro objeto análogo en estado de ruina y que amenace causar daños a quien demande" (art. 250.6 LEC). Aquestes accions no estan recollides en el Codi civil català, però han estat lligades tradicionalment a la possessió, encara que existeix un corrent doctrinal, que compartim, d'acord amb el qual no es tracta d'accions possessòries pròpiament dites, ja que els legitimats per interposar-les no són exclusivament els posseïdors, sinó qualsevol persona afectada, de manera que no cal que el demandant tingui la possessió, per bé que si ho és, l'afavoreix (DÍEZ PICAZO).

II. L'acció publiciana

L'article 522-7.2 reconeix una acció protectora dels posseïdors nomenada *acció publiciana,* d'acord amb la qual "podran recuperar, per mitjà de l'acció publiciana, la possessió de la cosa o el dret davant dels posseïdors sense dret o de pitjor dret". Afegeix aquesta disposició que "qui usucapeix ha de provar que té millor dret a posseir, ha de dirigir l'acció contra els posseïdors que tenen la possessió efectiva i ha d'identificar la cosa o el dret objecte de la possessió". Es tracta d'una acció d'origen romà, la vigència de la qual en el Dret espanyol és dubtosa, per bé que certes sentències del Tribunal Suprem no han rebutjat la seva vigència (com ara les de 26 octubre 1931, 6 març 1954), que han vingut a reconèixer que està emparada en el segon paràgraf de l'article 348 CC. La sentència de 5 febrer 2004, recollint sentències anteriors diu que "la doctrina científica y la jurisprudencia de esta Sala han dado carta de naturaleza en nuestro derecho a la acción publiciana, no con la fisonomía original y peculiar que ostentó en el Derecho romano sino como una de las facetas de la propia acción reivindicatoria, que permite al actor probar su mejor título reclamando la cosa a quien la posea con mejor derecho", amb cita de les sentències de 21 febrer 1941, 7 octubre 1982 y 13 gener 1984. BORRELL I SOLER considerava vigent aquesta acció a Catalunya i deia que era suficient demostrar el dret a posseir la cosa amb preferència al posseïdor actual; que era una acció *reivindicatòria útil* que s'aplica a la possessió *ad usucapionem*; que corresponia al posseïdor de bona fe amb títol adient per adquirir el domini i que es pot interposar contra aquell que té la possessió natural de la cosa o contra qui té la possessió civil per un títol menys preferent i contra qui va deixar de posseïr dolosament o que es presenta com a posseïdor.

1º *Legitimació activa*. En el dret català modern l'acció correspon a qui és posseïdor front als que no tenen dret o són de pitjor dret i també front al posseïdor *ad usucapionem*. S'exclouen, per tant, els que no són posseïdors, d'acord amb els articles 521-1.2 y 521-2.2 i també els que posseeixen sense cap dret a fer-ho, és a dir, els que no tenen algun dels títols que permeten adquirir la possessió d'acord amb l'article 521-.1. I tampoc podrien exercir aquesta acció aquells que segons l'article 521-4.2 tenen un dret subordinat a un altre.

2º *Legitimats passius*. Estan legitimats passivament els que no són posseïdors, per exemple, un servidor de la possessió; també els que s'oposen a la possessió, són posseïdors de pitjor dret. Quan es tracta d'una acció interposada per un posseïdor *ad usucapionem*, l'article 522-7.2 exigeix que l'acció es dirigeixi contra els que tenen la possessió efectiva, els quals però, podran oposar a l'actor l'excepció del seu títol o del seu millor dret a posseir, perquè la possessió *ad usucapionem* és solament una situació de fet.

3º *Procediment*. Deixant estar la qüestió de la quantia a la què es refereix l'article 250.2 LEC per a la tramitació de les demandes per la via del judici verbal, en no tenir cap procediment establert en el Codi civil català, s'haurà de tramitar pel judici de la quantia corresponent d'acord amb la Llei procedimental. No s'equipara per tant a les accions possessòries.

Quan l'acció sigui exercitada pel posseïdor *ad usucapionem* ha de provar: i) que té millor dret a posseir, per a la qual cosa pot utilitzar l'article 521-4.2; ii) ha d'identificar la cosa o el dret objecte de la possessió, la qual cosa resulta òbvia.

4º *Prescripció de l'acció*. En no tenir un termini establert en l'article 522-7, cal aplicar l'article 121-20 que estableix el termini de 10 anys per aquelles accions que no tinguin un termini especial. Cal, però, recordar que d'acord amb aquesta disposició, les accions no es podran exercitar quan algú hagi adquirit "abans el dret per usucapió", la qual cosa fa que si l'acció s'exerceix sobre una cosa moble, aquesta pot haver estat ja adquirida per usucapió per la possessió de tres anys, d'acord amb l'article 531-27.1.

L'efecte de l'acció, segons l'article 522-7.2 és *recuperar la possessió*, la qual cosa haurà de comportar la liquidació de la situació possessòria, d'acord amb els articles 522-2 a 522-5.

3. LIQUIDACIÓ DE LA SITUACIÓ POSSESSÒRIA

En permetre la possessió el contacte del posseïdor amb la cosa o el dret posseïts, facilita l'aprofitament dels seus rendiments, així com l'ús. Això implica que en el moment en què s'acabi l'estat possessori per alguna de las causes que s'han vist en l'apartat anterior, s'ha de procedir a liquidar els efectes que hagi produït la possessió. Així el Codi civil català estableix unes regles per determinar el règim de l'adquisició dels fruits, la liquidació de les despeses i les responsabilitats derivades del deteriorament o menysvaloracions que hagi experimentat l'objecte posseït. Aquest règim s'estableix en els articles 522-2 a 522-5.

En relació al Codi civil, la doctrina es formula diferents preguntes, tals com en quin moment s'ha de considerar consolidada l'adquisició dels fruits; entre quins subjectes es produeix aquesta relació i quines són les parts en conflicte, etc. (DÍEZ PICAZO). Perquè és cert que existeixen alguns supòsits de liquidació diferents també en el Codi civil català, com ara succeeix en l'extinció de l'usdefruit, en què s'hauran d'aplicar les normes generals que ara s'estudiaran, a més de les específiques de l'usdefruit segons quin sigui el seu objecte (vegeu capítol XVIII). O bé el supòsit de la liquidació de l'herència sotmesa a fideïcomís quan s'hagi produït la delació al fideïcomissari, que haurà de seguir les regles establertes als articles 238 i següents CS. Una certa indicació ens la proporciona l'article 544-2.2 quan com a efecte de l'èxit de l'acció reivindicatòria, estableix que "la restitució del bé implica *la liquidació de la situació possessòria* amb relació als fruits, les despeses i el deteriorament o la pèrdua del bé", la qual cosa ens indica clarament quines serien les persones legitimades per exigir la liquidació de la situació possessòria, norma que resulta plenament confirmada en l'article 522-2 que determina els efectes de les accions dirigides a protegir la possessió i també de la publiciana i estableix que "si els posseïdors perden la possessió a favor d'una altra persona que té un millor dret a posseir, per qualsevol causa, la liquidació possessòria s'ajusta al que estableixen els articles del 522-3 al 522-5, llevat de pacte o disposició en contra". A més, cal tenir en compte que no totes les situacions previstes en l'article 521-8 requereixen liquidació del previ estat possessori; així l'abandonament, la pèrdua de la cosa i el fet de restar fora del tràfic jurídic no comporten liquidació de la possessió, perquè o bé la cosa s'ha perdut, o bé s'ha abandonat, amb la qual no s'establirà una nova relació que requereixi liquidar el que havia succeït abans.

D'acord amb aquestes disposicions, es poden treure les següents conclusions:

1ª La normativa dels articles 522-3 al 522-5 és de naturalesa dispositiva, perquè pot ser canviada per un acord en contrari de les parts implicades. Aquest acord podrà ser anterior a al moment en què es produeixi l'acabament de la possessió i en previsió que aquest moment arribi, però podrà ser també posterior, de manera que quan les parts hagin de liquidar l'estat possessori, podran ajustar les normes previstes als articles 522-3 al 522-5 i substituir-les per les que pensin que són més convenients a la concreta situació que es tracta de liquidar.

2ª Les normes dels articles 522-3 al 522-5 no s'apliquen quan la liquidació possessòria tingui les seves concretes normes, per tractar-se d'una institució la liquidació de la qual es troba regulada expressament en el mateix Codi civil català o en altres lleis. Això succeirà, per exemple, en la liquidació de l'usdefruit, dels arrendaments, especialment el rústic, la restitució de l'herència subjecte a fideïcomís, el dret de retenció (art. 596-6.2) etc. En aquest casos, a manca de norma concreta en la situació que es tracta de liquidar, es podran aplicar supletòriament les regles d'acabament de la possessió establertes en aquests articles, però sempre d'acord amb la naturalesa especial.

3ª Llevat d'aquests normes, les regles de liquidació s'aplicaran en qualsevol cas en què un posseïdor hagi de deixar la cosa o el dret posseïts perquè un altre hagi estat considerat com posseïdor de millor dret, ja sigui en les accions possessòries, com en la pauliana.

4ª Les mateixes normes s'apliquen quan un propietari obté la restitució com a conseqüència de l'èxit de l'acció reivindicatòria.

Un criteri fonamental per a la determinació de quines seran les regles aplicables a la liquidació de la situació possessòria és la bona o mala fe del posseïdor, no la legitimitat o no de la possessió.

L'àmbit de la liquidació es refereix als fruits (article 522-3), les despeses (article 522-4) i el deteriorament o pèrdua (article 522-5).

I. Els fruits

En el capítol I ja s'ha vist el concepte que el Codi civil català ofereix dels fruits com a "productes de la cosa mare", segons es deriva de la regulació establerta a l'article 511-3, que s'ha de completar pel que fa a l'adquisició, amb el que disposen els articles 541-3 i 541-4. Pel que fa a l'adquisició dels fruits de la cosa posseïda, l'article 522-3 estableix unes regles diferents segons que el posseïdor sigui de bona fe o de mala fe. S'ha de tenir en compte, però, que la liquidació dels fruits ha de partir del títol en virtut del qual la cosa o el dret eren posseïts, ja sigui un arrendatari, un usufructuari, etc. Ara bé, hi ha alguns drets que, malgrat existeixi possessió, no donen dret al posseïdor per fer seus els fruits que produeix la cosa o el dret; així succeeix, per exemple, en el contracte de comodat ja que, d'acord amb el que estableix l'article 1741 CC, el comodatari no pot fer seus els fruits de les coses donades en comodat. Com afirma DIEZ PICAZO, al posseïdor de bona fe no solament se l'eximeix de responsabilitat, sinó que se'l protegeix, situació completament diferent per al posseïdor de mala fe. Les regles sobre l'adquisició dels fruits determinen qui té dret a reclamar-los i a fer-los seus mentrestant dura la possessió, de manera que el posseïdor ostenta un títol legal que el legitima per a l'adquisició i retenció d'aquests béns, no perquè sigui titular d'un dret real que li permeti adquirir-los sinó perquè ostenta un títol legal derivat d'un dels aspectes del concepte possessori, com és la bona fe. Aquesta és una norma general que apareix en altres parts de l'ordenament civil català, com ara l'article 237.1 CS, que estableix la pèrdua dels fruits per part dels fiduciaris que no lliurin als fideïcomissaris els béns fideïcomesos, amb la conseqüència de la pèrdua dels fruits, perquè passen a ser simples detentors, i en aquest mateix sentit, l'article 295 CS o l'article 13 CS, que estableix que l'hereu indigne que ha pres possessió de l'herència l'ha de restituir "amb llurs fruits i les rendes percebudes", per tal com és tractat com a posseïdor de mala fe. D'aquesta manera es pot afirmar que en el Dret català la norma de l'article 522-2, que distingeix els efectes de la bona i de la mala fe en relació a l'adquisició dels fruits de la cosa posseïda, és una norma general, derivada del principi reconegut a l'article 111-7, que porta a la presumpció de bona fe en la possessió i a les regles d'adquisició de fruits pel posseïdor de bona fe.

A) L'ADQUISICIÓ DE FRUITS PEL POSSEÏDOR DE BONA FE

L'article 522-3.1 estableix que "els posseïdors de bona fe fan seus els fruits". Això significa que fa seus els fruits de manera definitiva i que sigui quin sigui el títol que el legitimava per posseir, si és de bona fe, no els haurà de tornar en el moment d'acabament de la possessió i això amb independència que els hagi o no consumit.

Com a contrapartida, però, l'article 522-3.1 els imposa l'assumpció de les despeses necessàries per produir-los. Aquesta és també una regla general en el Dret català, que es manifesta, en l'article 541-3.2 quan estableix que "tota persona que percebi fruits d'un bé ha de pagar les despeses" i que entre d'altres, apareix en l'article 213 CS, que atribueix a l'hereu fiduciari la propietat de les rendes i els fruits, però amb l'obligació d'assumir les despeses ordinàries (article. 214 CS). Aquesta regla s'aplica clarament als fruits ja percebuts, però l'article 541-3.2 conté la regla, que després apareix en l'article 522-3.1 *in fine*, d'acord amb la qual la llei reconeix una opció als perceptors dels fruits d'acord amb la qual poden adquirir-los pagant el seu valor o bé deixar-los a disposició d'aquells que han realitzat la despesa per obtenir-los. Per a saber en quin moment s'adquireixen els fruits, caldrà aplicar la regla de l'article 541-4, de manera que els fruits en espècie s'adquireixen quan se separen del bé que els produeix i això, per exemple, és el cas clar de les collites, mentre que els fruits en diners s'adquireixen per llur meritació i s'entenen percebuts dia a dia. La jurisprudència ha interpretat que el posseïdor té dret als fruits fins a la contestació de la demanda (sentència de13 febrer 1984).

D'acord amb el que s'acaba de dir, una regla especial es produeix en el cas que el posseïdor de bona fe hagi estat vençut per un altre amb *millor dret a posseir*, situació a la què ja ens hem referit abans. En aquest cas se li dóna una opció que es refereix únicament als *fruits pendents* en el moment en què el posseïdor de millor dret el vegi reconegut: o bé pot decidir fer-los seus, abonant al posseïdor vençut "les despeses originades per produir-los", o bé, encara que l'article 522-3.1 no s'hi refereixi directament, podrà optar per permetre que l'antic posseïdor els faci seus sense, per tant, haver d'assumir les despeses i això per la regla ja explicada continguda en l'article 541-3.2. Per tant i simplificant, o els fa seus en la seva totalitat i paga totes les despeses, o permet a l'antic posseïdor fer-los seus, sense cap compensació econòmica per part del que tingui un millor dret.

La conclusió d'aquestes regles serà que la bona fe és un títol adquisitiu adient en allò que pertoca a l'adquisició dels fruits. Aquest règim continua mentrestant la possessió no sigui interrompuda legalment, la qual cosa succeeix quan, com ja s'ha vist, el posseïdor coneix que no té dret a posseir, d'acord amb el que disposa l'article 521-7.3.

B) EL DEURE DE RESTITUCIÓ DEL FRUITS ADQUIRITS PEL POSSEÏDOR DE MALA FE

L'article 522-3.2 estableix que el posseïdor de mala fe ha "de restituir els fruits que s'han produït a partir del dia en què es va iniciar la possessió de mala fe o llur valor". Com a aplicació de la regla general ja explicada en l'anterior apartat, la mala fe no dóna dret a retenir els fruits percebuts i per això s'obliga a restituir si els fruits han estat percebuts. Respecte dels consumits o alienats, l'article transcrit l'obliga a indemnitzar lliurant-ne el valor. En el cas que els hagi alienat, sembla més correcte entendre que aquest valor és el del mercat en el moment en què es va realitzar l'alienació.

D'aquí es dedueix que el posseïdor de mala fe no adquireix la propietat dels fruits i resulta deutor del posseïdor legítim tant pel que fa als fruits pendents, que ha de tornar, com pel que fa als fruits ja percebuts i en aquest cas, pel que fa al seu valor. També resultarà deutor respecte a la indemnització per danys, segons disposa l'article 522-3.2; aquesta indemnització naixerà quan com a conseqüència de la manca d'activitat econòmica o bé per negligència, s'hagi disminuït la rendibilitat o bé s'hagi disminuït l'aprofitament (DIEZ PICAZO). La jurisprudència ha considerat indispensable que el Tribunal declari la mala fe del posseïdor als efectes de restituir els fruits percebuts (sentència de 14 abril 1998), ja que s'ha de destruir la presumpció de bona fe. També ha considerat que essent ambdós posseïdors de mala fe, s'ha de considerar que tots dos van procedir de bona fe (sentència 7 juliol 1997), establint una compensació de les possessions de mala fe.

Ara bé, l'article 522-3.2 estableix un dret a obtenir el rescabalament de les despeses necessàries realitzades per obtenir els fruits; d'aquesta manera, les normes relatives a l'adquisició dels fruits per part dels posseïdor de mala fe es simplifiquen: ha de tornar tots els fruits, percebuts i pendents, amb rescabalament de les despeses necessàries per obtenir-los; respecte dels pendents, haurà de tornar el valor, també amb aquesta compensació de les despeses necessàries i, finalment, podrà ser obligat a indemnitzar si amb la seva actitud dolosa o negligent ha produït danys relatius als fruits al posseïdor de millor dret. Com a garantia del dret a obtenir-los podrà exercitar el posseïdor el dret de retenció.

II. Les despeses

Tradicionalment es distingeixen tres tipus de despeses: a) les necessàries, que són les requerides per a la conservació de la cosa o el dret en la seva normal funció econòmica; la sentència de 3 desembre 1991 diu que són totes aquelles que resulten imprescindibles de tal manera que "de no haberlos llevado a cabo habría dejado de existir o desmerecido" (vegeu també sentència de 26 desembre 1998); b) *les útils*, també qualificades com a *millores,* són aquelles incorporacions o modificacions realitzades a la cosa o el dret posseït que augmenten de manera duradora la seva producció, rendibilitat o valor; no s'inclouen en aquest concepte aquells augments de valor deguts al pas del temps, com quan un quadre augmenta de valor degut a la major cotització del seu autor en el mercat, les degudes a la naturalesa, com les accessions o les degudes a circumstàncies externes al posseïdor, com el canvi de plans urbanístics que proporcionen als immobles un major valor; c) finalment, *les extraordinàries* són aquelles que incorporen elements que no són necessaris i no augmenten la rendibilitat dels béns, com ara incorporar una estàtua en un edifici.

El Codi civil català sembla haver superat aquesta tripartició, però la realitat és diferent, ja que amb una terminologia i una sistemàtica diferent, acaba establint les mateixes regles que el Codi civil en relació a les despeses.

1r. Pel que fa a les *despeses necessàries*, enteses en el sentit abans esmentat,. l'article 522-4.1, estableix la regla d'acord amb la qual "les despeses extraordinàries de conservació" fetes tant pels posseïdors de bona fe com pels de mala fe, s'abonen sempre. No són les despeses que són necessàries per obtenir els fruits, sinó les que calguin per a la conservació dels béns posseïts A més, això ve confirmat per la regla de l'abonament de les despeses en relació a l'obtenció dels fruits continguda en l'article 522-3, que estableix que s'han d'assumir pel posseïdor de bona fe (paràgraf 1) i que el de mala fe té dret al rescabalament de les necessàries per a obtenir els fruits que haurà de tornar (paràgraf 2). Per tant, la regla és que les despeses necessàries s'hauran d'abonar a tot posseïdor, perquè, en definitiva, allò que es prohibeix amb aquesta norma és l'enriquiment sense causa.

2n. Pel que fa a les *despeses útils,* l'article 522-4.2 estableix que el posseïdor amb millor dret "ha de pagar les despeses útils fetes en el bé pels posseïdors de bona fe si les millores o l'augment de valor que han originat subsisteixen en el moment de la liquidació". Aquesta regla no s'aplica al posseïdor de mala fe, que no tindrà en cap cas dret al rescabalament de les despeses útils.

Per a què aquesta regla s'apliqui es requereixen els següents requisits: a) que les despeses es puguin qualificar com a útils, d'acord amb els conceptes abans assenyalats; b) que el posseïdor que les ha realitzat sigui de bona fe, tenint en compte que d'acord amb l'article 521-7, aquesta es presumeix, i c) que subsisteixin en el moment de la liquidació; si no subsisteixen, no hi haurà dret a l'abonament.

3r. Les *despeses de luxe* no s'abonen, però els posseïdors siguin de bona fe o de mala fe poden optar per retirar-les, sempre que amb això no es malmetin els béns sobre els quals recauen (article 522-4.3). Ara bé, aquesta mateixa disposició afegeix que en el cas que el posseïdor que ha realitzat aquestes despeses sigui de mala fe, el que té millor dret a posseir i, per tant, l'ha vençut en el judici possessori, té l'opció de fer seves les millores, pagant-ne el valor. Aquesta regla resulta certament sorprenent, perquè sembla dir que solament quan el posseïdor sigui de mala fe s'abonaran aquestes despeses extraordinàries de luxe, amb la qual cosa es dóna la paradoxa que si el posseïdor de bona fe no opta per retirar les millores, o bé en el cas que no pugui fer-ho sens perjudicar els béns als que s'han incorporat, resulta perjudicat front al de mala fe, que, en el cas que qui tingui millor dret a posseir opti per fer seves aquestes millores extraordinàries, tindrà dret a demanar-ne el valor, dret que no sembla que el Codi català reconegui al posseïdor de bona fe.

III. La responsabilitat per deterioraments o pèrdues

L'article 522-5 fa la distinció entre el posseïdor de bona fe i el de mala fe per atribuir-los la responsabilitat pels danys ocasionats a les coses o drets objecte de la possessió. Per als autors que comenten el Codi civil, que conté una norma semblant en l'article 457 CC, aquesta regla és òbvia perquè parteix de la hipòtesis que el posseïdor de bona fe ha estat sempre considerat com un *verus dominus* i per això pot fer tot el que aquest pot fer (DÍEZ PICAZO). En el dret català regeixen les regles següents:

1r. *El posseïdor de bona fe* no respon del deteriorament o de la pèrdua de la cosa o el dret posseïts. Ara bé, el mateix article 522-5.1 estableix una excepció, de manera que també respondrà el posseïdor de bona fe quan hagi actuat amb negligència o dol des del moment en què se li ha notificat la reclamació, sobre la base d'un millor dret a posseir i això a partir del que disposa l'article 521-7.3, ja que quan ha estat objecte d'una reclamació, segurament perd la qualitat de posseïdor de bona fe, ja que s'aplicarà la causa de mala fe consistent en poder "saber raonablement, que no tenen dret a posseir", de manera que haurà perdut la qualitat de posseïdor de bona fe. En aquest cas, respondrà dels deterioraments o pèrdues causades per la seva actitud dolosa o negligent.

2n. *El posseïdor de mala fe.* L'article 522-5.2 fa respondre al posseïdor de mala fe dels deterioraments o pèrdues "a partir del moment en què es notifica la reclamació" basada en la possible existència d'un millor dret a posseir. Per tant, a diferència del de bona fe, que solament respon si les pèrdues o deterioraments han estat ocasionats per ells mateix mitjançant dol o negligència, el de mala fe respon sempre que hagi causat la pèrdua, independentment de si ha actuat dolosament o de forma negligent, de manera que a partir de la interpel·lació, s'haurà de presumir que la pèrdua ha estat deguda al posseïdor de mala fe i serà ell qui haurà de provar que la causa per la qual es van deteriorar o perdre els béns objecte de la possessió li era aliena. No sembla que d'acord amb la literalitat de l'article 522-5.2, el posseïdor de mala fe respongui dels deterioraments o pèrdues esdevinguts abans de la notificació de la interposició de l'acció possessòria, amb la qual cosa, la seva responsabilitat s'alleugereix en relació al que disposa l'article 457 CC, que el fa respondre sempre. L'article 522-5.2 agreuja la responsabilitat del de mala fe, atribuint-li les pèrdues o deterioraments que hagin patit els béns objecte de la possessió per causa fortuïta "si ha endarrerit el lliurament de la cosa als posseïdors legítims". D'aquesta manera i resumint el que s'ha dit fins ara, haurem de concloure que a partir del moment en què és interpel·lat, el posseïdor de mala fe respon dels danys patits per la cosa o el dret posseïts i a més, els ocasionats per cas fortuït, però en aquest darrer cas, solament si ha retardat maliciosament el lliurament de la cosa la possessió de la qual es discuteix, però no respondrà dels danys ocasionats abans de la interpel·lació.

4. LA POSSESSIÓ I EL REGISTRE DE LA PROPIE-TAT

S'ha sostingut en alguns treballs que la possessió és un sistema de publicitat de relacions jurídiques, que té com a base el fet material de la relació del posseïdor amb la cosa, però per tractar-se d'una situació de fet, alguns cops resulta complexa la relació que té amb el Registre de la propietat. D'aquesta manera, l'article 522-1.2 estableix que "la presumpció de titularitat decau quan la cosa o el dret posseïts estan inscrits en el Registre de la propietat o, si escau, en el Registre de Béns Mobles a favor d'una altra persona, llevat que els posseïdors dels quals es presumeixi la titularitat oposin un altre títol que en justifiqui la possessió". Aquesta norma ens porta directament a l'estudi de l'article 38 LH, que estableix que "se presumirà que quien tenga inscrito el dominio de los inmuebles o derechos reales tiene la posesión de los mismos", de manera que l'article 38 LH presumeix que el titular registral posseeix en el mateix concepte que figura en el títol inscrit.

La presumpció es refereix a la possessió de l'immoble que atorga el dret real corresponent i que el titular d'un dret real que comporti relació física amb l'immoble i que el té inscrit en el Registre de la propietat està exercint sobre aquest immoble els drets típics (contingut possessori) derivats del títol inscrit. Als efectes de la legitimació registral, l'abast de la possessió està limitada pel títol inscrit, per bé que és cert que en la pràctica, això està determinat per l'actuació real i efectiva per part del titular.

La presumpció de l'article 38 LH és *iuris tantum* i admet prova en contrari, sense que calgui atacar la mateixa inscripció. Els seus efectes són:

1º *Presumpció de bona fe*. Es presumeix que el titular inscrit és posseïdor de bona fe, d'acord amb allò establert a l'article 521-7, de manera que quan el títol que proporciona la presumpció de bona fe està inscrit, la bona fe consisteix en el desconeixement de la inexactitud del contingut del Registre; això permet l'aplicació de les regles relatives a l'adquisició dels fruits per part del titular registral en el moment en què es resolgui el títol i les normes relatives al pagament de les despeses. I tot això amb independència dels efectes de la inscripció en els casos de l'article 34 LH, en què, veritablement aquesta presumpció de l'article 38 pot arribar a resultar supèrflua.

La presumpció de l'article 38 LH es refereix solament al titular inscrit, però no cobreix la del tercer adquirent d'aquest titular, ja que la mecànica registral protegeix els tercers en relació a allò que publica el Registre de la propietat, però no estén la protecció a les presumpcions que són un efecte de la inscripció del títol i la conseqüent publicació registral. Les qüestions de fet i la possessió ho és, no gaudeixen de protecció registral.

2è *Presumpció de titularitat*. Aquesta no deriva exactament de la presumpció possessòria de l'article 38.1 LH, sinó de la presumpció d'existència del dret continguda en la primera part del mateix article 38.1 LH i d'on es dedueix el dret a posseir del titular inscrit en el concepte que es desprèn del mateix títol i per això la norma de l'article 522-1.2.

3è Els efectes processals són importants pel que fa a les accions possessòries i a l'acció pauliana.

-Pel que fa a les accions possessòries, donada la seva finalitat, s'ha de considerar que l'article 38.1 LH no legitima al titular registral per a l'exercici d'aquestes accions, ja que el que es discuteix és el mateix fet de la possessió i no el títol, de manera que s'haurà de provar sempre la possessió efectiva del reclamant.

-Pel que fa a l'acció pauliana, podria utilitzar-se per part del titular inscrit, excloent, però, l'usucapent.

-L'article 38 LH legitima per interposar l'acció de desnonament per precari, ja que aquesta acció es fonamenta en la manca de títol per part del precarista, mentre que el titular registral en té un que acredita el seu dret a posseir.

BIBLIOGRAFIA SUMÀRIA

A més de la citada en l'anterior capítol, vegeu MARTÍ MIRALLES, J. *Spoliatus ante omnia restituendus*. Execepciones a este principio. Tarragona, 1972 (edició facsímil); DELGADO ECHEVERRIA, J. "Adquisición y restitución de frutos por el poseedor". *Anuario de Derecho civil*. 1975, p. 551; ARANA DE LA FUENTE, I. *Interdictos entre coposeedores*. 2006. València. Tirant lo Blanch.

JURISPRUDÈNCIA CITADA

Tribunal Suprem.

26 octubre 1931: Acció publiciana; la seva admissió en el Dret espanyol.

21 febrer 1941. Acció publiciana.

6 març 1954: Acció publiciana.

7 octubre 1982: Acció publiciana.

13 gener 1984. Acció publiciana.

13 febrer 1984. El posseïdor de bona fe té dret als fruits fins la contestació de la demanda.

3 desembre 1991. Despeses necessàries. Concepte.

7 juliol 1997. Compensació de possessions quan ambdós posseïdors són de mala fe.

4 abril 1998. El Tribunal ha de declarar la mala fe del posseïdor.

26 desembre 1998. Despeses necessàries. Concepte.

5 febrer 2004. Acció publiciana.

Capítol IV
Adquisició dels drets reals

1. TÍTOLS D'ADQUISICIÓ

En el capítol I d'aquest volum hem caracteritzat el dret real com una relació d'utilitat que s'estableix entre el seu titular i en bé i en base a aquesta caracterització interessa ara precisar quins són els fets que segons la llei poden originar-la. Els fets que poden originar la creació i adquisició d'un dret real són uns fets més aviat heterogenis, que com es veurà seguidament es poden qualificar a vegades d'actes jurídics i en altres ocasions de negocis jurídics. El legislador català refusa fer una enumeració i classificació dels fets que poden originar un dret real, és a dir, dels fets que operen com a títol d'adquisició i creació dels drets reals, ja que l'article 531-1 es limita a precisar que "Per a transmetre i adquirir béns cal, a més del títol d'adquisició, la realització, si escau, de la tradició o dels actes o de les formalitats que estableixen les lleis". Si ens atenem a la rúbrica de l'article transcrit "Sistemes d'adquisició", se'n deriva que no té com a finalitat establir quins fets operen com a títol d'adquisició dels drets reals ja que el seu abast és més limitat, en el sentit que per l'adquisició dels drets reals és necessari a vegades, a més del títol, la tradició del bé objecte del dret real o la realització dels actes o de les formalitats que estableix la llei, que són certament requisits aliens al títol.

Davant d'aquest silenci legislatiu sembla oportú fer unes breus consideracions sobre els fets que tenen la condició de títols d'adquisició dels drets reals en general, que per tant suposa deixar pels capítols successius els que originen l'adquisició de cada dret real en particular. En aquest punt s'apunta la conveniència d'establir com a títol únic d'adquisició dels drets reals la llei, que podria tenir el seu fonament en la característica de l'absolutivitat que sovint es predica dels drets reals, perquè si es tracta d'un dret que el seu titular pot fer efectiu *erga omnes* i que permet al seu titular perseguir enfront de qualsevol tercer el bé objecte del dret real, aquesta eficàcia general hauria de tenir el seu origen en la llei. A aquestes consideracions es pot oposar eficaçment que la part del dret civil que anomenem drets reals forma part del dret civil patrimonial, que s'ha estructurat i s'estructura en base al principi d'autonomia privada, que porta sense necessitat de més argumentacions a refusar la tesi que l'únic títol d'adquisició dels drets reals pugui ésser la llei. Però sense que això vulgui dir que la llei no pot operar com a títol d'adquisició de determinats drets reals, ja que en el mateix llibre cinquè del Codi civil es troben referències a la llei com a títol d'adquisició, com resulta per exemple del seu títol VI, capítol VIII sobre els drets reals d'adquisició, que en la seva secció tercera regula els drets de retracte que tenen el seu origen en la llei (articles 568-16 al 568-27); de la mateixa manera que l'article 561-1.2 preveu que el dret d'usdefruit tingui a vegades el seu origen en la llei (cas per exemple de l'article 311 CS sobre usdefruit a favor del consort supervivent en la successió intestada), que les servituds es puguin originar fins i tot contra la voluntat del titular del predi servent en els casos en que la llei autoritza la creació d'una servitud amb el caràcter de forçosa segons l'article 566-2.1 o, també, que la llei faculti amb caràcter unilateral a persones que creu mereixen una protecció especial que puguin exigir la constitució d'una hipoteca anomenada legal amb càrrec e patrimoni d'una altra persona, com són els dels articles 158 al 197 LH. En qualsevol d'aquests casos la llei no estableix de forma imperativa i directa la constitució d'un dret real limitat, sinó que posa a disposició de determinades persones —si concorren els requisits que preveu la llei— la possibilitat d'exigir de forma unilateral la constitució del dret real.

Cal precisar seguidament que la gran majoria de les vegades els drets reals s'originen a l'empara del principi d'autonomia privada, que opera com a títol d'adquisició dels drets reals, en la doble modalitat dels negocis jurídics entre vius o per causa de mort. La primera d'elles —i més freqüent a la pràctica— és que els drets reals s'originin via negoci jurídic bilateral o contracte, amb la particularitat que encara que sigui un contracte que té finalitat transmetre el dret de propietat, el contracte en els casos generals no origina la transmissió del dret real sinó que s'exigeix a més el requisit de la tradició o lliurament del bé objecte del contracte, almenys amb referència als drets reals que comporten una situació possessòria a favor del seu titular (article 531-3).

Hem d'afegir ara que també opera com a títol d'adquisició dels drets reals per negoci jurídic entre vius el que es deriva d'uns capítols matrimonials, en els quals els cònjuges pacten un règim de comunitat absoluta de béns entre ell, que origina la creació d'un patrimoni del qual esdevenen cotitulars el marit i la muller des de la vigència del règim (article 66 CF). I encara que no és tant freqüent a la pràctica, també es poden adquirir els drets reals per negoci jurídic per causa de mort, amb independència que es tracti d'una vocació testamentària, intestada o per heretament (article 3 CS). Aquí sols cal precisar que la successió universal via institució d'hereu no sols determina l'adquisició dels drets reals dels quals era titular el causant de la successió sinó que va més enllà, ja que atribueix al successor universal o hereu una titularitat sobre els drets patrimonials dels quals en vida era titular el causant, sempre que no s'extingeixin com a conseqüència de la seva mort, i a més es subroga en les relacions jurídiques passives del causant de la successió (article 1,I CS), de la mateixa manera que succeeix en les situacions possessòries en què es trobava el causant de la successió durant la seva vida. També s'adquireixen drets reals en els casos de successió a títol particular o llegat, en la doble modalitat dels llegats d'eficàcia real o obligacional (articles 253 i 267 CS), encara que en els casos generals el legatari no pot prendre possessió, per la seva pròpia autoritat, dels béns llegats segons l'article 271 CS.

Si ens atenem a la sistemàtica del llibre cinquè del Codi civil opera també com a títol d'adquisició dels drets reals la donació, ja que es regula en el seu títol III com una de les modalitats d'adquisició dels drets reals. Aquesta posició del legislador català té un aspecte positiu, ja que pot servir per a posar fi a les interminables discussions sobre la seva naturalesa jurídica, heretades en bona part de la seva complicada evolució des del dret romà, ja que posa en relleu una voluntat d'excloure el seu caràcter contractual. En tot cas el problema es considera amb deteniment en el capítol VI d'aquest mateix volum.

De la mateixa sistemàtica del llibre cinquè del Codi civil de Catalunya en resulta que té igualment la condició de títol adquisitiu dels drets reals la usucapió, anomenada també a vegades prescripció adquisitiva, que regula en el seu títol III com una altra modalitat d'adquisició dels drets reals. El seu estudi es fa en el capítol següent.

Un altra títol d'adquisició dels drets reals, que en darrer terme té el seu fonament en el llei, és el que es deriva de les adquisicions *a non domino*, que impliquen una derogació parcial del principi general de dret segons el qual *nemo plus iure ad alium transferre potest quam ipse habet.* Manifestacions d'aquest títol d'adquisició dels drets reals es troben a l'article 522-8 en relació amb els béns mobles i a l'article 34 LH respecte els béns immobles.

Tots aquests títols d'adquisició dels drets reals poden ésser objecte d'una classificació, que porta a diferenciar entre els títols d'adquisició originaris i els derivatius. El títol d'adquisició s'anomena originari quan l'adquirent no deriva la seva titularitat d'un dret anterior, com és el cas de la usucapió segons l'article 531-23. Mentre que el títol es qualifica de derivatiu quan el dret del nou titular es deriva de la titularitat que sobre el mateix bé ostentava el transmitent, com succeeix en els supòsits de donació, successió per causa de mort o en virtut d'un contracte de finalitat transmissiva del domini. Que a la vegada permet establir una subdistinció entre el títol derivatiu transmissiu, quan l'adquirent esdevé titular del mateix dret que es trobava en el patrimoni del transmitent, i el títol derivatiu constitutiu, que opera quan l'adquirent esdevé titular d'un dret real que atorga unes facultats més reduïdes de les que corresponien al transmitent.

L'apartat III del preàmbul de la Llei 5/2006 atribueix també la condició de títol a l'ocupació i a l'accessió, que en realitat sols operen com a títol per a l'adquisició del dret de propietat si ens atenem a la rúbrica del títol IV, capítol II.

2. EL SISTEMA DEL TÍTOL I LA TRADICIÓ

I. Concepte

Quan l'adquisició del dret real té el seu origen en un contracte, que per tant opera com a títol de l'adquisició, es presenta inicialment el problema de si la perfecció del contracte determina de forma immediata l'adquisició del dret real objecte de la transmissió o si, a més, es necessita un altre requisit posterior. Es tracta d'una opció legislativa decidir-se per un o altre sistema d'adquisició dels drets reals i així ho posa de manifest un breu examen del dret comparat. En els ordenaments jurídics francès, italià i portuguès —posem per cas—, que en darrer terme s'inspiren en supòsits concrets que s'extreuen del dret romà de la darrera època i després de les pràctiques medievals i en els postulats que es deriven de l'escola del dret natural racionalista, l'adquisició d'un dret real no es pot supeditar a un fet com és el traspàs possessori, i per això s'adopta el sistema d'adquisició dels drets reals en base únicament al consentiment de les parts contractants, ja que la gran majoria dels contractes s'adscriuen a la categoria dels consensuals, solució que es concreta en l'aforisme *vendre est aliener.* Aquesta opció legislativa suposa un trencament amb els precedents romans, segons els quals per a la transmissió dels drets reals no és suficient un acord de voluntats per tal que es produeixi efectivament la transmissió, ja que segons el Codi 2,3,20 *traditionibus et usucapionibus dominium rerum, non nudis pactis, transferuntur;* precepte que segons la doctrina romanista comporta que la *traditio* es configuri com el lliurament pel fet de posar a disposició el bé objecte del contracte amb la intenció de renunciar i rebre la titularitat sobre el bé en base a una relació jurídica que la llei considera escaient per a transmetre el dret de propietat (segons BONFANTE, *Corso de Diritto romano. La proprietà.* Roma, 1928, volum II, pàg. 151). D'acord Amb aquests precedents romans, que també en aquest punt formen part de la tradició jurídica catalana, el sistema del títol i la tradició ha informat l'adquisició dels drets reals en el nostre dret, en primer lloc en base a la doctrina dels autors del *ius commune* que es perllonga fins a l'època de la codificació, i després de la via d'aplicació de la normativa del Codi civil favorable també als mateixos precedents, segons resulta dels seus articles 609 i 1095.

El llibre cinquè del Codi civil de Catalunya entronca de forma directa amb aquests precedents, ja que com posa en relleu el seu article 531-1 "Per a transmetre i adquirir béns, cal, a més del títol d'adquisició, la realització, si escau, de la tradició o dels actes o de les formalitats que estableixen les lleis". I d'acord també amb aquests precedents l'article 531-2 defineix la tradició en els termes següents: "La tradició consisteix en el lliurament de la possessió d'un bé pels antics posseïdors als nous".

II. Abast del requisit de la tradició

L'article 531-1 exigeix per a l'adquisició dels drets reals, a més del títol d'adquisició, el requisit de la tradició, encara que no amb caràcter general, sinó únicament "si escau". En termes més concrets precisa després l'article 531-3 que el requisit de la tradició per a adquirir drets reals s'exigeix quan l'adquisició o transmissió opera "com a conseqüència de determinats contractes". Hem d'entendre per tant que també en aquest punt el precepte és fidel als precedents romans, que exigien el requisit de la *traditio* no amb referència a qualsevol títol d'adquisició sinó únicament quan el títol adquisitiu és el contracte. Afegim ara que el requisit de la *traditio* feta com a conseqüència de determinats contractes sols comporta l'adquisició o la transmissió dels drets reals si el contracte antecedent té finalitats translatives; en conseqüència encara que es lliuri materialment la possessió del bé si el contracte té una finalitat diferent, com pot ésser transmetre únicament l'ús o el gaudi del bé (cas per exemple dels contractes d'arrendament o comodat), la tradició no comportarà l'adquisició ni la transmissió del dret real sinó uns efectes més limitats, és a dir, atribuir uns drets i unes obligacions de caràcter personal enfront el transmitent. I amb la precisió que l'adquisició o transmissió dels drets reals per la via de la tradició precedida d'un títol o contracte amb finalitats transmissives operarà no sols respecte els contractes transmissius típics sinó també en relació amb els contractes atípics que tinguin aquesta mateixa finalitat; ja que l'article 7 RH permet fer extensiva aquesta qualificació als contractes de transcendència real que sense tenir denominació específica, modifiquin actualment o en el futur les titularitats reals (PEÑA BERNALDO DE QUIRÓS).

Interessa fer ara unes precisions sobre l'abast del requisit de la tradició des d'una perspectiva diferent. Segons la disposició romana esmentada el requisit de la tradició s'exigia per a la transmissió del dret de propietat, encara que existeix un consens general que des de l'època del *ius commune* es fa extensiva als drets reals limitats, interpretació extensiva que apareix també a l'article 531-3, que exigeix la tradició per a la transmissió i l'adquisició dels drets reals posseïbles. Per tant el requisit de la tradició no s'exigeix per a l'adquisició o transmissió de qualsevol dret real limitat, sinó únicament en relació amb els drets reals que comporten una situació possessòria, que té una justificació prou clara, ja que si segons l'article 531-2 la tradició es defineix com un lliurament de la possessió, sols els drets reals posseïbles poden venir afectats pel requisit de la tradició. Això explica i justifica que no s'exigeixi per a la constitució del dret real d'hipoteca, ja que segons l'article 145 LH es constitueix mitjançant escriptura pública i inscripció subsegüent en el Registre de la Propietat; i el mateix s'ha de dir respecte els drets reals d'adquisició segons l'article 568-2. Sobre exigència de la tradició per a la constitució del dret real de servitud, que comporta facultats possessòries, sembla més ajustada la resposta negativa, com s'argumenta de forma més extensa en el capítol XXIII, 3,III,A) d'aquest mateix volum.

III. Estructura de la tradició

L'article 531-2 defineix la tradició des d'una perspectiva fàctica com el lliurament de la possessió d'un bé, però com que aquest fet produeix unes conseqüències jurídiques prou significatives, s'imposa precisar que l'article esmentat dóna una visió parcial de la tradició en la seva accepció jurídica, ja que com s'ha posat de manifest des d'un plantejament encertat i realista del problema ningú transmet la possessió d'un bé per atzar i, per tant, el lliurament de la possessió opera com a conseqüència d'una voluntat de transferir la possessió (PUIG BRUTAU). Aquesta apreciació es relaciona de forma directa amb els precedents romans que han originat el sistema del títol i mode per a l'adquisició i transmissió dels drets reals, ja que existeix un consens general entre els romanistes que la *traditio* exigeix no sols el lliurament d'un bé sinó a més que el lliurament es realitzi amb la intenció de transmetre el dret de propietat. Amb la conseqüència doncs que des d'una perspectiva jurídica el concepte de tradició ve determinat per un element objectiu o fàctic, que l'article 531-2 identifica amb el lliurament de la possessió, i un altre element subjectiu, que hem identificat com el lliurament d'un bé amb la finalitat de transmetre la possessió en un concepte determinat. A aquest segon aspecte subjectiu es refereix l'article 531-4 que connecta directament el lliurament de la possessió amb un acord de voluntats entre transmitent i adquirent (apartat 1), al pacte entre transmitent i adquirent (apartat 2,b), a l'acord entre transmitent i adquirent (apartat 2,d), i amb la precisió final que els conceptes de pacte o d'acord es troben implícits en els altres apartats de l'article 531-4.2, que pressuposen un *animus* o voluntat tàcita de transmetre. Amb la finalitat de facilitat l'exposició del tema ens referim en aquest apartat a la problemàtica jurídica sobre l'element subjectiu de la tradició i deixem per a l'apartat següent l'estudi i classificació de les diferents classes de tradició que admet el nostre ordenament jurídic.

L'aspecte subjectiu de la tradició que ara ens ocupa, s'insereix en un sistema d'adquisició dels drets reals anomenat del títol i mode, que postula l'existència d'un contracte amb finalitats transmissives (o títol d'adquisició) i la tradició o lliurament del bé (article 531-1). El contracte antecedent o títol ja pressuposa una voluntat de transmetre i d'adquirir un dret real sobre el bé objecte del contracte perquè es tracta d'un contracte consensual, que de totes formes sols produeix uns efectes limitats, que es centren en crear entre les parts l'obligació de transmetre i d'adquirir el bé objecte del contracte transmissiu. D'aquí se'n deriva que la voluntat de transmetre el dret de propietat sobre el bé objecte del contracte suposa anar més enllà dels efectes purament obligatoris del contracte transmissiu, ja que té com a finalitat produir uns efectes reals, com són l'adquisició o transmissió del dret de propietat o de determinats drets reals limitats. Efecte aquest darrer que no és necessari es manifesti de forma expressa, ja que en els casos generals la producció d'aquest efecte real es pot deduir fàcilment de l'existència del contracte transmissiu previ o coetani, perquè la *traditio* no és altra cosa que una conseqüència del contracte transmissiu (DIEZ-PICAZO).

Un altre aspecte que cal considerar en relació amb el vessant subjectiu de la tradició és el que fa referència als requisits de capacitat i i de legitimació que han de concórrer en els interessats. En relació amb el transmitent interessa precisar que per a portar a terme el contracte transmissiu antecedent és suficient la capacitat per a contractar (segons l'article 1263 CC), ja que el contracte sols produeix efectes obligatoris; però si projectem ara el requisit de la capacitat sobre la voluntat de transmetre el dret real objecte del contracte, això vol dir que ja no projectem el problema sobre l'obligació de transmetre sinó sobre la transmissió efectiva del dret real objecte del contracte que, en conseqüència, exigirà que el transmitent gaudeixi de la capacitat necessària per a disposar del bé objecte de la *traditio*.

És oportú centrar també la mateixa problemàtica en relació, no amb la capacitat, sinó amb el poder de disposició per part del transmitent sobre el bé objecte de la *traditio*. El poder de disposició té una transcendència evident en els negocis jurídics de disposició, que en contraposició amb els negocis jurídic obligatoris, són els que determinen de forma immediata las transmissió, pèrdua o modificació d'un dret, circumstància que explica i justifica que el transmitent ha de gaudir no sols de la capacitat necessària per a realitzar aquests actes, sinó també del poder de disposició sobre el bé objecte de la transmissió, poder que en els casos generals correspon al propietari segons l'article 541-1, a menys que el dret de propietat es trobi limitat per una prohibició o limitació de disposar segons els límits que preveu la llei (vegeu l'article 166 CS) o al titular d'un dret de crèdit (vegeu l'article 1526 CC); sens perjudici que el titular del bé en exercici de les seves facultats dispositives autoritzi a un tercer per a realitzar l'acte dispositiu en interès del titular i dels supòsits en els quals la llei atribueix eficàcia a les adquisicions *a non domino*. D'aquestes consideracions se'n deriva que el poder de disposició es projecta, no sobre el títol o contracte transmissiu, ja que s'admet per exemple la venda de cosa aliena supòsit en el qual el venedor està mancat del poder de disposició, sinó sobre la tradició amb la finalitat que determini la transmissió i adquisició del dret de propietat i dels altres drets reals limitats que atribueixen facultats possessòries (segons preveu l'article 531-3); perquè si bé és cert que el títol o contracte transmissiu es pot considerar com la primera fase del procés dispositiu, aquest procés sols acaba en la fase del compliment del contracte mitjançant la tradició, en el sentit que no es transmet el bé amb la finalitat de vendre sinó amb la finalitat de complir l'obligació de lliurament que va assumir el transmitent, que porta a la conseqüència que el poder de disposició és un requisit de la tradició i no del títol (CUENA CASAS).

IV. Classes de tradició

A l'apartat anterior hem fet unes consideracions sobre l'aspecte subjectiu de la tradició, centrat en l'acord de voluntats entre transmitent i adquirent, que no és altra cosa que el tradicional *animus transferendi et accipiendi dominii* dels textos romans; interessa fer ara unes consideracions sobre l'aspecte objectiu de la tradició que l'article 531-2 concreta en el lliurament de la possessió. Aquest aspecte objectiu es regula essencialment a l'article 531-4 que sota la rúbrica "Classes de tradició", estableix quins són els mitjans que preveu la llei per tal que el lliurament del bé als adquirents produeixi l'adquisició o la transmissió d'un dret real. El context de l'article permet fer les distincions següents:

A) *LA TRADICIÓ REAL O MATERIAL*

És la que preveu l'article 531-4.1, segons el qual "La tradició d'un bé es produeix quan és lliurat als adquirents i aquests en prenen possessió amb l'acord del transmitent". Si ens atenem a la distinció que respecte els béns proposa l'article 511-1, es pot afirmar que l'article 531-4.1 es refereix a la tradició de les coses corporals, amb independència de la seva condició de béns mobles, immobles o semovents. La tradició real o material és la forma més senzilla i evident de tradició, ja que comporta el lliurament material de la cosa per part del transmitent a favor de l'adquirent del dret real, com resulta també de l'article 521-2.1,a), segons el qual s'adquireix la possessió quan es subjecta la cosa a l'àmbit de poder del nou posseïdor i de l'article 531-4.2 que parla també de poder i possessió; amb la conseqüència que no opera la tradició real o material si ni el transmitent ni l'adquirent no poden exercitar cap mena de poder sobre la cosa objecte de la *traditio*, si el transmitent segueix ostentant sobre la cosa una possessió en concepte de propietari o si es tracta de drets reals no posseïbles (PEÑA BERNALDO DE QUIRÓS).

Com s'ha posat de manifest a l'apartat anterior, la tradició material de la cosa a l'adquirent no determinarà per ella mateixa que s'hagi complert el requisit de la *traditio*, necessari per a l'adquisició i transmissió dels drets reals segons l'article 531-1, si el lliurament material de la possessió no va acompanyada de la voluntat o intenció del transmitent i adquirent de transmetre la possessió en concepte de titular del dret de propietat o del dret real limitat que es vol transmetre o constituir. Ja que de l'article 521-1.2 en resulta que el lliurament material de la cosa, sense que concorri la voluntat de transmetre el dret, no atribueix a l'adquirent la possessió de la cosa i sí únicament la seva detentació, insuficient per a entendre que s'ha complert el requisit de la tradició, que segons l'article 531-2 exigeix el lliurament de las possessió pels antics posseïdors als nous.

B) *TRADICIÓ SENSE LLIURAMENT MATERIAL DEL BÉ*

A l'hora d'enfocar l'estudi d'aquesta segona modalitat de la tradició, i amb la finalitat d'allunyar-nos de disquisicions excessivament dogmàtiques, ens sembla oportú recordar que com assenyala la doctrina, la possessió —que forma el nucli central de la tradició (vegeu l'article 531-2)— no és una realitat física sinó un concepte, circumstància que determina es pugui parlar d'una possessió jurídica sense que concorri una possessió física sobre la cosa, amb la conseqüència que apareix en supòsits determinats la conveniència social d'atribuir els efectes que la llei predica de la possessió material a supòsits en els quals es suprimeix la possessió material; i en relació amb aquests supòsits ens interessa ara el de la tradició, que suposarà admetre la transmissió i adquisició d'un dret real en els casos de manca del requisit del lliurament real o material de la cosa, perquè es considera que s'ha produït la tradició en base a què concorre un fet que opera com a símbol de la tradició (PUIG BRUTAU). D'acord amb aquests raonaments es pot parlar de tradició simbòlica o fingida, en contraposició a la real o material que s'ha exposat a l'apartat anterior, que té com a finalitat admetre que es pugui produir la tradició de la cosa amb els mateixos efectes que la llei atribueix a la tradició material o real, és a dir, la transmissió i adquisició dels drets reals posseïbles (article 531-3). A la tradició que hem anomenat simbòlica o fingida es refereix l'article 531-4.2 quan precisa que "El poder i la possessió d'un bé es lliuren, a més del que estableix l'apartat 1..." pels altres mitjans que preveu el precepte en els seus cinc subapartats. Aquí hi fem unes referències en relació a la tradició simbòlica o fictícia de les coses corporals, amb la precisió que aquests supòsits de tradició simbòlica o fictícia són els únics que admet la llei. Ja que ens trobem ara davant d'un supòsit d'adquisició o transmissió dels drets reals, drets que com hem exposat en el capítol I es qualifiquen d'absoluts perquè han d'ésser respectats per tothom i han d'ésser protegits davant de qualsevol tercer; característiques que d'alguna forma porten implícita una publicitat de la tradició per tal que pugui operar eficaçment el requisit de l'absolutivitat dels drets reals, que per raons de conveniència o d'utilitat pública no es poden deixar a l'arbitri dels particulars.

Com a formes de tradició simbòlica o fingida l'article 531-4.2 admet les següents:

a) La tradició instrumental

Segons l'article 531-4.2 es considera complert el requisit de la tradició per: "a) L'atorgament de l'escriptura pública corresponent, si del mateix document no en resulta altrament". Si ens atenem a la lletra del precepte, resulta que la tradició instrumental no es produeix en tots els casos de formalitzar-se el negoci transmissiu en document pública, sinó en el supòsit més concret d'exterioritzar-se en una modalitat del document públic com és l'escriptura pública, que segons l'article 148 RN són els documents públics autoritzats per notari i que tenen com a contingut propi les declaracions de voluntat negocial, els actes jurídics, que impliquen prestació del consentiment i els contractes; per tant no operaria —d'acord amb aquesta interpretació literal— la tradició instrumental quan el negoci transmissiu es formalitzés en qualsevol altre document públic que no sigui una escriptura pública notarial, com són els que enumera l'article 317 LEC. En aquest punt es pot qüestionar que l'article 531-4.2.a) hagi reproduït l'expressió *"escritura pública"* que apareix a l'article 1462,II CC, perquè la jurisprudència no ha tingut inconvenient a fer extensiva la tradició instrumental als supòsits d'actes transmissius formalitzats en document públic, encara que no fossin escriptures públiques notarials. És suficient en aquest punt fer una referència breu a les STS de 13 de febrer de 1989 i 19 d'octubre de 1992 que equiparen a la tradició instrumental la resolució judicial que aprova el concurs de creditors o les situacions concursals o la resolució judicial d'adjudicació de béns en subhasta judicial (vegeu STS d'11 de juliol de 1992, 1 de setembre de 1997, 6 d'abril i 29 de juliol de 1999). Criteri que considerem acceptable, especialment si ens atenem a la progressiva pèrdua de significat de la tradició real o material enfront les modalitats que la pràctica ha introduït de *traditio* sense lliurament material de la possessió.

També ha provocat dubtes l'oportunitat d'incloure en la tradició instrumental l'acord transmissiu convingut en document privat, que en línia de principi s'ha de resoldre en sentit negatiu, ja que l'article 531-4.2,a) de forma categòrica es refereix a l'escriptura *pública*; tesi que és la que preval a la jurisprudència, com resulta per exemple de les sentències del Tribunal Suprem de 3 de novembre de 1993 i 18 de febrer de 1995. Sens perjudici que en document privat es pugui acreditar la realització de la tradició en virtut d'actes anteriors (STS de 17 de febrer de 1970) o que s'entengui produïda la tradició com a conseqüència d'una clàusula establerta en el document privat, en la qual es confereixen unes plenes facultats dispositives a l'adquirent dels béns (STS de 20 d'octubre de 1989).

L'eficàcia de la tradició instrumental segons l'article 531-4.2,a) no planteja problemes especials quan el transmitent ostenta la possessió mediata o immediata del bé objecte de la *traditio* (vegeu els articles 521-1.1 521-4.1) o, fins i tot, quan el transmitent conserva la possessió com a dret, però no de fet, dins el termini de l'any a comptar des de la pèrdua de la possessió (segons l'article 521-8,e); però apareixen dubtes significatius en el cas de no tenir el transmitent la possessió de fet ni la de dret sobre la cosa objecte de la *traditio*. Si ens atenem la conegut principi general de dret que ningú pot transmetre més drets dels que té, sembla més ajustada la resposta negativa perquè si manca el pressupòsit de la possessió en el transmitent, desapareix la possibilitat de transmetre una possessió que no té, tesi que apareix a les STS d'1 de juliol de 1995 i 31 de maig de 1996. Així i tot una lectura més detinguda de l'article 531-4.2 permet matisar d'alguna forma aquesta conclusió. Ja que segons el precepte la tradició instrumental produeix el mateix efecte transmissiu que l'apartat anterior del precepte predica de la tradició real o material i respecte a la mateixa hem establert que no opera quan el transmitent no ostenta cap dret sobre la cosa objecte de la *traditio*, circumstància que no concorre en el cas que ara es planteja, ja que el transmitent ostenta encara el dret de propietat sobre la cosa que transmet a l'adquirent, encara que es tracti d'un dret de propietat mancat de la facultat possessòria que pels casos generals l'article 541-1.1 confereix al propietari. Des d'aquesta perspectiva s'argumenta la possibilitat de complir amb el requisit de la tradició per la via de l'atorgament d'una escriptura pública segons l'article 531-4.2,a), que en aquest cas determinaria cedir a l'adquirent l'acció reivindicatòria que l'article 544-1 confereix al propietari no posseïdor enfront el posseïdor no propietari; tesi controvertida encara que acceptada en ocasions per la jurisprudència, segons resulta de les STS de 18 de desembre de 1990 i 29 de maig de 1997. La doctrina més recent, encara que discuteix l'oportunitat de la tesi de la cessió de l'acció reivindicatòria, es mostra favorable a admetre la procedència de la tradició instrumental quan el transmitent no ostenta la possessió de dret ni la de fet sobre el bé objecte de la *traditio,* en base a considerar que la tradició instrumental suposa complir amb l'exigència de la tradició, encara que no comporti un traspàs possessori perquè ningú pot transmetre allò que no té, però sí permet transmetre únicament el dret que té el transmitent sobre la cosa objecte del contracte transmissiu (NAVARRO CASTRO); i també que és necessari permetre al propietari exercir el poder de disposició, perquè és la solució més escaient des de la perspectiva dels interessos socials implicats i las més ajustada a la concepció social que es té respecte a l'atorgament de l'escriptura pública (BERCOVITZ ALVAREZ).

L'efecte transmissiu que l'article 531-4.2.a) predica de la tradició instrumental no opera en tots els casos, ja que el precepte estableix de forma expressa l'excepció que del mateix document no en resulti altra cosa. Segons la STS 22 de juliol de 1993 l'excepció ha de resultar de la mateixa escriptura pública. L'atorgament de l'escriptura pública tampoc determina compliment del requisit de la tradició si en el mateix document es preveu el lliurament de la possessió a l'adquirent en un moment posterior.

b) El constitutum possessorium

Segons l'article 531-4.2,b) el poder i la possessió es lliuren també a l'adquirent en base a "El pacte en què els transmitents declaren que lleven del seu poder i possessió el bé i el transfereixen als adquirents, facultant-los perquè el prenguin i es constitueixin ínterim en els posseïdors en nom seu". Els precedents remots d'aquest article es troben en el Digest 41,2,18, on es preveu que les coses que posseeixo en nom propi, puc després posseïr-les en nom aliè ja que amb això no modifico la causa que fonamenta la possessió sinó que únicament deixo de posseir, ja que en virtut d'un fet propi i per la meva voluntat atribueixo la possessió a una altra persona. D'aquesta disposició la doctrina n'ha derivat la modalitat de la tradició coneguda com a *constitutum possessorium*, que apareix després a les Decretals 2,13,9 i d'acord amb aquests precedent va passar a l'article 277 CDC, que si bé inicialment aplicava aquesta modalitat de la tradició a la que es derivava d'un contracte de compravenda, la proposició darrera de l'article feia extensiva la seva aplicació als contractes anàlegs que requerien tradició. I és en aquest sentit general que l'article 531-4.2,b) manté el tradicional *constitutum possessorium* en el nostre ordenament jurídic, que s'ha de configurar jurídicament com un supòsit de tradició sense lliurament material del bé, o si es vol com un supòsit de tradició simbòlica o fingida, perquè el transmitent no lliura materialment la cosa a l'adquirent ja que reté la possessió material del bé objecte de la transmissió, amb la precisió que d'aquesta manera ja no posseeix en nom propi sinó que es tracta d'una possessió *alieno nomine*, és a dir, en nom de l'adquirent. S'ha considerat oportú mantenir aquest modalitat de la tradició en el nostre dret en atenció al fet que segons el sistema d'adquisició dels drets reals en determinats casos no sols s'exigeix el títol sinó també la tradició del bé (article 531-1) i com que en ocasions es pot escolar un termini de temps més o menys llarg entre l'atorgament del títol i la tradició o lliurament de la possessió del bé, això determinaria que l'adquisició o transmissió del dret real no es produís fins després del compliment el requisit de la tradició material del bé; però el legislador ha tingut present l'interès de les parts d'assolir una adquisició o transmissió del dret real des de l'atorgament del títol adquisitiu, encara que posem per cas en aquest moment no sigui possible o convenient el lliurament material del bé a l'adquirent per qualsevol circumstància, i per tal de satisfer aquest interès el *constitutum possessorium* permet el traspàs immediat de la possessió com a dret, amb virtualitat suficient per a convertir l'adquirent en titular immediat del dret real.

A diferència de la tradició instrumental en escriptura pública segons l'article 531-4.2,a), que determina el compliment de la tradició a menys que de la mateixa escriptura en resulti el contrari, en el cas del *constitutum possessorium* la tradició es produeix en virtut del pacte, amb la conseqüència doncs d'esdevenir eficaç la tradició amb independència del fet que el pacte es convingui en document privat o en escriptura pública, perquè també en aquest darrer cas la tradició es fonamenta en el pacte, que opera amb preferència al requisit purament formal de convenir-se en una escriptura pública. En tot cas el pacte de *constitutum* determinarà atribuir a l'adquirent el dret de propietat sobre el bé objecte de la transmissió o la titularitat sobre el bé en el cas de constitució d'un dret real posseïble, compatible amb la possessió a favor del transmitent, encara que amb el caràcter de posseïdor en nom de l'adquirent. Aquesta darrera expressió pot originar dubtes, ja que no resulta clar el concepte de posseïdor en nom aliè. Des d'una perspectiva general es pot afirmar que l'expressió fa referència al supòsit d'actuar el posseïdor material com a representant voluntari o legal del propietari o del titular del dret real en base el concepte de representació que resulta dels articles 1259 i 1709 CC, que inicialment presenta l'inconvenient d'atribuir la condició de posseïdors a persones que no són uns veritables posseïdors sinó unes persones que realitzen actes possessoris en interès aliè (DIEZ-PICAZO). I en segon lloc perquè es tractaria d'una interpretació restrictiva, ja que exclouria els supòsits més clars de

procedència del *constitutum possessorium,* que la tradició jurídica
catalana concreta en els casos de convertir-se el transmitent en
arrendatari o usufructuari del bé objecte de la *traditio.* En con-
seqüència el concepte equívoc de possessió en nom de l'adquirent
no s'ha d'establir en funció de l'article 521-1.1 quan es refereix a
l'exercici de la possessió per mitjà d'una altra persona, si aquesta
s'identifica amb el servidor de la possessió (vegeu en aquest sentit
supra, capítol II,3,I), sinó d'acord amb l'article 521-4.1 que preveu
la concurrència d'una pluralitat de conceptes possessoris sobre el
mateix bé sempre que siguin compatibles, com succeeix en el cas
del *constitutum possessorium,* que permet atribuir a l'adquirent la
condició de propietari o de titular del dret real limitat posseïble
objecte de la transmissió; possessió compatible amb la possessió
immediata o real sobre el mateix bé a favor del transmitent, ja
sigui com a posseïdor en nom propi del dret real limitat, per
exemple l'usdefruit (vegeu STS de 3 de desembre de 1999) o pe-
nyora, o com a posseïdor en nom propi d'un dret personal, com
seria la possessió en concepte d'arrendatari, parcer (STS de 9 de
març de 1983), dipositari o comodatari (STS de juliol de 1997). I
pel cas marginal de no especificar-se en quin concepte retenia la
possessió material el transmitent, es podria entendre que ostenta
una possessió en concepte de precarista (com resulta de les STS
de 16 de febrer de 1965 i 9 de novembre de 1971).

L'eficàcia del *constitutum possessorium* no presenta obstacles
si el transmitent ostenta la possessió mediata o immediata del
bé objecte de la tradició, perquè en qualsevol d'aquests casos pot
llevar el poder i la possessió mediata que ostenta sobre el bé i
transmetre-la a l'adquirent, segons exigeix l'article 531-4.2,b). Més
dificultats presenta reconèixer eficàcia al pacte de *constitutum*
quan el transmitent no ostenta la possessió mediata ni la imme-
diata sobre el bé objecte de la transmissió, ja que en principi no
pot transmetre un dret que no té; si bé apuntem l'oportunitat
d'aplicar al cas —amb les adaptacions escaients— la solució que
s'ha esmentat abans pel cas de la *traditio* instrumental, quan el
transmitent no té la possessió mediata ni la immediata sobre el
bé objecte de la tradició.

c) La tradició simbòlica

Segons la tradició romanista quan una persona ven les merca-
deries que tenia guardades en un magatzem i a la vegada lliura

al comprador les claus del magatzem, transmet des d'aquell moment la propietat de les mercaderies al comprador (Digest 41,1,9-6); modalitat de la tradició que la doctrina romanista qualifica de simbòlica, perquè es tradueix en el lliurament d'un símbol, com són les claus. D'acord amb aquest precedent el dret modern manté aquesta modalitat de la tradició amb un caràcter més general, perquè no es limita al contracte de compravenda, criteri que segueix també el codi civil de Catalunya, ja que segons el seu article 531-4.2,c) opera també la tradició mitjançant "El lliurament de les claus del lloc on estan emmagatzemats o desats els béns mobles als adquirents". A nivell doctrinal es discuteix si aquesta modalitat de la tradició s'ha de qualificar de simbòlica, perquè les claus simbolitzen els béns objecte de la *traditio*, o de real perquè el lliurament de les claus atribueix a l'adquirent un poder efectiu sobre aquests béns. El legislador català es decanta per la primera d'aquestes opcions, tal vegada perquè considera que el poder efectiu sobre els béns s'obté per un mitjà diferent al seu lliurament material.

Cal precisar que l'article 531-4.2,c) concreta aquesta modalitat de la tradició als béns mobles, categoria sens dubte més ample que la de mercaderies que apareix en els precedents romans esmentats. En qualsevol cas el criteri del precepte és excloure d'aquesta modalitat de la tradició els béns immobles, restricció que ens porta a plantejar si el lliurament a l'adquirent de les claus del bé immoble objecte del contracte equival o no al compliment del requisit de la *traditio*. La tesi afirmativa apareix a les STS de 14 de desembre de 1968 i 27 de novembre de 1970, que de totes formes consideren que en el cas de transmissió de béns immobles s'ha de qualificar de material i no de simbòlica. Tesi que es pot qualificar de realista i que apunta l'oportunitat de fer-la extensiva a la transmissió dels béns immobles, encara que això signifiqui contrariar els precedents.

d) La conformitat del transmitent i adquirent

D'acord una vegada més amb els precedents romans s'esmenta com a modalitat de la *traditio* l'anomenada *longa manu*, que segons el Digest 41,2,18-2 es concreta al cas que el venedor ordenés que els béns mobles objecte de la compravenda es dipositessin a la casa del comprador, fet que determinava que aquest adquirís la possessió dels béns esmentats fins i tot abans de rebre'ls. Aquesta modalitat de la tradició apareix ara a l'article 531-4.2,d) segons el qual té lloc la tradició per "L'acord entre els transmitents i els adquirents quan el bé moble objecte de la disposició no es pot traslladar al poder i a la possessió dels adquirents".

Plateja problemes determinar el sentit de l'expressió "no es pot traslladar al poder i a la possessió dels adquirents", que es pot entendre com una impossibilitat absoluta, que concretaria sense necessitat d'ulteriors argumentacions l'esfera d'aplicació del precepte, o si s'ha de fer extensiva als supòsits d'impossibilitat relativa o de conveniència dels interessats. A nivell jurisprudencial s'observa un criteri més aviat casuístic, ja que segons la STS de 2 d'abril de 1957 no opera aquesta causa de tradició quan la maquinària objecte de la compravenda era factible lliurar-la a l'adquirent al temps de perfeccionar-se el contracte de compravenda o quan els béns es poden traslladar fàcilment (STS de 20 d'octubre de 1961); mentre que segons les STS de 23 de maig de 1952 i 16 de febrer de 1995 es considera eficaç la tradició en el cas de venda d'una quantitat de carbó o d'olives quan el comprador podia retirar-les del poder del venedor per voluntat pròpia. Amb un caràcter més general la STS de 15 d'abril de 1947 considera aplicable aquesta modalitat de la tradició a un supòsit de venda de noranta botes de vi, que no es podien lliurar materialment quan es va celebrar el contracte de compravenda perquè es trobaven en una altra localitat. En qualsevol cas la tradició *ex* article 531-4.2,d) exigeix no sols un acord sobre la causa que origina la transmissió sinó també sobre la transmissió de la possessió, és a dir, sobre el fet de no lliurar-se la possessió material dels béns mobles a l'adquirent (PUIG BRUTAU). Això vol dir també que el precepte té com a finalitat anticipar l'adquisició o la transmissió dels drets reals sobre els béns mobles, que provocarà la no aplicació del precepte quan davant la impossibilitat de lliurar la possessió a l'adquirent al temps de la celebració del contracte, els interessats convenen que la tradició es realitzarà en un moment posterior, ja que en aquest cas l'adquisició o la transmissió del dret real tindrà lloc en el moment posterior de realitzar-se la tradició per qualsevol de les modalitats que admet la llei.

Es planteja igualment un problema d'aplicació de l'article 531-4.2,d) en el cas de no ostentar el transmitent la possessió immediata ni la mediata sobre els béns mobles en el moment de la perfecció del contracte transmissiu, en el sentit de si aquesta circumstància comporta la impossibilitat de traslladar el seu poder i possessió a l'adquirent. Es pot argumentar en sentit afirmatiu sempre que el transmitent, encara que no sigui posseïdor mediat ni immediat, conservi el dret de propietat sobre els béns mobles posseïts per un tercer segons l'article 522-8 (NAVARRO CASTRO).

e) La tradició brevi manu

Segons el Digest 41,1,9-5 té lloc la *traditio* quan el propietari ven el bé a la persona que ja el posseeix materialment en concepte d'arrendatari, dipositari o comodatari encara que no es lliuri al comprador, ja que en aquest cas la voluntat unilateral del transmitent equival a la *traditio* perquè el fet de permetre el manteniment de la possessió comporta que l'adquireix en concepte de propietari. Aquesta modalitat de la tradició anomenada d'acord amb els precedents romans *brevi manu* apareix ara a l'article 531-4.2,e), en base al qual té lloc la tradició mitjançant "L'expressió en el contracte del fet que els adquirents ja tenien el bé en llur poder per un altre títol". En aquest cas és fins i tot innecessari parlar de tradició perquè ja s'ha produït en un moment anterior, amb la conseqüència doncs que ens trobem aquí davant d'un supòsit de conversió d'una possessió en un concepte determinat en una possessió en concepte de titular del dret real objecte de la transmissió. Del context de l'article clarament en resulta que és una modalitat de la tradició que s'aplica no sols als béns mobles sinó també als béns immobles, criteri que apareix també a les STS de 27 d'abril de 1984 i 29 de març de 1994.

C) TRADICIÓ DELS BÉNS INCORPORALS

En els apartats anteriors hem referit a la tradició real o simbòlica dels béns corporals o materials en base a l'article 531-4. Interessa fer ara unes precisions sobre el requisit de la tradició quan es projecta sobre els béns incorporals o drets, que l'article 511-1.1 identifica amb l'expressió "drets patrimonials", que són aquelles entitats mancades d'entitat corporal o material, que la Instituta 2,2,2 defineix com aquelles entitats *quae tangi non possunt*. Però el requisit de la tradició no l'exigeix el Codi civil de Catalunya per a l'adquisició o transmissió de qualsevol bé incorporal, sinó únicament per a l'adquisició i transmissió dels drets reals, amb la subsegüent exclusió dels drets de caràcter personal o familiar; i dins la categoria dels drets patrimonials hem d'excloure els drets de crèdit, ja que la tradició es regula en el llibre cinquè del codi civil de Catalunya que tracta dels drets reals. I com que l'article 531-2 defineix la tradició com el lliurament de la possessió d'un bé, del precepte clarament en resulta que el requisit de la tradició sols s'exigeix per a l'adquisició i transmissió dels drets posseïbles, respecte als quals no s'exigeix el lliurament material de la cosa sobre la qual recauen, sinó el lliurament de la possessió que atribueix la titularitat sobre el dret real limitat. Segons l'article 531-5 "La tradició dels béns incorporals es produeix pel lliurament dels títols, per la tradició instrumental o per l'ús que en fan els adquirents amb el consentiment dels transmitents".

D'aquestes consideracions se'n deriva que al no ésser possible la tradició real o material en relació amb els drets reals limitats que comporten facultats possessòries, s'admeten com a modalitats de la tradició les següents:

- La tradició instrumental entesa en el sentit de l'article 531-4.2,a), és a dir, mitjançant l'atorgament de l'escriptura pública corresponent, si del mateix document no en resulta altrament, amb aplicació de les consideracions que s'han fet respecte a la tradició instrumental en relació amb els béns corporals o materials, amb les adaptacions escaients.
- El lliurament a l'adquirent dels títols que justifiquen la titularitat del transmitent, supòsit que no s'ha de confondre amb el de la tradició instrumental derivada de l'atorgament de l'escriptura pública de constitució o de transmissió segons l'article 531-4.2,a); ja que com posa en relleu la doctrina en aquesta darrera l'atorgament de l'escriptura pública —a menys que s'hagi pactat altra cosa— equival a la tradició encara que el document no es lliuri a l'adquirent, mentre que en el cas de la tradició documental la tradició es produeix quan es lliura el document a l'adquirent (ALBALADEJO).
- L'ús que fa l'adquirent del dret real objecte de l'adquisició o transmissió, que té una rellevància especial en relació amb els drets reals limitats que no comporten facultats possessòries sobre la cosa objecte del dret real, ja que en aquest cas l'ús que es fa del dret real limitat amb consentiment dels transmitents implica possessió del dret sobre un bé de propietat aliena. Que a més té el suport que es deriva de l'article 522-1, segons el qual "Es presumeix que els posseïdors són titulars del dret en concepte del qual posseeixen el bé".

V. Interrelació entre el títol i la tradició

Quan l'article 531-1 precisa que per a l'adquisició i transmissió dels drets reals cal, a més del títol, la realització, si escau, de la tradició, planteja d'alguna manera el problema de la interrelació o connexió entre el títol i la tradició, problema que té les seves arrels en el dret romà, del qual prové el sistema d'adquisició dels drets reals segons el sistema del títol i la tradició. Posa de manifest la doctrina romanista que segons el dret romà clàssic la tradició es pot configurar jurídicament com a causal perquè produeix l'adquisició o la transmissió del dret de propietat quan l'acord transmissiu es realitza en base a un títol amb finalitat transmissiva, com pot ésser una compravenda, donació o un contracte de préstec; mentre que segons un altre corrent d'opinió es predica el caràcter abstracte de la tradició, ja que l'efecte transmissiu es produeix si existeix un acord de voluntats entre els interessats en aquest sentit, encara que existeixi una discrepància o un error entre els interessats respecte al títol o contracte que ha originat la tradició (vegeu SCHULZ, *Derecho romano clásico* "traducció espanyola". Barcelona, 1960, pàg. 335 i seg.). En la darrera fase del dret romà el problema segueix sense tenir una solució clara, ja que el caràcter abstracte de la tradició apareix en el Digest 12,1,18, mentre que el seu caràcter causal es fonamenta en el Digest 41,1,31 pr., *numquam nuda traditio transferit dominium, sed ita, si venditio, aut aliqua iusta causa praecesserit, propter quam traditio sequuntur.* Si ens atenem als precedents, es pot entendre que predomina la tesi del caràcter causal de la *traditio*, que d'acord amb la tradició romanista acull la Partida 3,28,46, Així com la doctrina del *ius commune* que ha tingut una més gran influència en el nostre país abans de la codificació i les opinions dels tractadistes de dret romà més coneguts en el nostre país. I aquest corrent que dóna suport a la tesi causalista és el que acullen els articles 609,III i 1095 CC, segons els quals el lliurament de la possessió no determina l'adquisició o transmissió dels drets reals ja que únicament té virtualitat per atribuir a l'adquirent la possessió del bé. És cert que en determinades èpoques no massa llunyanes un sector important de la doctrina va defensar la vigència en el dret espanyol del caràcter abstracte de la tradició, ja que segons el & 929 del Codi civil alemany els drets reals sobre els béns mobles s'adquireixen en base únicament a la tradició, encara que manqui el contracte transmissiu previ, mentre que els drets reals sobre els béns immobles s'adquireixen mitjançant l'acord de transmissió abstracte i la seva inscripció en el Registre de la Propietat (& 873). Però el legislador espanyol de forma prudent no va considerar oportú introduir aquest sistema d'adquisició i transmissió dels drets reals en el nostre país, segons resulta de l'exposició de motius de la Llei de 1944 de reforma de la Llei hipotecària, que qualifica de pertorbadora la tesi favorable al caràcter abstracte de la tradició.

Entenem que el Codi civil de Catalunya refusa també el caràcter abstracte de la tradició. Tesi que fonamentem en l'article 531-1 que de forma clara connecta el títol amb la tradició, quan escaigui; i fonamentalment en l'article 531-3, que amb major claredat determina que l'efecte adquisitiu i transmissiu dels drets reals es produeix en virtut de la tradició, però no en qualsevol cas, sinó únicament quan s'ha realitzat com a conseqüència de determinats contractes. Aquesta conclusió planteja un problema ulterior, que es centra en establir les conseqüències que se'n deriven del fet d'ésser nul el títol antecedent en base al qual es va realitzar la tradició. Si el bé objecte de la *traditio* no ha sortit del patrimoni de l'adquirent, el transmitent podrà interessar la seva restitució (segons STS de 16 de maig de 2000), però la solució és més complicada en el cas d'haver adquirit després un tercer el bé objecte de la tradició. Si es considera aplicable al cas l'article 1897 CC, la solució més escaient és entendre que el transmitent no pot recuperar el bé objecte de la transmissió enfront el tercer de bona fe i que sols podrà exigir al primer adquirent el preu que ha obtingut per la transmissió ulterior o que li cedeixi les accions per tal de fer-lo efectiu ((DIEZ-PICAZO). Menys problemàtic és el cas d'ineficàcia sobrevinguda del negoci transmissiu, ja que si aquest esdevé ineficaç com a conseqüència de l'"exercici amb èxit de l'acció d'anul. labilitat, de resolució o de revocació del negoci transmissiu aquesta ineficàcia sobrevinguda no afecta al tercer adquirent, segons resulta dels articles 1303 i 1295 CC i de l'article 531-15.5.

VI. Tradició i inscripció en el Registre de la Propietat

A nivell general s'ha plantejat el problema de fins a quin punt el sistema d'adquisició i transmissió dels drets reals en virtut del títol i tradició segons l'article 609 CC es veia o no afectat pel fet d'haver inscrit l'adquirent la seva titularitat en el Registre de la Propietat; que es centra fonamentalment en determinar si la inscripció a favor de l'adquirent es produeix perquè té com antecedent un contracte amb finalitats transmissives seguit de la tradició del bé objecte de la transmissió o si, segons una altra solució possible, la inscripció substitueix eficaçment el requisit de la tradició. Davant el silenci del Codi civil de Catalunya sobre aquest extrem entenem que admet la solució que predomina a nivell doctrinal i jurisprudencial del nostre país, segons la qual la legislació hipotecària no ha modificat el sistema del títol i la tradició; que porta com a conseqüència entendre que la inscripció en els llibres registrals sols es practica quan resulta acreditada l'existència d'un negoci jurídic transmissiu seguit de la tradició del bé, operada per qualsevol dels mitjans que preveu la llei. Solució que es fonamenta en l'article 2 LH i en l'article 7 del seu reglament, dels quals en resulta que la inscripció s'ha practicat quan s'acredita que s'han complert tots els requisits que exigeix la llei per a l'adquisició i transmissió dels drets reals immobiliaris. I que confirma l'article 9 RH quan estableix la no inscribilitat dels actes que sols obliguen a constituir o transmetre un dret real immobiliari, supòsit que es dóna quan solsament existeix el títol transmissiu, però no la tradició en qualsevol de les seves modalitats que preveu la llei.

VII. Despeses derivades de la tradició

El Llibre III de la Compilació del dret civil de Catalunya s'intitulava "Dels drets reals" i s'iniciava amb l'article 277, que en el seu apartat primer regulava el *constitutum possessorium* (pel dret vigent vegeu l'article 531-4.2,b), mentre que l'apartat segon del precepte establia que "Les despeses de lliurament de la cosa venuda seran de compte del venedor. Les de l'atorgament d'escriptura, expedició de primera còpia i altres posteriors a la venda seran a càrrec del comprador, llevat pacte contrari". El legislador actual converteix l'aparat II de l'article 277 de la Compilació del dret civil de Catalunya en un precepte independent, com és l'article 531-6. que s'intitula "Despeses", segons el qual "Les despeses de lliurament del bé transmès són a càrrec dels transmitents. Les despeses d'atorgament de l'escriptura i de l'expedició de primera còpia i les altres despeses posteriors a la transmissió són a càrrec dels adquirents, llevat que una disposició especial o un pacte estableixin el contrari".

El precepte actual reprodueix l'article 277 de la Compilació del dret civil de Catalunya amb lleugeres modificacions. La primera té com a finalitat donar un abast més general a les seves previsions, ja que mentre l'article 277,II CDC es referia al contracte de compravenda, el precepte actual substitueix aquesta expressió per transmitents i adquirents; encara que aquesta interpretació àmplia no la refusava el text anterior si es relacionava la seva proposició darrera amb l'apartat primer del mateix article. Amb independència de l'oportunitat de substituir les expressions venedor i comprador per transmitent i adquirent, perquè el precepte s'inclou en el llibre del Codi civil de Catalunya que regula els drets reals, dels quals en resta exclòs el contracte de compravenda. I la segona modificació, probablement també implícita a l'article 277,II CDC, es preveure un règim distint no sols quan existeix pacte en contrari, sinó també quan ho estableix una disposició especial.

Arrel de la vigència de la Compilació de l'any 1960 els seus primers comentaristes posaven de manifest que el seu article 277,II donava categoria de llei al pacte, molt arrelat per via consuetudinària a Catalunya i, a la vegada, esmenava la previsió de l'article 1455 CC, que mai s'havia aplicat a Catalunya (FAUS-CONDEMINES).

BIBLIOGRAFIA SUMÀRIA

FAUS-CONDEMINES, *Compilación del Derecho civil de Cataluña*. Barcelona, 1960; GIMENEZ ROIG, *Transmisión del derecho de propiedad por contrato de compraventa*. Madrid, 1991; CUENA CASAS, *Función del poder de disposición en los sistemas de transmisión onerosa de los derechos reales*. Barcelona, 1996; NAVARRO CASTRO, *La tradición instrumental*. Barcelona, 1997; BERCOVITZ ALVAREZ, *Tradición Instrumental y Posesión*. Pamplona, 1999; JEREZ DELGADO, *Tradición y Registro*. Madrid, 2004.

JURISPRUDENCIA CITADA

Tribunal Suprem

15 d'abril de 1947: tradició mitjançant conformitat
23 de maig de 1952: tradició mitjançant conformitat
2 d'abril de 1957: tradició mitjançant conformitat
20 d'octubre de 1961: tradició mitjançant conformitat
16 de febrer de 1965: *constitutum possessorium*
14 de desembre de 1968: tradició simbòlica
16 de febrer de 1970: tradició instrumental

27 de novembre de 1970: tradició instrumental
9 de novembre de 1971: *constitutum possessorium*
9 de març de 1983: *constitutum possessorium*
27 d'abril de 1984: *traditio brevi manu*
13 de febrer de 1989: tradició instrumental
20 d'octubre de 1989. tradició instrumental
18 de desembre de 1990: tradició instrumental
11 de juliol de 1992: tradició instrumental
19 d'octubre de 1992: tradició instrumental
22 juliol 1993: tradició instrumental
3 de novembre de 1993: tradició instrumental
29 de març de 1994: *traditio brevi manu*
16 de febrer de 1995: tradició mitjançant conformitat
18 de febrer de 1995: tradició instrumental
1 de juliol de 1995: tradició instrumental
31 de maig de 1996: tradició instrumental
29 de maig de 1997: tradició instrumental
10 de juliol de 1997: *constitutum possessorium*
1 de setembre de 1997: tradició instrumental
6 d'abril de 1999: tradició instrumental
29 de juliol de 1999: tradició instrumental
3 de desembre de 1999: *constitutum possessorium*
16 de maig de 2000: caràcter causal de la tradició

Capítol V

La usucapió

1. NORMATIVA VIGENT A CATALUNYA

Si fem referència al dret romà de la darrera època, ens trobem que els béns mobles s'adquirien per usucapió mitjançant la possessió amb la concurrència d'una *iusta causa* i bona fe durant el període de tres anys, mentre que respecte els béns immobles s'exigia una possessió amb *iusta causa* i bona fe durant deu anys entre presents i vint anys entre absents (Codi 7,31,1); terminis que coexistien amb el de la usucapió extraordinària sense necessitat d'una *iusta causa* de trenta o quaranta anys en relació amb els béns exclosos de la usucapió ordinària. Aquesta normativa romana va influir en èpoques posteriors, com resulta per exemple del Llibre X, títol II, llei 3ª del *Fuero Juzgo*, que es considera l'antecedent immediat de l'usatge *omnes causae* (que es troba en el Llibre VII, títol II, constitució 2ª del volum 1r de les Constitucions i altres drets de Catalunya), que estableix un termini general d'usucapió de trenta anys amb independència de la bona o mala de l'usucapient.

La Compilació del dret civil de Catalunya de l'any 1960 va regular de forma parcial la usucapió en el nostre dret, ja que el seu article 342 es va limitar a mantenir la usucapió trentenària de l'usatge *omnes causae* respecte a la usucapió dels drets reals immobiliaris i a establir una usucapió de sis anys pels béns mobles; mentre que l'article 343 establia unes normes particulars sobre usucapió de determinades servituds. Aquesta regulació parcial va determinar que la normativa del Codi civil sobre usucapió s'apliqués en bona part com a supletòria en el nostre dret, aplicació supletòria que bandeja el Codi civil de Catalunya, que en el seu llibre cinquè, títol III, capítol I, secció quarta, que s'intitula "Usucapió" estableix una normativa completa sobre la mateixa. Això determina que sols té un valor parcial la STSJC de 17 de juliol de 1995, en la qual es precisa que la normativa catalana sobre usucapió s'ha d'integrar prenen en consideració la tradició jurídica catalana i, en el seu defecte, s'han de prendre en consideració les normes del Codi civil que no s'oposen a l'article 342 CDC.

Un segon aspecte que cal destacar, és que el Codi civil de Catalunya supera la sistemàtica que en el seu dia va adoptar la Compilació del dret civil de Catalunya, que regulava en el seu Llibre IV, títol II, que s'intitulava "De la prescripció" la usucapió en el seu capítol I i la prescripció extintiva en el seu capítol II. Aquesta és la sistemàtica que també va adoptar el Codi civil espanyol i segurament va influir sobre el text compilat de l'any 1960, especialment si es recorda que l'article 3 del Decret de 23 de maig de 1947, que va originar el procés compilador, establia que les futures compilacions s'havien d'adaptar a la sistemàtica del Codi civil. El criteri de regular en el mateix títol la usucapió i la prescripció extintiva es podia justificar també —almenys en part— si es recorda que ambdues institucions presenten unes característiques comunes, com resulta del fet que la usucapió s'ha anomenat moltes vegades prescripció adquisitiva enfront a la prescripció extintiva. Així i tot es tracta d'una sistemàtica discutible, que supera de forma satisfactòria el Codi civil de Catalunya, que regula la prescripció extintiva en el seu llibre I, títol II "La prescripció i la caducitat", que segons l'article 121-1 extingeix les pretensions relatives als drets disponibles, mentre que la usucapió es regula en el seu llibre cinquè, títol III, capítol I, secció quarta amb un abast força més limitat, ja que sols opera com a títol adquisitiu de determinats drets reals.

2. CONCEPTE I FONAMENT

Si ens atenem las seus orígens la usucapió es defineix com un mitjà d'adquisició del dret de propietat per mitjà d'una possessió ininterrompuda durant el temps que exigeix la llei (Digest 41,5,5). Encara que d'acord amb la disposició esmentada sembla que per mitjà de la usucapió sols es podia adquirir el dret de propietat sobre els béns mobles i els béns immobles, el mateix dret romà va fer extensiva la usucapió a determinats drets reals limitats que comportaven unes facultats possessòries a favor del seu titular, extensió perfectament justificable ja que la possessió és la base i fonament de la usucapió. El mateix criteri accepta el legislador català dels nostres dies, ja que segons l'article 531-23.1

"La usucapió és el títol adquisitiu de la propietat o d'un dret real possessori basat en la possessió del bé durant el temps fixat per les lleis, d'acord amb el que estableix aquesta secció".

Es discuteix el fonament de la usucapió. Segons la tesi que podem anomenar subjectiva, la usucapió es fonamenta en una presumpció d'abandonament del domini o del dret real per part del seu titular, encara que a vegades es precisa que l'abandonament ha d'ésser objecte de prova, tesi que d'alguna forma apareix a la Instituta 2,6 pr., on s'explicita que la usucapió es va introduir amb la finalitat d'evitar la incertesa sobre el dret de propietat de les coses; en tot cas és una posició objecte de crítiques, que en canvi pot tenir un cert fonament si ens atenem al dret tradicional català, en el qual predominava la usucapió dels trenta anys i fins i tot admetia uns altres terminis més llargs. Sembla més correcte donar una fonamentació objectiva a la usucapió, que en darrer terme es fonamenta en la conveniència de donar seguretat al tràfec jurídic patrimonial i en la conveniència de protegir a la persona que dóna als béns sobre els quals ostenta una titularitat el destí econòmic favorable als seus interessos i també als interessos de la comunitat; encara que des d'una perspectiva estrictament moral el fonament de la usucapió és certament discutible. Aquesta fonamentació objectiva té un sentit més clar en el dret vigent, que presenta com una de les seves característiques més innovadores un escurçament notable dels terminis per a usucapir.

3. ESTRUCTURA

En aquest apartat cal fer referència als aspectes següents sobre la usucapió:

I. Subjectes

En tot procés que porta o pot portar a la usucapió es troben involucrades com a mínim dues persones, que són l'usucapient i la persona contra la qual corre la usucapió. Respecte a l'usucapient cal recordar que segons l'article 531-1 la usucapió opera com a títol per a l'adquisició de determinats drets reals, precisió que ens porta a establir que qualsevol persona física o jurídica gaudeix de capacitat per adquirir béns a títol d'usucapió ja que es tracta d'una qüestió que afecta a la capacitat jurídica, que la llei fa extensiva a totes les persones segons l'article 14 CE. Pressuposada la capacitat jurídica interessa fer ara referència a un altre tipus de capacitat, com és la capacitat d'obrar, respecte a la qual interessa recordar inicialment que l'article 531-23.2 segons el qual "L'efecte adquisitiu es produeix sense necessitat que la persona que usucapeix faci cap actuació", que ens porta a relacionar-lo amb l'article 521-3.1 en el qual es preveu que "Totes les persones amb capacitat natural poden adquirir la possessió". D'aquests dos preceptes en resulta que la llei no exigeix uns requisits de capacitat especials per adquirir la possessió, segurament perquè l'adquisició de la possessió és favorable al seu titular, a diferència del que pot succeir respecte a una transmissió o pèrdua, i com a acte favorable al seu titular no exigeix una regulació especial sinó únicament el requisit de la capacitat natural. Un segon aspecte que cal considerar, és que una vegada adquirida la possessió d'acord amb els requisits de capacitat que preveu l'article 521-3.1, aquesta possessió opera com a títol per a usucapir si concorren els altres requisits que exigeix la llei (article 531-24), que si bé és cert poden exigir determinats actes per part de l'usucapient, aquesta actuació personal seva no és necessària en qualsevol cas segons l'article 531-23.2 perquè segons l'article 521-3.2 "Les persones menors i les incapacitades poden exercir les facultats pròpies de la possessió amb l'assentiment de llurs representants legals". Un tercer aspecte que interessa precisar, és que si s'ha adquirit la possessió d'acord amb els requisits generals de capacitat que estableix l'article 521-3.1, aquesta possessió continua essent títol apte per a usucapir encara que després el posseïdor perdi la seva capacitat natural (ALBALADEJO GARCIA), tesi que creiem que també recolza l'article 531-23.2 perquè el seu representant ja exercirà els actes necessaris per a consumar la usucapió iniciada.

Del context de la nova regulació en resulta també que poden adquirir via usucapió les persones jurídiques estrangeres en base a l'article 27 CC, a menys que en virtut d'una norma especial se'ls prohibeixi ésser titulars de determinats drets reals. Aspecte aquest que ens porta a entendre que el requisit general de capacitat per a posseir *ad usucapionem* no determinarà l'adquisició del dret real per usucapió si concorre en la persona de l'usucapient qualsevol circumstància que origini una prohibició d'adquirir el dret real que posseeix, ja que les prohibicions s'estableixen normalment en virtut de normes imperatives, que no es poden deixar sense efectes com a conseqüència d'una usucapió, atès que les prohibicions s'estableixen per a protegir també determinats interessos generals.

L'altre aspecte subjectiu que interessa considerar, és el que fa referència a la persona contra la qual corre la usucapió. El dret civil tradicional conferia una rellevància especial al principi *contra non valentem agere non currit praescriptio,* en base al qual s'entenia que no podien veure's afectats per a la usucapió els impúbers i la dona casada en tot allò que feia referència als béns dotals. Aquest principi ha desaparegut de la gran majoria dels ordenaments jurídics moderns i també del Codi civil de Catalunya, que hem d'entendre l'ha substituït per la via d'establir uns supòsits determinats de suspensió de la usucapió (segons l'article 531-26), de forma semblant a la que va establir el mateix Codi civil de Catalunya en matèria de suspensió de la prescripció (vegeu els articles 121-15 al 19).

II. Objecte

Quant a l'objecte de la usucapió recordem que l'article 521-23.1 preveu que és un títol adquisitiu del dret de propietat o d'un dret real possessori, del qual se'n deriva que es poden adquirir per usucapió els drets reals que atorguen al seu titular unes facultats possessòries, requisits que pressuposen que el bé objecte de la usucapió és o pot ésser objecte de tràfec jurídic, ja que l'article 511-1 predica dels béns en general les característiques de la patrimonialitat i de poder ésser objecte d'apropiació. De l'article 531-23.1 en resulta també que la usucapió té una durada temporal significativa, que porta a la conseqüència que sols es poden adquirir per usucapió els béns que permeten un exercici continuat o estable de les facultats possessòries. Així i tot, i per raons d'oportunitat volem creure, l'article 566-2.4 no permet que es puguin constituir per usucapió les servituds, encara que es tracta de drets reals que permeten l'exercici d'unes facultats possessòries continuades.

Del que s'ha exposat en resulta igualment: *i)* que no es poden adquirir per usucapió els béns de domini públic de la Generalitat per manca del requisit de l'apropiabilitat, segons resulta de l'article 17 de la Llei de patrimoni de la Generalitat; *ii)* que no es poden adquirir per usucapió els drets de crèdit, com va precisar la STS de 13 de maig de 1960 en relació amb els drets derivats d'un contracte d'arrendament; *iii)* tampoc es pot adquirir per usucapió el dret a produir immissions ja que no es pot configurar com un dret real segons les STSJC de 16 de setembre i 14 d'octubre de 2002; i *iv)* que si bé és cert existeix un consens general respecte a la no usucapibilitat dels drets personals o familiars, la STSJC de 2 d'octubre de 1995 admet es puguin adquirir per usucapió els títols nobiliaris atorgats d'acord amb les disposicions de l'antiga corona d'Aragó.

III. Requisits

Interessa en aquest apartat fer unes precisions sobre les característiques que ha de reunir la possessió per tal que pugui originar l'adquisició d'un dret real via usucapió. En aquest punt és fonamental l'article 531-24 segons el qual "Per a usucapir, la possessió ha d'ésser en concepte de titular del dret, pública, pacífica i ininterrompuda i no necessita títol ni bona fe". Aquesta darrera precisió té la seva importància, ja que serveix per a posar de manifest que el dret civil català admet un sols tipus d'usucapió, a diferència posem pel cas del Codi civil espanyol que admet la usucapió ordinària i la extraordinària, caracteritzada aquesta darrera per exigir uns terminis més llargs de possessió, que s'escurcen de forma notable respecte a l'ordinària, amb la contrapartida d'exigir per a aquesta la concurrència de més requisits, com són el just títol i la bona fe en la persona de l'usucapient. S'havia discutit si aquesta usucapió ordinària del Codi civil espanyol s'aplicava com a supletòria en el dret civil català, atès que el règim jurídic de la usucapió extraordinària del Codi civil espanyol no era essencialment diferent del règim jurídic de la usucapió catalana segons el seu dret tradicional que essencialment va recollir l'article 342 CDC. La tesi negativa és la que resulta de les STSJC d'1 de desembre de 1994, 17 de juliol de 1995 i 23 de maig de 1996, que sols exigeixen per a la usucapió els requisits de la possessió en concepte de titular i el transcurs del termini legal. Criteri que confirma l'article 531-24.1, que hem transcrit abans.

En base a aquestes consideracions hem de fer ara unes consideracions sobre els requisits de la possessió que porta a la usucapió:

A) *POSSESSIÓ EN CONCEPTE DE TITULAR*

L'article 342 CDC exigia per a la usucapió del domini i dels altres drets reals una possessió en concepte d'amo, requisit que sols era exigible per a la usucapió del dret de propietat, però no per esdevenir titular d'un dret real limitat posseïble. Amb un criteri més correcte l'article 531-24.1 exigeix que la usucapió es fonamenti en una possessió en concepte de titular del dret que es vol usucapir.

En qualsevol cas per a usucapir és necessari que l'usucapient sigui posseïdor del bé que vol adquirir per aquesta via, possessió que haurà de reunir els requisits de l'article 521-1, és a dir, un poder de fet sobre la cosa o el dret i la voluntat aparent externa d'actuar com a titular del dret. Amb la conseqüència que si manca aquesta voluntat no es pot parlar de possessió sinó de detentació de la cosa o dret (segons l'article 521-1.2), detentació que segons l'article 531-24.2 no permet la usucapió. De la mateixa manera que tampoc permet la usucapió una possessió de fet sobre la cosa o un dret fonamentats en la tolerància del seu titular, que l'article 521-1.2 qualifica igualment de detentació, que no permet la usucapió segons l'article 531-24.2.

El requisit de la possessió del bé, necessari en qualsevol tipus d'usucapió, es compleix amb independència del fet que l'usucapient posseeixi materialment el bé que vol usucapir (article 521-2.1,a) o que es tracti d'una possessió que s'exercita per mitjà d'una altra persona (article 521-1.1). Si es vol adquirir per usucapió el dret de propietat cal una possessió en concepte de propietari, mentre que si es vol usucapir un dret real limitat serà necessària una possessió en concepte de titular d'aquest dret. En relació amb aquest requisit ha precisat la jurisprudència que no concorre una possessió en concepte de propietari quan el fill gestiona unes finques familiars en qualitat de mandatari del seu pare, perquè això és incompatible amb una possessió en concepte de propietari (STSJC de 26 de febrer de 1996); que manca una possessió en concepte de propietari respecte a una finca que forma part de la societat de guanys entre els cònjuges i l'esposa no acredita haver-la posseït en concepte de bé privatiu durant el temps que exigeix la llei per a usucapir (STSJC de 25 de febrer de 1999); que no es pot usucapir un dret real de servitud si manca una possessió en concepte de titular d'aquest dret, ja que una possessió en concepte de propietari no implica *per se* un dret de servitud sobre la finca veïna (STSJC de 3 de febrer de 2000); i que no es pot invocar la usucapió si prèviament no s'acredita una possessió en concepte de propietari (STSJC de 28 d'octubre de 2002 i 19 de maig de 2003); i que el posseïdor de la finca en concepte de cultivador de fet no es pot qualificar de possessió en concepte de propietari (STSJC de 22 de gener de 2004). Mentre que la STSJC de 8 de gener de 2001 estableix que concorre una possessió en concepte de propietari respecte el fill que havia rebut la possessió de la finca del seu pare i que va començar a posseir-la des d'aquest moment sense oposició paterna ni de l'altre fill, havent realitzat el posseïdor unes modificacions importants sobre la finca, havent convingut un contracte d'assegurança sobre les instal.lacions i sobre l'edifici i havent pagat les contribucions i els altres arbitris municipals des de l'any 1964.

La possessió en concepte de propietari o de titular del dret real limitat pot coincidir temporalment amb el fet que va determinar l'adquisició de la possessió per qualsevol dels mitjans que preveu l'article 521-2, ja que com posa de manifest la doctrina el títol d'atribució de la possessió configura el concepte sota el qual s'adquireix i és a la vegada el seu principi configurador (MORALES MORENO). Convé afegir ara que es pot originar la usucapió, encara que inicialment ens trobem davant d'una possessió en concepte diferent al de propietari o de titular del dret real limitat, si amb posterioritat es produeix una inversió eficaç del concepte possessori segons l'article 521-6, en el sentit que el posseïdor manifesta eficaçment la seva voluntat de posseir en concepte de propietari o de titular del dret real limitat objecte de la usucapió. Amb la prevenció que la inversió del concepte possessori ha d'ésser objecte d'una prova convincent, ja que segons l'article 521-6.2 "Es presumeix que els posseïdors mantenen el mateix concepte possessori que tenien quan van adquirir la possessió". A nivell jurisprudencial s'ha precisat que la mutació unilateral de l'*animus* per part de l'usucapient exigeix que el canvi de voluntat del posseïdor s'exterioritzi mitjançant un comportament no clandestí i, per tant, s'ha de provar amb claredat un inici possessori en concepte de propietari (STSJC de 10 d'octubre de 1996, 3 de febrer de 2000 i 29 de juliol de 2002); que per a la inversió del concepte possessori no és suficient un canvi psicològic perquè això posaria en perill la seguretat jurídica (STSJC de 23 de desembre de 1999); que és necessari acreditar en quin moment es va produir la inversió del concepte possessori (STSJC d'1 d'octubre de 2000); i que el manteniment d'una possessió tolerada no pot originar una inversió del concepte possessori (STSJC de 29 de setembre de 2002). En el cas que va originar la SSJC de 24 de gener de 2005 el fideïcomitent i després el seu hereu fiduciari van consumar l'adquisició per usucapió del dret de propietat sobre una finca, que es considera forma part de l'herència fideïcomesa, ja que es considera que l'hereu fiduciari no havia acreditat que s'hagués produït una inversió possessòria eficaç, que hauria possibilitat adquirir per usucapió un dret de propietat lliure sobre la finca.

Interessa fer en aquest mateix apartat unes consideracions breus pel cas d'existir una pluralitat de titulars respecte el bé objecte de la possessió *ad usucapionem,* en base inicialment als articles 521-4 i 521-5, que admeten la concurrència simultània d'una pluralitat de posseïdors sobre el mateix bé. Si tots ells exerceixen unes facultats possessòries escaients sobre el mateix bé, poden esdevenir tots ells copropietaris o cotitulars del bé usucapit en proporció a les respectives quotes segons l'article 521-5. I el mateix succeirà si un sol dels posseïdors ha exercit unes facultats possessòries escaients en nom propi i en nom dels altres coposseïdors, ja que si es consuma la usucapió tots ells esdevindran cotitulars del bé o del dret usucapit en base al mateix precepte que permet que la possessió s'exerceixi per mitjà d'una altra persona i de l'article 521-2.1,b) que permet constituir la situació de comunitat ordinària mitjançant la usucapió (vegeu en el mateix sentit STS 20 d'octubre de 1989). En tot cas una vegada constituïda la situació de comunitat ordinària la quota que correspon a qualsevol dels cotitulars pot ésser objecte d'usucapió per part d'un tercer i si es consuma aquesta usucapió, subsistirà la situació de comunitat entre els anteriors cotitulars i l'usucapient que substituirà a l'anterior cotitular que ha perdut la seva quota com a conseqüència de la usucapió consumada a favor del tercer usucapient. Un altre supòsit que cal contemplar, és la possibilitat que un dels cotitulars posseeixi el bé que es troba en situació de comunitat com a posseïdor en concepte de titular exclusiu d'aquest bé, amb la possibilitat subsegüent que esdevingui titular únic del mateix bé si s'arriba a consumar la usucapió. En contra d'aquesta possibilitat s'al.lega en ocasions que el caràcter imprescriptible de l'acció de divisió de cosa comuna, que pel dret civil català sanciona de forma explícita l'article 121-2, encara que amb una oportunitat dubtosa, ja que l'article 552-9,b) estableix la dissolució de la situació de comunitat si es reuneixen en una sola persona la totalitat de les quotes, i respecte a una situació de comunitat extingida no té sentit parlar de l'existència d'una acció de divisió de la mateixa. Això ens porta a l'afirmació que si un dels cotitulars ha posseït el bé que es trobava en situació de comunitat com a titular únic d'acord amb els requisits i els terminis que preveu la llei, aquest anterior cotitular esdevindrà titular únic del bé o del dret usucapit, amb la pèrdua subsegüent de les quotes que corresponien als altres cotitulars contra els quals ha corregut eficaçment la usucapió; tesi que accepten, entre moltes altres, les STS de 8 de juny de 1945 i 29 de desembre de 2000.

En relació amb aquesta possibilitat de la usucapió entre cotitulars es presenta el problema de la seva configuració jurídica, que a nivell doctrinal es soluciona per la via d'entendre que no és necessària la inversió del concepte possessori, ja que per a usucapir la totalitat del bé es considera suficient la possessió de fet amb el caràcter d'exclusiva que determina suprimir la concurrència que impedeix l'exclusivitat; mentre que segons un altre corrent doctrinal ens trobem aquí davant d'un supòsit d'inversió del concepte possessori, que té el seu origen en una voluntat exterioritzada del cotitular d'exercitar, en contra del drets dels altres cotitulars, una possessió en concepte de titular exclusiu, que exclou la dels altres cotitulars. Sembla preferible aquesta segona opinió, que segons la doctrina que ha estudiat amb detall el problema exigeix la concurrència dels requisits següents: *i)* una possessió material exclusiva del bé comú incompatible amb les facultats de gaudiment dels altres cotitulars; *ii)* aquesta possessió material exclusiva ha de manifestar de forma inequívoca un ànim possessori únic manifestat per actes externs suficients per a obstaculitzar els drets dels altres cotitulars, perquè es tracta d'uns actes que permeten usucapir el bé en la seva totalitat; i *iii)* la inversió del concepte possessori no exigeix uns requisits de forma especials, però en tot cas es tracta d'una declaració de voluntat expressa o tàcita que ha d'adreçar-se als altres cotitulars, encara que no s'exigeix el seu consentiment (ARANA DE LA FUENTE).

B) POSSESSIÓ PÚBLICA

Segons l'article 531-24.1 la possessió que pot portar a la usucapió ha d'ésser una possessió pública, requisit que s'interpreta en el sentit que la publicitat es refereix no sols al fet de la possessió, sinó també al concepte possessori (en el nostre cas de propietari o de titular del dret real limitat que es vol usucapir), publicitat que ha de concórrer no sols quan es comença a posseir, sinó mentre es perllonga la possessió *ad usucapionem* i que s'ha d'enjudiciar en base a les circumstàncies concurrents en cada cas concret (ALBALADEJO).

Precisa la STS de 29 de novembre de 1968 que no és una possessió apte per a la usucapió una possessió per actes clandestins, és a dir, en virtut d'actes realitzats a esquenes del propietari. Sembla clar que mitjançant actes clandestins no es pot adquirir una titularitat per usucapió, però en aquest cas això esdevé com a conseqüència d'una situació diferent, com és la manca de possessió, indispensable per a qualsevol tipus d'usucapió, ja que segons l'article 521-2.2 "La possessió no pot ésser clandestina". Ja que com posa en relleu la doctrina possessió no pública i possessió clandestina són coses diferents, perquè la clandestinitat és un vici general que es projecta sobre qualsevol tipus de possessió que concorre quan l'adquisició del bé es fa sense el consentiment del posseïdor anterior i de forma amagada, que té com a conseqüència impedir la usucapió perquè així ho exigeixen la realització social del deure jurídic de respectar la possessió aliena i la col.laboració en defensa de la pau jurídica (MORALES MORENO).

C) POSSESSIÓ PACÍFICA

El mateix article 531-24.1 exigeix que la possessió que pot portar a la usucapió sigui una possessió pacífica, precepte que cal relacionar amb l'article 521-2.2 segons el qual "Tampoc es pot adquirir mai (la possessió) amb violència mentre els posseïdors anteriors s'hi oposin". De la interrelació que sens dubte existeix entre ambdós preceptes, en resulta que el darrer d'ells es refereix al moment en què s'adquireix la possessió d'un bé i si en aquest moment s'adquireix de forma violenta, ens trobem davant d'un supòsit que podem qualificar de possessió injusta, perquè s'ha obtingut per una via il.legal Qüestió més complicada és determinar quins efectes se'n dedueixen de l'adquisició violenta de la possessió, ja que el caràcter violent és compatible amb el fet que la persona que ha actuat de forma violenta, posseeix materialment aquest bé i per tant té la condició de posseïdor almenys davant la persona que s'ha vist privada de la possessió de forma il.legal, perquè segons l'article 521-8,e) el desposseït de forma violenta sols perd la possessió si l'adquirida contra la seva voluntat dura més d'un any; amb la conseqüència que el que ha adquirit la possessió de forma violenta no adquireix jurídicament la possessió del bé perquè l'ha adquirit per un mitjà il.legal que la llei no pot validar i, en conseqüència, sols pot començar a usucapir d'acord amb el requisit de la possessió pacífica que exigeix l'article 531-24.1 una vegada transcorregut el termini de l'any que l'article 521-8,e) confereix al desposseït de forma violenta per a recuperar la possessió. Tesi que porta a una segona conseqüència, com és que el desposseït de forma violenta pot adquirir la titularitat sobre el bé objecte de la usucapió encara que el termini legal es compleixi abans de la recuperació material de la possessió dins l'any perquè també la possessió incorporal és una possessió hàbil per a usucapir (AL-BALADEJO).

D) POSSESSIÓ ININTERROMPUDA

Per últim l'article 531-24.1 exigeix per a la usucapió que es fonamenti en una possessió ininterrompuda, és a dir, continuada durant el temps que exigeix la llei. La possessió *ad usucapionem* deixa de ser continuada si concorre qualsevol de les causes que segons l'article 531-25 originen una interrupció de la possessió que porta a la usucapió, que s'examinen a l'apartat següent. Aquí sols cal afegir que segons l'article 531-24.3 "Es presumeix que la persona que usucapeix ha posseït el bé de manera continuada des que va adquirir la possessió"; presumpció que ha determinat es cregui oportú fer una interpretació restrictiva de les causes que originen la interrupció (STS de 18 de juny de 1998) i que la prova de la interrupció de la possessió que porta a la usucapió correspon a la part que al.lega la concurrència del fet interruptiu (STS de 16 de gener de 2003).

E) PROVA D'AQUESTS REQUISITS

Com s'ha exposat en els apartats anteriors, sols la possessió que es pot qualificar de pública, pacífica i ininterrompuda pot atribuir al posseïdor la titularitat del bé per la via de la usucapió, si aquesta possessió qualificada s'ha perllongat el temps que exigeix la llei. La prova d'aquests requisits que han d'acompanyar la possessió s'acreditarà en cada cas concret en base als mitjans de prova que estableix la llei. Així i tot, i amb la finalitat d'acreditar la prova dels requisits esmentats i amb referència únicament a la usucapió immobiliària respecte a finques inscrites en el Registre de la Propietat, el legislador ha considerat oportú establir uns mitjans que permeten acreditar la concurrència dels requisits esmentats, previsió que té una fonamentació correcta, ja que en darrer terme té el seu origen en la presumpció *iuris tantum* d'exactitud del registre enfront el titular registral segons l'article 38 LH. En aquest sentit preveu l'article 35 LH que si l'usucapient té inscrit a nom seu en el Registre de la Propietat una titularitat, titularitat que realment sols adquirirà una vegada consumada la usucapió, en aquest cas la inscripció registral determina l'existència a favor del titular registral d'una presumpció *iuris tantum* d'ésser posseïdor del bé o del dret inscrit a favor seu i, a més, que aquesta possessió reuneix les característiques de pública, pacífica i ininterrompuda durant la vigència de l'assentament i dels seus antecessors dels quals porta causa.

Amb aquestes consideracions també es vol posar en relleu que l'article 35 LH té un abast força més limitat quan s'aplica a la usucapió catalana, perquè el precepte es va redactar pensant en la regulació de la usucapió en el Codi civil. Des d'aquesta perspectiva es pot dir que l'article 35 LH té com a finalitat escurçar, per mitjà de la inscripció registral, el termini per a la usucapió extraordinària dels béns immobles, en el sentit de convertir-la en una usucapió ordinària, que exigeix uns terminis més breus, encara que amb la concurrència de dos altres requisits, com són el just títol i la bona fe segons els articles 1957 i 1959 CC. Però com argumentat abans, el dret civil català no admet la distinció entre l'anomenada usucapió ordinària i la usucapió extraordinària, com resulta de l'article 531-24.1 que per a la usucapió no exigeix títol ni bona fe. Amb la conseqüència que hem d'entendre que si es tracta d'una usucapió sotmesa a la normativa catalana, encara que en la persona de l'usucapient concorrin els requisits de la bona fe i el just títol, això no determinarà que se li apliqui la normativa sobre usucapió ordinària, perquè es tracta d'uns institució desconeguda en el nostre ordenament jurídic. Però sí pot tenir una altra transcendència, com és la que es deriva del fet que la inscripció equival a títol i aquest representa una possessió en concepte de propietari o de titular del dret real que es vol usucapir, que porta com a conseqüència que encara que el títol sigui nul, si la inscripció no s'impugna durant el període de temps que exigeix la llei per a usucapir, la inscripció reforça la possessió en concepte de propietari o de titular del dret real que es vol usucapir (GARCIA GARCIA).

4. INTERRUPCIÓ DE LA POSSESSIÓ PER A USU-CAPIR

Com s'ha exposat fa uns moments, la possessió que pot originar una usucapió ha d'ésser una possessió ininterrompuda (article 531-24.1), en el sentit de continuada durant tot el període de temps que exigeix la llei per a usucapir, amb la precisió que la continuïtat s'ha de projectar també sobre els altres requisits que exigeix la llei per a usucapir, que segons el precepte esmentat són una possessió ininterrompuda en concepte de titular del dret que es vol usucapir, pública i pacífica. Tant l'article 531-24.1 com l'article 531-25 fan referència únicament a la interrupció, però no a la continuïtat de la possessió en base tal vegada al fet que segons l'article 521-1.1 la possessió pressuposa l'exercici d'un poder de fet sobre una cosa o un dret, que per la seva pròpia naturalesa exigeix una continuïtat en el temps, circumstància que determina no es pugui qualificar jurídicament de possessió un poder exercit de forma puntual o escadussera sobre un bé determinat. Per tant la continuïtat de la possessió serveix per a posar de manifest que es perllonga en el decurs del temps, però amb referència a la possessió *ad usucapionem* no és suficient aquesta continuïtat amb un caràcter més o menys indefinit, sinó una continuïtat que s'ha de perllongar durant tot el període de temps que la llei exigeix per a usucapir, que ens aboca al concepte de la interrupció de la possessió per a usucapir en paraules de l'article 531-25.

La interrupció de la possessió *ad usucapionem* té un caràcter més aviat excepcional, ja que segons l'article 531-24.3 "Es presumeix que la persona que usucapeix ha posseït el bé de manera continuada des que va adquirir la possessió". De totes formes l'efectivitat d'aquesta presumpció dependrà que s'acrediti el fet en virtut del qual es va adquirir la possessió i que, com a conseqüència d'aquest mateix fet, va adquirir una possessió que reuneix els requisits necessaris per a usucapir segons l'article 531-24.1 o, en el seu cas, el fet que va originar una inversió del títol possessori i que com a conseqüència d'aquesta inversió, va iniciar una possessió que reuneix els requisits necessaris per a usucapir.

I. Causes d'interrupció

Son les que enumera l'article 531-25, respecte a les quals interessa fer les consideracions següents.

En primer lloc, i segons l'apartat 1 del precepte, "La possessió per a usucapir s'interromp per les causes següents: a) Quan cessa la possessió". El precepte recull l'anomenada tradicionalment interrupció natural de la possessió, que es produeix quan es deixa de posseir el bé, en contraposició a les altres causes d'interrupció que s'anomenen d'interrupció civil, distinció que no reprodueix el Codi civil de Catalunya segurament perquè un i altre tipus d'interrupció produeixen els mateixos efectes. S'inclouen en aquest article 531-25.1,a) totes les causes que determinen el cessament de la possessió segons l'article 521-8, que en darrer terme suposen la pèrdua del poder de fet sobre el bé objecte de la possessió (vegeu *supra*, capítol III,1,II). Algunes d'aquestes causes estan mancades de transcendència als efectes que aquí interessen, ja que si el bé es destrueix de forma total (apartat c) del precepte) ningú el podrà usucapir; i si resta fora del tràfec jurídic (com preveu l'apartat d) de l'article), tampoc pot ésser objecte d'usucapió perquè es tracta d'un bé no apropiable. Tampoc presenta interès la pèrdua de la possessió per cessió voluntària del bé a una altra persona en un concepte incompatible amb la possessió del cedent (article 521-8,a), ja que en aquest cas la cessió pot originar el començament d'una possessió *ad usucapionem* a favor del cessionari o que aquest continuï la que havia iniciat el cedent (article 531-24.4). La possessió també es perd en els casos d'abandonament del bé posseït (article 521-8,b) i si l'abandonament procedeix d'un posseïdor *ad usucapionem*, aquest fet determinarà que s'interrompi la usucapió amb l'efecte subsegüent de convertir el bé abandonat en una *res nul.lius*, que segons l'article 542-20 es pot adquirir per ocupació, possibilitat que dóna un marge molt estret a la usucapió dels béns abandonats; que en canvi es pot donar amb més freqüència en els casos de béns perduts, ja que si bé és cert que segons l'article 521-8,d) la pèrdua del bé és una de les causes de pèrdua de la possessió, els béns perduts no es poden adquirir per ocupació (segons l'article 542-22.1) i per tant es pot originar en relació amb els béns perduts una usucapió a favor de l'autor de la troballa. Resta per tant com a supòsit més significatiu, que s'ha d'incloure a l'article 531-25,a), el de la interrupció de la possessió per a usucapir el de l'article 521-8,e) com és el de la possessió del bé per una altra persona, que no planteja més problemes si el nou posseïdor ha adquirit la possessió de forma voluntària de l'anterior posseïdor, ja que en aquest cas s'interromp de forma clara la seva possessió *ad usucapionem*.

Però cal afegir ara el supòsit d'adquisició de la possessió contra la voluntat de l'anterior posseïdor *ad usucapionem*, que és el que contempla la proposició darrera de l'article 521-8,e), en el qual es preveu que en aquest cas la interrupció de la possessió sols es produeix si la nova possessió adquirida contra la voluntat de l'anterior dura més d'un any, que hem d'entendre es computarà des que ha cessat la situació de violència que va acompanyar l'adquisició de la possessió.

També s'interromp la possessió per a usucapir "Quan qui usucapeix reconeix expressament o tàcitament el dret dels titulars del bé" (article 531-25.1,b). Existeix un consens doctrinal ampli que el reconeixement del dret dels titulars del bé pot fer-lo el mateix usucapient o un representant seu amb poders suficients i, també, que el reconeixement del dret dels titulars es configura com una declaració de voluntat, que segons el precepte pot ésser expressa o tàcita, que té el caràcter d'unilateral i de no receptícia, encara que s'ha d'exterioritzar d'alguna forma i a més és irrevocable; encara que en aquest punt es precisa que la retractació posterior del reconeixement no servirà per a deixar sense efectes la interrupció, però sí per a començar una nova usucapió d'acord amb els requisits que exigeix l'article 531-24.1). L'efecte interruptiu es produeix encara que després del reconeixement del dret del titular l'usucapient continuï materialment en possessió del bé, perquè aquesta possessió ja no és en concepte de titular del dret que volia usucapir (com exigeix l'article 531-24.1).

Una tercera causa d'interrupció és la que estableix l'article 531-25.1,c), que es produeix "Quan els titulars del bé o una tercera persona interessada s'oposen judicialment a la usucapió en curs i quan els titulars del bé i la persona que usucapeix acorden sotmetre a arbitratge les qüestions relatives a la usucapió". La proposició primera de l'article no és altra cosa que una manifestació de la tradicional causa d'interrupció per reclamació judicial, que té com a pressupòsit el fet que el titular del bé o una tercera persona interessada interposen una demanda enfront l'usucapient amb la finalitat d'interrompre la seva possessió *ad usucapionem* o, també, quan com a parts defenent formulen una reconvenció amb la finalitat d'interrompre la mateixa. Si la interrupció es produeix via demanda, l'efecte interruptiu —encara que amb caràcter provisional— es produeix des que s'origina la situació de litispendència, és a dir, des de la interposició de la demanda si després és admesa (article 410 LEC). La legitimació activa en els casos d'interrupció judicial es confereix no sols al titular o titulars del bé contra al qual corre la interrupció sinó també a terceres persones interessades, que segons una interpretació *a contrario* de l'article 531-28,b) serien aquelles persones interessades en el fet que no s'arribi a consumar la usucapió, com poden ser —posem per cas— els tercers titulars d'un dret real limitat sobre el bé que es vol usucapir, si la usucapió produís els efectes propis de la usucapió alliberatòria segons l'article 531-23.3. La legitimació passiva correspon en qualsevol cas a l'usucapient o als seus hereus. L'efecte interruptiu definitiu s'ha de supeditar al fet que l'organisme jurisdiccional que ha de resoldre el litigi estimi la demanda o la reconvenció, sempre que declari un dret sobre el bé incompatible amb el que es vol usucapir (argument article 531-25.2, proposició darrera) i que aquest pronunciament tingui el valor de cosa jutjada material segons l'article 222 LEC (vegeu STSJC de 3 de febrer de 2000 respecte a una demanda d'interdicte per a recobrar la possessió); si bé en els casos de cosa jutjada formal (segons l'article 207 LEC) s'interromp amb caràcter provisional la possessió per a usucapir fins que recaigui un nou pronunciament sobre la qüestió amb valor de cosa jutjada material, amb retroacció dels seus efectes al moment del primer pronunciament, excepte en el cas d'inversió del concepte possessori entre un moment i altre (MORALES MORENO). I pel que fa referència a la interrupció de la possessió per a usucapir en cas de sotmetre a arbitratge les qüestions relatives a la usucapió, s'apliquen amb les adaptacions corresponents les previsions fetes amb referència a la reclamació judicial; aquí sols cal afegir que segons l'article 37 de la Llei 36/1998, de 5 de desembre, de l'arbitratge, el laude arbitral ferm produeix els mateixos efectes que la cosa jutjada.

Per últim s'interromp la possessió per a usucapir "Quan els titulars del bé requereixen notarialment las posseïdors que els reconeguin el títol de la possessió" (article 531-25.1,d). Es tracta d'un mitjà extrajudicial d'interrupció de la possessió *ad usucapionem* que s'introdueix amb un cert criteri de novetat, tal vegada perquè l'article 121-11,c) l'admet com a causa de interrupció de la prescripció, novetat que no deixa de tenir un cert fonament, ja que el fet d'escurçar de forma notable els terminis legals per a usucapir pot originar la conveniència d'establir aquesta nova causa d'interrupció. Que s'ha de configurar jurídicament com una declaració unilateral de voluntat per part del titular del bé que es vol usucapir, que té el caràcter de receptícia —s'ha d'adreçar

al posseïdor *ad usucapionem* o al seu representant legal o o vo-
luntari— que requereix uns requisits de forma estrictes, ja que
l'efecte interruptiu sols es produeix si el requeriment té el caràcter
de notarial. En qualsevol el requeriment notarial ha de fer una
referència expressa a que el posseïdor *ad usucapionem* reconegui
el títol possessori del qui requereix, incompatible amb el dret que
es vol usucapir.

No es configura jurídicament com a causa d'interrupció de la
possessió per a usucapir, encara que produeix els mateixos efec-
tes, el supòsit que preveu l'article 531-27.3, segons el qual "La
renúncia al temps transcorregut d'un a usucapió en curs equival
a la interrupció de la possessió per a usucapir". El precepte no es
refereix a la renúncia a la usucapió sinó a la perspectiva d'usu-
capir perquè contempla una "usucapió en curs", mentre que a la
renúncia a la usucapió ja consumada es refereix l'article 531-29.

II. Efectes de la interrupció

Són els que estableix l'article 531-25.2 segons el qual "La in-
terrupció de la possessió per a usucapir fa que hagi de començar
a córrer de nou i completament el termini d'aquesta possessió.
En el cas de l'apartat 1,c), el nou termini s'inicia a partir de la
fermesa de l'acte que posa fi al procediment". Del precepte en
resulta que la interrupció és eficaç si l'acte interruptiu es produ-
eix abans de la consumació de la usucapió ja que si es produeix
després, la usucapió sols es pot deixar sense efectes per la via de
la renúncia per part de l'usucapient, d'acord amb els requisits que
preveu l'article 531-29. I si la possessió per a usucapir s'interromp
eficaçment, després de la interrupció es pot originar *ex novo* una
altra possessió per a usucapir per part de l'anterior usucapient o
por un tercer posseïdor *ad usucapionem*.

5. SUSPENSIÓ DE LA POSSESSIÓ PER A USUCA-PIR

I. Concepte

Al costat de la interrupció de la possessió per a usucapir l'arti-
cle 531-26 regula la suspensió de la possessió per a usucapir, que
essencialment suposa regular com causes de suspensió situacions

que segons el dret tradicional es configuraven jurídicament com excepcions al principi favorable a la possibilitat d'adquirir per usucapió totes les coses (BORRELL I SOLER). Segurament també ha influït en aquest punt el fet que el mateix Codi civil de Catalunya en el llibre primer considerés oportú regular al costat de la interrupció de la prescripció la seva suspensió (vegeu els articles 121-11 i 121-15), que segons resulta de l'apartat III del seu preàmbul es fa amb la finalitat de socórrer a les persones titulars de drets que no han pogut invocar la interrupció per motius externs o, també, per motius personals o familiars. Com també por haver influït el fet d'escurçar notablement els terminis tradicionals per a usucapir.

D'aquestes consideracions inicials en resulta que tant la interrupció com la suspensió de la possessió per a usucapir tenen una característica comuna, com és trencar la possibilitat que es consumi la usucapió encara que hagi transcorregut tot el termini que preveu la llei per a usucapir. Però aquesta característica comuna s'ha de relacionar amb un fet diferencials significatiu entre ambdues institucions, que es centra en el fet que si concorre una causa d'interrupció, es perd tot el període de possessió *ad usucapionem* que havia transcorregut abans que es produís el fet interruptiu, mentre que si apareix una causa de suspensió de la possessió per a usucapir, aquest fet determina que mentre perdura la causa que va originar la suspensió no corre el termini i que aquest torni a córrer des que desapareix la causa que va originar la suspensió, però sense que es perdi el temps de possessió *ad usucapionem* que havia transcorregut abans. Ja que com precisa l'article 531-26.2 "El temps de suspensió de la possessió no es computa en el termini per a usucapir que estableixen les lleis".

II. Causes

Són les que enumera l'article 531-26 en els seus quatre apartats, precepte que encapçala l'expressió "La possessió per a usucapir se suspèn en els casos en què la usucapió es produeix...", del qual en resulta que mentre està vigent el període de suspensió, l'usucapient continua en possessió del bé amb la finalitat d'usucapir, però encara que es tracti d'una possessió que reuneix tots els requisits que exigeix la llei per a usucapir segons l'article 531-24.1, la possessió que es perllonga mentre està vigent la causa de suspensió no serveix per a usucapir. Que porta a la vegada a una segona conseqüència, com és la inutilitat de la suspensió si mentre perdura la situació que l'ha originada, s'interromp la possessió per a usucapir per qualsevol de les causes que preveu l'article 531-25.

La primera causa que preveu l'article 536-21,a) és la suspensió "Contra les persones que no poden actuar per sí mateixes o per mitjà de llur representant, mentre es manté aquesta situació", causa de suspensió que apareix també a l'article 121-16,a) amb referència a la prescripció extintiva. El precepte es refereix les persones que no poden gestionar elles mateixes els seus interessos per manca de capacitat natural, derivada de l'edat o de pertorbacions físiques o psíquiques que impedeixen l'autogovern, ja que aquestes persones no poden en els casos generals interrompre la possessió *ad usucapionem* per qualsevol de les causes que preveu la llei. Per aquest motiu hem d'entendre que no concorre aquesta causa de suspensió quan l'afectat per la usucapió té un representant legal que assumeix la funció de gestionar els seus interessos, ja que si el representant legal no interromp la usucapió en curs, serà responsable dels perjudicis que això pugui ocasionar a la persona que representa.

Una segona causa de suspensió apareix a l'article 531-26.1,b), en base al qual la possessió per a usucapir en suspèn "Contra l'herència jacent". D'acord amb l'article 8 CS l'herència es troba en situació de jacent quan s'ha produït l'obertura de la successió com a conseqüència de la mort del causant (article 2,I idem) i encara no ha estat acceptada pel cridat a succeït (article 5 idem). També respecte a aquesta causa de suspensió pot haver influït l'article 121-17, que respecte a la prescripció extintiva estableix una suspensió del termini prescriptiu mentre l'herència no sigui acceptada; encara que sembla oportú recordar que aquesta causa de suspensió té un caràcter relatiu, ja que sols opera entre les persones cridades a succeir i l'herència jacent, mentre que l'article 531-26.1,b) estableix la suspensió amb caràcter general. Es pot qüestionar l'oportunitat d'aquesta causa de suspensió de la possessió *ad usucapionem*. Sembla suficient recordar que la situació d'herència jacent es pot perllongar i fins i tot superar els trenta anys segons l'article 28,I CS durant els quals no es podran adquirir béns hereditaris per usucapió, situació fins a cert punt contradictòria amb el fonament de la usucapió, que com s'ha exposat abans no és altre que donar seguretat al tràfec jurídic patrimonial i evitar que es perllonguin excessivament les situacions d'incertesa. I també és en part contradictòria amb la posició del legislador català, que precisament per evitar una durada excessiva de les situacions mancades de certesa, ha optat pel criteri d'escurçar notablement el termini de trenta anys per a usucapir. És cert que la situació d'herència jacent pot facilitar que un tercer usucapeixi els béns hereditaris; però en aquest punt no cal oblidar que l'article 8 CS preveu la possibilitat de nomenar un administrador de l'herència jacent, que evidentment gaudirà de les facultats necessàries per a interrompre o suspendre una possessió *ad usucapionem*.

Una altra causa de suspensió de la possessió per a usucapir s'estableix a l'article 531-26.1,c) "Contra el cònjuge o la cònjuge o l'altre membre d'una unió estable de parella, mentre dura la convivència". Una causa semblant de suspensió de la prescripció extintiva entre cònjuges o els membres d'una unió estable de parella apareix a l'article 121-16, b) i c) que té una fonamentació seriosa. Amb referència a la usucapió perquè en les situacions normals de convivència matrimonial o de parella moltes vegades no es dóna una possessió exclusiva en concepte de propietari per part del cònjuge o d'un membre de la parella sobre un bé determinat, ja que normalment es donarà una situació de possessió conjunta a favor d'ambdós, precisament en atenció a la convivència íntima que comporta el matrimoni o una unió estable de parella. I es pot afegir encara un altre argument de caràcter empíric, com és evitar situacions de discòrdia que poden desembocar fàcilment en una crisi familiar.

Per últim preveu l'article 531-26.1,d) que la possessió per a usucapir en suspèn quan la usucapió es produeix "Entre les persones vinculades per la potestat dels pares o per una institució tutelar", que té uns precedents remots a la Novel.la 22, capítol 24, on es preveia que no corria la usucapió contra el peculi adventici del fill de família. Aquesta causa de suspensió de la possessió per a usucapir té un caràcter relatiu, ja que sols opera en relació els pares i els titulars d'un càrrec tutelar i la persona sotmesa a una d'aquestes potestats familiars; mentre que l'apartat a) del mateix precepte estableix una suspensió de la possessió per a usucapir respecte el fill que es troba sota la potestat del pare o de la mare o respecte a la persona sotmesa a un càrrec tutelar, quan l'usucapient és un tercer.

6. TERMINIS

En relació amb els terminis per a usucapir el dret civil català ha experimentat unes modificacions significatives, que passem ara a resumir. El termini general d'usucapió en el nostre dret era el de trenta anys segons l'usatge *omnes causae,* que suprimia en relació amb els béns immobles els requisits de la bona fe i els just títol que exigien determinades disposicions del dret romà; mentre que respecte els béns mobles s'entenia que estaven també subjectes al termini general dels trenta anys, a menys que l'usucapient hagués adquirit la possessió de bona fe i amb la concurrència d'una causa justa, cas en el qual el termini per a usucapir es reduïa a tres anys. La Compilació del dret civil de Catalunya de l'any 1960 va modificar parcialment aquesta normativa, ja que segons el seu article 342 es mantenia el termini tradicional per a usucapir dels trenta anys, sense necessitat de títol ni de bona fe, mentre que per a la usucapió dels béns mobles establia un termini únic de sis anys, sense necessitat de títol ni de bona fe. Per tant el text compilat innovava el dret tradicional per la doble via de suprimir la usucapió ordinària dels béns mobles per un termini de tres anys i d'establir respecte a aquests mateixos béns un termini únic d'usucapió de sis anys, segurament perquè en ple segle XX es consideraria excessius el termini de trenta anys pels béns mobles.

La Llei 5/2006 insisteix en el criteri de reduir els terminis de possessió per a usucapir, ja que segons l'article 531-27.1 "Els terminis de possessió per a usucapir són de tres anys per als béns mobles i de vint anys per als immobles", que són els únics terminis que admet el nostre dret; ja que com s'ha esmentat en apartats anteriors, quan l'article 531-24.1 estableix que per a usucapir no és necessari títol ni bona fe, aquesta expressió serveix per a reafirmar el criteri que el dret civil català refusa la distinció entre usucapió ordinària i usucapió extraordinària, que té com a conseqüència fonamental establir uns terminis més breus per a la usucapió ordinària.

L'article 531-27.2 estableix una regla especial sobre computació dels terminis per a usucapir, ja que segons el precepte "Els terminis de possessió per a usucapir un bé furtat, robat o objecte d'apropiació indeguda no es comencen a computar fins que no ha prescrit el delicte, la falta, la seva perna o l'acció que en deriva per a exigir la responsabilitat civil".

El precepte s'aplica únicament al termini de tres anys per a usucapir béns mobles, ja que els delictes de furt, robatori o apropiació indeguda sols es poden cometre en relació amb els béns mobles segons els articles 234, 237 i 252 CP i afecta a totes les persones que tenen la condició de responsables dels delictes esmentats, és a dir, els autors i els còmplices segons l'article 27 del mateix codi punitiu. Però com que segons l'article 531-24.1 sols es pot adquirir mitjançant una possessió pacífica, no cal acudir a l'article 531-27.2 per a impedir la usucapió mentre la possessió de l'autor del delicte no es pot qualificar de pacífica (ALBALADEJO).

La usucapió es consuma una vegada transcorreguts els terminis que exigeix la llei per a usucapir, però sense que això vulgui dir que la usucapió sols es consuma quan la mateixa persona ha ostentat una possessió *ad usucapionem* durant el termini legal, sinó que es permet que adquireixi la titularitat del bé posseït el darrer posseïdor, perquè pot sumar a la seva possessió la dels posseïdors anteriors. En aquest sentit precisa l'article 531-24.4 que "La persona que usucapeix pot unir la seva possessió a la possessió per a usucapir dels seus causants"; precepte que acull l'anomenada *successio possessionis* a favor del successor universal o hereu del posseïdor o posseïdors anteriors i l'*accessio possessionis*, que es produeix a favor dels adquirents de la possessió per negoci jurídic entre vius a títol onerós o gratuït o a títol de llegat. Si bé cal tenir present que en aquests casos sols s'arriba a consumar la usucapió si totes les possessions successives reuneixen els requisits que exigeix l'article 531-24.1 per a la possessió *ad usucapionem*. A la *successio possessionis,* encara que amb referència a l'article 1960,1r CC, es refereixen les STSJC de 21 de juny de 1999 i 19 de maig i 2 de juny de 2005; i a l'*accessio possessionis* entre venedor i comprador, també amb referència al mateix precepte, fa uns pronunciaments la STSJC de 29 de juliol de 2002.

7. EFECTES

Com a més significatius esmentem els següents:

I. Eficàcia

Segons l'article 531-24.1 per a usucapir s'exigeix una possessió en concepte de titular del dret que es vol usucapir i, a més, que aquesta possessió sigui pública, pacífica i ininterrompuda durant el període de temps que exigeix l'article 531-27. I si es relacionen ara aquests preceptes amb l'article 531-23.2, segons el qual "L'efecte adquisitiu es produeix sense necessitat que la persona que usucapeix faci cap actuació", de la interrelació que existeix entre tots ells en resulta que si es compleixen els requisits que exigeix la llei per a usucapir, amb el compliment de tots ells l'usucapient esdevé automàticament titular del dret que ha usucapit sense necessitat de cap més actuació, com preveu de forma explícita l'article 531-23. Adquisició automàtica però no forçosa, ja que una vegada consumada la usucapió el nou titular pot renunciar eficaçment a la usucapió d'acord amb les prevencions de l'article 531-29.

L'efecte automàtic que hem predicat de la usucapió ha d'ésser objecte d'unes precisions, ja que no vol dir que la usucapió pugui ésser aplicada d'ofici pels organismes jurisdiccionals. En aquest sentit es pot invocar amb una certa oportunitat l'article 121-4 quan preveu que la prescripció no pot ésser aplicada d'ofici pels organismes jurisdiccionals, ja que si bé és cert són institucions diferents la usucapió i la prescripció, no cal oblidar que la usucapió es configura jurídicament com un mode d'adquirir determinats drets reals o, a vegades, per acreditar que es podia haver adquirit un dret real per un altre mitjà que s'ha frustrat per altres motius; supòsits en els quals la usucapió s'invocarà com a pretensió que ha d'ésser objecte de prova o com excepció o reconvenció, que també ha d'ésser objecte de prova segons l'article 217 LEC. I per altra part no cal oblidar que l'usucapient pot renunciar a la usucapió segons l'article 531-29, renúncia que pot desconèixer l'organisme jurisdiccional que ha de resoldre el litigi, en el qual s'ha acreditat concorren tots els requisits que exigeix la llei per a usucapir.

Problema subsegüent és determinar la legitimació per al.legar la usucapió, que contempla l'article 531-28, segons el qual pot invocar-la en primer lloc la persona que ha usucapit o els seus hereus (apartat a) del precepte), que no planteja més problemes en relació amb l'usucapient ni tampoc amb els seus hereus, ja que segons els articles 1,I i 6 CS l'hereu succeeix també en les situacions possessòries que en vida corresponien al causant de la successió. També poden al.legar la usucapió, segons l'apartat b) del mateix precepte, "Tota persona interessada en el fet que es declari que la persona que usucapeix ha adquirit el bé", que com es pot comprovar estableix una legitimació extensa per al.legar la usucapió, tal vegada amb la finalitat de fer efectiu el caràcter automàtic de la mateixa segons l'article 531-24.2, que es pot veure afectat si ningú al.lega que s'ha consumat la usucapió, perquè no hem d'oblidar que ens trobem aquí davant d'una usucapió consumada. En base a aquestes consideracions entenem que poden al.legar que s'ha consumat la usucapió els creditors de l'usucapient, els titulars de drets reals limitats sobre el bé objecte de la usucapió i els legitimaris de l'usucapient als efectes de la computació legitimària.

I pel que fa referència a l'eficàcia temporal de la usucapió, hem d'entendre que el seu caràcter automàtic determina que l'usucapient té la condició de titular del dret que ha usucapit des del moment en què va començar una possessió *ad usucapionem*. Que porta com a conseqüència: *i)* que es consideren vàlids els actes realitzats per l'usucapient abans de consumar-se la usucapió; *ii)* que es considerin realitzats per un propietari els actes dispositius realitzats abans de consumar-se la usucapió; i *iii)* que es considerin extingits els poders del titular anterior des que va començar la possessió *ad usucapionem* (DIEZ-PICAZO).

II. Renúncia

En aplicació concreta del principi general de dret que ningú ha d'adquirir béns contra la seva voluntat, l'article 531-29 sanciona de forma explícita la possibilitat de renunciar a la usucapió guanyada. Com que en aquest cas la usucapió ja s'ha consumat, la renúncia equival a un acte de disposició del bé que s'ha adquirit per usucapió, circumstància que justifica que segons l'apartat 1 del precepte "La renúncia requereix la capacitat per a disposar del bé usucapit". Pressuposada aquesta capacitat, la renúncia a la usucapió guanyada s'ha de qualificar jurídicament de declaració unilateral de voluntat de caràcter abdicatiu, no receptícia i irrevocable. La llei no exigeix requisits de forma especials per a la renúncia, que per tant hem de considerar vàlida sempre que s'acrediti una voluntat del renunciant en aquest sentit, en darrer terme per aplicació del principi que no es presumeixen les renúncies. En qualsevol cas s'ha de realitzar després d'haver transcorregut el termini que exigeix las llei per a usucapir segons l'article 531-27, ja que si la voluntat de renunciar s'exterioritza mentre corre el termini legal per a usucapir, els efectes de la renúncia no són altres que la interrupció de la possessió *ad usucapionem* segons l'article 531-27.3.

La voluntat unilateral de l'usucapient no confereix sempre efectes definitius a la renúncia, ja que segons l'article 531-29.2 "La renúncia al dret usucapit no perjudica els creditors de qui ha usucapit, ni els titulars de drets sobre el bé usucapit". En aquest cas el legislador concreta les persones que es poden oposar a la renúncia, a diferència del que preveu l'article 531-28,b), que permet al·legar la consumació de la usucapió a qualsevol interessat; diferència que s'ha de qualificar d'intencionada, perquè l'al·legació de la usucapió no ha de tenir necessàriament transcendència pràctica, que en canvi concorre en el cas de la renúncia. En tot cas la ineficàcia de la renúncia *ex* article 531-29.2 no determina que l'usucapient recuperi la titularitat del bé, sinó únicament que els creditors puguin exercir els seus drets via acció revocatòria segons l'article 1111 CC i, també, que els titulars de drets reals limitats puguin exercir les seves facultats respecte el propietari beneficiat per la renúncia. Mentre que en els casos d'ésser eficaç la renúncia, recupera la titularitat la persona que va resultar perjudicada por la usucapió.

Per últim estableix l'article 531-29.3 que "La renúncia no impedeix a qui ha usucapit tornar a iniciar la usucapió del mateix dret". Perquè una cosa és la renúncia a una concreta usucapió guanyada i una altra cosa és la renúncia a la facultat d'usucapir en el futur aquest mateix bé o un altre, que s'hauria de qualificar d'inadmissible en la mesura que implica restringir de forma injustificada la capacitat de la persona, amb possible infracció de l'article 14 CE.

III. La usucapió alliberatòria

La usucapió es qualifica generalment de mode d'adquisició originari dels drets reals, perquè la successió en la titularitat no es produeix en sentit tècnic sinó simplement cronològic, ja que es produeix com a conseqüència de l'extinció del dret d'una persona com a conseqüència de l'adquisició del dret per una altra persona, dret que apareix *ex novo* per l'usucapient (PEÑA BERNALDO DE QUIRÒS). Aquesta configuració jurídica de la usucapió interessa ara en un aspecte determinat, que es centra en precisar si el propietari gravat amb un o més drets reals pot usucapir el dret de propietat lliure d'aquests gravàmens, fet que suposarà l'extinció dels mateixos com a conseqüència de la usucapió; com planteja també el problema de si la persona que posseeix en concepte de lliure un bé determinat que es troba gravat amb un o més drets reals limitats, cas que s'arribi a consumar la usucapió, adquireix el dret de propietat lliure o si no obstant haver usucapit el dret de propietat, ha de respectar els drets reals preexistents sobre el bé que ha usucapit. Això ens porta a fer unes consideracions sobre l'anomenada usucapió alliberatòria o *usucapio libertatis*, respecte a la qual es precisa que en la seva primera modalitat es pot anomenar usucapió alliberatòria del propietari i en la seva segona modalitat usucapió alliberatòria unitària (OSSORIO SER-RANO). Segons la STSJC d'1 d'octubre de 2001, en un cas en el que s'al.legava la *usucapio libertatis* respecte a un dret d'usdefruit establert pel pare sobre les finques objecte de la usucapió, precisa que aquesta modalitat de la usucapió sempre l'ha admesa el dret civil català.

Si el problema es planteja en relació a béns mobles o a béns immobles no inscrits en el Registre de la Propietat, cal atenir-se a l'article 531-23.3, en el qual s'estableix que "L'efecte adquisitiu no perjudica els drets reals no possessoris o de possessió compatible amb la possessió per a usucapir si els titulars del dret real no han tingut coneixement de la usucapió". Pressupòsit indispensable per a l'aplicació de l'article és que el propietari del bé el posseeixi com a lliure de qualsevol dret real limitat que comprimeixi les seves facultats dominicals o, també, que un tercer posseeixi *ad usucapionem* un bé concret lliure de qualsevol càrrega si s'arriba a consumar la usucapió i el bé es troba gravat amb un dret real limitat que no atribueix al seu titular unes facultats possessòries, com són per exemple la hipoteca o els drets reals d'adquisició preferent, o també si confereix al seu titular unes facultats pos-sessòries compatibles amb la possessió de l'usucapient, cas per exemple del dret d'usdefruit que recau sobre una part de la finca compatible amb la possessió de la resta de la finca per una altra persona,; en aquests casos l'usucapient sols adquireix el dret de propietat lliure si el titular d'aquests drets reals limitat no ha tingut coneixement de la usucapió. Expressió que hem d'entendre en el sentit que els titulars dels drets reals esmentats han de tenir esment de l'existència d'una possessió *ad usucapionem* dels seus drets perquè l'usucapient d'una forma o altra exterioritza de forma positiva la seva voluntat de no respectar aquets drets reals limitats. Que en relació amb l'anomenada usucapió alliberatòria del propietari es traduirà en el fet que exerceix les seves facultats dominicals plenes en sentit excloent a l'existència sobre el mateix bé d'un dret real limitat; mentre que en el cas de la usucapió alliberatòria unitària es traduirà en el fet que l'usucapient extreu del bé totes les utilitats que pot proporcionar, excloent d'aquesta forma qualsevol altre tipus de titularitat que si li pugui oposar (GARCIA HERRERA). Amb la conseqüència final que si es tracta de drets reals limitats que comporten facultats possessòries sobre el bé objecte de la possessió *ad usucapionem,* aquesta perjudicarà als titulars dels drets reals limitats si els actes possessoris de l'usucapient són contraris a l'existència dels mateixos.

Si es projecta la usucapió alliberatòria sobre finques inscrites en el Registre de la Propietat, en resulta que la usucapió allibe- ratòria sols perjudica al tercer de l'article 34 LH en els supòsits que esmenta l'article 36,IV i V, que té un àmbit d'aplicació més restringit, ja que sols s'aplica a les adquisicions a títol onerós (perquè així ho exigeix l'article 34 LH).

8. DRET TRANSITORI

Com s'ha posat de manifest en els apartats anteriors, el llibre cinquè del Codi civil de Catalunya ha introduït novetats signifi- catives en la regulació de la usucapió respecte el dret anterior, encara que la més important és la d'haver escurçat de forma notable els terminis per a usucapir. Això ha determinat que el legislador considerés oportú establir una regla per tal de solucionar els problemes de drets transitori que aquesta modificació originarà, que es concreta en la DT segona, segons la qual "La usucapió iniciada abans de l'entrada en vigor d'aquest llibre es regeix per les normes d'aquest, llevat dels terminis, que són els que establia l'article 342 de la Compilació del dret civil de Catalunya. No obstant això, si la usucapió s'havia de consumar més enllà del temps per a usucapir que estableix aquest codi, se li apliquen els terminis que fixa aquest, que comencen a comptar a partir de l'entrada en vigor d'aquest llibre". Del precepte en resulta que:

- Si ens trobem davant d'una usucapió consumada abans de la vigència de la nova llei, s'aplica en la seva integritat el dret anterior.
- Si a l'entrada en vigor de la nova llei encara no s'ha consumat la usucapió, la DT segona confereix una ampla retroactivitat a la nova llei, ja que excepte en relació amb els terminis, s'aplica a la usucapió en curs la normativa del Codi civil

de Catalunya en matèria d'interrupció, suspensió, al.legació i renúncia a la usucapió.

- Respecte els terminis s'estableix un criteri de retroactivitat més estricte, ja que en principi es respecten els terminis més llargs de l'article 342 CDC; a menys que després de l'entrada en vigor del llibre cinquè del Codi civil s'escoli en la seva integritat el termini que estableix per a usucapir, que determinarà es consumi la usucapió encara que sigui un termini inferior al que encara no havia transcorregut segons l'article 342 CDC.

BIBLIOGRAFIA SUMÀRIA

MORALES MORENO, *Posesión y usucapión.* Madrid, 1972; OSSORIO SERRANO, *La usucapión liberatoria,* en RDP, 1982, pàg. 339 i seg.; GARCIA GARCIA, *Comentarios al Código Civil y Compilaciones Forales.* Madrid, 1999, volum VII-4; ALABALADEJO GARCIA, *La usucapión.* Madrid, 2004; GARCIA HERRERA, *La usucapio libertatis,* "Libro Homenaje al profesor Manuel Albaladejo Garcia". Madrid, 2004, volum I, pàg. 1885 i seg.; ARANA DE LA FUENTE, *La usucapión entre comuneros. Doctrina y jurisprudencia.* Madrid, 2005; MARTÍNEZ RIPA, *La usucapión contra tabular en Cataluña y la presunción forzosa del art. 38 LH,* en "Boletín Servicio de Estudios Registrales de Cataluña", 2007 (núm. 128, pág. 309 i seg.).

JURISPRUDÈNCIA CITADA

Tribunal Suprem

8 juny 1945: requisits de la usucapió
13 maig 1960: objecte de la usucapió
29 novembre 1968: requisits de la usucapió
29 octubre 1989: requisits de la usucapió
18 juny 1998: requisits de la usucapió
29 desembre 2000: requisits de la usucapió
16 gener 2003: requisits de la usucapió

Tribunal Superior de Justícia de Catalunya

1 desembre 1994: requisits de la usucapió
17 juliol 1995: normativa vigent a Catalunya
2 octubre 1995: objecte de la usucapió
26 febrer 1996: requisits de la usucapió
23 maig 1996: requisits de la usucapió
10 octubre 1996: requisits de la usucapió
25 febrer 1999: requisits de la usucapió

21 juny 1999: terminis per a usucapir
23 desembre 1999: requisits de la usucapió
3 febrer 2000: requisits de la usucapió
1 octubre 2000: requisits de la usucapió
8 gener 2001: requisits de la usucapió
1 octubre 2001: *usucapio libertatis*
29 juliol 2002: requisits de la usucapió
16 setembre 2002: terminis per a usucapir
29 setembre 2002: requisits de la usucapió
14 octubre 2002: requisits de la usucapió
28 octubre 2002: requisits de la usucapió
19 maig 2003: requisits de la usucapió
22 gener 2004: requisits de la usucapió
24 gener 2005: requisits de la usucapió
19 maig 2005: terminis per a usucapir
2 juny 2005: terminis per a usucapir

Capítol VI

La donació

1. LA DONACIÓ COM A TÍTOL ADQUISITIU.

I. Concepte i naturalesa de la donació.

La donació és un negoci jurídic amb causa gratuïta. Es por definir com un negoci en el qual una part, el donant, atribueix béns a una altra, el donatari, que els adquireix amb la seva acceptació i sense cap contraprestació, o bé amb una contraprestació molt menor al seu valor real. Això produeix diversos efectes, el principal dels quals, que és el considerat en el Codi civil català, és l'adquisició de la propietat d'allò donat.

L'article 531-7 estableix que "la donació és l'acte pel qual els donants disposen a títol gratuït d'un bé a favor dels donataris, els quals l'adquireixen si l'accepten". En aquesta definició, el Dret català opta decididament per una de les diverses explicacions de la donació i fonamentalment, supera la discussió entre la donació com a títol adquisitiu i la donació com a contracte que està present en el Codi civil i que es podia encara reproduir en l'anterior Dret català. Per això pot ser útil fer una referència a l'anterior regulació i les conclusions que s'extreien per tal de comparar-la amb la del Codi civil català, que es decanta clarament per una de les tesis sostingudes per la doctrina.

Els romanistes estan d'acord en afirmar que en el Dret romà, la donació no estava qualificada com a contracte, ja que constituïa solament una *iuxta causa traditionis*; sembla, però, que en una determinada època, fou considerada com a contracte real, que es perfeccionava amb el lliurament de la cosa donada i aquesta fou una solució que va tenir una important influència en la posterior evolució. La donació en el dret romà no es considerava ni com un contracte ni com un negoci típic, sinó que era la causa d'una atribució patrimonial que es realitzava sense contraprestació per part d'aquell que la rebia. En el Dret romà, enriquit amb posteriors elements deguts a les normes dictades per Constantí (C. 8,53,25) i Justinià (*Instituta* 2,7 proemi) es pot dir que la donació o bé era un acte formal o bé era un contracte real, però que en el sistema que es rebé a Catalunya a través del *ius commune,* la donació era considerada més com una convenció que com una causa d'adquirir, ja que les disposicions de Constantí van canviar substancialment l'anterior sistema.

Els autors catalans es van mostrar més preocupats pels problemes plantejats per les donacions universals dels heretaments, institució totalment contrària a allò disposat en el Dret romà, que per les donacions entre vius; sembla, però, que l'opinió més comuna fou la de considerar que les donacions constituïen un contracte entre vius, que unit a la tradició, transmetia el domini. Ara bé, la recepció del dret romà culte va fer canviar aquest criteri i en el segle XVIII, FINESTRES optà obertament per entendre que era simplement un títol adquisitiu, per bé que la majoria dels autors anteriors a la Compilació van considerar la donació com a contracte, distingint BORRELL I SOLER dos tipus de donacions: les que s'atorguen per mitjà d'un acte unilateral, en les quals no cal que el consentiment del donatari es manifesti de manera immediata i les que s'atorguen en un acte bilateral, pacte o contracte, "que deben ser aceptadas en el mismo acto".

En anteriors edicions d'aquesta obra, havíem sostingut que el tractament de les donacions en la Compilació i en les altres disposicions catalanes, especialment, els heretaments, portava a concloure que el Dret civil català tractava la donació com un contracte. Aquesta explicació ha de ser revisada a la vista de les disposicions contingudes en el Llibre V del Codi civil de Catalunya, que permeten dir que es configura com "un acte jurídic unilateral —una declaració de voluntat receptícia— que no precisa l'acceptació del donatari per a la seva validesa", però sí per a produir l'efecte buscat, que és la transmissió de la propietat d'allò donat, de manera que "l'acceptació constitueix un altre acte jurídic unilateral, autònom i independent, imprescindible perquè els béns donats s'incorporin al patrimoni del donatari, però accessori del principal" (LAUROBA).

D'acord, doncs amb el que disposen els articles 531-7 i 531-8, la donació és *per se* un negoci translatiu del domini, que produeix un desplaçament patrimonial. Les raons per arribar a aquesta conclusió són les següents:

1ª La combinació dels articles 531-7 i 531-8.1 ens porta a considerar que la donació és "un acte de disposició" (article 531-7), que és irrevocable "des del moment en què els donants coneixen l'acceptació". Per tant, es distingeix clarament entre la disposició, que no genera obligacions i que permet la revocació mentrestant no s'hagi produït l'acceptació, que és un acte afegit que determina l'eficàcia de la disposició. Per tant, la donació no genera l'obligació de transmetre allò donat, sinó que una cosa és la disposició i una altra l'eficàcia, que dependrà d'un acte complementari i posterior del donatari. En això, l'esquema de la transmissió per mitjà de les donacions s'assembla molt al de la successió per causa de mot: el títol que permet adquirir és independent de la declaració de voler adquirir i de la mateixa adquisició.

2ª L'acceptació del donatari no es correspon amb l'esquema de l'oferta contractual, sinó que produeix dos efectes: un, l'adquisició dels béns donats i un segon, que n'és una conseqüència, la irrevocabilitat de la donació. Mitjançant l'acceptació es mostra la conformitat del donatari sobre que el seu patrimoni sigui modificat per l'acte de disposició efectuat al seu favor. Això, però, apareix modulat en les donacions "motivades per captacions públiques o benèfiques", ja que en aquest casos, el donatari no està identificat i per això la simple voluntat del donant vincula (article 531-8.2).

3ª Per ser donatari no cal la capacitat per contractar i obligar-se, ja que segons l'article 531-21 "poden acceptar donacions les persones que tenen capacitat natural", llevat que continguin càrregues, ja que en aquest cas caldrà la "intervenció o assistència dels pares o tutors".

4ª Una raó sistemàtica porta també a la mateixa conclusió, ja que les donacions estan regulades dins el títol III, que porta com a rúbrica, "de l'adquisició, la transmissió i l'extinció del dret real", la secció tercera del qual és la relativa a la regulació de la donació. És evident que aquest no és un argument definitiu, però proporciona base suficient per a l'explicació de l'opció feta pel legislador català, potser més adequada a la tradició catalana, amb les dubtes ja manifestats.

D'aquesta manera cal concloure que el Codi civil català ha pres un partit clar per configurar la donació com un títol adquisitiu dels drets reals, abandonant la tradicional concepció de la donació com a contracte. Resten, però, les regles dels heretaments que ara hauran de ser examinades des del punt de vista exclusivament successori.

Es manté la sempre complexa qüestió de l'acceptació de la categoria de les donacions obligatòries, és a dir, aquelles en les que el donant promet efectuar la donació en un futur, sense transmetre res de present. En l'esquema establert al Codi civil de Catalunya, aquestes donacions hauran de ser considerades com a contractes atípics i, per tant, queden excloses de la regulació establerta al Llibre V mentrestant es mantinguin en l'estadi de l'obligatorietat, és a dir, mentre no es converteixin en donacions efectives, per transmissió d'allò donat, perquè llavors se'ls aplicaran les normes que ara estem estudiant.

II. Les classes de donacions

La donació tipus reglada en el Codi civil català és aquella que s'ha descrit en l'anterior apartat. D'acord amb aquesta naturalesa, podem distingir les donacions segons les modalitats (article 531-9); segons que la causa aparegui qualificada pel matrimoni (article 531-9.4); segons els pactes que incloguin (articles 531-16 al 531-20), i segons les seves finalitats (article 531-8.2).

A) LES DONACIONS ENTRE VIUS I PER CAUSA DE MORT

L'article 531-9 distingeix entre les donacions entre vius i les donacions per causa de mort. Les primeres són aquelles que es realitzen "sense considerar el fet" de la mort del donant. Aquestes poden ser al mateix temps, donacions entre cònjuges, o per raó de matrimoni o contenir pactes especials, com ja veurem, o bé estar motivades "per captacions públiques o benèfiques", però sempre tenen com a objectiu la transmissió de béns o drets "sense considerar el fet de la mort dels mateixos donants". Tenen la consideració de donacions entre vius aquelles en les que s'ajorna el lliurament d'allò donat a la mort dels donataris o bé aquelles en les que aquests es reserven l'usdefruit vitalici, que tenen la consideració de condicions sotmeses a termini suspensiu i, per tant, són donacions entre vius.

Contràriament, les donacions per causa de mort són aquelles "que els donants fan considerant llur pròpia mort" (article 531-9.3); la mort actua com a pressupòsit d'eficàcia del negoci i segons les disposicions del Codi de successions, poden considerar-se assimilades al llegats, la qual cosa fa que es regulin en el articles 392 a

396 del Codi de successions, als qual es remet el mateix article 531-9.4 (vegeu la STSJC de 19 gener 2006 i el capítol XIX del volum III d'aquesta mateixa obra).

B) LES DONACIONS SEGONS LA CAUSA QUALIFICADA PEL MATRIMONI

S'ha de distingir entre les donacions que tenen com a causa el matrimoni del donatari o bé donacions efectuades entre cònjuges també en raó del matrimoni, i les donacions efectuades per altres persones, amb independència que tinguin vincles familiars o no amb els donataris. Les donacions entre cònjuges tenen una regulació diferent segons hagin estat fetes en capítols matrimonials o fora de capítols; les primeres es regulen per les disposicions del Codi de família; les fetes fora de capítols matrimonials es regulen pels articles 14 i 31-34 CF, que condiciona llur eficàcia a què se celebri el matrimoni (article 32 CF), permet que es sotmetin a càrregues, gravàmens, condicions i modes (article 33 CF) i que es revoquin per les causes establertes a l'article 22 CF, és a dir, per incompliment de càrregues (article 22 CF, aplicable per remissió de l'article 34 CF) i per les causes generals de revocació de donacions, si bé, afegeix l'article 14 CF que les donacions entre cònjuges atorgades fora de capítols i que poden ser revocades per les causes generals de revocació de donacions, solament poden ser-ho per supervenció de fills quan es tracti de fills comuns (article 14 CF).

Les donacions *ob causam matrimonii*, és a dir les realitzades tenint en compte el matrimoni dels donataris, tenen també una regulació especial en el Codi de Família. Es tracta de donacions fetes als fills contraents en ocasió del seu matrimoni i també s'ha de distingir segons siguin les fetes en capítols matrimonials (articles 21-23 CF), o les atorgades fora de capítols, que es regeixen pels articles 31-34 CF, a més de les regles generals sobre donacions contingudes en el Llibre V. Quan es tracti d'heretaments, la regulació es troba en el Títol II del Codi de successions.

C) LES DONACIONS ESPECIALS, QUALIFICADES PELS PACTES QUE S'INCLOUEN

Es tracta de les especialitats contingudes en els articles 531-16 al 531-20, que es tractaran més endavant.

D) LES DONACIONS EN OCASIÓ DE CAPTACIONS PÚBLIQUES

El Codi civil català distingeix dos tipus de donacions segons es tracti de transmetre béns o drets a un donatari o donataris determinats, que serà el cas més freqüent, o bé aquelles altres donacions que es fan per a "captacions públiques o benèfiques". Essent com són també veritables donacions, és a dir, actes de transmissió amb causa gratuïta, presenten algunes especialitats relatives als punts següents:

1r. La no necessitat de l'acceptació per part del donatari per a la seva eficàcia, ja que es tracta d'un donatari incert o indeterminat en la majoria dels casos o bé que manifesta la seva acceptació d'una forma diferent a l'exigida en l'article 531-8.1; pensem en els donatius fets a un programa de televisió en benefici d'una determinada obra benèfica o d'un programa de recerca gestionat per aquell que fa la convocatòria, però en el que no apareix expressament determinat el donatari perquè són els malalts que gaudiran d'aquell programa, posem per cas, o en les qüestacions benèfiques per ajudar a la construcció d'un determinat edifici.

2n. Aquestes donacions són vàlides i eficaces des de la manifestació de la voluntat de fer el donatiu, per bé que el lliurament d'allò donat es pot diferir (article 531-12.2).

3. S'apliquen les normes de les donacions remuneratòries (article 531-17) al mateix temps que totes les altres regles de les donacions.

E) ELS ALTRES NEGOCIS AMB CAUSA GRATUÏTA

Existeixen altres negocis amb causa gratuïta diferents de la donació, que poden respondre a finalitats diverses, com *la dotació d'una fundació* (article 5 LFP), que mitjançant la vinculació de béns privats, permet assolir interessos generals; *els contractes de patrocini*, que faciliten la inversió de capitals privats en activitats d'interès general (article 24 de la Llei 230/1988, d'11 de novembre, *General de Publicidad*), etc. Tots aquests actes responen a finalitats que no es corresponen exactament amb les regles de les donacions, per bé que posen de relleu la possibilitat de l'ús social dels contractes gratuïts, la qual cosa es demostra fins i tot si tenim en compte les normes de dret fiscal que essent prudents en les transmissions gratuïtes fetes en contractes entre vius, són absolutament generoses quan es tracta de la utilització d'aquests contractes amb finalitats socials; malgrat tot, aquests actes queden sotmesos a les regles sobre computació i imputació legitimàries, que poden arribar fins a la declaració d'inoficiositat.

Entre aquest negocis amb causa gratuïta cal incloure les *donacions lliberatòries*, identificades fonamentalment en la *condonació de deutes* (article 1187 CC). Aquí es produeix l'enriquiment del deutor/donatari afavorit amb l'alliberació del deute, sense que en aquest cas tingui lloc un desplaçament patrimonial material, per tal com l'efecte que produeix aquest negoci jurídic és l'extinció del deute condonat i la del corresponent crèdit, amb l'ampliació del patrimoni del beneficiat. Per tant, l'empobriment del donant, normal en els negocis amb causa gratuïta, es produirà per la disminució comptable, però no material, del seu patrimoni. Com en aquest cas no es produeix l'adquisició de cap dret real, no sembla que s'hagin d'aplicar les regles establertes al Codi civil català i més concretament, les relatives a la forma, i a l'acceptació. Ara bé, sí s'aplicaran analògicament les relatives al no perjudici dels creditors del donant (article 531-14), la revocació (article 531-15 en allò que sigui possible) i les regles sobre protecció dels legitimaris (articles 355, 359 i 373 CS). És un efecte de la concurrència de la causa gratuïta, encara que no es tracti pròpiament de donacions en el sentit de la regulació que en fa el Codi civil de Catalunya en el Títol III del Llibre V.

2. ELS ELEMENTS DE LA DONACIÓ

I. La capacitat

D'acord amb la llei, s'ha de distingir entre la capacitat per ser donant i la capacitat per ser donatari.

-Per ser *donant*, l'article 531-10 estableix que "pot donar qui té capacitat d'obrar suficient per a disposar de l'objecte donat i poder de disposició sobre aquest". Això significa que,

1r. S'ha de tenir *la capacitat* per disposar dels béns, no la de contractar perquè en el Dret català la donació no es configura com un contracte. Així, els menors emancipats no poden efectuar donacions, ja que no estan habilitats per donar vàlidament al remetre's l'article 159 CF a les mateixes facultats que els pares, segons l'article 151 CF; el mateix succeeix amb l'habilitat d'edat (article 217 CF).

Per a determinar si persona incapacitada té capacitat per disposar dels seus béns a títol gratuït, caldrà estar a la sentència d'incapacitació, però en el cas més normal que s'excloguin, el tutor no podrà efectuar donacions Aquelles persones que estiguin sotmeses a curatela, necessiten la concurrència del curador per disposar a títol gratuït, que complementarà la seva capacitat (article 242.1 CF), sempre que no s'hagi exclòs de la seva esfera de competència.

2n. *Poder de disposició.* D'acord amb això, els pares titulars de la potestat no poden donar béns dels fills, perquè no està previst a l'article 151.1,a CF; la donació també està exclosa de les facultats dels tutors (article 212.1,a CF). Tampoc poden efectuar donacions aquelles persones que essent plenament capaces, no gaudeixin de la lliure disposició dels seus béns, com passa en els casos d'haver-se limitat el poder dispositiu en títols voluntaris, com ara el fideïcomís (article 244.1 CS, interpretat *a contrario),* les prohibicions de disposar (article 166 CF), o bé per concórrer una prohibició legal, com ara succeeix en els drets d'ús i habitació (article 562-4). Com afirma la STS de 9 juliol 2001, per a donar cal ser propietari.

3r. Les persones jurídiques poden efectuar donacions sempre que no existeixi cap previsió en contra en els seus estatuts i que la donació estigui d'acord amb la seva finalitat social.

4t. Per realitzar vàlidament algunes donacions, calen els requisits de capacitat establerts en la normativa corresponent, com ara les donacions efectuades en capítols que, d'acord amb l'article 16 CF, podran ser atorgades per aquells que puguin contraure vàlidament matrimoni; això durà normalment a la majoria d'edat, d'acord amb l'article 46.1 CC, però com es pot contraure matrimoni amb dispensa d'edat, quan això succeeixi, serà necessari el complement de capacitat previst al mateix article 16.1 CF. Les donacions per causa de mort requereixen per a la seva validesa, la capacitat per testar (article 394 CS, amb remissió a l'article 104 CS).

-Per ser *donatari,* l'article 531-21 determina una sèrie de normes relacionades amb la capacitat general per ser-ho, és a dir, per acceptar la donació feta al seu favor, així com unes altres relacionades amb supòsits especials. Així:

1r. La capacitat per acceptar donacions està establerta al primer paràgraf de l'article 531-21, que diu que "poden acceptar donacions les persones que tenen capacitat natural". D'aquesta manera s'estableix una norma molt oberta permetent que qualsevol persona, independentment de la seva capacitat d'obrar, pugui acceptar la donació feta al seu favor. Per tant, és suficient la capacitat d'entendre i voler. Això és així perquè la llei parteix de la configuració de la donació com a sistema d'adquisició i no com un contracte, però aquesta norma està en contradicció amb la que estableix l'article 20.1 CS, que per a l'acceptació de l'herència exigeix la capacitat "per a contractar i obligar-se" i si establim un paral·lelisme entre les dues situacions, ja que ambdues constitueixen títols adquisitius, no sembla correcte ampliar tant la capacitat per acceptar donacions, que permet als menors d'edat que tinguin "capacitat natural", adquirir mitjançant un negoci jurídic, com és l'acceptació, béns o drets. D'acord amb aquestes normes, els menors d'edat emancipats poden acceptar per ells mateixos les donacions fetes al seu favor, sempre que no incloguin càrregues.

2n. Les donacions amb càrregues fetes a menors d'edat o altres persones sotmeses a un règim de protecció, hauran de ser acceptades per aquests "amb la intervenció o l'assistència de les persones que estableix el Codi de família", és a dir, els pares en els casos de potestat per minoria d'edat o potestat prorrogada; els tutors en els casos de menors sotmesos a tutela o persones incapacitades i els curadors per a les persones sotmeses a curatela.

3r. Les donacions fetes a persones concebudes han de ser acceptades pels que serien els seus representants legals si ja haguessin nascut.

4t. No cal que el donatari existeixi per a la validesa de la donació; això es dedueix de l'article 531-21.4; aquestes persones seran representades, d'acord amb l'article 531-21.3, per aquells que serien els seus representants si ja haguessin nascut. L'article 531-21 estableix que en aquest cas es considera feta la donació sota condició suspensiva, recollint la norma de l'article 254.2 CS que estableix el mateix mecanisme en relació la llegat ordenat a favor de persona no concebuda al temps de morir el testador.

5è. Quan la donació s'hagi efectuat conjuntament en favor de més d'una persona, s'entén que els donataris participen per parts iguals en els béns o drets objecte de la donació, regla que coincideix amb el que disposa l'article 21.2 CF per a les donacions atorgades en favor dels dos cònjuges en capítols matrimonials. Té lloc el dret d'acréixer entre ells, de manera que la part del donatari que manca, acreix proporcionalment als restants (article

531-22.1); aquesta norma està d'acord amb les regles tradicionals successòries catalanes, establertes en el dret d'acréixer (article 38 CS) i en l'increment forçós de l'article 41 CS, que solament té una excepció quan manca un dels legitimaris (article 376 CS).

II. L'objecte

A) L'OBJECTE DE LES DONACIONS EN GENERAL

Per bé que l'article 531-11 no distingeix entre els possibles diferents objectes de la donació, perquè es refereix en general als béns certs i determinats, un o més d'un, l'article 531-12 distingeix les donacions de béns immobles i les de béns mobles. Cal doncs, interpretar aquestes disposicions estudiant al mateix temps les excepcions de les disposicions que regulen els heretaments.

1r. La regla general és que l'objecte de la donació pot ser una cosa o un dret, sigui aquest real o de crèdit.

2n El bé donat ha de ser cert i determinat, la qual cosa equival a exigir que s'identifiquin per les seves característiques o per la seva naturalesa.

3r. Excepte en el cas que es tracti d'un heretament, el Codi civil català no permet la donació de tots els béns del donant, perquè no es pot considerar com a tal el tipus de donació previst en l'article 531-11.2 que es refereix a les donacions "d'una universalitat de coses, empreses i altres conjunts unitaris de béns o agregats de béns". La llei no fa referència a aquest tipus de béns en els articles destinats a regular-ne el concepte (articles 511-1 a 3), però no s'ha d'entendre com a donació de tots els béns del donant, a diferència del que es regula en l'article 72.2 CS. (vegeu per al concepte d'universalitat el capítol I d'aquest volum). L'article 531-11.2 tracta les universalitats de coses en el mateix sentit que l'article 184 CS, que les considera béns singulars de l'herència, tractant-les dins dels llegats i el mateix es dedueix de l'article 531-11.2.

4t. Una qüestió que resulta de la naturalesa de títol adquisitiu és l'exclusió de la donació de béns futurs, que encara que no aparegui directament prohibida en l'article 531-11.1 cal considerar-la inclosa en aquesta disposició, perquè malament es poden transmetre béns encara no existents.

B) LES EXCEPCIONS

Quan s'utilitzi la tècnica de l'heretament, és lícita la donació universal i les donacions de béns futurs.

-*Les donacions universals* es defineixen en l'article 72.2 CS com aquelles en què "es consigna expressament que comprèn tots els béns presents i futurs o aquells que l'heretant deixi en morir. La simple exclusió de coses concretes i determinades o de parts indivises no afecta la universalitat de la donació". El requeriment formal per a la validesa d'aquestes donacions és que constin en capítols matrimonials, d'acord amb el que disposa l'article 67 CS; per tant, no poden existir donacions universals fora de capítols matrimonials, que, en definitiva, constitueixen el títol successori de l'heretament, típicament català.

-*Les donacions de béns futurs* estan previstes en l'heretament cumulatiu que d'acord amb l'article 84.1 CS, és aquell en què l'hereu, a més de la qualitat de tal, adquireix "els que endavant obtingui l'heretant" sempre que hi hagi un pacte exprés en aquest sentit. Les donacions de béns futurs seran vàlides quan es facin en heretament i a partir de la regulació del Codi civil català, no seran vàlides les donacions de coses futures fetes fora de capítols i fora dels heretaments.

C) ELS LÍMITS

Els únics límits que la Llei estableix a les donacions com a títol adquisitiu són els derivats del perjudici dels legitimaris i dels creditors del donant, en el sentit que poden ser declarades inoficioses si perjudiquen la llegítima (article 373 CS) i revocades si produeixen un perjudici als creditors del donant, cas en el què no li són oposables (article 531-14), però no hi ha límits quantitatius ni qualitatius, excepte la causa de revocació prevista en l'article 531-14,e) quan el donant no tingui béns suficients per a la seva còngrua sustentació.

III. La causa

A) LA CAUSA GRATUÏTA

La donació és un títol d'adquisició del domini i altres drets reals que té sempre causa gratuïta, interpretada en el sentit de l'article 321.2 CDCC, que entén com a tal *el desig de liberalitat de l'alienant.*

Això obliga a distingir entre les donacions i els altres actes de liberalitat, perquè entre aquests s'inclouen contractes amb causa gratuïta, com la condonació, el mandat sense contraprestació o el préstec sense interès; però aquests no entren dins la categoria de donació tal com està construït el concepte en el Codi civil català, de manera que les donacions regulades en la secció tercera del capítol I del Títol III són transmissions patrimonials que tenen les notes característiques de la causa gratuïta: 1) l'enriquiment del donatari; 2) l'empobriment conseqüent del donant, i 3) l'ànim de liberalitat d'aquest darrer. D'aquesta manera cal incloure en la categoria que estem estudiant, totes aquelles disposicions que atorguen un avantatge econòmic sense contraprestació per la part de l'adquirent/donatari. L'element intencional, l'ànim de liberalitat, determina que el contracte tingui causa gratuïta, independentment dels concrets motius que hagin impulsat el donant.

Ara bé, aquesta causa gratuïta es pot trobar qualificada per altres elements, com ara *el matrimoni* (article 531-9); la *beneficència* (article 531-8.2) o *la remuneració* (article 531-17); això origina que les donacions que tinguin aquestes característiques estiguin regulades per normes especials.

Finalment cal dir que la concurrència d'un element d'onerositat en la donació (*donacions amb càrregues o modals,* article 531-18) no elimina la causa gratuïta, sinó que es produiran efectes determinats segons sigui la quantia de la càrrega. La concurrència d'una càrrega determina una regla relativa a la capacitat dels donataris, segons l'article 531-21.2).

B) LA CAUSA REMUNERATÒRIA

Segurament un dels problemes més complexes que es presenten en relació a la causa de les donacions es produeix en aquells casos en què, d'acord amb l'article 531-17, la donació es fa "en premi o en reconeixement, no exigibles jurídicament, dels mèrits contrets o dels serveis prestats pels donataris". Aquesta disposició es refereix, doncs, a les *donacions remuneratòries,* la qual cosa ens porta a la necessitat de donar-ne un concepte, ja que en el Dret civil català, llevat de la definició que s'ha transcrit, no existeix un concepte general. ROCA SASTRE diu expressament que en rigor el negoci gratuït hauria de ser sinònim de liberalitat i dins del mateix, s'hauria de distingir la donació pura i la remuneratòria i totes les altres, de manera que en aquest tipus de donació, les parts consideren de forma expressa o tàcita, que allò donat o promès ho és en remuneració d'un servei ja prestat, de manera que això, per servir de causa, haurà de ser considerat subjectivament i objectiva, que correspon a una remuneració (CASTRO). Exemples d'aquest tipus de causa es troben en els serveis prestats pel donatari sense remuneració o renunciant-hi, els mèrits del donatari, etc. D'acord amb el que estableix l'article 531-17, els serveis o mèrits que es remuneren no són exigibles jurídicament, bé perquè el donatari hagi renunciat al seu pagament, bé perquè no tenia dret a cobrar-los, bé perquè siguin inestimables, com el cas del salvament en un accident; com diuen DIEZ PICAZO i GULLON, el mòbil o el motiu de la donació és precisament, la compensació. Com a exemples de motius que produeixen una donació remuneratòria, el Tribunal Suprem ha inclòs el benefici rebut d'un familiar proper per les mostres d'estima en forma de serveis prestats durant un llarg període de convivència amb el donant (STS de 29 novembre 1989), o serveis d'assistència i activitats tant presents com continuades en benefici del donant (STS 1 febrer 2002), però ha exclòs l'ajut normal mutu entre cònjuges (STS 12 juny 2000). El Codi civil català inclou també en aquesta categoria de donacions les fetes amb caràcter benèfic, a les quals atribueix un règim jurídic diferent pel que fa a la irrevocabilitat de la donació i a la forma.

L'article 531-17 preveu dos tipus de causes de remuneració, els serveis i els mèrits del donatari. Els *serveis prestats pel donatari* han d'haver proporcionat al donant o a un tercer un benefici i han d'estar prestats sense que existeixi una obligació jurídica que obligui al donatari, com per exemple, el cas de serveis professionals prestats sense cobrar els corresponents honoraris. Pel que fa als mèrits, haurien de ser considerats com a tals no les qualitats personals del donatari, sinó aquells mereixements que tenen una repercussió important en la societat (LACRUZ), com per exemple, una donació al que descobreixi una vacuna contra la SIDA, per bé que tothom reconeix que es tracta d'una causa de difícil concreció i que haurà de ser interpretada restrictivament. La STSJC de 28 gener 2002, fonamentada en l'article 619 CC aplicable en aquell moment com a supletori, deia que "la donació remuneratòria *és també una donació*, que per tant es regeix per les normes del Codi civil que regulen les donacions, ja que si es fa per tal de remunerar serveis exigibles no es pot qualificar de donació sinó de pagament d'un deute fonamentat en una causa onerosa [...]; mentre que si la donació es fa per tal de remunerar serveis el pagament dels quals no és exigible, l'atribució s'ha de qualificar de donació i subjecta per tant a la normativa de les donacions".

El règim jurídic de les donacions remuneratòries serà el general de les donacions, a manca de norma específica en l'article 531-17. Entre aquestes normes s'inclou la forma, ja que segons la STSJC de 28 gener 2002 "per a la validesa d'una donació remuneratòria de béns immobles, s'ha de complir el requisit del seu atorgament en escriptura pública", per tal com es tracta d'una autèntica donació.

IV. La forma

La transmissió de béns per causa gratuïta és sempre formal. Però la llei distingeix segons la classe de béns que siguin objecte de la donació.

1r. *La donació de béns mobles*. L'article 531-12.2 estableix en realitat dues formes de transmissió de béns mobles: *per escrit*, sense necessitat d'escriptura pública. I *de paraula*, per bé que en aquest cas cal que simultàniament es lliuri el bé donat. Les dues formes són, per tant, adients per a transmetre la propietat dels béns mobles, categoria en la que s'han d'incloure els drets.

La STSJC de 4 octubre 1999 es plantejà un problema de tradició manual; es tractava de la discussió sobre si l'ingrés d'una determinada quantitat en un compte corrent era o no donació; el TSJC, desprès d'afirmar que la donació manual es vàlida si reuneix els requisits de forma exigits llavors en l'article 632 CC, diu que "d'això deriva, és clar, que la donació manual sigui per definició contracte real, per tal com no és concebible, com en altres figures contractuals, la constitució del negoci jurídic amb el simple consentiment [...]. Aquesta entrega, autèntic requisit de forma en la donació de béns mobles, no s'ha de fer efectiva mitjançant sistemes de *traditio fictae*, sinó que ha de ser material, condició que, per descomptat, reuneix l'ingrés de fons en dipòsits bancaris" (vegeu també en el mateix sentit la STSJC de 19 gener 2006).

2n *La donació de béns immobles*. L'article 531-12.1 exigeix l'escriptura pública per a la validesa d'aquests donacions; l'esmentada disposició diu clarament que "solament són vàlides" si els donants les fan en escriptura pública. En ser un negoci dispositiu i rigorosament formal, l'escriptura és substancial i a manca d'aquesta, la donació és nul·la.

Aquesta exigència planteja el problema de les donacions simulades, és a dir, el problema que sorgeix quan donant i donatari acorden atorgar una donació, però la dissimulen per mitjà d'una compra-venda que és el negoci que apareix documentat i volgut en l'escriptura pública. Un cop provada la simulació i la realitat de la donació, es planteja la qüestió de la seva validesa, per tal com s'ha atorgat l'escriptura pública exigida ara en l'article 531-12.1, si bé amb una altra finalitat, que és la de documentar una compravenda que en realitat no es va atorgar. Un corrent doctrinal important considera que admetre la possibilitat que, provat l'*animus donandi*, s'admeti la validesa de la donació perquè l'escriptura pública que documenta la compravenda serveix també per a la donació dissimulada constitueix una forma de frau, perquè no es pot fer indirectament allò que està prohibit fer directament (la donació de béns immobles en document privat) i que resulta patent que l'escriptura de compravenda no és adient per omplir la forma exigida, perquè no expressa ni pot expressar les circumstàncies exigides per a la donació. La jurisprudència del Tribunal Suprem no ha seguit uniformement aquesta tesi, que malgrat tot és la majoritària, i ha vingut entenent que la donació dissimulada és també nul·la per defecte de forma perquè cal que consti clarament la voluntat de donar i la d'acceptar, la qual cosa no es produiria en l'escriptura pública de compravenda, en la que la voluntat de donar no es manifesta, (entre moltes d'altres, SSTS de 24 febrer 1986, 7 maig 1993), per bé amb una certa flexibilitat quan es tracta de donacions que el TS qualifica com a remuneratòries (sentències de 7 desembre 1993, 1 febrer 2002). Ara bé, la sentència de 11 gener 2007, desprès de recollir les diferents postures mantingudes per la Sala 1ª entorn al problema que ara es planteja, diu de forma clara que "la escritura pública de compraventa no vale para cumplir el requisito del article 633 CC, pues no es escritura pública de donación, en la que deben expresarse tanto la voluntad de donar como la aceptación del donatario";"[...] la escritura se otorgó para amparar un contrato nulo, sin que en la misma constase el *animus* donandi, las cargas impuestas al donatario, ni la aceptación de éste[...]; y que la aceptación del donatario no existe pues dio su consentimiento para un contrato de compra". I pel que fa a la relaxació que el Tribunal Suprem havia admès en les donacions remuneratòries, la mateixa sentència diu que l'article 633 CC "no hace ninguna excepción de lo que preceptúa para ninguna donación, además de que la remuneratoria no tiene ningún régimen especial".

No ha estat aquesta la postura del TSJC; efectivament la sentència de 16 juliol 1992 considerà que provat l'ànim de liberalitat en uns béns posats a nom de la dóna que apareixia com a compradora juntament amb el marit, "s'ha d'estimar vàlida la donació encoberta que documenta l'escriptura pública de compra-venda de 1973, segons resulta de la posició que ha mantingut el Tribunal Suprem en les sentències de 23 setembre 1989 i 22 gener 1991", solució que es repeteix en la sentència de 15 desembre 1994, en un cas de compraventa conjunta dels cònjuges on es diu que "s'ha de refusar la pretesa infracció de l'article 633 CC, que s'al·lega en aquest motiu de cassació, ja que l'existència d'un ànim de liberalitat per part del marit comportaria que s'ha d'estimar vàlida la presumpta donació encoberta que documenta l'escriptura pública de compra-venda de l'any 1983 [...]". El mateix resulta de la sentència de 6 març 1997, on s'afirma que "suponiendo que la compraventa disimulara la donación de la nuda propiedad tampoco estaríamos en presencia de un negocio sin causa, sino con causa gratuïta y que, contrariamente a lo afirmado por el recurrente, reúne los requisitos formales exigidos en el article 633 CC", citant a continuació en recolzament de la tesis les sentències abans citades. Finalment, la sentència de 22 maig 2003 diu que "debe estimarse la existencia y validez de un negocio disimulado de donación en escritura pública de compraventa". D'aquí es dedueix que el Tribunal Superior de Catalunya es va decantar per una de les dues postures mantingudes pel Tribunal Suprem. Ara bé, aquesta jurisprudència ha estat totalment canviada per la regulació del Codi civil de Catalunya, que en establir a l'article 531-12.1 que *solament són vàlides* les donacions si s'atorguen en escriptura pública, determina, al nostre parer, que l'escriptura feta per a la compravenda que desprès es declara simulada, no cobreix la forma de la donació dissimulada, que haurà de ser declarada nul·la per defecte de forma.

V. L'acceptació

L'acceptació és un negoci jurídic autònom i receptici que consisteix en una declaració de voluntat del donatari que manifesta la seva conformitat amb la donació, de manera que si no hi ha acceptació, no es produeixen els efectes transllatius de la propietat o del dret real que es tracti. Ja s'ha dit que el Codi civil català no configura la donació com un contracte, sinó que l'acceptació és un element per a l'eficàcia de la donació, perquè solament quan existeixi la voluntat del donatari per a acceptar-la, es produirà l'efecte trans-llatiu, de manera que diverses disposicions del Codi civil català lliguen l'adquisició pel donatari a l'acceptació. Així, l'article 531-7 estableix que els donataris adquireixen allò donat "si l'accepten en vida" dels donants; l'article 531-8.1 lliga la irrevocabilitat de la donació al coneixement per part dels donants de l'acceptació i finalment, l'article 531-12 exigeix que l'acceptació de les donacions de béns immobles es facin també en escriptura pública. D'aquesta manera, cal estudiar l'acceptació com a element que determina l'efecte adquisitiu en l'esfera patrimonial del donatari.

A) L'ACCEPTACIÓ COM A NEGOCI JURÍDIC AUTÒNOM

La donació és un negoci jurídic autònom i diferent de la dis-posició, que requereix una capacitat especialment determinada en l'article 531-21, que s'ha estudiat ja. Requereix també forma, que queda determinada en l'article 531-12 pel que fa a les donacions de béns immobles, que s'haurà de fer en escriptura pública. Ara bé, la norma esmentada no exigeix la simultaneïtat entre l'acte de disposició i el d'acceptació; d'aquesta manera l'acceptació es pot produir en el mateix acte de la donació, o bé en un docu-ment diferent que pot ser posterior, d'acord amb el mateix article 531-12.1, que podrà ser una escriptura diferent o una diligència d'adhesió en la mateixa escriptura de donació.

Res no diu, però, el Codi civil de Catalunya, en relació a la forma de l'acceptació de les donacions de béns mobles; l'article 531-12.2 preveu dues possibilitats, com ja s'ha vist: que es facin per escrit, o bé verbalment amb lliurament simultani d'allò donat; cap problema planteja aquesta segona opció, ja que l'acceptació es manifesta per mitjà de la que es pot deduir del mateix lliu-rament; quan es faci per escrit, s'hauran d'aplicar les mateixes regles que per a l'acceptació de donacions de béns immobles, de manera que es podrà acceptar en el mateix escrit, en un de pos-terior comunicat al donant, o bé en una diligència d'adhesió en el document realitzat pel donant. Res es diu tampoc en el Codi sobre l'acceptació d'aquelles donacions motivades per captacions pú-bliques o benèfiques; si tenim en compte que són irrevocables des del moment en què el donant manifesta la seva voluntat de donar (article 531-8.2 *in fine)*, cal considerar que no cal una acceptació formal del donatari que, per altra banda, queda indeterminat i per aquesta raó no podrà acceptar. La finalitat benèfica farà que les regles de les donacions en general es modifiquin per facilitar la transmissió, perquè obeeixen a una finalitat d'interès general.

L'acceptació del donatari pot presentar problemes en els casos de donacions simulades a través d'una compravenda. La sentència del TSJC de 6 febrer 1995, amb cita de diverses sentències del Tribunal Suprem, accepta la tesis d'acord amb la qual quan una donació es simula sota l'aparència d'una compravenda, "la intervención de los fingidos compradores, pero reales donatarios en la escritura correspondiente, supone la aceptación de este acto de liberalidad, sin que pueda exigirse COMO ES LÓGICO (sic), la expresión de que se acepta el contrato encubierto, que, precisamente tratan de ocultar los contratantes y que quedaría al descubierto si se hicieran constar la conformidad con la realidad jurídica", deduint, però, que s'ha de provar l'ànim d'acceptar, perquè "en todo caso, el que sostenga la existencia de la donación debe probar dicho *animus,* de la misma manera la mera aceptación en la escritura de compraventa no basta para entender que ha existido aceptación de la donación, sino que hay que probar que la aceptación emitida era para el negocio disimulado, y no para el aparente, lo que es cosa distinta de exigir que la aceptación explícita de la donación conste en la propia escritura u otra separada".

D'aquí que no sembla que sigui possible l'acceptació tàcita, per bé que es pugui deduir de l'article 531-8.1 que en les donacions verbals de béns mobles, el lliurament del bé produeixi l'efecte d'excloure la facultat de revocar del donant.

B) LA IRREVOCABILITAT

L'efecte essencial de l'acceptació és la irrevocabilitat de la donació (article 531-8). El donant pot revocar la donació abans que s'hagi produït l'acceptació, amb l'excepció que suposa l'article 531-8.2 pel que fa a les donacions benèfiques. En el moment de l'acceptació concorren tots els elements per a la perfecció del negoci jurídic *donació* segons el Codi civil català, ja que fins aquell moment, el donant és lliure de privar d'efectes la seva primera declaració de voluntat de donar, sense que el donatari pugui demandar-lo per incompliment de la declaració, perquè en no existir contracte, no es produeix l'efecte de l'incompliment.

L'efecte de la irrevocabilitat es pot produir en diferents moments, segons quin sigui l'objecte de la donació i la forma.

1r. Si es tracta de donacions de *béns immobles* atorgades, per tant, en escriptura pública, la irrevocabilitat es produeix en el moment en què el donant *coneix* l'acceptació; s'accepta aquí la tesi del coneixement per a l'eficàcia de l'acceptació i s'ha de fer dins els terminis expressats pel donant.

2n. En les donacions de *béns mobles* fetes per escrit, s'haurà d'aplicar també aquesta regla per analogia, donat que ni l'article 531-8 ni l'article 531-12.2 estableixen una regla específica per a aquest tipus de donacions. Ara bé, les raons són les mateixes i per això ens inclinem per aplicar la mateixa regla que per a les donacions de béns immobles: l'acceptació produeix la irrevocabilitat de la donació quan és coneguda pel donant.

3r. En *les donacions verbals de béns mobles,* la irrevocabilitat es produeix amb el lliurament d'allò donat "si es fa en el moment de l'expressió verbal de la donació" (article 531-8.1).

4t. *Les donacions motivades per captacions públiques* són irrevocables "a partir del moment en què manifesten públicament la voluntat de donar" (article 531-8.2), per bé que no es requereix el lliurament simultani a la declaració de voluntat, sinó que es pot diferir segons disposa l'article 531-12.2, la qual cosa no impedeix l'efecte de la consolidació de la donació.

És evident que l'efecte de la irrevocabilitat no impedeix que les donacions es puguin revocar per les causes establertes a l'article 531-15 i els efectes especials revocatoris en les donacions per raó de matrimoni (article 22 CF), les donacions entre cònjuges (article 14 CF), les donacions per causa de mort (article 396 CS) i els heretaments (article 71 CS).

3. ELS EFECTES DE LES DONACIONS

Una vegada irrevocable, la donació produeix els efectes següents:

I. La transmissió de la titularitat d'allò donat

En tractar-se d'un títol de transmissió i d'adquisició del domini i dels drets reals, segons s'ha ja explicat, l'efecte propi de la donació és l'adquisició d'allò donat.

II. Els efectes generals de la causa gratuïta

La causa gratuïta determina l'aplicació d'un bloc de normes específic. Així hi ha normes derivades de la causa onerosa, com ara la rescissió per lesió en més de la meitat del just preu (article 321 CDCC), el sanejament per evicció, etc. Les normes aplicables a la causa gratuïta són les causes de revocació previstes a l'article 531-15; l'exclusió de la rescissió per lesió (article 321.2 CDCC); l'exclusió del sanejament (article 531-13); el no perjudici dels creditors del donant (articles 531-14 i 11 CF); el no perjudici dels legitimaris i, en conseqüència, la possible declaració d'inoficiositat quan es produeixi aquest perjudici (articles 22 CF, 355.2, 373 i 382.2 CS). Aquí s'estudien solament les conseqüències de la donació pel que fa al sanejament, deixant pels corresponents capítols el tractament dels altres efectes (vegeu els capítols XIV, XV i XVI del volum II i XXIV i XXV del volum III d'aquesta obra).

A) *EL SANEJAMENT PER EVICCIÓ I PER VICIS OCULTS*

Els donants no estan obligats a respondre en els casos d'evicció i quan la cosa tingui vicis ocults. Aquesta és una regla pròpia de la causa gratuïta, perquè en no haver-hi contraprestació, el transmetent no resulta obligat a sanejar. L'article 531-13 distingeix el sanejament per evicció i el sanejament per vicis ocults.

a) *Sanejament per evicció*

Quan el donatari resulti vençut en un litigi interposat per un tercer sobre la propietat de la cosa, no podrà reclamar que el donant l'indemnitzi per aquesta raó. A diferència del que disposa l'article 638 CC, l'article 531-13.1 no preveu que el donatari se subrogui en les accions que el donant tingui front a tercers per causa d'evicció. Això no produeix la indefensió del donatari quan el tercer el demandi per evicció un cop transmesa la propietat dels béns donats, perquè llavors serà el donatari el legitimat passiu en l'acció interposada pel tercer, per tal com és el propietari; també podrà el donant subrogar el donatari en les accions que tingui front a tercers quan així s'estableixi en la transmissió.

Ara bé, el problema sorgeix quan es dóna una cosa sobre la qual en el moment de la donació existeix un litigi pendent; una lectura massa ràpida de l'article 531-13.1 podria donar la impressió que es produeix una absoluta indefensió del donatari, però l'article

17 LEC permet l'adquirent d'un objecte litigiós, la transmissió del qual hagi tingut lloc pendent un litigi, sol·licitar "acreditando la transmisión, que se le tenga como parte en la posición que ocupaba el transmitente", iniciant-se llavors el procediment establert al mateix article 17 LEC 2000. La conclusió que trèiem de tot això és que no cal la subrogació expressa ni que la llei la prevegi directament, perquè el donatari tindrà els remeis generals com a nou propietari de la cosa donada, o com a nou titular del drets real transmès.

Les excepcions a la regla que no obliga al sanejament per evicció son dues: 1) D'acord amb l'article 531-13.2, quan es dóna un bé sabent que és aliè i el donatari és de bona fe, el donant que coneix la circumstància de l'alienitat ha d'indemnitzar els perjudicis patits pel donatari; en realitat, l'article 531-13.2 imposa l'evicció per la mala fe del donant i la bona fe del donatari i, per tant, aquesta norma no s'aplicarà quan el donatari hagi actuat també de mala fe. 2) La segona excepció l'estableix l'article 531-13.3 que imposa en les donacions modals o amb càrregues, l'obligació del donant de sanejar el bé "fins el valor del gravamen", és a dir, en la part regida per les regles de l'onerositat.

b) Sanejament per vicis ocults

La regla general coincideix amb la descrita abans: no s'ha d'indemnitzar per la concurrència de vicis ocults en les coses donades. A parer nostre, en l'expressió "els vicis o els defectes ocults" emprada en l'article 531-13.2 s'han d'incloure també els gravàmens ocults, com succeiria si la finca estigués subjecte a una servitud.

Aquesta regla té també dues excepcions que coincideixen amb les ja explicades pels casos d'evicció: 1) que el donant conegués l'existència de vicis o defectes i els amagués al donatari de bona fe; en aquest cas, el donant haurà d'indemnitzar-lo pels perjudicis patits. 2) El cas que la donació sigui onerosa, és a dir, "modal o amb càrrega"; llavors, el donant haurà d'indemnitzar "fins el valor del gravamen".

BIBLIOGRAFIA SUMÀRIA

ROCA SASTRE. "La donación remuneratoria". *Estudios de Derecho* Privado. Madrid, 1948, p. 521; SOLÉ RESINA. "La escritura de compraventa y el requisito de forma de la donación de bienes inmuebles". *La Llei de*

Catalunya i Balears, 1995-1, p 834; CASTRO. "La simulación y el requisito de la donación de cosa inmueble (sentencia de 23 de junio de 1953)". *Estudios jurídicos del Profesor Federico de Castro.* T. II. Madrid, 1997, p. 1579; CASANOVAS MUSSONS. "La dualidad de funciones de la aceptación de la donación: los artículos 623 y 629 del Código civil". *Estudios jurídicos en Homenaje al Profesor Díez* Picazo. T. II. Madrid 2003, p. 1611; BARRAL VIÑALS. "El enriquecimiento del donatario como elemento estructural de la donación". *Libro Homenaje al Profesor Manuel Albaladejo* García. T. I, Madrid, 2004, p. 531; CASANOVAS MUSSONS. "De las personas que pueden hacer donaciones: la capacidad de obrar y el poder de disposición del donante". *Libro Homenaje al Profesor Manuel Albaladejo* García. T. I, Madrid, 2004, p. 857; ALBALADEJO-DIAZ ALABART. *La donación.* Madrid, 2006; ANDERSON. "La donación remuneratoria en el Libro V del Código Civil de Cataluña". *La Notaria,* 2006, nº 31-32, p. 49.

JURISPRUDÈNCIA CITADA

Tribunal Suprem

24 febrer 1986. Forma de les donacions. Donació dissimulada
29 novembre 1989. Donació remuneratòria.
7 maig 1993. Forma de les donacions. Donacio dissimulada
12 juny 2000. Donació remuneratòria
9 juliol 2001. Poder de disposició del donant.
1 febrer 2002. Donació remuneratòria. Forma de les donacions: donació dissimulada
7 desembre 2003. Donació remuneratòria. Forma
11 gener 2007. Donació de béns immobles remuneratòria dissimulada. Exigència de la forma establerta a l'article 633 CC.

Tribunal Superior de Justícia de Catalunya

16 juliol 1992. Forma de les donacions. Donacions dissimulades.
6 juliol 1993. Forma de les donacions. Donacions dissimulades.
15 desembre 1994. Forma de les donacions. Donacions dissimulades
6 febrer 1995. Simulació de les donacions i acceptació pel donatari.
6 març 1997. Forma de les donacions. Donacions dissimulades
4 octubre 1999. Donació de béns mobles. Forma manual. Ingrés en comptes corrents.
28 gener 2002. Donació remuneratòria.
22 maig 2003. Forma de les donacions. Donacions dissimulades.
19 gener 2006. Forma de les donacions de béns mobles. Entrega. Diferència entre les donacions entre vius i per causa de mort.

Capítol VII

La donació (II)

1. LA REVOCACIÓ

I. Concepte

La regla general consisteix en què les donacions que reuneixen els requisits de capacitat, objecte, causa i forma són irrevocables, d'acord amb el que disposa l'article 531-8.1, perquè en el moment en què el donant coneix l'acceptació del donatari, la donació produeix ja la transmissió definitiva de la titularitat d'allò donat. Així s'estableix expressament en l'article 531-15.1 que diu que "els donants, una vegada han conegut l'acceptació de la donació pels donataris, solament poden revocar la donació per alguna de les causes següents". Per tant, en ser un acte dispositiu amb causa gratuïta, es permet que el donant pugui recuperar allò donat, però solament si concorre alguna de les causes previstes per l'ordenament jurídic, que són típiques i, per tant, no es pot revocar per una causa diferent de les previstes legalment, perquè en definitiva, la revocació és excepcional. Les causes de revocació han de produir-se després de la donació i la producció d'una d'aquestes causes no determina de forma automàtica que el donatari perdi la propietat o la titularitat del dret real, sinó que la llei faculta el donant per a exercir l'acció corresponent, provant sempre la concurrència d'una de les causes que li permeten revocar. La revocació és una causa d'ineficàcia sobrevinguda que solament tindrà lloc per la voluntat del legitimat per exercir l'acció corresponent. La renúncia anticipada a la revocació és nul·la de ple dret, com estableix l'article 531-15.3, perquè si fos possible aquesta renúncia, es deixaria l'eficàcia de la donació a l'arbitri del donatari.

El Codi civil català estableix un sistema més endreçat que l'establert en el Codi civil pel que fa al procediment per a l'exercici de les accions de revocació, per tal com un cop determinades les causes de revocació, unifica el procediment, els terminis i els efectes de l'èxit de les accions.

II. Les causes de revocació

A) *LA SOBREVINENÇA DELS FILLS DELS DONANTS I LA SUPERVIVÈNCIA DELS FILLS QUE ELS DONANTS CREIEN MORTS*

Aquestes causes estan previstes en l'article 531-15.1,a i b. S'hi preveuen tres supòsits: 1) que no es tinguin fills en el moment de la donació i desprès neixin aquests. 2) Que tenint fills en el moment de fer-se la donació, desprès d'aquesta en neixin de nous, de manera que la donació es podrà revocar quan desprès d'efectuada per un donant que ja tenia fills, aquest mateix donant en tingui de nous. 3) Que creient morts en el moment de la donació els fills anteriors, es descobreixi que estan vius.

En general, és indiferent que els fills siguin matrimonials, extramatrimonials o adoptats; ara bé, l'article 14 CF estableix que les donacions entre cònjuges solament poden ser revocades per aquesta causa si els fills que sobrevenen són comuns. Així aquestes donacions no són revocables per l'existència de fills de matrimonis o unions anteriors, però podran ser revocades per la causa de l'article 531-15.1 b) sempre que els fills que es creien morts siguin comuns.

B) *L'INCOMPLIMENT DE LES CÀRREGUES IMPOSADES AL DONATARI*

Els donants poden imposar càrregues a la donació o bé establir un mode, d'acord amb el que disposa l'article 531-18; encara que l'article 531-15 no parli directament dels modes, la naturalesa d'aquests fa que s'hagin d'assimilar a les càrregues i per tant, el seu incompliment està inclòs en la causa c) de l'article 531-15.1. Això és diferent dels supòsits en què es condicionen, perquè si es tracta de donacions sotmeses a una condició i no es complís, això provocaria la seva ineficàcia directa i automàtica, sense que calgués procedir a interposar l'acció de revocació.

El Codi civil català distingeix les càrregues dels modes. Les càrregues s'incompliran quan el donatari no faci allò que li correspon segons el que s'hagi pactat; un exemple ens aclarirà el concepte:

en les donacions benèfiques, la càrrega serà la de destinat a l'objecte de la captació pública allò donat; si el donatari ho destina a una altra finalitat, s'incompleix la càrrega imposada i neix el dret del donant per exercir l'acció revocatòria per incompliment de càrregues. Un altre exemple el tenim en la llei 22/2000, de 29 de desembre, *d'acolliment de persones grans*; l'article 4 preveu que es puguin fer donacions en aquests contractes i l'incompliment de les obligacions que s'imposen és causa d'extinció del contracte d'acolliment, perquè, en realitat es fonamenta en l'incompliment de càrregues, ja que la donació s'ha fet per compensar els serveis que han de prestar els acollidors.

Pel que fa al mode, cal aplicar el que disposen els articles 161 i següents del Codi de successions (vegeu capítol XX del volum III d'aquesta obra).

La facultat de revocar està expressament reconeguda en el Codi civil català i no cal pactar-la en l'acte de la donació. És irrenunciable de forma anticipada a l'incompliment, com estableix l'article 531-15.3 per a totes les causes

Les donacions atorgades en capítols matrimonials i les remuneratòries només poden ser revocades per aquesta causa.

C) LA INGRATITUD DELS DONATARIS

La llei permet revocar les donacions quan la conducta del donatari sigui contrària al donant. Es tracta d'una sanció civil que, per tant, està tipificada (STS de 13 maig 2000), com en els casos d'indignitat (article 11 CS) i desheretament (article 368 CS) i per a què sigui possible, s'ha d'haver produït algun dels casos previstos a l'article 531-15.1,d), és a dir: 1) Actes "penalment condemnables d'ingratitud que el donatari o donatària faci contra la persona o els béns del donant o la donant, dels fills, el cònjuge o la cònjuge o de l'altre membre de la unió estable de parella". Es tracta, com ha dit la jurisprudència del Tribunal Suprem, de la comissió de conductes tipificades penalment; així la STS de 19 novembre 1987 considera que tal conducta ha de tenir com a base una acció que pugui ser declarada com a delicte o falta. L'acte delictiu ha d'haver estat comès contra la persona o els béns del mateix donatari, el seu cònjuge, els seus fills o la seva parella quan tingui la condició de parella estable i ha de concorre sentència ferma en la via penal, com es dedueix del que disposa l'article 531-15.3.

2) Una altra comportament tipificat que permet la revocació de la donació consisteix en el desenvolupament "d'una conducta amb relació a les mateixes persones no acceptada socialment". D'aquesta manera s'amplien les causes de revocació anant més enllà de les que constitueixen conductes tipificades penalment. Aquesta constitueix una clàusula oberta que serà difícil d'aplicar donada la seva amplitud i manca de concreció. Això fa que donada la rigidesa de l'anterior causa, que exigeix denúncia i procediment penal condemnatori, aquesta permet incloure també aquelles conductes constitutives de delictes o faltes que no han estat formalment denunciades, però que pateixen un rebuig social, com, per exemple, l'abandonament de la llar o la manca de pagament de pensions i aliments. No es pot incloure aquí el divorci, perquè és una forma normal de resoldre el matrimoni i la nova regulació abandona el sistema causal, de manera que en no haver-hi causa, mal es podrà revocar la donació per aquesta causa, llevat que es tracti de divorcis obtinguts en procediments de violència de gènere i d'acord amb la L.O 1/2004, de 26 desembre, *de Medidas de Protección integral contra la Violencia de Género.*

Les donacions atorgades en capítols matrimonials solament es poden revocar per incompliment de càrregues, d'acord amb el que disposa l'article 22 CF.

D) LA POBRESA DELS DONANTS

L'article 531-13.1, e) considera com a causa de revocació de donacions "la pobresa dels donants, sens perjudici del dret d'aliments que correspongui legalment" i defineix tot seguit el concepte de pobresa: "s'entén per pobresa la manca de mitjans econòmics dels donants per a la seva còngrua sustentació". La redacció d'aquesta causa no resulta massa clara, ja que si la pobresa és allò definit al mateix article, com a manca de mitjans econòmics, segurament s'hauria de dir que abans de revocar la donació, s'haurien d'haver reclamat els aliments corresponents i que quan aquests siguin insuficients, es podrà procedir a la revocació de la donació per aquesta causa. Pensem que aquesta és la solució correcta, ja que quan hi hagi dret d'aliments, no es lògic deixar sense efectes una transmissió vàlida i que produeix tots els seus efectes; per tant, aquesta haurà de ser la línia lògica. El que ens diu la llei és que el deutor dels aliments demandat per aquella persona que no pugui afrontar la seva còngrua sustentació, no podrà oposar la donació per estalviar-se de pagar-los; també cal concloure que la pobresa, tal com apareix definida en l'article 531-15, no es limita als aliments, perquè hi pot haver casos en què amb els simples aliments no es pugui aconseguir aquest nivell mínim a què es refereix la llei, ja sigui per la situació econòmica dels obligats a prestar-los, ja sigui per les necessitats de l'alimentat; en aquests casos, doncs, es podrà revocar la donació.

E) PROCEDIMENT

Les accions per revocació de donacions basades en diferents causes tenen un procediment comú i, en general, una legitimació i un termini de caducitat per a llur exercici també comú; el que passa és que la naturalesa de les diferents causes de revocació produeix que les legitimacions actives i passives presentin especialitats, segons la causa que es tracti.

a) *Legitimació activa*. L'article 531-15.4 legitima activament per a la revocació al donant i els seus hereus, amb algunes excepcions: 1) Solament el donant pot revocar per pobresa sobrevinguda; per tant, no ho poden fer els obligats a donar aliments al donant. 2) Els hereus dels donants solament poden revocar per causa d'ingratitud quan el donant no ho hagués pogut fer, per trobar-se impedit, o bé per raó de les relacions que mantingués amb el donatari (pensi's en una ingratitud del donatari que conviu amb el donant).

b) *Legitimació passiva*. L'acció s'ha de dirigir contra els donataris. S'han de considerar inclosos els hereus dels donataris com a regla general, perquè l'article 531-15.4 els exclou solament pel cas que la causa de revocació sigui la ingratitud; per tant, d'aquí s'ha d'interpretar que se'ls pot demandar en els altres casos. Poden ser també demandats i, per tant, estan legitimats passivament, els tercers que hagin adquirit els béns objecte de la donació, sempre i quan no puguin oposar llur condició de tercers, perquè coneguin la possible causa de revocació, la qual cosa tindrà lloc en el cas d'incompliment de càrregues que puguin ser conegudes per raó de la seva inclusió en un registre públic.

c) *Termini per a l'exercici de l'acció*. La regla general és que l'acció té una durada d'un any des del moment en què es produeix el fet que motiva la revocació, segons el que s'ha estudiat abans (article 531-15.3). Es tracta d'un termini de caducitat que es regirà, per tant, per allò que disposa l'article 122-1 a 122-5 del Codi civil català.

Hi ha algunes especialitats, segons quina sigui la causa que permet la revocació: 1) pel que es refereix al *dies a quo* per a l'exercici de l'acció en la revocació per ingratitud, el termini de caducitat comença a comptar des del "moment en què els donants coneixen el fet ingrat"; no per tant des que es produeix, sinó des que resulta conegut per aquell que té el poder de revocar, estant d'acord aquesta norma amb el que disposa l'article 122-5.1. 2) Si la causa de revocació és una infracció penal, el termini de l'any comença a comptar "des de la fermesa de la sentència que la declara", entenent la frase en el sentit que serà la sentència penal ferma la que determina l'inici del còmput del termini. 3) Si la donació que es revoca per incompliment de càrregues ha estat atorgada en capítols matrimonials, el termini de l'any per a l'exercici de la revocació comença a comptar "a partir de l'incompliment", d'acord amb l'article 22 CF.

F) EFECTES

Els efectes generals de la revocació estan previstos a l'article 531-15.5 i segueixen la mateixa regla recollida en el Codi de successions per a la inoficiositat de les donacions per perjudici de la llegítima (article 373 CS). Les regles contingudes en l'article 531-15.5 distingeixen segons que la causa de revocació sigui alguna de les contingudes en els quatre primers supòsits de l'article 531-15.1 o bé sigui l'incompliment de càrregues.

1) En el primer cas, es mantenen els actes de disposició o gravamen realitzats pel donatari abans de què se li hagi comunicat la voluntat de revocar. Per tant, la revocació no té efectes retroactius, sinó que els produeix des del moment de la notificació fefaent de la voluntat de revocar. Aquesta notificació pot originar-se en la demanda interposada contra el donatari o bé en una comunicació d'un altre tipus, com ara si està feta per la via notarial. La llei solament exigeix que consti la fefaència de la comunicació de la voluntat de revocar i a partir d'aquest moment, els actes de disposició del donatari no seran mantinguts. Per tant, les alienacions i els gravàmens imposats pel donatari desprès d'aquesta "notificació fefaent" seran nuls.

2) Quan la causa de revocació sigui l'incompliment de càrregues, els tercers que hagin adquirit la cosa dels donataris o

bé els titulars d'un gravamen imposat pels donataris es veuen afectats "d'acord amb les normes generals d'oposabilitat de drets a terceres persones". És a dir, que els afectarà la revocació i no mantindran les seves adquisicions si han adquirit els seus drets de forma gratuïta, o bé si les càrregues estaven publicades en els corresponents registres, de manera que no puguin al·legar el desconeixement sobre la seva existència. Evidentment s'aplica també la regla anterior, de manera que els actes de disposició i gravamen fets pel donatari desprès de la comunicació de l'exercici de la revocació seran també nuls.

3) La revocació produeix l'obligació de tornar els mateixos béns donats, però no allò que hagin produït durant el temps que el donatari els hagi posseït com a titular que veritablement era, de manera que no haurà de tornar els fruits i rendes percebuts. Si no pot tornar els mateixos béns perquè es troben en poder de terceres persones l'adquisició de les quals no pugui ser atacada, l'article 531-15.5 estableix que el donatari haurà de restituir el valor que els béns tinguessin en el moment de la donació. Aquesta regla contradiu clarament la normativa general de valoració de les donacions a Catalunya, especialment el que disposen els articles 355.2 i 44 CS.

No diu res l'article 531-15 en relació a la liquidació dels augments i disminucions que hagi sofert allò donat des del moment de l'adquisició pel donatari fins el moment de la revocació; a parer nostre, la liquidació de la situació intermèdia s'haurà de fer tenint en compte les regles dels articles 522-2 i següents, ja estudiades (vegeu capítol III d'aquest volum).

4) Quan la revocació s'hagi efectuat per causa d'ingratitud i la donació hagi estat feta a més d'un donatari, l'article 531-22.2 estableix que la quota que pertanyi a l'ingrat acreix els altres donataris proporcionalment.

III. L'acció revocatòria de les donacions per frau de creditors

A) EL SISTEMA DE PROTECCIÓ DELS CREDITORS

Històricament, els creditors quedaven protegits en el Dret civil català per mitjà de la regulació romana de la *insinuació* i per la Constitució *Per tolre fraus*, de Ferran II a les Corts de Barcelona de 1503 (*Constitucions i altres drets de Catalunya 1,1,9,8*); en aquesta disposició s'establia que les donacions que excedissin d'una determinada quantitat (500 florins) no perjudicaven mai els creditors anteriors, encara que fossin titulars d'un crèdit documentat, si la donació no s'havia inscrit en un registre. Aquesta Constitució innovà el sistema romà, eliminant les presumpcions de frau i declarant el principi de no perjudici dels actes gratuïts que no haguessin complert la forma establerta. Suposant que això no s'hagués produït i que la donació no s'hagués inscrit, com era el més normal, el creditor perjudicat per la donació posterior al seu crèdit estava legitimat per demandar també el donatari perquè pel creditor. En definitiva, pel tercer creditor, la donació era com si no s'hagués produït.

L'article 531-14 estableix que "no perjudiquen els creditors dels donants les donacions que aquests atorguin desprès de la data del fet o de l'acte del qual neixi el crèdit si manquen altres recursos per a cobrar-lo". Aquesta disposició té un antecedent immediat en l'article 340.3 CDCC, que mantingué el sistema del no perjudici del creditor anterior, per bé que va eliminar la històrica *insinuació*, institució ja periclitada en el moment de l'entrada en vigor de la Compilació catalana en 1960, com també ho estava l'exigència del registre de les donacions. Aquesta disposició i l'actual article 531-14 s'incardinen en un context més ampli de protecció dels creditors que ara per ara es troba en els articles 11 i 12 CF, en relació als creditors dels cònjuges, així com en els articles 79, 241, 248, 3º i 389 CS. En totes aquestes disposicions es parteix de què el negoci gratuït perjudicial pels creditors és vàlid, perquè si no fos així, hauria de ser declarat nul i això no és el que pretenen aquesta disposicions, ni tan sols l'article 531-14, que és la regla general i per raó d'aquesta validesa, es pot declarar ineficaç front els creditors del donant quan els produeixi el perjudici consistent en no poder cobrar els seus crèdits, donada la insolvència posterior del seu deutor, produïda per la donació atorgada. El dany, per tant, és un element indispensable per tal que es pugui declarar aquest *no perjudici* front els tercers creditors.

L'article 351-14 no presumeix el frau, a diferència del que succeeix en els articles 643.3, 1111 i 1297.1 CC; es parteix en Dret català del principi segons el qual tota donació és susceptible de causar un perjudici als creditors anteriors, amb independència que donant i donatari l'hagin buscat. Per a alguns autors, aquest perjudici es construeix dogmàticament com un *fraus re ipsa* i per això afirmaven que l'acció de l'antic article 340 CDCC no eliminava la pauliana de l'article 1111 CC, sinó que la reforçava, en consonància amb la motivació finalista del remei i la respectiva valoració que mereixen els interessos en joc dels creditors i dels donataris. Ara bé, ni abans amb l'article 340 CDCC, ni a la vista de l'article 531-14 es pot concloure que els creditors tinguin a Catalunya una doble via per tal d'impugnar els actes gratuïts del seu deutor que lesionin el crèdit. L'article 531-14, com l'antic article 340.3, es fixa únicament en el perjudici que pot patir un creditor anterior i, per tant, quan s'exerceixi l'acció de l'article 531-14, el donatari per exonerar-se, no haurà de provar que no va existir frau, sinó que la donació no va perjudicar el creditor. Amb això s'objectiven els actes gratuïts del deutor, s'exclou la presumpció de frau i es passa a una presumpció de perjudici, de tal manera que tot acte gratuït del deutor, posterior al crèdit, produirà un dany al creditor anterior. En aquest sentit, la STSJC de 28 febrer 2005 diu que "les donacions fetes en perjudici dels creditors no estan afectades d'invalidesa segons l'article 340.3 CDCC. Les donacions són vàlides, però com si no existissin front els creditors, ja que els béns donats responen dels crèdits anteriors com si pertanyessin al donant" i el sistema del no perjudici o de la no oposabilitat "[...] no determina la rescissió de l'acte o contracte gratuït perjudicial pel crèdit anterior sinó simplement que tal acte o contracte no pot ser obstacle per a l'efectivitat del crèdit perquè el bé donat respon del crèdit".

B) REQUISITS

Per tal es pugui aplicar l'article 531-14, cal que es produeixin les següents circumstàncies:

1º *Que existeixi un dret de crèdit anterior a la donació.* Qualsevol creditor titular d'un dret preexistent a la donació està legitimat per a l'exercici d'aquesta acció, fins i tot si es tracta de crèdits privilegiats o garantits amb qualsevol tipus de garantia real o personal, sempre, però, que hagi esgotat tots els mitjans per obtenir el pagament abans de l'exercici de l'acció reconeguda en l'article 531-14, sense, però, haver pogut obtenir la satisfacció del seu dret.

2º *Alienació pel deutor feta a títol gratuït.* L'article 531-14 s'ha d'aplicar a qualsevol acte amb causa gratuïta, llevat de les donacions per causa de mort, ja que l'article 392.1 CS ja protegeix els creditors del causant atribuint als que ho siguin "el dret preferent[...] per al cobrament de llurs crèdits".

3º *El perjudici del crèdit.* El perjudici que produeix la donació consisteix en provocar la insolvència del deutor, o bé agreujar-la, de manera que hi ha d'haver un nexe de causalitat entre l'atorgament del negoci gratuït i el dany causat al crèdit.

C) L'ACCIÓ REVOCATÒRIA

1º *Característiques.* L'acció revocatòria és una *acció personal,* de manera que no es poden reclamar les coses objecte de la donació quan es trobin en poder de terceres persones que hagin actuat de bona fe. Malgrat tot i en aplicació de la legislació hipotecària, no es produeix la immunitat del tercer adquirent a títol gratuït que hagi inscrit el seu títol al Registre, d'acord amb el que disposa l'article 34 LH.

És tracta d'una acció *revocatòria* en el sentit que el jutge haurà de declarar el no perjudici dels creditors anteriors a la donació, en el sentit expressat en la sentència del TSJC de 28 febrer 2005; d'aquesta manera es pot dir que l'acció en base a l'article 531-14 té com a finalitat restaurar la responsabilitat patrimonial que, en virtut de l'article 1911 CC, afectava els béns objecte de la donació en particular i de l'acte gratuït en general, abans que tingués lloc aquest negoci. El donatari, per tant, no podrà oposar al creditor anterior el seu títol adquisitiu.

És un remei subsidiari, perquè no es pot utilitzar abans d'haver executat totes les garanties que asseguraven els crèdits concrets o la resta del patrimoni del deutor i així ho estableix l'article 531-14 quan diu que aquest no perjudici de les donacions es produeix "si manquen altres recursos per a cobrar-lo" (vegeu en aquest sentit les SSTSJC de 30 gener 1992 i 28 febrer 2005).

2º *Legitimació.* Està legitimat per a l'exercici d'aquesta acció el creditor perjudicat i els seus hereus. La demanda s'haurà de dirigir contra el deutor-donant, els donataris o els hereus respectius. Contra el donant, perquè és el deutor que ha originat el perjudici; contra el donatari, perquè essent el titular dels béns, resta afectat pel resultat de l'acció.

3º *Objecte.* S'ha de reclamar allò mateix que hagi estat l'objecte de la donació i per això mateix, si les coses han desaparegut del patrimoni del donatari, l'acció es converteix en una reclamació de danys i perjudicis amb el límit del valor d'allò donat en el moment de la donació, regla establerta a l'article 531-15.5 pels casos de revocació de donacions, que resulta aplicable al supòsit de l'article 531-13. En qualsevol cas, el donatari pot optar per retenir les coses donades, abonant-ne el valor al creditor perjudicat, perquè aquesta no és una acció real, que es dirigeixi a fer tornar els béns al patrimoni del deudor-donant insolvent, sinó a evitar el perjudici del creditor. Pot succeir que el perjudici no abasti el sencer valor de la cosa donada, per la qual cosa, el donatari demandat podrà optar també per pagar directament el crèdit o oferir aquella part de la donació afectada en diners, retenint les coses objecte de la donació.

4º *Termini per a l'exercici d'aquesta acció.* La regulació catalana actual no estableix un termini per a l'exercici d'aquesta acció; regla que s'haurà d'aplicar es la continguda en l'article 121-20, que estableix el termini de deu anys, per a la prescripció de qualsevol pretensió.

Mayors problemes planteja la qüestió relativa a la determinació del còmput del termini; la STSJC de 30 gener 1992 no dubtà en aplicar el termini de quatre anys a aquesta acció, si bé els problemes no es plantejaven en aquell cas entorn a la durada de l'acció sinó a la data d'inici del còmput dels quatre anys, tenint en compte que es tracta d'un terme de caducitat i que, d'acord amb l'article 122-5, s'inicia "quan neix l'acció o quan la persona titular pot conèixer raonablement les circumstàncies que fonamenten l'acció i la persona contra la qual es pot exercir". L'esmentada sentència va ser favorable a aplicar la tesi del dia en què l'acció va poder exercitar-se, de manera que "[e]l principi general d'exercibilitat de forma abstracta o objectiva" ha de ser flexibilitzat i en aquest sentit la sentència diu que "admet, en certs casos, en relació amb allò que assenyala l'article 1698.2 CC, que la prescripció comença quan l'interessat coneix el fet del qual neix l'acció", regla a la qual s'adscriu desprès l'article 122-4. Aquesta regla exclou entendre que el termini comença en el moment en què fet la donació i per això l'esmentada sentència afegeix que "les raons següents avalen la postura que consisteix en el fet que l'inici del còmput no pot referir-se sense més en el cas examinat a la data de la donació. La doctrina més autoritzada creu que com és tan fàcil que els deutors facin ocultacions fraudulentes en aquesta matèria, el termini de caducitat s'ha de comptar des de que el creditor va conèixer l'existència del negoci jurídic fraudulent. Aquesta tesi que concorda amb l'article 121-23.1, és contrària a l'aplicació automàtica de l'article 37 in fine LH, i té cura d'evitar costi el que costi el perjudici dels creditors del donant establint un sistema de publicitat registral [...] No serviria de res la possibilitat objectiva de l'exercici de l'acció si fets impeditius d'ocultació impedissin subjectivament aquest exercici".

5º *Els efectes.* L'efecte principal no consisteix tant en la reconstrucció del patrimoni del deudot-donant, sinó, i solament als efectes d'evitar el perjudici del creditor, la supressió de la insolvència afectant els béns donats. Per aquesta raó es concedeix al creditor afectat un poder que li permet ignorar l'acte perjudicial a títol gratuït i dirigir-se directament contra els béns que han sortit del patrimoni del seu deutor, com si encara s'hi trobessin, sempre, això sí, que no hi hagi altre sistema per a cobrar allò que es deu. L'efecte és relativament restitutori, perquè com ja s'ha dit abans i avala la STSJC de 28 febrer 2005, l'acció del creditor no es dirigeix a obtenir una declaració d'ineficàcia de la donació i, en conseqüència, que els béns donats tornin al patrimoni del deutor, sinó que els béns continuen en el patrimoni del donatari, que no és deutor, però estan afectats i responen pels deutes del donant com si encara es trobessin en el seu poder. En resum, el donatari no es pot oposar a l'execució.

Com s'ha dit ja abans, aquest efecte pot ser *total*, quan la donació sigui totalment lesiva del dret del creditor previ, o bé *parcial,* quan solament en quedi afectada una part. Si s'ha de procedir a la venda dels béns donats en execució de la sentència i existeix un excedent, aquest pertany al donatari i qui hagi adquirit aquests béns en pública subhasta és causahavent del donatari i no del donant. Si la restitució resulta impossible, s'aplicarà el que disposa l'article 531-15.5 i l'acció es converteix en una reclamació pel valor dels béns donats de què el donatari hagi disposat, calculat aquest valor en el moment de la donació que és quan s'ocasiona el perjudici. S'ha de tenir en compte que els tercers adquirents a títol gratuït no gaudiran d'aquesta protecció, ja que la causa gratuïta no és suficient per a l'oposabilitat als tercers (articles 241 i 389 CS i article 37 LH).

2. LES DONACIONS ESPECIALS

El Codi civil català estableix una sèrie de regles especials per a donacions que contenen elements voluntaris que les modalitzen.

Els articles 531-16 al 531-20 estableixen regles especials per a les donacions establertes sota condició o terminis suspensius i resolutoris, donacions remuneratòries, donacions amb càrregues o modals, les donacions amb clàusula de reversió i les donacions amb facultat de disposar. En realitat, les donacions amb clàusula reversional són un tipus de les condicionals o a termini; les remuneratòries contenen una modalització de la causa gratuïta i les autènticament especials són les efectuades amb reserva de la facultat de disposició per part del donant. És amb aquesta metodologia que s'estudien en aquesta part.

I. Les donacions condicionals i a termini, en especial, les donacions amb clàusules de reversió

A) LES DONACIONS CONDICIONALS

Com tot negoci jurídic, les donacions poden ser pures o es poden pactar sota condició, suspensiva o resolutòria, o bé estar sotmeses a un termini, suspensiu o resolutori. En aquesta part del Codi no s'estableixen els requisits de les condicions, a les que s'haurà d'aplicar el que disposen els articles 154 i següents CS, pel que fa als diferents efectes que produeixen diferents condicions. Especialment, l'article 158 CS estableix la nul·litat específica de les condiciones impossibles, irrisòries i perplexes i l'article 159 CS aplica el mateix efecte a les condicions il·lícites, per bé que quan es demostri que són el motiu determinant, comporten la nul·litat de la donació (vegeu cap XI del volum III d'aquesta mateixa obra).

La més important classificació de les donacions és la que distingeix entre condicions suspensives i condicions resolutòries i d'acord amb això, l'article 531-16 estableix llurs efectes, seguint amb això, també, les mateixes regles que es troben en el Codi de successions.

1r. Les *condicions suspensives* produeixen l'efecte d'impedir que el donatari adquireixi allò donat si no es compleix la condició. En aquest cas, l'article 531-16.1 assenyala que "els successors dels donataris no adquireixen cap dret sobre el bé si ínterim aquests moren", regla que copia la de l'article 155.1 CS que conté la mateixa norma pel que fa als hereus i legataris sotmesos a condició suspensiva. Per tant, l'efecte de la condició consisteix en la no transmissió de la propietat d'allò donat mentrestant no es compleixi la condició i en no ser propietari encara el donatari si mor abans de complir-se la condició, res no transmet als seus successors, a no ser que s'hagi previst expressament en la donació.

En no haver-se produït la transmissió dels béns, l'article 531-16. 1 afegeix que pertanyen als donants els fruits i rendes del bé donat mentre la condició està pendent de compliment.

2n. *En les condicions resolutòries* la solució és diferent, perquè els donataris reben immediatament els béns objecte de la donació, amb l'obligació de retornar-los si s'acompleix la condició. Per aquesta raó, els pertanyen els fruits i les rendes dels béns donats i tenen poder de disposició, a no ser que els hagi estat limitat en la mateixa donació. En aquest punt es planteja doncs, un nou problema, el relatiu als efectes, front als tercers adquirents, del compliment de la condició. L'article 531-16.3 estableix la regla d'acord amb la qual les càrregues imposades amb caràcter real, "produeixen efectes, d'acord amb les normes generals d'oposabilitat de drets a terceres persones", és a dir, sempre que estiguin registrades o puguin ser conegudes pels tercers en adquirir els béns.

3r. *Els terminis* tenen diferent efecte. Si es tracta d'un termini suspensiu, l'article 531-16 no resol res respecte als fruits i rendes que produeixen els béns donats, la qual cosa ens porta a l'aplicació, per analogia, del que disposa l'article 263 CS, de manera que "la persona gravada", en aquest cas, el donant, no ha de tornar els fruits i rendes dels béns donats, per bé que el termini retardi simplement els efectes de la donació (art 263.1 CS), és a dir, el moment en què el donatari entra en possessió dels béns donats i, per això mateix, transmet el seu dret als seus successors. Mentrestant, per tant i en aplicació d'aquesta regla, el donant no haurà de tornar els fruits i les rendes produïts per la cosa objecte de la donació.

En canvi en les donacions sotmeses a termini resolutori, l'article 531-16.2 estableix que els donataris adquireixen els fruits i rendes, conserven la propietat fins que no arriba el termini i el seus successors adquireixen els béns, però amb el mateix gravamen i l'hauran de tornar a qui correspongui quan arribi la data prevista.

B) LES DONACIONS AMB CLÀUSULA DE REVERSIÓ

Es tracta d'un cas de donació sotmesa a condició o a termini resolutoris, molt semblant als fideïcomisos, de tal manera que en allò que no estigui regulat en aquesta part del Codi civil, es podrà aplicar el que disposen els articles que regulen els fideïcomisos en el Codi de successions.

Les donacions amb clàusula de reversió són aquelles que transmeten immediatament al donatari la propietat dels béns donats, però deixen de tenir eficàcia quan es compleix el supòsit previst en l'atorgament, ja sigui una condició resolutòria, ja sigui que es tracti d'una donació efectuada a termini i arribi la data. Aquesta possibilitat està prevista a l'article 531-19, que l'accepta i la permet, en la mateixa línia, com ja s'ha dit, que el Codi de successions admet i regula els fideïcomisos.

Pel que fa a la seva normativa, s'estableixen dos tipus de normes: les contingudes a l'article 531-19, que s'apliquen a totes les donacions que continguin aquesta clàusula, i després el paràgraf 6 distingeix entre les reversions fetes a favor del donant, el seu cònjuge o parella de fet o dels seus hereus, que es regeixen en defecte de pacte i de norma continguda en l'article 531-19, pels articles 87-89 CS, és a dir, per normes relatives als heretaments, i les reversions fetes a les altres persones, fins i tot els fills del donant, que es regiran, en defecte de pacte i del que diu l'article 531-19, per les normes reguladores dels fideïcomisos en el mateix Codi de successions.

La doctrina catalana distingí històricament entre les donacions fetes en benefici del donant o del seu cònjuge, que es consideraven les autèntiques donacions amb clàusula de reversió i les altres, que es consideraven com a fideïcomisos contractuals. En els dos casos, però, les donacions estan sotmeses a condicions o terminis resolutoris. La modalitat consistent en què la reversió depengui de "la simple voluntat dels donants", es considerarà com a condicional (article 531-19.1) i la condició serà resolutòria.

En les reversions a favor del donant, el seu cònjuge o la seva parella de fet o els seus hereus, els efectes són els que segueixen: a) el donant pot revocar en qualsevol moment la reversió; 2) Pot també canviar el beneficiari designant un nou adquirent dels béns donats; 3) en cas de dubte sobre si la reversió s'ha fet a favor dels donants o d'un tercer, la reversió s'entén feta en favor del donant; 4) es pot atribuir als donataris la facultat de designar una tercera persona beneficiària de la reversió.

En les reversions fetes a favor de terceres persones, els efectes són els que segueixen: 1) el donant pot revocar en qualsevol moment la reversió o bé modificar-la; 2) si la condició era el naixement efectiu dels fills beneficiaris que han de néixer, concebuts o no, del primer donatari, els donants no poden revocar la donació una vegada han conegut l'acceptació feta pels donataris gravats; 3) per voluntat expressa dels donants, els mateixos donataris o les persones que assenyalin, poden designar el tercer beneficiari de la reversió.

Un problema especial el planteja el cas que el donatari hagi estat sotmès a la condició de tenir o no tenir fills; la STSJC de 13 març 1995 diu que, la mort del donatari sense fills desprès del seu pare, beneficiari de la reversió, produeix que la donació pactada quedi completament lliure del pacte de reversió per inexistència de beneficiaris i, per tant, el donatari era lliure de disposar dels béns gravats.

En els dos tipus de reversions s'aplicaran les regles abans estudiades en relació als efectes de les condicions i terminis resolutoris, segons sigui el que s'hagi establert. I respecte del cas en què tingui efectes la reversió, però el donatari gravat hagi disposat dels béns donats, l'article 531-19.5 estableix que "el bé donat, una vegada produïda la reversió, resta lliure de les càrregues o els gravàmens imposats pels donataris o pels titulars successius, els quals responen de l'import perdut per llur negligència i dels danys i perjudicis causats de mala fe". D'aquí es dedueix que els donataris gravats de reversió tenen poder de disposició sobre allò adquirit, limitat, però, per la reversió; per tant, produïda aquesta, te lloc un efecte purificador i s'extingeixen els drets creats pel donatari gravat, que ha de tornar els béns lliures als beneficiaris de la reversió. L'obligació d'indemnitzar s'imposa per les pèrdues produïdes per la negligència del donatari i pels danys causats quan hagi actuat de mala fe. S'hauran d'aplicar, en tot allò que no es regula, les disposicions dels articles 235 al 241 CS, tenint en compte que en no existir la trebel·liànica del donatari gravat de reversió, l'article 242 esdevé d'impossible compliment i queda substituït per l'article 531-19.5, que regula el mateix supòsit, però referit a les donacions amb clàusula de reversió.

D'acord amb la disposició transitòria primera de la llei 5/2006, de 10 de maig, les donacions fetes amb clàusula de reversió anteriors a l'entrada en vigor del Llibre V dels drets reals, es regeixen per aquesta disposició que s'acaba d'estudiar; per tant, en aquest punt, el Llibre V produeix efectes retroactius.

II. Les donacions amb càrrega o modals

L'article 531-18 permet que els donants imposin "als donataris gravàmens, càrregues o modes, a favor dels mateixos donants o de terceres persones" i afegeix en el segon paràgraf que si s'imposa una limitació de disposar, aquesta donacions es regulen pel que disposa l'article 166 CS.

El primer problema que presenta la redacció de l'article 531-18 és el referit al concepte de càrrega, que el Codi civil català sembla equiparar als altres conceptes que utilitza. Una donació amb càrrega és aquella que imposa al donatari una obligació que haurà de complir com a conseqüència d'haver rebut la liberalitat (LA-CRUZ). En definitiva, una càrrega consisteix en una determinació accessòria de la voluntat del donant, que vol enriquir el donatari, però, al mateix temps, pretén obtenir unes altres finalitats per a les quals la donació n'és el vehicle (DIEZ PICAZO-GULLON). Per tant, la donació es pot modalitzar per mitjà de la imposició de gravàmens o càrregues o bé per mitjà de modes. En referència concreta al mode, i seguint la normativa del Codi de successions al qual el mateix llibre V s'hi remet, el mode "és una càrrega imposada a un acte de liberalitat que ha de complir el qui la rep. Aquesta càrrega pot ser positiva o negativa, és a dir, pot consistir en l'obligació de fer o donar alguna cosa o prestar algun servei, o bé en una limitació"; pot ser positiva o bé negativa. La donació i els negocis jurídics per causa de mort són els únics que admeten aquest tipus de disposició. Un exemple d'aquest tipus de donacions es troba en l'article 4.2 de la Llei 22/2000 de 29 de desembre, *d'acolliment de persones grans*, quan en aquest contracte es fan donacions com a complement del pacte d'acolliment.

Una qüestió complementària es refereix a si aquestes donacions són o no oneroses, perquè la solució ens ha de portar al resultat del règim jurídic aplicable. Segons l'article 619 CC, són donacions oneroses aquelles en què el donant imposa un gravamen *inferior al valor de lo donado*. La STSJC de 16 desembre 1993 considera que "la donació onerosa resta sotmesa al règim jurídic de les donacions en la part que excedeixen del valor de la càrrega o gravamen imposats al donatari, la qual cosa determina que als efectes de l'article 127 de la Compilació, les donacions s'han de computar en aquesta part"; per tant, segons la doctrina del TSJC, aquesta donacions tenen un règim mixt, però el problema que a continuació planteja l'article 531-18.1 es refereix a si cal considerar que el valor d'allò donat ha de ser sempre superior al del gravamen imposat, perquè, a diferència del que disposa l'article 619 CC, res no es diu en la disposició catalana, per bé que l'article 531-13.3 dóna a entendre que es tracta de valors diferents. L'opinió que aquí es manté coincideix amb la general en la doctrina que considera que si el valor de les càrregues o gravàmens és superior o igual al d'allò donat, no existeix donació, sinó pur i simple contracte de canvi (DIEZ PICAZO-GULLON), de manera que encara que l'article 531-18 no ho digui expressament, s'ha d'entendre que la càrrega o el gravamen han de tenir un valor inferior a l'objecte de la donació, perquè altrament es tractarà d'un contracte onerós. Però encara que s'imposi un gravàmen segueix essent donació, perquè com afirma la STS de 26 febrer 2002, una donació no deixa de ser-ho pel fet que s'imposi un gravamen o un mode.

El règim jurídic d'aquest tipus de donacions combina elements de la causa gratuïta i de l'onerosa, la qual cosa es dedueix fonamentalment de l'article 531-13.3; les regles seran les següents:

1ª D'acord amb l'article 531-21.2, per acceptar aquest tipus de donacions no és suficient la capacitat natural exigida per a l'acceptació de les donacions simples, sinó que cal "la intervenció o l'assistència de les persones que estableix el Codi de família", en el articles 151 i 212 CF. En principi no cal aquesta autorització pels menors emancipats, però si la càrrega o el mode es refereixen a béns immobles, s'haurà d'acceptar amb els mateixos complements o amb del curador.

2ª L'article 531-13.3 obliga els donants al sanejament dels béns donats per evicció o vicis ocults, fins el valor del gravamen. Aquesta és una clara conseqüència de la concurrència de l'onerositat que implica l'establiment de la càrrega.

3ª L'incompliment de la càrrega imposada pot produir la revocació, d'acord amb el que disposa 531-15.1,c), amb totes les conseqüències generals de la revocació.

4ª En totes les altres qüestions, les donacions amb càrregues o modals es regiran per les normes de les donacions, com ara la computació i imputació legitimàries (articles 355 i 359 CS i STSJC de 16 desembre 1993), la inoficiositat legitimària (article 373 CS), les normes de protecció de creditors en general (article 531-14) i dels cònjuges en particular (article 12 CF) i en general, totes aquelles conseqüència de la causa gratuïta. En la part onerosa, i en aquella part que l'enriquiment del donatari resti absorbit pel gravamen, s'aplicaran les regles de la causa onerosa, llevat de la rescissió per lesió, d'acord amb l'article 321.2 de la Compilació.

5ª Si consisteix en una limitació de la facultat de disposar, s'aplica el que estableix l'article 166 CS, és a dir, la privació o la restricció del poder de disposició propi del dret subjectiu de propietat i s'impedeix que les coses sotmeses a aquesta prohibició puguin ser alienades, gravades o objecte de disposició. D'acord, doncs, amb l'article 166 CS, la prohibició ha de tenir com a fonament la protecció de determinats interessos i per aquesta raó solament tenen eficàcia si responen a una causa o motiu vàlids (vegeu capítol XX del volum III d'aquesta mateixa obra).

6ª Han de respectar la forma establerta a l'article 531-12.

El beneficiari de la càrrega o el mode pot demanar el seu compliment; no es podrà revocar quan l'incompliment no sigui imputable al donatari, o bé quan la càrrega sigui d'impossible compliment. En tot cas i per tal com no es tracta d'una condició suspensiva, el donatari ha d'haver rebut els béns per poder després complir amb la càrrega imposada, la qual cosa és més evident en el cas de la imposició d'una prohibició de disposar. Si la càrrega s'imposés per tal de permetre que el donatari prengués possessió dels béns donats, ens trobaríem davant d'una donació condicional, sotmesa a condició suspensiva; en el cas que el manteniment de la propietat estigués sotmès al compliment d'un determinat gravamen, llavors es tractaria d'una donació sotmesa a condició resolutòria, perquè l'incompliment del gravamen dóna dret a revocar, però no converteix automàticament en ineficaç la donació, la qual cosa solament es pot obtenir si es condiciona la donació.

III. Les donacions amb facultat de disposar

Històricament, a Catalunya aquestes donacions es vehiculaven en els heretaments; el nou Codi civil català les construeix com una categoria autònoma, de manera que segons l'article 531-20 resulta perfectament possible que el donant es reservi la facultat de disposar dels béns donats. A diferència, doncs, de l'article 639 CC que permet que el donant es reservi aquesta facultat en relació a "algunos de los bienes donados, o de alguna cantidad con cargo a ellos", l'article 531-20 la permet de forma general, sense aquesta limitació.

En principi, la reserva de la facultat de disposar no elimina la qualitat de propietari del donatari; certament es tracta d'una institució de difícil interpretació, perquè la facultat de disposar és una conseqüència clara de la transmissió del dret de propietat al donatari i no oblidem que en el Codi civil català, la donació està concebuda com un sistema per a la transmissió de la propietat. A partir d'aquí es pot discutir si es tracta d'una donació sotmesa a una condició suspensiva o a una condició resolutòria; alguns autors consideren que la construcció fonamentada en l'existència d'una condició resolutòria és poc satisfactòria i s'inclinen més per l'afinitat amb la revocació, perquè en definitiva, el donant està disposant d'un bé que pertany al donatari, de manera que la reserva de la facultat de disposar és una legitimació que el donant manté per realitzar un acte de disposició en l'esfera patrimonial aliena (ALBALADEJO), que no implica, però, que el donatari perdi el seu propi dret a disposar, segons es dedueix de l'article 531-20.2.

El règim jurídic d'aquestes donacions serà el que lliurement s'estableixi en el seu títol constitutiu. No existeixen normes per regular el buit que es produeix quan manca el pacte; en aquest cas s'hauran d'aplicar les regles generals de les donacions, en tant sigui possible.

El titular del dret de disposar serà sempre el donant. En principio no es pot delegar a un tercer l'exercici de la facultat de disposar, llevat de pacte exprés en la mateixa donació que ho prevegi, ni es pot disposar de la facultat reservada ni per actes entre vius ni per causa de mort, de manera que si el donant mor sense haver exercit la seva facultat, s'ha de considerar extingida; tot això llevat, evidentment, de pacte en contrari en la mateixa donació.

El dret de disposar pot abastar tot l'objecte de la donació o només una part i pot referir-se a tots el negocis jurídics, és a dir, es pot reservar la facultat per disposar a títol onerós i també a títol gratuït, amb la peculiaritat que si no es pacta expressament l'abast de la facultat del donant, l'article 531-20.1 estableix que "s'entén solament per a actes a títol onerós".

El donatari, per tant, adquireix una propietat gravada, per bé que no s'elimina la seva pròpia facultat de disposar, a no ser que existeixi un pacte en contrari i d'aquesta manera, tots els actes de disposició que realitzi arrosseguen el gravamen imposat, la qual cosa es dedueix del que disposa l'article 531-20.2. Això ens pot portar a preguntar-nos quina utilitat té pel donatari adquirir un bé en aquestes condicions; ALBALADEJO assenyala que rep un benefici mentrestant no s'exerceix el poder de disposició, ja que és el propietari dels béns i els gaudeix, obtenint-ne els fruits i les utilitats.

Els efectes de l'exercici de la facultat de disposar són els que preveu l'article 531-20.2: 1) entre donant i donatari, produeix la resolució de la titularitat del donatari des del moment de l'exercici i no amb efectes retroactius. 2) Si el donatari ha transmès la propietat a un tercer, produeix també la resolució de llur titularitat, amb les excepcions derivades de la bona fe del tercer que ha adquirit una cosa moble (article 522-8) o d'acord amb el sistema de protecció de l'article 34 LH, tenint en compte que aquesta no s'aplica al donatari, però sí als que adquireixen d'ell a títol onerós.

Un supòsit especial de reserva de la facultat de disposar és el regulat a l'article 521-20.3, per a quan l'exercici d'aquesta facultat s'hagi reservat en previsió de la concurrència d'estat de necessitat en el donant o alguna de les persones que s'enumeren en el mateix article (el cònjuge o parella de fet o de la família del donant); en aquest cas, la norma en qüestió es remet a la regulació que l'article 561-23 estableix per a la reserva de la facultat de disposar de béns usufructuats (vegeu capítol XIX). La mateixa remissió fa l'article 521.20.3 a l'article 561-22 en el cas que la facultat de disposar dels béns donats s'hagi condicionat a la concurrència del consentiment o l'autorització de determinades persones.

S'aplica aquesta disposició a les donacions fetes amb facultat de disposar abans de l'entrada en vigor del Llibre V, d'acord amb el que disposa la disposició transitòria primera de la llei 5/2006 que produeix, per tant, efectes retroactius.

BIBLIOGRAFIA SUMÀRIA

A més de la bibliografia citada en el capítol anterior, vegeu MALUQUER DE MOTES. "Donación y revocación". *Libro Homenaje al profesor D. Manuel Albaladejo García.* T. II. Madrid, 2004, p. 2955.

JURISPRUDÈNCIA CITADA

Tribunal Suprem

19 novembre 1987. Ingratitud del donatari. Conductes tipificades penalment.

13 maig 2000. Ingratitud del donatari. Sanció civil.

22 febrer 2002. Donació onerosa.

Tribunal Superior de Justícia de Catalunya

30 gener 1992. Donacions en perjudici de creditors. Termini per a l'exercici de l'acció. Caràcter subsidiari.

16 desembre 1993. Donacions oneroses.

13 març 1995. Donacions amb clàusula de reversió. Condició que el donatari tingui fills.

28 febrer 2005. Donacions en perjudici de creditors.

Capítol VIII

Modificació i extinció dels drets reals

1. L'ACCESSIÓ

I. L'accessió en el dret civil català

Tradicionalment s'havia regulat per les disposicions del dret romà, modificades en part per l'usatge *si quis in alieno* i per l'aplicació de determinats preceptes del Codi civil, que es va entendre regien arreu d'Espanya perquè havien substituït disposicions anteriors de vigència general, d'entre les que tenien una rellevància especial la Llei d'aigües de 13 de juny de 1879. La Compilació del dret civil de Catalunya de l'any 1960 va ésser en part fidel a aquesta tradició, ja que sols va contemplar l'accessió en el seu article 278, que es pot qualificar de versió moderna del tradicional usatge *si quis in alieno;* encara que de forma indirecta va tenir una altra incidència, ja que va determinar l'aplicació en el nostre dret d'un nombre significatiu d'articles del Codi civil sobre la matèria, que d'aquesta forma venien a substituir les disposicions del dret romà vigents fins aleshores, a l'empara de la seva DF segona.

Una modificació significativa es produeix arrel de la vigència de la Llei 25/2001, de 31 de desembre, de l'accessió i l'ocupació "com a títols adquisitius del dret de propietat" segons explicita el seu preàmbul. El qual posa de manifest —respecte a la conveniència d'establir una nova regulació sobre l'accessió— que l'aplicació supletòria del Codi civil havia fet que en molts supòsits no s'apliquessin els principis tradicionals del dret català; i que la realitat social i les noves tècniques constructives obligaven a examinar, amb respecte a la tradició jurídica, les situacions que es poden donar a la pràctica i les excepcions que cal afegir-hi a l'hora de solucionar els conflictes d'interessos que es presenten. Els articles 1 al 23 d'aquesta llei s'han convertit —amb certes modificacions— en els articles 542-1 al 542-19, que segons el preàmbul del llibre cinquè del Codi civil de Catalunya representen una simplificació notable del text de la Llei 25/2001.

A l'hora de fixar la normativa actual en matèria d'accessió és oportú fer una referència a l'article 542-2, en el qual es preveu que "L'accessió es regeix per les disposicions d'aquest codi, sens perjudici de les classes d'accessió que tinguin una regulació específica, cas en el qual s'aplica la legislació especial i, supletòriament, les disposicions d'aquest codi". El precepte té com a finalitat reproduir d'alguna manera el criteri tradicional de considerar vigents a Catalunya determinades normes en matèria d'accessió regulades per disposicions de vigència general a tot Espanya, amb l'argument addicional que es tracta a vegades de matèries respecte a les quals estan mancades de competències legislatives les Comunitats Autònomes. En conseqüència, i d'acord amb allò que preveu l'article 132.2 CE, la Llei d'aigües segons el text refós aprovat pel Reial Decret Legislatiu 1/2001, de 20 de juliol (modificada pel Reial Decret Legislatiu 4/2007, de 13 d'abril), i la Llei de costes 22/1988, de 28 de juliol, continuen vigents a Catalunya els articles 266 al 374 CC sobre accessió natural, que es caracteritza pel fet d'haver-se produït d'acord amb uns fets en els quals manca la voluntat dels afectats, que ens porten a la categoria jurídica de l'accessió voluntària (vegeu l'article 542-1.2). i que en termes tradicionals s'anomenen d'accessió fluvial.

Pel que fa referència a l'aplicació temporal de la nova normativa, cal atenir-se a la DT tercera del llibre cinquè del Codi civil de Catalunya, en la qual es preveu que "Els efectes de l'accessió que resulten d'actes fets abans de l'entrada en vigor d'aquest llibre es regeixen per les normes d'aquest, llevat que les opcions que estableix la Llei 25/2001, de 31 de desembre, de l'accessió i l'ocupació, s'hagin efectuat fefaentment o que l'acció judicial s'hagi interposat abans de l'entrada en vigor d'aquest llibre, cas en el qual es regeixen per la legislació que la regulava". Vegeu STSJC de 19 de juny de 2006 sobre problemes de dret transitori derivats de la Llei 25/2001.

II. Concepte i configuració jurídica

En termes generals preveu l'article 542-1.1 que "La propietat d'un bé atribueix el dret a adquirir, per accessió, allò que se li uneix...", que s'ha d'interpretar en el sentit que la unió d'un bé a un altre bé atribueix un dret de propietat únic a favor del titular del bé que segons les previsions que es fa el legislador té el caràcter de principal, en aplicació del conegut principi *accessorium sequitur principale*, atribució que té caràcter automàtic des del moment en què es produeix la incorporació del bé accessori al principal. Caràcter automàtic que resulta en primer lloc del fet que el legislador atribueix uns efectes determinats als diferents casos d'accessió que preveu la llei sense tenir en compte la voluntat dels afectats, encara que ens trobem davant de situacions que d'acord amb l'article 542-1.2 es qualifiquen d'accessió voluntària, perquè una cosa és la voluntat d'incorporar materialment un bé accessori a un altre de principal, i altra cosa és establir les conseqüències jurídiques d'aquest fet voluntari; encara que amb caràcter no imperatiu, ja que els interessats poden establir a l'empara del principi d'autonomia privada els efectes que es deriven de l'accessió. I a favor del caràcter automàtic de l'accessió es pot al.legar també que l'article 569-3 preveu el dret de retenció amb referència als béns immobles a favor del posseïdor de bona fe, que s'atorga segons l'article 569.4,a) pel rescabalament de les despeses útils si hi ha dret a reclamar-ne el reemborsament i com que aquest dret s'estableix en els casos d'accessió immobiliària que preveuen els articles 542-5,a), 542-6,a) i 542-7,a), això vol dir que el propietari del bé principal és també propietari del bé incorporat per accessió, ja que el dret de retenció recau sobre un bé aliè segons l'article 569-3. A menys que la decisió del conflicte d'interessos derivats de l'accessió requereixi l'opció per part d'un dels interessats (vegeu els articles 542-5, 542-6, 542-7 i 542-9), casos en els quals l'adquisició del dret es fa dependre de la decisió adoptada pel legitimat per a optar o de la caducitat del termini per a exercir l'opció.

Pel que fa referència a la configuració jurídica del dret d'accessió, ja hem esmentat abans que el preàmbul de la Llei 25/2001 es decanta per la seva configuració com un títol d'adquisició exclusiu del dret de propietat, tesi que hem d'entendre segueix el Codi civil de Catalunya, que regula l'accessió en el seu títol IV, capítol II "Títols adquisitius del dret de propietat", d'entre els quals esmenta l'accessió, que regula en la seva secció primera. Es tracta d'una configuració jurídica que té un suport doctrinal ampli, perquè té com a finalitat resoldre un conflicte d'interessos entre els afectats, encara que amb la diferència que en el cas de l'accessió ens trobem davant d'una mena d'expropiació que té el seu origen en la *vis* atractiva de la cosa principal, que fa necessari establir una compensació a favor del propietari de la cosa accessòria (ALONSO PEREZ).

No és aquest el moment per a tractar a fons la qüestió, sens dubte complexa, que ens porta a justificar breument per què ens hem apartat en aquest punt de la sistemàtica que proposa el llibre cinquè del Codi civil de Catalunya i de tractar l'accessió en un capítol independent sobre modificació dels drets reals. Sembla convenient recordar que l'article 531-1 no esmenta l'accessió entre els títols que determinen l'adquisició dels drets reals, però cal tenir en compte que l'accessió no comporta l'adquisició d'un nou dret de propietat sinó la modificació objectiva del bé sobre el qual recau el dret de propietat, que permet fer extensives les facultats dominicals al bé incorporat. Des d'aquesta perspectiva té sentit que en els casos d'accessió, i amb la finalitat d'evitar un enriquiment injust, l'adquisició del dret de propietat via accessió comporta "pagar, si escau, la indemnització que correspongui" (article 542-1.1). I que l'accessió afecti no sols el dret de propietat sinó que també repercuteixi en benefici dels titulars de determinats drets reals sobre el bé objecte de l'accessió, com succeeix respecte a l'usdefruit (argument articles 561-2.2 i 561-6.1) i la hipoteca (article 1887 CC i articles 109 al 113 LH); de la mateixa manera que en el cas de l'herència fideïcomissària l'hereu fiduciari sols ostenta unes facultats d'ús i gaudiment sobre les accessions que afecten els bens fideïcomesos, que en el seu moment faran trànsit a l'hereu fideïcomissari.

III. Determinació del seu abast

L'accessió té com a finalitat donar una resposta a un conflicte d'interessos determinat, que generalment s'origina quan una persona construeix, conrea o edifica en sòl aliè o com a conseqüència de la unió de dos béns que pertanyen a propietaris diferents o quan s'utilitzen materials aliens per a formar un bé moble nou. Si ens atenem al supòsit més emblemàtic de l'accessió immobiliària, es pot afirmar que el legislador tracta de resoldre el conflicte d'interessos que aquí es suscita en base a la consideració que no existeix una relació jurídica concreta entre el propietari i la persona que de bona fe o de mala fe —qüestió que ara no interessa— edifica, conrea o planta en finca aliena sense tenir cap dret a fer-ho. Amb aquesta asseveració es vol posar en relleu el caràcter subsidiari que s'ha d'atribuir a les normes sobre accessió, ja que efectivament es pot donar el supòsit que edifiqui en sòl aliè una persona que ha establert una relació jurídica amb el propietari de la finca mitjançant un dret d'usdefruit o d'arrendament —posem per cas— i que en base a aquesta relació jurídica l'usufructuari o l'arrendatari construeix, planta o conrea en la finca objecte de la seva titularitat, que en darrer terme suposa també actuar sobre finca aliena. De totes formes el que ara interessa destacar no és altra cosa que la plantació, el conreu o l'edificació sobre finca aliena s'ha fet per una persona que no és propietària del sòl, però en tot cas es tracta de persona que ha actuat en base a la relació jurídica que havia establert amb el propietari que li conferia unes facultats possessòries sobre la finca, amb la conseqüència que el conflicte d'interessos que en aquests casos es pot presentar s'ha de resoldre al marge de les previsions que estableix el legislador en matèria d'accessió, amb l'aplicació subsegüent de les normes previstes per aquests supòsits particulars, sens perjudici de la possible aplicació analògica de les normes sobre accessió amb caràcter subsidiari pel cas de manca o insuficiència de normes específiques, atès el caràcter de la normativa sobre accessió. De totes formes es precisa que que si el que planta, conrea o edifica —encara que sigui el mateix propietari de la finca— empra materials aliens (vegeu article 542-13 i 542-14), s'apliquen les regles sobre accessió i no les que poden regular la relació jurídica que pugui existir entre els interessats (ALBALADEJO).

A nivell jurisprudencial s'ha precisat que no s'apliquen les normes sobre accessió a les obres fetes per l'arrendatari o l'usufructuari (STS d'1 de febrer de 1979 i STSJC de 9 d'octubre de 2002 i 1 de març de 2005)), a les millores fetes per un dels copropietaris sobre finca que es troba en règim de comunitat (STS 27 de febrer de 1979), a les situacions que es deriven d'una situació de condomini mentre no s'aclareixi el problema de la divisió de cosa comuna (STS d'1 de desembre de 1980), a les situacions derivades del règim de propietat horitzontal (STS d'1 de març de 1979) o a les obres d'elevació d'una planta nova en un edifici amb transmissió prèvia del dret a construir-hi (STS de 18 de juliol de 1990). També s'exclouen de la normativa sobre accessió les qüestions derivades del règim econòmic matrimonial, com resulta de les STSJC de 10 de maig i 28 de desembre de 1993, en relació amb unes situacions de condomini creades per uns cònjuges en règim de separació de béns. La STS de 31 d'octubre de 1985 considera oportú excloure de la normativa sobre accessió les construccions fetes sobre finca propietat de la persona en les situacions de convivència de fet, que en els temps actuals s'haurien de regular per la normativa catalana sobre unions estables de parella.

IV. Incidència del principi de la bona fe

A l'hora de resoldre els conflictes d'interessos en matèria d'accessió s'observa que el legislador estableix unes solucions diferents en base el criteri de la bona o mala fe dels interessats. Això imposa fer unes consideracions sobre la bona fe en seu d'accessió en base fonamentalment a l'article 542-10, que si bé és cert es troba en una secció on es regula l'accessió immobiliària, creiem és aplicable també en els casos d'accessió mobiliària.

El concepte de bona fe als efectes de l'accessió és el que resulta de l'article 542-10, que encara que s'intitula "Presumpció de bona fe", en realitat la presumpció es troba únicament en el seu apartat 2; en conseqüència el concepte de bona fe és el que resulta del seu apartat 1, segons el qual "La bona fe de qui planta, conrea o construeix en sòl aliè consisteix en la creença raonable que té títol per a fer-ho". El precepte es refereix a la modalitat de la bona fe fonamentada en un estat psicològic, que té darrera seu la ignorància nascuda d'un error excusable que origina una conducta antijurídica de la persona que d'aquesta forma lesiona un interès aliè, però que actua amb el convenciment d'obrar de forma correcta; que en el cas concret de l'accessió suposa que la persona que de bona fe planta, conrea o construeix en sòl aliè o empra materials aliens, ignora en base a un error excusable que es tracta de coses alienes o, almenys, creu tenir sobre aquestes coses alienes el dret d'utilitzar-les en aquest sentit (DIEZ-PICAZO).

Per tal de delimitar de forma més precisa el requisit de la bona fe que apareix en els articles 542-5, 6, 7, 9, 10, 13, 16, 18 i 19 sembla oportú fer una referència a l'article 521,7, segons el qual "La bona fe en la possessió és la creença justificable en la titularitat del dret", del qual en resulta que si bé en aquest cas la possessió té darrera seu una situació antijurídica perquè lesiona un dret aliè, aquesta antijuridicitat rep un tractament diferent i més favorable al posseïdor en atenció que actua en base a la creença raonable d'ostentar una possessió ajustada a dret; que en la seva projecció sobre l'accessió determina que es tracta d'una possessió en concepte de propietari, perquè el Codi civil de Catalunya regula l'accessió com un títol d'adquisició exclusiu del dret de propietat, que es pot qualificar d'injusta perquè es refereix al fet de posseir, però no a la il.licitud objectiva de l'edificació (CARRASCO PERERA).

En contraposició al concepte de bona fe que hem intentat delimitar fins ara apareix el concepte de mala fe en els articles 542-11, 12, 13 i 17, al qual interessa fer ara unes breus precisions. Si hem argumentat que el concepte de bona fe es projecta sobre una persona que es creu propietària d'un bé en base a una creença raonable —encara que errònia—, d'ésser propietària (article 542-10), als efectes de l'accessió la mala fe s'ha de predicar de la persona que en la convicció de no ostentar un dret de propietat sobre un bé determinat, i també en relació amb la persona que es creu propietària d'un bé en base a una creença mancada de raonabilitat, planta, conrea, edifica o edifica en sòl aliè o uneix un bé accessori a un bé principal de propietat aliena, que té unes conseqüències molt més desfavorables per aquesta persona de les que preveu la llei pels casos d'actuació de bona fe.

Interessa fer ara unes consideracions respecte a una situació fins a cert punt equidistant entre la persona que actua en la creença raonable i a la vegada errònia d'ésser propietària d'un bé i la persona que actua en la convicció de no ser propietària o en la creença mancada de raoanabilitat d'ésser propietària, que es centra en el cas d'actuar la persona sobre un bé de propietat aliena, sense que existeixi una relació jurídica concreta amb el propietari de la finca, però que té darrera seu la coneixença o la tolerància per part del propietari de la finca que no manifesta la seva oposició. A favor de la tesi que no opera en aquest cas el requisit de la bona fe es pot al.legar que el qui construeix, planta o sembra és conscient que ho fa sobre una propietat aliena, però pensem que això no és suficient per aplicar-li la normativa sobre la mala fe en matèria d'accessió, perquè la majoria de les vegades ens trobarem davant d'una autorització tàcita per a edificar, plantar o sembrar que prové del propietari de la finca. Autorització tàcita que té una versemblança més significativa si ens atenem a la realitat, ja que aquesta situació es dóna freqüentment en casos de construcció per part del cònjuge o del membre d'una unió estable de parella en una finca propietat de l'altre o entre persones unides entre elles per un vincle estret de parentiu. En qualsevol cas a la mala fe del qui construeix en sòl aliè amb coneixement d'aquest fet, es pot al.legar la mala fe del propietari de la finca envaïda, que amb la seva actitud passiva legitima l'actuació de l'altra persona, que pot confiar raonablement en el manteniment d'aquesta situació al marge de qualsevol canvi de conducta més o menys arbitrària per part del propietari envaït. Que determinarà atribuir la condició de constructor de bona fe, amb totes les seves conseqüències, a la persona que construeix, planta o conrea una finca aliena sense ignorar aquest fet, perquè aquesta actuació ve emparada pel consentiment tàcit del propietari de la finca, que no pot revocar després de forma intempestiva aquest consentiment tàcit sense incórrer en mala fe. Que des d'aquesta perspectiva delimita l'aplicació de l'article 542-12, segons el qual "Si tant el propietari del sòl com el constructor actuen de mala fe, el cas es resol com si haguessin actuat de bona fe"; que a més té uns precedents clars a la tradició jurídica catalana, ja que segons el Digest 4,3,36 *si duo dolo malo fecerint, invicem de dolo non agent*. Sobre aplicació d'aquesta regla vegeu la STSJC de 22 de juliol de 1991.

La jurisprudència ha tingut ocasió de fer determinades precisions en relació amb aquesta problemàtica. En el cas que va originar la STSJC d'1 de març de 1993 s'atribueix la condició de constructor de bona fe al fill que fa unes construccions, plantacions i obres en una finca propietat del seu pare, amb coneixença que actua sobre finca aliena, però tots aquests actes els realitza amb el consentiment i aprovació del pare propietari de les finques, que fins i tot col.labora materialment i econòmicament en la realització de determinades obres per part del fill. La STSJC de 28 de desembre de 1993 censura l'aplicació de la normativa sobre accessió respecte el constructor de bona en relació amb el marit que ha edificat en finca propietat de l'esposa en atenció a la comunitat d'interessos que presideix les relacions entre els cònjuges, encara que s'extingeixi després de la crisi matrimonial. De la mateixa manera que es prenen en consideració els vincles de parentiu per a refusar que es pugui atribuir la condició de constructor de mala fe a la persona que construeix sobre finca que sap té la condició d'aliena, però que construeix amb el consentiment del seu propietari, en els casos que van originar les STSJC de 8 de maig de 2003, 19 de febrer de 2004 i 19 de juny de 2006.

Després de la delimitació dels conceptes de bona i de mala fe en matèria d'accessió interessa fer unes consideracions sobre les seves coordenades temporals, ja que la bona fe pot existir en el moment inicial i desaparèixer després. Amb referència a l'article 278 CDC la STSJC de 29 de setembre de 1993 es refereix a un cas d'adquisició de bona fe del dret de propietat d'una finca, amb la particularitat que abans de realitzar unes construccions sobre la mateixa els adquirents es van assabentar de l'existència d'una anotació preventiva de demanda sobre la finca en base a la qual es qüestionava el seu dret de propietat, fets que van determinar que no s'atribuís la condició de constructores de bona fe als adquirents de la finca (vegeu en el mateix sentit STSJC d'1 de març de 1993). Amb un abast més general estableix l'article 542-10.2 que la bona fe "cessa per la mera oposició dels titulars del sòl"; en base al qual hem de precisar que l'oposició no exigeix uns requisits de forma especials, oposició que serà eficaç sempre que de forma clara posi de manifest la voluntat de qüestionar el dret de propietat dels constructors. L'esmentada STSJC de 29 de setembre de 1993 va considerar escaient un requeriment notarial.

Per últim esmentem que l'article 542-10.2 estableix una manfestació particular del principi general de bona fe, que el precepte concreta en l'expressió "La bona fe es presumeix llevat de prova en contra". Es tracta evidentment d'una presumpció *iuris tantum*, com resulta també de les STSJC de 29 de setembre de 1993 i 9 de desembre de 2004.

2. L'ACCESSIÓ IMMOBILIÀRIA

I. Determinació del seu abast

Sota la rúbrica "Accessió immobiliària" la subsecció segona del capítol II regula la modalitat tradicionalment anomenada d'accessió de bé moble a bé immoble com a conseqüència d'una activitat humana, que provoca un conflicte d'interessos que el legislador intenta solucionar per la via del conegut principi *accessorium sequitur principale*, al qual atribueix un abast diferent en base a la concurrència de la bona o mala fe en l'actuació dels afectats. Com a casos d'accessió immobiliària el nostre legislador contempla els fets de plantar, conrear o edificar en finca aliena, que provoca l'inevitable conflicte d'interessos entre el propietari de la finca envaïda i el tercer que de bona o de mala fe ha envaït la finca. Per tant el conflicte no es produeix si la plantació, el conreu o l'edificació han estat realitzats pel mateix propietari, que per altra part és el que presumeix l'article 542-4 en aplicació d'una regla de bon sentit, amb la limitada excepció d'haver emprat en la construcció materials aliens (vegeu l'article 542-13). Com tampoc es presenta el conflicte d'interessos que regula l'accessió quan la plantació, el conreu o l'edifici tenen com antecedent la coexistència d'un dret de propietat sobre la finca i un dret real de gaudiment sobre la mateixa, com succeeix quan s'atorga al constructor un dret de superfície sobre la finca, que segons l'article 564-1 permet mantenir la separació entre la propietat d'allò que es construeix o es planta i el terreny o el sòl on es realitza; o quan es confereix a una persona el dret de vol o de subedificació, que segons l'article 567-11.1 atribueix el dret de construir una o més plantes sobre l'immoble gravat i fer seva la propietat de les noves construccions.

La solució del conflicte d'interessos que es planteja en els casos d'accessió immobiliària es soluciona amb caràcter general en base a atribuir un dret d'adquisició a favor del propietari del bé al qual s'atribueix la condició de principal, amb el deure subsegüent d'indemnitzar, si escau, al propietari del bé accessori que ha perdut la seva individualitat després de la seva incorporació al bé principal (vegeu l'article 542-1.1). Fidel a una tradició més que mil.lenària el legislador atribueix la condició de principal al bé immoble, amb independència del valor que pugui tenir el bé moble incorporat, ja que segons l'article 542-3 "Les plantacions, els conreus i les edificacions que estiguin incloses en una finca pertanyen als propietaris de la finca per dret d'accessió immobiliària". Que es produeix en primer lloc en els casos de construcció sobre finca aliena, precepte que és oportú relacionar amb l'article 511-2.2, segons el qual es consideren béns immobles "les construccions i les obres permanents", que porta a la conclusió que per a l'accessió immobiliària s'exigeix —valgui l'expressió— la immobilització d'aquells béns que abans tenien la condició de béns mobles i que perden la seva individualitat des del moment en què s'incorporen de forma permanent a una finca. Afirmació de la qual se'n deriva també que als efectes de l'article 542-3 la paraula edificació s'ha d'interpretar en sentit més aviat ampli perquè es refereix no sols a la construcció nova, sinó també a les obres de reparació, ampliació o millora fetes en una construcció que ja existia, sempre que tinguin el caràcter de permanents que exigeix l'article 511-2.2,a). Consideracions que amb les adaptacions que corresponguin es poden fer extensives a les plantacions i als conreus, ja que com s'havia precisat amb referència a l'article 278 CDC, les plantacions, els conreus i les edificacions són activitats que impliquen una millora de la finca, que a la vegada poden determinar un augment del seu valor, que en termes jurídics s'ha de qualificar de despesa útil que ha determinat una millora de la finca (NAVAS NAVARRO).

II. Accessió immobiliària amb concurrència de bona fe

En aquest apartat fem unes consideracions sobre el règim jurídic de l'accessió immobiliària amb referència als supòsits que una persona planta, conrea o construeix de bona fe en finca aliena, perquè actua en la creença raonable d'ostentar un títol que li permet fer-ho (en expressió de l'article 542-10.1). Davant d'aquesta situació el legislador adopta una dualitat de solucions que es fonamenten en els criteris següents:

A) PREVALENÇA DEL PRINCIPI SUPERFICIES SOLO CEDIT

Com s'apuntava a l'apartat anterior, en els casos d'accessió immobiliària el legislador adopta com a criteri bàsic el principi *accessorium sequitur principale*, que determina atribuir la condició de bé principal al sòl, amb la incorporació subsegüent dels béns mobles a la finca en aplicació del principi tradicional en matèria d'accessió *superficies solo cedit*, que determina convertir en béns immobles per incorporació els béns que abans tenien la condició de mobles (vegeu l'article 511-2.2,a) i b).

Si es tracta de plantacions fetes de bona fe en finca aliena, l'article 542-5 soluciona el conflicte d'interessos en el sentit que "El propietari o propietària de la finca en la qual una altra persona planta de bona fe pot optar per: a) Fer seva la plantació i pagar les despeses efectuades per qui l'ha feta. b) Obligar a qui ha plantat a deixar la finca en l'estat en què es trobava abans de fer la plantació". L'opció s'atribueix al propietari de la finca envaïda, que pot exercitar de forma expressa o tàcita (per exemple si realitza actes dispositius sobre la plantació), sense que la llei estableixi uns terminis pel seu exercici, que de manera encara que indirecta pot establir el qui ha plantat mitjançant —posem per cas— exigir el pagament de les despeses efectuades per la plantació, que obligarà al propietari a decidir-se per l'opció de deixar la finca en la seva situació anterior si considera aquesta opció més favorable als seus interessos. En qualsevol cas la propietat de la plantació s'atribueix al propietari de la finca envaïda des del primer moment, que comportarà en els casos generals que el qui ha plantat continuï en possessió de la finca perquè precisament com a posseïdor va realitzar la plantació. Si el propietari de la finca opta per fer seva la plantació (segons l'apartat a) del precepte), aquesta opció ha d'anar acompanyada del pagament de les despeses fetes pel qui ha plantat, però sense que el pagament d'aquestes despeses tingui el caràcter de requisit necessari per a atribuir-li el dret de propietat sobre la plantació, ja que el dret de propietat sobre la mateixa el va adquirir des del moment d'incorporar-se la plantació a la finca (argument article 542-3); en conseqüència el qui ha plantat adquireix únicament un dret de crèdit enfront el propietari de la finca i de la plantació per la quantia de les despeses efectuades, que li permet exercir el dret de retenció sobre la plantació en aplicació de l'article 569-4,a). El propietari pot optar també per obligar a qui ha plantat a que deixi la finca en l'estat en què es trobava abans de fer la plantació (segons l'apartat b) del precepte) si no l'interessa la plantació, cas en el qual pot exigir que s'arranquin els arbres sense tenir que pagar cap despesa, que es pensa es pot veure compensada per arrancar els arbres i conferir a qui els ha plantat la facultat de disposar dels mateixos.

Pels casos de conreu de finca aliena es preveu a l'article 542-6 que "El propietari o propietària de la finca en què una altra persona conrea de bona fe pot optar per: a) Fer seva la collida i pagar les despeses efectuades per qui l'ha feta. B) Obligar a qui ha conreat a pagar-li l'equivalent a la renda de la finca fins que acabi la collita". L'opció a) és la mateixa l'article 542-5,a) pels casos de plantació i per tant ens remetem a les consideracions fetes en relació amb aquest precepte. L'altra opció que preveu la llei és obligar a qui ha conreat a pagar l'equivalent a la renda fins que acabi la collita, que és la solució que ja va acollir l'article 6.2 de la Llei 25/2001 pels conreus i plantacions de curta durada, mentre que pels de llarga durada presumia l'establiment d'un contracte d'arrendament entre el propietari de la finca i el qui havia sembrat. La concessió de l'opció d'arrendament pels casos de conreu únicament té el seu fonament en el cicle normalment curt que s'escola entre la sembrada i la collita, que permet resoldre el conflicte d'interessos per la via d'un contracte d'arrendament, que no s'ha cregut oportú fer extensiu a les plantacions, perquè en els casos generals suposaria establir un contracte d'arrendament de durada probablement excessiva.

El tercer cas que contempla el legislador d'aplicació del principi *superficies solo cedit* és amb referència a les construccions fetes en sòl aliè, encara que exclou del principi les construccions amb valor superior a l'edificació (article 542-9), que en canvi no es preveu per a les plantacions i conreus, segurament perquè el valor superior sols en dóna en les construccions per motius de tots prou coneguts. El legislador parteix del supòsit de construcció feta de bona fe que en tot o en part s'assenta sobre finca aliena (en el darrer cas es parla de construcció extralimitada, segons una terminologia corrent) i que el valor del sòl és superior al de la construcció. Per a resoldre el conflicte d'interessos que aquí es presenta, l'article 542-7 estableix que "1. El propietari o propietària del sòl en què una altra persona ha construït totalment o parcialment, de bona fe, quan el valor del sòl és superior al de la construcció i el sòl aliè, pot optar per: a) Fer seva la totalitat de l'edificació i de la part del sòl aliè pagant les despeses efectuades en la construcció i el valor del sòl aliè. b) Obligar als constructors a adquirir la part del sòl envaïda o bé, si el sòl envaït no es pot dividir o la resta resulta inedificable, a adquirir tot el solar". Si es tracta d'una construcció feta totalment en sòl aliè, es confereix al propietari de la finca envaïda l'opció de fer seva la totalitat de l'edificació, amb la càrrega de tenir que pagar les despeses efectuades en la construcció; en la interpretació del seu precedent, és a dir l'article 278 CDC, va precisar la STSJÇ de 25 d'abril de 1992 que les quantitats que pot reclamar el constructor s'han de calcular actualitzant el valor dels materials i jornals realment emprats, però amb el límit que suposa el valor real de les millores en llur estat actual (sobre procedència els jornals del constructor vegeu STSJC d'1 de març de 1993). L'altra opció que l'apartat b) del precepte confereix al propietari envaït és obligar al constructor a adquirir la part del sòl envaïda pels constructors, que s'ha de configurar jurídicament com la possibilitat d'imposar de forma unilateral al constructor la celebració d'un contracte de compravenda, que es projecta sobre la superfície de la finca envaïda que sustenta la construcció. Encara que el precepte encertadament preveu la possibilitat que la finca envaïda no es pugui dividir o que la resta no envaïda resulti inedificable; supòsits en els quals el propietari pot obligar els constructors a establir una compravenda forçosa sobre la totalitat de la finca.

La segona possibilitat que preveu l'article 542-7 és que l'edifici s'assenti en part sobre terreny propietat dels constructors i en part sobre finca aliena, que es soluciona per la via de conferir al propietari de la finca envaïda no sols la possibilitat de fer seva l'edificació sinó també la part de la finca propietat dels constructors sobre la qual s'assenta l'edificació pagant el seu valor. Per a l'aplicació del precepte s'exigeix que l'edifici s'assenti en part sobre terreny propietat dels constructors i en part sobre finca aliena, amb independència del fet que la construcció ocupi totalment o sols en part la finca aliena; i amb independència també del fet que el valor del sòl envaït sigui superior al de la construcció i del sòl propietat dels constructors sobre el qual s'assenta també una part de la construcció (segons resulta de l'article 542-1), ja que en altre cas seria procedent l'opció de l'article 542-9.

Si es relaciona aquest article 542-7 amb els articles 542-1 i 542-3 cal entendre que es produeix l'efecte automàtic de l'accessió a favor del propietari de la finca envaïda, en aplicació del principi *superficies solo cedit*, que no planteja problemes en el cas de construcció que s'assenta totalment sobre terreny aliò. Però que planteja les seves dificultats en els casos de construcció extra-limitada, almenys en la part que fa referència a la part de la construcció que s'assenta sobre la finca propietat dels constructors, perquè segons l'article 542-7.1,a) en aquests casos el propietari de la finca envaïda ha de pagar també el valor del sòl propietat dels constructors, expressió que dóna a entendre que el propietari de la finca envaïda ha de pagar el valor d'aquesta part del sòl en concepte de preu d'una compravenda forçosa, que porta a la conclusió que sols després de la perfecció i consumació d'aquesta compravenda el propietari de la finca envaïda adquireix el dret de propietat sobre la part de la finca veïna propietat dels constructors; tesi que recolza el mateix article 542-7.1,a), que en aquest punt parla de pagar el valor del sòl aliè, mentre que respecte als materials i jornals emprats per a la construcció es val de l'expressió "pagant les despeses efectuades en la construcció", expressions alienes a un contracte de compravenda.

Pel que fa referència a l'exercici d'aquesta opció, l'article 542-7.2 estableix el termini de caducitat al cap de tres anys de l'acabament de l'obra, que en els casos generals es computarà des del certificat final d'obra (MARSAL GUILLAMET). Això vol dir que mentre no s'escola aquest termini el constructor res pot reclamar, encara que de manera indirecta pot forçar la decisió del propietari si exercita el dret de retenció que li confereix l'article 569-4,a). Després dels tres anys sense que el propietari hagi exercit l'opció que li confereix el precepte, la proposició darrera de l'article 542-7.2 precisa que "Els constructors sols poden ésser obligats a acceptar l'opció a què fa referència la lletra b)", és a dir, adquirir la part del sòl envaïda o en el seu cas tot el solar envaït. En aquest punt l'article 542-76.2 modifica en part l'article 8-2 de la Llei 25/2001; en un primer aspecte per la via d'establir un termini de caducitat de tres anys, mentre que segons el dret anterior el termini era de dos anys; i en segon lloc mitjançant preveure la resolució del contracte de compravenda forçosa pel doble cas de construcció total sobre finca aliena i de construcció extralimitada, mentre que l'article 8.2 anterior sols admetia aquesta solució pel supòsit de construcció extralimitada. En qualsevol cas entenem que transcorregut el termini de tres anys sense que el propietari de la finca envaïda hagi exercit l'opció que preveu el precepte, la facultat d'imposar la compravenda del sòl envaït s'ha d'estimar compatible amb la facultat per part del constructor d'imposar aquesta compravenda; en primer lloc perquè no es pot deixar a l'arbitri d'una de les parts deixar de forma indefinida el conflicte d'interessos que s'ha suscitat entre els interessats sense haver incorregut cap d'ells en mala fe; i en segon lloc perquè encara que sigui per raons estrictament pràctiques, no és convenient que es perllonguin indefinidament aquestes situacions, especialment delicades en els casos de construcció extralimitada.

Atès que ens trobem aquí davant d'un conflicte d'interessos que s'ha suscitat en relació amb qui planta, sembla o construeix de bona fe en finca aliena, s'ha qüestionat si el propietari de la finca envaïda pot exercir únicament les opcions que s'han exposat en base als articles 542-5, 542-6 i 542-7 o si també pot reclamar els danys i perjudicis que es deriven de la invasió d'una finca aliena sense o contra la voluntat del seu propietari. El projecte de llei de l'accessió i l'ocupació considerava compatibles les opcions a favor del propietari de la finca envaïda amb la possibilitat de demanar els danys i perjudicis que corresponguin en els seus articles 5, 6 i 7, mentre que els articles 5, 6 i 7 de la Llei 25/2001 suprimeixen de forma explícita la possibilitat de demanar danys i perjudicis, supressió que té el seu origen en el fet de creure incorrecte imposar aquesta indemnització a un posseïdor de bona fe perquè això implicaria la seva conversió en un deutor dels fruits *percipiendi* (CARRASCO PERERA). La crítica no es consideraria del tot fonamentada, ja que la indemnització de danys i perjudicis a càrrec de qui planta, conrea o edifica de bona fe en finca aliena reapareix —ara en forma de precepte independent—, a l'article 542-8, segons el qual "El propietari o propietària de la finca, en els casos que regulen els articles 542-5, 542-6 i 542-7, té dret a ésser indemnitzat pels danys i perjudicis". El nou canvi de criteri es pot justificar en base a considerar que si en els casos generals la improcedència de la indemnització es fonamenta en què la construcció, el conreu o la plantació impliquen una despesa útil que provoca una millora de la finca envaïda, en els casos que ara es consideren no existeix la millora.

Com s'ha esmentat incidentalment abans, en aquests casos d'invasió de finca aliena amb concurrència de bona fe, s'ha de reconèixer a qui ha plantat, conreat o edificat en finca aliena el dret de retenció en garantia dels seus drets a l'empara de l'article 594,b), que confereix el dret de retenció per tal de garantir les obligacions derivades de despeses útils, si hi ha dret a reclamar-ne el reembossament, dret que es reconeix a qui ha actuat de bona fe en els articles 542-5, 542-6 i 542-7. El dret de retenció s'examina amb caràcter general en capítols posteriors d'aquest mateix volum. Ara ens limitem a recordar que amb referència al dret de retenció que el dret anterior reconeixia de forma explícita a favor de qui ha plantat, sembrat o edificat de bona fe en finca aliena, s'havia precisat que no es confereix el dret de retenció en els casos de construcció de mala fe en finca aliena perquè el constructor sabia que no era propietari de la finca (STSJC de 23 de març de 2000); que poden exercir el dret de retenció la filla i el gendre que construeixen en finca propietat del pare amb el consentiment d'aquest, perquè la conducta dels constructors no es pot considerar contrària a la bona fe (STSJC de 8 de maig de 2003); que no es pot atribuir el dret de retenció si no es demana la possessió de la finca sobre la qual s'han fet les construccions (STSJC de 2 de març de 2004); i que no escau el dret de retenció quan el posseïdor exercita una acció de rescabalament (STSJC de 22 de gener de 2004). Pels casos de mala fe sobrevinguda vegeu STSJC d'1 de març de 2003.

B) EXCEPCIONS AL PRINCIPI SUPERFICIES SOLO CEDIT

Com és prou conegut, el Codi civil espanyol no va contemplar els casos de construcció extralimitada, silenci que va suplir la jurisprudència per la via dels principis generals del dret i de l'equitat,en els casos en els quals el valor de l'edificació era notòriament superior al valor de la finca envaïda, que en definitiva es va traduir en prescindir del tradicional principi *superficies solo cedit* i atribuir a qui havia construït parcialment de bona fe en finca aliena el dret a adquirir la part de la finca envaïda. El mateix silencia legislatiu sobre aquest punt presentava el dret civil català, circumstància que va propiciar l'aplicació en el nostre dret de les solucions que havia establert la jurisprudència en relació amb el dret civil espanyol, com resulta per exemple de les STSJC de 22 de juliol de 1991 i 4 de gener de 2001. La modernització del dret civil català en aquest punt implicava prendre partit sobre el problema de les construccions extralimitades, com va fer la Llei 25/2001 en els seus articles 8 i 9, ja que com precisava el seu preàmbul "És molt important, doncs, la regulació de les construccions extralimitades, figura introduïda per la jurisprudència, a la qual es poden donar solucions d'indemnització com l'adjudicació de pisos o locals en règim de propietat horitzontal". Aquests preceptes s'han convertit ara —amb determinades modificacions— en els articles 542-7 i 542-9. El primer d'ells pels supòsits de valor del sòl que s'ha examinat a l'apartat anterior; per tant ens d'ocupar ara de la construcció de valor superior de l'edificació, que ha originat l'anomenada accessió invertida.

Segons l'article 542-9.1 "El propietari o propietària del sòl en que una altra persona ha construït totalment o, parcialment, de bona fe, quan el valor del sòl envaït és inferior o igual al de la construcció i sòl aliè, ha de cedir la propietat de la part del sòl envaïda als constructors si aquests indemnitzen el valor del sòl més els danys i perjudicis causats i si l'edifici constitueix una unitat arquitectònica que no és divisible materialment". Pel que fa referència a l'àmbit d'aplicació del precepte, es refereix no sols al supòsit tradicionalment conflictiu de les construccions extralimitades sinó també al supòsit de construcció feta totalment sobre finca aliena, sempre que el valor de la construcció sigui superior al valor del sòl envaït; aquest era l'únic cas que contemplava l'article 9.1,b) de la Llei 25/2001, al qual l'article 542-9 afegeix el d'ésser igual el valor de la construcció i el del sòl envaït. Per a comparar aquests valors l'article 542-9 pren en consideració el valor del sòl envaït d'una part i de l'altra el valor de l'edificació i del sòl aliè, hem de creure amb la finalitat de concordar el precepte amb l'article 542-7.1,a) pels casos de valor superior del sòl; solució que s'aparta de la que establia l'article 9.1,b) de la Llei 25/2001, que únicament prenia en consideració el valor de la construcció i el valor del sòl envaït. Modificació que permet donar una resposta al cas de tenir el terreny envaït valor superior al de la construcció, però inferior al de la construcció i al valor del sòl de qui ha construït (MARSAL GUILLAMET).

L'aplicació de l'accessió invertida *ex* article 542-9.1 exigeix un altre requisit, com és el de la bona fe del constructor, que s'ha d'establir en base a les prevencions de l'article 542-10.1 i també d'acord amb les particularitats que concorrin en cada cas concret; i amb aplicació igualment de la presumpció de bona fe que resulta de l'article 542-10.2. Sembla convenient aquesta precisió perquè pels supòsits d'accessió invertida l'article 9.1,a) de la normativa anterior considerava que "Hi ha bona fe si, si en el moment en què s'ha iniciat la construcció, qui l'ha construïda es creu que és la persona propietària del sòl envaït i fets els amidaments del projecte tècnics de l'edificació, ha comprovat que no en resulta el contrari". Aquestes precisions sobre la bona fe no han passat a l'article 542-9, probablement perquè es devien considerar errònies, ja que no atribuïen rellevància a l'oposició del propietari de la finca envaïda per a destruir la bona fe, que la STSJC de 29 de setembre de 1993 ja havia admès en relació amb l'article 278 CDC (CARRASCO PERERA). En conseqüència hem d'entendre que també en aquest cas s'aplica la prevenció general de l'article 542-10.2, segons la qual la bona fe "cessa per la mera oposició dels titulars del sòl"; que en els casos de construcció extralimitada hauria de determinar imposar als constructors l'adquisició de la part de la finca envaïda fins i tot en el cas d'haver continuat la construcció després de l'extinció de la bona fe, amb indemnització dels danys i perjudicis ocasionats al propietari de la finca envaïda (article 542-9), però no la demolició de la construcció (MARSAL GUILLAMET). Amb la precisió que la quantia de la indemnització s'haurà de fixar amb criteris més estrictes com a sanció a la mala fe sobrevinguda del constructor.

Les conseqüències que l'article 542-9.1 deriva de la concurrència d'aquests requisits en els casos d'accessió invertida són, en primer lloc, imposar al propietari de la finca envaïda l'obligació "de cedir la propietat de la part del sòl envaït als constructors", que en aquest punt modifica de forma significativa el seu precedent, és a dir l'article 9.1 de la Llei 25/2001, en el sentit que aquest precepte facultava al constructor per fer seva la construcció i el sòl envaït, mentre que l'article 542-9.1 substitueix aquesta facultat del constructor per l'obligació a càrrec seu d'adquirir la propietat de la part del sòl envaïda. També en aquest punt la modificació té el seu origen en les crítiques que s'havien adreçat a l'article 9.1 de la Llei 25/2001, ja que el precepte no conferia al constructor el dret potestatiu d'adquirir la finca envaïda, perquè el propietari d'aquesta part podia imposar-li directament la seva adquisició (CARRASCO PERERA). Que a la vegada comportava una segona modificació, ja que l'article 9.1 facultava el constructor per fer seva la construcció i el sòl envaït, mentre que l'article 542-9.1 imposa cedir al constructor la part del sòl envaïda; modificació aquesta menys transcendent, ja que si el propietari de la finca envaïda la cedeix al constructor, aquesta cessió implica també la cessió de la construcció bastida sobre la finca en aplicació del principi *superficies solo cedit*.

La cessió de la finca envaïda als constructors es deriva, evidentment, d'un negoci jurídic fonamentat en una causa onerosa, ja que és la contrapartida que exigeix la llei per a l'adquisició de la finca envaïda (vegeu l'article 1274 CC). L'apartat 2 de l'article 542-9 concreta aquesta cessió en un contracte de compravenda, que tal vegada serà el supòsit més freqüent; però no l'únic ja que l'apartat 3 del precepte preveu de forma explícita una indemnització, o si es vol contraprestació, en espècie. En tot cas aquesta cessió de la finca envaïda als constructors ha d'anar acompanyada del pagament per part dels constructors del valor del terreny envaït, que suposa en aquest cas establir un negoci jurídic en part diferent al que s'aplica en els casos generals d'accessió. Perquè aquí ens trobem davant del fet que inicialment el propietari de la finca envaïda fa seva la construcció en base al principi *superficies solo cedit* segons l'article 542-3, però aquesta accessió automàtica no té el caràcter de definitiva, perquè el propietari de la finca envaïda pot imposar als constructors una venda forçosa (ALONSO PÉREZ). Que normalment es concretarà sobre la part de la finca envaïda, a menys que concorri el cas que preveu l'article 542-9.2, segons el qual "Els propietaris del sòl envaït poden obligar els constructors a comprar-los tot el solar quan el sòl envaït no es pot dividir o la resta del sòl resulta inedificable"; que és la mateixa solució que preveu l'article 542-7.1,b) pels casos de construcció en sòl aliè amb valor superior del sòl. A més d'imposar al constructor aquesta compravenda forçosa l'article 542-9.1 també permet que el propietari de la finca envaïda reclami al contractista els danys i perjudicis ocasionats per la invasió en el fons antijurídica de la seva finca, no obstant la bona fe que el precepte pressuposa en el constructor, solució que es justifica en base a la consideració que el manteniment de la finca en la situació que es trobava abans d'ésser construïda podia proporcionar al propietari uns beneficis i utilitats, de les quals s'ha vist privat com a conseqüència de la construcció realitzada sense o contra la seva voluntat. Amb la precisió que segons la proposició darrera de l'article 542-9.1 la possibilitat d'imposar als constructors l'adquisició de la finca envaïda i, en el seu cas, la indemnització dels danys i perjudicis, sols és viable "si l'edifici constitueix una unitat arquitectònica que no és divisible materialment", que sembla sols té un sentit clar amb referència a la construcció extralimitada.

Com s'apuntava fa uns moments, la solució general és imposar als constructors una compravenda de la part o totalitat de la finca envaïda segons l'article 542-9.2. Si bé amb caràcter alternatiu preveu l'apartat 3 del precepte que "Els propietaris del sòl poden optar per una indemnització en espècie consistent en l'adjudicació de pisos o locals si els constructors han constituït el regim de propietat horitzontal o si aquest règim es pot constituir físicament en l'edifici construït". Atesa la iniciativa que el precepte atribueix al propietari de la finca envaïda en aquest punt, es pot considerar admissible conferir-li la possibilitat d'escollir els pisos o els locals objecte de l'adquisició, encara que això suposi contrariar la regla de l'article 1132 CC, que en els casos generals confereix la facultat de concretar la prestació al deutor (CARRASCO PERERA). Ja que en definitiva l'actuació inicialment antijurídica del constructor ha estat la causa determinant del conflicte d'interessos que ara s'ha de resoldre.

III. Accessió immobiliària amb concurrència de mala fe

Com s'ha esmentat abans (supra, 1,IV), en matèria d'accessió la mala fe es projecta sobre la persona que amb la convicció de no ser propietària d'una finca determinada, o també sobre la persona que es creu propietària en base a una creença mancada de raonabilitat, planta, conrea o construeix en sòl aliè, actuació que té pel fet d'envair d'aquesta forma la finca aliena unes conseqüències molt més desfavorables de les que estableix la llei pels supòsits d'actuació de bona fe. Amb això es vol posar en relleu que quan concorre mala fe, juga evidentment el principi general d'accessió a favor del propietari de la finca respecte a les plantacions, conreus i edificacions realitzades per un tercer. Aplicació que en el cas de mala fe va acompanyada d'uns efectes perjudicials pels tercers, ja que segons l'article 542-11.1 "Les persones que planten, conreen o edifiquen de mala fe en sòl aliè perden en benefici dels propietaris del sòl, tot el que han plantat, conreat o edificat i, a més, han d'indemnitzar-los pels danys i perjudicis causats". El precepte és essencialment fidel a la tradició jurídica catalana en aquest punt, tal com es deriva de l'usatge *si quis in alieno* i de l'article 278 CDC, superant amb bon criteri —com ja havien fet els compiladors— l'artificiosa presumpció d'haver actuat el constructor de mala fe amb l'ànim de fer una donació al propietari de la finca. El nostre legislador no preveu la possibilitat d'exigir la reposició de la finca a l'estat anterior a l'actuació del tercer, previsió que tampoc admetia el dret anterior; com es va precisar en base a l'article 278 CDC, es creu més convenient —no la destrucció d'allò que s'ha realitzat— sinó la seva conservació en benefici dels interessos socials o generals (NAVAS NAVARRO).

Una regla general pels casos de construccions extralimitades es preveu a l'article 542-11.2, que té el seu precedent en l'article 10 de la Llei 25/2001. Segons la proposició primera de l'article 542-11.2 "Els propietaris del sòl envaït, en els casos de construccions extralimitades de mala fe, poden exigir a qui ha edificat l'enderrocament, a càrrec d'aquest, de tot el que ha construït en sòl aliè i la indemnització pels danys i perjudicis, tot plegat sens perjudici de les facultats que li atorguen els articles 542-7 i 542-9".; és a dir, que pel cas de construcció extralimitada de mala fe amb valor superior del sòl, a més de poder exigir l'enderrocament a càrrec del constructor, el propietari de la finca envaïda pot fer seva la totalitat de l'edificació i la part del sòl aliè sense tenir que pagar cap contraprestació, perquè en atenció a la mala fe del constructor no se'l pot obligar a adquirir o, també, obligar els constructors a adquirir la part del sòl envaït o la totalitat de la finca segons l'article 542-7.1; mentre que pel cas de construcció extralimitada amb valor superior de l'edificació el propietari de la finca envaïda, a més de poder exigir l'enderrocament, gaudeix també de la facultat de poder imposar al constructor la compra forçosa del sòl envaït o en el seu cas tota la finca i la indemnització dels danys i perjudicis que ha sofert (article 542-9.1 i 2). En qualsevol cas la facultat primària que es confereix al propietari del terreny envaït d'exigir l'enderrocament de la construcció, que en abstracte es pot qualificar de correcta especialment quan la construcció extralimitada no li confereix un benefici tangible, pot entrar en conflicte amb l'interès general en el manteniment de l'edificació i amb la funció social que l'article 541-2 predica del dret de propietat i amb uns interessos rellevants dels constructors; circumstàncies que justifiquen que segons l'article 542-11.2 "La facultat d'exigir l'enderrocament decau si causa un perjudici desproporcionat als constructors segons les circumstàncies específiques del cas apreciades pel tribunal".

Fins aquí hem considerat el cas de concurrència de mala fe en la persona que planta, conrea o edifica en sòl aliè, amb les conseqüències desfavorables que això comporta com a sanció a la mala fe. Hem d'afegir ara que el legislador s'ha ocupat també del cas de concurrència de mala fe no sols en el qui edifica, conrea o construeix en finca aliena, sinó també en el propietari de la finca envaïda, que determina que segons l'article 542-12 "Si tant el propietari del sòl com els constructors actuen de mala fe, el cas es resol com si haguessin actuat de bona fe". Com hem esmontat abans (*supra*, 1,IV), el que envaeix una finca aliena es qualifica de mala fe quan actua amb la convicció de no ostentar un dret de propietat sobre la finca envaïda i, també, quan es creu propietari de la finca en base a una creença mancada de raonabilitat. Pel que fa referència a la delimitació del concepte de propietari de mala fe de la finca envaïda, el seu concepte és el que es deriva de l'article 11.4 de la Llei 25/2001, segons el qual "Es presumeix la mala fe de la persona propietària del sòl en el cas que s'hagi actuat a la vista d'aquesta i que n'hagi tingut coneixement, i no s'hi hagi oposat", precepte que no ha passat al Codi civil de Catalunya, sense que s'hagi explicitat els motius de la seva supressió. Així i tot és el concepte de mala fe del propietari que se'n deriva de la seva normativa en matèria d'accessió, que pressuposa un concepte de mala fe del propietari que podem qualificar de sobrevinguda, en el sentit que apareix quan el propietari que es podia haver oposat als actes realitzats pel constructor sobre la finca els tolera o consenteix, conducta que suscita en el constructor la creença que els aprova, creença que s'esvaeix quan el propietari actua en contradicció amb la confiança que ha provocat, que des d'aquesta perspectiva es pot qualificar de contrària al principi de la bona fe i que, -amb referència a l'accessió- s'ha de qualificar d'actuació de mala fe. Que té com a conseqüència atribuir al propietari del sòl envaït així com als constructors els drets que la llei els confereix pel cas d'haver actuat de bona fe, perquè el legislador considera que la mala fe de l'un es compensa amb la mala fe de l'altre, sense prendre en consideració el grau o l'entitat de mala fe que concorri en cadascú d'ells.

Als supòsits fins aquí esmentats, és a dir bona fe del propietari i bona fe del constructor, mala fe d'ambdós, bona fe del propietari i mala fe del constructor s'hi pot afegir un altre, que seria el de mala fe del propietari i bona fe del qui construeix, planta o conrea en finca aliena. Aquest darrer supòsit es contemplava de forma explícita a l'article 11 de la Llei 25/2001, que establia una pluralitat de solucions segons es tractés de plantacions o cultius de llarga o de curta durada o de construccions, solucions que no podem considerar vigents ja que el Codi civil de Catalunya ha suprimit aquest article 11. Davant d'aquest silenci legislatiu ens inclinem per aplicar en benefici de qui ha plantat, conreat o edificat en sòl aliè de bona fe els drets que es deriven de l'article 542-5, 542-6, 542-7 i 542-9, ja que estableixen unes solucions sense fer cap referència a la bona o mala fe del propietari envaït i, també, del fet d'haver actuat el propietari amb contradicció amb el principi de la bona fe que informa tot l'ordenament jurídic.

IV. Construcció amb materials aliens

En els apartats anteriors hem fet unes consideracions pels supòsits de construcció, plantació o conreu en finca aliena, amb les conseqüències que d'això se'n deriven; ara interessa plantejar el problema fins a cert punt invers, com és la construcció feta pel propietari d'un edifici amb materials aliens. Segons l'article 542-13 "Els constructors d'una obra o un edifici que, de bona fe, empren materials aliens els fan seus, però han de compensar els propietaris d'aquests per haver-los emprat. Si actuen de mala fe, els han d'indemnitzar, a més, pels danys i perjudicis causats". Si es relaciona el precepte amb l'article 542-14, que es refereix als qui han construït en finca aliena amb materials aliens, hem d'entendre que quan l'article 542-13 concreta la seva aplicació als constructors d'una obra o un edifici, es refereix evidentment al propietari de l'edificació; però com que el precepte es val de l'expressió més genèrica "constructors", permet fer extensiva la seva aplicació no sols al propietari de la construcció, sinó també als titulars d'un dret real de gaudiment sobre l'obra o l'edifici i al posseïdor de bona fe.

Si el constructor de l'obra o l'edifici empra materials aliens, l'article 542-13 estableix que fa seus els materials, expressió que hem d'entendre en el sentit que resulta de l'article 511-2.1,c), segons el qual es consideren béns immobles "Els béns mobles incorporats de manera fixa a un bé immoble del qual no poden ésser separats sense que es deteriorin"; en conseqüència des del moment en què els materials emprats han perdut la seva individualitat com a béns mobles i han passat a ésser part integrant de l'edifici, l'autor de l'obra o de l'edificació adquireix la seva propietat, amb independència d'haver fet efectiva o no la compensació que preveu l'article 542-13 a favor del propietari dels materials, que no els pot reivindicar, sens perjudici d'esdevenir titular d'un dret de crèdit per tal d'equilibrar aquest conflicte d'interessos.

Si el constructor de l'obra o de l'edifici ha emprat els materials de bona fe, que en aplicació dels criteris que informen l'article 542-10 es centraria en el fet de creure raonablement que era propietari dels materials emprats o que era titular d'un dret sobre els mateixos que li atribuïa la facultat d'incorporar-los a l'obra, haurà de compensar els propietaris dels materials amb el pagament del seu valor al temps en què els va utilitzar. Si el constructor de l'obra o de l'edifici va emprar els materials aliens de mala fe, perquè actuava conscient de la seva manca de titularitat sobre els mateixos que li conferís la facultat d'incorporar-los a l'obra o a l'edifici, haurà d'indemnitzar a més les perjudicis causats segons la proposició darrera de l'article 542-13.

En el supòsit que s'acaba d'examinar segons aquest precepte, el conflicte d'interessos apareix entre el constructor i el propietari dels materials emprats en la construcció, però el conflicte d'interessos pot tenir també una projecció triangular, que es donarà quan entrin en conflicte els interessos del propietari de l'obra o de l'edifici, els interessos del constructor de l'obra que va emprar materials aliens i el propietari d'aquests materials. El problema es contempla a l'article 542-14, l'apartat 1 del qual preveu que "Els propietaris dels materials tenen acció contra les terceres persones que han construït en finca aliena amb materials aliens per llur valor i, si escau, pels perjudicis causats. Subsidiàriament, tenen acció contra els propietaris de la finca per l'enriquiment injust". Del precepte en resulta, inicialment, que es parteix del supòsit d'haver establert el propietari de la finca un contracte d'obra, que el contractista ha emprat materials aliens a l'hora de bastir l'obra, que el propietari dels materials no ha percebut el seu valor i que aquests materials s'han incorporat definitivament a l'obra objecte del contracte que en el seu dia van celebrar el propietari de la finca i el contractista, ja que en definitiva el propietari de l'obra ha resultat beneficiat per la incorporació d'aquests materials a la seva propietat.

El problema plantejat té inicialment una solució clara. Si el contractista ha emprat materials aliens sense o contra la voluntat del seu propietari, aquest pot reivindicar-los sempre que no s'hagin incorporat de manera fixa a l'obra o construcció segons l'article 511-2.1,c); en altre cas haurà d'exercir una acció personal en reclamació del seu valor contra el constructor. Si per qualsevol d'aquestes vies el propietari dels materials no veu satisfet el seu interès, amb caràcter subsidiari pot adreçar una acció personal contra el propietari de l'obra en base a l'enriquiment injust; que en aquest cas es centrarà en el benefici que ha obtingut per la incorporació dels materials a la seva propietat, sempre que el seu import no l'hagi fet efectiu al contractista en compliment del contracte d'obra convingut entre ells, ja que si de bona fe el propietari va pagar al contractista aquests materials, no ha obtingut cap enriquiment injust que s'hagi de reparar.

Pel que fa referència a la quantia de la reclamació, en concretarà en el valor dels materials quan van ésser emprats per a la construcció o amb autorització del propietari de l'obra i, a més, els danys i perjudicis ocasionats si van ésser emprats de mala fe, segons resulta de l'article 542-14.1, en relació amb l'article 542-13, acció que sols podrà exercir enfront del contractista o propietari de l'obra que ha actuat de mala fe.

Finalment preveu l'article 542-14.2 que "Els propietaris de la finca, si han hagut de pagar els materials a llurs propietaris i als constructors, tenen acció de rescabalament contra els constructors". Perquè en aquest cas el propietari de la finca s'ha vist obligat a fer un segon pagament indegut que li ha ocasionat un empobriment, del qual es pot rescabalar enfront la persona inicialment obligada a pagar els materials, que és el contractista, perquè l'acció del propietari dels materials contra el propietari de l'obra s'estableix a l'article 542-14,1 amb el caràcter de subsidiària.

3. L'ACCESSIÓ MOBILIÀRIA

Des dels seus orígens fins el dret actual l'accessió mobiliària fa referència a una pluralitat de supòsits molt diferents entre ells, que fan difícil formular una definició amb caràcter general. De totes formes té interès precisar que com succeeix sempre en els casos d'accessió, també en la mobiliària es produeix una modificació objectiva del bé objecte del dret de propietat (article 542-1.1), en el sentit que es produeix quan de forma permanent s'uneix al bé moble originari un altre bé moble que pertany a diferent propietari, quan de forma permanent es barrejen dues o més coses d'igual o de diferent naturalesa que pertanyen a propietaris diferents o, també, quan sobre un bé moble determinat una tercera persona realitza treballs o activitats que determinen una transformació total o parcial del bé originari. Tradicionalment l'accessió mobiliària es regulava en el dret civil català per les disposicions del dret romà objecte de la recepció, situació que es va perllongar fins a la vigència de la Compilació del dret civil de Catalunya de l'any 1960, que va silenciar aquesta modalitat de l'accessió, circumstància que va determinar la vigència en el nostre dret dels articles 375 al 383 del Codi civil espanyol. Posa fi a aquesta situació la Llei 25/2001, de l'accessió i l'ocupació, que com explicita el seu preàmbul "L'accessió mobiliària també és objecte de regulació, atenent els criteris de la bona fe i mala fe, entre els supòsits clàssics d'adjunció, commixtió i especificació, agrupa tots els casos sota el concepte d'unió i estableix a qui corresponen la propietat de les coses i els drets de rescabalament pertinents". Els seus articles 18 al 23 s'han convertit amb certes modificacions en els articles 542-15 al 542-19 del llibre cinquè del Codi civil de Catalunya.

En els apartats següents fem una breu exposició dels diferents supòsits d'accessió mobiliària que preveu la llei.

I. Adjunció de béns mobles

És el supòsit més clar d'accessió mobiliària, ja que resol el conflicte d'interessos en base al principi *accessoirum sequitur principale*. Segons l'article 542-15 "El bé accessori que s'adjunta, naturalment o artificialment, al bé principal formant un sol bé de manera indivisible, inseparable, estable i duradora pertany per dret d'accessió mobiliària, als propietaris del bé principal". Per a l'aplicació del precepte s'exigeix, evidentment, que el bé moble accessori i el bé moble principal pertanyin a propietaris diferents, ja que en altre cas no s'originaria un conflicte d'interessos que exigís la intervenció del legislador. Un segon requisit és que la unió dels béns mobles es produeixi de forma permanent, qualificatiu que l'article 542-15 exigeix de forma reiterativa amb les expressions d'unió de dos béns mobles que abans eren entitats diferents en un sol bé de manera "indivisible, inseparable, estable i duradora", que si té algun sentit, és el de palesar un criteri del legislador desfavorable a l'adjunció, amb la possibilitat de separar els dos béns mobles; que no deixa de tenir una certa justificació, ja que les regles sobre accessió suposen en definitiva sacrificar el dret de propietat d'un dels afectats per l'adjunció que ha de merèixer un cert respecte, especialment si l'adjunció s'ha produït de forma natural. I el tercer element que cal tenir present, és que el conflicte d'interessos derivat de l'adjunció es resol per la via d'atribuir el dret de propietat sobre el bé únic format per adjunció al propietari del bé principal, que presenta en el cas de l'accessió mobiliària problemes delicats d'identificació, que en canvi no es presenten en l'accessió immobiliària d'acord amb el criteri tradicional d'atribuir la condició de bé principal al sòl (article 542-3), amb les excepcions conegudes en seu d'accessió invertida *ex* article 542-9. Respecte a la identificació del bé moble principal i accessori en l'adjunció l'article 19.2 de la Llei 25/2001 establia que "La cosa principal és la que determina l'essència i la funció del tot o la que té més valor", precepte que no ha recollit el Codi civil de Catalunya. Això fa pensar que refusa aquesta solució, tal vegada excessivament influenciada pels criteris que inspiren els articles 376 i 377 CC, que no ofereixen unes solucions clares; en conseqüència creiem que ens trobem aquí davant d'un conflicte d'interessos de caire patrimonial, que sembla oportú resoldre en base al criteri del valor objectiu o valor en venda de cadascú dels béns afectats per l'adjunció, sense que escaigui prendre en consideració el valor afectiu o altres semblants, que podrien perjudicar de forma injustificada al propictari del bé objectivament més valuós. I si en casos excepcionals s'hagués d'atribuir el mateix valor en venda als dos béns objecte de l'adjunció, la impossibilitat d'aplicar el principi del valor més gran hauria de determinar l'establiment d'un condomini sobre el bé únic objecte de l'adjunció.

Fetes aquestes precisions hem d'afegir ara que el règim jurídic que estableix la llei per a l'accessió mobiliària, és el mateix que estableix per a l'accessió en general. Per tant si el propietari del bé principal adquireix el dret de propietat del bé accessori des que es produeix l'adjunció d'acord amb els requisits que preveu l'article 542-15, neix l'obligació subsegüent de rescabalar la pèrdua que ha experimentat el propietari del bé accessori. Pel que fa referència a la quantia del rescabalament, s'estableix en funció de la bona o mala fe dels interessats, que aboquen a les solucions següents: *i)* si tots dos han actuat de bona fe d'acord amb els criteris que resulten de l'article 542-10.1, bona fe que l'apartat 2 del precepte presumeix, "Els propietaris del bé principal adquireixen la propietat del bé accessori que s'hi ha adjuntat i resten obligats a compensar els titulars del valor d'aquest" (article 542-16), que entenem serà el valor que tenia el bé accessori al temps de l'adjunció; *ii)* si l'adjunció s'ha fet amb intervenció de mala fe per part d'ambdós es preveu a l'article 542-17.3 que "Si ambdós propietaris han actuat de mala fe, el cas es resol com si haguessin actuat de bona fe"; *iii)* pels casos de concurrència de mala fe sols en el propietari del bé principal es preveu a l'article 542-17.1 que "El propietari del bé accessori, si els propietaris del bé principal han actuat de mala fe, poden adquirir el bé principal si en paguen el valor o poden obligar els propietaris del bé principal a adquirir l'accessori, pagant-ne el valor i, en aquest darrer cas, amb la indemnització dels danys i perjudicis que correspongui"; i *iv)* si la mala fe unilateral concorre en el propietari del bé accessori, cal atenir-se a l'article 542-17.2, en el qual es preveu que "Els propietaris del bé accessori, si han actuat de mala fe, no tenen dret al rescabalament", amb la conseqüència que en aquest cas el propietari del bé principal no pot demanar cap indemnització, tal vegada perquè es pensa que la incorporació definitiva del bé accessori al principal ha originat una millora útil en benefici del propietari del bé principal, que des d'aquesta perspectiva compensa la mala fe del propietari del bé accessori.

II. Barreja

A l'apartat anterior hem identificat l'adjunció com la unió inseparable de dos béns mobles, cadascú dels quals conserva la seva individualitat fins i tot després de la unió. Ara ens referim a un supòsit diferent, que sota la rúbrica "Unió voluntària" es regula a l'article 542-18.1, en el qual es preveu que "Si s'uneixen dos o més béns per voluntat de llurs propietaris o d'un sol d'ells amb bona fe, o de forma casual, i en resulta un de nou o una barreja dels anteriors, indivisible i inseparable en ambdós casos, la propietat correspon a llurs propietaris en comunitat ordinària de manera proporcional al valor dels béns units". Del precepte en resulta que ens trobem aquí davant d'un supòsit que presenta uns trets comuns amb l'adjunció, com són els de tractar-se de la unió de dos o més béns mobles que pertanyen a propietaris diferents i que la unió tingui caràcter estable, que en el cas de l'article 542-18.1 s'identifica amb les expressions d'unió "indivisible i inseparable", que també apareixen a l'article 542-15 amb referència a l'adjunció. Al costat d'aquests trets comuns la barreja presenta també els seus trets diferencials. El primer d'ells és que en el cas de l'adjunció el bé principal i el bé accessori, encara que passen a formar una entitat única, cadascú d'ells conserva la seva individualitat, no obstant el caràcter inseparable i estable de la unió; mentre que en el cas de la barreja després de la unió estable i inseparable dels dos béns mobles cadascú d'ells perd la seva individualitat perquè la unió ha servit per a formar un nou bé o un mateix bé en el qual s'han diluït els anteriors béns mobles objecte de la barreja, que quan es refereix a béns líquids s'anomena a vegades confusió i commixtió quan es refereix a béns en estat sòlid. I la segona diferència que cal esmentar, és que en el cas de l'adjunció es soluciona el problema en base al principi *accessorium sequitur principale,* que no s'aplica a la barreja, ja que l'article 542-18.1 estableix una situació de comunitat ordinària entre els propietaris afectats proporcional al valor dels béns units.

Pel que fa referència al règim jurídic de la barreja, cal diferenciar els supòsits següents: *i)* si s'ha originat per voluntat dels propietaris dels béns objecte de la barreja, per voluntat d'un d'ells de bona fe (en el sentit de l'article 452-10) o de forma casual (que no concorda amb l'expressió "Unió voluntària" que encapçala el precepte), s'origina una situació de comunitat ordinària en proporció al valor dels béns units (article 542-18.1); *ii)* mentre que pel cas de mala fe d'un dels propietaris es preveu a l'apartat 2 del precepte que "Si la unió es produeix per voluntat d'un sol propietari o propietària de mala fe, l'altre o els altres poden optar per adquirir la propietat del bé resultant pagant la part proporcional del valor que correspongui o per la indemnització dels danys i perjudicis que resulten de la unió" (article 542-18.3); precepte que s'ha d'entendre en el sentit que en aquest cas es produeix també, inicialment, una situació de comunitat sobre el bé objecte de la barreja, a la qual pot posar fi de forma unilateral el propietari o els propietaris que han actuat de bona fe pagant la part proporcional del valor que correspongui al valor del bé o mantenir la situació de comunitat i reclamar a l'autor de la barreja que ha actuat de mala fe els danys i perjudicis originats per la barreja; i *iii)* esmentar finament que no es preveu el cas de mala fe per part d'ambdós, que es solucionarà en base al criteri d'haver actuat un i altre de bona fe, com resulta dels articles 542-12 i 542-17.3.

Pels casos en que la barreja origina una situació de comunitat l'article 542-18.2 preveu que "Si els propietaris del bé resultant no volen seguir en comunitat ordinària, la propietat correspon al qui ha tingut una participació més gran. Si no la vol, correspon al següent en ordre de participació, i així de manera successiva. El que resulti propietari o propietària de tot ha de pagar als altres les diferències. Si cap dels propietaris no vol el bé resultant, s'ha de vendre i se n'ha de repartir el preu".

III. Especificació

Com a tercera modalitat de l'accessió mobiliària s'esmenta l'especificació, que té el seu origen en uns fets que s'aparten de forma significativa dels que originen l'adjunció o la barreja, ja que en el cas de l'especificació no ens trobem davant de dos o més béns mobles que s'uneixen de forma estable, sinó d'un bé únic que és objecte d'una transformació total o parcial per part d'una altra persona, fet que origina un conflicte d'interessos entre el propietari del bé i el tercer que l'ha transformat. En relació amb aquest supòsit des del dret romà es discuteix si el dret de propietat sobre el bé transformat s'ha d'atribuir al propietari dels materials emprats o a l'autor de l'obra que ha transformat el material en un bé total o parcialment diferent.

L'article 542-19, que s'intitula "Utilització de materials aliens", soluciona el conflicte d'interessos en base a la concurrència de la bona o de la mala fe d'acord amb els criteris següents: *i)* "La persona que, de bona fe, empra materials aliens, totalment o parcialment, per fer un bé moble nou els fa seus, però ha de compensar als propietaris d'aquests per haver-los emprat" (article 542-19.1), del qual en resulta que s'atribueix el dret de propietat a l'autor de l'obra sempre que hagi actuat de bona fe des de l'especificació, sense conferir rellevància al seu valor en relació amb el valor dels materials emprats, però amb el deure de compensar al propietari dels materials emprats, que esdevé en tot cas creditor de l'autor de l'obra; i *ii)* si el propietari de l'obra ha actuat de mala fe, cal atenir-se a l'article 542-19.2 quan precisa que "La persona que empra materials aliens, si actua de mala fe, a més de compensar els propietaris, els ha d'indemnitzar pels danys i perjudicis causats", indemnització que sols confereix al propietari dels materials un dret de crèdit contra l'autor de l'especificació.

4. EXTINCIÓ DELS DRETS REALS

En capítols anteriors i en els apartats anteriors d'aquest mateix capítol hem fet unes consideracions sobre el cicle de vida dels drets reals, amb referència als fets que determinen el seu origen i les seves modificacions de caràcter objectiu; cal ara contemplar la fase final de la seva vida, que ens porta a fer unes consideracions sobre els fets que determinen l'extinció dels drets reals en general. La qüestió que ara ens ocupa es regula en el títol III, capítol II del llibre cinquè del Codi civil de Catalunya, que s'intitula precisament "Extinció dels drets reals", que encapçala l'article 532-1, en el qual s'estableix que "Els drets reals s'extingeixen quan ho estableix aquest codi o el títol de constitució i per la pèrdua del bé, la consolidació i la renúncia del seu titular". Pel que fa referència a l'extinció dels drets reals en els casos en què ho estableix el Codi, ens remetem a l'estudi que es fa de l'extinció de cadascú dels drets reals en particular en els capítols escaients. En relació amb l'extinció dels drets reals per les causes que determina el títol de la seva constitució, hem de precisar únicament que es tracta d'unes causes d'extinció que tenen el seu fonament en el principi d'autonomia privada, ja que en els casos de constitució voluntària dels drets reals els interessats gaudeixen d'un marge ampli de llibertat per establir el seu règim jurídic, amb inclusió per tant de les seves causes d'extinció. En conseqüència ens hem de referir ara únicament a les altres causes d'extinció que preveu l'article 532-1, que tenen com a característica comuna tenir els seus fonaments en uns fets que han aparegut en un moment posterior a la constitució del dret real.

I. Per pèrdua del bé

En el capítol I d'aquest volum hem configurat el dret real com un dret que atribueix al seu titular un poder directe i immediat sobre un bé, que permet afirmar que si desapareix el bé objecte del dret real, aquest s'extingeix. Aquesta causa d'extinció es preveu a l'article 532-2.1, en el qual es preveu que "Els drets reals s'extingeixen per la pèrdua total i sobrevinguda del bé que en constitueix l'objecte. La pèrdua és total si les condicions del bé impossibiliten als titulars de fer-ne complir la funció o la destinació econòmica". Del precepte en resulta que aquesta causa d'extinció opera quan el fet que origina la pèrdua es produeix amb posterioritat a la constitució del dret real —"sobrevinguda" diu el precepte—, ja que si el dret real es va constituir amb concurrència d'un fet que pot originar la seva invalidesa, el supòsit resta al marge de l'extinció i ens aboca a alguna de les categories d'ineficàcia dels actes jurídics que preveu la llei. Un segon aspecte que cal considerar és que el precepte parla de "pèrdua", que té un sentit ampli, ja que es refereix no solo a la destrucció física del bé, sinó també a la seva destrucció jurídica (el bé deixa d'ésser apropiable) o per pèrdua de la seva individualitat quan s'incorpora a un bé propietat d'una altra persona, com succeeix en el cas dels béns immobles per incorporació (article 511-2.1,c) o d'accessió segons l'article 542-1 i concordants. El tercer aspecte que convé posar de manifest és que la pèrdua del bé sigui total perquè si es tracta d'una pèrdua parcial, s'aplica l'article 532-2.2, segons el qual "El dret real, si la pèrdua afecta solament a una part del bé, continua sobre la part subsistent" (vegeu també l'article 561-17 en relació amb el dret d'usdefruit i l'article 565-11.2 respecte el dret de cens). Així i tot el precepte estableix que la pèrdua parcial del bé —des d'una perspectiva jurídica— equival a la seva pèrdua total, ja que segons la proposició segona de l'article 532-2.1 "La pèrdua és total si les condicions del bé impossibiliten als titulars de fer-ne complir la funció o la destinació econòmica"; que es justifica en base a la consideració que encara que no desaparegui materialment el bé, però desapareixen aquelles condicions essencials que emmarquen el seu destí econòmic el resultat és el mateix perquè encara que subsisteixi el bé, és inútil per a complir el seu destí econòmic (DIEZ-PICAZO). Aplicació concreta d'aquesta causa d'extinció es troba a l'article 566-11.1,c), on es preveu l'extinció del dret real de servitud per impossibilitat del seu exercici, extinció que és efectiva, encara que subsisteixen físicament els predis dominant i servent.

Finalment preveu l'article 532-2.3 que "El dret real subsisteix en els casos de subrogació real sobre altres béns, sobre determinades indemnitzacions derivades d'assegurances o d'expropiació forçosa. o sobre altres indemnitzacions anàlogues". El dret real subsisteix quan el bé subrogat s'integra en el patrimoni del titular, ja que amb anterioritat aquest sols ostenta un dret de crèdit enfront el responsable de la pèrdua del bé. Una manifestació concreta de la subrogació real en seu de drets reals es troba a l'article 110 LH i a l'article 569-18 en relació amb el dret de penyora.

II. Per consolidació

Es tracta d'una causa d'extinció que tradicionalment s'aplicava a tots els drets reals en aplicació del conegut principi *nulli res sua servit,* segons el qual ningú pot ser titular d'un dret real limitat que grava un bé de la seva propietat perquè les facultats dominicals absorbeixen el contingut possible del dret real limitat. L'article 532-3 és fidel a aquest principi, ja que preveu que "El dret real s'extingeix quan es produeix la reunió de titularitats entre els propietaris i els titulars del dret real. L'extinció també es produeix amb la reunió de titularitats relatives a diferents drets reals quan un grava l'altre". El precepte es refereix en primer lloc al supòsit normal de consolidació que s'estableix entre el dret de propietat i el dret real limitat que el comprimeix, que determina l'extinció del dret real limitat amb les excepcions que veurem desprès; causa d'extinció que es fa extensiva als casos de reunió en una mateixa persona de titularitats relatives a diferents drets reals limitats quan un grava l'altre, com pot ésser el cas d'hipoteca del dret real d'usdefruit segons l'article 107,1r LH, que opera en benefici de l'usufructuari.

Cal esmentar finalment que el principi *nulli res sua servit* s'admet en el dret civil català actual amb unes excepcions significatives. La més important és la que es deriva de l'article 523-3.2, en el qual es preveu que "Els casos en què aquest codi estableix o permet la separació de patrimonis o la subsistència autònoma dels drets reals s'exceptuen del que estableix l'apartat 1". La primera d'aquestes excepcions es projecta fonamentalment sobre el dret successori vigent en la nostra Comunitat Autònoma, fonamentat en el principi de la subrogació del successor universal o hereu en totes les titularitats actives i passives del causant de la successió (article 1,II CS), que determina en els casos generals que després de l'acceptació de l'herència es refonen en un sol patrimoni el que abans era el patrimoni del causant de la successió i el patrimoni privatiu de l'hereu (article 34 idem), confusió de patrimonis que no es produeix si l'hereu ha tingut la precaució d'acceptar l'herència a benefici d'inventari (article 32,2n CS) o quan els creditors del causant o els legataris demanen el benefici de la separació de patrimonis (article 37 idem). I en la matèria que ara ens afecta dels drets reals, es preveu de forma explícita que s'exceptua de l'extinció dels drets reals per confusió el cas de servitud sobre finca pròpia o servitud de propietari (article 566-3.1), que suposa una derogació parcial del principi *nulli res sua servit*; ni en el cas de constitució del dret de servitud entre propietaris de finques diferents, si després s'aplega en una sola persona la titularitat de les finques dominant i servent, sens perjudici que el titular únic sobrevingut pugui demanar-ne l'extinció (article 566-3.3). Un altre supòsit apareix a l'article 561-16.1,c), on es preveu com a causa d'extinció del dret d'usdefruit la consolidació, "si l'objecte de l'usdefruit és un bé moble, excepte si els usufructuaris tenen interès en la continuïtat de llur dret". Això vol dir per tant que en aquests casos la consolidació no té uns efectes extintius definitius sinó un estat de repòs i, per tant, la possibilitat d'un futur exercici o fins i tot d'una futura separació del dret principal, que pot ésser objecte d'un acte de disposició que acaba amb la situació de consolidació i permet que el dret recuperi la seva situació dinàmica (LLACER MATACAS).

III. Per renúncia

Finalment preveu l'article 532-4.1 que "El dret real s'extingeix si els titulars, unilateralment i espontàniament, el renuncien". El precepte no és altra cosa que una manifestació concreta del principi general sobre disponibilitat dels drets de caràcter patrimonial i una de les modalitats de l'acte dispositiu és la renúncia, que en base al precepte transcrit s'ha de qualificar jurídicament d'acte jurídic unilateral, espontani perquè comporta únicament la voluntat d'abdicar una titularitat, no de transmetre-la, que pressuposa la capacitat d'obrar necessària per a disposar del bé objecte de la renúncia i que no exigeix uns requisits de forma especials sinó una voluntat inequívoca d'abdicar la titularitat del dret, ja que les renúncies no es presumeixen. Pel que fa referència al seu abast, precisem que sols s'aplica als drets reals limitats, que determina atribuir al propietari del bé gravat les facultats que abans corresponien al titular del dret real limitat; en relació amb el dret de propietat la seva extinció per renúncia exigeix a més l'abandonament de la possessió del bé (article 543-1).

El caràcter unilateral que hem atribuït a la renúncia determina que des que s'exterioritza la voluntat d'abdicar la titularitat que atribueix el dret real, produeix els seus efectes extintius amb caràcter irrevocable. Amb les limitacions que es deriven de l'article 532-4.2, segons el qual "La renúncia feta en frau de creditors dels renunciants o en perjudici dels drets de tercers és ineficaç", precepte que s'ha de relacionar amb l'article 116-6, l'article 1111 CC i l'article 107, 1r LH.

BIBLIOGRAFIA SUMÀRIA

FERRANDIS VILELLA, *Introducción al estudio de los derechos reales de garantia*, a l'ADC, 1960, pàg. 37 i seg.; CARRASCO PERERA, *"Ius aedificandi" y accesión. (La construcción en suelo ajeno en el marco de los principios urbanísticos)*. Madrid, 1986; DEL POZO CARRASCOSA, *El derecho de retener en prenda del depositario*. Barcelona, 1989; ALONSO PEREZ, *Comentarios al Código Civil y Compilaciones Forales*. Madrid, 1990, volum V-1; POU DE AVILES, *L'accessió invertida. Nous horitzons*, ("Discurs d'ingrés a l'Acadàmia de Jurisprudència i Legislació de Catalunya," i contestació de PINTO RUIZ; FELIU REY, *Garantias posesorias sobre cosa mueble en Cataluña*, a "Derecho de los Negocios. La Ley", any 3, núm. 20, pàg. 13 i seg.; MIRALLES GONZALEZ, *Ley catalana 22/1991, de 29 de noviembre, sobre Garantías Posesorias de Cosa Mueble*, a LCB, 1992,II, pàg. 712 i seg.; ABRIL CAMPOY, *El derecho de retención en el ordenamiento jurídico catalán*, a la RCDI, 1994, pàg. 1885 i seg.; ABRIL CAMPOY-NAVAS NAVARRO, *El derecho de retención en la jurisprudencia del Tribunal Superior de Justicia de Cataluña*, a "Tribunal", 1995-III, pàg. XI i seg.; NAVAS NAVARRO, La accesión industrial. (Especial atención al Derecho català), a l'ADC, 1995, pàg. 85 i seg.; SOLE RESINA, *La ejecución de la prenda y del derecho de retención en la Ley 22/1991, de 29 de noviembre, de garantías posesorias sobre cosa mueble*, a LCB, 1996 núm. 141, pàg. 1 i seg.; CAMPO VILLEGAS, *En torno a la ley catalana de garantías posesorias sobre cosa mueble*, a "La Notaria", 1996, núm. 7-8, pàg. 93 i seg.; LLACER MATACAS, *Entorn a la consolidació en l'ordenament català*, a "El futur del dret patrimonial de Catalunya. (Materials de les Desenes Jornades de Dret Català a Tossa"*. Valencia, 2000, pàg. 717 i seg.; MOLL DE ALBA, *La construcción en suelo ajeno: nuevas perspectivas de la accesión en los bienes inmuebles*, a idem, pàg. 763 i seg.; CARRASCO

PERERA, *La accesión: la construcción extralimitada* a "La Notaria", 2001, núm. 9-10, pàg. 35 i seg.; MOLL DE ALBA, *L'accessió immobiliària i el principi de la bona fe,. (Anàlisi del Projecte de Llei de l'accessió i l'ocupació)*, a idem, pàg. 44 i seg.; MOLL DE ALBA, *L'accessió immobiliària a la nova Llei 25/2001, de 31 de desembre,* a "La Notaria", 2002, núm. 2, pàg. 47 i seg.; MARSAL GUILLAMET *et alii, Comentarios de Derecho patrimonial catalàn.* Barcelona, 2005; MARSAL GUILLAMET, *L'accessió: de la Compilació al Llibre Cinquè del Codi civil de Catalunya per la via de la Llei 25/2001, de 31 de desembre, de l'accessió i l'ocupació,* a la "Revista Catalana de Dret privat", 2006, pág. 9 i seg.

JURISPRUDÈNCIA CITADA

Tribunal Suprem

1 febrer 1979: abast de l'accessió
27 febrer 1979: abast de l'accessió
1 març 1979: abast de l'accessió
1 desembre 1980: abast de l'accessió
18 juliol 1980: abast de l'accessió
31 desembre 1985: abast de l'accessió

Tribunal Superior de Justícia de Catalunya

22 juliol 1991: incidència de la bona fe i construcció extralimitada
25 abril 1992: accessió immobiliària i bona fe
1 març 1993: noció del dret de retenció i bona fe
10 maig 1993: abast de l'accessió
29 setembre 1993: noció del dret de retenció i bona fe
25 octubre 1993: noció del dret de retenció
1 desembre 1993: abast de l'accessió
28 desembre 1993: abast de l'accessió
23 març 2000: bona fe
4 gener 2001: construcció extralimitada
19 juliol 2001: constitució del dret de retenció
9 octubre 2002: abast del dret de retenció
1 març 2003: bona fe
8 maig 2003: bona fe
22 gener 2004: abast del dret de retenció
19 febrer 2004: bona fe
2 març 2004: bona fe
9 desembre 2004: bona fe
1 març 2005: abast del dret de retenció
19 juny 2006: qüestions de dret transitori

Capítol IX

El dret de propietat

1. LA DEFINICIÓ CONSTITUCIONAL DE LA PROPI-ETAT

El Codi civil català regula la propietat de forma moderna, és a dir, partint del concepte constitucional establert a l'article 33 CE, un aspecte del qual, la funció social, s'incorpora a l'ordenament català en l'article 541-2. Les constants remissions de l'articulat del Codi a aspectes de dret públic que s'incorporen com a elements del contingut de la propietat determinen que s'hagi de considerar que el Codi civil català resulta en conjunt l'ordenament espanyol que ofereix una regulació més moderna i adaptada als conceptes constitucionals.

I. El concepte de la propietat i la seva evolució

A) L'EVOLUCIÓ

Ens diu HATTENHAUER, parlant del concepte modern de la propietat, que així com la idea de possessió és tan antiga com la mateixa humanitat, la propietat com a concepte jurídic és una cosa encara nova i per això sotmesa a fortes contradiccions. En el dret espanyol, aquesta tensió s'observa confrontant els articles 33 CE i 348 CC, ja que el primer és una clara conseqüència d'un estat social, mentre que el segon deriva clarament d'una ideologia lliberal. I en aquest sentit, el nucli que caracteritzava la ideologia que es transmeté als Codis i que es reflecteix fonamentalment en les definicions jurídiques de la propietat fan que aquest dret es consideri inviolable i sagrat, explicant-se per mitjà de la tècnica del dret subjectiu. Així la propietat serà el paradigma dels drets subjectius, en tant que resulta una manifestació de la llibertat de la persona i, conseqüentment, la seva essència consistirà en la possibilitat d'excloure qualsevol altre persona de les coses que són objecte de la propietat. Es lligarà a la persona i en constituirà un complement natural, per la qual cosa les limitacions han de ser sempre interpretades restrictivament.

Aquest concepte portà a configurar un dret unitari, front a les formes plurals de propietat, que tenia com a característiques: 1) La unitat, ja que existeix un sol tipus de domini, per bé que pot tenir diferents continguts en funció dels drets reals que hagi de suportar, però en conjunt, es tracta de variants del tipus bàsic; 2) La perpetuïtat, ja que la durada física de l'objecte determina la durada del dret; 3) L'exclusivitat, ja que ningú més que el seu titular en podrà obtenir una utilitat, encara que no perjudiqui al propietari, concepte que deriva en les doctrines de *l'usus innocui* i de l'abús del dret i així l'exclusivitat devindrà oposabilitat del dret front als tercers, i finalment, 4) Facultats il·limitades, és a dir, generals i abstractes, indeterminades. Com dirà l'antiga sentència de 3 desembre 1946, "el dominio es un señorío abstracto y unitario sobre la cosa, y no la suma de unas facultades de las que puede verse privado temporalmente su propietario, sin que por ello pierda la integridad potencial de su derecho determinante de la posibilidad de recuperación efectiva de todas las facultades dominicales".

Es tracta, segons el concepte imperant en el moment de la redacció del Codi civil, d'un dret individualista, extens que arriba *usque ad inferos* i que és elàstic, de manera que eliminades momentàniament algunes facultats (com en constituir un usdefruit), es recuperen quan aquesta limitació desapareix.

Aquest concepte, però, no havia estat mai tan absolut com les anteriors reflexions podrien donar a entendre. BORRELL I SOLER, en definir la propietat, deia que el domini és el dret més complet que l'home té sobre les coses, però a continuació afegia que no se'l pot qualificar com a dret absolut, perquè es pot limitar per la llei i per la voluntat de les persones, a més de què des del punt de vista moral i social no pot ser absolut.

El trencament amb el concepte a què abans ens hem referit el suposa l'article 33 CE, que estableix que: "1. Es reconeix el dret a la propietat privada i a l'herència. 2. La funció social d'aquests drets en delimitarà el contingut, d'acord amb les lleis". La Constitució determina un nou dret de propietat que té les característiques següents (MONTÉS):

1ª Pluralisme, perquè concorre una multiplicitat de normes dictades per pal·liar els efectes de l'individualisme. Un exemple clar d'aquesta característica ens l'ofereix la normativa urbanística, a la qual es refereix en moltes ocasions el Codi civil català com a límit del poder en principi molt ampli, que l'article 541-1 ofereix de la propietat i que s'examinarà a continuació (vegeu cap. X).

2ª Caràcter social. D'aquesta manera es planteja la idea funcional de la propietat, perquè els béns no estan solament dirigits a complir les necessitats individuals, sinó que també ho han d'estar per a satisfer les necessitats col·lectives i per això s'estableix en l'article 33.2 CE una coordinació entre els drets individuals del propietari i la gestió dels béns productius o de béns que satisfacin altres tipus de necessitats, com ara la protecció del medi ambient, com passa amb lleis protectores d'espais naturals.

Si això és així, la disminució del poder del propietari o el seu condicionament a l'obtenció de determinades finalitats, no afecta la llibertat de la persona ni els drets fonamentals, perquè aquestes característiques del dret de propietat se sostenen amb la condició d'harmonitzar els interessos individuals i els col·lectius. Amb una conseqüència molt important, que és la diversificació dels estatuts de la propietat, per mitjà de lleis especials, dictades per a la consecució d'objectius concrets, que delimiten el contingut d'un dret típic que segueix rebent el nom de propietat, però que no té aquelles característiques que l'havien identificat fins llavors. I és per això que la sentència del Tribunal Suprem de 4 juliol 1991 canvia radicalment el concepte expressat en l'anterior sentència citada. Ara ens dirà que la propietat privada "[...] se configura como un haz de facultades individuales sobre las cosas, pero también y al mismo tiempo, como un conjunto de deberes y obligaciones establecidas en la ley, en atención a valores o intereses de la colectividad. La propiedad se integra y acota por una utilidad individual y una función social [...]".

B) LA PROPIETAT CONSTITUCIONAL

L'article 541-2 integra en el dret positiu català la funció social de la propietat establert a l'article 33.2 CE. Això ens porta a fer una reflexió breu (altra cosa no seria pròpia d'una obra d'aquest tipus), sobre la projecció de les disposicions constitucionals sobre la propietat en el Dret civil català modern.

La propietat no és avui un dret fonamental en sentit tècnic, és a dir, en el que s'utilitza en l'article 53 CE, perquè no està protegit amb el recurs d'empara i no gaudeix d'un procediment especial per la seva reclamació, sinó que han de seguir els tràmits de les accions protectores, a les que desprès ens referirem, i tampoc està inclosa en la disposició de l'article 81 CE que obliga a regular per mitjà de lleis orgàniques el "desenvolupament dels drets fonamentals"; en aquest sentit no és un dret fonamental, però sí ho és en el sentit que es garanteix la seva existència, al que el seu nucli essencial inclou la utilitat i el dret de disposar (REY MARTÍNEZ). El Tribunal Constitucional ha interpretat el que significa el dret de propietat en l'article 33 CE en la seva STC 37/1987 de 26 de març, sobre la Llei de la reforma agrària andalusa i ha considerat: 1) que es fonamenta en el principi de l'autonomia de la voluntat, de manera que els tres apartats de l'article 33 CE, "revelan la naturaleza del derecho a la propiedad en su sentido constitucional"; 2) Les transformacions actuals del dret de propietat porten a una concepció pluralística del dret més que unitària, de manera que el domini avui és flexible, sobretot pel que fa als diferents estatuts propietaris segons la naturalesa dels béns sobre els quals recau el dret; 3) La funció social de la propietat no elimina facultats dels propietari, sinó que respon a una interpretació sistemàtica i unitària del dret d'acord amb les normes constitucionals enteses com un sistema unitari; 4) És un dret subjectiu però delimitat per les restriccions de dret públic introduïdes en compliment de la funció social i que ja es veuran i, 5) Admet el pluralisme, en tant que no existeix reserva de llei estatal per delimitar-ne el contingut, per la qual cosa resultaran competents les Comunitats autònomes, en els límits estatutàriament marcats.

Constitucionalment, la propietat ofereix dos aspectes: 1) L'institucional, que deriva de la funció social, i 2) L'individual, que pot quedar enfosquit per l'anterior, però que conforma un dret subjectiu amb els continguts marcats pels límits establerts d'acord amb l'aspecte institucional, però que no desapareix perquè l'Estat no pot perjudicar el dret de propietat reconegut a l'article 33 CE com un dels drets dels ciutadans; en qualsevol cas, però, el contingut queda determinat pel legislador ordinari. I les disposicions constitucionals inclouen aquests aspectes i a més, el dret de les persones d'accedir a la propietat privada (LÓPEZ LÓPEZ).

II. La funció social de la propietat

L'article 33.2 CE diu que "la funció social d'aquests drets [propietat privada i herència] en delimitarà el contingut d'acord amb les lleis". L'article 541-2 estableix que "les facultats que atorga el dret de propietat s'exerceixen, d'acord amb llur funció social, dins dels límits i amb les restriccions que estableixen les lleis". La simple lectura d'aquestes dues disposicions ens porta a senyalar les diferències que contenen, ja que la norma constitucional està referida al contingut de la propietat, mentre que la norma catalana es refereix a l'exercici del dret de propietat, que no pot fer-se de forma absoluta, sinó limitadament d'acord amb la funció social. Hem d'estudiar, doncs, aquests dos aspectes.

a) *La Funció social de la propietat*. D'acord amb les interpretacions més acceptades, la funció social a la que l'article 33.2 CE fa referència és un aspecte previ del dret de propietat i no deriva d'allò que estableixen les lleis, que simplement es limiten a implementar-lo. Consisteix en la incorporació de l'aspecte deure en el dret subjectiu en que la propietat consisteix jurídicament (LÓPEZ LÓPEZ); la funció social modela el dret de propietat, però no el pot fer desaparèixer. La STC 37/1987, de 26 de març assenyala diversos aspectes fonamentals en relació a aquest aspecte: segons el TC, la Constitució no recull un concepte abstracte del dret de propietat com un "mero ámbito subjetico de libre disposición o señorío sobre el bien objeto del dominio reservado a su titular", sinó que introdueix el concepte de deure, "en atención a valores o intereses de la colectividad, es decir, a la finalidad o utilidad social que cada categoría de bienes objeto del dominio esté llamada a cumplir". D'aquesta manera, la determinació del contingut de la propietat no es pot limitar a la consideració subjectiva dels interessos individuals, sinó que "debe incluir igualmente la necesaria referencia a la función social, entendida no como mero límite externo a su definición o a su ejercicio, sino como parte integrante del derecho mismo". Per aquesta raó, "utilidad individual y función social definen, por tanto, inescindiblemente el contenido del derecho de propiedad sobre cada categoría de bienes". D'aquí dedueix MONTÉS que en el text constitucional, la propietat s'estructura com un dret diversificat, el contingut del qual depèn de l'interès públic, del que en cada cas exigeixi el principi de solidaritat, que determina una dependència del dret de la mateixa col·lectivitat. Això determina la teoria dels límits del dret de propietat per una banda i, per una altra, la diversificació dels règims de propietat que porta a allò que s'ha identificat com a diversificació dels estatuts de la propietat (MONTÉS).

L'article 541-2 es refereix a un altre aspecte de la funció social de la propietat, que no exclou l'anterior, sinó que més aviat el complementa: l'exercici de les facultats que integren el contingut del dret de propietat d'acord amb llur funció social. Si abans havíem de parlar dels límits del domini, ara s'haurà de parlar de les limitacions que en un concret dret de propietat afecten el propietari, que no pot cometre abusos que el portin a lesionar interessos aliens exercint el seu dret. D'aquí, per exemple, sorgeix la teoria sobre les immissions (article 546-13). En definitiva, es tracta d'una manifestació de la funció social de la propietat, que no contradiu ni exclou, sinó que més aviat deriva de la norma constitucional. En definitiva, l'exercici del dret de propietat no és lliure.

b) *Propietat i propietats*. Això porta també a una consideració addicional sobre els diferents tipus de propietats segons l'objecte i les regulacions especials que es troben en les lleis. Des que en 1964 l'autor americà REICH va posar de relleu que la propietat de les terres havia deixat de ser la més important i que els patrimonis estaven formats d'objectes de diferent naturalesa, tots amb el seu valor de mercat, s'ha anat plantejant la qüestió de les anomenades propietats especials. En definitiva, el que significa és que si bé *la propietat* és el concepte bàsic, les diferents regulacions portaran a parlar de *propietats* en el sentit de règims jurídics diferents segons l'objecte sobre el qual recau el poder descrit en les lleis. És evident que la propietat immobiliària té un règim absolutament diferent segons quines siguin les normes urbanístiques que la regeixen i que portarà a la distinció entre propietat urbana i propietat rústica o rural. O que els béns que tenen la qualitat de culturals segons la legislació aplicable, estan sotmesos a limitacions que moltes vegades suposen l'absoluta manca d'algun dels elements del mateix dret de propietat, segons estan descrits en l'article 541-1.1. Això porta a problemes constitucionals importants, com ara si cal posar en marxa els procediments expropiatoris previstos a l'article 33.3 CE per canviar la qualificació d'uns béns, amb la consegüent pèrdua de facultats per part del seu propietari. Aquestes qüestions queden fora d'un llibre d'aquest tipus, per bé que cal assenyalar que aquesta no ha estat la tendència del Tribunal Constitucional, com reconegué la STC

149/1991, de 4 juliol 1991, que afirma que la funció social de la propietat actua no solament en abstracte, per establir el contingut de la institució, "sino también en concreto, en relación con las distintas clases de bienes sobre los que el dominio recae. El legislador puede establecer en consecuencia regulaciones distintas de la propiedad en razón de la naturaleza propia de los bienes y en atención a las características generales de éstos".

El segon problema que deriva del mateix Codi civil català és el reconeixement de la flexibilitat del domini, com ja es derivava de la STC 37/1987, ja citada. D'aquesta manera, es poden establir diferents règims segons quin sigui l'objecte, com ara passa amb la mateixa propietat horitzontal, o bé quan s'imposin unes restriccions tan importants, que facin que una determinada propietat sigui diferent d'una altra. Així, per exemple, de les limitacions imposades per raó de la naturalesa de patrimoni cultural de determinats béns, es dedueix que no tindrà la mateixa condició la propietat d'una obra d'art que la de la pintura feta pel mateix propietari per afecció. Totes aquestes qüestions es troben recollides en el Codi civil de Catalunya, en desenvolupament de les regles constitucionals i per això es pot dir que el terme propietat és plural, de manera que no es tracta d'una institució tancada i unitària, sinó flexible i plural.

2. LA PROPIETAT COM A DRET SUBJECTIU

Malgrat tot, la propietat és un dret subjectiu que inclou la utilitat i el dret de disposar, però que donada la seva actual conceptualització constitucional, cedeix quan hi ha un conflicte entre interès públic i general i interès particular, la qual cosa es manifesta en el màxim conflicte, l'expropiació (article 33.3 CE) i en la imposició de límits no expropiatoris d'interès social. D'aquesta manera hem d'entendre les disposicions del Codi civil català i en concret l'article 541-1 quan estableix: "1. La propietat adquirida legalment atorga als titulars el dret a usar de forma plena els béns que en constitueixen l'objecte i a gaudir-ne i a disposar-ne. 2. Els propietaris conserven las facultats residuals que no s'han atribuït a terceres persones per llei o per títol".

I. El contingut del dret de propietat

El Codi civil català ofereix un concepte més modern del que apareix recollint en l'article 348 CC, en tant que incorpora la funció social com a límit intrínsec per a l'exercici de les facultats del domini, estableix una sèrie de límits i determina el contingut.

El contingut del dret de propietat està constituït pels poders reconeguts al propietari, que poden coexistir en un mateix titular, situació normal, parlant-se llavors de propietat plena, o bé poden estar atribuïts a diferents persones, com succeeix en el cas de l'usdefruit, o bé poden estar limitats per disposicions generals (límits del dret de propietat), o per disposicions establertes en virtut de l'autonomia de la voluntat dels que les creen (servitud o prohibicions de disposar). L'article 541-1 presenta en el primer paràgraf la situació de ple domini, al qual li corresponen les facultats d'usar, gaudir i disposar; el segon paràgraf estableix una norma complementària, en el sentit que en el supòsit que s'hagin distribuït les facultats del domini entre diverses persones, a més del propietari, li corresponen a aquest aquells poders que no s'hagin atribuït expressament a un tercer. Es tracta d'una norma de tancament del sistema, perquè el propietari gaudeix de tots els poders que li corresponen i la situació de distribució ha de ser entesa sempre en el sentit que menys limiti el dret de propietat, llevat, evidentment, d'allò que s'hagi establert en virtut de l'autonomia de la voluntat dels interessats.

D'acord, doncs, amb l'article 541-1, el dret de propietat atorga al seu titular tres poders, que s'examinen a continuació.

A) *EL DRET D'USAR*

El propietari té el dret d'utilització de les coses objecte del dret de propietat. Aquest dret li pot pertànyer de forma plena, però també es por veure o bé exclòs o bé limitat. Queda exclòs per la constitució d'un dret d'usdefruit que, d'acord amb l'article 561-2.1 és precisament el dret "d'usar i gaudir de béns aliens", per la constitució d'una penyora que segons l'article 569-13, transmet al creditor pignoratici la possessió dels béns que són empenyorats, el mateix que succeeix amb l'anticresi, segons l'article 569-23 i també el dret de retenció, que autoritza el posseïdor de bona fe a mantenir la possessió en garantia dels crèdits que tingui contra la persona que li ha encarregat alguns dels treballs que fan sorgir aquest dret real (art.569-3); en tots aquests casos, el propietari es veu privat del dret d'usar. Queda limitat el dret d'usar quan es constitueix una servitud que autoritzar el seu titular a usar per a unes determinades finalitats les finques alienes sobre les quals s'ha constituït aquest dret. (article 566-1), a més de totes aquelles limitacions establertes en benefici de finques veïnes que poden limitar l'ús de la propietat, com ara succeeix en el cas de l'obligació de rebre l'aigua pluvial que arriba naturalment de la finca superior, prevista a l'article 546-9.

La facultat d'usar s'integra doncs, per una conseqüència que por qualificar-se com a negativa, en el sentit que el propietari té el dret d'excloure els altres per tal que no interfereixin les seves facultats, llevat que es tracti d'usos innocus, com el cas de passar per una finca oberta, l'obtenció de fruits de menor quantia, la utilització de fonts per beure, etc., que en qualsevol cas dependrà de la tolerància del propietari.

B) EL DRET DE GAUDIR

Es considera que el dret de gaudir de la propietat inclou totes les possibilitats d'obtenir utilitat de la cosa (MONTÉS). El gaudi comprèn tant la utilització directa dels béns, com la indirecta, per mitjà de concessions a terceres persones de les utilitats que la cosa produeix, com passa en l'usdefruit, l'arrendament, el contracte de comodat, etc. Però inclou també el no ús, en el sentit que el propietari pot deixar deteriorar la cosa i no respectar el seu destí preestablert, sempre, però, en aquest cas, d'acord amb la funció social que la propietat comporta.

L'interès del propietari es troba en l'elecció de la forma de gaudi, de les possibles destinacions dels béns, el tipus de gaudi, etc. i en això es distingeix clarament de l'usufructuari, que per bé que tingui el dret d'usar i gaudir de les coses objecte de l'usdefruit, ha de salvar la forma i la substància i la destinació econòmica dels béns gravats (article 561-2.3).

La facultat de gaudir dels béns objecte de la propietat inclou actuacions com la de transformació de la cosa (l'edificació pel propietari del solar), la de determinar-ne el destí i la de destruir-la, llevat dels casos d'utilitat social, cultural, ecològica, etc. Un dels aspectes del gaudi el constitueix l'adquisició dels fruits que les coses produeixen. Partint del concepte de fruits que ja s'ha expressat en l'article 511-3, d'acord amb el qual són els productes i altres rendiments que s'obtenen de les coses d'acord amb la seva destinació (vegeu cap I), l'article 541-3 estableix que aquests productes pertanyen de manera natural al propietari; això, però, no determina una regla d'exclusivitat absoluta, perquè altres poders jurídics donen dret a l'obtenció dels fruits, com ara la possessió de bona fe (article 522-3) o l'usdefruit (article 561-6). D'acord amb això, la regla de l'article 541-3 pot considerar-se com a residual, en el sentit que el propietari serà el natural perceptor dels fruits, llevat que altres persones n'acreditin el dret prioritari a obtenir-los.

El propietari adquireix els fruits segons es tracti de naturals o en diners; els naturals s'adquireixen per mitjà de la separació de la cosa que els produeix (article 541-4.1), mentre que els fruits en diners, s'entenen percebuts dia a dia. L'article 541-3.2 obliga el propietari a pagar les despeses que hagin fet terceres persones per a poder obtenir els fruits; altrament es pot produir un enriquiment injust del propietari.

C) EL DRET DE DISPOSAR Y LES PROHIBICIONS DE DISPOSAR

Es tracta del dret dels propietaris de realitzar actes que afectin radicalment la substància o la subsistència del dret. O com diu PUIG BRUTAU, el propietari té la facultat de realitzar actes jurídics mitjançant els quals disposa del seu dret, alienant-lo o sotmetent-lo a gravàmens o tot tipus de limitacions. Certament el poder de disposar és un dels elements essencials del domini, però quan el propietari no gaudeix d'aquesta facultat, com en el cas que s'hagi imposat una prohibició de disposar, no significa que la propietat hagi deixat de ser-ho i s'hagi transformat en una altra cosa: segueix essent propietat, per bé que mancada d'un dels elements fonamentals del seu contingut, de la mateixa manera que és propietat la del nu propietari, encara que el dret d'ús i el de gaudi pertanyin a l'usufructuari.

El dret de disposar té dos aspectes: un consisteix en la transferència dels drets que el propietari té sobre les coses, normalment per mitjà de negocis jurídics; però inclou també la facultat de gravar les coses amb determinats drets que limitin el domini. En conseqüència, els actes que estan inclosos en la facultat de disposar seran: 1) L'alienació o la transmissió dels drets sobre la cosa, p.e., una compra-venda; 2) La disposició sobre el contingut del dret de propietat, a través de la imposició d'un gravamen, p.e, la constitució d'una hipoteca per garantir un crèdit; 3) L'extinció del dret sense atribuir-lo a ningú, p.e., l'abandonament (article 543-1).

Ara bé, el propietari pot tenir limitades les facultats de disposar dels drets sobre els objectes de la propietat perquè existeixin sobre els béns prohibicions de disposar. El Codi civil català no tracta de les prohibicions de disposar; existeix solament una referència a l'article 531-18.2 en relació a les imposades en les donacions com una càrrega modal (vegeu cap. III), i també l'article 166 CS regula les prohibicions imposades en actes de disposició per causa de mort, considerant-les un mode (cap XX del volum III d'aquesta mateixa obra); però aquesta referència és incompleta, perquè ambdues disposicions contemplen solament aquelles prohibicions que tenen un origen voluntari i imposades en negocis jurídics a títol gratuït, però el concepte és molt més extens.

Es pot distingir entre diversos tipus de prohibicions: a) *pel seu contingut*, es distingeixen les que tenen com a objecte modificar o suprimir absolutament la facultat de disposició del titular dels béns i aquelles que tenen com a finalitat una privació parcial o bé les que en condicionen l'exercici, sense arribar a suprimir-lo, com succeeix amb el dret d'opció o el tanteig, en el qual el propietari té la facultat de disposar, però està obligat a fer-ho a favor de determinats adquirents; b) *pel seu origen*, les prohibicions de disposar poden tenir un origen voluntari i en aquest cas es poden haver imposat en un negoci jurídic entre vius o per causa de mort (article 166 CS), o bé, origen legal, quan s'imposen per una disposició legal, com el que passa en l'article 562-4 pel que fa a la disponibilitat dels drets d'ús i habitació, o bé en l'article 553-37, en relació al dret de disposició dels elements privatius de la propietat horitzontal, que està, però, limitada per les regles que deriven del propi règim, i finalment, aquelles que deriven del jutge, en raó dels procediments judicials que afecten els béns del titular de la propietat, com els embargaments, les anotacions preventives de demanda en el Registre de la Propietat (article 26.2 LII), la suspensió de les facultats de disposició imposada al deutor declarat en concurs necessari (article 40.2 LCon), etc.

Les prohibicions de disposar voluntàries són vàlides pel principi d'autonomia de la voluntat, però és evident que limiten el lliure comerç, sobretot si s'imposen per un termini molt llarg, com en el cas dels fideïcomisos i per això els requisits exigits per a la seva validesa són molt restrictius, tal com es dedueix de l'article

166.1 CS, que estableix que "únicament són eficaces si són temporals i no poden excedir els límits establerts per a la substitució fideïcomissària" (vegeu capítol XX del volum III d'aquesta mateixa obra); per tant, solament quan reuneixin els requisits establerts a l'article 166 CS podran ser vàlides. Aquestes normes seran: 1) la nul·litat de les prohibicions perpètues de no alienar; 2) la nul·litat de les que sobrepassin determinats límits temporals, i 3) Han de respondre a un interès legítim de qui les imposa de, l'afectat o d'un tercer.

Cal distingir a continuació entre les prohibicions de disposar i les obligacions de no disposar. Les prohibicions eliminen la facultat del propietari, l'acte fet en contra és nul i en general tenen efectes reals. En canvi, les obligacions de no disposar no eliminen el poder el propietari, que segueix tenint-lo, però no el pot exercir i l'acte fet en contra de l'obligació negativa de no disposar és vàlid, però produeix la indemnització dels danys produïts. En definitiva, les primeres tenen eficàcia real i les segons, eficàcia obligatòria.

L'efecte principal de les prohibicions de disposar consisteix en l'eliminació del dret del propietari afectat per la prohibició; els actes realitzats per la persona que no té poder de disposició són nuls, mentre que els que venen afectats per una obligació de no disposar són vàlids, subjectes a les indemnitzacions corresponents per l'incompliment, d'acord amb el que disposa l'article 1101 CC.

D) LA REGLA RESIDUAL DE L'ARTICLE 541-1

L'article 541-1.2 estableix que "els propietaris conserven les facultats residuals que no s'han atribuït a terceres persones per llei o per títol". Aquesta regla és una prova clara de l'elasticitat del domini: el propietari pot cedir algunes facultats a tercers, per exemple, creant un usdefruit; però aquelles que no ha cedit segueix conservant-les, de manera que sembla que d'acord amb aquesta norma, hi ha concurrència entre propietari i cessionari de determinades facultats del domini, podent cada un d'ells exercir aquelles de que sigui titular amb independència que existeixi algú que tingui la titularitat de les no cedides. Així, per exemple, s'explica la regla de l'article 561-2.2 que estableix que l'usufructuari té dret a percebre totes les utilitats dels béns objecte d'aquest dret, "no excloses per llei o pel títol de constitució" i la norma es veu obligada a afegir que "hom presumeix que les utilitats no excloses els corresponen", perquè si no existís aquesta regla, s'hauria d'aplicar l'article 541-1.2 i pertanyerien al nu propietari, amb els problemes d'interpretació corresponents.

II. Els titulars del dret de propietat

Per bé que no tingui la categoria tècnica de dret fonamental, el dret de propietat va lligat directament amb la qualitat de persona. Per tant, seran titulars del dret les persones físiques, independentment de la seva capacitat, perquè una cosa és la titularitat del dret i l'altra, la capacitat pel seu exercici: la primera qüestió és totalment aliena a la capacitat i està exclusivament relacionada amb la persona, mentre que l'exercici depèn de la capacitat i en el cas de no gaudir de la capacitat d'obrar, s'estableixen sistemes de protecció per una banda i sistemes de substitució de la capacitat del propietari, a través d'autoritzacions legals (potestat dels pares i del tutor) i de sistemes de complement de capacitat, és a dir, el curador.

Les persones jurídiques poden ser també titulars del dret de propietat, sempre que estiguin constituïdes legalment; en aquest cas s'aplica el que disposen l'article 6.1 LFP, pel que fa a les fundacions i, en general, l'article 38 CC.

Les corporacions de Dret públic poden també ser titulars de dret de propietat d'aquells béns que no tenen la característica de béns de domini públic (article 132 CE). L'article 2 del Decret legislatiu 1/2002, de 24 de desembre, pel qual s'aprova el text refós de la Llei de Patrimoni de la Generalitat estableix que "Els béns de la Generalitat de Catalunya es classifiquen en béns de domini públic o demanials i en béns de domini privat o patrimonials" i l'article 3.3 diu que "No són béns de domini públic de la Generalitat de Catalunya aquells béns que, essent de domini públic, no són afectats a l'ús general o als serveis públics propis de l'exercici de les competències de la Generalitat o la titularitat dels quals no li correspon". Per tant, s'ha de concloure que també els organismes públics poden ser titulars de béns en règim de la propietat privada.

La propietat privada pot ser individual o bé pertànyer a un grup de persones, la qual cosa constitueix la comunitat, regulada en el Títol V, definint-la l'article 551-1 com aquella situació en què "dues o més persones comparteixen de manera conjunta i concurrent la titularitat de la propietat [...]sobre un mateix bé o un mateix patrimoni" (vegeu cap XI).

III. L'objecte de la propietat

A) EL CONCEPTE

L'article 541-1.1 parla del dret de propietat sobre els béns que en constitueixen l'objecte i per aquesta raó s'ha de recórrer a l'article 111-1 que ens dona la definició de béns (vegeu cap I); aquesta disposició fa una distinció entre les coses, que són els objectes corporals susceptibles d'apropiació i les energies, i els demés drets patrimonials, que no defineix. En principi, per tal de poder ser objecte de la propietat, les coses i els altres objectes hauran de ser susceptibles de possessió. Això portaria a què els béns patrimonialment avaluables però que no tenen consistència material, com ara la propietat intel·lectual, haurien de ser exclosos de la categoria jurídica de la propietat, per tal com no són susceptibles de possessió. Ja hem vist abans que en el sistema actual, es diversifica el concepte propietat, per tal com s'inc   louen sota aquesta denominació diferents objectes protegits essencialment per mitjà de tècniques propietàries, però que no poden gaudir dels remeis generals del propietari (p.e., l'acció reivindicatòria) i, per tant, no és possible aplicar directament les regles sobre les coses materials a les propietats especials (PUIG BRUTAU).

En general, s'afirma que l'objecte del dret de propietat recau sobre coses materials, amb les anteriors precisions, i coses singulars, per bé que també pot incloure conjunts de coses, com una biblioteca, un ramat, etc. (article 184 CS), encara que des del punt de vista tècnic és més correcte considerar que en aquest casos la propietat es té respecte de totes i cada una de les coses que formen el conjunt i no sobre la totalitat; igual succeeix amb el patrimoni, perquè aquest és la suma de propietats sobre tots i cada un dels béns que el formen i no hi ha una titularitat única sobre tot el patrimoni. A més, la propietat recau sobre coses íntegres, ja que la pertinença de la principal comporta la dels accessoris que hi estan incorporats o que en formen part. Finalment, la propietat recau sobre coses específiques, és a dir les que estan assenyalades per la seva pertinença a un gènere.

La propietat sobre una cosa comporta també que s'estengui a les que s'hi incorporen i així succeeix amb les regles sobre l'accessió, d'acord amb el que disposa l'article 542-1 (vegeu cap. VIII).

Una clàssica pregunta es refereix a l'extensió del dret de propietat. D'acord amb les tradicions romanes, la propietat s'estén des del fins al cel i el subsòl (p.e STS de 26 juny 1998 i 27 gener 2000) i aquesta regla es compleix també en l'ordenament català, de manera que és possible diferenciar els dos drets i individualitzar-los, atribuint la facultat de construir plantes sobre l'immoble gravat o sota (article 567-1.1), creant-se una relació jurídica de drets juxtaposats quan s'atribueixen a diferents titulars. Cal recordar, però, que el Codi civil català no té una norma que determini l'abast físic del dret de propietat quan el seu objecte siguin béns immobles, perquè és evident que aquesta problemàtica només es produirà en aquest tipus de béns. La moderna doctrina, però, considera que l'extensió objectiva del domini ha de ser adequada a l'interès raonablement tutelable del propietari (DIEZ PICAZO-GULLON), de manera que per a construir un túnel, per exemple, no s'expropia els propietaris dels terrenys de la superfície. En qualsevol cas, cal tenir en compte que tota aquesta qüestió es troba regulada en gran part per disposicions administratives que determinen, en forma de limitacions en general, l'àmbit i l'extensió del domini.

L'article 511-1.3 exclou els animals de la categoria de coses, la qual cosa no significa que no siguin béns sobre els que pot recaure un dret de propietat. La conclusió favorable a què els animals són també objecte d'aquest dret ens la proporcionen dues disposicions que es complementen mútuament: la primera, el mateix article 511-1.3, que estableix que "només se'ls apliquen les regles dels béns en allò que permet llur naturalesa", la qual cosa significa clarament que no es poden excloure de la propietat; la segona, ens la proporciona l'article 542-2.2, j) que estableix com a "restricció" del dret de propietat, la legislació en matèria de "protecció i defensa dels animals"; si no poguessin ser objecte de propietat, mal es podria restringir el dret i aplicar aquesta normativa. Per tant, cal concloure que llur naturalesa els permet ser objecte de la propietat, si bé, com ja veurem, aquest dret apareix limitat per les normes que tendeixen a la seva protecció.

B) LA FIXACIÓ DE L'OBJECTE: LES ACCIONS DE TANCAMENT DE FINQUES I D'ATERMENAMENT

a) Concepte

Tot objecte de la propietat ha de tenir uns límits certs i determinats; això resulta relativament fàcil, com a regla general, en els béns mobles, que constitueixen en general, unitats físiques determinades i ben identificades, però es planteja de forma més aguda en relació a les finques. La facultat del propietari de determinar l'objecte per mitjà de la delimitació física de la finca, tancant-la, pressuposa que els seus límits són segurs i així ho dóna a entendre l'article 544-8 quan diu que "els propietaris poden tancar llurs finques salvant les servituds que hi estiguin constituïdes" i després, l'article 544-9.1 ens dirà que "els propietaris poden delimitar i posar fites o termes a la finca de manera total o parcial". El Codi civil català distingeix entre el tancament de les finques (article 544-8), la delimitació i la fitació (article 544-9). En realitat el tancament té molt en comú amb la fitació, perquè els propietaris tanquen per mitjà de l'operació de posar les fites que determinen els límits de la finca. En realitat cal distingir les tres operacions donant-ne el concepte següent: 1) *El tancament* consisteix en l'aïllament de la finca de les seves veïnes; 2) *la delimitació* consisteix en determinar l'extensió de la finca i els límits que té, i 3) *la fitació* consisteix en la marca amb fites dels límits establerts. La primera i la tercera operacions pressuposen que no existeix cap contenciós relatiu als límits del la propietat que es vol tancar o fitar, ja sigui perquè els llindars estan clarament determinats, ja sigui perquè abans de la fitació ja s'ha produït un acord entre els interessats sobre els límits que fins aquell moment podien considerar-se com a dubtosos. En aquest sentit, la STS de 17 abril 1998 diu que l'acció de delimitació i la de posar fites, "es un *facere* material posterior a la previa acción de deslinde".

Les normes sobre fitació i tancament es troben incloses en els articles 544-8 a 544-12.

b) Procediment

Encara que no es digui de forma clara en el Codi civil català, aquestes accions del propietari destinades a determinar l'extensió de la finca sobre la que recau el dret de propietat poden tenir lloc per mitjà d'un dels procediments següents:

1. Acord de tots els interessats.

2. Procediment de jurisdicció voluntària recollit als articles 2061 següents de la LEC 1881, que són complementaris dels del Codi civil català i s'aplicaran en allò que no estigui contradit en les disposicions catalanes.

3. Per mitjà d'un procediment declaratiu quan hi hagi oposició o controvèrsia sobre els límits i no s'hagi solucionat per cap dels dos procediments anteriors. Certament en molts d'aquests casos es pot produir una reivindicació encoberta, de manera que s'haurà de determinar si l'acció exercitada és pròpiament la de determinació o la reivindicatòria; com diu la STS de 16 novembre 2005, "Desde la sentencia de 24 de diciembre de 1927 se ha venido planteando a esta Sala el problema de la distinción entre las acciones de deslinde y reivindicatoria, especialmente en aquellos casos en que en realidad y bajo la apariencia de un deslinde, se estaba ejerciendo una auténtica reivindicación. En esta sentencia se sentó una doctrina interpretativa del artículo 384, diciendo que «el presente litigio es de deslinde de propiedades, puesto que versa sobre la fijación del lindero que debe separar las dos fincas rústicas limítrofes de los litigantes, cuya mutua propiedad está reconocida por los mismos y en el que tan solo se pide el reconocimiento del dominio respecto al trozo del monte que el demandado posee y el actor pretende que se le adjudique en el presente deslinde». Esta interpretación ha marcado las resoluciones de las sentencias posteriores, debiendo destacarse, entre las más recientes, las de 18 de abril de 1984, 16 de octubre y 18 de diciembre de 1990, 27 de enero de 1995 y 10 de febrero de 1997. Se trata, por tanto, de dos acciones compatibles, que pueden ejercitarse de forma separada o conjuntamente, como ha ocurrido en el presente litigio".

c) Legitimació

Estan legitimats per a exercitar de l'acció de tancament els propietaris (article 544-8). Per a l'acció de delimitació i fitació tenen legitimació els propietaris i els "altres titulars de drets reals possessoris", és a dir, els usufructuaris, els enfiteutes, els creditors pignoraticis i possiblement, els titulars del dret de retenció.

La legitimació passiva correspon als propietaris confrontants, ja que d'acord amb l'article 544-11, a), l'acció de delimitació i fitació requereix: "la citació dels propietaris de les finques confrontants".

d) Requisits de l'acció

El Tribunal Suprem ha vingut exigint en una abundant jurisprudència, que són requisits de l'acció de delimitació són: 1) la titularitat dominical o el corresponent títol constitutiu del dret real; 2) que les finques estiguin confrontades, perquè si no es prova això, no hi pot haver delimitació, tal com es dedueix també de l'article 544-10, a); 3) La identificació de la finca i la confusió dels límits, perquè si estan absolutament ben identificades, l'acció que correspon no és la delimitació, sinó una altra, possiblement, la reivindicatòria; 4) que el propietari o propietaris de les finques confrontats siguin citats, tal com estableix també l'article 544-10, b).

La prova dels reals límits de la finca es farà preferentment per mitjà del corresponent títol que serveixi de prova, segons disposa l'article 544-11.2; si aquest títol o bé no existeix o bé existint, no determina clarament quins són els límits de la finca discutida, l'article 544-11.2 estableix que la prova es farà "d'acord amb les possessions respectives i, en darrer lloc, distribuint la superfície discutida o dubtosa a parts iguals". Aquesta darrera norma no consisteix en cap mitjà de prova, sinó en la determinació d'un criteri de distribució d'allò que no pot ser atribuït de cap altre forma a cap dels pledejants. Per tant, no s'elimina la prova corresponent, segons el que estableix l'article 544-11.2, perquè en dir que "si no hi ha un títol que serveixi de prova", està admetent qualsevol altre mitjà que es pot utilitzar en el procediment corresponent, ja que altre cosa seria tant com limitar legalment l'accés als mitjans de prova en el procés, la qual cosa resultaria contrària a l'article 24.2 CE. El que vol dir l'article 544-11.2 és, resumit, el que diu la STS de 16 desembre 1993, que assenyala que per "deslindar hay que seguir las normas sustantivas recogidas en los artículos del Código civil, es decir, al contenido de los títulos, a lo que resulte de la posesión de los colindantes (article 385) y, cuando los títulos no determinen el límite o área pertenecientes a cada propietario y la cuestión no pueda resolverse por la posesión o por cualquier otro medio de prueba, el deslinde se hará distribuyendo el terreno objeto de la controversia por partes iguales (article 386), o cuando los títulos atribuyen distintos espacios, la solución está en distribuir el total proporcionalmente (article 387)". Per tant, cal concloure que estan admesos tots els mitjans de prova que resultin adients per determinar quina és la superfície de cada finca; la norma de l'article 544-11 està dirigida al jutge, que en el procediment corresponent ha d'atribuir a un o altre propietaris la part disputada.

El procediment per realitzar la fitació és el previst en els encara vigents articles 2061 i ss LEC.

d) Els efectes de l'acció de delimitació

L'efecte principal és la determinació de la propietat que es discuteix i és aquí on intervenen els corresponents títols aportats, la possessió, o bé les proves practicades en defecte de títol. L'article 544-11 és una traducció bastant deficient del que disposen els articles 386 i 387 CC, que contemplen dos casos diferents, als quals es refereix també l'article 544-11, per bé que amb una redacció molt poc clara; els dos casos són els següents:

1. Que els títols no determinin l'àrea o el límit que pertanyen a cada un dels propietaris afectats per la delimitació i que tampoc no existeixi cap altra de les proves subsidiàries, sigui la possessió, siguin altres proves, de manera que no s'hagi pogut determinar qui és propietari de què. En aquest cas, la delimitació es farà "distribuint la superfície discutida o dubtosa a parts iguals" (article 544-1.2 in fine).

2. Que els títols de les finques confrontades indiquin un espai major o menor de la superfície que comprèn la totalitat del terreny; en aquest cas "la diferència es distribueix proporcionalment" entre els propietaris dels terrenys.

3. En qualsevol cas, l'article 544-12 imposa les despeses de delimitació i fitació a les persones interessades. Ara bé, si s'han determinat en un procediment contenciós, les despeses del procediment s'establiran d'acord amb les normes processals corresponents. Per tant, les costes s'imposaran segons el que estableixen els articles 394-398 LEC i respecte de les causades en els judicis seguits pels tràmits del procediment de jurisdicció voluntària, s'han d'aplicar els encara vigents articles 2106 y 2107 LEC.

IV. Els modes específics d'adquisició de la propietat

La propietat s'adquireix, com tots els drets reals, pels mitjans establerts al Títol III del Llibre V, és a dir, tradició, donació i usucapió, que són els modes per transmetre i adquirir béns, segons disposa l'article 531-1. Però, a més, existeixen alguns modes específics d'adquirir la propietat, que solament se li apliquen i no poden ser utilitzats per a obtenir la titularitat dels altres drets reals: es tracta de l'ocupació (article 542-20) i els altres establerts als articles 542-21 i 542-22, que no són pròpiament modes d'adquirir la propietat, però que en alguns casos la comporten. Un altre possibilitat l'ofereix l'accessió (vegeu cap VIII) que no es refereix a la propietat aïlladament, sinó a la d'aquelles coses que s'uneixen, segons el concepte que dóna l'article 542-1 i sempre que es compleixin els requisits que el Codi civil català preveu per als diferents tipus d'accessió.

A) L'OCUPACIÓ

L'ocupació és una forma d'adquirir la propietat de les coses mobles que no tenen amo i està regulada a l'article 542-20, que recull, simplificant-lo, el que s'establia a l'article 24 de la llei 25/2001, de 31 de desembre, de l'accessió i l'ocupació, que ha quedat derogada per la llei 5/2006, de 10 de maig, del Llibre V del Codi civil de Catalunya relatiu als drets reals. (disposició derogatòria, f).

L'ocupació és un mode originari d'adquirir la propietat, perquè qui l'obté ho fa sense transmissió; com diu PUIG BRUTAU, la propietat s'adquireix a vegades a través d'un fet que l'ordenament jurídic valora com a causa eficient per produir el resultat adquisitiu. L'ocupació, doncs, consisteix en l'aprehensió material d'una cosa corporal moble que no té amo amb l'ànim d'adquirir-ne la propietat.

a) Subjectes. Es discuteix si per adquirir una cosa per ocupació s'ha de tenir capacitat d'obrar. La doctrina considera que no es requereix més que la competència per efectuar l'acte material d'apoderament de la cosa i així caldrà aplicar la norma de l'article 521-3.1 que permet adquirir la possessió a les persones que tenen la capacitat natural. Com diu EGEA, la referència que la llei fa a l'apropiació "per mitjà d'un acte material" indica que no es tracta d'una voluntat negocial i per això és possible adquirir la propietat per ocupació, encara que no es gaudeixi de la capacitat d'obrar.

b) L'objecte. A diferència de l'anterior article 24 de la Llei 25/2001, l'article 542-20 del Codi civil català contempla dos grups d'objectes que poden ser adquirits per ocupació: els béns corporals abandonats indubtablement i els animals que es poden caçar i pescar.

1. *Els béns corporals.* Per bé que com ja s'ha dit, s'ha simplificat la redacció de l'article, això no impedeix que ens haguem de fixar en les diferents situacions en què es poden trobar els béns corporals per tal que l'acte material d'apoderament produeixi l'adquisició de la propietat per part de qui els ocupa.

La primera qüestió a la que s'ha de fer referència és que l'article 542-20,a) es refereix únicament a coses corporals; no parla de béns mobles, però s'ha d'entendre que es tracta d'aquest tipus de béns, perquè els immobles no poden ser adquirits per ocupació, per tal com quan s'abandonen, passen a pertànyer a l'Administració de l'Estat, amb caràcter de patrimonials (article 17 de la Llei 32/2003, de 3 novembre, *Ley de Patrimonio de las Administraciones públicas*). La segona qüestió a la que cal referir-se és la relativa a la condició de béns corporals, en el sentit que són susceptibles d'apropiació, d'acord amb la definició de l'article 511 1.2 (vcgcu capítol I d'aquest volum). Per bé que es tracta de coses en el sentit de l'article 511-1, les energies no poden ser adquirides per ocupació, perquè o bé són objecte de contractes de subministrament i, per tant, estan atribuïdes a algú que transforma les fonts que les produeixen i, per tant, té la capacitat per transmetre-les, o bé no són ocupables, com la llum solar. Més dificultats planteja la regulació de l'ocupació dels animals, que es tracta més endavant.

L'article 542-20,a) estableix que aquestes coses mobles corporals han de haver estat abandonades per tal que es pugui adquirir la propietat per ocupació. En definitiva, que no tinguin amo i, per tant, no poden ser adquirides per ocupació les coses perdudes perquè aquestes en tenen, per bé que en el moment en què algú les troba, no es pugui identificar. L'antic article 24 distingia diferents possibilitats en relació a les coses mobles: a) que no haguessin tingut mai amo, per bé que en aquest cas s'ha de tenir en compte el que disposen les normes especials relatives a la protecció dels espais naturals (article 9.1 de la llei 12/1985, de 13 de juny, d'espais naturals), etc.; b) aquelles coses corporals, perdudes o presumiblement abandonades sobre les quals el propietari no hagi formulat cap reclamació. Aquestes no poden ser ocupades, perquè se'ls aplicarà l'article 542-22, i c) Les coses mobles corporals abandonades, que són les que poden ser adquirides per ocupació.

Determinada la categoria de les coses mobles susceptibles de ser adquirides per ocupació, cal assenyalar que l'article 542-20, a) no es conforma amb què siguin abandonades, sinó que afegeix l'exigència que aquest abandonament sigui *indubtable*, de manera que no existeix una presumpció d'abandonament, sinó que examinant la situació en què es troben, l'estat de conservació, el lloc on s'hagin trobat, etc., s'ha d'arribar a la conclusió que es tracta de coses sense amo; altrament, funcionarà la presumpció contrària, és a dir s'hauran de considerar perdudes i aplicar el que disposa l'article 542-22, que no exclou la possibilitat que s'acabin adquirint les coses trobades, però a través d'un mecanisme diferent.

2. *Animals*. L'article 542-20,b) inclou com a objectes possibles de l'ocupació "els animals que es poden caçar i pescar". En general, els animals no poden ser objecte d'ocupació. La raó inicial resulta senzilla: l'article 511-1.3 diu clarament que els animals no es consideren coses i afegeix aquesta disposició que solament se'ls apliquen les normes sobre béns en allò que ho permeti la seva naturalesa. Sembla, per tant, que en aplicació d'aquestes regles, els animals no es poden adquirir per ocupació, ja que si tenen amo i es troben s'haurà d'aplicar el que disposa l'article 542-22.1. En canvi, sí poden ser objecte d'ocupació els animals que es poden caçar i pescar. Però entre aquestes dues categories, hi ha aquells animals que no pertanyen a ningú i que, al mateix temps, no poden ser caçats o pescats, per exemple un gos abandonat. EGEA considera que el fet que l'antic article 24 de la llei 25/2001 tampoc no fes referència a aquests animals, no era obstacle per a què s'apliquessin analògicament les disposicions de la llei 22/2003, de 4 juliol, sobre Protecció dels animals. En l'actual regulació del Codi no cal recórrer a aquesta llei, ja que l'article 511-1.2 no exclou de forma absoluta l'aplicació als animals de les normes sobre béns contingudes en el Codi civil català "en allò que permet llur naturalesa"; en conseqüència d'això, el paràgraf primer de l'article 542-20 inclou els animals "abandonats indubtablement" i així podran ser adquirits per ocupació sempre que es donin les circumstàncies que es preveuen en l'esmentada disposició. El mateix s'ha de dir respecte a altres tipus d'animals, com els eixams o als altres animals que espontàniament, passen d'un lloc de cria a un altre.

3. *Coses que no es poden adquirir per ocupació*. L'anterior regulació especificava que no es poden adquirir per ocupació les coses mobles que permeten la identificació del propietari i els títols valors i demés afectes diposits en entitats bancàries. La vigent regulació els ha suprimit, la qual cosa no vol dir que es puguin adquirir per ocupació, ja que en el primer cas, ens trobem davant d'una cosa que per a la seva adquisició, haurà de seguir el procediment previst a l'article 542-22 i els altres, es regulen per la seva especial normativa, que no permet l'adquisició per ocupació, llevat, però, que es tracti de títols al portador, la trobala dels quals permetrà la seva adquisició per ocupació (p.e. un bitllet de loteria).

B) LA DESCOBERTA D'OBJECTES DE VALOR EXTRAORDI-NARI

Es troba regulada a l'article 542-21, que reprodueix quasi exactament l'article 25 de la llei 25/2001. Aquesta disposició distingeix tres tipus de troballa: la d'objectes d'extraordinari valor els propietaris dels qual siguin desconeguts, i els que són trobats per atzar; s'ha d'afegir la dels objectes de valor cultural, artístic, històric, arqueològic, etc. La diferencia entre aquest tres tipus de béns consisteix en els efectes que la seva troballa produeix: mentre en el primer cas s'atribueix la propietat a qui l'ha trobat, en els altres dos s'estableix normalment, una compensació econòmica, sense que produeixi l'adquisició de la propietat per part d'aquell que els ha trobat. La peculiaritat d'aquestes troballes rau en què tenen un tractament autònom i diferent de l'accessió, ja que una primera solució podria ser que es considerés que l'objecte pertany al propietari del lloc on s'ha trobat, per les regles de l'accessió, ja es trobi en una cosa mobles (p.e., un armari), o en un immoble (p.e., la paret d'una casa que s'està restaurant). Si s'assimilés a les accessions, s'hauria de concloure que el propietari del lloc on s'ha trobat l'objecte n'és el propietari per aplicació de les regles de l'accessió; si, pel contrari, li donem un tractament autònom, hauríem de distingir també si es tracta d'una cosa abandonada, que pertanyeria a qui l'hagués trobat, per aplicació de l'article 542-20, o bé li donem un tractament específic, que és el que fa l'article 542-21.

Perquè s'apliqui la disposició de l'article 542-21 cal: a) que es tracti d'un objecte que tingui "un valor extraordinari", però que no es tracti d'algun dels que estan referits en l'article 542-21.3, és a dir, de béns de valor històric, arqueològic, etc.; normalment es tractarà de béns mobles, perquè els immobles, com, per exemple, restes d'edificacions antigues, s'hauran de tractar d'acord amb el que disposa l'article 542-21.3; b) que els propietaris siguin desconeguts, i c) que el que s'ha trobat estigui ocult.

En el cas que es trobin aquests objectes, la regla és molt clara: el propietari del lloc on estaven els objectes trobats n'és el propietari, per aplicació de les regles de l'accessió, però qui l'ha trobat per atzar, si és diferent evidentment del propietari, té dret a un premi en "una quantitat equivalent a la meitat del seu valor"; per tant, no adquirirà mai la propietat, perquè el seu règim no s'altera (EGEA).

En el cas que l'objecte descobert tingui un "valor cultural, històric, arqueològic o artístic", o també en els casos que s'hagin trobat per raó de "prospeccions o excavacions", les regles per atribuir-ne la propietat seran les que els siguin aplicables segons la legislació específica. Aquí els béns es consideren de domini públic i passen a integrar-se en el patrimoni de la Generalitat; per tant, queden sostrets al règim dels paràgrafs 1 i 2 de l'article 542-21. S'apliquen els articles 51 i 53 de la Llei 9/1993, de 30 de setembre, del Patrimoni cultural català. Pel que fa als drets de la persona que ha trobat aquests objectes, l'article 53 de la darrerament esmentada llei es remet a la legislació estatal, és a dir, en aquest cas, a l'article 44 de la Llei 13/1985 de 25 de juny, *de patrimonio histórico español*; aquesta norma atribueix per parts iguals a qui ha trobat l'objecte i al propietari de la finca el dret a un premi en metàl·lic equivalent a la meitat del valor que se li atribueixi en una taxació legal (EGEA).

C) LES TROBALLES

L'article 542-22 estableix un règim especial per a les troballes de coses perdudes o d'animals domèstics. La regla és que no se n'adquireix la propietat pel fet mateix de la troballa, llevat que concorrin les circumstàncies previstes en el paràgraf 5è de l'article 542-22. L'objecte sobre el que es produeixen les diferent regles contingudes en la disposició que s'analitza són els animals o objectes corporals, en el sentit de l'article 542-20, però que per les seves característiques s'hagi de considerar que són habitualment posseïts per algú; és a dir, que a diferència dels "abandonats indubtablement" de l'article 542-20.1, són objectes que no presenten aquestes característiques. Diu EGEA que s'ha de deixar un marge a la lliure estimació de la persona que fa la troballa perquè apreciï si s'ha de considerar que l'objecte o l'animal trobats tenen un estat de conservació que pugui indicar si pot ser o no abandonat. D'aquí que segons aquest mateix autor, si el trobador de bona fe s'apropia d'una cosa aparentment abandonada, però que té amo, no l'adquirirà per ocupació, de la mateixa manera que si troba una cosa aparentment abandonada, però en realitat perduda, l'adquirirà per ocupació.

L'article 542-22 preveu dos supòsits: que el propietari sigui conegut i que no ho sigui.

a) Troballes de propietari conegut. Partint de la regla general que s'estableix en aquesta disposició, contrària a l'article 542-20, perquè l'objecte no ha estat abandonat, el trobador no adquireix la propietat i té dues opcions: o bé tornar la cosa directament a l'amo que ja coneix, o bé iniciar el procediment establert en l'article 542-22. Si opta per tornar la cosa directament, tindrà dret a obtenir la recompensa oferta públicament pels propietaris o bé al 10% del valor de l'objecte, i si és igual o superior a sis vegades l'import del salari mínim interprofessional, tindrà dret al 4% del que excedeixi aquest import. Qui troba la cosa pot dipositar l'objecte en l'Ajuntament i si descobreix el propietari amb posterioritat, podrà exigir el premi establert o el valor d'acord amb el que disposa l'article 542-22.5

b) Troballes de coses de propietari desconegut. La troballa s'ha de notificar a l'ajuntament del lloc on s'ha fet. L'ajuntament ha de fer pública la troballa per mitjà d'un edicte, ha de dipositar la cosa trobada durant sis mesos en l'establiment que determini i ho ha de notificar a les entitats públiques pertinents si les característiques de la troballa ho requereixen (article 542-22.2).

En aquest cas es poden produir dues possibilitats:

1ª Que els propietaris es presentin dins el termini de sis mesos. Llavors se'ls lliurarà l'objecte perdut, hauran de pagar les despeses ocasionades per la custòdia, conservació i lliurament i a més, el premi a qui hagi trobat la cosa, consistent en el 10% del valor o el 4% del valor que excedeixi un import sis vegades superior a l'import del salari mínim interprofessional, si el trobador és de bona fe. Si és de mala fe, no té dret al premi. Es considera que es tracta d'un trobador de mala fe quan, coneixent qui és el propietari de la cosa trobada, no la torna o se n'apropia.

2ª Que els propietaris no es presentin a recollir la cosa dins del termini de sis mesos. En aquest cas, la cosa s'entrega a qui l'ha trobada, i aquest ha de abonar el pagament de les despeses causades per la conservació, custòdia i lliurament. L'anterior regla s'aplica sempre que el valor de la cosa no sigui superior a sis vegades l'import del salari mínim interprofessional, perquè si ho és, es ven en subhasta pública. Els trobadors tenen dret llavors a un premi que consisteix en aquest import del salari mínim interprofessional més una quarta part de l'excés que s'obtingui en la subhasta, quedant la resta a disposició de l'ajuntament. Si la quantitat que s'obté en la subhasta és menor a sis vegades l'import de salari mínim interprofessional, els que han trobat la cosa tenen l'opció de fer-la seva. S'ha de tenir en compte que l'article 542-22 no fa cap referència a la forma d'avaluació de la cosa trobada.

3ª La bona fe dels trobadors influeix en el règim final de l'adquisició o no de la propietat. La bona fe del trobador, a més de permetre-li obtenir el premi quan el propietari és conegut (article 544-22.3,b i 4), impedeix la reivindicació del propietari que apareix desprès que s'hagi adjudicat la cosa en el procediment previst a l'article 544-22.5,a) i b). La reivindicació també s'impedeix quan és un tercer qui s'ha adjudicat en subhasta pública la cosa trobada i subhastada, essent aquest un cas d'aplicació de la norma de l'article 522-8.

BIBLIOGRAFIA SUMÀRIA

FERNANDEZ DE VILLAVICENCIO, Fco. "La facultad de disponer". *ADC*, 1950, p. 1025; REICH, Charles A. "The New Property". *The Yale Law Journal*, vol 73, April 1964, num 5, p. 733; MONTÉS PENADÉS, V. *La propiedad privada en el sistema del Derecho civil contemporáneo*. Madrid, 1980; HATTENHAUER, H. *Conceptos fundamentales del Derecho civil*. Trad. De G. Hernández. Barcelona, 1987; REY MARTÍNEZ, F. *La propiedad privada en la Constitución espanyola*. Madrid, 1994; LÓPEZ LÓPEZ, A. *El derecho de propiedad. Una relactio*. Sevilla, 1999; ESPIAU ESPIAU "La adquisición de la propiedad y la reivindicabilidad de las cosas muebles perdidas en la ley catalana 25/2001, de 31 de diciembre, de la accesión y la ocupación". *Libro Homenaje al Profesor Manuel Albaladejo García*. Murcia, 2004, T.I., p.1509; EGEA FERNÁNDEZ, J. Comentario a los artículos 24-26 de la ley 25/2001, de 31 de diciembre, de la Accesión y la ocupación a Cumella Gaminde, A-Tormo Santonja, M. (dir).*Comentarios de Derecho patrimonial catalán*. Barcelona, 2005, p. 884; LAMARCA MARQUÉS. *El modo sucesorio: Código de sucesiones catalán y Código civil*. Pamplona, 2006.

JURISPRUDÈNCIA CITADA

Tribunal Constitucional

37/1987, de 26 març. Funció social de la propietat
149/1997 4 juliol 1991. Concepte flexible i plural de la propietat.

Tribunal Suprem

3 desembre 1946. Concepte del dret de propietat
4 juliol 1991. Concepte del dret de propietat
16 desembre 1993. Fitació. Criteris
17 abril 1998. Delimitació.
26 juny 1998. Extensió del dret de propietat
27 gener 2000. Extensió del dret de propietat
16 novembre 2005. Delimitació i fitació.

Capítol X

El dret de propietat (II)

1. LES RESTRICCIONS DEL DRET DE PROPIE-TAT

I. El concepte de restriccions del dret de propietat

Malgrat les definicions tradicionals, la propietat no ha estat ni és un dret absolut; avui aquesta qüestió no està en dubte, perquè està delimitada per raó del mateix article 33 CE, que ja hem vist en el capítol anterior i per aquesta raó es parla de límits i limitacions del dret de propietat. Els articles 541-1 i 541-2 que defineixen la propietat, estableixen que les facultats d'usar, gaudir i disposar que conformen el contingut d'aquest dret, "s'exerceixen, d'acord amb llur funció social, dins els límits i amb les restriccions que estableixen les lleis". D'aquesta manera el Codi civil català configura la propietat d'acord amb un concepte constitucional, indispensable en el sistema actual i a la vegada, deixa de banda la tradicional i sempre artificiosa distinció entre límits i limitacions, parlant únicament de restriccions les quals, d'acord amb l'article 545-1, "són les que estableixen les lleis, en interès públic o privat, o les que estableix l'autonomia de la voluntat en interès privat". Se supera també l'antiga nomenclatura que identificava limitacions amb servituds i que apareixia tant a les Ordinacions d'en Sanctacília (2,4,2,1 de les Constitucions i altres Drets de Catalunya), com al Codi civil i fins i tot en la Compilació de 1961 i es repetia en la llei 13/1990. En conseqüència, en el sistema constitucional de propietat privada, el més normal és identificar aquests límits ordinaris amb la qualificació de restriccions.

Els articles 545-2.1 i 545-3 ens definiran quin és l'àmbit de les dues classes de restriccions. El que en resulta, en una primera aproximació, és que les restriccions, siguin en interès públic o privat, constitueixen els límits ordinaris del dret de propietat.

El Codi civil català estableix unes característiques comunes de les restriccions, ja siguin en interès públic o en interès privat. Aquestes característiques són:

1ª En qualsevol cas afecten o poden afectar tant el dret de disposar com el mateix exercici del dret de propietat, és a dir, els drets d'usar i gaudir. Així apareix en l'article 542-2.1 i en l'article 542-3.1, ja que ambdós es refereixen a què les restriccions "afecten la disponibilitat o l'exercici del dret".

2ª Ambdues constitueixen límits del dret de propietat, entenent aquesta expressió en el sentit de restriccions que constitueixen el contingut normal del dret, que afecta tots els propietaris en general sobre una mateixa categoria de béns: tots els immobles urbans, per exemple. Per tant, configuren el dret de propietat i per a la seva efectivitat solament cal invocar la norma que les estableix.

A partir d'aquí, però, s'han d'establir les distincions entre les restriccions que tenen com a objecte l'interès general i aquelles que beneficien interessos de particulars. En aquest sentit, caldrà distingir entre les restriccions en interès públic, regulades a l'article 545-2 i les d'interès privat, que apareixen regulades en els articles 545-3 i següents, ja que si bé en les primeres, el Codi civil català efectua una remissió general a la legislació reguladora de les restriccions que s'estudien a continuació, en relació a les establertes en benefici dels particulars es produeix una regulació molt extensa i pormenoritzada en el mateix Codi civil català.

II. Les restriccions en interès públic

Com ja s'ha dit l'article 545-2 estableix que aquest tipus de restriccions constitueixen límits ordinaris que estan establerts en benefici de la comunitat i que tenen com a font creadora la llei on s'estableixen i el mateix Codi civil català. A continuació, la mateixa disposició conté una llista de restriccions en interès públic, que no és exhaustiva, ja que el paràgraf segon deixa oberta la possibilitat que n'hi hagi d'altres o bé que en el futur, noves lleis estableixin altres restriccions en benefici general.

Aquestes restriccions són les que segueixen:

1ª Relatives al planejament territorial i urbanístic i de les directrius de paisatge i, en aplicació d'aquests, dels plans d'ordenació urbanística. Aquesta restricció està relacionada amb les competències en matèria d'urbanisme que corresponen a la Generalitat, d'acord amb l'article 149 EAC. Concretament i pel que afecta al dret de propietat, el paràgraf 5 de l'esmentat article 149 EAC atribueix la competència exclusiva en relació a "la regulació del règim urbanístic del sòl", "la regulació del règim jurídic de la propietat del sòl", tot respectant les bases que "l'Estat estableix per garantir la igualtat de l'exercici del dret a la propietat". En aquest sentit, les disposicions de la llei 8/2007, de 28 de maig, del Suelo determina el contingut del dret de propietat del sòl (articles 8 i 9) i els criterios bàsics per a la seva utilització (art. 10), que tenen la naturalesa de condicions bàsiques, segons determina la D.F. 1ª de la llei, la qual cosa determina un quadre general del contingut bàsic de la propietat en general. En aquest sentit, també els articles 32, 39, 47.5 i 103 del Decret legislatiu 1/2005, de 26 juliol, pel qual s'aprova el text refós de la Llei d'Urbanisme catalana.

2ª Les relatives a l'habitatge. Aquesta limitació està molt relacionada amb l'anterior, però l'article 137 EAC la tracta de forma independent i estableix una competència exclusiva de la Generalitat en matèria d'habitatge, desglossant una sèrie de competències més relacionades amb ordenació, gestió, control etc. de l'habitatge "d'acord amb les necessitats socials i d'equilibri territorial". D'acord amb l'anterior competència, la llei 24/1991, de 29 de novembre de l'habitatge, estableix els requeriments sobre qualitat, requisits de construcció, emplaçament, etc. (articles 6, 7 i 8 fonamentalment).

3ª Relatives als àmbits agrari i forestal. Les restriccions apareixen en el D 118/1973, de 12 de gener, el qual s'aprova la Llei de Reforma i Desenvolupament agrari; la Llei 34/1979, de 16 novembre, de finques manifestament millorables i la Llei 19/1995, de 4 juliol, de modernització de les explotacions agràries. En matèria forestal es fonamental la llei 43/2003, de 21 novembre, de monts i la llei 6/1988, de 30 març, forestal de Catalunya.

4ª Relatives a la protecció del patrimoni cultural. Entre aquestes podem trobar la Llei 16/1985, de 25 de juny del Patrimonio Histórico español. En compliment de les competències en matèria de cultura, regeix a Catalunya la llei 9/1993, de 30 de setembre, de Patrimoni cultural català. El vigent Estatut d'autonomia atribueix competències a la Generalitat en matèria cultural i més concretament, en relació al patrimoni cultural, en l'article 127.1, b). Aquestes restriccions determinen el règim especial de descoberta d'objectes de valor cultural, establerta a l'article 542-21.3.

5ª Les relatives a la protecció dels espais naturals i del medi ambient. També l'Estatut d'autonomia vigent estableix competències en aquest àmbit en l'article 144. En aquesta matèria la Generalitat ha aprovat la llei 3/1998, de 27 febrer, de la intervenció integral de l'Administració ambiental.

6ª Les relatives a la construcció i protecció de les vies i de les infrastructures de comunicació. En aquest cas i pel que fa a les carreteres, s'ha de distingir entre les que travessen Catalunya, però són competència estatal, cas en el qual les restriccions es troben en la Llei 25/1988, de 29 de juliol, de carreteres i camins, i les carreteres que són competència de la Generalitat, que es troben en la Llei 7/1993, de 30 setembre, de carreteres. Existeixen més restriccions en relació als ferrocarrils (Llei 39/2003, de 17 de novembre, del sector ferroviari) i les servituds acústiques en sectors del territori afectats per infrastructures de transport (article 10 i DA 3ª i DT 3ª de la Llei 37/2003, de 17 de novembre, del soroll). Cal advertir també que l'article 140 EAC atribueix la competència exclusiva a la Generalitat en matèria d'infrastructures de transport, la qual cosa implica la possibilitat de legislació catalana en la matèria, especialment pel que fa a infrastructures, domini públic per a la prestació del servei, etc.

6ª Relatives a les costes i a les aigües continentals. Les restriccions es poden trobar als articles 15, 17 i 20-30 de la Llei 22/1988, de 28 juliol De costas i els articles 11.3 47 a 49 i 57 del RD legislatiu 1/2001, de 20 juliol por el cual se aprueba el texto refundido de la Ley de Aguas. Respecte dels ports, les restriccions es troben en la Llei 27/1992, de 24 novembre de Puertos del Estado y de la marina mercante, així com a la Llei 5/1998, de 17 d'abril, de ports de Catalunya. Cal tenir en compte també que l'article 117 EAC atorga competències a la Generalitat en alguns aspectes relatius a aigües i obres hidràuliques, que pertanyin a conques hidrogràfiques intracomunitàries, assumint la relativa a les competències executives sobre el domini públic hidràulic i les obres d'interès general.

7ª Les relatives al foment de les telecomunicacions i de transport de l'energia. Es tracta de legislació estatal fonamentalment i la regulació es troba a la Llei 54/1997, de 27 novembre, De regulación del sector eléctrico i a la Llei 34/1998, de 7 d'octubre del sector de hidrocarburos.

8ª Restriccions relatives a l'ús i circulació de vehicles a motor, vaixells i aeronaus. A més de la legislació general en matèria de navegació aèria (Llei 48/1960, de 21 juliol, De navegación aérea), cal tenir en compte la competència de la Generalitat en matèria de transports establerta a l'article 169 EAC.

9ª Les restriccions relatives a la protecció i defensa dels animals. Aquesta limitació es troba ja continguda en l'article 511-1.3 i a ella ens hi hem referit en el capítol I d'aquesta mateixa obra. Respecte a les limitacions del dret de propietat sobre els animals es contenen en la Llei 22/2003, de 4 juliol, de protecció dels animals, algunes disposicions de la qual inspiren articles del Codi civil català, com ara allò referit a l'adquisició dels animals domèstics per ocupació, regla establerta a l'article 542-22.1.

10ª Les restriccions establertes en favor de la defensa nacional es troben a la llei 8/1975, de 12 de març, sobre zonas e instalaciones de interés para la defensa nacional.

III. Les restriccions en interès privat

Les restriccions en interès privat tenen en comú amb les anteriors que afecten també de manera general als propietaris, sobretot de finques i també tenen la consideració de límits ordinaris del dret de propietat, però a diferència de les anteriors, s'estableixen en benefici dels veïns i poden tenir origen en la mateixa Llei o bé en la voluntat de les persones interessades.

Tenen origen legal les limitacions o restriccions que "resulten de les relacions de veïnatge o de situacions de comunitat". Així el mateix Codi qualifica com a limitacions les establertes a l'article 553-39 sobre elements privatius en la propietat horitzontal relatives a les obres de conservació i manteniment dels elements comuns, "quan no hi ha cap altra manera d'efectuar-les o l'altra manera és desproporcionadament cara o carregosa"; la limitació de les activitats que es poden dur a terme en els elements privatius, establerta a l'article 553-40; l'adequació de l'aprofitament dels elements comuns per part dels propietaris d'elements privatius, regulada a l'article 543-42, etc. També es poden considerar limitacions imposades per la llei en matèria de comunitat les establertes en la mitgeria de càrrega i de tanca.

S'ha dit que el Codi civil preveu que els particulars poden acordar determinades restriccions del seu dret de propietat a través d'un negoci jurídic; així ho preveuen els articles 545-1 i 545-4. A més d'admetre la creació de limitacions voluntàries sense altres límits que els que estableixen les lleis, cal afegir el que disposa el paràgraf segon d'aquest article 545-4, quan assenyala que aquestes limitacions voluntàries constitueixen els drets reals limitats.

A) LES RELACIONS DE VEÏNATGE

Diu LACRUZ que el contingut de la propietat immobiliària es configura tenint en compte l'interès dels propietaris de les finques veïnes en la normal utilització, de tal manera que cada propietari ha de respectar aquesta utilització normal. La forma d'estructurar les relacions entre finques veïnes s'ha fet tradicionalment sota la institució de la servitud, però aquesta no és una forma tècnicament correcta i és per això, que ha estat superada clarament pel Codi civil català, que estableix una qualificació diferent i nomena directament relacions de veïnatge les regles que s'estableixen tenint en compte les finques en sentit horitzontal, és a dir, en situació d'igualtat i, en general, contigüitat. El Codi civil català distingeix entre les relacions de contigüitat, que estan regulades en la secció primera del capítol VI, que porta com a rubrica general "relacions de veïnatge", l'estat de necessitat i les immissions. La llei per tant, regula en primer lloc, les normals situacions de relació entre finques contigües i estableix obligacions que afecten els propietaris en pla d'igualtat, no donen dret a indemnització i no estan sotmeses a la prescripció. Com diu la STSJC de 27 febrer 2006, aquestes relacions tenen "per base la contigüitat o la proximitat de les finques, el que dóna lloc a limitacions del contingut i exercici del dret de propietat".

Les restriccions en interès privat es regeixen pel que s'estableix en el Codi civil català (article 545-3.2). Les regulades explícitament són les següents:

a) Pas de l'aigua

La regla general es troba a l'article 546-9.1, que estableix que "els propietaris de la finca inferior estan obligats a rebre l'aigua pluvial que arriba naturalment de la finca superior. Els propietaris d'aquesta no poden posar obstacles al curs de l'aigua ni alterar-ne el règim per a fer-lo més carregós". Aquesta norma es refereix a les aigües que arriben naturalment de la finca superior, amb la finalitat d'excloure les aigües que baixen del predi superior l'origen de les quals es troba en una actuació humana (vegeu també l'article 47 del RD-legislatiu 1/2001, pel qual s'aprova el text refós de la Llei d'Aigües). La segona regla general es troba al paràgraf 4, que prohibeix que les aigües de pluja vessin sobre la finca veïna.

Ara bé, l'article 546-9 conté dues normes relacionades amb les conseqüències que el pas artificial de l'aigua pot provocar en les relacions entre finques veïnes. La primera és la que figura en el paràgraf segon, quan diu que si la finca inferior rep aigua que prové d'obres realitzades per la finca superior, el seu propietari es pot negar a rebre-les i a més té el dret a ser indemnitzat pels danys i perjudicis. Ens trobem en aquest cas davant d'una autèntica servitud, per bé que regulada en seu de les relacions de veïnatge, perquè es tracta de construccions fetes per desviar l'aigua de la finca superior per fer-la caure sobre la finca inferior; el propietari no està obligat a suportar aquest vessament i haurà de ser indemnitzat. Si accepta, ens trobem davant de la constitució voluntària d'una servitud (vegeu STSJC de 27 febrer 2006). La segona regla especial es troba en el paràgraf tercer que obliga els propietaris de la finca superior a deixar passar els de la inferior si aquests han fet obres de defensa contra l'aigua vessada per la superior, per a què puguin realitzar les obres de conservació necessàries.

b) Distàncies en matèria de construccions i plantacions

S'estudien separadament les distàncies en matèria de construccions i les establertes en matèria de plantacions.

En matèria de construccions, els articles 546-3, 546-4 i 546-7 regulen diferents casos de distàncies en aquesta matèria. Les Ordinacions d'en Sanctacilia i més tard els articles 290 CDCC i 36 de la Llei 13/1990 van regular l'anomenat dret d'atans, que etimològicament significa dret de construir apuntalant amb la paret veïna. Per tant, l'atans suposa la facultat, que es reconeix a qualsevol propietari, d'acostar la seva construcció a l'edifici veí. L'article 546-3 estableix que "els propietaris d'una finca poden construir una paret de càrrega o de tanca i pilars i altres estructures constructives i acostar-les o adossar-les, al llarg o de través, a la finca o la paret veïna sense menyscabar-la i amb l'obligació de construir-la amb la solidesa adequada a la seva funció i de respectar la normativa urbanística i les servituds existents". És a dir que l'atans pressuposa l'existència d'una edificació i la possibilitat que el nou edificant pugui aixecar una paret paral·lela o que formi angle amb la del veí, fins i tot, adossant-la a la del veí, amb lo qual es diferencia de l'anterior regulació de l'atans, que no permetia carregar sobre aquesta paret.

Al mateix temps, l'article 546-3.2 regula el dret a alçar un envà pluvial als propietaris d'una "finca edificada amb un solar o una edificació més baixa", que poden construir "amb materials idonis, d'un gruix màxim de trenta centímetres, un envà exterior, que no pot ésser un element de sustentació, de cap a cap de la paret sobre l'espai veí. Aquest envà ha d'ésser enderrocat a costa dels propietaris de la finca més alta i sense compensació quan els veïns alcin l'edificació que el faci innecessari".

Un altre cas de restriccions en matèria d'edificacions el trobem en l'article 546-4, que prohibeix que es mantinguin balcons o elements de construcció que per la proximitat entre les finques, "n'inutilitzin la funció de dificultar l'accés". Aquesta prohibició afecta també els propietaris de jardins o patis situats en les plantes baixes en relació als balcons o les finestres dels habitatges situats en les plantes superiors. L'acció per demanar l'enderroc d'aquests elements constructius prescriu al cap de 10 anys, computats d'acord amb el que estableix l'article 121-23, és a dir, quan havent nascut l'acció, la pretensió es pot exercitar quan "la persona titular d'aquesta coneix o pot conèixer raonablement les circumstàncies que la fonamenten i la persona contra la qual es por exercir".

Finalment, l'article 546-7 estableix que ningú no pot excavar "piscines, cisternes, rampes, soterranis o altres sots a menys de seixanta centímetres del límit d'una finca veïna o d'una paret mitgera" i la mateixa norma s'aplica als pous que s'hauran d'excavar a la mateixa distància, sempre que gaudeixin de les corresponents autoritzacions administratives, segons disposa el text refós de la Llei d'Aigües, en els articles 2.a i 54. En qualsevol cas, els propietaris que facin l'excavació "han de proporcionar al sòl, en tots els casos, una consolidació suficient perquè la finca veïna tingui el suport tècnicament adequat per a les edificacions que hi hagi o que permeti construir la normativa urbanística". L'acció per evitar l'excavació o perquè aquesta s'adeqüi a la distància de seixanta centímetres prescriu als deu anys d'haver acabat l'obra, segons disposa l'article 546-7, sense que això impedeixi que el propietari afectat pugui exercir l'acció de suspensió de l'obra nova, establerta a l'article 250.1, 5º LEC.

En matèria de plantacions, es preveuen diferents restriccions en els articles 546-5 i 546-4. L'article 546-5.1 estableix que "els propietaris que plantin arbustos o arbres entre finques destinades a plantacions o conreus els han de plantar a una distància mínima respecte a la partió d'un metre en el cas dels arbustos i de dos metres en el cas dels arbres", remetent-se el tercer paràgraf a allò que estableixi la legislació forestal quan es tracti de plantacions d'aquestes característiques (vegeu la llei 43/2003, de 21 de novembre, De montes, i la llei 6/1988, de 16 de març, forestal de Catalunya). En aquests casos es tracta de restriccions sobre plantacions destinades a aquesta finalitat. L'acció per demanar que s'arrenquin els arbres o els arbustos prescriu al cap de tres anys d'haver estat plantats.

Diferents són els casos d'arbres o plantacions entre finques que no estan destinades al conreu; en aquest cas, l'article 546-4 estableix les mateixes normes que per a edificacions i determina que cap titular no pot mantenir entre finques separades per una tanca, un arbre que n'inutilitzi la funció de dificultar l'accés. En aquest cas, la llei dóna dret al propietari afectat per exigir la poda i per apropiar-se dels fruits que cauen de manera natural en la finca veïna (article 546-4.4). L'acció per demanar la poda de l'arbre prescriu als deu anys, se suposa que desprès d'haver estat plantat, però en aquest cas no s'aplica la regla del dany continuat, que sembla era la que regulava l'anterior legislació. La STSJC de 17 febrer 2000 va considerar que els arbres no eren assimilables a les tanques o reixes per tal d'aplicar la normativa reguladora de les relacions de veïnatge.

En els dos casos, l'article 546-6 estableix que "els propietaris d'una finca poden tallar les branques o les arrels d'un arbre o d'un arbust plantat en la finca veïna que s'hagin introduït en la seva finca i retenir-ne la propietat, però ho han de fer de la manera generalment acceptada en l'exercici de la jardineria, la pagesia o l'explotació forestal".

Respecte de les tanques no mitgeres, l'article 546-2 estableix que els propietaris poden plantar en terreny propi "rengles d'arbres o d'arbustos vius, d'espècies vegetals seques, de canyes, de xarxes o de teles metàl·liques fins a l'alçària màxima de dos metres o les que estableixi la normativa urbanística". Aquestes plantacions han de respectar les servituds existents i si cal, han de mantenir les distàncies mínimes establertes en l'article 546-4, referides a les distàncies d'arbres a tanques o balcons veïns, i a l'article 546-5.

c) Llums i vistes

L'article 546-10 conté dos tipus de disposicions relacionades amb les llums i vistes entre finques veïnes. Les regles des paràgrafs 1 i 3 es refereixen a les relacions de veïnatge pròpiament dites, mentre que la regla del paràgraf segon és pròpia de les servituds i s'ha de referir a l'article 566-5 (veieu capítol XXIII). Pel que fa a les llums i vistes considerades com a relacions de veïnatge, l'article 546-10.1 diu que "ningú no pot tenir vistes ni llums sobre la finca veïna ni obrir cap finestra o construir cap voladís en una paret pròpia que confronti amb la d'un veí o veïna sense deixar en el terreny propi una androna de l'amplada que fixen la normativa urbanística, les ordinacions o els costums locals o, si no n'hi ha, d'un metre com a mínim, en angle recte, comptat des de la paret o des de la línia més sortint si hi ha voladís". La STSJC de 9 desembre 2002 a més de declarar que no s'havia provat l'existència d'una servitud constituïda d'acord amb la legislació que així ho permetia, considera que hi ha una aparença notòria de l'existència d'una servitud, sense que obsti el fet que la finca de l'actor no està encara edificada, ja que del que es tracta és de qué la futura edificació no quedi condicionada per les obertures fetes pel demandat en la seva finca (en relació amb el dret anterior a la llei 13/1990, vegeu les SSTSJC de 5 febrer 1990 i 9 novembre 1992). Afegeix l'article 546-10.3 que "ningú no pot obrir cap finestra en una paret contigua a la d'un veí o veïna si no deixa una distància mínima de quaranta centímetres entre la finestra i el límit de la finca. Si les parets i els balcons formen un angle agut, la distància mínima entre el balcó i la línia d'unió d'ambdues parets ha de ser d'un metre".

B) *RESTRICCIONS DE LA PROPIETAT PER ESTAT DE NE-CESSITAT*

L'article 546-12 estableix l'obligació dels propietaris de tolerar "la interferència d'altres persones, si és necessària per a evitar un perill present, imminent i greu i si el dany que racionalment es pot produir és desproporcionadament elevat amb relació al perjudici que la interferència por causar als propietaris". El paràgraf segon d'aquest article estableix l'obligació d'indemnitzar pels danys i perjudicis que aquesta interferència hagi pogut causar.

Aquesta restricció del dret de propietat s'estableix no en benefici dels veïns, sinó per a profit general quan s'hagi d'interferir en una propietat veïna per evitar un perill, com ara la necessitat d'usar l'aigua emmagatzemada en la piscina d'un xalet per apagar un foc. Per a què es pugui parlar de restriccions en els casos d'estat de necessitat cal: a) que la interferència en la propietat aliena sigui indispensable per evitar un perill present; b) que el perill que es tracta d'evitar amb aquesta interferència sigui real i present; per tant, no es pot interferir en una propietat per evitar un dany hipotètic, perquè en aquest cas ja existeixen les normes administratives que limiten determinades activitats (p.e. encendre foc en determinades zones), o bé les regles civils sobre relacions de veïnatge que acabem d'estudiar; c) que el dany que es pot produir sense la interferència és desproporcionadament elevat en relació al que causa la introducció en la propietat aliena, p.e que es cremi un apartament perquè el propietari del veí no ha autoritzat a passar pel seu propi apartament, la qual cosa solament li ocasiona molèsties. Aquesta obligació té una certa relació amb la definició penal de l'estat de necessitat, que està fixat a l'article 20, 5è CP com a causa d'exempció de responsabilitat criminal.

Les interferències causades per estat de necessitat produeixen l'obligació d'indemnitzar els danys i perjudicis ocasionats, segons disposa l'article 456-12.2. Per bé que aquesta disposició determina el dret dels propietaris que han patit aquesta interferència, no estableix qui té l'obligació d'indemnitzar. Si es tractés de destorbs causats en ocasió d'una necessitat general, com ara el incendi d'un bosc, les regles de la responsabilitat de l'Administració pública obliguen a aquesta a indemnitzar en virtut de l'article 139 de la Llei 30/1992, de règim jurídic de les Administracions públiques, perquè es tracta d'una actuació normal que ha ocasionat un dany a un particular que aquest no té l'obligació de suportar. Ara bé, en els casos de danys produïts per estat de necessitat per qüestions privades, sembla que l'obligació recaurà en el persona en favor de la qual s'hagi precaucionat el mal, no per tant, aquell que l'hagi produït.

C) LES IMMISSIONS

La regulació de les immissions es va produir a la llei 13/1990, el preàmbul de la qual la justificava dient que a la llei s'introduïen aquestes normes partint d'un principi sobre la tutela del particular "a més del que pot tenir dins el dret públic". Això volia dir i vol dir avui també en el Codi civil català, que la tutela del propietari contra les immissions no s'efectua únicament per mitjà de normes de dret privat, sinó també per disposicions de dret públic, encara que en aquesta obra ens limitem a l'estudi de la normativa privada sobre immissions a Catalunya. Cal tenir en compte al mateix temps que, tal com posa de relleu EGEA, el TEDH, entorn a l'article 8.1 del Conveni de Roma, conceptua les immissions com a atemptats contra el dret a la intimitat i en aquest sentit les sentències d'aquell Tribunal de 9 desembre 1994 i 16 novembre 2004 van considerar que les immissions provocades per sorolls excessius afectaven de ple a la intimitat familiar i també al principi constitucional de la protecció del domicili.

El Dret català establí ja en la llei 13/1990 dos remeis per evitar els perjudicis del propietari afectat per immissions, com són l'acció negatòria i les indemnitzacions pels perjudicis causats, les qual s'estudien en el segon apartat d'aquest mateix capítol.

a) Concepte de les immissions. D'acord amb el que disposen els article 546 13 i 546 14, són immissions aquelles ingerències de fum, sorolls, gasos, vapors, olor, escalfor, tremolor, ones elèctriques i llum que arriben a una finca, a les quals l'article 546-13 afegeix la clàusula general "altres de semblants". Segons la jurisprudència, aquestes ingerències es propaguen sense intervenció directa de la voluntat humana, són apreciables físicament i es produeixen com a conseqüència del gaudi del dret de propietat o l'exercici de la possessió sobre béns immobles i provoquen una interferència en el gaudi pacífic i útil del dret de propietat sobre un altre bé immoble (SSTSJC de 26 març i 21 desembre 1994 i 19 març 2001).

Això ens porta a determinar les característiques de les immissions, per tal de poder distingir-les de les servituds. La STSJC de 19 març 2001 enumera una sèrie de característiques, que són les següents:

1ª. "La condició física o material que la intromissió, que no vol dir corpòria [...]. A aquests efectes, tan capaç de penetració o intromissió en propietat aliena presenta, per exemple, la pols, com les ones, lumíniques, sonores, electromagnètiques o de qualssevol classe". Per tant, suposen una ingerència material, corporal o incorporal, que produeix uns efectes físicament mesurables en la finca veïna, que són damnoses per a la mateixa finca o per a la persona en la seva relació amb la finca que pateix les immissions. Això explica que l'article 546-14.1 imposi als propietaris l'obligació de tolerar les immissions "que són innòcues o que causen perjudicis no substancials". Aquest precepte admet la clàssica figura jurídica del *ius usus innocui*, que segons la STSJC de 26 març 1994, comporta que una tercera persona pugui realitzar en la finca aliena els actes que li siguin beneficiosos sempre que no ocasionin perjudicis al propietari d'aquesta finca. Es pot plantejar la qüestió de si l'article 546-13 permet configurar com a immissions aquelles que es relacionen amb les activitats desenvolupades en la finca veïna, que pertorben d'alguna manera els sentiments morals o estètics dels veïns, com ara, p.e., la instal·lació d'una casa de prostitució o d'un tanatori; en principi la resposta hauria de ser negativa, no tant perquè no es tracti d'immissions, sinó perquè hi ha altres vies per a obtenir reparacions, com ara l'article 553-40, quan tracta de les activitats desenvolupades en edificis en règim de propietat horitzontal, o l'article 117-7 i l'article 7.2 CC, en casos d'abús de dret. Ara bé, ja s'ha explicat abans que el TEDH ha considerat que els sorolls excessius vulneraven el dret a la intimitat dels afectats.

2ª. La segona de les característiques descrites en la STSJC de 19 març 2001 és "el caràcter indirecte de la intromissió, pel que s'ha d'eliminar del concepte d'immissió qualsevol activitat que tingui com a finalitat precisament la pertorbació directa de la finca". Les immissions es caracteritzen, per tant, pel fet que suposen una ingerència mediata o indirecta sobre la finca veïna o en el límit de separació de les finques, que és el resultat d'una acció humana en l'exercici de les facultats dominicals, que determina que es propagui la immissió com a conseqüència de l'activitat humana. No es pot parlar, doncs, d'immissions quan es tracta d'actuacions materials o directes sobre la finca envaïda, que en tot cas poden originar la constitució de servituds. Tampoc es poden incloure dins la categoria de les immissions les construccions extralimitades, ja que es caracteritzen per una ocupació material de la finca veïna amb caràcter estable (STSJC de 3 octubre 2002).

3ª. La tercera característica és "la vocació de permanència de la pertorbació, sense que això equivalgui a l'exigència d'una continuïtat, doncs complimenta igualment tal requisit una actuació intermitent, però regular". Suposa una intromissió contínua o perllongada, que no ha de ser perpètua, ja que és suficient la repetició o reiteració d'actes que es poden produir amb una periodicitat regular o irregular. Des d'aquest punt de vista, no es pot parlar d'immissions en base al que estableixen els articles 546-13 i 546-14 en el cas d'ingerències puntuals o momentànies sobre la finca veïna que produeixen danys que es poden reparar sobre la base de l'article 1902 CC i per aquesta raó, la STSJC de 17 juliol 2006 considera que una filtració d'aigua no és una immissió. I el mateix s'ha de dir en relació a immissions passades que originen també la facultat de demanar la restitució dels danys i perjudicis.

4ª. "L'origen de la pertorbació ha de ser una causa no natural, derivada, doncs, de l'activitat del propietari o del posseïdor de la finca".

5ª. "Encara que la col·lindància de predis serà el supòsit més habitual, no exclou la immissió el caràcter no limítrof de les finques, ja que el que importa és la idoneïtat per a la pertorbació, essent indiferent el sistema de propagació". D'aquesta manera s'ha de dir que el requisit del veïnatge no s'ha d'entendre en un sentit estricte, ja que si bé és cert que les immissions es donen normalment entre finques veïnes o confrontants, també es pot parlar d'immissions en relació a les ingerències que es produeixen fins arribar a l'espai d'influència de les activitats que generen la immissió.

De les característiques estudiades se'n deriva la distinció entre immissions i servituds. La STSJC de 26 març 1994 diu que "les immissions es valoren en l'àmbit de la funció social, es mesura si encaixen o no en el règim normal i ordinari de la propietat, si constitueixen límits del domini (que no requereixen acte constitutiu), ja que les servituds són limitacions (en sentit tècnic) que requereixen acte constituïu (ja sigui forçós o ja sigui únicament voluntari). L'al·legació de gaudir d'una servitud pressuposa, com assenyala la doctrina, que algú contradiu, limitant-lo, el dret de propietat d'un altre, pretenent emparar-se en un dret real que no ostenta". En definitiva, les principals diferències seran: a) que les servituds constitueixen una negació del dret de propietat, mentre que les immissions solament són una interferència sobre aquest, i b) que les servituds provenen d'un títol legal o voluntari i que les immissions no es realitzen en virtut de cap títol. (vegeu en aquest mateix sentit les SSTSJC de 21 desembre 1994, 17 febrer 2000 i 9 desembre 2002).

b) Règim jurídic de les immissions. Un cop donat el concepte d'immissió, cal veure ara quin és el seu règim jurídic, ja que ni totes son il·legítimes, ni produeixen els mateixos efectes. En definitiva, cal examinar ara els articles 546-13 i 546-14, que determinen les distincions que s'estudien a continuació.

1r. *Immissions il·legítimes.* L'article 546-13 diu que "les immissions de fum, soroll, gasos, vapors, olor, escalfor, tremolor, ones electromagnètiques i llum i altres de semblants produïdes per actes il·legítims dels veïns i que causen danys a la finca o a les persones que hi habiten són prohibides i generen responsabilitat pel dany causat". D'aquí resulta la regla general del sistema, d'acord amb la qual el propietari no ha de tolerar les immissions il·lícites produïdes per aquell que exercita de forma anormal les seves facultats dominicals. Aquestes són prohibides i donen dret a demanar els danys i perjudicis corresponents, així com a exercir l'acció negatòria amb la finalitat de fer cessar la immissió (article 544-4).

2n. *Immissions permeses i no permeses.* Les immissions sobre les finques solament es permeten de forma limitada; per aquest motiu l'article 564-13.6 estableix que "cap propietari o propietària no està obligat a tolerar immissions dirigides especialment o artificialment vers la seva propietat", perquè això solament resulta possible si aquell que provoca les immissions ho fa en virtut d'una servitud constituïda al seu favor, que li permet realitzar legítimament les ingerències. En canvi sí estan permeses les immissions "que són innòcues o que causen perjudicis no substancials" (article 546-14.1 i STSJC de 26 març 1994). Per tant, dintre de les immissions permeses es troben aquelles que no siguin perjudicials, que la llei obliga a tolerar.

Per tal de determinar si la immissió comporta o no un perjudici "no substancial", cal tenir en compte la naturalesa i les finalitats pròpies de la finca que pateix la immissió, de tal manera que fins i tot en el supòsit que el propietari de la finca que produeix les immissions faci un ús normal de les seves facultats dominicals, el propietari de la finca veïna que les pateix únicament ha de tolerar-les si els perjudicis que experimenta no són substancials perquè no impedeixin seguir donant a la seva finca el destí econòmic que tenia abans de sofrir les immissions, sempre que aquest destí econòmic sigui el normal en el lloc on es produeixen aquestes immissions.

Si es tracta d'una immissió inicialment no substancial, però que es transforma en substancial per haver-se modificat el destí de la finca que pateix les immissions, no es pot aplicar aquest règim, tenint en compte, però que l'article 546-14.2 imposa també l'obligació de suportar les immissions substancials "si fer-les cessar comporta una despesa desproporcionada econòmicament".

3r. Immissions que produeixen perjudicis substancials. El propi-
etari d'una finca pot estar obligat legalment a tolerar immissions
que li produeixin perjudicis substancials si "són conseqüència de
l'ús normal de la finca veïna", o bé si fer-les cessar "comporta
una despesa desproporcionada econòmicament" (article 546-14.2).
Això no vol dir, però, que no existeixin compensacions per a
aquesta càrrega; efectivament, el Codi civil català acull el criteri
de l'ús normal per tal d'afavorir la indústria, encara que la seva
instal·lació ocasioni perjudicis substancials a les finques veïnes.
Aquestes no tenen la possibilitat d'exercir l'acció negatòria, però
sí de demanar compensacions per la via de la indemnització dels
danys i perjudicis passats i dels futurs i exigir que les immissions
es produeixin d'una determinada manera menys perjudicial. Hem
d'examinar, per tant, quines són les circumstàncies que concorren
en aquest cas.

En primer lloc, es tracta de perjudicis substancials, entesos en
el sentit de l'article 546-14.1, quan diu que "en general, es con-
sideren perjudicis substancials els que superen els valors límit o
indicatius que estableixen les lleis o els reglaments", la qual cosa
en porta a les lleis que regulen administrativament determinades
activitats, com ara els articles 1 a 6 de la llei 22/1983, de 21 de
novembre, de protecció de l'ambient atmosfèric; els articles 2.c,
6.5, 8 i 10 de la llei 6/2001, de 31 de maig, d'ordenació ambien-
tal de l'enllumenament per a la protecció del medi nocturn i els
articles 3, 4.b, 13 i 18 de la llei 16/2002, de 28 de juny, de pro-
tecció contra la contaminació acústica (EGEA-FERRER). És evident
que les disposicions citades han de ser completades en cada cas
concret per les reguladores de l'activitat contaminant (en aquest
sentit la STSJC de 13 gener 2005, relativa a una instal·lació de
sortida de fums).

S'hauran de tolerar les immissions quan es produeixi un ús
normal de la finca veïna. El que significa ús normal s'ha de
determinar segons la normativa aplicable, que és la citada en
l'anterior apartat, entre les disposicions aplicables a cada cas. I
també quan el cessament de la immissió comporti una despesa
desproporcionada econòmicament, que es donarà quan tinguin un
abast que per a un empresari del sector representin la impossi-
bilitat d'obtenir uns beneficis adequats de forma estable (EGEA)
o bé suposin un impacte excessivament onerós per al lloc on està
situada l'empresa.

El propietari afectat per aquest tipus d'immissions te dret a demanar: a) una indemnització pels danys i perjudicis produïts en el passat; b) una compensació econòmica pels danys que es produeixin en el futur, "si aquestes immissions afecten exageradament el producte de la finca o l'ús normal d'aquesta, segons el costum local" (article 546-14.3), i c) que la immissió es faci "en el dia i el moment menys perjudicials" i "poden adoptar les mesures procedents per a atenuar els danys a càrrec dels propietaris veïns", tot això, evidentment, sempre que la naturalesa de la immissió que hagin de tolerar ho permeti (article 546-14.4).

4t. Immissions emparades per una llicència administrativa. El propietari de la finca veïna ha de suportar les immissions que provenen d'instal·lacions autoritzades administrativament, que s'exigeix quan una activitat determinada comporta un perill cert o la possibilitat de perjudicar tercers. L'article 546-14.5 regula les conseqüències que aquest tipus d'immissions produeixen i diu que "faculten els propietaris veïns afectats a sol·licitar l'adopció de les mesures tècnicament possibles i econòmicament raonables per a evitar les conseqüències danyoses i a sol·licitar la indemnització pels danys produïts". El propietari perjudicat per aquest tipus d'immissions no pot exigir, per tant, el cessament de l'activitat que produeix les immissions, sinó que solament pot demanar la reparació dels perjudicis causats i que es prenguin les mesures de precaució corresponents i si bé aquesta "és matèria pròpia del dret administratiu [en] allò que interessa a aspectes generals, quan s'afectin també els drets subjectius privats ha d'entrar en joc l'àmbit civil privat", perquè "és contrari a l'equitat [...] afirmar que qui té autorització administrativa per explotar una instal·lació, ja té una patent de cors per a produir immissions en les finques veïnes" (STSJC de 3 octubre 2002). D'aquesta manera, els propietaris afectats poden demanar les indemnizacions corresponents davant dels tribunals civils, sens perjudici de les actuacions que corresponguin a les autoritats administratives segons les normes de dret públic i de les responsabilitats de l'Administració quan no s'ha fet un seguiment de la llicència o bé s'ha descuidat l'aplicació de les normes administratives.

En el cas que les conseqüències de l'activitat administrativament autoritzada no es puguin evitar, l'article 546-14.5 afegeix que "els propietaris tenen dret a una compensació econòmica, fixada de comú acord o judicialment, pels danys que es puguin produir en el futur".

2. LES ACCIONS QUE PROTEGEIXEN EL DOMINI

Tradicionalment, el dret de propietat implica el reconeixement al seu titular d'un conjunt d'accions la finalitat de les quals és la protecció del domini front a les pertorbacions que provinguin de terceres persones que no tenen un títol que legitimi per impedir algun dels continguts de la propietat, d'acord amb l'article 541-1. D'aquesta manera, el Codi civil català estableix en el capítol IV del Llibre V, la "protecció del dret de propietat", regulant l'acció reivindicatòria (articles 544-1 al 544-3); l'acció negatòria (articles 544-4 al 544-6) i les accions de tancament de finques (article 544-8) i de delimitació i fitació (articles 544-6 al 544-12). Aquestes darreres han estat ja estudiades en el capítol precedent, com a sistema per a determinar l'objecte del dret de propietat. Ara bé, el Codi civil català no regula l'acció declarativa del domini, per bé que s'ha d'entendre inclosa entre les protectores d'aquest dret i per aquesta raó, s'estudiarà en aquest capítol. Com diu la STS de 3 juny 1964, referint-se a l'article 348 CC, l'acció reivindicatòria es reconeix com a fonamental en la defensa del dret de propietat, però al seu costat la doctrina ha anat incorporant altres accions com "la que pretende la afirmación del derecho dominical ante el que, en cualquier forma, le desconoce, acción declarativa, y, asimismo, cabe incluir en su ámbito todas aquellas acciones que, sin tener en la ley una reglamentación específica, van dirigidas ya a la inicial afirmación del derecho de propiedad o a fijar materialmente el objeto sobre el que éste recae y a hacer efectivos los derechos de gozar y disponer que constituyen la esencial del dominio".

La protecció del dret de propietat en el Codi civil català té dos aspectes: el positiu, que inclou l'acció reivindicatòria, al que s'afegeix l'acció declarativa i que té per finalitat restituir la cosa a qui n'és el veritable propietari, o bé fixar definitivament el dret de propietat, i el negatiu, és a dir, la defensa de la integritat del domini front a aquells que al·leguen ser titulars de gravàmens.

I. L'acció reivindicatòria

A) CONCEPTE

L'article 544-1 defineix l'acció reivindicatòria dient que és aquella que "permet als propietaris no posseïdors d'obtenir la restitució del bé davant dels posseïdors no propietaris" i tot això, "sens perjudici de la protecció possessòria que les lleis reconeixen als posseïdors". En aquest punt, la llei catalana adopta una definició tradicional, en el sentit que mitjançant aquesta acció, el propietari no posseïdor fa efectiu el seu dret a exigir la restitució de la cosa sobre la qual recau el seu dret a aquell que és posseïdor però no propietari. La STSJC de 30 març 2006, en definir l'acció reivindicatòria diu que per a l'èxit d'aquesta acció "es preciso la concurrencia inexcusable de tres requisitos, los dos primeros coincidentes con los de la acción negatoria, somo son un título legítimo de dominio en el reclamante y la identificación plena de la cosa que se pretende reivindicar; y el tercero distinto, caso de la detentación injusta de quien posee la cosa y a quien en definitiva se reclama".

Cal tenir en compte que quan el Codi civil català regula l'acció reivindicatòria i empra la paraula posseïdors, ho fa en el sentit establert a l'article 521-1, però s'ha d'advertir al mateix temps que això significa que la manca de possessió que permet exercir amb èxit l'acció reivindicatòria ha de ser una possessió sense títol, és a dir aquella que o bé ha ja finalitzat, com la de l'usufructuari que ha deixat ja de ser-ho, o bé perquè el posseïdor no tingui títol. Això permet al propietari gaudir d'una doble protecció: mentre estan encara en vigor les accions possessòries i en tant que es donin el supòsits que permeten llur exercici, el propietari no posseïdor podrà exercir-les i no li cal recórrer a la reivindicatòria, però quan s'ha escolat ja el termini per a l'exercici de les accions possessòries (1 any), no queda sense protecció, sinó que podrà exercir l'acció típicament protectora del domini, que, a més, d'acord amb l'article 544-3, no prescriu. La disposició transitòria 4 de la llei 5/2006 estableix que l'acció reivindicatòria "nascuda i no exercida abans de l'entrada en vigor d'aquest llibre subsisteix si qui no és propietari del bé en manté la possessió, amb l'abast i els termes que li reconeixia la legislació anterior, però subjecte al que estableix aquest codi pel que fa a l'exercici, la durada i el procediment"; aquesta és una qüestió que té a veure amb la usucapió, perquè el Codi la rebaixa de 30 anys a 20 anys, perquè la referència al termini s'haurà d'entendre en el sentit de l'article 544-3, ja que segons el Codi civil català, l'acció reivindicatòria no prescriu, llevat dels efectes de la usucapió, com és evident.

Existeixen, doncs, diverses accions que protegeixen el dret de propietat, però totes tenen diferents característiques i per aquesta raó cal posar de relleu les distincions que es produeixen entre elles.

1º *Acció reivindicatòria i acció declarativa*. La STSJC de 17 juliol 1995 puntualitza les diferències en un cas en què l'actor havia exercitat una acció demanant que es reconegués que havia adquirit per usucapió la finca que estava posseint. El Tribunal Superior de Justícia de Catalunya diu que no es va infringir l'article 348 CC, que era l'aplicable en aquell moment, perquè "l'actor el que pretén és, precisament, que se'l declari propietari; i, en segon lloc, perquè el fet que la llei concedeixi, en la hipòtesis legal, l'acció reivindicatòria, no significa necessàriament que exclogui d'altres d'un abast més limitat", de manera que, com afirma la STS de 14 març 1989, l'acció declarativa necessita de dos requisits fonamentals: "la presentación de un título que acredite la adquisición de la propiedad de la cosa y la perfecta identificación de la misma, no siendo necesario que el demandado esté poseyendo de hecho la finca que se reclama". La STSJC d'11 desembre 2003 recorda la diferència existent entre les dues accions i tot reconeixent que "una i altra acció tenen en comú el reconeixement del dret de propietat d'un litigant", el seu abast és diferent ja que "l'acció reivindicatòria va molt més enllà que l'acció merament declarativa, ja que no s'atura en l'obtenció del reconeixement dominical, sinó que, a més a més, pretén la recuperació de la finca".

D'aquí que les diferències són molt clares: mentre l'objectiu de l'acció reivindicatòria és la condemna al demandat a la devolució de la cosa propietat del demandant, que reté indegudament i, per tant, es busca recuperar la possessió que no es té, en l'acció declarativa no existeix cap pertorbació de la possessió, sinó que el que es demana és el reconeixement de la propietat del demandant (STS de 3 maig 1944), sense que sigui necessari que el demandat sigui o no posseïdor: el que caldrà, en definitiva, és que negui el dret de propietat de l'actor. I per aquesta raó, la condemna és molt diferent, ja mentre en l'acció reivindicatòria es condemnarà a posar a l'actor en poder i possessió de la cosa posseïda indegudament pel demandat, en la declarativa el que es busca és solament l'expressió judicial del dret de propietat.

2º *Acció reivindicatòria i acció de delimitació*. Ha estat una constant l'exercici conjunt d'aquestes dues accions i, en molts casos, s'exerceix l'acció reivindicatòria per comptes d'una de delimitació, la qual cosa ha portat els Tribunals a haver-se de pronunciar sobre la diferència entre les dues accions i a delimitar l'abast de la una i de l'altre. La STSJC de 2 novembre 1992, en un cas en què es discutien els llindars d'una finca i la propietat d'un camí, es veié obligada a distingir entre aquestes dues accions. Respecte de la diferència, l'esmentada sentència diu que l'acció de delimitació "és una facultat derivada del dret de propietat, que permet el seu titular individualitzar la cosa sobre la qual exercita les seves facultats dominicals" i que en el cas concret de la línia de separació entre les dues finques, "no es discuteix el dret de propietat de cadascuna de les parts litigants sobre les respectives finques confrontants, sinó que únicament es demana als organismes jurisdiccionals un pronunciament sobre una qüestió de fet, ja que es tracta d'un conflicte entre finques que confronten, i cap dels propietaris afectats coneix exactament fins a quin punt de la superfície arriba el seu dret de propietat, raó per la qual la part agent exercita una acció que vol posar fi als dubtes i imprecisions sobre aquest fet, què és la finalitat pròpia de l'acció d'atermenament".

3° *Acció reivindicatòria i acció negatòria.* L'article 544-4 defineix l'acció negatòria com aquella que "permet als propietaris d'una finca de fer cessar les pertorbacions i les immissions il·legítimes en el seu dret que no consisteixin en la privació o el reteniment indeguts de la possessió, i també d'exigir que no es produeixin pertorbacions futures i previsibles d'aquest gènere". L'acció negatòria que desprès s'estudiarà, té com a finalitat fer efectiu el principi de llibertat del domini i el que es pretén és que es declari que el domini està lliure de càrregues i gravàmens (STS de 13 octubre 1927, així com la de 13 juny 1998), mentre que l'acció reivindicatòria el que cerca és la recuperació de la cosa indegudament posseïda per una altra persona. (Veure també la STSJC de 30 març 2006, que distingeix també aquests dues accions).

B) CARACTERÍSTIQUES DE L'ACCIÓ REIVINDICATÒRIA

L'acció reivindicatòria és (LACRUZ): a) una acció de naturalesa real i per tant, es pot exercitar *erga omnes*, característica essencial de la reivindicabilitat; b) és una acció recuperatòria perquè com ja s'ha vist, pretén recuperar la cosa indegudament posseïda per una altra persona, i c) és una acció condemnatòria, a diferència de la simplement declarativa, perquè comporta sempre la restitució de la cosa, amb la corresponent liquidació de l'estat possessori produït mentrestant ha existit la possessió indeguda.

Una qüestió interessant que planteja la pràctica és la de la identificació de l'acció exercida. És cert que d'acord amb l'article

399.1 in fine LEC, en les demandes s'haurà de fixar "con claridad y precisión lo que se pida", però també és cert que molts cops no apareix clarament quines són les accions exercitades. Moltes de les sentències del Tribunal Superior s'han hagut de pronunciar sobre la naturalesa de l'acció per tal de distingir-la d'altres semblants (així STSJC de 9 novembre 1992 en una discussió entre acció declarativa i una de delimitació). En principi, es podrà estimar l'acció reivindicatòria encara que se l'hagués identificat amb un altre nom o es digués que s'exercita una acció diferent. Per tant, en cada cas concret s'haurà d'examinar conjuntament allò demanat amb els fets al·legats per tal de determinar quina és l'acció efectivament exercitada, perquè altrament es pot incórrer en el vici de la incongruència (article 218.1 LEC).

El Codi civil català resol una qüestió discutida en el règim de l'acció reivindicatòria en el Codi civil, com és el relatiu a la prescripció de l'acció. L'article 544-3, que té un títol enganyador (extinció), estableix que l'acció reivindicatòria no prescriu, sense perjudici, però, de la usucapió que s'hagi consumat contra el propietari, d'acord amb les disposicions de l'article 531-23. La STSJC de 6 juliol 1993 utilitza aquest mateix argument per negar que s'hagi vulnerat la normativa catalana sobre usucapió. Entorn a la regulació de la prescripció d'aquesta acció en el Codi Civil es mantenen dues postures: les d'aquells que la consideren imprescriptible i que solament queda paralitzada quan s'ha consumat contra el propietari una usucapió, i la d'aquells que entenen que s'extingeix de forma autònoma, sense que calgui la prescripció adquisitiva. La primera solució, és a dir la imprescriptibilitat de l'acció, és la recollida a l'article 39, b) del Fuero Nuevo de Navarra, que estableix indirectament que "las acciones reales que no tengan establecido plazo especial sólo prescriben a consecuencia de la usucapión con la que resulten incompatibles" i es recull de l'article 2948 del Codi italià, que conté una fórmula molt semblant a la de l'article 521-23 (STS 18 maig 2001); l'article 121-2 preveu la categoria de les pretensions no prescriptibles entre les quals es troba la d'aquelles "que la llei exclogui de la prescripció", entre les quals es troba ara l'acció reivindicatòria. La disposició transitòria 4 de la llei 5/2006 estableix que "l'acció reivindicatòria nascuda i no exercida abans de l'entrada en vigor d'aquest llibre subsisteix si qui no és propietari del bé en manté la possessió, amb l'abast i en els termes que li reconeixia la legislació anterior, però subjecta al que estableix aquest codi pel que fa a l'exercici, la durada i el procediment".

C) ELS REQUISITS DE L'ACCIÓ REIVINDICATÒRIA

La jurisprudència és unànime en exigir la concurrència de tres requisits per a l'èxit de l'acció: a) que el demandant sigui qui al·lega el títol de domini sobre la cosa; b) que la cosa objecte del dret de propietat resulti perfectament identificada, i c) que la demanda es dirigeixi contra la persona que la posseeix sense títol que el legitimi.

1º. *Legitimació activa.* El legitimat per a l'exercici de l'acció és aquella persona que al·legui ser propietari de la cosa reivindicada. No cal que sigui propietari en ple domini, sinó que pot ser-ho exclusiu o bé un copropietari, sempre que actuï en benefici de la comunitat; en aquest darrer cas i malgrat que no existeixi una norma en el Codi civil català, cal entendre inclosa la legitimació en l'article 544-1, per tal com en els principis que regulen la comunitat en aquest Codi porten a aquesta conclusió.

Pot actuar en nom propi o bé en representació del propietari. El representant legal pot, per tant, exercir aquestes accions en benefici dels sotmesos a la potestat i la tutela, sense autorització judicial (articles 151 i 212 CF). És un requisit indispensable que el demandant provi el domini que reclama. La jurisprudència ha exigit com a requisit essencial per a aquesta acció, la presentació d'un títol que acrediti la propietat de la cosa reivindicada (STS 17 febrer 1998 i STSJC de 26 febrer 1999). El títol no ha de ser necessàriament un document, sinó que segons la jurisprudència que interpreta l'article 348 CC, ha de consistir en la prova de la propietat de la cosa "en virtud de causa idónea para dar nacimiento a la relación en que el derecho consiste" (STS de 6 juliol 1982); per tant, podria perfectament consistir en la prova de l'adquisició per mitjà de la usucapió, per bé que normalment, aquesta situació donarà lloc a accions declaratives, encara que res no exclou l'acció reivindicatòria. L'actor pot provar el seu títol per qualsevol mitjà, que serà apreciat pel Tribunal d'instància (SSTS 29 octubre 1992 i 26 febrer 1999).

El títol ha de ser o bé de constitució del dret de propietat (p.e. ocupació), o bé d'adquisició i, per tant, els títols reconeguts en el Codi civil català, com són la tradició (article 531-2), la donació (article 531-7) i la usucapió (article 531-23); també ho són les actes de remat que acaben un procediment judicial d'execució (STS de 24 juny 1997) i les adquisicions *a non domino*, segons els articles 34 LH i 522-8, havent-se d'acreditar de forma efectiva el corresponent títol. La prova s'ha de referir al fet que s'ha adquirit de forma efectiva abans de la presentació de la demanda, però com diu LACRUZ, en les adquisicions derivatives no queda suficientment provat el domini amb la demostració que el reivindicant l'ha adquirit i la presumpció de què no l'ha perdut, sinó que a més, cal afegir que el transferent és també propietari, la qual cosa pot portar a una prova impossible, ja que haver de provar que tots els que han transferit el domini des de temps immemorials eren a la seva vegada, propietaris porta a una *probatio diabolica*, que ha estat exclosa pel Tribunal Suprem i que té un remei obvi en la usucapió.

Els problemes sorgeixen, però, en relació als títols per causa de mort. Efectivament, una constant jurisprudència ha considerat que no és títol suficient per a provar el domini de l'hereu l'escriptura de la partició i tampoc no ho és el testament o la declaració d'hereus intestats, perquè, a més, l'hereu ha de provar que el seu causant era propietari d'allò que figura en el patrimoni hereditari; aquesta és la norma fonamental, perquè no és suficient que l'hereu provi el seu títol, sinó que ha de provar el del seu causant. Ara bé, cal distingir les diferents fases en l'adquisició de l'herència per tal de determinar quin títol haurà d'aportar l'hereu reivindicant per provar la seva propietat i això sempre que els béns pertanyin al causant en el moment d'obrir-se la successió: a) L'hereu ho és si ha adquirit l'herència per mitjà de l'acceptació; per tant, haurà de provar el seu títol testat o intestat, i l'acceptació, tenint en compte, però, que la mateixa actuació processal determina l'acceptació tàcita (vegeu cap XXVIII del volum III d'aquesta mateixa obra); b) El legatari de cosa pròpia del testador pot reivindicar la cosa objecte del llegat des del moment en què l'adquireix, d'acord amb l'article 271.2 CS; c) L'hereu té l'acció de petició d'herència per reclamar "la restitució dels béns com a universalitat" (article 64.1 CS), la qual cosa no exclou l'exercici d'accions reivindicatòries per a la reclamació de concrets béns hereditaris (vegeu cap XXXII del volum III d'aquesta mateixa obra).

El reivindicant ha de provar que el seu domini és actual, sense necessitat que ho sigui el seu títol adquisitiu, de manera que el dret de propietat ha d'estar vigent en el moment d'exercitar-se l'acció. Per aquesta raó, no té legitimació *ad causam* una associació que va reivindicar un immoble incautat l'any 1939 a un sindicat, perquè no va provar que fos la legal successora de l'anterior propietari (STSJC de 27 març 1995).

Malgrat tot això, la legislació desplaça la prova del domini per mitjà d'algunes presumpcions que faciliten l'exercici de l'acció reivindicatòria. Es tracta de la presumpció de l'article 38 LH, d'acord amb el qual, "a todos los efectos legales se presumirá que los derechos reales inscritos en el Registro existen y pertenecen a su titular en la forma determinada en el asiento respectivo", de manera que no es podrà exercitar cap acció contradictòria del domini "sin que, previamente o a la vez, se entable demanda de nulidad o cancelación de la inscripción correspondiente". Es tracta d'una presumpció *iuris tantum* que podrà ser desvirtuada per prova en contrari (STS de 30 octubre 1997 i STSJ de 25 febrer 1999).

2º Legitimació passiva. L'acció es dirigeix contra aquell que tingui la possessió de la cosa sense títol que el legitimi, perquè o bé no ha existit mai, o bé, existint, ha cessat en la producció dels efectes que li són propis, p.e. el nu propietari pot reivindicar la cosa usufructuada a l'acabament de l'usdefruit. En definitiva, l'acció reivindicatòria s'ha de dirigir contra el tenidor o el posseïdor de la cosa, contra aquell que la deté indegudament o que posseeix sense títol o en virtut d'un títol no oposable al propietari. El problema es planteja en relació als títols que legitimen la possessió en virtut d'un contracte, com succeeix en l'arrendament o el dipòsit; si el posseïdor es nega a retornar la possessió, es planteja l'alternativa sobre si el propietari pot exercitar l'acció reivindicatòria o bé ha d'exercir la derivada de l'incompliment del contracte, ja que una de les obligacions del detenidor és la de retornar la cosa quan finalitza el contracte, perquè, a partir d'aquell moment, cessa la legitimació per retenir-la. En realitat, el propietari pot reclamar la devolució de la cosa exercint qualsevol de les dues accions i res no impedeix que exerciti la reivindicatòria quan ha acabat la relació obligatòria.

El demandat pot oposar un just títol per posseir i, per tant, justificar el seu dret a posseir. També podrà aportar una prova del seu títol per destruir la presumpció de l'article 38 LH. En qualsevol cas haurà de provar que la seva possessió està fonamentada en un títol que el faculta per a posseir front a les reclamacions del propietari, títol que pot derivar d'un dret real, (p.e. un usdefruit), o bé una relació obligatòria (p.e. un arrendament).

Si bé s'ha considerat que la petició de nul·litat o cancel·lació de l'assentament en el Registre de la Propietat s'hauria de fer en la mateixa demanda de forma expressa, la jurisprudència ha estat flexible i considera que el requisit es compleix pel fet de demandar el titular registral (SSTS de 6 març 1992, 3 novembre 1993 i 27 juny 2000).

3º La identificació de la cosa. El tercer requisit és la identificació de la cosa objecte de l'acció. La jurisprudència ha interpretat aquest requisit en el sentit que no és suficient que la cosa quedi descrita en el títol, sinó que es requereix la perfecta identificació, de manera que la seva manca impedeix la viabilitat de l'acció (STSJC 23 desembre 1999). Aquesta problemàtica és especialment complexa quan es tracta de la reivindicació de finques, ja que la jurisprudència exigeix que es delimiti clarament el perímetre, cabuda i llindars (STS 25 febrer 1984, entre d'altres), de manera que en molts casos, s'exerciten conjuntament les accions reivindicatòria i de delimitació, que s'han declarat compatibles (STS 16 novembre 2005).

D) ELS EFECTES DE L'ACCIÓ REIVINDICATÒRIA

L'article 544-2 estableix els efectes de l'acció que són dos: la restitució d'allò reivindicat i la liquidació de l'estat possessori

1º El principal efecte de l'acció és la restitució. Ara bé, el mateix article 544-2.1 preveu situacions d'irreivindicabilitat, que no s'haurien d'haver regulat en aquesta disposició, perquè pròpiament es tracta de casos en els quals l'acció resulta impossible, perquè si bé la cosa està totalment identificada, no hi ha legitimació activa per a reclamar-la, ja que el domini pertany a una altra persona. La irreivindicabilitat es produeix quan s'oposa amb èxit a l'actor una situació jurídica creada a favor del nou titular, l'interès del qual és preferent al del reivindicant (PUIG BRUTAU); l'article 544-2.1 s'hi refereix quan, en determinar els efectes de l'acció reivindicatòria, estableix que no es produirà la restitució dels béns objecte de l'acció en aquells casos "en què les lleis determinen la irreivindicabilitat". Es tracta de les situacions creades en l'article 34 LH, en relació als immobles, i 522-8 en relació als béns mobles (vegeu cap. II), a més de les regles contingudes en el Codi de comerç en els articles 85, 86 i 545.

2º El segon efecte, d'acord amb l'article 544-2.2, és la liquidació de l'estat possessori creat. La norma disposa que "la restitució del bé implica la liquidació de la situació possessòria amb relació als fruits, les despeses i el deteriorament o la pèrdua del bé". Aquesta liquidació s'haurà de fer aplicant les regles establertes segons el posseïdor vençut en la reivindicatòria sigui de bona o de mala fe i, per tant, hem de considerar que l'article 544-2.2 es remet a l'article 522-2. S'ha de tenir en compte que la demanda pot inhibir la bona fe del demandat, ja que segons disposa l'article 521-7.3, els efectes de la bona fe cessen quan el posseïdor pot saber raonablement, que no té dret a posseir. Aquesta serà, però, una qüestió de fet que s'haurà de determinar en cada cas concret, perquè no cal oblidar que d'acord amb l'article 521-7.2, la bona fe es presumeix sempre.

II. L'acció declarativa del domini

Com ja s'ha dit, una de les accions que protegeixen el domini és la declarativa, la finalitat de la qual és que es reconegui el domini d'aquell que la interposa. El Codi civil català no la menciona en el capítol IV del Títol IV, regulador de les accions que protegeixen la propietat, però la jurisprudència del Tribunal Superior de Justícia de Catalunya l'ha considerat vigent, així, per exemple, en les SSTSJC de 17 juliol 1995 i 11 desembre 2003 i, per tant, ens inclinem per considerar que la manca de regulació específica en el Codi civil català no exclou en el nostre ordenament una acció dirigida al simple reconeixement del dret de propietat. La finalitat, doncs, d'aquesta acció és el reconeixement del dret de l'actor, i no la reintegració de l'objecte sobre el qual recau el dret de propietat que es demana que es declari; seria l'acció que podria exercitar aquell que ha adquirit la propietat per usucapió un cop consumada aquesta.

L'acció es qualifica de personal (LACRUZ) i exigeix que s'acompleixin els mateixos requisits i prova que l'acció reivindicatòria, amb l'excepció que no cal provar que el demandat és posseïdor, perquè com afirma la STS de 8 novembre 1994, el que busca l'acció declarativa és que es posi en clar el dret de l'actor.

III. L'acció negatòria

La Llei 13/1990, de 9 juliol, de l'acció negatòria, les immissions, les servituds i les relacions de veïnatge, establí en l'article 1, l'acció negatòria, dient que "el propietari d'un immoble té acció per a fer cessar les pertorbacions il·legítimes del seu dret que no consisteixin en la privació o el reteniment indeguts de la possessió. Igualment en té per a exigir l'abstenció de pertorbacions futures i previsibles d'aquest mateix gènere". Malgrat que inicialment aquesta acció estava dirigida a fer cessar les servituds, el Dret català la va configurar com a general, és a dir, com a acció destinada a la defensa i protecció del dret de propietat, la qual cosa ha estat acceptada pel Codi civil català que la regula com una acció general de tot propietari de finques, en els mateixos termes que apareixia regulada en l'article 1.1 de l'esmentada llei, derogada per la llei 5/2006.

A) CONCEPTE

Segons l'article 544-4.1, l'acció negatòria "permet als propietaris d'una finca de fer cessar les pertorbacions i les immissions il·legítimes en el seu dret que no consisteixin en la privació o el reteniment indeguts de la possessió, i també d'exigir que no es produeixin pertorbacions futures i previsibles d'aquest mateix gènere". Resulta evident que el legislador ha considerat convenient estendre l'àmbit de protecció de l'acció negatòria, ja que no solament s'admet en els casos de pertorbacions jurídiques del dret de propietat realitzades per una tercera persona, com passaria quan algú s'atribueix indegudament una servitud, com ara el dret de passar per la finca aliena, sinó també quan aquest dret de propietat pateix una pertorbació material provocada per tercers, com ara en el cas de les immissions. La STSJC de 30 març 2006, pel que fa a l'acció negatòria, diu que "presupone como requisito para su estimación, que el actor acredite el dominio sobre la finca supuestamente gravada o perturbada y esta justificación exige la prueba del título de su adquisición y la identificación de la finca [...], de manera que, acreditada dicha propiedad, ésta se presume libre y por ello corresponde al demandado la prueba de la constitución y vigencia del gravamen (servidumbre) que es objeto de aquella acción, o en su caso, la prueba de que los actos de perturbación (inmisiones) que el demandado le ha causado en el goce o el ejercicio de su dominio no perjudican el interés del propietario, o que debe soportarlos por ley o por negocio jurídico".

La pertorbació no ha de consistir en la privació o el reteniment indeguts de la possessió, ja que aquests són objecte de l'acció reivindicatòria de l'article 544-1, que ja s'ha estudiat, a més de les corresponents accions possessòries si és el cas; l'acció negatòria persegueix clarament la reclamació de la llibertat de la finca, tal com estableix l'article 544-6.1 quan diu que aquesta acció "té per objecte la protecció de la llibertat del domini dels immobles [...]".

A diferència d'allò que establia l'article 2.4 de la llei 13/1990 que declarava la incompatibilitat entre aquestes dues accions, l'actual text del Codi civil català no l'estableix de manera que s'ha d'afirmar que es poden exercir de manera atònoma, tenint compte quines són les finalitats de cada una de les accions, de manera que es podran exercitar conjuntament quan s'hagin produït els dos supòsits de fet que corresponen a cada acció: així, si el propietari s'ha vist desposseït indegudament, podrà exercitar l'acció reivindicatòria i si al mateix temps s'ha produït una pertorbació il·legítima, podrà exercitar la negatòria, el que no és possible és emprar cada una de les accions per a finalitats diferents de les previstes legalment i així no es podrà exercitar una reivindicatòria per fer cessar una pertorbació o una immissió il·legítima.

B) LEGITIMACIÓ ACTIVA I PASSIVA

1º La legitimació activa s'atribueix al propietari i també als titulars de drets reals limitats que comporten possessió.

2º La legitimació passiva correspon a aquelles persones que produeixen materialment o bé per encàrrec d'una altra persona, pertorbacions que recauen sobre una finca, generalment per via d'acció. No s'exclou la possibilitat que situacions d'inactivitat produeixin també pertorbacions que puguin ser una font de perill, ja que l'article 544-4.1 permet exercir l'acció negatòria per a exigir l'abstenció de pertorbacions futures i previsibles (EGEA).

C) REQUISITS

L'acció negatòria s'atribueix al propietari o titular d'un dret real limitat que comporti possessió sobre una finca en els casos de pertorbació material o jurídica del seu dret (STSJC de 21 desembre 1994). Del context de l'article 544-6.1 es deriva que la pertorbació de la titularitat que provoca l'exercici de l'acció ha de ser continuada, no momentània o puntual; això es pot considerar així per tal com l'article 544-6.1 determina com a finalitat de l'acció, "el restabliment de la cosa a l'estat anterior".

La pertorbació ha de ser il·legítima i ha de haver estat originada per l'actuació d'una persona, excloent-se, per tant, les que tinguin un origen natural, com ara les avingudes d'un riu. La pertorbació deixa de ser il·legítima i, per tant, exclou l'exercici de l'acció negatòria, quan es fonamenta en una causa justificada, com pot ser l'estat de necessitat (article 546-12), o bé quan la llei permet l'autotutela del propi dret, com ara en el cas de l'article 546-6.

L'article 544-5 exclou que determinades pertorbacions puguin produir l'exercici de l'acció negatòria: aquelles que no perjudiquen l'interès del propietari i les que han de ser suportades perquè així s'estableix legalment o bé per un negoci jurídic entre propietari o titular perjudicat i aquell que ocasiona la pertorbació. Com a supòsit d'obligació legal d'haver de suportar les pertorbacions, la doctrina esmenta el de les immissions legítimes, d'acord amb l'article 546-14; les que deriven de les relacions de veïnatge, regulades en els articles 546-1 al 546-11 i les restriccions al dret de propietat establertes per normes de dret públic i regulades en els articles 545-1 i 2 i de la destinació de la finca a finalitats públiques d'interès general (EGEA). Com a supòsits d'obligació de suportar una pertorbació establerta en virtut d'un negoci jurídic es pot esmentar la constitució d'una servitud voluntària, l'existència d'una relació obligatòria entre pertorbador i propietari o titular del dret real que autoritzi la intromissió, i també les originades per situacions de situacions de tolerància o complaença (SALVADOR-SANTDIUMENGE. Vegeu també la STSJC de 17 febrer 2000). Tampoc tindrà lloc l'acció negatòria quan, d'acord amb l'article 544-5,a) les pertorbacions que es pretenen evitar "no perjudiquen cap interès legítim dels propietaris en la seva propietat". Diferents casos d'aquest interès es poden consultar en les SSTSJC de 13 gener 1997 i 17 febrer i 5 octubre 2000.

El demandant ha de provar el seu dret de propietat o la titularitat del dret real que l'habilita per posseir i les pertorbacions que sofreix, mentre que el defenent ha de provar l'existència de la servitud, ja que els gravàmens sobre el dret de propietat no es presumeixen. L'article 544-6.2 estableix que quan es demani una indemnització pels danys i perjudicis causats per la pertorbació, "[...] no caldrà que els actors provin la il·legitimitat de la pertorbació"; l'antic article 2.3 de la llei 13/1990 invertia la càrrega de la prova de la il·legitimitat de la pertorbació en qualsevol cas, mentre que l'article 544-6.2 sembla limitar aquesta inversió de la càrrega als casos en què es demani la indemnització. No sembla lògic aquest canvi, ja que el defenent està en millors condicions de provar la legitimitat, ja que tindrà el control del títol que li permet executar els actes de pertorbació, mentre que l'actor el que ha de provar és l'existència de la mateixa pertorbació; la demostració de la legitimitat és més pròpia de les excepcions que pot oposar el demandat. Ara bé, la redacció de l'article 544-6.2 deixa poques alternatives a la interpretació, i per això cal concloure que quan es demanin danys i perjudicis no s'haurà de provar per part de l'actor la il·legitimitat de la pertorbació, mentre que quan el que es demani sigui el cessament de la pertorbació, l'actor haurà de provar no solament que aquesta s'ha produït sinó també que ha tingut lloc de manera il·legítima.

D)EFECTES DE L'ACCIÓ NEGATÒRIA

Segons l'article 544-1.1 l'objecte principal de l'acció negatòria és aconseguir fer cessar les pertorbacions que s'estiguin produint i exigir que no se segueixin ocasionant en el futur. Aquesta disposició s'ha de completar amb allò que disposa l'article 544-6 i d'aquesta manera es pot dir que l'acció negatòria té tres vessants: a) l'acció de cessació, que serà la principal; b) l'acció d'indemnització, i c) l'acció d'abstenció.

El principal objectiu de l'acció negatòria és l'anomenada acció de cessació que permet al mateix temps restituir els immobles a la situació en què es trobaven en el moment anterior a que s'hagués produït la pertorbació jurídica o material, segons disposa l'article 544-6.1. Aquesta és la finalitat principal i allò que s'ha de demanar en la demanda per mitjà de la qual s'exerceix aquesta acció. Això anterior no impedeix demanar també la reparació dels danys i perjudicis causats amb la pertorbació que siguin diferents dels que l'acció obliga a reparar com a conseqüència de l'efecte restitutori. Així l'article 544-6.2 estableix que "hom pot reclamar, en l'exercici de l'acció negatòria, les indemnitzacions corresponents pels danys i perjudicis produïts". Aquesta indemnització es podrà acumular a l'acció principal, que és la de fer cessar la pertorbació i aconseguir la restitució i l'evitació de noves pertorbacions en el futur. No s'apliquen en la indemnització els principis establerts a l'article 1902 CC, ja que la indemnització de què parla l'article 544-6.2 és un rescabalament pels danys que es pot exigir encara que no concorri culpa o negligència per part del pertorbador (EGEA). La STSJC de 5 octubre 2000 va entendre que era procedent pagar els interessos de totes les quantitats objecte de la condemna en una reclamació pels danys i perjudicis produïts per immissions.

Per últim, l'article 544-4.1 preveu també l'acció d'abstenció, que va dirigida a evitar la producció o repetició de pertorbacions futures i previsibles. S'exigeix en aquest cas, que es produeixi una amenaça per a la integritat del dret, tant des del punt de vista jurídic, com des del punt de vista fàctic, encara que no existeixi una activitat damnosa actual. Però certament, aquesta acció, que es pot exercir independentment quan es prevegi aquest perill, es pot acumular a l'acció principal, és a dir a l'acció de cessació, que es pot formular de manera doble, demanant que cessin les pertorbacions actuals i que s'eviti que se'n produeixin de futures.

E) LA PRESCRIPCIÓ DE L'ACCIÓ NEGATÒRIA

L'article 544-7 resol una problemàtica que havia plantejat l'article 2.5 de la llei 13/1990 en relació a la usucapió de les servituds, permesa en aquella llei i a la prescripció de l'acció confessòria; això va donar lloc a diferents sentències del Tribunal Superior de Justícia que van intentar coordinar aquests terminis (SSTSJC de 19 març 2001, que deixava oberta la qüestió); les de 16 setembre i 14 octubre 2002, que van considerar que l'acció negatòria de servituds estava subjecte a un termini de 30 anys, mentre que el termini de cinc anys establerts a l'antic article 2.5 de la llei 13/1990 s'aplicava solament a l'acció negatòria per immissions, solució que no va satisfer la doctrina (EGEA, AMAT LLARI), per bé que realment es feia molt difícil coordinar ambdós terminis.

L'article 544-7 ve a solucionar la qüestió, que ja havia millorat molt amb la llei 22/2001, de 31 desembre, l'article 7.4 de la qual prohibia que cap servitud pogués ser adquirida per usucapió i per tant, no hi havia un període durant el qual havia prescrit l'acció negatòria, però encara no s'hagués produït l'adquisició per usucapió de la servitud, de manera que el titular de la finca sobre la qual s'estava produint aquesta usucapió del dret de servitud, no tenia defensa possible. L'article 544-7 no estableix un termini de prescripció de l'acció negatòria; per tant, es tracta d'una acció la prescripció de la qual està lligada a la mateixa pertorbació, perquè la llei no pot tolerar que algú pertorbi la llibertat del domini i com no es poden adquirir servituds per usucapió (article 566-2.4), sembla que aquest lligam entre continuïtat de la pertorbació i exercici de l'acció queda resol. Per això que acabem de dir, l'article 544-7.1 estableix que l'acció es pot exercir "mentre es mantingui la pertorbació", llevat que tractant-se aquesta d'un dret susceptible de ser adquirit per usucapió, s'hagi consumat. Pensem en el cas d'un dret d'usdefruit adquirit per usucapió, que pertorbi el dret del propietari; aquest podrà exercir l'acció negatòria durant els vint anys requerits per a l'adquisició del dret per aquesta via en l'article 531-27.1. Si la solució fos una altra, s'incorreria en els mateixos problemes que es criticaven en l'anterior regulació, ja que existiria un període de temps en què encara no s'hauria consumat la usucapió, però el propietari no tindria defensa front a aquesta pertorbació, encara que en el cas de la usucapió la qüestió seria menys problemàtica per tal com el propietari usucapit sempre té la possibilitat d'interrompre la possessió *ad usucapionem*. En definitiva, el Codi civil català tracta les pertorbacions de la propietat com un dany continual i l'acció per reclamar-lo, segons reiterada jurisprudència, no prescriu mentre s'està produint el dany. Altre cosa serà quan hagi cessat la pertorbació; llavors no es podrà produir l'efecte restitutori, però sí es podria exercir l'acció en relació a l'efecte d'abstenció, per evitar que es produeixin noves pertorbacions en el futur i sempre que no estigui prescrita, es podrà accionar demanant els danys i perjudicis.

En canvi, el segon paràgraf de l'article 544-7 estableix un termini de prescripció per a l'acció de danys i perjudicis, que serà de tres anys, coincidint amb l'article 121-21,d). El *dies a quo* per a l'exercici de l'acció es fixa en l'article 544-7.2 en el moment en què els propietaris coneixen la pertorbació. D'aquesta manera pot passar que mantenint-se viva l'acció negatòria, no es puguin reclamar els danys produïts per la pertorbació o la immissió perquè ha prescrit l'acció per a reclamar-los. Segurament aquesta dissociació està prevista per incentivar l'exercici ràpid de les accions i evitar que es mantinguin en el temps situacions perjudicials per a la llibertat del domini dels béns immobles.

Per tal com el problema de la durada de l'acció negatòria es pot suscitar encara respecte de les accions nascudes abans de l'entrada en vigor de la llei 5/2006, la Disposició transitòria 4ª.2 estableix que "l'acció negatòria nascuda i no exercida abans de l'entrada en vigor d'aquest llibre subsisteix si es manté la pertorbació, amb l'abast i en els termes que li reconeixia la Llei 13/1990, de 9 de juliol [...], però subjecta al que estableix aquest codi pel que fa a l'exercici, la durada i el procediment". És a dir, que si subsisteix la pertorbació, l'acció està viva i s'ha d'exercir d'acord amb les normes del Codi que hem comentat, mentre que si ha cessat la pertorbació i han passat els anys de prescripció previstos en l'anterior normativa, l'acció s'ha extingit.

BIBLIOGRAFIA SUMÀRIA

AMAT LLARI. "La regulación de las inmisiones en el Código civil". *Centenario del Código civil*. Madrid, 1990, I, p. 73; VALPUESTA. *Acción reivindicatoria, titularidad dominical y prueba*. Valencia, 1993; DIAZ MORENO. "La acción negatoria frente a inmisiones en el Derecho de propiedad". 2. Madrid, 2003. T. III., p. 3699; GARRIDO MELERO. "Reflexiones sobre las relaciones de vecindad en Cataluña (Comentario a la Ley 13/1990, de 9 de julio, de la acción negatoria, inmisiones, servidumbre y relaciones de vecindad)". *RCDI*, 1992, p. 1551; EGEA FERNANDEZ. *Acción negatoria, inmisiones y defensa de la propiedad*. Madrid 1994; NAVAS NAVARRO "Las relaciones de vecindad: la medianería de cierre de patios, huertas, jardines o fincas". *La Ley de Catalunya y Baleares*. 1995-2, p. 771; EGEA FERNANDEZ. "Condiciones medioambientales y derechos fundamentales. Inmisiones perjudiciales que obligan a abandonar el domicilio (A propósito de la sentencia del TEDH de 9 de diciembre de 1994)". *Derecho privado y Constitución*, 1996, 9, p. 323; BARBER CÁRCAMO. "Luces y vistas en los Derechos civiles espanyoles: facultades, servidumbre y usucapión". *Estudios jurídicos en Homenaje al Profesor D. Luís Díez Picazo*. Madrid, 2003, T. III, p. 3547.

JURISPRUDÈNCIA CITADA

Tribunal Europeu de Drets Humans

9 desembre 1994. Dret a la intimitat personal i familiar. Sorolls.
16 novembre 2004. Dret a la intimitat personal i familiar. Sorolls.

Tribunal Suprem

13 octubre 1927. Acció negatòria
3 juny 1964. Acció reivindicatòria. Naturalesa i finalitats
6 juliol 1982. Acció reivindicatòria. Títol que acredita la propietat de qui reclama
25 febrer 1984. Acció reivindicatòria: necessitat d'identificació completa de la finca.
14 març 1989. Diferències entre l'acció reivindicatòria i la declarativa de la propietat
6 març 1992. Acció reivindicatòria. Necessitat de demanar la nul·litat de l'assentament registral.
29 octubre 1992. Prova del títol del propietari: qualsevol mitjà de prova.
3 novembre 1993. Acció reivindicatòria. Necessitat de demanar la nul·litat de l'assentament registral.
8 novembre 1994. Acció declarativa de domini. Requisits.
24 juny 1997. Acció reivindicatòria. Títol de la propietat: les actes de remat.
30 octubre 1997. Presumpció de l'article 38 LH.

17 febrer 1998. Acció reivindicatòria. Títol que acredita la propietat.

13 juny 1998. Acció negatòria.

26 febrer 1999. Prova del títol del propietari: qualsevol mitjà de prova.

27 juny 2000. Acció reivindicatòria. Necessitat de demanar la nul·litat de l'assentament registral.

18 maig 2001. Prescripció de l'acció reivindicatòria.

16 novembre 2005. Compatibilitat entre l'acció reivindicatòria i l'acció de delimitació.

Tribunal Superior de Justícia de Catalunya

5 febrer 1990. Llums i vistes a la Compilació del Dret civil de Catalunya.

2 novembre 1992. Diferències entre l'acció reivindicatòria i l'acció de delimitació

9 novembre 1992. Llums i vistes a la Compilació del Dret civil de Catalunya

6 juliol 1993. Acció reivindicatòria. Prescripció.

26 març 1994. Immissions. Concepte. Ius usus innocui. Diferència entre immissions i servituds.

21 desembre 1994. Immissions. Concepte

31 desembre 1994. Acció negatòria.

27 març 1995. Reivindicació d'immobles incautats durant la Guerra civil. Legitimació.

17 juliol 1995. Diferències entre l'acció reivindicatòria i l'acció declarativa.

13 gener 1997. Immissions. Interès del propietari.

26 febrer 1999. Acció reivindicatòria. Títol que acredita la propietat de qui reclama.

23 desembre 1999. Vigència a Catalunya de l'acció declarativa de domini.

17 febrer 2000. Plantacions veïnes. Els arbres no són assimilables a tanques o reixes. Immissions. Concepte. Situació de tolerància. Interès del propietari.

5 octubre 2000. Immissions. Acció negatòria. Indemnització. Interessos.

19 març 2001. Immissions. Característiques. Acció negatòria. Termini de prescripció.

16 setembre 2002. Acció negatòria. Termini de prescripció.

3 octubre 2002. Immissions: no ho són les construccions extralimitades. Autorització administrativa.

14 octubre 2002. Acció negatòria. Termini de prescripció.

9 desembre 2002. Llums i vistes. Finca no edificada. Immissions: concepte.

11 desembre 2003. Vigència de l'acció declarativa de domini a Catalunya.

13 octubre 2005. Accions reivindicatòria i negatòria de servituds. Concepte. Llums i vistes

27 febrer 2006. Relacions de veïnatge. Definició. Servitud de pas de l'aigua. Presumpció de mitgeria: prova en contra.
30 març 2006. Definició de les accions negatòria i reivindicatòria.
17 juliol 2006. Filtracions.

Capítol XI

La comunitat ordinària indivisa

1. LES SITUACIONS DE COMUNITAT: CONCEPTE I MODALITATS

El títol V del llibre cinquè del Codi civil de Catalunya porta per rúbrica "De les situacions de comunitat", que comprèn inicialment un capítol I "Disposicions generals", que encapçala l'article 551-1, que en el seu apartat 1 defineix les situacions de comunitat en els termes següents: "Hi ha comunitat quan dues persones o més comparteixen de manera conjunta i concurrent la titularitat de la propietat o d'un altre dret real sobre el mateix bé o un mateix patrimoni". Del precepte transcrit en resulta que la situació de comunitat pressuposa: *i)* que la titularitat d'un bé o d'un patrimoni s'atribueix a dos o més titulars; *ii)* que aquesta cotitularitat té el caràcter de conjunta, en el sentit que recau sobre el mateix dret, ja sigui un dret de propietat o la titularitat compartida sobre un mateix dret real limitat, amb la conseqüència d'excloure de les situacions de comunitat la concurrència sobre un mateix bé d'un dret de propietat i d'un dret d'usdefruit —posem per cas—, perquè això no implica una titularitat conjunta sobre el mateix bé sinó una desintegració de les facultats dominicals entre el propietari, o millor el nu propietari, i l'usufructuari (PEÑA BERNALDO DE QUIRÓS); *iii)* la cotitularitat sobre el mateix bé s'ha de produir de forma concurrent, és a dir, que de forma simultània s'ha de donar una situació de copropietat o de cotitularitat sobre el mateix bé o sobre el mateix patrimoni, circumstància que determina excloure de les situacions de comunitat el supòsits en els quals sobre el mateix bé o sobre un mateix patrimoni es produeix una titularitat successiva, com és el cas de l'herència o el llegat gravats de restitució fideïcomissària (vegeu articles 182 i 183 CS), que d'acord amb el principi de l'*ordo successivus* que presideix la institució, suposa atribuir la titularitat del bé o del patrimoni a l'instituït o anomenat en primer lloc, titularitat que s'extingeix pel futur quan es produeix la delació a favor del cridat successivament com hereu o legatari fideïcomissari, i unes consideracions semblants es poden fer en relació amb l'usdefruit successiu segons l'article 561-15.

Delimitada d'aquesta forma el concepte de situació de comunitat, i encara que l'article 551-1 permet que es pugui constituir sobre un mateix bé o sobre un mateix patrimoni, aquí ens referim únicament a les situacions de cotitularitat sobre un mateix bé o sobre uns béns concrets i determinats, amb exclusió per tant de les situacions de cotitularitat sobre un mateix patrimoni. En primer lloc perquè les situacions de cotitularitat sobre un patrimoni es produeixen respecte a situacions que són objecte d'estudi en altres parts del dret civil, com és el dret de successions respecte a les situacions de cotitularitat sobre el patrimoni hereditari (article 1,II, 47 i 51 CS) i el dret de família, en relació amb els règims de comunitat de béns durant el matrimoni (articles 66 i 67 CF). I en segon lloc perquè és dubtós que les comunitats esmentades sobre un patrimoni encaixin amb els principis que informen la comunitat ordinària indivisa, que és la institució que ara ens ocupa.

Tradicionalment les situacions de comunitat s'han valorat en un sentit més aviat negatiu, que té el seu origen en les disposicions del Digest 12,6,26-4 en el Codi 3,37,5, en les quals es preveu que ningú pot ésser obligat a romandre en una situació de comunitat i que qualsevol cotitular pot demanar al divisió de les coses que en troben en aquesta situació en qualsevol temps. Aquest criteri tradicional es reflexa a l'article 552-1.1 quan assenyala que en les situacions de comunitat el dret de cada cotitular resta limitat pels drets dels altres cotitulars i les limitacions sempre s'han considerat situacions desfavorables que és oportú bandejar; de la mateixa manera que respon als criteris tradicionals l'article 552-10.1, que en termes generals estableix aque qualsevol cotitular pot exigir, en qualsevol moment i sense expressar-ne els motius, la divisió de l'objecte de la comunitat. De totes formes cal esmentar que la doctrina actual posa en dubte la validesa d'aquest criteri tradicional. Així s'afirma que cal revisar el criteri que el legislador contempla amb desfavor les situacions de comunitat, que si bé és cert poden ésser incòmodes, antieconòmiques i favorables a provocar controvèrsies, és igualment cert que la comunitat pot ésser favorable als cotitulars de manera més eficaç que una propietat individual i que l'ordenament jurídic no estableix un valor propi contrari a la comunitat; amb la conseqüència doncs que si una situació de comunitat és o no favorable, resta subjecta a la discreció dels cotitulars, que poden acomodar-la de manera flexible a les circumstàncies que considerin més escaients (MIQUEL GONZALEZ).

El criteri tradicional desfavorable a les situacions de comunitat ha portat el legislador a establir una presumpció —evidentment *iurs tantum*— contrària a les situacions de comunitat, ja que segons l'article 551-1.2 "Les situacions de comunitat no es presumeixen, llevat que ho estableixi una disposició legal expressa". Respecte el sentit que s'ha de donar a la disposició transcrita, entenem que en el cas més freqüent d'originar-se la situació de comunitat per negoci jurídic entre vius, la determinació de si la voluntat dels interessats era constituir una situació de comunitat s'ha de determinar en base a les normes generals sobre interpretació dels contractes, d'entre les quals tenen en aquest cas rellevància —segons la tradició jurídica catalana— les regles que determinen una interpretació favorable a la llibertat i contrària per tant a l'existència de limitacions (segons el Digest 5,17,20 i el Sext de les Decretals 5,12,15), ja que no cal oblidar que segons l'article 552-1.1 en les situacions de comunitat ordinària indivisa el dret de cada cotitular es veu limitat pel dret dels altres cotitulars.

Una altra regla interpretativa per a les situacions de comunitat apareix a l'article 551-1.3, on es preveu que "En les situacions de comunitat es presumeix la comunitat ordinària indivisa si no es prova altra cosa". El precepte té el seu fonament en el fet que tradicionalment ha regit en el dret civil català la normativa romana en matèria de comunitat de béns, que segons la doctrina jurídica catalana tradicional va completar i ampliar el Codi civil espanyol, que per aquest motiu es considerava vigent en el nostre dret (BROCÀ), criteri que tenia un sentit més clar després de la vigència de la Compilació del dret civil de Catalunya de l'any 1960 d'acord amb la seva DF 2ª. Aquesta normativa general coexistia amb unes regles consuetudinàries aplicables a determinades comunitats en matèria d'aigües i marítimes (PELLA Y FORGAS), que en tot cas tenien un àmbit d'aplicació sectorial, que posava de manifest que el règim normal de la comunitat de béns a Catalunya ha estat sempre el que es deriva de la tradició romanista, presidida pel criteri de la comunitat indivisa o per quotes. I aquest règim tradicional és el que continua essent el règim general o comú en el nostre dret per a les situacions de comunitat segons l'article

551-1.3, com també resulta de l'article 1287 CC quan preveu que els usos i costums de cada país es tindran en compte a l'hora d'interpretar les ambigüitats que poden presentar els contractes.

En aquest capítol ens ocupem únicament de la comunitat ordinària indivisa que, com s'acaba d'esmentar, és la que presumeix l'article 551-1.3 i que segons l'article 551-2.1 "es regeix per les normes de l'autonomia de la voluntat i, supletòriament, per les disposicions del capítol II" que s'intitula "Comunitat ordinària indivisa" i que comprèn els articles 552-1 al 552-12. Aquest règim coexisteix amb el propi d'altres comunitats que no es presumeixen, i per tant s'han de pactar de forma expressa, com són la propietat horitzontal (vegeu articles 551-2.2 i 553-7.1), la comunitat per torns (articles 551-2.3 i 554-4.1) i la mitgeria (articles 551-2.4 i 552-2.2), que són objecte d'estudi en els capítols següents.

Esmentem finalment en aquesta introducció que segons l'article 551-1.4 "Les despeses comunes es poden reclamar pel procediment monitori, d'acord amb la legislació processal". Es tracta d'una norma que el legislador català ha considerat oportú introduir en el nostre dret a l'empara de l'article 130 EAC, que estableix la competència exclusiva de la Generalitat de Catalunya en matèria de normes processals que es derivin de les particularitats del dret substantiu de Catalunya. Que té com a finalitat fer extensiu el procés monitori a la reclamació de les despeses comunes derivades de les situacions de comunitat, amb la finalitat d'esmenar en aquest punt l'article 812.2,2n LEC, que el limita a la reclamació de les despeses derivades del règim de propietat horitzontal.

2. LA COMUNITAT INDIVISA ORDINÀRIA

I. Concepte i règim jurídic

A l'apartat anterior hem considerat les situacions de comunitat en general en base a la concurrència d'una pluralitat de titulars sobre un mateix bé o sobre uns mateixos béns, sempre que correspongui als cotitulars el mateix dret de forma simultània i no successiva; i si d'aquesta situació general volem passar a la més concreta de comunitat ordinària indivisa, és necessari completar el concepte anterior de comunitat amb les precisions següents. Una i primera és determinar si en les situacions de comunitat existeix un dret subjectiu únic a favor dels cotitulars o si existeixen una pluralitat de drets subjectius en funció del nombre de cotitulars, que ha originat moltes controvèrsies a nivell doctrinal. No és necessari ni oportú reproduir aquí el debat, fonamentalment perquè el legislador català procura de forma directa evitar-lo per la via de la seva adscripció a la tesi de la pluralitat de drets sobre el bé o els béns que es troben en situació de comunitat, ja que segons l'article 552-1.1 "LA comunitat ordinària indivisa comporta l'existència de tants drets com titulars hi ha", que suposa refusar la tesi segons la qual en les situacions de comunitat el dret es divideix entre els cotitulars. Afirmació que es deriva de la proposició segona de l'article 552-1.1 quan precisa que "El dret de cada cotitular resta limitat pels drets dels altres cotitulars", que en definitiva suposa admetre pel nostre dret l'anomenada tesi de la propietat plúrima plural, d'arrel italiana i que ha tingut una acceptació favorable en la doctrina jurídica espanyola, segons la qual en les situacions de comunitat ordinària indivisa cada cotitular ostenta les facultats que es deriven de la seva titularitat sobre una quota del bé que es troba en situació de comunitat, facultats que es veuen limitades o comprimides pels drets que sobre el mateix bé ostenten els altres cotitulars (BELTRAN DE HEREDIA).

D'aquestes consideracions se'n deriva que un dels elements que delimiten el concepte de comunitat ordinària indivisa és l'existència d'unes quotes ideals, que segons l'article 552-1.2 determinen la "participació en l'ús, el gaudi, els rendiments, les despeses i les responsabilitats de la comunitat". L'existència d'aquesta quota ideal en les situacions de comunitat ordinària indivisa serveix, a la vegada, per a diferenciar-la de l'anomenada comunitat germànica o "Gesamthand", que literalment equival a mancomunitat o comunitat en mà comuna, caracteritzada per l'existència d'un vincle personal entre els cotitulars, la improcedència de l'acció de divisió del bé que es troba en la situació de comunitat i la intransmissibilitat de les quotes que corresponen a cada cotitular, ja que fins i tot es refusa l'existència de quotes (GARCIA GRANERO). Si es considera vàlida aquesta configuració de la comunitat germànica, hem d'assenyalar ara que resta al marge de les nostres consideracions en aquest capítol, que suposa per tant deixar oberta la possibilitat d'establir situacions de comunitat en base al model germànic esmentat, ja que com posa de manifest al doctrina el llibre cinquè del Codi civil de Catalunya no estableix un *numerus clausus* de situacions del comunitat (GETE-ALONSO I CALERA). Des d'aquesta perspectiva apuntem únicament l'oportunitat d'excloure del règim jurídic de la comunitat ordinària indivisa la comunitat de pastures segons l'article 600,I CC, encara que l'apartat segon del mateix precepte qualifica el supòsit de servitud de pastures, que podria tenir el seu encaix en el concepte de servituds recíproques que apareix a l'article 566-4.1, proposició segona.

Del que s'ha exposat en resulta que en el règim de la comunitat ordinària indivisa és fonamental el concepte de quota, que segons l'article 552-1.2 determina en quina proporció participa cada cotitular en l'ús, el gaudi, els rendiments, les despeses i les responsabilitats en la comunitat. La importància que s'atribueix a la quota a l'hora de configurar jurídicament la situació de comunitat ordinària indivisa determina la conveniència de fixar el seu sentit en l'esfera de les relacions jurídiques reals. Des d'aquesta perspectiva s'observa que es tracta d'una quota ideal, de la qual el seu titular en disposa lliurement (article 552-3.1), de la mateixa manera que pot disposar de l'objecte indeterminat que li correspondrà en el moment posterior de la divisió de la cosa comuna (article 552-3.2), però no pot disposar de la totalitat del bé, que segons l'article 552-7.6 exigeix l'acord unànime dels cotitulars. D'aquests preceptes en resulta que en les situacions de comunitat ordinària indivisa el bé objecte de la comunitat no es troba dividit de forma que cada cotitular tingui un dret concret sobre una part determinada del bé, sinó que té un dret sobre la totalitat indivisa del bé limitat per la participació dels demés (article 551-1.1) i és per això que els actes dispositius que recauen sobre la totalitat del bé exigeixen la participació de tots els cotitulars; mentre que respecte a la quota que correspon a cada cotitular pot exercir lliurement les seves facultats dispositives perquè la quota no és una part del bé que es troba en situació de comunitat sinó una participació en l'esfera jurídica comuna, encara que s'expressi per mitjà d'una fracció, que significa únicament una proporció ideal i no un títol d'atribució del dret (segons LARENZ, *Derecho de obligaciones* <traducció espanyola>. Madrid, 1959, volum I, pàg. 437 i seg.). La determinació de la quota que correspon a cadascun dels cotitulars en la situació de comunitat ordinària indivisa es determina en base el principi d'autonomia privada; pels casos de dubte preveu l'article 552-1.3 que "Els drets en la comunitat i, per tant, les quotes es presumeixen iguals llevat que es provi el contrari", que és una regla de bon sentit, ja que no és funció del legislador presumir unes desigualtats de les quotes fonamentada en qualsevol circumstància personal que concorri en un o més dels cotitulars, que en la gran majoria dels casos tindria una fonamentació arbitrària.

Una darrera precisió amb la finalitat de determinar el concepte de comunitat ordinària indivisa és la que resulta del concepte que s'ha donat de quota, com participació de cada cotitular sobre el bé que es troba en situació de comunitat, que pressuposa que tots els cotitulars ho són del mateix dret que comparteixen amb els altres cotitulars. Que ens ha de servir per excloure de les situacions de comunitat ordinària indivisa el supòsits anomenats de comunitat "pro diviso", que apareixen quan sobre un mateix bé concorren una dualitat o pluralitat d'aprofitaments atribuïts a titulars diferents que exerceixen com a titulars exclusius, perquè en aquests casos està absent el concepte de quota. Afirmació compatible amb un criteri general favorable a conferir en els casos de comunitat "pro diviso" el dret legal d'adquisició preferent que s'estableix pels casos de comunitat indivisa ordinària (en el cas del dret civil català segons l'article 552-4), perquè aquesta aplicació extensiva del dret legal d'adquisició preferent obeeix a finalitats pràctiques raonables, en tot cas insuficients per a prejutjar la configuració jurídica de la comunitat "pro diviso".

Delimitada d'aquesta forma el concepte de comunitat ordinària indivisa, hem de precisar que el seu règim jurídic és el que es deriva de l'article 551-2.1 segons el qual "La comunitat ordinària indivisa es regeix per les normes de l'autonomia de la voluntat i, supletòriament, per les disposicions del capítol II". La prevalença de l'autonomia de la voluntat i el caràcter supletori que el precepte transcrit atribueix als articles 552-1 al 552-12 no s'ha d'entendre en termes massa absoluts; ja que com es veurà en els apartats següents, determinats preceptes sobre la comunitat ordinària indivisa tenen caràcter imperatiu i, per tant, no es poden deixar sense efecte per voluntat dels cotitulars.

II. Constitució

Amb caràcter general es preveu a l'article 552-2 que "La comunitat es pot constituir mitjançant: a) Negoci jurídic, sia per adquisició conjunta de més d'una persona de la propietat o del dret real sobre el qual recau, sia per alienació d'una part indivisa amb reserva d'una altra part. b) Usucapió. c) Disposicions per causa de mort. d) Llei". La finalitat del precepte no és altra que establir en base a quins mitjans es pot originar al situació de comunitat ordinària indivisa. Ara ens hem de limitar a fer les consideracions següents:

A) *PER NEGOCI JURÍDIC ENTRE VIUS*

L'article 552-2.a) preveu que s'origina la situació de comunitat ordinària indivisa, en primer lloc, quan dues o més persones adquireixen de forma simultània la propietat o un altre dret real, que pressuposa un negoci jurídic de disposició, ja sigui a títol onerós o gratuït, que permet atribuir als adquirents la condició de copropietaris o de cotitulars del dret real objecte de la transmissió. Si el negoci jurídic es qualifica de contracte, la situació de comunitat ordinària indivisa exigeix l'existència d'un contracte amb finalitats transmissives i la tradició subsegüent a favor dels adquirents (article 531-3) i, en els casos de donació a favor d'una pluralitat de donataris, el compliment dels requisits de forma que exigeix l'article 531-12. Una segona possibilitat d'originar la situació de comunitat indivisa ordinària es dóna —segons l'article 552-2.a)— quan el titular únic d'un bé aliena una part indivisa del mateix i es reserva una altra part, que es pot fonamentar també en un negoci jurídic onerós o gratuït, que exigirà la posterior tradició de la quota alienada o el compliment dels requisits de forma que la llei exigeix per a la donació.

Per tal que existeixi una situació de comunitat es requereix com a mínim l'existència de dos cotitulars i sense que la llei estableixi un número màxim de cotitulars, amb la precisió que la condició de cotitular pot recaure en qualsevol persona física o jurídica, nacional o estrangera, excepte en relació amb aquests darrers quan per disposicions imperatives de dret públic o d'interès públic es limiti la seva participació en béns determinats. Pel que fa referència a la capacitat d'obrar, no s'exigeixen requisits especials en relació amb els cotitulars, ja que es troben en situació de comunitat en base al negoci jurídic entre vius que ha originat la cotitularitat entre ells.

B) *USUCAPIÓ*

Recordem inicialment que segons l'article 531-23.1 la usucapió es configura com un títol adquisitiu de la propietat o d'un dret real possessori, amb la conseqüència que el nostre ordenament jurídic no exclou la usucapió com un títol hàbil per a originar al situació de comunitat ordinària indivisa, com resulta de forma explícita de l'article 552,b) quan precisa que la comunitat es pot constituir mitjançant la usucapió.

A l'hora de determinar l'abast de l'article 552,b) ens hem de remetre fonamentalment a les consideracions que s'han fet abans sobre incidència d'una possessió *ad usucapionem* per part d'uns coposseïdors (vegeu *supra,* capítol V,4,I). Per via de síntesi esmentem ara que s'origina la situació de comunitat ordinària indivisa mitjançant la usucapió si una pluralitat de persones posseeixen un bé determinat durant el temps necessari per a usucapir, cas en el qual si es consuma la usucapió, esdevenen cotitulars del bé usucapit en proporció a les quotes objectes de cada possessió i el mateix succeeix quan ha posseït *ad usucapionem* una sola persona en nom propi i en nom dels altres coposseïdors (article 521-2.1,b). De la mateixa manera que una vegada constituïda la situació de comunitat ordinària indivisa si un tercer usucapeix la quota d'un dels cotitulars, aquest fet determinarà que el tercer entri a formar part de la comunitat en el lloc que ocupava abans el cotitular contra el qual s'ha consumat la usucapió.

C) *DISPOSICIÓ PER CAUSA DE MORT*

Segons l'article 552-2,c) la comunitat ordinària indivisa es pot constituir mitjançant "Disposició per causa de mort", que exigeix relacionar-lo amb altres preceptes del dret successori català. Una situació clara de cotitularitat s'origina quan per disposició per causa de mort o per vocació legal subsidiària succeeixen de forma conjunta i simultània una pluralitat de cohereus, que origina la situació de comunitat hereditària, en la qual cadascun dels cridats pot esdevenir cohereu en proporció a la quota a la qual ve cridat (article 1,II CS). La situació de comunitat hereditària té una regulació pròpia en el dret successori català, circumstància que determina una remissió a les consideracions que es fan en el volum d'aquest obra que tracta del dret de successions.

La situació de comunitat ordinària indivisa es pot originar també via llegat, com resulta de l'article 256,I CS, del qual en resulta que, llevat voluntat contrària del testador, cadascun dels legataris adquireix una quota igual sobre el bé o els béns objecte del llegat, sens perjudici que el testador pugui deixar a l'arbitri de tercera persona determinar les quotes de cadascun dels legataris d'acord amb les prevencions que estableix l'apartat segon del mateix precepte. La situació de comunitat en relació amb els llegats determina que cada col.legatari pot repudiar o acceptar la seva part en el llegat, amb independència dels altres (article 268,II CS) i que en cas de repudiació, la seva part en el llegat acreix als altres col.legataris segons l'article 42 CS.

D) PER LLEI

Finalment preveu l'article 552-2, d) que la comunitat es pot constituir mitjançant llei, expressió que hem d'entendre en el sentit que la llei pot imposar la situació de comunitat per tal de resoldre un conflicte d'interessos que s'origina entre els interessats, amb la finalitat d'oferir la solució que creu més escaient. Aquesta és la solució que preveu l'article 542-18.1 pels casos d'unió voluntària de dos o és béns si en resulta un de nou o una barreja dels anteriors, que inicialment es resol per la via d'establir una situació de comunitat ordinària entre els interessats de forma proporcional al valor dels béns units. Es pot incloure en aquest mateix apartat el supòsit d'agrupació de finques segons l'article 45,III RH, ja que si les finques agrupades pertanyen a propietaris diferents, l'agrupació sols és possible si es determina la participació indivisa de cada propietari en la finca que resulta de l'agrupació.

III. Drets individuals dels cotitulars

A l'hora d'estructurar el règim jurídic de la situació de comunitat ordinària indivisa és oportú recordar que segons l'article 552-1 el legislador català s'adscriu a la seva configuració com una situació que atribueix a cada cotitular un dret subjectiu independent sobre la seva quota sobre el bé comú, de lliure disposició per part del seu titular perquè no es concreta sobre una part del bé ja que es tracta d'una quota ideal; i que aquesta autonomia de cada titular sobre la seva quota es veu limitada —perquè coexisteix— pels drets individuals que ostenten els altres cotitulars sobre el mateix bé. Això ha determinat que el legislador considerés oportú regular en seccions diferents els drets individuals de cada cotitular en la situació de comunitat indivisa (secció segona del capítol II) i els drets i deures dels cotitulars sobre el bé que es troba en situació de comunitat a la secció tercera. Aquí ens ocupem únicament dels drets individuals que regula la secció segona.

A) FACULTATS DISPOSITIVES

L'atribució a cada cotitular d'un dret subjectiu independent sobre la seva quota segons l'article 552-1.1 determina que "Cada cotitular pot disposar lliurement del seu dret en la comunitat, alienar-lo i gravar-lo" (article 552-3.1). Efecte fonamental de l'alienació de la quota és que l'adquirent ingressi en la situació de comunitat amb el caràcter de cotitular i que perdi aquesta condició el transmitent que ha alienat la totalitat de la seva quota. I pel que fa referència a la responsabilitat de l'adquirent pels deutes pendents a càrrec del transmitent, apuntem l'oportunitat de relacionar el precepte esmentat amb l'article 552-5.3, que pels casos de renúncia d'un cotitular —i no hem d'oblidar que la renúncia no és altra cosa que una modalitat dels actes dispositius— el renunciant i en el cas que ara interessa el transmitent no s'eximeixen de complir les obligacions anteriors i pendents de compliment per raó de la comunitat, com poden ésser per exemple les despeses necessàries per a la conservació del bé que es troba en situació de comunitat (article 552-8). Tampoc assumeix l'adquirent de la quota responsabilitat per les obligacions de caràcter personal a càrrec del transmitent, en contraposició a les obligacions per raó de la comunitat esmentades a l'article 552-5.3, perquè les obligacions de caràcter personal es sotmeten al principi de relativitat dels contractes segons l'article 1257,I CC i, per tant, no afecten al cessionari de la quota no té la condició d'hereu del transmitent.

L'article 552-3.1 permet que cada cotitular pugui disposar "lliurement" de la seva quota sobre el bé, que ens porta a plantejar el problema de la seva incidència sobre els pactes d'intransmissibilitat que puguin haver establert els cotitulars a l'empara del principi d'autonomia privada. Esmentem que no existeix un fonament seriós en contra de la seva validesa, ja que la situació de comunitat indivisa pot tenir la seva base en unes relacions de caràcter personal entre els cotitulars, que es poden malmetre com a conseqüència d'ingressar en la comunitat terceres persones en base a la facultat de disposició de la seva quota per part de qualsevol cotitular. El pacte que limita la facultat de lliure disposició de la quota imposa al seu titular una obligació de caràcter negatiu (o de no fer en paraules de l'article 1088 CC), que si s'incompleix generarà únicament la responsabilitat del transmitent per haver incomplet l'obligació a càrrec seu d'acord amb la normativa general que es deriva de l'article 1101 CC, encara que sense provocar la ineficàcia de l'acte dispositiu; si bé s'argumenta de forma raonable que l'incompliment de l'obligació de no alienar determinarà la ineficàcia de l'acte dispositiu si l'adquirent de la quota es pot qualificar d'adquirent de mala fe, perquè coneixia l'existència de l'obligació de no alienar (ESTRUCH ESTRUCH).

Fins aquí ens hem referit a l'alienació de la quota que correspon a cada cotitular en les situacions de comunitat indivisa que, com s'ha argumentat abans, no es projecta sobre una part concreta del bé que es troba en situació de comunitat perquè es tracta de concretar mitjançant una fracció en quina mesura el dret del cotitular es troba limitat pel dret dels altres cotitulars. D'aquesta consideració se'n deriva que mentre perdura la situació de comunitat, el cotitular no pot disposar d'una part indivisa concreta del bé objecte de la comunitat, precisament perquè no ostenta un dret ni unes facultats sobre una part del bé, dret que sols es concretarà quan s'extingeixi la comunitat com a conseqüència de la divisió de la cosa comuna, que suposarà atribuir a cada cotitular una part concreta del bé o altres béns en substitució de la seva quota indivisa (article 552-12.1). Això justifica que segons l'article 552-3.2 "Cada cotitular pot disposar de l'objecte indeterminat que li correspondrà en el moment futur de la divisió. En aquest cas, mentre dura la situació d'indivisió, l'adquirent no s'incorpora a la comunitat i, per tant, no pot exigir la divisió".

La facultat de disposar lliurement de la quota que correspon a cada cotitular (segons l'article 552-3.1) no s'ha de veure afectada pel fet de realitzar-se l'acte dispositiu a favor d'un dels cotitulars, que d'aquesta forma adquireix la totalitat d'una part o la totalitat de la quota del transmitent. És cert que davant d'aquest fet en altres ordenaments jurídics s'argumenta que provoca una modificació de les quotes i que, per tant, exigeix el consentiment dels altres cotitulars. Que en aquest cas es modifiquen les quotes no cal discutir-ho, ja que segons l'article 552-4.1 el dret d'adquisició preferent dels cotitulars sols opera quan es produeix una alienació a títol onerós "a favor de terceres persones alienes a la comunitat". Però l'acte dispositiu es segueix projectant sobre la quota del transmitent, de la qual en pot disposar lliurement segons l'article 552-3.1.

La facultat de lliure disposició de la quota es projecta sobre els actes d'alienació i els actes de gravamen de la quota segons l'article 552-3.1, que porta a la conseqüència que cada cotitular —posem per cas— pugui constituir un dret real de garantia sobre la seva quota (vegeu els articles 569-1 i 569-2) o un dret d'usdefruit sobre la mateixa (article 561-11.2). Cas de constitució d'un dret real de penyora o d'hipoteca sobre una quota el creditor hipotecari o pignoratici no passa a formar part de la comunitat, excepte en el cas d'adjudicar-se la quota en la fase de realització del seu valor; i si en la fase de seguretat del dret real de garantia es procedeix a la divisió del bé, això determinarà (segons l'article 552-12.2) que resti lliure del gravamen hipotecari o pignoratici la resta o la totalitat del bé comú i que el gravamen es concreti sobre el bé adjudicat al cotitular (MIQUEL GONZALEZ). I pel cas d'usdefruit sobre una quota l'usufructuari tampoc adquireix la condició de cotitular, encara que pot exercir els seus drets sense necessitar la intervenció del nu propietari en matèria d'administració i percepció de fruits i interessos (article 561-11.2) i amb la possibilitat que es concreti el seu dret d'usdefruit sobre la part adjudicada a l'anterior titular de la quota (article 566-11.3).

La facultat de lliure disposició de la quota segons l'article 552-3.1 inclou la facultat del cotitular de renunciar a la quota sobre el bé, encara que el supòsit es regula de forma independent a l'article 552-5.1, en el qual s'estableix que "Cada cotitular pot renunciar al seu dret a la comunitat". El precepte es refereix a l'anomenada renúncia abdicativa, que es tradueix en una declaració unilateral de voluntat del renunciant, que té com a finalitat abdicar de la seva titularitat sense transmetre-la a ningú. Efecte de la renúncia és que la quota del renunciant ja no limita el drets del altres cotitulars (vegeu l'article 552-1.1), amb la conseqüència (segons l'article 552-5.2) que això "comporta l'acreixement dels altres cotitulars sense necessitat d'acceptació expressa però sens perjudici de poder-los renunciar", amb la finalitat de conferir vigència en aquest cas al principi que ningú ha d'adquirir drets contra la seva voluntat. Respecte els requisits de forma de la renúncia preveu l'article 552-5 que "La renúncia ha de constar en una escriptura pública si la comunitat té per objecte la propietat o un dret real sobre un bé immoble o sobre participacions en societats mercantils".

L'article 552-5.3 preveu que "La renúncia no eximeix els renunciants del compliment de les obligacions anteriors i pendents per raó de la comunitat". Aquestes obligacions "per raó de la comunitat" són les que esmenta l'article 552-8.1, és a dir, les despeses necessàries per a la conservació, l'ús i el rendiment de l'objecte de la comunitat i les de reforma i millora que hagi acordat la majoria;

i respecte el requisit que s'ha de tractar de despeses derivades d'obligacions "anteriors i pendents", s'ha d'interpretar en el sentit d'obligacions derivades de despeses acordades amb anterioritat a la renúncia, encara que no s'hagin realitzat, perquè l'article 552-8.1 es refereix a l'obligació de "contribuir", que es refereix a les quantitats necessàries per a realitzar despeses futures per raó de la comunitat (ESTRUCH ESTRUCH).

B) DRETS D'ADQUISICIÓ PREFERENT

El criteri tradicional desfavorable a les situacions de comunitat i, també, el seu caràcter provisional (vegeu l'article 552-10.2) determinen que es consideri oportú mantenir en el nostre ordenament jurídic uns drets d'adquisició preferent a favor dels altres cotitulars quan un d'ells aliena la seva quota a un tercer, de la mateixa manera que s'estableix un dret d'adquisició preferent per una situació semblant en els casos de comunitat hereditària (article 51 CS). Tant en un cas com en l'altre es persegueix extingir la situació de comunitat o, altrament, la disminució del nombre de cotitulars. No obstant aquest criteri inicialment desfavorable a les situacions de comunitat, el nostre legislador no estableix el dret d'adquisició preferent en les situacions de comunitat amb caràcter imperatiu, probablement perquè no es fonamenta en raons d'interès públic o general sinó en interès dels altres cotitulars, circumstància que justifica es cregui procedent conferir la possibilitat de la seva exclusió. Així resulta de l'article 552-4.1, que de forma clara admet que en el títol de constitució de la comunitat es puguin excloure els drets d'adquisició preferent o que el seu titular renunciï de forma anticipada al seu exercici. Respecte els requisits de forma de l'exclusió o la renúncia es preveu a la proposició segona de l'article 552-4.4 que "Si la comunitat té per objecte la propietat o un altre dret real sobre bens immobles, l'exclusió o la renúncia anticipada només es pot fer en escriptura pública".

L'article 552-4 confereix el dret d'adquisició preferent en les situacions de comunitat ordinària indivisa en la doble modalitat del tanteig i del retracte, encara que no amb caràcter cumulatiu sinó subsidiari, en el sentit que inicialment es confereix als altres cotitulars el dret de tanteig i si aquest es frustra per manca de la notificació de la intenció de transmetre la quota o perquè la transmissió es fa per un preu o en unes circumstàncies diferents de les que consten en la notificació, aleshores el dret de tanteig es converteix en un dret de retracte (segons l'article 552-4.2).

a) El dret de tanteig

Entès en el sentit de l'article 568-1.1,b) com el dret que faculta el seu titular per a adquirir a títol onerós un bé amb les mateixes condicions pactades amb un altre adquirent, en el cas de la comunitat ordinària és el que faculta els altres cotitulars per a adquirir la quota que qualsevol dels cotitulars vulgui alienar a títol onerós a favor de terceres persones alienes a la comunitat (article 552-4.1). En una breu exegesi del precepte i els que es relacionen amb ell esmentem com aspectes més significatius:

- El dret d'adquisició preferent afecta la persona que ha convingut l'alienació de la seva quota a persona aliena a la comunitat i s'estableix a favor de la persona o persones que tenen la condició de cotitulars del mateix bé, condició que normalment hauran de reunir al temps de la conclusió del negoci jurídic transmissió, ja que segons l'article 1258 CC els contractes es perfeccionen des del moment en que existeix un acord de voluntats entre els contractants, encara que no s'hagin complert les obligacions que se'n deriven (article 568-4).

- El fet que origina la naixença del dret d'adquisició preferent és que l'alienació projectada s'estableixi a favor de persona aliena a la comunitat (article 552-4.1), amb la precisió que el concepte de persona aliena es projecta sobre la que no té la condició de cotitular en el moment de perfeccionar-se el contracte que té per objecte l'alienació de la quota, amb exclusió doncs de la persona que en aquest moment ja no és cotitular perquè ja ha alienat efectivament la seva quota o sols té l'expectativa d'adquirir en el futur una altra quota sobre el bé objecte de la comunitat; de la mateixa manera que tenen la condició de persones alienes a la comunitat els titulars d'un dret real limitat o d'un dret personal sobre el mateix bé.

- El dret d'adquisició preferent en forma de tanteig opera en els casos d'alienació a títol onerós de la quota per part d'un dels cotitulars a favor d'un estrany a la comunitat, que determina: i) la seva efectivitat sols en els casos d'alienació de la quota, però no en els de renúncia a la quota, que segons l'article 552-5.2 determina el seu acreixement a favor dels altres cotitulars, ni els de gravamen de la quota, ja que el cotitular continua formant part de la comunitat ordinària indivisa, encara que la seva titularitat estigui gravada amb un dret real limitat; *ii)* la seva efectivitat opera sols en els casos en què el contracte té com a finalitat transmetre la titularitat de la quota al tercer, ja que no és altre el sentit de l'expressió alienació que apareix a l'article 552-4.1; *iii)* i finalment la transmissió de la quota s'ha de fonamentar segons el precepte en un contracte que es fonamenta en una causa onerosa en el sentit de l'article 1274 CC, circumstància que determinarà la improcedència del dret d'adquisició preferent quan el contracte, encara que tinguin com a finalitat transmetre la titularitat de la quota, es fonamenti en una causa gratuïta (també en el sentit de l'article 1274 CC), amb la conseqüència que s'ha d'establir l'efectivitat del dret d'adquisició preferent si el cotitular aliena la seva quota a títol de compravenda, permuta, transacció o aportació a una societat, ja que per aquest supòsit el legislador no estableix excepcions, com fa per exemple l'article 565-26 en relació amb el dret d'adquisició preferent del censatari, de la mateixa manera aque escaurà si l'alienació es fa per la via d'una donació que encobreix o dissimula una donació de la quota a favor d'un tercer aliè a la comunitat (argument article 1276 CC).

- Si d'acord amb les precisions anteriors opera el dret d'adquisició preferent en forma de tanteig, el cotitular que vol alienar la seva quota a títol onerós ha de complir la prevenció que estableix l'article 552-4.2, en el qual es preveu que "Els cotitulars que pretenen fer la transmissió han de notificar als altres cotitulars fefaentment, la decisió d'alienar i les circumstàncies de la transmissió".

- Pel que fa referència a l'exercici del dret d'adquisició preferent en forma de tanteig, esmentem que segons l'article 568-4 "Els drets d'adquisició establerts a favor de diversos titulars de manera proindivisa han d'ésser exercitats conjuntament per tots els titulars o per un o diversos d'ells per cessió dels altres"; precepte que s'ha de relacionar amb l'article 552-4.3, en el qual s'estableix que "El tanteig i el retracte, si els comuners que pretenen exercir-lo són més d'un, els correspon en proporció a llurs drets respectius en la comunitat". I pel que fa referència al termini cal atenir-se a l'article 552-4.2, en el qual es preveu que "El tanteig es pot exercitar en el termini d'un mes comptat des del moment en què es fa la notificació", precepte que entenem en el sentit que el termini comença a córrer des del moment en que els altres cotitulars reben la notificació de la transmissió projectada.

- Efecte fonamental del dret d'adquisició preferent és que els altres cotitulars gaudeixen de la facultat d'adquirir la quota del transmitent pel mateix valor i en les mateixes condicions convingudes per a l'alienació a favor d'un tercer aliè a la comunitat (article 552-4.1).

b) El dret de retracte

Com a subsidiari del dret de tanteig pels casos de manca de notificació de la decisió d'alienar la quota o quan l'alienació s'ha realitzat per un preu o en unes circumstàncies diferents de les que consten en la notificació l'article 552-4.2 estableix un dret de retracte a favor dels altres cotitulars, entès en el sentit de l'article 568-1.1,c), és a dir, com un dret que faculta el seu titular per a subrogar-se en el lloc de l'adquirent amb les mateixes condicions convingudes en un negoci jurídic onerós una vegada s'ha verificat la transmissió. Això vol dir que el dret de retracte opera una vegada s'ha consumat la transmissió de la quota a favor de persona aliena a la comunitat, perquè concorre no sols un contracte transmissiu de la quota a títol onerós, sinó també la seva tradició a l'adquirent de la quota per qualsevol dels mitjans que preveu la llei que el converteix en titular real de la quota objecte de la transmissió (vegeu l'article 531-1).

L'exercici del dret d'adquisició preferent en la modalitat del retracte correspon a les persones que tenen la condició de titulars del dret de tanteig com a conseqüència del caràcter subsidiari que l'article 552-4.2 confereix al dret de retracte. L'acció de retracte s'ha d'adreçar únicament contra l'adquirent persona aliena a la comunitat, però no contra el cotitular transmitent, sens perjudici de la seva intervenció voluntària en el procés a l'empara de l'article 13.1 LEC (vegeu en aquest sentit STS d'11 de maig de 1992). Si després de la interposició de la demanda el retraient té coneixença d'una posterior transmissió de la quota a un tercer, la sentència de 24 de maig de 1986 imposa al retraient el deure d'ampliar la seva pretensió enfront el tercer segons les regles del litisconsorci passiu necessari o les que regulen l'acumulació de pretensions.

El dret d'adquisició preferent en la modalitat del retracte escau quan s'ha consumat l'alienació de la quota a favor d'un tercer en base a un contracte de finalitat transmissiva fonamentat en una causa onerosa segons l'article 1274 CC (article 552-4.2); encara que tècnicament no es pot equiparar a una transmissió de la quota fonamentada en una causa onerosa la dació en pagament de la quota a un estrany a la comunitat, ja que la dació en pagament té com a finalitat extingir una obligació del transmitent, la STS de 28 de juny de 1993 equipara als efectes del retracte la dació en pagament a una compravenda consumada. Com també escau el retracte en cas d'alienació de la quota del transmitent en base a una subhasta notarial o judicial, que segons la STS d'11 de juliol de 1992 origina la possibilitat d'exercir l'acció de retracte des de l'aprovació judicial de la subhasta, que origina la consumació de la transmissió.

Pel que fa referència a les circumstàncies temporals, la proposició segona de l'article 552-4.2 preveu que "es pot exercitar en el termini de tres mesos comptats des del moment en què els altres cotitulars tenen coneixement de l'alienació o les seves circumstàncies o des de la data en què s'inscriu la transmissió en el registre que correspon". D'acord amb l'article 122-1.1, segons el qual resten sotmesos al règim de la caducitat els poders de configuració jurídica, entenem que el termini de tres mesos de l'article 552-4.2 s'ha de qualificar de termini de caducitat que es comença a comptar, si la transmissió que origina el dret de retracte no s'inscriu en un registre públic, des del moment en què el retraient per qualsevol mitjà de prova té un coneixement ple, cert, complet i exacte de l'acte transmissiu (STS de 20 de maig de 1981); mentre que si la transmissió ha provocat una inscripció registral, el termini de caducitat es computa des de la data de l'assentament d'inscripció, que ofereix al retraient un coneixement exacte i precís de les condicions que emmarquen la transmissió que pot originar el dret de retracte, a menys que el retraient ja hagués tingut coneixement suficient d'aquests fets tres mesos abans de la inscripció registral.

Conseqüència fonamental de l'exercici amb èxit de l'acció de retracte assenyalem —d'acord amb allò que preveu l'article 568-1,c)— que determina la subrogació del retraient en la posició jurídica de l'adquirent, que no comporta l'existència d'una nova transmissió a favor del retraient sinó el manteniment de la primera transmissió, amb el canvi inevitable de la persona adquirent, que ho és del transmitent. Si més d'un cotitular pot exercir el dret de retracte, recordem que segons l'article 568-4 l'han d'exercir tots ells conjuntament o un o diversos d'ells per cessió dels altres en proporció a llurs drets respectius en la comunitat (article 552-4.3). I precisem finalment que segons l'article 568-27.1 el dret d'adquisició preferent dels cotitulars en les situacions de comunitat ordinària indivisa preval sobre els altres.

IV. Posició jurídica dels cotitulars en relació amb l'objecte de la comunitat

A l'apartat anterior hem fet referència als drets individuals que corresponen a cada cotitular sobre la seva quota. Hem de considerar ara les conseqüències que es deriven del fet que tots aquests drets individuals recaiguin sobre el mateix bé, que amb caràcter general —i com precisa l'article 552-1.1— determina que "El dret de cada cotitular resta limitat pels drets dels altres cotitulars". La interrelació que el precepte estableix entre els respectius drets individuals porta a fer les consideracions següents:

A) FACULTATS D'ÚS I GAUDI

Segons l'article 552-6.1 "Cada cotitular pot fer ús de l'objecte de la comunitat d'acord amb la seva finalitat social, econòmica i de manera que no perjudiqui els interessos de la comunitat ni els dels altres cotitulars, als quals no poden impedir que en facin ús". Encara que el precepte transcrit no fa referència a la facultat possessòria del bé objecte de la comunitat, entenem que a tots ells correspon la possessió del bé, ja que de forma clara l'article 521-5 admet les situacions de copossessió en relació amb els béns que es troben en situació de comunitat; i per altra part la facultat d'ús que l'article 552-6.1 confereix a cada cotitular, pressuposa que té darrera seu unes facultats possessòries. Això determina a més que cada cotitular pot exercir les accions possessòries que escaiguin per tal de mantenir i de retenir les seves facultats possessòries, no sols enfront a tercers aliens a la comunitat sinó també enfront a qualsevol altre cotitular que pertorbi de forma il.legítima les facultats possessòries de qualsevol d'ells, ja que segons l'article

522-7.1 els posseïdors tenen pretensió per a retenir i recuperar llur possessió contra *qualsevol* pertorbació o usurpació.

Encara que l'article 552-6.1 no ho preveu, hem d'entendre que el règim d'ús i de gaudi del bé objecte de la comunitat poden establir-lo els cotitulars a l'empara del principi d'autonomia privada, perquè és aplicable en aquest punt l'article 552-2.1 que estableix com a norma primària de la comunitat el seu títol constitutiu, que per exemple permetria establir períodes temporals d'ús entre els cotitulars i límits materials sobre el bé comú. Segons el precepte esmentat la facultat d'ús del bé comú que es confereix a cada cotitular s'ha d'exercitar d'acord amb la finalitat econòmica i social del bé, finalitat que de forma expressa poden establir els cotitulars en el moment de constitució de la comunitat o en un moment posterior o, també, derivar-se del destí econòmic i social que tenia el bé abans de constituir-se la situació de comunitat, si no s'ha modificat. Un segon límit que imposa l'article 552-6.1 és que l'ús del bé comú per part d'un cotitular no perjudiqui els interessos de la comunitat ni l'interès dels altres cotitulars, respecte al qual s'ha d'entendre que l'ús no s'ha de limitar necessàriament a la quota que correspon al cotitular sobre el bé comú sinó que pot anar més enllà, amb el límit en tot cas de l'interès de la majoria dels cotitulars, perquè en les qüestions que es refereixen a la competència de la majoria l'ús individual es subordina a l'interès de la comunitat (MIQUEL GONZALEZ). Tesi que creiem recolza l'article 552-7.2.

Pel que fa referència a la facultat de gaudi, preveu l'article 552-6.2 que "Els fruits i els rendiments corresponen als cotitulars en proporció a llur quota". S'apliquen en aquest cas les normes sobre adquisició dels fruits com una facultat que integra el contingut del dret de propietat, en el sentit que no es pot privar al cotitular de la part dels fruits que li corresponen en proporció a la seva quota (article 552-1.2), encara que amb l'obligació de pagar la part que li correspon de les despeses fetes per tercera persona per a la producció dels fruits segons l'article 541-3.2. Sobre percepció dels fruits de la cosa i dels fruits d'un dret (segons l'article 511-3), s'apliquen també les normes generals de l'article 541-4 quan aquests fruits corresponen al propietari.

Quan l'article 552-6.2 preveu que cada cotitular té dret a percebre els fruits que li corresponen en proporció a la seva quota, en realitat estableix que cap cotitular pot fer seva de forma unilateral la part proporcional dels fruits que li corresponen d'acord amb la seva quota, és a dir no li permet apropiar-se de forma unilateral una part determinada dels fruits, sinó que és necessari un acord de distribució dels fruits entre els cotitulars (MIQUEL GONZÁLEZ). En aquest sentit cal tenir present que segons la proposició segona de l'article 552-6.2 si un cotitular o uns cotitulars han percebut la totalitat dels fruits, el perceptor "n'ha de retre comptes als altres d'acord amb les normes de l'administració de béns aliens" (vegeu els articles 1888 i seg. CC). Esmentem, finalment, en aquest punt que les precisions fetes en relació amb els fruits del bé objecte de la comunitat s'apliquen també als seus rendiments, encara que no encaixin amb el concepte jurídic de fruits segons l'article 511-3; en aquest sentit sembla oportú recordar que es poden adscriure a la categoria de rendiments la distribució de noves accions gratuïtes o l'augment del capital nominal d'una societat, ja que no es tracta en aquests casos d'un rèdit sinó d'una nova representació de les participacions en la societat (vegeu BIONDI, *Los bienes* "traducció espanyola". Barcelona, 1961, pàg. 236 i seg.).

En el mateix article 552-6 que regula les facultats d'ús i gaudi el seu apartat 3 estableix una regla, inicialment contrària a la possibilitat que cada cotitular pugui realitzar actes que suposin una modificació del bé objecte de la comunitat, ja que segons el precepte "Cada cotitular no pot modificar l'objecte de la comunitat, ni tan sols per a millorar-lo o fer-lo més rendible, sense el consentiment dels altres". El precepte es refereix a les alteracions materials que afecten el bé objecte de la comunitat i que en definitiva repercuteixen o poden repercutir sobre els altres cotitulars; que en relació amb l'apartat 1 del mateix precepte serien aquelles modificacions que alteren el destí econòmic i social del bé o que perjudiquen els interessos de la comunitat o els dels altres cotitulars (vegeu la STS de 26 d'octubre de 1977sobre enderrocament d'uns trasters amb la finalitat d'ampliar la superfície d'un garatge). Amb la finalitat de delimitar de forma més precisa l'àmbit d'aplicació del precepte, assenyalem que no es projecta sobre les modificacions que puguin resultar d'unes despeses necessàries per a la conservació del bé objecte de la comunitat, ja que segons l'article 552-8 tots els cotitulars han de contribuir a aquestes despeses en la forma que estableix el precepte. Per tant el seu àmbit d'aplicació s'ha de concretar a les anomenades despeses útils, que segons l'article 552-6.3 són les que provoquen una millora que repercuteix en sentit positiu sobre el seu valor o que fa més rendible el bé, que en principi ni donen dret al rescabalament mentre perdura la situació de comunitat, ja que si bé és cert que aquestes millores poden repercutir en sentit favorable als demés cotitulars, és igualment cert que no tenen per què afrontar unes despeses que des d'una altra perspectiva poden incidir en sentit negatiu sobre la seva esfera patrimonial. Altra cosa és que les modificacions que impliquen una millora s'hagin realitzat amb el consentiment unànime de tots els cotitulars, consentiment que podrà ésser exprés o tàcit, ja que la llei no exigeix uns requisits de forma especials per a la seva exteriorització. Si no s'obté aquest consentiment unànime, qualsevol cotitular podrà exigir la supressió de les millores sense que s'exigeixi la majoria ni la unanimitat dels cotitulars, ja que serà suficient la reclamació per part de qualsevol d'ells (MIQUEL GONZALEZ).

Una regla especial apareix a la proposició segona de l'article 552-6.3 segons la qual "Si un cotitular o una cotitular fa obres que milloren l'objecte sense que els altres hi manifestin oposició expressa dins l'any següent a llur execució, pot exigir el rescabalament amb els interessos legals meritats des del moment en què els reclami fefaentment". Per a l'aplicació del precepte, que en definitiva es tradueix en la possibilitat d'exigir la part que correspon a cada cotitular mentre perdura la situació de comunitat, el precepte exigeix una manca d'oposició expressa per part dels altres cotitulars, que evidentment pressuposa han tingut la possibilitat de formular oposició perquè eren conscients de la realització i de l'abast de les modificacions fetes de forma unilateral per algun o alguns cotitulars. Això vol dir també que ens trobem davant d'un supòsit en el qual manca un consentiment exprés o tàcit dels altres cotitulars, que sols toleren la realització de les modificacions fetes per un o alguns d'ells i si amb aquesta conducta passiva consenten la realització d'unes obres que en definitiva milloren o fan més rendible el bé comú i per tant produeixen uns beneficis que accepten, el supòsit s'equipara a un consentiment tàcit a la realització de les obres de millora, que origina la possibilitat d'exigir el rescabalament de la part que correspongui a cadascun en la millora, sempre que la tolerància no s'hagi trencat mitjançant una oposició expressa dins l'any següent a la realització de la modificació, que entenem en el sentit de l'any següent a l'acabament de les obres que originen la millora, ja que aquest moment final és el que permet calibrar el seu abast o transcendència. Es tracta en definitiva d'una solució semblant a la que estableix l'article 542-10.2 pels casos de construcció en finca aliena tolerada pel propietari.

B) GESTIÓ DELS BÉNS COMUNS

Com hem repetit en apartats anteriors, l'article 552-1 preveu que en les situacions de comunitat ordinària indivisa "El dret de cada cotitular resta limitat pels drets dels altres cotitulars", precepte que en la part que ara interessa imposa determinar com aquesta limitació recíproca dels drets dels cotitulars s'ha de fer compatible amb la formació d'una voluntat comuna que permeti la gestió del bé que es troba en situació de comunitat en benefici de tots ells. Principi fonamental en aquest punt és el que es deriva de l'article 552-7.1, segons el qual "L'administració de la comunitat correspon a tots els cotitulars", precepte que entenem en el sentit que tots ells ostenten el dret —del qual no poden ésser privats— a prendre part en les decisions sobre administració i disposició dels béns objecte de la comunitat; afirmació compatible amb el fet que no han de participar tots ells en la realització dels actes d'administració i de disposició del bé comú, ja que d'acord amb la prevalença del principi d'autonomia privada segons l'article 552-1.1 no ha d'oferir dubtes la possibilitat d'encomanar a un o més cotitulars, o fins i tot a un estrany, la facultat de realitzar els actes de gestió sobre el bé objecte de la comunitat en interès de tots els cotitulars.

Aquesta conjunció dels drets individuals de cada cotitular amb el límit de tenir que respectar els drets dels altres cotitulars sobre el bé que es troba en situació de comunitat determina que sigui essencial en aquest punt el concepte d'acord, que en termes precisos es defineix com unes manifestacions de voluntat emeses per unanimitat o per majoria, en base a les quals es regulen les relacions internes de la comunitat, ja que vinculen no sols als cotitulars que han participat en l'adopció de l'acord sinó també tots els cotitulars (segons LARENZ, *Derecho civil. Parte general* <traducció espanyola>. Madrid, 1978, pàg. 430). Si es vol precisar una mica més sobre el concepte d'acord, es pot afegir que es presenta com el resultat d'una pluralitat de declaracions de voluntat individuals que reflecteixen la voluntat de l'òrgan que ha adoptat l'acord, perquè l'eficàcia de la pluralitat de declaracions de voluntat individuals es subordina a la condició que el contingut de cadascuna d'elles es correspongui amb el contingut de les altres declaracions de voluntat individuals que siguin necessàries per a formar una majoria (segons GALGANO, *El negocio jurídico* <traducció espanyola>. València, 1992, pàg. 237 i seg.).

En aquest apartat ens limitem a projectar el concepte d'acord sobre els actes d'administració del bé que es troba en situació de comunitat. Pel que fa referència als actes d'administració que la llei qualifica d'ordinària, l'article 552-7.2 estableix que "La majoria dels cotitulars, segons el valor de llur quota, acorden els actes d'administració ordinària, que obliguen la minoria dissident". El problema fonamental que planteja el precepte no és altre que delimitar el concepte d'actes d'administració ordinària i la seva distinció dels actes d'administració extraordinària, als qual fa referència l'apartat 3 del precepte. Aquesta distinció té el seu origen en els treballs preparatoris del llibre cinquè del Codi civil de Catalunya "Els drets reals" (publicat l'any 2003 pel Departament de Justícia i Interior de la Generalitat de Catalunya), que en el seu article 552-8 distingia entre els actes d'administració ordinària i extraordinària en les situacions de comunitat ordinària indivisa, amb la particularitat que el concepte d'actes d'administració ordinària i extraordinària era el que es derivava dels seus articles 513-6 i 513-7, que s'ubicaven en el seu títol 1, capítol 3 sota la rúbrica "Administració de béns aliens", capítol que no ha passat al text definitiu del llibre cinquè del Codi civil de Catalunya. Així i tot, i com que la distinció entre actes d'administració ordinària i extraordinària en les situacions de comunitat ordinària indivisa te el seu origen en la distinció que a un nivell més general s'establia entre els actes d'administració ordinària i extraordinària, sembla oportú entendre que el manteniment de la distinció en les situacions de comunitat té el sentit que es derivava de la mateixa distinció establerta pels casos generals respecte a l'administració de béns aliens, entre els quals s'inclouen sense problemes els derivats de les situacions de comunitat, en les quals cada cotitular gestiona interessos en part propis i en part aliens. Des d'aquesta perspectiva apuntem doncs l'oportunitat d'identificar els actes d'administració ordinària en funció de l'article 513-6 dels treballs preparatoris, que el projectava sobre els actes necessaris per a la conservació dels béns i pel manteniment de la utilitat a la qual estiguin destinats, com són els d'obtenció dels seus fruits i rendes, l'exercici dels drets i de les accions inherents als béns o als valor mobiliaris administrats, el cobrament de crèdits i el pagament de deutes, la col.locació dels diners en inversions prudencialment segures, la realització de despeses ordinàries, la substitució dels béns que es desgasten per l'ús i els actes d'alienació relatius a fruits, als béns que puguin deteriorar-se, destruir-se o que siguin de difícil i costosa conservació. Esmentem finalment en aquest punt que el concepte de majoria s'estableix, no en funció del nombre de cotitulars que voten en un sentit determinat, sinó en funció de la quantia de les seves quotes (article 552-7.2) i que han de considerar-se vàlids els acords sobre modalitats de l'administració en base a l'article 552-2.1.

Pel que fa referència als actes d'administració extraordinària hem d'atenir-nos a l'article 552-7.3, en el qual es preveu que "Els actes d'administració extraordinària s'acorden amb la majoria de les tres quartes parts de les quotes. Si els imposa la llei, els pot emprendre qualsevol cotitular, fins i to amb oposició dels altres, amb dret a rescabalament i als interessos legals meritats des del moment en què els reclama". Avancem que no és fàcil determinar amb precisió el concepte d'actes d'administració extraordinària. Si ens atenem als precedents de l'article, és a dir l'article 552-8 dels treballs preparatoris del llibre cinquè del Codi civil de Catalunya, s'observa que en el seu apartat 3 exigia el principi de la unanimitat pels actes d'administració extraordinària, mentre que en el text definitiu de la llei el principi de la unanimitat s'exigeix pels actes de disposició (article 552-7.6), previsió que mancava en els treballs preparatoris. I una segona observació que cal fer, és que mentre l'article 552-7.3 exigeix una majoria de les tres quartes parts de les quotes pels acords sobre administració extraordinària, l'article 552-8.3 dels treballs preparatoris exigia una majoria de les dues terceres parts per les obres urgents de conservació i reparació necessàries.

D'aquest examen comparatiu en resulta com a diferencia fonamental que mentre els treballs preparatoris establien una regulació per a dos supòsits determinats, que s'identificaven com a actes d'administració ordinària i actes d'administració extraordinària, el text definitiu de la llei contempla tres supòsits diferents, com són els actes d'administració ordinària sotmesos al règim de la majoria simple, els actes d'administració extraordinària que exigeixen una majoria qualificada de les tres quartes parts de les quotes i el principi de la unanimitat pels actes de disposició. Amb això es vol posar de manifest que el concepte d'actes d'administració extraordinària que delimitava l'article 513-7.1 dels treballs preparatoris, en el sentit que permetien realitzar tota mena d'actes d'administració i de disposició i de canviar la destinació dels béns i de les inversions ja no es pot considerar vàlid en funció del text definitiu de la llei, ja que l'article 552-7.6 sols exigeix el requisit de la unanimitat pels actes de disposició, mentre que pels actes d'administració extraordinària exigeix la majoria qualificada de les tres quartes parts de les quotes, que en canvi l'article 552-8.3 dels treballs preparatoris sotmetia al principi de la unanimitat, amb excepció de les obres urgents de conservació i reparació necessàries. D'aquestes consideracions creiem se'n deriva que el concepte d'actes d'administració extraordinària s'ha de delimitar fonamentalment en base a uns criteris d'exclusió, en el sentit que es consideren actes d'administració extraordinària aquells que d'acord amb la llei no es poden qualificar d'actes d'administració ordinària ni com actes de disposició, sinó com una categoria fins a cert punt intermèdia entre ambdues. Des d'aquesta perspectiva es podrien qualificar com a actes d'administració extraordinària aquells que van més enllà dels actes que l'article 513-6 qualifica d'actes d'administració ordinària i que comporten uns efectes menys dràstics que els actes de disposició segons l'article 552-7.6. Així i tot apuntem l'oportunitat d'incloure en la categoria dels actes d'administració extraordinària els de canviar la destinació dels béns i de fer inversions, com apuntava l'article 513-7.1 dels treballs preparatoris, amb el límit en tot cas de l'article 552-6 de no modificar l'objecte de la comunitat, en el sentit de no perjudicar els interessos de la comunitat ni els interessos dels altres cotitulars.

El criteri esmentat abans que els acords vàlidament adoptats per la majoria vinculen els dissidents no el porta la llei fins a les seves darreres conseqüències, ja que en definitiva l'acord —encara que majoritari— pot lesiona els interessos del cotitular dissident de forma no raonable. Per aquest motiu preveu l'article 552-7.4 que "Els cotitulars dissidents que es considerin perjudicats per l'acord de la majoria poden acudir a l'autoritat judicial, la qual resol i pot, fins i tot, nomenar un administrador o administradora". La legitimació per acudir a l'autoritat judicial es confereix únicament al cotitular o cotitulars dissidents, amb exclusió doncs dels cotitulars que no estaven pressents a la reunió que va prendre l'acord eventualment lesiu o dels cotitulars que es van abstenir a la votació, sens perjudici aque puguin impugnar l'acord si —posem per cas— se'ls va privar de forma il.legítima de prendre part en l'adopció de l'acord. El perjudici s'ha de projectar sobre els interessos que pugui ostentar el cotitular dissident sobre el bé objecte de la comunitat, ja que si es tracta d'un acord perjudicial pel bé objecte de la comunitat caldrà atenir-se a les prevencions de l'article 552-6. El precepte no estableix cap termini per a acudir a l'autoritat judicial, si bé en atenció a les finalitats que persegueix el precepte, es pot entendre que sols es pot acudir a l'autoritat judicial mentre l'acord de la majoria no s'ha executat. Entre les facultats de l'organisme jurisdiccional que ha de decidir la reclamació s'inclou la possibilitat de declarar nul l'acord (vegeu STS de 4 de febrer de 1994). I apuntem també l'oportunitat que l'organisme jurisdiccional pugui nomenar un administrador no sols en els casos de considerar els dissidents perjudicial l'acord adoptat per la majoria, sinó també quan no s'obté per qualsevol causa la majoria que preveu la llei o els interessats, ja que en definitiva la manca d'un criteri majoritari equival a un perjudici que es fa extensiu a tots els cotitulars. Pel que fa referència als efectes de l'acte d'administració sobre el bé objecte de la comunitat davant de tercers, cal atenir-se a l'article 552-7.5, en el qual es preveu que "La responsabilitat dels cotitulars per les obligacions que resultin de llur administració és mancomunada, de manera proporcional a llurs quotes respectives". El règim de la mancomunitat és també el que estableix l'article 1,II CS amb referència a la comunitat hereditària i és el que es deriva, igualment, de la presumpció contrària a la solidaritat segons l'article 1137 CC.

Es pot incloure en aquest apartat sobre gestió dels béns comuns un problema freqüent a la pràctica, com és el que fa referència a l'exercici d'accions judicials amb referència a les situacions de comunitat ordinària indivisa. No presenta problemes de legitimació activa si exerciten l'acció tots els cotitulars, ni tampoc l'exercici de l'acció en base a un acord adoptat per la majoria en els diferents supòsits que contempla l'article 552-7. De totes formes el criteri de l'actuació conjunta dels cotitulars pot presentar inconvenients o dificultats a la pràctica, circumstància que ha originat un criteri general favorable, encara que té els seus detractors, a la possibilitat que qualsevol dels cotitulars estigui legitimat per a interposar una acció en defensa del bé que es troba en situació de comunitat sempre que manifesti o es dedueixi que actua, no amb la finalitat de defensar el seu interès privatiu, sinó en benefici de tots els cotitulars (vegeu STS de 8 d'abril de 1992); cas en el qual la sentència favorable aprofita a tots els cotitulars, mentre que l'adversa no els perjudica (STS de 8 de juny de 1977). I amb referència a la legitimació passiva assenyalem que una pretensió que afecta el bé objecte de la comunitat, s'ha d'adreçar contra tots els cotitulars segons les regles del litisconsorci passiu necessari (STS de 23 de febrer de 1988).

C) ACTES DE DISPOSICIÓ

Com s'ha apuntat a l'apartat anterior, l'article 552-7.6 preveu que "Els actes de disposició s'acorden per unanimitat". Per actes de disposició entenem, en primer lloc, els actes realitzats en base a un negoci jurídic que comporta una alienació, en el sentit que té com a finalitat transmetre la titularitat que els transmitents ostenten sobre el bé objecte de la comunitat a un tercer o tercers adquirents, que exigirà la concurrència d'un acte amb finalitats transmissives, seguit de la tradició o dels actes o de les formalitats que estableixen les lleis (article 531-1). També s'inclouen en la categoria jurídica dels actes de disposició els que tenen com a finalitat gravar el bé objecte de la comunitat amb un dret real limitat, ja que això implica transmetre al seu titular una part de les facultats que integren el contingut del dret real limitat; amb la conseqüència doncs d'exigir-se el criteri de la unanimitat per a gravar el bé comú amb un dret real d'usdefruit, de superfície, de vol, de cens, de servitud o amb un dret real de penyora, hipoteca o anticresi. També s'ha de configurar com acte de disposició la renúncia a la titularitat del bé per part de tots els cotitulars (articles 532-1, 532-4.1 i 552-9,e), que en els casos de copropietat tindrà com a conseqüència convertir el bé comú en una *res nullius*, a diferència de la renúncia a la quota per part del seu titular, que en els casos generals determinarà un dret d'acréixer a favor dels altres cotitulars en proporció a llurs quotes segons l'article 552-5.2.

El principi de la unanimitat per a l'eficàcia dels actes de disposició segons l'article 552-7.6 planteja el problema de l'eficàcia dels actes dispositius, no sobre la quota del cotitular sinó sobre la totalitat del bé, realitzats per un o per alguns dels cotitulars. Inicialment cal afirmar que l'autor o els autors de l'acte dispositiu no gaudeixen de la facultat de disposició sobre la totalitat del bé sinó únicament de la facultat de disposició de les respectives quotes (article 552-3.1), que ha de determinar la manca d'uns plens efectes dispositius en aquest cas. Una segona consideració que cal fer, és l'existència d'un notable dissentiment doctrinal i jurisprudencial a l'hora de determinar els efectes de l'acte dispositiu realitzat per un o alguns del cotitulars, que es qualifica a vegades d'acte dispositiu radicalment nul, d'acte investit d'una validesa condicional ja que els seus efectes es projectaran posteriorment sobre els béns que s'atribueixin al cotitular autor de l'acte quan es practiqui la divisió, i també, d'acte que origina efectes obligacionals vàlids però no efectes dispositius en aplicació dels criteris sobre els actes dispositius de béns aliens. El supòsit que ara ens ocupa s'ha qualificat d'acte dispositiu que recau sobre un bé en part propi i en part aliè, que per ell mateix res transmet a l'adquirent, ja que produeix únicament efectes obligacionals però no transmet el dret de propietat a l'adquirent perquè manca el poder de disposició sobre el bé objecte de la tradició, que determina la impossibilitat de transmetre el dret de propietat via derivativa; consideracions que porten a refusar la tesi de la nul.litat absoluta de l'acte dispositiu, que en qualsevol cas produeix efectes obligacionals però no efectes dispositius encara que existeixi tradició del bé a l'adquirent (ESTRUCH ESTRUCH).

D) PARTICIPACIÓ EN LES DESPESES

Fins aquí hem considerat els drets —i les seves limitacions— que corresponen a cada cotitular en les situacions de comunitat ordinària indivisa; hem de fer referència ara a les obligacions que imposa als cotitulars, aspecte que contempla a l'article 552-8 en el seu apartat 1 "Cada cotitular ha de contribuir, en proporció a la seva quota, a les despeses necessàries per a la conservació, l'ús i el rendiment de l'objecte de la comunitat, i també a les de reforma i millora que hagi acordat la majoria". El precepte imposa a cada cotitular l'obligació de contribuir, en proporció a la seva quota, a determinades despeses com són les de conservació i les de millora del bé objecte de la comunitat, que són despeses a càrrec de les persones que tenen la condició de cotitulars en el moment en què s'acorda la seva realització d'acord amb el règim de les majories que preveu l'article 552-7.2 i 3, segons es tracti d'actes de conservació ordinària o extraordinària. Les despeses de conservació es refereixen no solament a fer les reparacions necessàries per tal d'evitar el deteriorament o tal vegada la destrucció del bé, sinó també —i segons l'article 552-8.1— a les que fan referència a l'ús i el rendiment del bé objecte de la comunitat, perquè únicament d'aquesta forma es poden fer efectives les facultats d'ús i de gaudi que l'article 552-6.1 i 2 confereix a cada cotitular. L'obligació de contribuir al sosteniment de les despeses comunes es fa també extensiva a les de reforma i millora del bé objecte de la comunitat realitzades en base al règim de majoria que preveu la llei, sens perjudici de les prevencions que estableix l'article 552-6.3 respecte a les modificacions de l'objecte de la comunitat per part d'un o alguns dels cotitulars.

Normalment el pagament d'aquestes despeses es fa amb càrrec el fons que la comunitat ha constituït a l'hora d'estructurar el seu funcionament. Possibilitat que no exclou que qualsevol dels cotitulars hagi pagat íntegrament aquestes despeses, cas en el qual s'apliquen les prevencions de l'article 552-8.2, en el qual es preveu que "Els cotitulars que han avançat despeses poden exigir als altres el reemborsament de la part que els correspon més els interessos legals meritats des del moment en què els reclamen fefaentment".

BIBLIOGRAFIA SUMÀRIA

GARCIA GRANERO, *Cotitularidad y comunidad: "Gessamtte Hand" o comunidad en mano común*, a la RCDI, 1946, volum I, pàg. 145 i seg.; BELTRAN DE HEREDIA, *La comunidad de bienes en el Derecho español*. Madrid, 1954; MIQUEL GONZALEZ, *Comentarios al Código Civil y Compilaciones Forales*. Madrid, 1985, volum V-2; ESTRUCH ESTRUCH, *Venta de Cuota y Venta de Cosa común por uno de los Comuneros en la Comunidad de Bienes*. Pamplona, 1998; GETE-ALONSO I CALERA, *La comunitat ordinària indivisa (La projectada comunitat ordinària indivisa del futur Codi civil de Catalunya*, a "La Notaria", 2003 (núm. 11-12), pàg. 49 i seg.; GETE-ALONSO I CALERA, *Les situacions de comunitat en el llibre V del futur Codi civil de Catalunya (Breu comentari a les regles que es projecten)*, a "Homenaje al profesor Lluís Puig i Ferrriol". Valencia, 2006, volum II, pàg. 1451 i seg.

JURISPRUDÈNCIA CITADA

Tribunal Suprem

21 maig 1928: facultats d'ús i gaudiment
8 juny 1977: gestió dels béns comuns
26 octubre 1977: facultats d'ús i gaudiment
20 maig 1981: drets d'adquisició preferent
24 maig 1986: drets d'adquisició preferent
23 febrer 1988: gestió de la comunitat
8 abril 1992: gestió dels béns comuns

11 maig 1992: drets d'adquisició preferent
11 juliol 1992: drets d'adquisició preferent
28 juny 1993: drets d'adquisició preferent
4 febrer 1994: gestió dels béns comuns.

Capítol XII

La comunitat indivisa ordinària (II)

1. DISSOLUCIÓ DE LA COMUNITAT

La comunitat ordinària indivisa s'extingeix per les causes que amb caràcter general determinen l'extinció dels drets reals i, també, per unes causes pròpies, derivades del fet de correspondre la titularitat del dret real de forma simultània a una pluralitat de persones. L'article 552-9 fa referència a les dues modalitats d'extinció quan preveu que "La comunitat es dissol per les causes següents: a) Divisió de la cosa o patrimoni comú. b) Reunió en una sola persona de la totalitat dels drets. c) Destrucció de la cosa comuna o pèrdua del dret. d) Conversió en una comunitat especial. e) Acord unànime o renúncia de tots els cotitulars. f) Venciment del termini o compliment de la condició resolutòria pactats". La primera causa d'extinció que esmenta el precepte transcrit és la divisió del bé objecte de la comunitat, que com a causa específica d'extinció de la comunitat ordinària indivisa és objecte d'estudi en els apartats següents.

Pel que fa referència a les altres causes d'extinció de la comunitat el precepte es refereix en segon lloc al fet de reunir-se en una sola persona la totalitat dels drets. Si la situació de cotitularitat es produeix en relació amb el dret de propietat, el fet de reunir-se en una sola persona la totalitat de les quotes determinarà que la situació de comunitat es transformi en una altra de propietat individual, subjecta a les normes generals que regulen el dret de propietat. I si la situació de comunitat ordinària indivisa s'ha produït en relació amb un dret real limitat, la concentració de totes les quotes en un sol titular determinarà la subsistència del dret real limitat i l'extinció de la situació de cotitularitat respecte el mateix. La reunió de totes les quotes en una sola persona pot tenir el seu origen en un negoci jurídic entre vius o per causa de mort i en la usucapió.

L'extinció de la comunitat ordinària indivisa per destrucció de la cosa comuna o pèrdua del dret segons l'article 552-9.c) no suposa altra cosa que una particularització de la causa d'extinció dels drets reals en general prevista a l'article 532-2, ja que segons el seu apartat 1 els drets reals s'extingeixen per la pèrdua total i sobrevinguda del bé que en constitueix l'objecte. Si la destrucció de la cosa o la pèrdua del dret és sols parcial, s'aplica la previsió de l'article 532-2.2, fet que determinarà la subsistència de la situació de comunitat ordinària indivisa sobre la part subsistent o que subsisteixi íntegrament sobre els béns subrogats en els supòsits que preveu l'apartat 3 del precepte.

Segons l'article 552-9,d) la comunitat es dissol per conversió en una comunitat especial, causa d'extinció que té el seu origen en el fet que l'article 551-2 regula quatre modalitats de comunitats, una de les quals és la ordinària indivisa, a la qual es refereix de forma concreta l'article 552-9 quan preveu la seva extinció i subsegüent dissolució si es converteix en una de les altres modalitats de situacions de comunitat que preveu l'article 551-2 o, tambe, en una altra de les situacions del comunitat que es pugui qualificar d'atípica.

L'article 552-9,e) preveu com a causa d'extinció de la comunitat l'acord unànime o la renúncia de tots els cotitulars, que en realitat constitueixen dues causes diferents d'extinció i dissolució de la comunitat. No planteja problemes la voluntat de dissoldre la situació de comunitat, atès que el precepte exigeix de forma clara la voluntat unànime de tots els cotitulars, ja que si manca l'acord unànime la dissolució de la comunitat s'haurà d'encarrilar per la via de l'acció de divisió, que segons l'article 552-10 poden exercitar tots els cotitulars en qualsevol moment i sense expressar-ne els motius. I pel que fa referència a l'extinció de la situació de comunitat per renúncia de tots els cotitulars, recordem una vegada més que si la situació de cotitularitat es produeix en relació amb un dret real limitat, si tots els cotitulars renuncien a la seva quota s'extingeix el dret real limitat i per tant el dret de propietat subsisteix lliure del gravamen; mentre que si la situació de cotitularitat es dóna respecte el dret de propietat, la renúncia a la seva quota per part de tots els cotitulars determinarà que el bé esdevingui una *res nullius*.

Per últim l'article 552-9,f) preveu la dissolució de la comunitat per venciment del termini o compliment de la condició resolutòria pactats. Aquesta causa d'extinció es fonamenta en el paper fonamental que l'article 551-2.1 confereix a l'autonomia dels interessats, que permet als cotitulars convenir que la situació de comunitat es pugui convenir sota termini o condició resolutòria, circumstàncies que determinaran l'extinció de la comunitat sense efectes retroactius des del venciment del termini o el compliment de la condició.

2. LA DIVISIÓ DEL BÉ OBJECTE DE LA COMUNITAT

I. Consideracions generals

A l'apartat anterior hem fet unes consideracions sobre les possibles causes d'extinció de les situacions de comunitat ordinària indivisa en base a l'article 552-9. El precepte es troba a la secció quarta del títol V, capítol II que s'intitula "Extinció", encara que la rúbrica que encapçala el precepte es val de l'expressió "Dissolució". Aquí sols interessa precisar que l'article 552-9 enumera en els seus sis apartats fets força heterogenis, cadascun dels quals determina l'extinció de la comunitat, ja que aboca a una situació incompatible amb el concepte de comunitat ordinària indivisa segons l'article 552-1.1, que no és altra que l'existència de tants drets com cotitulars. Això vol dir també que si es produeix qualsevol dels fets que esmenta el precepte en els seus sis apartats, des d'aquest moment la situació de comunitat es dissol, en atenció que és impossible la subsistència d'una comunitat si el dret de cada cotitular es concentra en una sola persona. Però no obstant el fet que l'adveniment d'una causa de dissolució determina de forma automàtica la dissolució de la comunitat, la situació és compatible amb el fet que el bé objecte de la comunitat no s'ha dividit encara materialment, en el supòsit que sigui possible la seva divisió material, porta a la conseqüència que a l'extinció de la comunitat ha de seguir un procés que té el seu començament en el fet d'ocórrer una causa d'extinció, seguit de la seva dissolució i que tindrà la seva fita final des que es divideix el bé objecte de la comunitat en sentit material o en qualsevol altra de les formes que preveu l'article 552-11.

Apuntem finalment en aquest apartat que no sempre serà necessari passar a l'estadi de divisió del bé objecte de la comunitat per tal que operi la seva dissolució. La innecessarietat de procedir a la divisió es dóna en els casos de reunió en una sola persona de la totalitat de les quotes (article 552-9,b), destrucció de la cosa comuna o pèrdua del dret (article 552-9,c), conversió en una comunitat especial (article 552-9,d) i renúncia de tots els cotitulars (article 552-9,e).

II. Configuració jurídica

Una de les facultats que es deriven de la situació de comunitat ordinària indivisa és la de demanar la divisió del bé objecte de la comunitat, que d'acord amb l'article 552-10 suposa atribuir a cada cotitular una pretensió adreçada a demanar-la de forma individual, que per tant pot fer-se efectiva enfront els altres cotitulars per tal que procedeixin de forma voluntària a la divisió del bé comú i, a manca d'acord, per a sotmetre la divisió a un arbitratge o a una divisió judicial (article 552-11.1). En qualsevol d'aquests casos la facultat de demanar la divisió del bé objecte de la comunitat té el caràcter d'imprescriptible segons l'article 121-2, imprescriptibilitat que és compatible amb el fet de veure's frustrada la possibilitat de dividir el bé comú si qualsevol dels cotitulars l'ha posseït com a titular únic d'acord amb els requisits que preveu la llei per a usucapir; perquè en aquest cas l'usucapient ha esdevingut titular únic del bé, amb la subsegüent extinció de les quotes que corresponien als altres cotitulars contra els quals ha corregut eficaçment la usucapió (com s'ha argumentat *supra*, capítol V, 4,I).

Encara que manca una previsió legislativa directa, apuntem com a tesi més ajustada al context de la regulació de la divisió del bé objecte de la comunitat que no és renunciable la facultat d'exigir la divisió. En primer lloc perquè l'article 552-10.2 sols admet uns límits temporals al manteniment de la indivisió, que dóna a entendre el criteri del legislador contrari a la possibilitat de mantenir-la de forma perpètua, que per altra part s'adiu poc amb la facultat que l'article 552-10.1 atribueix a qualsevol titular d'exigir la divisió en tot moment sense expressar-ne els motius. I en segon lloc perquè sense entrar una altra vegada en la polèmica tradicional dels avantatges o inconvenients que comporten les situacions d'indivisió, des d'un punt de vista realista cal afirmar que es pot considerar positiu mantenir la indivisió entre persones unides totes elles per uns vincles de confiança recíproca; però sense oblidar que aquestes situacions de confiança recíproca es poden perdre o es poden diluir quan passen a ocupar la posició de cotitulars persones sobrevingudes, supòsits en els quals reconèixer eficàcia a la renúncia a la pretensió de divisió abocarà segurament a situacions negatives.

Qüestió tradicionalment controvertida amb referència a la divisió del bé objecte de la comunitat és si es tracta d'un acte de caràcter translatiu, en el sentit que comporta transmissió de drets per part de la comunitat a cada cotitular dels béns que si li atribueixen de forma exclusiva o si, pel contrari, és un acte declaratiu de drets, ja que la pràctica de la divisió no produeix una transmissió de drets, sinó que declara el dret concret que correspon a cada cotitular. Es tracta en bona part de reproduir aquí la polèmica que s'ha suscitat tradicionalment amb referència a la partició hereditària, que entenem ha d'ésser objecte d'una solució unitària, tesi que recolza l'article 552-9,a), que equipara la divisió d'una cosa i d'un patrimoni com a causes de dissolució d'una comunitat. Des d'aquest perspectiva ens sembla oportú reproduir aquí la tesi mantinguda amb referència a la partició hereditària (en el volum III d'aquest a obra, capítol XXX,2,II), segons la qual la divisió s'ha de configurar jurídicament com un acte determinatiu o especificatiu de drets, que suposa negar que la partició tingui efectes retroactius, que és un dels arguments que s'addueixen a favor de la tesi del caràcter declaratiu de la partició; però sense que això impliqui atribuir-li efectes translatius perquè la divisió té un abast més estricte que el d'una alienació, ja que en definitiva suposa una modificació de la situació jurídica anterior. En tot cas afegim que com posa en relleu la doctrina, en la partició no es produeix una adquisició nova sinó el desenvolupament d'una potencialitat connatural del dret del cotitular, perquè el dret de quota es concreta en un dret exclusiu sobre un bé individual, que d'aquesta manera guanya en intensitat allò que perd en extensió objectiva (PEÑA BERNALDO DE QUIROS).

III. Límits a la pretensió de divisió

Com s'ha apuntat a l'apartat anterior, la tesi que ens sembla més ajustada a la irrenunciabilitat de la pretensió de dividir el bé objecte de la comunitat, és compatible amb la possibilitat de limitar de forma temporal la pràctica de la divisió. D'acord amb aquest plantejament hem de fer ara unes consideracions respecte a les limitacions temporals a la facultat de dividir derivades de l'autonomia privada i, excepcionalment, d'una decisió judicial.

A) LA INDIVISIBILITAT CONVENCIONAL

Es la que regula l'article 552-10.2 quan estableix que "Els cotitulars poden pactar per unanimitat la indivisió per un termini que no pot superar els deu anys". Del precepte en resulta que ens trobem davant d'un pacte que s'insereix en el conveni en el qual els interessats regulen la situació de comunitat ordinària indivisa que s'ha originat entre ells o en un pacte establert al marge de qualsevol conveni regulador de la comunitat, que en tot cas s'ha de qualificar de negoci jurídic bi o plurilateral que s'estableix, no amb la finalitat de regular una contraposició d'interessos, sinó per a obtenir una finalitat comuna (NUÑEZ IGLESIAS). Amb referència al règim jurídic d'aquest pacte interessa fer les consideracions que segueixen.

De forma clara el precepte exigeix que el pacte s'estableixi per unanimitat, requisit que té una justificació clara, ja que es tracta d'un pacte de naturalesa contractual, que si bé és cert no vincula als tercers com a conseqüència del principi de relativitat dels contractes ex article 1257,I CC, és igualment cert que sols vincula a les persones que apareixen com a parts contractants, amb la conseqüència doncs que si qualsevol dels cotitulars no es part en el contracte d'indivisió, el seu contingut no l'afecta per no tenir la condició de part contractant. Afirmació compatible amb el fet que el pacte d'indivisió es pugui convenir únicament entre determinats cotitulars, que produeix entre ells l'efecte general de restar vinculats al pacte (argument article 1256 CC), però que en res afecta a la possibilitat que el cotitular o els cotitulars aliens al pacte puguin demanar en qualsevol moment i sense expressar el motius la divisió de la totalitat del bé objecte de la comunitat. I pel que fa referència als requisits de capacitat per a establir un pacte d'indivisió, a manca de previsions del legislador en aquest punt ens inclinem a exigir el requisit de la capacitat per a disposar de la quota del cotitular, ja que com posa de manifest la doctrina, el pacte d'indivisió limita de forma important la circulació del bé objecte de la comunitat, perquè limita el dret del cotitular negociar el seu valor i amb repercussions negatives sobre el valor de la quota sense una justificació específica (MIQUEL GONZÁLEZ).

En relació amb l'objecte del pacte d'indivisió, quan l'objecte de la comunitat indivisa recau sobre una pluralitat de béns, es planteja el problema de si és possible establir un pacte d'indivisió que no afecti a tots ells. A nivell doctrinal es precisa que el pacte d'indivisió persegueix mantenir la situació de comunitat sobre els béns objecte de la mateixa en el moment de la seva constitució i per tant no s'admet inicialment un pacte d'indivisió que recaigui sobre un o més béns; encara que es precisa que això no suposa excloure la possibilitat d'establir un pacte d'indivisió sobre un objecte determinat dels que formen la comunitat. Amb la precisió que no es pot qualificar de pacte d'indivisió, perquè no implicaria suspendre l'exercici de l'acció de divisió respecte els altres béns, sinó d'un acord entre els cotitulars que té com a finalitat excloure un bé determinat del possible exercici de l'acció de divisió, que es mantindria plenament vigent respecte a la comunitat (MORENO TRUJILLO). Afegim que el pacte d'indivisió no exigeix uns requisits de forma especials, amb la conseqüència doncs que produeix tots els seus efectes qualsevol que sigui la forma de la seva celebració (article 1278 CC), amb l'excepció que resulta de l'article 1280,1r del mateix Codi.

Aspecte fonamental del pacte d'indivisió és determinar la seva vigència temporal, que soluciona l'article 552-10.2 en el sentit de la seva admissió per un termini que no superi els deu anys, sempre que s'hagi convingut per unanimitat; termini que també considerem aplicable al cas de pacte d'indivisió sense assenyalar la seva durada o quan la seva durada es pot qualificar d'indeterminada i si s'ha convingut per un termini superior als deu anys que preveu l'article, entenem com a solució més ajustada a les finalitats que persegueix el precepte és declarar la nul.litat del termini que superi els deu anys, en aplicació de la categoria jurídica de la nul.litat parcial (argument article 45,I CS). Com que el precepte no ho prohibeix, hem d'entendre que el termini dels deu anys pot ésser objecte —també per unanimitat— de pròrroga o fins i tot de pròrrogues successives, sempre que cap d'elles superi el termini dels deu anys; que és la solució que es pot qualificar de més realista, ja que no fa altra cosa que sancionar la situació de fet que es donaria si escolat el termini inicial dels deu anys, cap dels cotitulars interessa la divisió del bé o dels béns objecte de la comunitat.

Qüestions interessants es plantegen també a l'hora de fixar l'eficàcia del pacte d'indivisió. No presenta problemes importants en relació amb els cotitulars que de forma unànime han establert el pacte d'indivisió, que resten obligats al seu compliment en aplicació del principi d'eficàcia dels contractes *ex* article 1256 CC pressuposada la seva validesa; en altre cas escaurà interessar la nul.litat del pacte d'indivisió o impugnar la seva validesa claudicant en els casos dels articles 1300 i següents del mateix Codi. En relació amb els efectes del pacte d'indivisió enfront de terceres persones precisem inicialment que el problema es pot plantejar sempre, ja que la facultat que l'article 552-3.1 confereix a cada cotitular d'alienar lliurement la seva quota mentre perdura la situació de comunitat, no es pot veure afectada pel pacte d'indivisió. I si es planteja el problema, es pot solucionar per la via d'atribuir al pacte d'indivisió uns efectes purament personals, en el sentit que obligarà sols als cotitulars i els seus hereus en aplicació del principi de relativitat dels contractes segons l'article 1257,I CC; o també per la via d'atribuir efectes reals al pacte d'indivisió, en el sentit que afecta no sols als cotitulars que l'han convingut sinó també als tercers que adquireixen la quota d'un dels cotitulars. Sembla preferible aquesta segona tesi, a favor de la qual es pot al.legar que el pacte d'indivisió afecta el dret de demanar la divisió i per tant configura el dret del cotitular que es transmet tal com existia en el moment de la transmissió, és a dir, acompanyat del pacte d'indivisió, que des d'aquesta perspectiva afecta els adquirents de la quota, a menys que el tercer resulti protegit pels principis que informen la seguretat del tràfec jurídic (MIQUEL GONZALEZ). I pel que fa referència als efectes del pacte d'indivisibilitat en relació amb els creditors dels cotitulars, s'esmenta la possibilitat d'interessar la seva rescissió si s'acredita que s'ha convingut en frau dels creditors del cotitular segons les normes generals sobre rescissió dels actes fraudulents (MORENO TRUJILLO).

B) LA INDIVISIBILITAT ESTABLERTA PER ACTE UNILATE-RAL

Si la situació de comunitat recau sobre el patrimoni hereditari cal atenir-se a l'article 45,I CS, segons el qual en les situacions de comunitat hereditària tot cohereu pot demanar en qualsevol temps la partició de l'herència, si bé afegeix el precepte que el causant pot ordenar que, tant respecte a l'herència com a béns determinats d'aquesta, no es procedeixi a la partició durant un termini que no pot excedir els deu anys a comptar des de l'obertura de la successió; termini que es pot perllongar fins els quinze anys respecte a l'immoble que tingui la condició de residència habitual d'un dels cohereus si és fill o cònjuge del testador. Si la prohibició de dividir supera els deu o els quinze anys, el mateix precepte estableix la seva reducció quan a l'excés.

Es pot plantejar també el problema amb referència a les donacions, com seria el cas de fer-se a favor d'una pluralitat de donataris (que admet l'article 531-22), en el qual s'establís un pacte d'indivisió sobre el bé objecte de la donació. Si el pacte d'indivisió l'han convingut els donataris, s'apliquen les prevencions de l'article 552-10.2, és a dir, es pot pactar per un termini no superior als deu anys amb possibilitat de pròrroga o pròrrogues successives, com s'ha argumentat fa uns moments. Si el pacte s'ha establert entre el donant i els donataris, ens inclinem per reconèixer eficàcia al pacte, encara que sotmès també a les limitacions temporals de l'article 552-10.2 si s'ha convingut per un termini més llarg, en aplicació del principi sobre nul.litat parcial dels actes jurídics. I si la donació es va convenir sense establir un termini d'indivisió, una vegada perfeccionada la donació per l'acceptació dels donataris (segons l'article 531-8.1), el donant no pot imposar després de forma unilateral, ni tan sols dins els límits temporals de l'article 552-10.2, un pacte d'indivisió ja aque això suposaria desnaturalitzar de forma unilateral la causa liberal que fonamenta la donació segons l'article 1274 CC i, a més, contrariar les prevencions de l'article 531-8.1.

C) LA INDIVISIBILITAT ECONÒMICA

Un bé determinat pot ésser indivisible en sentit material, circumstància que es dóna quan les parts que resulten de la divisió no poden complir la funció que tenia el bé abans de la seva divisió (segons estableix el Digest 6,1,35-3). Si el bé indivisible és objecte d'una comunitat ordinària indivisa, la indivisibilitat no impedeix l'extinció i subsegüent liquidació de la situació de comunitat, però sí és un obstacle per a la seva divisió material, que es substitueix per l'adjudicació del bé a un dels seus cotitulars, que ha de pagar als altres al valor de la seva participació o, en darrer terme, el bé comú es ven i es divideix el preu entre els cotitulars, solucions que l'article 552-11.5 aplica no sols als casos d'indivisibilitat material en sentit estricte, sinó també quan la divisió material del bé disminueix de forma notable el seu valor, perquè des d'uns perspectiva jurídica si el bé dividit disminueix notablement de valor, el demèrit es pot equiparar a una indivisibilitat material. Al costat d'aquests supòsits que anomenem d'indivisió material, la doctrina es refereix a l'anomenada indivisibilitat econòmica, que s'origina quan no procedeix dividir materialment el bé objecte de la comunitat ni tampoc l'extinció de la comunitat per la via d'adjudicar el bé a un dels cotitulars o mitjançant la seva venda i el repartiment del preu entre els cotitulars; situacions que tenen el seu origen en el fet que els cotitulars atribueixen al bé objecte de la mateixa un destí o una afecció específica segons la seva naturalesa, en base a un acord explícit dels cotitulars o el que resulta d'una actuació inveterada. Circumstàncies que determinen que els cotitulars sols puguin obtenir la utilitat del bé si es manté la situació d'indivisió, que des d'aquesta perspectiva s'ha de configurar com una excepció a la regla general de l'article 552-10.1, segons el qual qualsevol cotitular pot exigir, en qualsevol moment i sense expressar-ne els motius, la divisió del bé objecte de la comunitat perquè s'atribueix un valor preferent al destí objectiu del bé (NUÑEZ IGLESIAS).

La modalitat de la indivisió econòmica apareix a l'article 552-10.4, en el qual es preveu que "No es pot demanar la divisió quan l'objecte sobre el qual recau la comunitat és una nau o un local que es destina a places d'aparcament o trasters de manera que cada cotitular té l'ús d'una plaça o de més d'una, llevat que s'acordi prèviament modificar-ne l'ús i això sigui possible". El precepte, que té uns antecedents clars en el dret civil italià, persegueix excloure de la divisió els béns que encara que no es poden qualificar d'accessoris d'un bé principal, no es poden dividir en sentit material sense contrariar la seva destinació, ja que la seva divisió material i l'adjudicació a un dels cotitulars o a un tercer impediria donar al bé l'ús al qual estava destinat; mentre que el manteniment de la situació d'indivisió permet augmentar l'aprofitament i el valor del bé del copropietaris afavorits per la situació de subordinació que estableix el precepte (MIQUEL GONZALEZ). Encara que l'article 552-10.4 enumera com a supòsits d'indivisibilitat econòmica els locals que es destinen a places d'aparcament o trasters, entenem que ho fa a títol exemplificatiu i no exhaustiu; esmentem ara que la doctrina considera també supòsits d'indivisibilitat econòmica les comunitats *ad aedificandum* o les comunitats de mitjans professionals (NUÑEZ IGLESIAS).

D) SUSPENSIÓ DE LA DIVISIÓ

Escau la divisió del bé objecte de la comunitat encara que la seva divisió determini una pèrdua de valor (argument article

552-11.5), però si la disminució del seu valor pot perjudicar els interessos d'una persona menor d'edat o incapacitada, el legislador català ha considerat oportú establir una suspensió a la facultat de dividir el bé comú, si la suspensió es considera favorable als interessos del menor o incapaç. Segons l'article 552-10.3 "L'autoritat judicial, si algun dels cotitulars és menor d'edat o incapaç i la divisió el pot perjudicar, pot establir, de manera raonada, la indivisió per un termini no superior a cinc anys".

És procedent la suspensió de la divisió quan la situació de comunitat afecta a un "menor d'edat o incapaç" segons el precepte transcrit, expressions que entenem s'han de concretar als menors d'edat no emancipats i a les persones incapacitades per resolució judicial, a menys que aquesta darrera no afecti a les seves facultats per a demanar la divisió del bé objecte de la comunitat. Persones legitimades per a interessar la suspensió seran, en primer lloc, el representant legal dels menor o incapacitat i també els altres cotitulars, ja que el precepte no restringeix la legitimació. El termini de cinc anys sembla raonable, amb la precisió que no s'ha d'esgotar en qualsevol cas, ja que la suspensió no es podrà establir per una durada superior a la que manca per a la majoria d'edat del cotitular. I escaurà aixecar la suspensió si mentre està vigent, es produeix l'emancipació del cotitular o es posa fi a la seva condició d'incapacitat.

IV. Procediments divisoris

Del context de l'article 552-11 en resulta que la divisió del bé objecte de la comunitat ordinària indivisa es pot encarrilar per qualsevol de les vies següents:

A) LA DIVISIÓ CONVENCIONAL

L'expressió divisió convencional fa referència a la possibilitat que els cotitulars estableixin un contracte en el qual acorden dividir el bé objecte de la comunitat, contracte que s'ha de qualificar de bi o plurilateral en funció del nombre de persones que intervenen com a parts contractants. El fet que la partició convencional es practica via execució del contracte de divisió, té com a conseqüència que per a l'eficàcia de la partició convencional s'exigeix el consentiment unànime dels cotitulars i no la llei de les majories simple o qualificada; tesi que es deriva de l'article 522-11.1 quan preveu uns altres mitjans subsidiaris si els cotitulars "no es posen d'acord", és a dir, si no existeix unanimitat entre ells. Pel que fa referència al règim jurídic del contracte de divisió, cal observar inicialment que el legislador no l'estableix al regular la situació de comunitat ordinària indivisa, silenci que aconsella fer les referències que escaiguin a determinades normes adreçades a la divisió de béns o patrimonis que es troben en situació de comunitat.

a) Subjectes

D'acord amb la declaració general de l'article 552-10, segons el qual qualsevol cotitular pot exigir, en qualsevol moment i sense expressar-ne els motius, la divisió de la comunitat, hem d'entendre que mentre perdura la situació de comunitat i no concorre un supòsit d'indivisió o de suspensió de la divisió, cada cotitular gaudeix del dret incondicionat de proposar la divisió del bé objecte de la comunitat als altres cotitulars per la via d'establir entre ells el contracte de divisió, ja que no existeix cap vincle jurídic que imposi mantenir la situació de comunitat, motiu pel qual es pot demanar la divisió sense expressar-ne els motius. Com s'esmentava fa uns moments, per tal que esdevingui eficaç el conveni de divisió han d'aparèixer com a parts contractants totes les persones que en el moment de convenir-se la divisió tinguin la condició de cotitulars, amb independència que aquesta condició l'hagin adquirida quan es va constituir la situació de comunitat o en un moment posterior com a conseqüència d'haver adquirit la quota d'un cotitular anterior en base a l'article 552-3.1; mentre que no pot ésser part del contracte d'indivisió el tercer que adquireix d'un cotitular l'objecte indeterminat que li correspondrà després d'haver-se practicat la divisió, ja que segons l'article 552-3.2 mentre perdura la situació d'indivisió aquest tercer no s'incorpora a la comunitat i, per tant, no pot exigir la divisió. Convenir el contracte de divisió no s'ha de qualificar d'acte personalíssim, amb la conseqüència que es pot convenir de forma personal entre els cotitulars o intervenir qualsevol d'ells mitjançant un representant legal o voluntari amb facultats suficients per a convenir la pràctica de la divisió del bé objecte de la comunitat.

El legislador no fa cap previsió respecte als requisits de capacitat pera convenir el contracte de divisió. Davant d'aquest silenci legislatiu, i atès que segons l'article 552-1.1 la normativa sobre situacions de comunitat s'estableix inicialment amb independència del fet que la cotitularitat es projecte sobre un bé o sobre un patrimoni, sembla oportú acudir a les prevencions legals respecte a la partició de l'herència, i en particular a l'article 57,II CS, del qual en resulta que: *i)* per regla general s'exigeix el requisit de la majoria d'edat; *ii)* el menor emancipat necessita l'assistència dels seus pares o del curador, encara que quan el precepte s'aplica a les situacions de comunitat ordinària indivisa el requisit del complement de la capacitat sols seria exigible si la cotitularitat recau sobre un dels béns a què fa referència l'article 151.1,a) CF, si s'entén —com sembla oportú entendre— que la remissió que fa l'article 159.1,a) del mateix Codi s'ha d'entendre feta a l'article 151.1,a) (com assenyalen EGEA FERNANDEZ-FERRER RIBA, en les seves concordances a l'article 159 CF); *iii)* si un dels cotitulars és menor d'edat o emancipat i el contracte de partició l'estableix el seu representant legal, l'article 57,II CS sols exigeix la intervenció o l'aprovació judicial quan la representació correspon al tutor, però com que l'article 212 CF no esmenta la partició hereditària com un dels actes que exigeixen l'autorització judicial, apuntem l'oportunitat d'exigir-la —en el cas de divisió del bé objecte de la comunitat— sols en el cas que la quota del cotitular recaigui sobre un dels béns que esmenta l'article 212.1,a) i b) CF; *iv)* si es tracta d'un cotitular incapacitat per resolució judicial, s'exigirà la intervenció del tutor o del curador en funció del contingut de la resolució judicial que estableixi el grau d'incapacitació (article 170,b) i 237,c) CF); i *v)* amb referència al declarat pròdig s'exigirà la intervenció del curador quan així ho estableixi la resolució judicial que decreta la prodigalitat (article 242 CF).

També interessa fer en aquest apartat unes consideracions sobre legitimació per a convenir el contracte de divisió, pressuposada la capacitat en la forma que s'acaba d'exposar. Com hem esmentat, s'exigeix la condició de copropietari o de cotitular del dret real objecte de la comunitat, condició que s'ha d'ostentar al temps de perfeccionar-se el contracte de divisió. Si un dels cotitular ostenta sobre la seva quota un dret gravat de restitució fideïcomissària, pot demanar i practicar la divisió sense necessitat que hi intervinguin els fideïcomissaris, posat que es tracti d'un pur acte particional (article 211,I i III CS), és a dir, mitjançant l'adjudicació del bé objecte de la comunitat a cadascun dels cotitulars en proporció a les quotes respectives; prevencions que considerem aplicables als casos de trobar-se afecta la quota a una reserva hereditària (article 387,II CS), de béns afectats per un pacte reversional (article 88 idem) o de béns objecte d'una donació amb clàusula de reversió (article 531-19.6). Si un o alguns dels cotitulars ho són d'una quota gravada amb una prohibició de disposar, entenem que la prohibició no ha d'ésser obstacle per a demanar i practicar la divisió amb els altres cotitulars, ja que la partició té naturalesa determinativa i no dispositiva (com s'ha argumentat *supra*, 2,II); i amb més seguretat es pot afirmar que la prohibició de disposar no afecta el dret dels altres cotitulars de demanar la divisió en base a l'article 552-10. I si la quota està gravada amb un dret real d'usdefruit, cal atenir-se a les prevencions de l'article 561-11.1, que no exigeix el consentiment de l'usufructuari per a pràctica de la divisió i sí únicament notificar-li que es vol procedir a la divisió de la comunitat.

b) Modalitats

La pràctica de la divisió convencional exigirà normalment un acord inicial sobre el valor del bé o béns objecte de la comunitat, un segon acord sobre formació dels lots i un acord final sobre adjudicació dels diferents lots a cada cotitular. En base a aquesta consideració inicial entenem que el mitjà normal de practicar la divisió, sempre que el bé objecte de la comunitat tingui la condició de divisible en sentit material, es farà mitjançant adjudicar a cada cotitular una part del bé en proporció a la quota respectiva, que en ocasions exigirà establir les compensacions en diner complementàries, que no desnaturalitzen el caràcter determinatiu de la partició, si realment tenen el caràcter de complementàries.

L'article 552-11, que s'intitula "Procediment de la divisió", preveu altres mitjans de dissolució de la comunitat, sense necessitat de dividir el bé que constitueix el seu objecte, amb independència que aquest tingui o no el caràcter de divisible en sentit material. Segons l'apartat 4 del precepte es dóna aquesta possibilitat quan "El cotitular o la cotitular que ho és de les quatre cinquenes parts de les quotes o més pot exigir l'adjudicació de la totalitat del bé objecte de la comunitat pagant en metàl.lic el valor pericial de la participació dels altres cotitulars"; precepte que persegueix posar fi a la situació d'indivisió i a la vegada evitar els inconvenients i les dilacions que inevitablement es produeixen quan, a manca d'un acord unànime dels cotitulars, cal acudir als mitjans judicials o arbitrals de divisió que preveu la llei. Pensem que els interessats, a l'empara del principi d'autonomia privada (article 551-2.1) poden convenir que es procedeixi a l'adjudicació de la totalitat del bé, pagant en metàl.lic la participació dels altres cotitulars, encara que la seva participació sigui inferior a les quatre cinquenes parts de les quotes, ja que el límit de les quatre cinquenes parts és purament arbitrari (el projecte de llei establia el límit de les tres quartes parts).

Una segona possibilitat de dissolució de la comunitat sense dividir materialment el bé es preveu a l'article 552-11.3 quan estableix que "Es pot fer la divisió adjudicant a un cotitular o una cotitular o a més d'un el dret real d'usdefruit sobre el bé objecte de la comunitat i adjudicant a un altre cotitular o als altres cotitulars la nua propietat". El precepte encaixa bé en el supòsit que ara es contempla si l'usdefruit del bé s'adjudica a un usufructuari únic i la nua propietat a un cotitular únic, ja que això determinarà substituir la divisió material del bé per una divisió coetània de les seves utilitats; ja que mentre està vigent el dret d'usdefruit (que l'article 561-3.3 presumeix vitalici) els rendiments econòmics del bé corresponen a l'usufructuari; mentre que el nu propietari veu compensada la manca d'obtenir qualsevol benefici econòmic que es deriva del bé, mentre estigui vigent el dret d'usdefruit, per la certesa d'obtenir en el futur —encara que incert— la plena titularitat del bé objecte de la comunitat. Si la nua propietat s'adjudica a una pluralitat de cotitulars, el supòsit es pot qualificar d'un ajornament de la divisió material del bé, que normalment es practicarà quan s'extingeixi l'usdefruit.

Un supòsit particular es preveu a l'article 552.11.2, en el qual s'estableix que "Si el bé és susceptible d'adoptar el règim de propietat horitzontal, es pot establir aquest règim adjudicant els elements privatius de manera proporcional als drets en la comunitat i compensant en metàl.lic els excessos, que no tenen en cap cas la consideració d'excessos d'adjudicació, distribuint proporcionalment les obres i les despeses necessàries". El supòsit que contempla el precepte es pot qualificar d'especial, en el sentit que provoca una dissolució de la situació de comunitat ordinària indivisa sobre l'edifici que es projecta sobre els seus elements privatius, encara que deixa subsistent la situació de comunitat sobre els elements comuns de l'edifici (segons l'article 553-1.1). Per tal de delimitar l'aplicació del precepte sembla oportú esmentar inicialment que en cas de recaure la situació de comunitat sobre un edifici, si aquest és susceptible de divisió material perquè la divisió origina una pluralitat d'edificis independents, encara que existeixi algun element comú a tots ells, els cotitulars poden posar fi a la situació d'indivisió mitjançant la dissolució material de la comunitat ordinària o, alternativament, mitjançant constituir un règim de propietat horitzontal. Però si en atenció a les particularitats de l'edifici aquest no es pot dividir materialment en una pluralitat d'edificis independents, el legislador considera oportú que no s'hagi de procedir a l'alienació de l'edifici i distribuir el preu obtingut entre els cotitulars en proporció a les quotes respectives, sinó que en atenció a la difusió que ha adquirit la propietat horitzontal en els nostres temps i la seva incidència positiva sobre els interessos familiars i socials, preveu la possibilitat d'evitar la divisió material del bé per la via d'establir sobre el mateix un règim de propietat horitzontal.

Segons l'article 552-11.2 aquest règim "es pot establir", expressió que si es relaciona amb l'apartat anterior del precepte dóna a entendre que qualsevol interessat pot proposar als altres la dissolució de la comunitat que existeix entre ells per la via de constituir un règim de propietat horitzontal, proposta que si és acceptada pels altres cotitulars originarà la constitució del règim de propietat horitzontal segons l'article 553-8. Però creiem que del precepte també en resulta que si un o alguns dels cotitulars demanen la dissolució de la situació de comunitat ordinària indivisa i els altres s'hi oposen, el precepte legitima els primers per a interessar judicialment que es dissolgui la situació de comunitat i que en el seu lloc s'estableixi una situació de propietat horitzontal, pretensió que si és estimada, determinarà que la resolució judicial escaient imposi als cotitulars la constitució d'un règim de propietat horitzontal (MIQUEL GONZALEZ). En tot cas la constitució d'un règim de propietat horitzontal per resolució judicial exigeix —com a mínim— que l'edifici en atenció a les seves característiques i configuració física sigui susceptible d'adaptació al règim de la propietat horitzontal per adaptar-se als seus requisits (vegeu l'article 553-2); sense que sigui obstacle a aquesta constitució el fet que s'hagin de fer determinades obres a l'edifici, ja que segons l'article 552-11.2 s'han de distribuir proporcionalment les obres, expressió que té com a finalitat esvair els dubtes que s'havien suscitat sobre inoportunitat de dissoldre la comunitat ordinària indivisa via constitució d'un règim de propietat horitzontal, si aquesta constitució exigia fer determinades obres, inoportunitat que en tot cas vindrà determinada per l'entitat i el cost de les obres d'adaptació.

Precisem finalment que en el cas de dissolució de la comunitat indivisa i la seva substitució per un règim de propietat horitzontal comportarà la gran majoria de les vegades que no coincideixi exactament el valor de la unitat immobiliària que s'adjudica a cada cotitular amb el valor de la seva quota i per això el precepte preveu la "compensació en metàl.lic dels excessos", que afegeix "no tenen en cap cas la consideració d'excessos d'adjudicació"; precisió que pot tenir les seves repercussions respecte a la determinació de les quotes i contribució a les despeses comunes (segons l'article 553-3 i 553-45).

Els procediments particionals segueixen altres vies quan el bé objecte de la comunitat es pot qualificar d'indivisible en sentit material, que es pot aplicar també als casos d'indivisibilitat de béns materialment divisibles segons una disposició legal concreta, situació que s'origina quan les parts que resulten de la divisió del bé no compleixen la funció que tenia el bé abans de la seva divisió o quan la disminució material del bé disminueix de forma notable el seu valor segons l'article 552-11.5; que afegeix el supòsit de recaure la comunitat ordinària indivisa sobre "una col. lecció que integra el patrimoni artístic, bibliogràfic o documental". En qualsevol d'aquests casos la indivisió material del bé aboca a un supòsit de divisió jurídica del mateix, que segons el precepte permet sortir de la situació d'indivisió per alguna de les vies que estableix amb caràcter preferent i que són: i) adjudicar el bé indivisible al cotitular que hi tingui interès, que haurà de pagar als altres el valor pericial de la seva participació, que en cap cas té la consideració de preu ni d'excés d'adjudicació; ii) si més d'un cotitular té interès en l'adjudicació íntegre del bé indivisible, s'adjudica al cotitular que tingui una participació més gran, amb la mateixa obligació de pagar als altres el valor pericial de llur participació; iii) en cas d'interès i participació iguals, decideix la sort, amb la mateixa prevenció de tenir que pagar el valor de les quotes dels altres; i iv) si cap dels cotitulars té interès en l'adjudicació íntegra del bé o béns materialment indivisibles, es ven i es reparteix el preu. En els tres primers casos, i als efectes de l'article 211,III CS, el legislador considera que això va més enllà "d'un pur acte particional" i per aquest motiu exigeix que l'hereu fiduciari obtingui l'autorització judicial prèvia; requisit que es podria suprimir per la via de concordar aquest precepte amb l'article 552-11.5, que implicaria la procedència de dissoldre la situació de comunitat ordinària indivisa quan existeixi una valoració pericial del bé materialment indivisible.

B) LA DIVISIÓ ARBITRAL

Preveu l'article 552-11.1 que si els cotitulars no es posen d'acord per a dividir la comunitat poden sotmetre la divisió a un arbitratge, que d'acord amb l'article 9.1 de la Llei 60/2003, de 23 de desembre, de l'arbitratge, suposa que els cotitulars —persones físiques o jurídiques— puguin sotmetre en base a una clàusula incorporada a un contracte o en un acord independent a la decisió d'un o més àrbitres totes o algunes de les controvèrsies que han aparegut o que poden aparèixer respecte a una relació jurídica determinada, contractual o no, derivades en el nostre cas de l'objecte de la comunitat ordinària indivisa. Afegim que aquesta possibilitat és efectiva amb independència del fet que el bé objecte de la comunitat sigui o no materialment divisible. Els àrbitres poden resoldre les qüestions derivades de la divisió del bé objecte de la comunitat ordinària indivisa mitjançant un arbitratge de dret o d'equitat, segons decisió dels cotitulars; amb la precisió que els àrbitres sols poden decidir per equitat si existeix una autorització expressa en aquest sentit (article 34.1 de la Llei de l'arbitratge).

La decisió d'atribuir a un o més àrbitres les qüestions derivades de la divisió del bé comú es qualifiquen de conveni (vegeu, per exemple, els articles 1, 5 i 6 de la Llei de l'arbitratge), que en la part que ara interessa suposa que la partició arbitral sols és possible si de forma unànime ho acorden tots els cotitulars. Així i tot, i pel supòsit d'haver-se originat la situació de comunitat indivisa ordinària en base a una disposició testamentària, apuntem la possibilitat d'admetre que el testador pugui establir un arbitratge a l'empara de l'article 7 de la seva llei reguladora, amb la finalitat de solucionar les diferències que apareguin entre els afavorits sobre partició del bé que han rebut en situació de comunitat.

C) DIVISIÓ JUDICIAL

Si manca acord entre els interessats a l'hora de dividir el bé o els béns objecte de la comunitat i, també, si no arriben a un acord per tal de resoldre les seves discrepàncies mitjançant convenir un arbitratge, l'article 552-11.1 preveu que a instàncies de qualsevol cotitular es pugui interessar la divisió judicial del bé, que s'encarrilarà per la via del judici declaratiu que correspongui segons les prevencions dels articles 249 i 250 LEC. S'apunta l'oportunitat d'aplicar als procediments de divisió del bé que es troba en situació de comunitat per raons d'analogia les disposicions dels articles 782 i seg. LEC sobre partició de l'herència (GETE-ALONSO CALERA).

Segons l'article 552-11.1 la legitimació per a instar la divisió del bé que es troba en situació de comunitat s'atribueix a qualsevol dels cotitulars del dret de propietat o del dret real limitat que es troba en aquesta situació, mentre que la legitimació passiva correspon a totes les persones que tinguin la condició de cotitulars en el moment en què s'exercita l'acció divisòria. Encara que no sempre les condicions de part agent i part defenent apareixen totalment diferenciades ja que com esmenta la doctrina, és possible que qualsevol cotitular aparegui a la vegada com a part agent i com a part defenent, com pot succeir —posem per cas— si un d'ells interessa la divisió material de l'objecte que es troba en situació de comunitat, mentre que altre o altres cotitulars interessen la seva alienació en subhasta pública i la distribució del preu obtingut entre els cotitulars (MIQUEL GONZALEZ). I pel que fa referència als requisits de capacitat per a interessar la divisió judicial, ens remetem a les consideracions que s'han fet abans respecte a la partició convencional; sens perjudici que escaigui també tenir en compte les prevencions dels articles 7 i 8 LEC sobre capacitat processal.

En el judici de divisió de cosa comuna escau aplicar, amb les adaptacions que procedeixin, les prevencions dels articles 784 i següents de la Llei d'enjudiciament civil sobre nomenament dels experts que valorin els béns objecte de la divisió, trasllat a les parts per tal que puguin formular oposició, resolució de l'oposició i sentència que resol el litigi (article 787 LEC) i lliurament dels béns adjudicats a cada cotitular (article 788 idem).

Una prevenció especial s'estableix pels casos de divisió d'un o més béns que pertanyin en situació de comunitat indivisa a un matrimoni o a una unió estable de parella si es produeix entre els interessats una situació de crisi, ja que segons l'article 552-11.6 "Les comunitats ordinàries que hi ha entre els cònjuges, en els procediments de separació, divorci o nul.litat matrimonial, es poden dividir considerant com una sola divisió la totalitat o una part dels béns sotmesos a aquest règim, d'acord amb l'article 43 del Codi de família. S'aplica el mateix criteri en els casos de separació de fet i de ruptura d'unions estables de parella". Amb referència a l'article 43 CF s'ha precisat que té com a finalitat facilitar la liquidació del patrimoni comú en seu del propi litigi familiar per tal de facilitar la sortida àgil i ràpida de les crisis familiars, principalment en relació amb l'aspecte econòmic; motiu pel qual s'estableix la regla que si els béns són més d'un, poden ésser considerats en el seu conjunt a efectes de la divisió que permet una liquidació per lots, amb adjudicació de béns concrets a cada cònjuge i l'establiment de compensacions en metàl.lic per a anivellar el valor de les adjudicacions, que permetrà evitar en molts casos que el destí final dels béns sigui el de la subhasta pública (com precisa ORTUÑO MUÑOZ, *Comentaris al Codi de família, a la Llei d'unions estables de parella i a la Llei de situacions convencionals d'ajuda mútua.* Madrid, 2000, pàg. 261 i seg.). Una norma particular s'estableix a l'article 6.4 de la Llei 19/1988, de 29 de desembre, sobre situacions convivencials d'ajuda mútua, en la qual es preveu que "Les situacions de comunitat s'han d'intentar resoldre per acord dels afectats i, si hi manca, s'han de resoldre mitjançant arbitratge o judicialment. La resolució judicial pot disposar una indemnització a favor dels convivents més perjudicats a càrrec de l'altre o altres cotitulars".

V. La divisió i els drets de tercers

Com s'ha esmentat en els apartats anteriors, en els casos de divisió convencional únicament tenen la condició de parts contractants en el conveni de divisió les persones que tenen la condició de cotitulars en el moment de perfeccionar-se el contracte de divisió; de la mateixa manera que en els casos de divisió judicial sols ostenten una legitimació activa o passiva en el procés les persones que tenen condició de cotitulars en el moment de plantejar-se la controvèrsia judicial. Això determina l'oportunitat de fer ara unes precisions sobre la incidència de la partició respecte a terceres persones que es poden veure afectades per la mateixa.

En aquest punt és fonamental l'article 552-12.3, en el qual es preveu que "Els titulars de crèdits contra qualsevol del cotitulars poden concórrer a la divisió i, si es fa en frau de llurs drets, impugnar-la, però no la poden impedir". Interessa inicialment fixar el concepte de "titulars de crèdits contra qualsevol dels cotitulars", que s'ha d'aplicar a qualsevol persona que ostenti la condició de creditor en base a una relació obligatòria en la qual un dels cotitulars ostenti la condició de deutor, sigui quina sigui la font de l'obligació segons l'article 1089 CC; amb la precisió que s'inclouen en el concepte de creditors els tercers que han adquirit de qualsevol cotitular el dret que correspondria al cotitular en el moment futur de la divisió, perquè aquesta transmissió comporta únicament l'adquisició d'un dret de crèdit que té un objecte indeterminat en el moment de la transmissió, que per raó de la seva indeterminació no atribueix a l'adquirent un dret real sinó únicament un dret de crèdit. Per aquest motiu estableix l'article 552-3.2, proposició darrera, que l'adquirent no s'incorpora a la comunitat, que a la vegada determina que no pot ésser part en el procediment divisori, a diferència del que succeeix respecte a l'adquirent de la quota d'un dels cotitulars. En la categoria dels creditors del dret a concórrer a la divisió es pot incloure el titular d'un dret de crèdit sotmès a condició suspensiva, en atenció a que l'article 1121 CC permet que abans del compliment de la condició, el creditor pugui exercitar les accions —i per tant també les facultats— escaients per a la conservació del seu dret. I si ens atenem als precedents del precepte, que es troben en els drets francès, italià i espanyol, s'esmenta l'oportunitat d'incloure en el concepte de titulars de crèdits no sols els creditors en sentit estricte, sinó també els usufructuaris de la quota d'un cotitular, els adquirents d'una quota sota condició suspensiva pendent de compliment, els tercers als quals ha transmès una part material del bé objecte de la comunitat i l'adquirent de la part que correspongui al soci d'una societat civil que ingressa a la societat (MIQUEL GONZALEZ).

La possibilitat de concórrer en el procediment divisori, ja sigui convencional o judicial, és una facultat que pot exercir qualsevol creditor mentre no s'hagi procedit a la divisió del bé objecte de la comunitat, però no una obligació a càrrec del creditor, ja que segons l'article 552-12.3 la manca de concurrència no impedeix que es practiqui de forma vàlida la divisió del bé comú. Això ens porta a configurar jurídicament la citació del creditor per tal que concorri a la divisió com un deure accessori que la llei posa a càrrec del deutor —en aquest cas un cotitular— de cooperar a la satisfacció de l'interès del creditor que, cas de infracció, no determina l'incompliment de l'obligació sinó un compliment defectuós de l'obligació, que normalment comportarà la indemnització dels danys i perjudicis ocasionats al creditor per no haver tingut l'oportunitat de concórrer als actes que han provocat la divisió del bé objecte de la comunitat (vegeu en aquest sentit DIEZ-PICAZO, *Fundamentos del Derecho civil patrimonial. II. Las relaciones obligatorias.* Madrid, 1996, pàg. 119 i seg.). Aquesta responsabilitat s'estableix inicialment a càrrec del deutor, sens perjudici que es pugui fer extensiva als altres cotitulars, sempre que s'acrediti la seva connivència amb el deutor amb la finalitat de privar al creditor de concórrer a les operacions particionals.

Pel que fa referència a la posició jurídica dels creditors que concorren a la pràctica de la divisió, precisa la doctrina que no tenen la condició de parts en el contracte de partició ni de part processal en el procediment de divisió, ja que tant la determinació del procediment particional com la determinació de les porcions materials que han de correspondre a cada cotitular, és una facultat privativa d'aquests; amb la conseqüència doncs que els creditors ostenten únicament unes facultats de control, amb la finalitat d'evitar que la divisió perjudiqui el seu dret de crèdit (PEÑA BERNALDO DE QUIROS).

Esmentem finalment que segons l'article 552-12.3 els titulars de crèdits contra un cotitular -en el sentit que s'ha exposat- si bé és cert que no poden impedir la divisió, sí en canvi poden impugnar-la "si es fa en frau de llurs drets". L'expressió "frau" que apareix en el precepte, ens porta a pensar que té com a finalitat conferir als creditors l'oportunitat d'exercir una acció rescissòria, amb la finalitat d'esmenar el frau que la divisió els ha ocasionat, en base a les normes generals sobre rescissió dels actes fraudulents segons l'article 1291,3ª CC i concordants. No sembla sigui aplicable al cas que ara es considera limitar la rescissió al supòsit que preveu l'article 59 CS en seu de partició hereditària, que sols es preveu pels casos de rescissió en més de la meitat; ja que aquest precepte té com a finalitat protegir els cohereus, mentre que l'article 552-12.3 té com a finalitat protegir els creditors enfront un cotitular, que pot veure lesionats els seus drets, amb independència de l'entitat que —com a conseqüència de la divisió— pugui haver sofert el cotitular deutor.

VI. Efectes de la divisió

Esmentem com a més significatius els següents:

A) EN RELACIÓ AMB ELS COTITULARS

Són els que determina l'article 552-12.1, segons el qual "La divisió atribueix a cada adjudicatari o adjudicatària en exclusiva la propietat del bé o del dret adjudicat". Si es relaciona el precepte amb la tesi que considerem més ajustada a la naturalesa jurídica de la divisió com un acte determinatiu o especificatiu de drets -*supra*, 2,II-, en resulta que la divisió incideix sobre les limitacions que en les situacions de comunitat ordinària indivisa experimenta el dret de cada cotitular com a conseqüència de la concurrència simultània i recíproca amb els drets dels altres cotitulars. Limitacions que desapareixen com a conseqüència de la divisió, en el sentit que: *i)* cada cotitular s'allibera de la concurrència amb els drets dels altres cotitulars, perquè la divisió li atribueix en exclusiva la propietat del bé o del dret adjudicat segons l'article 552-12.1; *ii)* la divisió extingeix a més el dret de cada cotitular sobre les parts del bé que no li han estat adjudicades; i *iii)* precisa o concreta les parts materials del bé als efectes esmentats (MIQUEL GONZALEZ).

Conseqüència del que s'acaba d'exposar és —segons l'article 551-5— que "En cas de divisió d'un bé en situació de comunitat, es considera que cada cotitular ha posseït de manera exclusiva, durant el temps que ha durat la indivisió, la part que li ha correspost en l'adjudicació". Sobre incidència del precepte sobre la usucapió, vegeu *supra,* capítol V, 4,I); i respecte a l'usdefruit vegeu *infra,* capítol XVIII, 1, II,C).

B) RESPECTE A TERCERS

Preveu l'article 552-12.2 que "La divisió no perjudica les terceres persones, que conserven íntegrament llurs drets sobre el bé objecte de la comunitat o els que resulten de la divisió". El precepte es refereix al supòsit que mentre perdura la situació d'indivisió, si el bé que constitueix el seu objecte s'havia gravat amb un dret real limitat o s'havia establert sobre el mateix un dret de caràcter personal, la divisió del bé comporta en interès d'aquests tercers la subsistència íntegra de llurs drets, com si fictíciament no s'hagués produït la divisió del bé comú; de la mateixa manera que subsisteix íntegrament sobre la pluralitat dels béns que resulten de la divisió, perquè el titular d'aquests drets reals o personals el pot exercir de la mateixa manera encara que el bé s'hagi dividit materialment, entre altres raons perquè la divisió convencional és per aquests terceres *res inter alios acta* i la divisió arbitral o judicial que estableix la divisió del bé comú, no produeix els efectes de la cosa jutjada respecte a aquests tercers segons l'article 222.3 LEC. Com s'ha argumentat abans, si els titulars d'aquests drets els ostenten enfront un cotitular i no enfront a tots ells, s'apliquen les prevencions dels articles 552-12.3 i 561-11.1.

Manifestacions concretes de la manca de transcendència de la divisió del bé respecte els terces es troben a l'article 566-12 respecte el dret real de servitud i a l'article 123 LH respecte el dret real d'hipoteca.

C) L'OBLIGACIÓ DE SANEJAMENT

Del que s'ha exposat fins aquí en resulta que la divisió suposa en darrer terme concretar sobre un bé o uns béns determinats la quota que en la situació de comunitat ordinària indivisa corresponia a cada cotitular, circumstància que justifica la preocupació del legislador de mantenir una equivalència entre el valor de la quota i el valor dels béns adjudicats a cada cotitular. Equivalència que es pot trencar per circumstàncies sobrevingudes, que en les relacions jurídiques presidides pel criteri de l'onerositat es vol mantenir mitjançant el sanejament en la seva doble modalitat del sanejament per evicció i per vicis ocults.

En la modalitat del sanejament per evicció ens trobem davant el supòsit que un tercer que, com a conseqüència d'una resolució judicial ferma, priva el comprador del dret de propietat que havia adquirit com a conseqüència d'un contracte fonamental en una causa onerosa en virtut d'un dret anterior al contracte transmissiu (article 1475,I CC), que determina la facultat de l'adquirent d'obtenir a càrrec del transmitent el rescabalament que li correspon. Segons l'article 552-12.4 un dels efectes que es deriven de la divisió és que els cotitulars estan obligats recíprocament i en proporció a llurs quotes al sanejament per evicció, obligació de sanejament que no és efectiva quan l'exclouen de forma expressa els interessats en la divisió o quan procedeix d'una causa posterior a la divisió o sigui soferta pel cotitular adjudicatari per culpa pròpia segons l'article 53,2ª i 3ª CS per la partició hereditària, que per raons d'analogia considerem també aplicables a la divisió dels béns en les situacions de comunitat ordinària indivisa. Precisem també que l'obligació derivada del sanejament per evicció s'ha d'entendre que procedeix en els casos de divisió convencional, però no en els casos de divisió arbitral o judicial.

Segons el mateix article 552-12.4 els cotitulars assumeixen també l'obligació recíproca i en proporció a llurs quotes de sanejament per vicis ocults, que té com a finalitat restablir l'equilibri econòmic entre els cotitulars (en el nostre cas), que s'ha trencat quan un d'ells ha sofert un engany o *deceptio* derivat del fet d'haver rebut en la divisió un bé de valor inferior al que esperava (vegeu l'article 1484 CC). La procedència del sanejament per vicis ocults presenta els seus dubtes respecte a la partició hereditària, ja que l'article 53 CS es refereix únicament a l'evicció i sanejament, dubtes que esvaeix l'article 552-12.4, que de forma expressa admet el sanejament per vicis ocults en la divisió que posa fi a la comunitat ordinària indivisa; al qual seran d'aplicació —amb les adaptacions que escaiguin— els preceptes del Codi civil sobre sanejament per vicis ocults en el contracte de compravenda.

Entenem aplicable per raons d'analogia a la divisió de béns en els casos de comunitat ordinària indivisa, el cas que s'adjudiqui a un dels cotitulars un crèdit contra un tercer en pagament de la seva quota, en el sentit que els altres cotitulars no responen de la insolvència sobrevinguda del deutor i sí només de la seva insolvència al temps de fer-se la divisió, llevat de pacte en contrari; amb la precisió que la garantia per la insolvència del deutor d'una renda periòdica dura cinc anys des de la divisió (article 54 CS).

BIBLIOGRAFIA SUMÀRIA

A més de l'esmentada en el capítol anterior vegeu també:
MORENO TRUJILLO, *La indivisión voluntaria en las comunidades de bienes por cuotas. Barcelona, 1994;* NUÑEZ IGLESIAS, *Comunidad i indivisibilidad.* Madrid, 1995.

Capítol XIII

La propietat horitzontal

1. CONCEPTE I TRETS DEFINITORIS. LES DIVERSES PROPIETATS HORITZONTALS

La Llei 5/2006, de 10 de maig, per la qual s'aprova el llibre cinquè del Codi civil de Catalunya, relatiu als drets reals, afirma en el seu Preàmbul que una de les novetats amb més transcendència social del Codi és la regulació de la propietat horitzontal. Esdevé avui en dia un tòpic asseverar que, precisament, el règim jurídic de la propietat horitzontal és el que ha permès l'accés de moltes persones a l'habitatge en propietat, sobretot en el nostre àmbit geogràfic en el qual es prioritza subvenir a la necessitat d'habitatge a través de l'institut de la propietat i en detriment d'altres fórmules, de molt més predicament en altres països, com l'arrendament.

La concepció de la propietat horitzontal, entesa com la que confereix al propietari el dret de domini en exclusiva sobre els elements privatius i en comunitat respecte del elements comuns (cfr. Art. 553-1), participa de les següents notes definitòries, les quals emmarquen la seva regulació. Així, en primer terme, la propietat horitzontal es configura pel legislador català com una hipòtesi de comunitat. D'aquí que si la comunitat existeix quan dues o més persones comparteixen de manera conjunta i concurrent la titularitat de la propietat o d'un altre dret real sobre un mateix bé o un mateix patrimoni, d'acord amb allò que es disposa a l'article 551-1), junt a la comunitat ordinària, regulada per la prevalença de l'autonomia de la voluntat i, de forma subsidiària, per les normes del capítol II del Títol V, la comunitat en règim dc propictat horitzontal es presenta com una categoria més de la comunitat, junt amb la ordinària, la comunitat pcr torns i la comunitat per raó de mitgeria, i això fa que esdevinguin aplicables a la mateixa les normes contingudes en el capítol I del Títol V, entre les quals, solament, s'escau ressenyar, per una banda, la no presumpció de la situació de comunitat i, per altra, l'aplicació del procediment monitori, conforme a la regulació processal, per a la reclamació de les despeses comunes. En conseqüència, el legislador català al configurar la propietat horitzontal com una hipòtesi de comunitat, ha mantingut la tesi de no atribuir-li personalitat jurídica (cfr. Art. 553-4), malgrat que aquesta era una resposta possible i que hagués solventat problemes de legitimació (Vegeu GINER GARGALLO)

En segon terme, la norma catalana parteix de l'existència d'una regulació estatal, la continguda a la Llei de 21 de juliol de 1960, sobre propietat horitzontal, modificada, entre altres normes, per la Llei estatal de 6 d'abril de 1999, i, en paraules del Preàmbul, adopta el model esmentat i l'actualitza. Serà amb l'anàlisi de cada institució que correspondrà posar de manifest les diferències entre el model que es pren com a base i el català que, en virtut de l'exercici de les competències contingudes a l'article 149.1.8 CE i 129 de l'Estatut d'Autonomia de Catalunya en desplaça la seva aplicació. En aquest ordre d'idees, del joc de l'article 16 del Codi civil en relació amb l'article 10.1, s'extreu que l'aplicació de la normativa catalana, sobre propietat horitzontal, procedirà, d'acord amb la lex rei sitae, per tots aquells immobles subjectes al règim de la propietat horitzontal i que es trobin situats en el territori català.

En tercer terme, el legislador català ha previst el dret intertemporal mitjançant l'existència de dues disposicions transitòries: una, prevista pel règim de la propietat horitzontal i, l'altra, en relació a la propietat horitzontal per parcel·les, quant a les propietats horitzontal per parcel·les preexistents. Pel que fa a la disposició pròpia del règim general de la propietat horitzontal, la disposició transitòria sisena estableix el que segueix: "1. Els edificis i els conjunts establerts en règim de propietat horitzontal abans de l'entrada en vigor d'aquest llibre es regeixen íntegrament per les normes d'aquest, que, a partir de la seva entrada en vigor, s'apliquen amb preferència a les normes de comunitat o els estatuts que les regien, fins i tot si consten inscrites, sense que sigui necessari cap acte d'adaptació específica.

2. La junta de propietaris, sens perjudici del que estableix l'apartat 1, ha d'adaptar els estatuts i, si escau, el títol de constitució a aquest codi si ho demana una desena part dels propietaris. Per a adoptar l'acord que correspon, és suficient la majoria de les quotes

en primera convocatòria i la majoria de les quotes dels presents o representats en segona convocatòria. Si l'adaptació que es proposa no assoleix la majoria necessària, qualsevol dels propietaris que l'ha proposada pot demanar a l'autoritat judicial que obligui la comunitat a fer l'adaptació. L'autoritat judicial ha de dictar una resolució, en tots els casos, amb imposició de les costes"

Dos són els extrems que mereixen ésser comentats respecte de la present disposició transitòria. El primer és que, sens dubte, el legislador català ha optat per dotar al nou règim jurídic de la propietat horitzontal d'un grau de retroactivitat màxim, atès que pels edificis i conjunts immobiliaris que regien per la propietat horitzontal abans de l'entrada en vigor de la norma catalana (1 de juliol de 2006), els resulta aplicable la nova regulació amb dues particularitats: una, que no cal cap acte d'adaptació específic per l'aplicabilitat de la norma catalana i dues, que la norma catalana s'aplica amb preferència als títols constitutius o estatuts que les regien i encara que constessin inscrits en el Registre de la Propietat.

Quant a la primera qüestió, encara que l'apartat primer de la disposició transitòria sisena determini l'aplicació preferent de la normativa catalana front a les normes contingudes en el títol constitutiu o en els estatuts, sense que s'escaigui cap acte d'adaptació, en el seu apartat segon es preveu el procediment per a procedir a l'adaptació del títol constitutiu i/o dels estatuts si aquesta es sol·licita. En aquest sentit, s'estableix que si una desena part dels propietaris ho demana, cal convocar la junta de propietaris amb l'objecte de procedir a l'adaptació del títol de constitució i dels estatuts. I així, per a assolir l'acord d'adaptació cal, en primera convocatòria, que s'obtingui majoria de quotes, mentre que, en segona convocatòria, esdevé suficient la majoria de quotes dels presents o representats. Pel cas que no s'obtingui la majoria necessària, la normativa catalana amb la finalitat d'aconseguir en tot cas la subjecció dels immobles al règim jurídic de la propietat horitzontal contemplat a la Llei 5/2006, de 10 de maig, preveu que qualsevol dels propietaris que ha proposat l'adaptació pot impetrar l'auxili judicial, de manera que es dicti una resolució judicial que obligui a la comunitat a efectuar l'adaptació. En aquest supòsit, afegeix la disposició transitòria sisena, apartat segon que l'autoritat judicial haurà de dictar una resolució judicial que comptarà, en tots els casos, amb imposició de costes.

Quant a la segona qüestió, relativa a la preferència de les normes sobre propietat horitzontal contingudes en el títol cinquè, capítol tercer, creiem oportú fer les següents consideracions. La disposició transitòria sisena imposa l'aplicació de la normativa catalana en relació a aquells títols constitutius i/o estatuts, fins i tot si consten inscrits. Al respecte cal entendre que aquesta preferència i desplaçament dels títols constitutius i estatuts inscrits només actuarà en relació a aquelles previsions que xoquen o s'enfrontem amb normes imperatives del nou règim de la propietat horitzontal. Seria el cas, per exemple, de la vinculació d'un acord referent a la instal·lació d'un ascensor, el qual obliga fins i tot als dissidents (cfr. Art. 553-30.3) o la obligatorietat de constituir la propietat horitzontal complexa respecte d'un local destinat a places d'aparcament si l'ús del mateix és compartit per diferents edificis (cfr. Art. 553-52.3). En canvi, no s'haurà de procedir a l'adaptació en aquells casos on el títol constitutiu o els estatuts contemplin previsions diverses a la llei catalana, però aquesta admeti que l'autonomia de la voluntat pugui també assolir-les. Es tractaria de supòsit, entre altres, com el de la reserva del dret de sobre-elevació, subedificació i edificació (art. 553-13), la determinació i modificació de quotes per unanimitat, a manca de pacte estatutari (cfr. Art. 553-3.4) o l'exoneració de sufragar despeses comunes si no s'usen determinats béns comuns (art. 553-45.2).

En el present tema i en els dos següents, es seguirà l'exposició adequada a la normació i a les classes de propietat horitzontal que dissenya el dret català. Així, després de configurar-se la propietat horitzontal com una classe de comunitat es destinen unes disposicions generals a la regulació de l'objecte i de la incidència del règim de la propietat horitzontal en els drets i deures dels propietaris; es preveu l'establiment del règim, de manera que es detalla la legitimació per atorgar el títol constitutiu, la possible existència d'estatuts i les normes de règim interior i, en darrer terme, s'inclouen dins d'aquestes disposicions generals les relatives als òrgans de govern de la comunitat de propietari, amb especial projecció en les convocatòries de les juntes, el règim d'acord i la seva eficàcia (cfr. Arts. 553-1 a 32). En segon terme, s'examina l'anomenada propietat horitzontal simple, en la qual es defineixen els elements privatius (entre aquests els de benefici comú) i els elements comuns, amb l'estatut de drets i deures respecte de cadascun d'ells (cfr. Arts. 553-33 a 47). I, per últim, es contempla la propietat horitzontal complexa (arts. 553-48 a 52), amb especial incidència en relació a les subcomunitats de garatges, aparcaments i traster, i la propietat horitzontal estesa o per parcel·les ("les mal anomenades urbanitzacions privades"), definint els elements privatius i comuns, així com el títol de constitució i el seu reflex registral, amb també especial previsió del règim intertemporal (cfr. Arts. 553-53 a 59 i DT7ª).

2. LA CONFIGURACIÓ DE LA PROPIETAT HORIT-ZONTAL

I. L'objecte i la noció de quota. Classes de quotes i la seva modificació

La propietat horitzontal es conceptua com aquella que atribueix als propietaris un dret de propietat en exclusivitat sobre els béns privatius i un dret de propietat en comunitat en relació als elements comuns (cfr. Art. 553-1). Aquest règim jurídic només pot tenir per objecte els edificis, estiguin acabats o en construcció, sempre que coexisteixin elements privatius que siguin habitatges, locals o espais físics, susceptibles d'independència funcional i atribuïts en exclusivitat als propietaris, amb elements comuns. Aquests darrers són necessaris per a l'obtenció de l'ús i el gaudi dels elements privatius i la seva propietat queda adscrita de manera inseparable als béns privatius, de forma que esdevé impossible, l'alienació, gravamen o cessió del seu ús amb independència d'aquells.

Tanmateix preveu el legislador que, al marge de l'esmentat objecte habitual de la propietat horitzontal, es pot constituir el règim de la propietat horitzontal sobre:

- Ports esportius en relació als punts d'amarratge
- Mercats en relació a les parades
- Urbanitzacions amb relació a les parcel·les
- Cementiris respecte de les sepultures

Aquest ventall d'altres possibles objecte no esdevé un numerus clausus, sinó que és merament indicatiu, com ho posa de relleu el propi legislador, quan admet (art. 553-2.2) que es pugui constituir la propietat horitzontal en altres casos semblants als indicats. Sí que es oportú fer un esment a la normativa reguladora d'aquests altres possibles objectes de la propietat horitzontal. Així, s'estableix que, en primer terme, s'apliquen les disposicions generals de la propietat horitzontal, adaptades a la natura específica. Aquí s'escau

afegir que quant a les parcel·les, existeix, com ja s'ha indicat, una
previsió específica en relació als elements privatius i comuns i a
la seva constitució i extinció (cfr. Arts. 553-53 a 59). I, en segon
terme, que l'aplicació de la normativa anterior ha de venir tem-
plada per la normativa administrativa, tota vegada que en molts
dels casos descrits, ja sigui per la utilització de sòl públic (parades
de mercat) o per l'aplicació dels límits que imposa la legislació
sobre costes i ports esportius (amarratges) o per l'existència d'en-
titats de conservació (urbanitzacions) la incidència de la mateixa
és especialment rellevant.

Quant a l'objecte, s'han de posar de relleu dues precisions més.
En primer terme, encara que només es refereixi als apartaments,
s'ha d'estendre a tot tipus d'objecte, s'eradica l'acció de divisió i
els drets d'adquisició preferent, excepte per aquelles situacions de
comunitat ordinària d'un apartament o element privatiu determinat
(cfr. Art. 553-1-2c). I, en segon terme, i pel que fa als elements
privatius s'ha de ressenyar que aquests es troben afectats amb
caire real i poden ésser objecte d'embargament per les quantitats
que deuen els titulars actuals i anteriors. En aquest ordre d'idees,
s'ha d'entendre la imprecisa asseveració legal de l'article 553-5,
quan afirma que "Els elements privatius estan afectats amb ca-
ràcter real i responen (sic) del pagament de les quantitats que
deuen els titulars...". L'afectació real es concreta als deutes dels
titulars actuals per despeses comunes i, en relació als anteriors,
es limita a la part vençuda de l'any en que es transmeten i l'any
natural immediatament anterior i abasta tant les despeses comunes
de natura ordinària com extraordinària. Aquesta afectació real de
l'immoble esdevé independent de la responsabilitat personal del
transmitent front a la comunitat de propietaris.

Nogensmenys l'afectació real dels elements privatius, per tal
d'evitar que l'actual titular hagi de fer front a despeses comunes
de l'anterior titular per impedir la trava sobre el seu element
privatiu i després iniciar accions de caire personal front a aquell,
l'article 553-2, imposa als transmitents l'obligació de declarar, en
l'escriptura d'alienació onerosa d'un element privatiu, que es troba
al corrent de les despeses comunes i, si no ho està, de consignar
els pendents. A més d'aquesta manifestació, s'imposa l'obligació
d'aportar un certificat expedit per qui exerceix de secretari, en
el qual han de constar l'estat de deutes amb la comunitat, així
com aquelles despeses ordinàries ja aprovades, però pendents de
repartiment. Si no consta l'aportació del certificat i no s'efectua

a la mateixa la manifestació d'estar al corrent dels deutes, el Notari no pot atorgar l'escriptura. S'exceptua el cas que existeixi renúncia expressa dels adquirents. Pel que fa al certificat, l'apartat tercer de l'article 553-5 disposa que si qui exerceix les funcions de secretari de la comunitat és un professional que duu l'administració de la finca, no s'escau que el president o presidenta doni el vistiplau al mateix.

Una vegada analitzat l'objecte de la propietat horitzontal, l'establiment del règim jurídic comporta sempre l'existència de dos titulars o més, ja siguin presents o futurs, d'un immoble unitari que es divideix en elements privatius i comuns i que es vinculen mitjançant la noció de quota i l'existència de dos o més titulars i l'adequat exercici dels drets i el compliment dels deures dels propietaris requereix una organització que vetlli per aquesta finalitat. Sens perjudici d'analitzar amb posterioritat l'organització per la vetlla dels drets i el compliment dels deures dels propietaris, convé ara detenir-se en l'estudi de la noció de quota.

La quota es pot concebre com aquell element ideal que serveix per a vincular els elements privatius i els elements comuns. En aquest sentit, la quota (cfr. Art. 553-3) esdevé un mòdul per a fixar la participació en les càrregues, els beneficis, la gestió i el govern de la comunitat, així com els drets del propietaris pel cas d'extinció del règim jurídic de la propietat horitzontal. I, a manca de pacte en contrari, la quota s'empra també per a establir la distribució de les despeses i el repartiment dels ingressos.

Malgrat que en el Preàmbul del Llibre cinquè s'adverteix que el principi d'unanimitat es limita a casos molt puntuals, en matèria de quotes apareix aquesta exigència, encara que matitzada. En efecte, la determinació i la modificació de les quotes requereix l'acord unànime dels propietaris, mentre que la modificació del títol constitutiu o dels Estatuts és possible portar-la a terme amb l'acord de les 4/5 part dels propietaris que representin les 4/5 parts de les quotes de participació (cfr. Art. 553-3.4 i 553-25.2). Si la unanimitat no s'aconsegueix i l'adopció d'un determinat acord es veu bloquejada es pot acudir a l'autoritat judicial per tal que procedeixi a modificar o determinar les quotes, sempre que les lleis o els estatuts no prevegin una altra cosa.

La quota pot ésser general o especial per a despeses determinades. Així succeeix en les hipòtesis de propietats horitzontal complexes, en les quals junt a la quota general de participació, s'ha de preveure una quota especial o particular de participació per a cadascun dels elements privatius que integren les subcomunitats (cfr. Art. 553-49).

II. L'establiment del règim: el títol constitutiu

La subjecció d'un edifici al règim voluntari de propietat horitzontal es produeix des del moment en que s'atorga el títol constitutiu de la mateixa. Aquest títol ha de constar en escriptura pública i s'ha d'inscriure obligatòriament en el Registre de la Propietat, segons exigeix l'article 553-7. En aquest sentit, l'article 8.4 de la Llei Hipotecària, d'acord amb el sistema del foli real, atribueix a cada finca un número diferent i correlatiu i conceptua com a finques registrals, per una banda, els edificis en règim de propietat horitzontal si la seva construcció està acabada o començada i l'apartat cinquè de la mateixa norma, preveu la inscripció dels pisos o locals com a finques independents si, de manera prèvia, consta inscrit la constitució del règim de propietat horitzontal (vegeu també l'article 553-9.5). Com es pot observar, el legislador català ha prescindit del principi de llibertat de forma dels negocis jurídics en matèria patrimonial i ha imposat l'escriptura pública per l'atorgament del títol constitutiu. I la raó d'aquesta imposició formal no es pot justificar en la publicitat front a tercers, atès que l'escriptura pública no dóna publicitat del seu contingut (GINER GARGALLO). A més, s'ha de posar de relleu que la inscripció al Registre de la Propietat s'ha establert com a obligatòria, però no constitutiva, amb la qual cosa el règim voluntari de propietat horitzontal existeix abans de la inscripció, però no gaudeix dels efectes que proporciona el seu reflex registral: oposabilitat, legitimació i fe pública.

En el títol constitutiu, si bé com s'ha vist pot ésser objecte de la propietat horitzontal tant els edificis construïts com en construcció, esdevé necessari que en l'escriptura d'atorgament del títol o en una altra de prèvia, s'hagi procedit a declarar l'obra nova, en consonància amb el que contempla la legislació hipotecària (cfr. Art.8.4 LH i 308.2 RH. Pel que fa a la prehoritzontalitat, vegeu RDRGN de 5-11-1982 i 8-3-1995). Des de l'òptica urbanística, en consonància amb l'article 210 de la Llei 2/2002, de 14 de març, d'urbanisme i el text refós de l'any 2005, s'exigeix per a les divisions horitzontals la llicència de parcel·lació si tenen per objecte l'increment d'habitatges o locals (vegeu Interlocutòria del President del Tribunal Superior de Justícia de Catalunya de 25-2-2004 i GINER GARGALLO).

La legitimació per a atorgar el títol constitutiu correspon a tots els propietaris de l'immoble. Baldament, són necessàries dues consideracions. La primera que. específicament es prohibeix, en ares a protegir a aquells compradors d'elements privatius, l'utilització de la facultat prevista a l'article 552-11.4, consistent en que aquell comuner que ostenta una participació igual o superior a 4/5 parts pot adjudicar-se la totalitat de l'immoble abonant el valor de les participacions restants, si els promotors de l'immoble han procedit a iniciar la venda dels elements privatius en document privat, sense haver atorgat el títol constitutiu. És a dir, es tracta d'una regulació per les situacions de prehoritzontalitat. D'aquí i en consonància amb la finalitat explicitada, es permet que qualsevol dels compradors (la norma incorrectament diu "adquirents". Cfr. Art. 553-8.2) en document privat pugui exigir la formalització immediata del títol constitutiu d'acord amb el projecte arquitectònic presentat per a l'obtenció de la llicència d'obres. I, la segona, que per evitar la problemàtica que comportaria l'atorgament pel promotor d'un títol constitutiu i la inclusió de normes estatutàries en el mateix, quan ja s'ha procedit a vendre elements privatius en document privat, s'actua a través de l'expedient de la ratificació, la qual com és conegut opera amb eficàcia retroactiva al moment de l'atorgament del mateix i sana els defectes existents. Així, s'entendrà (ex art. 553-8.3) que els titulars (sic) d'elements privatius ratifiquen el títol constitutiu si quan s'atorga l'escriptura de transmissió de l'element privatius si concorren dos pressupòsits:

- L'atorgament del títol constituïu té lloc per qui ha estat propietari únic de l'immoble i ha alienat els elements privatius en document privat.
- Es ressenya en l'escriptura de transmissió el títol constitutiu i les normes de comunitat.

En relació al contingut del títol constitutiu, es diferencia entre un contingut mínim obligatori i un contingut potestatiu. Obligatòriament, ha de constar en el títol constitutiu:

- Descripció de l'edifici en el seu conjunt, indicant si està acabat o no, així com els elements, instal·lacions i serveis comuns que té.
- Descripció de cadascun dels elements privatius, amb el seu número d'ordre, la quota general de participació i, si és el

cas, les especials, així com la superfície útil, els límits, la planta on està ubicat, la destinació i els annexos.

Potestativament, el títol constitutiu pot incloure:

- Les normes estatutàries
- Les reserves a favor dels promotors. Així, per exemple, el dret de sobreelevació, subedificació i edificació (art. 553-13).
- Previsió sobre futures subcomunitats, pel cas de propietats horitzontals complexes.
- Plànol descriptiu de l'edifici.

Expressament es prohibeix per part de la llei (cfr. Art. 553-10.4) aquelles estipulacions establertes pel promotor o propietari únic de l'immoble que comportin una reserva de la facultat de modificació unilateral del títol de constitució o que li permetin decidir en el futur assumptes de competència de la junta de propietaris i es sancionen amb la nul·litat.

Quant a la modificació del títol constitutiu, s'ha de posar de manifest que s'exigeix els mateixos requisits formals que per a la seva constitució i quant als quòrums que s'han d'obtenir cal distingir les següents situacions (art. 553 10 en relació amb l'article 553-25):

- Com a criteri general es precisen les 4/5 del propietaris que representin les 4/5 parts de les quotes de participació.
- La modificació de les quotes de participació que requereixen l'acord unànime (art. 553-3)
- Previsió diversa en el títol que augmenti o disminueixi el quòrum exigit per a la modificació del títol constitutiu o els estatuts (art. 553-25.2).

Es preveu per la llei catalana, i es dóna així resposta a extrems que havien suscitats solucions enfrontades a la praxi, que no caldrà el consentiment de la junta de propietaris per a la modificació del títol constitutiu en els casos de:

- La sobreelevació de plantes o la subedificació si així s'ha pactat en el moment de constituir el règim jurídic de la propietat horitzontal (Quant a les exigències de forma i de contingut, cfr. Art. 553-13). Es supera d'aquesta forma la solució que havia adoptat el Tribunal Suprem (STS 10-5-1999) i que havia estat seguida per l'Audiència Provincial de Barcelona (APB, secció setze, de 30-5-2002), que requeria, malgrat l'existència de la reserva, l'obtenció del consentiment de la junta de propietaris. Aquesta reserva s'ha de contenir en el títol constitutiu i no és vàlida si consta en les normes estatutàries i ha de ser expressa i integrar una clàusula separada i específica. Si concorren les exigències descrites, els titulars del dret poden edificar a llur càrrec i fan seus els elements privatius que en resultin i atorgar les pertinents declaracions d'obra nova. L'exercici d'aquest dret donarà lloc a la redistribució de les quotes de participació, sense que s'escaigui el consentiment de la junta de propietaris.

- Agrupacions, agregacions, segregacions i divisions dels elements privatius o desvinculacions d'annexos.
- Alteracions de la destinació dels elements privatius, llevat prohibició dels estatuts. En aquest sentit, s'adopta com a resposta legal la solució que ja havia establert la Direcció General de Registres i del Notariat en les seves resolucions de 12-12-1986 i 20-2-1989.

III. Els Estatuts i els reglaments de règim interior

El règim jurídic real de la comunitat horitzontal es conté en les normes estatutàries, les quals formen part del títol constitutiu de la propietat horitzontal. Els estatuts es caracteritzen per ésser d'aplicació preferent a les normes de la pròpia llei catalana, atès que l'article 553-9.3 disposa que "En allò que no preveu el títol de constitució s'apliquen les normes d'aquest capítol".

L'anàlisi de la norma catalana (cfr. Art. 553-11) permet sustentar que s'enumeren una sèrie d'extrems que poden ésser objecte dels estatuts i, per altra part, que explícitament s'assenyala la validesa de clàusules estatutàries respecte de les quals es discutia la seva validesa (GINER GARGALLO). Així, entre les primeres s'indica que pot ésser objecte de les normes estatutàries la destinació, l'ús i aprofitament dels béns privatius i altres de comuns; les limitacions d'ús i altres càrregues dels elements privatius; l'exercici dels drets i el compliment de les obligacions; l'aplicació de despeses i ingressos i la distribució de càrregues i beneficis, els òrgans de govern complementaris dels previstos en el codi civil de catalunya i la forma de gestió i administració.

Pel que fa a les segones, la llei declara vàlides clàusules sobre les que abans de la mateixa existien discussions al respecte:
- Operacions d'agrupació, agregació, divisió d'elements privatius i desvinculació d'annexos amb creació de noves entitats, sense consentiment de la junta de propietaris. Les resolucions de

la DGRN ja s'havia decantat per la seva validesa en dates 20-2-1988 i 21-9-2000.

- Exoneració de determinats elements privatius de l'obligació de satisfer les despeses de conservació i manteniment del portal, l'escala, els ascensors, els jardins, les zones d'esbarjo i altres espais semblants.

- Atribució de la utilització exclusiva o, si s'escau, el tancament d'una part del solar o de les cobertes o qualsevol altre element comú o part determinada d'aquest a favor d'un element privatiu.

- Atribució de l'ús o gaudi de part de la façana per mitjà de la col·locació de cartells de publicitat en els locals situats als baixos.

- Limitació d'activitats que es poden desenvolupar en els elements privatius.

L'oposabilitat a tercers de les normes estatutàries solament tindrà lloc des de la seva inscripció al Registre de la Propietat.

Front als Estatuts, el reglament de règim interior conté aquelles normes relatives a la convivència, a les relacions de bon veïnatge i a la utilització dels elements d'ús comú i les instal·lacions (art. 553-12). Esdevé oportú, en relació als reglaments de règim interior, porta a terme les següents consideracions. En primer terme, la qualificació com a norma estatutària o reglament de règim interior, no es pot fer descansar en l'atribució del nomen iuris per part dels propietaris, sinó que s'ha de qualificar pel seu veritable contingut, per evitar que, sota l'aparença d'una norma de règim interior, s'emmascari una veritable norma estatutària. I això és especialment transcendent, atès que la modificació dels estatuts és la pròpia del títol constitutiu (4/5 part dels propietaris que representin 4/5 parts de les quotes) mentre que l'adopció i modificació d'un reglament de règim interior es pot dur a terme per majoria de propietaris que representin la majoria de les quotes, en primera convocatòria, o majoria de quotes dels presents i representats en segona convocatòria. En segon terme, els reglament de règim interior són normes subordinades als Estatuts i en aquest sentit l'article 553-12 afegeix que el reglament de règim interior no es pot oposar als Estatuts, tota vegada que el contingut del primer es delimita pel seu objecte, molt menys rellevant que el dels Estatuts. En tercer terme, els reglaments de règim interior vinculen als propietaris i usuaris dels elements privatius des de la seva aprovació, la qual cosa pot comportar problemes en relació a aquells tercers que adquireixen un element privatiu i desconeixen el contingut d'aquests reglaments, tota vegada que no s'inscriuen al Registre de la Propietat.

3. ELS ÒRGANS DE GOVERN DE LA COMUNITAT

La regulació dels òrgans de govern de la comunitat de propietaris es conté en els articles 553-15 a 32 i s'observa que el legislador català presta una especial atenció a l'òrgan sobirà de la comunitat de propietaris: la junta de propietaris. Així, en el Preàmbul s'indica que es norma el funcionament de la junta de propietaris, detallat, clar i adaptat a les noves necessitats socials i això es reflecteix en l'articulat normatiu, tota vegada que, front als quatre primers preceptes, destinats a la concepció dels òrgans de govern i a la disciplina dels unipersonals, els restants preceptes (553-19 a 32) es dediquen a la junta de propietaris, les seves convocatòries, els quòrums necessaris, l'adopció d'acords, la seva eficàcia i la seva impugnació.

L'article 553-15 contempla els quatre òrgans de govern de la comunitat. En aquest ordre d'idees, es preveu un òrgan de representació (President), un òrgan de gestió (administrador), un òrgan amb funcions de fedatari (Secretari) i l'òrgan sobirà de la comunitat (la junta de propietaris). Els tres primers òrgans de govern de la Comunitat són unipersonals i poden recaure en una sola persona, si així ho determinen les normes estatutàries o la junta de propietaris. Pel que fa als càrrecs de Secretari administrador, aquests poden recaure en una sola persona, que exercitarà les funcions de gestió i de fedatari, si aquesta persona és externa a la comunitat i compta amb la qualificació professional adequada. Al marge d'aquests òrgans de govern, els Estatuts poden preveure altres òrgans de govern complementaris i de fet és freqüent trobar previsions en aquest sentit, en les quals es contemplen els càrrecs de vicepresidents, tresorers, encarregats de manteniment, etc...

Els càrrecs tenen una durada d'un any i són reelegibles. S'entén prorrogat el seu mandat fins que té lloc la junta ordinària següent al venciment del termini pel qual es van designar. D'aquesta forma s'evita la situació de vacatio en l'exercici del càrrec i haver de recórrer a la ratificació d'actuacions realitzades quan el mandat anual ja s'havia extingit. S'exceptuen de la durada anual, els càrrecs nomenats pel promotor de l'edifici, atès que en aquest cas exerceixen el càrrec fins a la primera reunió de la junta de propietaris.

Pel que fa a la designació pels càrrecs, les excuses i el seu caire gratuït i obligatori, la norma determina que la designació es decideix, en absència de candidats, per un torn rotatori i per sorteig entre els que no han exercit el càrrec. Quant a les excuses, front al sistema de la llei estatal que atribueix la decisió sobre la procedència o no de les mateixes a l'autoritat judicial, esdevé molt més àgil el règim català, en el qual es disposa que correspon a la junta de propietaris la decisió sobre els motius d'excusa fonamentats. I, en relació al caire obligatori i gratuït dels càrrecs, esdevé oportú fer dues precisions: una, que la junta de propietaris pot considerar el dret a rescabalar-se de les despeses que ocasiona l'exercici del càrrec i dues, que si la secretaria i l'administració correspon a una persona externa a la comunitat i amb la qualificació adequada l'exercici del càrrec és remunerat.

I. Presidència, Secretaria i Administració

El president esdevé l'òrgan de representació de la comunitat de propietaris i ha de ser necessàriament propietari d'un dels elements privatius. L'article 553-16 enumera les seves funcions:

- Convocatòria i presidència de les reunions de la junta de propietaris.
- Representació judicial i extrajudicial de la comunitat.
- Elevació a públics dels acords adoptats. Per a portar a terme aquesta funció, caldrà que el President acrediti el seu càrrec i la vigència del mateix i justifiqui la seva actuació a través d'un acord expedit pel Secretari de la Comunitat (GINER GARGALLO).
- Vetllar per la bona conservació i bon funcionament dels elements i serveis comuns.
- Vetllar pel compliment dels deures dels propietaris i dels titulars de la secretaria i administració.

El secretari és l'òrgan unipersonal que té atribuïdes les funcions de fedatari. Així, l'article 553-17 exposa que el secretari, designat per la junta de propietaris, estén les actes de les reunions, fa les notificacions, expedeix els certificats i custòdia la documentació de la comunitat, especialment les convocatòries, comunicacions, poders, i altres documents rellevants de les reunions durant dos anys. En aquest punt, convé cridar l'atenció respecte d'una contradicció entre allò que disposa l'article 553-17 i l'article 553-28. En el primer dels preceptes es determina que la documentació relativa a la comunitat s'haurà de custodiar durant 2 anys, mentre que en el darrer s'assenyala que el llibre d'actes s'ha de conservar durant trenta anys mentre existeixi l'immoble, però en relació a la documentació de la comunitat fixar en 10 anys l'obligació de custòdia. Al nostre parer, seria suficient amb el termini de dos anys, atès que, conservant-se el llibre d'actes, mantenir les convocatòries, poders, comunicacions i altres documents excedeix el termini d'impugnació més llarg dels acords contraris al títol o als estatuts, que es fixa en un any.

Dins d'aquestes funcions de fedatari, li correspon estendre l'acta i transcriure-la en el llibre d'actes. La regulació catalana és en extrem detallista del contingut de l'acta i de la seva autorització. En aquest sentit, s'assenyala que el secretari, una volta han estat tractats els punts de l'ordre del dia, ha de redactar i llegir els acords adoptats i, si s'aproven (sic), ha de redactar l'acta. Aquesta acta cal que s'autoritzi amb les signatures del secretari i del president en el termini de cinc dies a comptar des de l'endemà de la reunió (cfr. Art. 553-27). Si l'acta de la reunió l'estén un notari, aquesta no necessita aprovació. Aleshores en el llibre d'actes cal efectuar una referència a la data de celebració de la reunió, al nom i residència del notari que la va estendre. La intervenció del Notari es preveu quan el president per iniciativa pròpia ho consideri o quan es presenti una sol·licitud escrita per una quarta part dels propietaris o menys si representen una quarta part de les quotes i es faci cinc dies abans de la reunió.

L'acta s'ha de notificar a tots els propietaris en el termini de deu dies a comptar de l'endemà de la reunió de la junta de propietaris de la mateixa forma i en el mateix domicili que la convocatòria.

Respecte al contingut de l'acta, s'indica que la mateixa s'ha de redactar almenys en català i ha de contenir les dades següents:

- Data i lloc de celebració, caire ordinari o extraordinari, nom de qui la convoca i si s'ha fet em primera o segona convocatòria.
- Ordre del dia
- Indicació de la persona que l'ha presidida i de qui ha actuat com a secretari
- Relació de persones que assisteixen personalment o per representació i la indicació de la quota total de presència.

- Acords adoptats, amb la indicació del resultat de les votacions, si escau, i si algun dels assistents ho sol·licita, indicació dels que han votat a favor o en contra.

Quant a l'òrgan de gestió, l'administrador, l'article 553-18 estableix també la competència de l'òrgan sobirà de designar un administrador, com a òrgan de gestió dels interessos comunitaris. Conseqüentment, els administradors responen civilment de la seva actuació davant de la junta de propietaris. Les funcions que se li atribueixen no són un numerus clausus i són les que segueixen:

- Prendre les mesures convenients i fer els actes necessaris per a conservar els béns i pel funcionament correcte dels serveis de la comunitat.
- Vetllar per què els propietaris compleixin les seves obligacions i fer-los els advertiments corresponents.
- Preparar els comptes anuals de l'exercici precedent i el pressupost.
- Executar els acords de la junta i fer els pagaments i cobraments que corresponguin.
- Decidir l'execució de les obres de conservació i reparació de caire urgent, de les quals ha de donar comptar immediatament a la presidència.
- Pagar, amb autorització de la presidència, les despeses de caire urgent que poden ésser a càrrec del fons de reserva (Vegeu l'article 553-6 en relació al fons de reserva, que es xifra en una quantitat no inferior al 5% de les despeses comunes pressupostades).

II. La Junta de Propietaris: convocatòria i assistència a les reunions

La junta de propietaris és l'òrgan sobirà de la comunitat i es troba integrada per tots els propietaris d'elements privatius. La seva regulació es conté en els articles 553-19 a 553-32, però centrarem aquest epígraf únicament en les seves atribucions, la constitució de la junta, les convocatòries i l'assistència a la mateixa.

La junta de propietaris té totes aquelles competències que no s'han atribuït expressament a altres òrgans de govern i de forma indicativa ens diu l'article 553-19 que, com a mínim, ostenta les següents:

- Nomenament i remoció de les persones que han d'ocupar els càrrecs de govern.

- Modificació del títol constitutiu
- Aprovació dels estatuts i del reglament de règim interior i de llur reforma.
- Aprovació dels pressupostos i dels comptes anuals.
- Aprovació de la realització de reparacions de caràcter ordinari no pressupostades i de les de caire extraordinari i de millorament, de llur import i de la imposició de derrames o talls per a finançar-les.
- Establiment o modificació dels criteris generals per a fixar quotes. A manca de previsió, l'article 553-3.2 determina que les quotes es fixen en centèsims i s'assignen de manera proporcional a llurs superfícies, d'acord amb l'ús i la destinació, així com les altres dades físiques i jurídiques dels béns que integren la comunitat.
- Extinció voluntària del règim de comunitat especial.

Respecte de les reunions, l'article 553-20.1 preveu l'anomenada junta ordinària, encara que no empra aquesta denominació, quan indica que la junta s'ha de reunir almenys una vegada l'any per aprovar els comptes i el pressupost. Fóra d'aquesta junta obligatòria anual, la junta es podrà reunir quan ho consideri el President convenient o quan una quarta part dels propietaris, que representin una quarta part de les quotes de participació, indica els punts de l'ordre del dia i ho demana al President. Si aquest no la convoca, ni tampoc el vicepresident, si n'hi ha, o la secretaria, els qui promouen la reunió la poden convocar (cfr. Arts. 553-20.2 i 553-21.1). Inclou la normativa catalana la junta de propietaris universal, entesa com la reunió de la junta sense convocatòria, si concorren tots els propietaris i per unanimitat decideixen convocar-la i l'ordre del dia (art. 553-20.4). I també, es possibilita que els estatuts puguin preveure reunions especials per a tractar temes que afectin a les subcomunitats o a determinats propietaris.

Respecte de les convocatòries, ja s'ha indicat com li correspon al President portar-la a terme i que, en cas d'inactivitat o negativa, la pot convocar la vicepresidència, si n'hi ha, o la secretaria o, en cas de vacant, els qui promouen la reunió. S'evita, en aquest darrer cas, el recurs a la convocatòria judicial de junta i s'agilita el funcionament comunitari.

La regulació catalana desenvolupa amb detall el contingut de la convocatòria i la publicitat de la mateixa. Així, determina que les convocatòries, les citacions i notificacions s'han de trametre al domicili que ha de designar cada propietari (no s'exigeix que sigui a Catalunya, la qual cosa pot comporta l'assumpció d'importants despeses per a la comunitat pel cas d'estrangers) i si no s'ha designat cap a l'element privatiu del qual és titular, amb una antelació mínima de vuit dies naturals. També s'exigeix cumulativament que l'anunci de la convocatòria s'ha de penjar al tauler d'anuncis o en un lloc visible habilitat i que ha d'indicar la data de la reunió o ha d'estar signat pel secretari amb el vistiplau del President. Criticable és la regulació dels efectes jurídics que atribueix la norma a l'anunci, quan indica que "El dit anunci produeix efectes jurídics plens (sic) al cap de tres dies naturals d'haver-se fet públic si no es pot fer la notificació personalment".

Si es tracta d'una junta extraordinària, per a tractar temes urgents, solament cal que els propietaris coneguin la convocatòria abans de la data de la reunió.

En relació al contingut, l'article 553-21.4 ordena que la convocatòria exposi de forma clara i detallada:
- Ordre del dia.
- Dia, lloc i hora de la reunió en primera i segona convocatòria, entre les quals ha d'existir un interval de trenta minuts com a mínim.
- Lloc de la celebració, que ha d'ésser en un municipi de la comarca on es troba l'immoble.
- Advertiment que els vots dels propietaris que no assisteixin a la reunió es computen com a favorables, sens perjudici del seu dret d'oposició.
- Llista de propietaris amb deutes pendents amb la comunitat i l'advertiment que tenen veu però no vot.
- Fer constar si la documentació referent a l'ordre del dia es tramet als propietaris o es troba en poder dels administradors i a disposició dels propietaris des que es fa la convocatòria.

Respecte de l'assistència a les juntes de propietaris, aquesta pot ésser personal o per representació, ja sigui aquesta legal, orgànica o voluntària. Sí que el legislador català solventa els problemes que es podrien plantejar en determinats supòsits. Així, disposa que, pel cas de comunitat ordinària, es nomena un sol cotitular per tal que assisteixi a la junta. Pels casos de drets reals de gaudi o d'ús constituïts sobre un element privatiu, s'ha de diferenciar entre l'usdefruit i els restants drets. Quan a l'usdefruit, estableix la norma que el dret d'assistència i de vot correspon als nus propietaris i que s'entén que aquests són representats pels usufructuaris si no consta manifestació en contra dels nus propietaris. Si s'han d'adoptar acords sobre millores o obres extraordinàries, s'exigeix la delegació expressa. Respecte dels altres drets reals d'ús i gaudi, s'indica que el dret d'assistència correspon als propietaris (cfr. Art. 553-22).

En relació a la constitució de la junta, aquesta ha d'estar presidida pel President o, en el seu cas, el vicepresident i assistida pel secretari. Pel cas que el president o vicepresident no assisteixi i/o tampoc el secretari, correspon a la junta de propietaris designar la persona que l'ha de presidir i un secretari accidental. Quant als quòrums necessaris per a la constitució, es determina (art. 553-23) que, en primera convocatòria, la junta es troba vàlidament constituïda si concorren com a mínim la meitat dels propietaris que han de representar la meitat de les quotes de participació i, en segona convocatòria, esdevé suficient qualsevol que sigui el nombre de propietaris i les quotes que representin.

4. ADOPCIÓ D'ACORDS I IMPUGNACIÓ

I. El dret de vot i el seu exercici

El dret de vot correspon a tots els propietaris d'elements privatius. Baldament, s'exceptuen aquells que tenen deutes pendents amb la comunitat. Solament aquests darrers, podran votar si acrediten que han impugnat judicialment els comptes i han consignat, de forma judicial o notarial, l'import. En altre cas, només gaudiran de veu, però no de vot (cfr. Art. 553-24).

El dret de vot es pot exercir de les tres formes següents:
• Personalment
• Per representació, ja sigui legal, orgànica o voluntària
• Per delegació. En aquest cas, s'ha de delegar en el president o en un altre propietari, mitjançant un escrit que identifiqui nominativament a la persona delegada i l'escrit de delegació no pot ésser genèric, sinó que ha de venir referit a una reunió concreta de la junta i s'ha de rebre abans d'iniciar la reunió.

II. El règim d'adopció d'acords i el còmput dels vots

L'adopció d'acords ha estat objecte d'un tractament molt diferenciat del previst per la norma estatal, sobre propietat horitzontal.

Des d'aquesta òptica, s'ha de posar de relleu que, com s'indica en el Preàmbul, l'exigència de la unanimitat es refusa per tal de permetre el bon funcionament de la comunitat i impedir situacions de bloqueig. Nogensmenys, com es veurà, en determinades ocasions l'exigència d'un acord unànime reapareix. Esdevé ara adequat analitzar els quòrums necessaris per a l'adopció d'acords en funció de la seva rellevància i establir com a qüestió prèvia que solament es poden adoptar acords sobre els assumptes que consten en l'ordre del dia. Això presenta una important excepció, prevista a l'article 553-25.1, i que por comportar friccions amb la interdicció de la indefensió, quan s'indica que "la junta de propietaris pot acordar, encara que no constin en l'ordre del dia, la destitució del president o presidenta, l'administrador o administradora o el secretari o secretària i emprendre accions contra ells, i també el nomenament de persones per a exercir aquests càrrecs".

Pel que fa als quòrums segons els acords que s'adoptin, es pot efectuar la següent gradació:

- La unanimitat és necessària per a la determinació i modificació de quotes (art. 553-3.4), alienació o gravamen d'un element privatiu de benefici comú (art. 553-34.2), vinculació de l'ús exclusiu de patis, jardins, terrasses, cobertes d'edificis o altres elements comuns a un o diversos elements privatius (art. 553-42.2) i desafectació d'un element comú.

- Vot favorable de les 4/5 parts dels propietaris que representin les 4/5 parts de les quotes si s'han de modificar el títol constitutiu, els estatuts, o prendre acords relatius a innovacions físiques si afecten l'estructura o la configuració exterior i a la construcció de piscines i instal·lacions recreatives. Respecte de la modificació del títol i dels estatuts, preveu la norma catalana que el títol constitutiu pugui fixar un quòrum diferent.

- Els acords que disminueixin les facultats d'ús i gaudi de qualsevol propietari requereixen el seu consentiment exprés.

- El vot favorable de la majoria dels propietaris que representin la majoria de les quotes, en primera convocatòria, o la majoria de les quotes de presents i representats en segona convocatòria pels següents acords:
  a. Execució d'obres o establiment de serveis per a suprimir barreres arquitectòniques o la instal·lació d'ascensors.
  b. Innovacions exigibles per a la viabilitat o seguretat de l'immoble, segons la seva naturalesa i les seves característi-

ques. En relació a aquest acords i als de la lletra anterior, preveu el legislador (art. 553-25.6) que els propietaris amb discapacitat física o les persones que conviuen amb ells, poden demanar a l'autoritat judicial, si no s'obté la majoria necessària, que obligui a la comunitat a la supressió de les barreres arquitectòniques o a fer les innovacions exigibles per a assolir la transitabilitat de l'immoble.

c. Execució de les obres necessàries per a instal·lar infra-estructures comunes, per a connectar serveis de teleco-municacions de banda ampla o per a individualitzar el mesurament de consums d'aigua, gas o electricitat.

d. Normes de règim interior

e. Qualsevol acord diferents dels que requereixen el vot fa-vorable de les 4/5 parts dels propietaris que representin les 4/5 parts de les quotes.

Per a procedir al còmput dels vots i poder així calcular les majories exigides per la llei, segons el tipus d'acord que es tracta d'assolir, es computen els vots dels propietaris presents, representats i dels que han delegat el vot. També es computen com a vots favorables els vots que corresponen als propietaris que, convocats correctament, no van assistir a la reunió, excepte que s'oposin a l'acord. La facultat d'oposar-se a l'acord (cfr. Art. 553-26.3) es reconeix en el termini d'un mes des de la notificació de l'acta i s'ha d'efectuar per escrit adreçat al secretari per qualsevol mitjà fefaent.

Evidentment, no es computen els vots dels propietaris morosos, atès que aquests no tenen dret de vot, per la qual cosa esdevé innecessària la previsió en aquest sentit de l'article 553-26.1.

III. La vinculació dels acords: suspensió i impugnació

Una vegada l'acta amb els acords es notifica als propietaris, els acords esdevenen immediatament executius i vinculen als propietaris. És relatiu a aquesta vinculació dels acords que correspon efectuar una sèrie de precisions. En primer terme, la regla general és que els acords vinculen a tots els propietaris, fins i tot als dissidents. En segon terme, s'estableix una excepció, consistent en que els acords relatius a noves instal·lacions o a serveis comuns, si el valor total de la despesa acordada és superior a la quarta part del pressupost anual de la comunitat no obliguen ni vinculen als dissidents (cfr. Art. 553-30). S'estableix també que els propietaris dissidents que no poden tenir l'ús o el gaudi de la millora poden passar a gaudir-ne si satisfan les despeses d'execució i de manteniment amb l'actualització corresponent segons l'índex de preus al consum. I, en tercer terme, es manté la vinculació per a tots, fins i tot els dissidents, si l'acord és referent a la supressió de barreres arquitectòniques o a la instal·lació d'ascensors, o a aquells que calen per a garantir l'accessibilitat, habitabilitat, ús i conservació adequats i la seguretat de l'edifici. En aquest supòsit, solament poden els propietaris demanar el fraccionament del pagament en mensualitats durant un any (cfr. Art. 553-44.3).

Pel que fa a la impugnació dels acords, s'ha de partir del fet que la mateixa no comporta la suspensió de l'execució de l'acord, sens perjudici que l'autoritat judicial pugui adoptar les mesures cautelars corresponents, com acordar la suspensió de l'acord si considera que es manifestament il·legal o que pot provocar un perjudici la reparació del qual comportaria un cost econòmic desproporcionat (art. 553-32).

La legitimació per a impugnar l'acord correspon als propietaris que han votat en contra de l'acord, als absents que no s'han adherit a l'acord i als privats il·legítimament del seu dret de vot. Per el contrari, s'estableix que si l'acord és contrari a les lleis, el pot impugnar qualsevol propietari.

L'acció per a impugnar els acords té un termini divers segons es tracti d'acords contraris als interessos de la comunitat, greument perjudicials per a un propietari o comporten un abús de dret, que es fixa en dos mesos a comptar des de la notificació de l'acord, o bé pels acords contraris als estatuts o al títol de constitució, es preveu un termini d'un any. Sorprèn el silenci legislatiu en relació als acords contraris a la llei, tota vegada que si bé la legitimació es confereix a qualsevol propietari no s'indica un termini, per la qual cosa cal entendre que s'haurà d'impugnar també en el termini d'un any corresponent als acords contraris al títol o als estatuts.

5. EXTINCIÓ DEL RÈGIM DE PROPIETAT HORITZONTAL

L'article 553-14 contempla dues modalitats d'extinció: la legal i la voluntària. Pel que es refereix a la primera, s'ha d'entendre que la destrucció de l'edifici, la declaració de ruïna del mateix i l'expropiació forçosa originen l'extinció de la propietat horitzontal per manca del seu objecte. Nogensmenys es contempla a l'apartat tercer de l'esmentat article la possibilitat que el títol de constitució exceptuï l'extinció del règim pels casos de destrucció o ruïna, si es pacta la rehabilitació de l'edifici en aquests casos i el deure de reconstruir-lo en proporció a les quotes de participació.

En relació a l'extinció voluntària, la norma precisa la unanimitat per a convertir la propietat horitzontal en comunitat ordinària. S'estableix que aquest acord de conversió precisa del consentiment dels titulars de drets reals que recauen sobre els elements privatius afectats. Es preveu que pel cas que no prestin el consentiment, sense adduir cap causa o perquè no poden donar-lo, caldrà l'autorització judicial.

BIBLIOGRAFIA SUMÀRIA

GINER GARGALLO, ANTONI "La regulació de la propietat horitzontal al Codi Civil de Catalunya", Ponència a les XIV enes jornades de Dret català a Tossa, 21 i 22 de setembre de 2006, pàgs. 2 a 20. MAGRO SERVET, VICENTE Prontuario de la propiedad horizontal en Cataluña, El Derecho Editores, 2006. LOSCERTALES FUERTES, DANIEL (Coordinador) Propiedad Horizontal, Ley 5/2006, de 10 de mayo, del libro quinto del Código Civil de Cataluña, Comentarios, procesos judiciales y formularios, Madrid, 2007.

JURISPRUDÈNCIA CITADA

-Respecte de la situació de prehoritzontalitat, vegeu RDRGN de 5-11-1982 i 8-3-1995.

-Quant a la necessitat de llicència de parcel·lació, per les divisions horitzontal, vegeu la Interlocutòria del President del Tribunal Superior de Justícia de Catalunya de 25 de febrer de 2004.

-Pel que fa a la necessitat d'un nou consentiment de la junta de propietaris en relació a un dret de vol ja constituït, vegeu la sentència del Tribunal Suprem de 10 de maig de 1999 i la de la secció setze de l'Audiència Provincial de Barcelona de 30 de maig de 2002.

-Admissió del canvi de destinació dels elements privatiu sense nou acord de la junta de propietaris, vegeu les resolucions de la Direcció General de Registres i del Notariat de 12-12-1986 i 20-2-1989.

- Validesa de les operacions d'agregació, agrupació, divisió i desvinculació d'annexos dels elements privatius sense nou consentiment de la junta de propietaris, vegeu les Resolucions de la DGRN de 20-2-1988 i 21-9-2000.

Capítol XIV
La propietat horitzontal simple

1. ELS ELEMENTS PRIVATIUS

La secció segona del títol III del Capítol V del Llibre V es destina a la regulació de l'anomenada propietat horitzontal simple, per contraposició a la que els articles 553-48 a 52 denominen com a propietat horitzontal complexa, entesa aquesta última per l'existència d'una supracomunitat o comunitat matriu que engloba subcomunitats, de manera que aquestes darreres comparteixen l'ús de zones comunes. Sens perjudici d'ocupar-nos en el tema següent de la propietat horitzontal complexa i de la propietat horitzontal per parcel·les, correspon ara examinar la propietat horitzontal simple i el mètode que s'emprarà s'adequarà a la sistemàtica que segueix la regulació catalana vigent. En efecte, la normativa procedeix a la definició del que siguin elements privatius, amb la novetat dels elements privatius en benefici comú, per després analitzar el seu règim jurídic quant a la disposició i a l'ús i gaudi, les obligacions de conservació i manteniment, així com les limitacions que els afecten (arts. 553-33 a 40). De forma paral·lela, els articles 553-41 a 553-45 proporcionen el concepte dels elements comuns i disciplinen el règim del seu aprofitament, de la seva disposició i del manteniment dels mateixos. Es clou la secció segona amb dues normes adreçades a la regulació de la responsabilitat de la comunitat i activitats prohibides.

Els elements privatius requereixen per a poder ésser considerats com a tals el concurs de dos pressupòsits: un, que es tracti d'habitatges, locals o espais físics susceptibles de propietat separada, i dos, que tinguin independència funcional perquè disposen d'accés propi a la via pública de forma directe o a través d'un element comú de gaudi no restringit.

Aquests elements privatius s'han de descriure en el títol constitutiu amb el seu número d'ordre intern, la quota general i, si és el cas, especial que els corresponen, la seva superfície útil, els límits, les plantes on estan situats, la destinació i els espais físics o drets que en constitueixen annexos o vinculacions.

I. Els annexos i els elements privatius de benefici comú

La regulació de la propietat horitzontal a Catalunya conté com a novetat rellevant la previsió dels elements privatius de benefici comú. Es tracta d'elements privatius que es destinen al benefici comú, ja sigui pel servei directe que proporcionen als propietaris o bé pel guany econòmic que es pot obtenir mitjançant la cessió del seu ús.

La raó de la contemplació d'aquests elements privatius de benefici comú es troba en la pròpia naturalesa jurídica de la comunitat de propietaris. Com s'ha indicat amb anterioritat, dotar a la comunitat de personalitat jurídica és una decisió de política legislativa. En el nostre cas el legislador català ha decidit mantenir la mateixa resposta que la llei estatal i seguir sense atribuir a la comunitat de propietaris personalitat jurídica. Això va generar moltes dificultats pràctiques per part de les comunitats de propietaris quan aquestes gestionaven econòmicament elements privatius a favor dels propietaris (GINER GARGALLO). La resposta per a solucionar aquesta problemàtica ha estat la creació dels elements privatius de benefici comú.

La creació d'aquets elements privatius de benefici comú ha d'estar prevista en el títol constitutiu o bé requereix l'acord de la junta de propietaris. S'ha sustentat (GINER GARGALLO) que l'acord de la junta per a l'adquisició d'un element privatiu ja existent i destinar-ho a element privatiu de benefici comú, atès que no afecta al títol constitutiu ni modifica l'estructura ni la configuració de l'edifici, es podrà portar a terme per majoria. Aquests elements privatius pertanyen a tots els titulars d'elements privatius de forma proporcional a la seva quota de participació i esdevenen inseparables de l'element privatiu concret.

L'article 553-34 diferencia també entre els actes d'administració front als de disposició o gravamen. En relació als primers, disposa que es regirà per les normes generals i, per tant, s'ha d'entendre que serà suficient l'acord de la majoria per a regular la seva administració. En canvi, els actes de disposició o gravamen d'un element privatiu de benefici comú es troben subjectes a l'exigència de la unanimitat.

Pel que fa als annexos, mereixen ésser destacats dos extrems: un, el relatiu a la seva configuració i, dos, el referent a la cessió del seu ús. Quant al primer, els annexos es contemplen com a espais físics que es troben vinculats de manera inseparable d'un element privatiu, però no gaudeixen d'autonomia ni dels pressupòsits abans vistos per a ser considerats com a tal. Per això, no se'ls atribueix quota de participació. La seva titularitat correspon als titulars de l'element privatiu al qual es vinculen i és en aquest sentit que s'ha d'entendre la dicció de l'article 553-35.1 quan assenyala que "són de titularitat privativa a tots els efectes". En relació a la cessió del seu ús, s'estableix que no és possible la cessió de l'ús de l'annex, amb independència de l'element privatiu, excepte si es tracta de places d'aparcament, boxos o trasters. Respecte a aquests darrers, que són els únics pels que es contempla la possibilitat de la cessió aïllada del seu ús, es preveu (art. 553-35.2) que els Estatuts poden limitar la cessió, però aquesta limitació no pot afectar a les persones que conviuen amb els titulars de l'ús de l'element privatiu principal.

II. L'obligació de conservació i manteniment dels elements privatius i les limitacions i servituds legals

A) DRETS I DEURES DELS TITULARS DELS ELEMENTS PRIVATIUS

Els titulars dels elements privatius es troben obligats a conservar-los i mantenir-los en bon estat, parets endins, així com a mantenir els serveis i les instal·lacions comunes que s'emplacin dins dels mateixos (art. 553-38). En canvi, pel que fa a l'immoble i als seus elements i serveis comuns, correspon a la comunitat de propietaris la conservació integral de l'immoble i dels seus serveis, per tal que compleixi les exigències d'habitabilitat, accessibilitat, estanquitat i seguretat necessàries.

Dues són les qüestions que s'han de ressenyar: una, la referent a qui ha de suportar les despeses de conservació i manteniment d'aquells elements comuns que són d'ús restringit a favor dels titulars d'un element privatiu, i dues, quines obres i millores es poden efectuar en l'element privatiu.

La primera qüestió no obté una resposta massa satisfactòria de la norma catalana, atesa l'existència d'un clara contradicció entre el que disposa l'article 553-38.2 i l'article 553-42.3. En efecte, esdevé encertada la solució legal, consistent en recollir el que ja havia posat de manifest la jurisprudència, segons la qual les despeses de conservació d'un element comú d'ús restringit són a càrrec dels titulars dels elements privatius que en gaudeixin, mentre que les reparacions que es deuen a vicis de la construcció o estructurals, ja siguin originaris o sobrevinguts o a reparacions que afecten i beneficien tot l'edifici correspon efectuar-les a la comunitat de propietaris. S'exceptua d'aquests casos aquelles que es deriven d'un mal ús. Nogensmenys el criteri establert sigui l'adequat, sí que cal posar de relleu la contradicció en la qual incideixen els dos preceptes abans esmentats. Així, mentre l'article 553-38.2 estableix que les despeses ordinàries i extraordinàries de conservació i manteniment d'aquests elements comuns corresponen als titulars dels elements privatius, l'article 553-42-3 només imposa als propietaris dels elements privatius les despeses ordinàries de conservació i manteniment, mentre que explícitament atribueix a la comunitat les despeses estructurals, de refacció i les altres despeses extraordinàries. La contradicció dels preceptes és clara i entenem que la solució que més s'ajusta a la problemàtica que es contempla és la prevista a l'article 553-42-3, en el sentit d'entendre que les despeses extraordinàries de conservació i manteniment d'un element comú les ha de suportar la comunitat, atès que si bé la cessió de l'ús restringit justifica el pagament de les despeses ordinàries, com a corol·lari de l'obtenció de l'ús d'un element comú en exclusiva, no es pot estendre a les despeses extraordinàries.

La qüestió referent a les obres i millores que poden efectuar els titulars d'un element privatiu en el mateix ha estat objecte de regulació específica a l'article 553-36. El règim jurídic que es dissenya exigeix diferenciar:

- Obres que no perjudiquin als altres propietaris ni a la comunitat i que no disminueixin la solidesa de l'edifici ni alterin la composició o aspecte exterior del mateix. Per aquests tipus d'obres, és suficient la comunicació prèvia a l'inici de les obres al president o, si s'escau, a l'administrador de la comunitat.
- Aquelles obres que comportin l'alteració d'elements comuns o afectin a l'estructura o a la configuració exterior de l'edifici requereixen el quòrum reforçat de 4/5 parts dels propietaris

que a la vegada representin les 4/5 parts de les quotes de participació, conforme es disposa a l'article 553-25. L'afectació o alteració d'elements comuns per part dels titulars dels elements privatius permet a la comunitat de propietaris exigir la reposició a l'estat originari. Aquesta facultat de la comunitat de propietaris es veia limitada a la praxis mitjançant l'institut de l'abús de dret, per evitar aquells casos en els quals la comunitat de propietaris després d'haver permès les obres per part de determinats propietaris, iniciava una acció tendent a la reposició dels elements comuns afectats quan altres propietaris portaven a terme obres anàlogues o idèntiques (cfr. Al respecte, vegeu, entre altres, STS 19-5-2006, 16-2-2006, 14-10-2004, 13-03-2003 i 2-7-2002). Ara el legislador català preveu un consentiment tàcit per la comunitat de propietaris en relació a determinades obres que alteren els elements comuns. Per tal que operi aquest consentiment tàcit es requereix un pressupòsit temporal i un altre d'objectiu. En relació al primer, s'exigeix, per part del legislador català, que hagin transcorregut sis anys des que es van acabar les obres i que durant aquest lapse de temps la comunitat de propietaris no hagi mostrat oposició a les esmentades obres. Quant al segon pressupòsit, aquest de caire objectiu, es requereix que les obres que alteren elements comuns no disminueixin la solidesa de l'edifici ni suposin l'ocupació d'elements comuns, a la vegada que s'ha de tractar d'obres que es puguin conceptuar com a notòries.

La disposició i el gravamen d'elements privatius són facultats que integren el dret de propietat del titular de l'element privatiu i, en aquest sentit, l'article 553-37 confereix al titular de l'element privatiu totes les facultats del dret de propietat ("En conseqüència, els poden modificar, alienar i gravar i hi poden fer tota mena d'actes de disposició ordinària i extraordinària"), que només es veuen afectades per les limitacions i servituds que s'examinaran en el següent apartat i que són restriccions que es deriven del règim de propietat horitzontal. Afegeix el legislador, però, que sí es tracta de servituds en benefici d'altres finques, aquestes s'extingeixen en cas de destrucció o enderroc de l'edifici.

Per a tenir coneixement actualitzat dels propietaris dels elements privatius per part de la comunitat de propietaris, s'exigeix als adquirents d'elements privatius que comuniquin el canvi de titularitat a la secretaria i procedeixin a designar un domicili per a notificacions. I, en relació al compliment de les obligacions front a la comunitat quan l'element privatiu es troba arrendat, sens perjudici de la responsabilitat de l'arrendatari front al propietari, i en altres casos de cessió del gaudi de l'element privatiu, l'article 553-37.2 fa responsable al propietari, respecte de la comunitat i de terceres persones, de l'incompliment de les obligacions derivades del règim de la propietat horitzontal.

B) LES LIMITACIONS I SERVITUDS LEGALS

A l'empara de la denominació "Limitacions i servituds legals", l'article 533-39 preveu les limitacions i servituds que poden afectar els elements privatius, així com les que es poden constituir a favor de la comunitat de propietaris. En aquest sentit, és convenient iniciar l'anàlisi amb una precisió terminològica. L'article 533-39 empra la denominació de servituds legals per a fer referència a aquelles que no troben la seva gènesi en un negoci derivat de l'autonomia privada, ja sia inter vivo o mortis causa. Des d'aquesta òptica, hagués estat més correcte, des del punt de vista semàntic, emprar la denominació de servituds forçoses, com ho fa el mateix llibre cinquè quan analitza les servituds no voluntàries (cfr. Art. 566.2 i títol de la secció segona del capítol VI del llibre cinquè. En tot cas, s'ha d'entendre per servituds forçoses (impròpiament anomenades legals en el precepte que ara es comenta) aquelles on el legislador dissenya un supòsit de fet que permet si es compleix exigir la constitució de la servitud. Des d'aquesta línia d'idees, la llei no crea la servitud sinó que si es reuneix el supòsit de fet contemplat permet que qui serà titular del predi dominant pugui exigir la constitució (forçosa) de la servitud.

Esdevé rellevant distingir entre les limitacions i servituds que graven elements privatius i les que afecten als elements comuns. Respecte dels elements privatius, s'estableix que aquests es troben subjectes en benefici dels altres elements privatius i de la comunitat a aquelles limitacions que siguin imprescindibles per a portar a terme les obres de conservació i manteniment dels elements comuns i dels altres elements privatius. No obstant, per a imposar aquestes limitacions és necessari que no existeixi altra manera d'efectuar-les o que aquesta altra manera sigui desproporcionadament cara o carregosa. En canvi, per a imposar determinades limitacions, com poden ésser les servituds, les quals graven parcialment un immoble en benefici d'un altre, solament es poden imposar servituds de caire permanent si reuen concorren dos pressupòsits: un, que recaiguin sobre elements privatius diferents dels habitatges i dos, que siguin indispensables per a l'execució dels acords de millora adoptats per la junta de propietaris o bé per l'accés a elements comuns que no disposin de cap altre.

En els casos descrits, els titulars de les servituds han de rescabalar els danys que causin en els elements privatius o comuns afectats i el menyscabament que produeixin (cfr. Art. 553-39.4).

Pel que es refereix a les limitacions i servituds que afectin als elements comuns, aquí no actua la restricció abans esmentada que es projectava sobre els elements privatius, de manera que les servituds poden ésser permanents i temporals. En aquesta línia d'idees, l'article 553-39.3 permet que els titulars dels elements privatius puguin exigir la constitució de servituds, permanents o temporals, sobre elements comuns que es caracteritzin per ser absolutament imprescindibles per a realitzar obres de conservació i subministrament de l'element privatiu.

2. ELS ELEMENTS COMUNS

A l'igual que succeeix amb els elements privatius, el legislador defineix el que s'ha d'entendre per elements comuns i ho fa amb un doble criteri: l'enumeratiu i el funcional. Així, l'article 553-41 defineix com a elements comuns el solar, els jardins, les piscines, les estructures, els façanes, les cobertes, els vestíbuls, les escales i els ascensors, les antenes i, en general, les instal·lacions i els serveis situats parets enfora dels elements privatius. Com és de veure d'aquest criteri enumeratiu destaca un tret important, consistent en què s'han de conceptuar com a elements comuns aquells que es troben parets enfora dels elements privatius. I a més, des de la funció que proporcionen els elements comuns són aquells que es destinen a l'ús comunitari o bé a facilitar l'ús i gaudi dels elements privatius.

L'ús i gaudi dels elements comuns correspon a tots els propietaris d'elements privatius i s'ha d'adequar al destí que estableixin els estatuts. A manca de previsió estatutària, l'ús i el gaudi dels esmentats elements serà el normal i adequat a llur natura, sempre però sense perjudicar l'interès de la comunitat (cfr. Art. 553-42). Esdevé habitual que l'ús i gaudi de determinats elements comuns estigui atribuït en exclusiva a favor d'un o diversos elements privatius. Això succeeix, per exemple, en relació als patis, jardins, terrasses o cobertes de l'edifici. Per a fer-ho possible i impedir l'ús i gaudi de tots els propietaris i atribuir en exclusiva l'ús i el gaudi a un o més titulars d'elements privatius, cal que aquesta assignació en exclusiva de l'ús es trobi continguda en el títol constitutiu o bé que s'adopti per acord de la junta de propietaris. Com es va observar, en aquest cas l'acord requereix l'exigència de la unanimitat.

En aquests casos d'atribució en exclusiva de l'ús i gaudi d'elements comuns, les despeses ordinàries de conservació i manteniment dels mateixos correspon als titulars dels elements privatius, mentre que les estructurals, de refacció i les altres despeses extraordinàries són a càrrec de la comunitat.

I. Manteniment i disposició d'elements comuns

La comunitat de propietaris es troba obligada a la conservació integral de l'immoble i dels seus serveis i procurar que compleixi les condicions estructurals, d'habitabilitat, d'accessibilitat, d'estanquitat i de seguretat necessàries (art. 553-38.3) Des d'aquesta òptica, la conservació dels elements comuns i el manteniment correcte dels serveis i les instal·lacions també és obligació de la comunitat, de manera que els propietaris han d'assumir les obres de conservació i reparació necessàries.

Quant a la vinculació dels acords relatius a noves instal·lacions o serveis comuns, ja vam tenir ocasió de posar de relleu que si el valor total de la despesa acordada és superior a la quarta part del pressupost anual de la comunitat, aquests acords no obliguen ni vinculen als propietaris dissidents (art. 553-30). Afegeix l'article 553-44 que tàmpoc resten obligats aquells propietaris dissidents que han impugnat judicialment l'acord de la junta i han obtingut una sentència favorable. Cal recordar en aquest punt que si les obres consisteixen en supressió de barreres arquitectòniques, instal·lació d'ascensors o aquelles obres necessàries per a garantir l'accessibilitat, l'habitabilitat, l'ús i la conservació adequada i la seguretat de l'edifici vinculen fins i tot als propietaris dissidents. En aquest darrer cas, la única facultat que es confereix a aquests es que poden sol·licitat, conforme al que es disposa a l'article 553-44.3, el fraccionament del pagament en mensualitats durant un any.

Respecte a la disposició dels elements comuns, es permet que la junta de propietaris opti entre vincular l'ús de l'element comú a un o més elements privatius o bé que converteixi aquest element comú en un nou element privatiu. Si es vincula l'ús de l'element comú a un o més elements privatius, es precisa la unanimitat per a l'adopció de l'acord i ja s'ha exposat com correspondrà als titulars de l'element privatiu l'assumpció de les despeses ordinàries de conservació (cfr. Art. 553-43 i 553-42.3). Si es tria l'altra opció: la desvinculació de l'element comú i la seva conversió en element privatiu són tres els extrems que s'han d'analitzar.

El primer es planteja la incidència de la desvinculació de l'element comú en els titulars de drets reals limitats que graven elements privatius (cfr. Titulars de drets reals d'hipoteca). Segons la doctrina de la Direcció General de Registres i del Notariat, s'entén que la desvinculació d'un element comú esdevé un acte de la comunitat de propietaris, sense que sigui necessària la intervenció dels titulars de drets reals. Baldament el que s'acaba d'asseverar l'element comú desafectat es troba gravat amb tots el drets reals limitats que gravaven els elements privatius i en proporció a la quota que s'ostentava per cada element privatiu abans de la desafectació (cfr. RDGRN de 13-6-1998 i 28-2-2000). Per el contrari, com sustenta GINER GARGALLO sembla molt més adequat entendre que l'element comú que es desvincula neix com a element privatiu lliure de càrregues i gravàmens, atès que la solució de la Direcció General impedeix a la praxis les desafectacions d'elements comuns, i que respecte als titulars dels drets reals limitats poden exercitar les accions oportunes si consideren que l'acord adoptat s'ha fet en frau dels seus drets. El problema rau en que si bé aquesta segona solució és molt més adequada en ares a permetre la desafectació d'un element comú, difícilment possibilitarà la impugnació de l'acord pels titulars de drets reals quan aquest s'hagi fet en frau dels seus drets, tota vegada que la llei únicament confereix legitimació per a impugnar els acords als propietaris dels elements privatius (cfr. Art. 553-31).

El segon extrem és el referent a l'exigència d'unanimitat per a poder procedir a la desvinculació d'un element comú. En efecte, l'article 553-43 requereix la unanimitat per a vincular l'ús d'un element comú a favor del titular/s d'un o més elements privatius i també per a desafectar un element comú. En aquest cas, la norma catalana obliga a que el destí del nou element establert sigui el d'element privatiu de benefici comú; és a dir, aquell element privatiu que es destina al benefici comú, ja sigui pel servei directe que presta als propietaris o ja sigui pel benefici econòmic que comporta cedir el seu ús (cfr. Art. 553-34).

El tercer extrem es destina a analitzar els efectes que genera l'adopció d'un acord per part de la comunitat de propietaris de desvincular un element comú i convertir-lo en un element privatiu de benefici comú. Aquest acord ha de comportar necessàriament una modificació del títol constitutiu, atès que s'ha de reflectir l'existència d'un nou element privatiu, encara que sigui de benefici comú, amb el seu número d'ordre i la seva descripció i circumstàncies, a la vegada que cal determinar la seva quota de participació. I la fixació de la quota de participació d'aquest nou element privatiu origina la modificació de totes les quotes de participació existents (cfr. Art. 553-43.2).

II. Les despeses comunes

Ja s'ha posat de manifest com una de les obligacions principals dels propietaris d'elements privatius és la d'assumir les despeses de conservació i reparació dels elements comuns. Aquestes despeses comunes s'han de sufragar en atenció a allò que es contempli en el títol constitutiu o en els estatuts. A manca de previsió, les despeses comunes s'hauran de satisfer en proporció a la quota de participació. Així, per exemple, esdevé a la pràctica molt habitual que les despeses d'administració de l'immoble es distribueixin a parts iguals entre tots els propietaris d'elements privatius. Aquesta solució, a manca de pacte en el títol constitutiu o en les normes estatutàries, esdevé incorrecta, atès que la mateixa, com a despesa comuna que és, s'ha de repartir en proporció a les quotes de participació. En aquells casos en els quals existeixi una propietat horitzontal complexa, de forma que en la supracomunitat s'integrin les subcomunitats, existiran quotes especials de participació, de forma que determinades despeses es repartiran d'acord amb aquesta quota específica (cfr. Art. 553-45.3).

L'abonament de les despeses comunes no es pot vincular a l'ús i gaudi que s'efectua dels elements comuns. En aquest sentit, l'absència d'ús i de gaudi dels elements comuns no permet al titular de l'element privatiu que no els utilitza alliberar-se del pagament de les referides despeses. Solament això esdevindrà possible quan existeixi una norma estatutària que contempli l'exoneració de determinats elements privatius de satisfer les despeses comunes (cfr. Art. 553-11.2b). En tot cas, es precisa que aquesta exoneració del pagament de les despeses comunes no pot ésser genèrica i afectan a totes elles o a gran part de les mateixes, sinó que només es pot referir a serveis especificats de manera concreta. En aquest ordre d'idees, l'article 553-11.2b en relació amb l'article 553-45.2, enumera algunes d'aquestes despeses: "conservació i manteniment del portal, l'escala, els ascensors, els jardins, les zones d'esbarjo i altres espais semblants".

En el capítol anterior, es va posar de relleu com, al marge de la responsabilitat personal dels titulars dels elements privatius en relació al pagament de les despeses comunes, l'article 553-5 contempla l'afecció real dels elements privatius al pagament de les quantitats que es deuen per les despeses comunes i que aquesta afecció real es projecta objectivament sobre les despeses que deuen els actuals titulars i, respecte dels anteriors, per la part corresponent a l'any en curs i l'any natural immediatament anterior i abasten les despeses comunes, ja siguin ordinàries o extraordinàries.

Arribats a aquest punt que ja fou tractat amb anterioritat, simplement sembla oportú ressenyar dos aspectes. El primer que si bé, com es va indicar, per a protegir als adquirents, s'exigeix com a exigència per a l'atorgament de l'escriptura pública d'alienació que es presenti un certificat, referent a l'estat de deutes amb la comunitat expedit pel secretari, en el qual han de constar a més les depeses ordinàries aprovades, però encara pendents de repartir, la Direcció General de Registres i del Notariat impedeix que els registradors puguin examinar que el transmitent ha complert amb la seva obligació, per la qual cosa l'incompliment de l'obligació es troba òrfena de sanció jurídica (cfr. GINER GARGALLO. Vegeu RDGRN de 19-10-2005). I, el segon, que, a diferència de la norma estatal sobre propietat horitzontal, que entén que el crèdit de la comunitat per les despeses comunes és un crèdit privilegiat (cfr. Art. 9.1 e) LPH: "Los crèditos a favor de la comunidad derivados de la obligación de contribuir al sostenimiento de los gastos generales correspondientes a las cuotas imputables a la parte vencida de la anualidad en curso y al año natural immediatamente anterior tienen la condición de preferentes a efectos del artículo 1.923 del Código Civil y preceden para su satisfacción a los enumerados en los apartados 3º, 4º y 5º de dicho precepto, sin perjuicio de la preferencia establecida a favor de los créditos salariales en el Estatuto de los Trabajadores"), cap indicació al respecte efectua la norma legal, per la qual cosa s'ha d'entendre que el crèdit de la comunitat per les despeses comunes ha de ser configurat com un crèdit ordinari, tota vegada que el caire privilegiat dels mateixos precisa d'un explícit pronunciament legal en aquest sentit.

Novetat de la regulació catalana és permetre que es pugui establir una major contribució a les despeses comunes per part de determinats propietaris d'elements privatius (art. 553-45.4). Aquest increment de la contribució requereix que concorrin els següents pressupòsits:

- S'ha d'establir en el títol constitutiu. Pel cas que en el títol constitutiu no es contempli la possibilitat d'incrementar les despeses comunes, la junta de propietaris pot per majoria reforçada de quatre cinquenes parts dels propietaris que, a la vegada, representin les quatre cinquenes parts de les quotes de participació portar a terme aquest increment.
- L'increment solament procedeix a conseqüència que el titular d'un element privatiu faci un ús o gaudi desproporcionat d'elements o serveis comuns.
- Aquest ús o gaudi desproporcionat s'ha de produir amb motiu de l'exercici d'activitats empresarials o professionals en el pis o local. S'ha de ressenyar, per tant, que si l'ús desproporcionat dels elements comuns ho és en funció de l'ús particular de l'element privatiu, sense exercir en el mateix cap activitat professional o empresarial, no hi haurà lloc a l'increment de la participació.
- L'increment de la participació en les despeses comunes no pot superar el doble del que li correspondria abonar en funció de la seva quota. Baldament, s'ha d'indicar que la quota de participació no es modifica ni s'altera, sinó que solament l'empra el legislador com un mòdul per a determinar el màxim de l'increment que pot afectar al propietari de l'element privatiu que, a conseqüència d'aquestes activitats empresarials o professionals, fa un ús desproporcionat dels elements comuns.

3. LA RESPONSABILITAT DE LA COMUNITAT

Hem tingut ocasió d'advertir en diferents ocasions que la comunitat de propietaris no ha estat conceptuada pel legislador català com un ens que gaudeix de personalitat jurídica pròpia i diferent de les persones que la integren. Aquesta concepció constitueix una de les possibles respostes al tractament de la naturalesa jurídica de la comunitat de propietaris i si bé és una opció de política legislativa perfectament lícita, no és la que actualment permet solventar molts dels problemes amb els quals s'enfronta la comunitat per la seva manca d'atribució de personalitat. Simplement cal recordar ara com el legislador, conscient de la natura que li atribueix, regula els elements privatius de benefici comú, en part per pal·liar els problemes que es produeixen a la praxis quan es tracta de desvincular elements comuns per qui no ostenta personalitat jurídica.

Conforme també amb la naturalesa jurídica de la comunitat, l'article 553-4, en seu de disposicions generals, assenyala que els propietaris dels elements privatius són els titulars mancomunats dels crèdits constituïts a favor de la comunitat i dels deutes que s'han contret en la seva gestió, en consonància amb les seves quotes de participació.

En relació a la responsabilitat dels titulars dels elements privatius i de la comunitat i dels embargaments que es poden travar sobre els diferents elements, s'ha d'exposar el que segueix. La comunitat de propietaris respon de les obligacions contretes amb els seus fons i crèdits i amb els elements privatius de benefici comú. En aquesta línia d'idees, s'ha de ressenyar, en primer terme, que l'article 553-6 contempla l'anomenat fons de reserva i estableix que la titularitat del fons pertany a tots els propietaris, però resta afecta a la comunitat. Aquest fons es caracteritza perquè ha de ser com a mínim un 5% de les despeses comunes pressupostades i ha de constar en el pressupost de la comunitat i, a més, per quant aquest fons de reserva s'ha de dipositar en un compte bancari especial. Més que d'un compte bancari especial, el que vol significar la norma és que s'ha de tractar d'un compte bancari específic i separat dels altres comptes de la comunitat de propietaris, sense que existeixi però cap especialitat quant a la classe o les circumstàncies del compte bancari. D'aquest compte bancari en el qual es diposita el fons de reserva solament se'n pot disposar pels administradors en dues ocasions:

- Per atendre despeses imprevistes de reparació de caire urgent, amb autorització del President.
- Per a la contractació d'una assegurança, mitjançant autorització de la junta de propietaris. L'acord es podrà adoptar per majoria, com resulta d'allò que disposa l'article 553-25.

D'aquest fons de com a mínim el 5%, si al cap de l'any existeix romanent, aquest s'integra en el fons de reserva de l'any següent, de forma que les aportacions dels propietaris siguin solament les escaients per arribar al 5% de les despeses comunes que es pressuposten. S'exceptua que les normes estatutàries o la junta de propietaris acordi que el romanent incrementi la dotació del fons de reserva. En aquest darrer cas, el quòrum per a l'assoliment de l'acord és la majoria simple.

En segon terme, els elements privatius de benefici comú resten afectes als deutes de la comunitat. Nogensmenys, la norma catalana (art. 553-46.2) exigeix que per a embargar aquesta classe d'elements privatius cal portar a terme un requeriment a tots els propietaris i demandar-los personalment. La resposta legal es pot justificar des de l'òptica que es tracta d'elements privatius i que, per consegüent, és necessari adreçar la demanda contra tots els propietaris. No obstant, entenc que hagués estat preferible, d'acord amb la funció d'aquests elements privatius de benefici comú, dirigir la demanda solament contra la comunitat de propietaris, sense que fos necessari demanda de forma personal a tots els propietaris.

- En tercer terme, de la dicció de l'article 553-46.1 ("La comunitat de propietaris respon dels deutes que contreu amb els seus fons i crèdits i amb els elements privatius de benefici comú") podria semblar que els elements privatius no responen dels deutes de la comunitat. Aquesta asseveració dista molt de ser certa. En efecte, l'article 553-5, relatiu a l'afectació real dels elements privatius, determina que aquests estan afectats amb caràcter real i responen del pagament de les quantitats que deuen els titulars; l'article 553-45 disposa que els propietaris d'elements privatius han de sufragar les despeses comunes en proporció a la quota de participació i en consonància amb allò que s'hagi fixat en el títol constitutiu i en els estatuts, i, el propi article 553-46, en el seu apartat tercer, refereix que "Els elements privatius només es poden embargar per deutes de la comunitat si es requereix el pagament a tots els propietaris de l'immoble i se'ls demana personalment". D'aquest darrer precepte s'extreu clarament que els elements privatius responen dels deutes de la comunitat, però que cal donar compliment a una sèrie de pressupòsits processals: el requeriment de pagament a tots els propietaris de l'immoble i que la demanda adreçada a obtenir la satisfacció dels crèdits es dirigeixi personalment contra tots els propietaris.

4. LES ACTIVITATS PROHIBIDES I EL SEU CESSAMENT

Pel gaudiment i ús adequat dels elements privatius i dels elements comuns que donen servei a aquests, la norma catalana contempla dues classes diferents de restriccions. La primera es concreta en les següents activitats:

- Les activitats que resten limitades per les normes estatutàries. És el cas, per exemple, d'aquelles normes estatutàries que impedeixen desenvolupar activitats professionals en els habitatges de l'immoble subjecte al règim de la propietat horitzontal.
- Aquelles activitats que siguin perjudicials per a les finques.
- Les activitats que vagin en contra de les disposicions sobre activitats que molesten, insalubres, nocives, perilloses o il·licites (Vegeu el Decret 2414/1961, respecte de les activitats molestes, insalubres, nocives i perilloses).
- Aquestes activitats prohibides no es poden desenvolupar ni pels propietaris dels pisos o locals ni pels ocupants dels mateixos.

La segona restricció, que genera més problemes d'interpretació, es troba continguda a l'article 553-40 i és la relativa a les limitacions d'ús dels elements privatius. A l'igual que l'anterior afecta tants als propietaris com als ocupants dels elements privatius i si bé algunes de les activitats prohibides o excloses coincideixen altres tenen un abast diferent. En aquesta línia d'idees, es prohibeix:

- Efectuar activitats prohibides pels estatuts. Aquesta restricció coincideix amb la prevista a l'article 553-47.
- Portar a terme activitats que malmetin o facin perillar l'edifici. S'ha d'entendre que l'abast és anàleg a la previsió de l'article 553-47, quan assenyala que no es poden efectuar activitats perjudicials per a les finques.
- Realitzar activitats excloses o prohibides per la normativa urbanística i d'usos del sector. Correspondrà en aquest supòsit examinar la normativa urbanística aplicable al lloc on

es trobi l'immoble, a la vegada que els usos del sector en relació als habitatges i locals per tal de determinar si les activitats que els titulars dels elements privatius realitzen xoquen contra les mateixes.

- Fer activitats contràries a la convivència normal. Potser aquesta menció a la normal convivència sigui l'activitat de més difícil interpretació, tota vegada que el concepte de "convivència normal" esdevé un concepte jurídic indeterminat, que precisa de la seva concreció en funció del temps en el qual s'examina, del lloc i de les circumstàncies de les persones, i a més, relatiu, atès que el grau de normalitat s'ha d'analitzar per cada comunitat en concret ("Els propietaris i els ocupants no poden fer activitats contràries a la convivència normal en la comunitat..."). En definitiva, cal adequar la intel·lecció del precepte a la realitat social en la qual s'ha d'aplicar la norma, de manera que seran els òrgans judicials els que determinaran, en cada cas concret, si l'activitat efectuada pot o no ser conceptuada com a contrària a la convivència normal dins d'aquella comunitat.

Si es porten a terme les activitats contemplades a l'apartat primer de l'article 553-40, que són les que acabem d'enumerar, els pot portar a terme una acció de cessació de l'activitat. Abans d'analitzar els requisits que s'escauen per poder procedir a l'exercici de la mateixa, considero que la limitació de l'acció de cessació no es pot limitar a les activitats referides a l'apartat 1 del precepte (activitats contràries a la convivència normal a la comunitat, que malmetin o facin perillar l'edifici, prohibides pels estatuts o per la normativa urbanística i d'usos del sector), sinó que s'ha d'estendre també a les activitats prohibides per l'article 553-47 i els arguments que sustenten aquesta resposta són, en essència, els que segueixen. En primer terme, perquè moltes de les activitats que es preveuen a l'apartat primer de l'article 553-40 coincideixen o engloben les descrites a l'article 553-47. És el cas de les activitats prohibides pels Estatuts o d'aquelles que són perjudicials per a la finca. I, en segon terme, per quant mancaria de sentit no disposar de l'acció de cessació per aquelles activitats molestes, insalubres, nocives o perilloses i sí per les que són contràries a la convivència normal en una concreta comunitat, a la vegada que és obvi que aquest tipus d'activitats, les molestes, insalubres, nocives o perilloses, han de ser enteses com a contràries a la convivència normal i, per conseqüent, poder ésser objecte de l'acció de cessació.

Pel que fa a l'acció de cessació, correspon al President de la comunitat de propietaris, ja sigui per iniciativa pròpia, o bé a instància d'una quarta part dels propietaris, portar a terme un requeriment fefaent per tal que es deixin de fer les esmentades activitats. Per requeriment fefaent s'ha d'entendre aquell que permet acreditar la realitat del mateix i el seu contingut, de forma que no només esdevé idoni el requeriment notarial, sinó també el burofax o el telegrama amb acusament de rebuda. Més problemàtic apareix la carta amb acusament de recepció, atès que amb aquesta última s'acredita la recepció de la carta, però no el contingut de la mateixa.

Si la persona o persones requerides continuen amb l'activitat objecte de requeriment, la junta de propietaris pot decidir interposar l'acció de cessació, la qual, segons el precepte, s'ha de tramitar per les normes del judici ordinari. A la demanda, s'ha d'acompanyar el requeriment i la certificació de l'acord de la junta de propietaris, i l'autoritat judicial pot adoptar aquelles mesures cautelars que estimi convenients. Entre aquestes mesures cautelars, es pot acordar la cessació immediata de l'activitat prohibida.

Es preveu com a efectes de l'acció de cessació, no solament la finalització de l'activitat prohibida, sinó a més l'obtenció de la indemnització pels perjudicis causats a la comunitat. A més, la norma estableix, com sanció, que si les activitats prohibides continuen, es pot instar judicialment la privació de l'ús i el gaudi de l'element privatiu per un període que no por superar els dos anys i, si s'escau, l'extinció del contracte d'arrendament o de qualsevol altre que atribueixi als ocupants un dret sobre l'element privatiu.

BIBLIOGRAFIA SUMÀRIA

GINER GARGALLO, ANTONI "La regulació de la propietat horitzontal al Codi Civil de Catalunya", Ponència a les XIV enes jornades de Dret català a Tossa, 21 i 22 de setembre de 2006, pàgs. 2 a 20. MAGRO SERVET, VICENTE Prontuario de la propiedad horizontal en Cataluña, El Derecho Editores, 2006. LOSCERTALES FUERTES, DANIEL (Coordinador) Propiedad Horizontal, Ley 5/2006, de 10 de mayo, del libro quinto del Código Civil de Cataluña, Comentarios, procesos judiciales y formularios, Madrid, 2007.

JURISPRUDÈNCIA CITADA

- Respecte de l'abús de dret en el règim de propietat horitzontal, vegeu, entre altres, les sentències del Tribunal Suprem de 19 de maig de 2006, 16 de febrer de 2006, 14 d'octubre de 2004, 13 de març de 2003 i 2 de juliol de 2002.

- En relació a la doctrina de la Direcció General de Registres que admet el manteniment dels gravàmens en els casos de desvinculació d'un element comú, vegeu les Resolucions de 13 de juny de 1998 i 28 de febrer de 2000.

- No comprovació pels registradors de l'obligació del transmetent d'estar al corrent del pagament de les despeses comunes, vegeu la Resolució de la Direcció General de Registres i del Notariat de 19 d'octubre de 2005.

Capítol XV

La propietat horitzontal complexa i per parcel·les

1. LA PROPIETAT HORITZONTAL COMPLEXA I LA SEVA CONFIGURACIÓ

El present capítol es destina a l'estudi de la propietat horitzontal complexa, com a contraposada a la propietat horitzontal simple, i la propietat per parcel·les. En relació a la primera, la norma catalana destina els articles 553-48 a 52, per a disciplinar els conjunts immobiliaris i convé aturar-se en l'anàlisi que la regulació efectua de les subcomunitats destinades a places d'aparcaments o trasters, atès que en algunes hipòtesis s'imposa l'obligatorietat de constituir la propietat horitzontal complexa. Quant a la segona, la propietat horitzontal per parcel·les, en paraules del Preàmbul del llibre cinquè del Codi civil de Catalunya, estén la normativa de la propietat horitzontal simple a aquelles situacions abans conegudes i mal denominades "urbanitzacions privades".

La propietat horitzontal complexa integra una macrocomunitat o comunitat matriu i les subcomunitats que la integren. Es tracta d'aquells casos en els quals existeix un complex immobiliari format per una pluralitat d'edificis independents i separats entre ells o bé un edifici integrat per diferents escales, que comparteixen zones enjardinades i d'esbarjo, piscines o altres tipus d'elements comuns semblants (cfr. Art. 553-48.1). Junt a la macrocomunitat o comunitat matriu, cada edifici independent o cada escala o portal constitueixen una subcomunitat i es regulen per les normes de la propietat horitzontal simple. Així mateix, una o més d'una nau es poden conceptuar també com a subcomunitats si es destinen a places d'aparcament o trasters o altres elements privatius d'un o més edificis si gaudeixen d'unitat i independència funcional i econòmica (vegeu art. 553-48.3).

La regulació de la propietat horitzontal complexa s'orienta a l'establiment del règim jurídic entre les subcomunitats, aquestes regides per les normes de la propietat horitzontal simple, i la macrocomunitat i la forma d'adoptar aquells acords que es projecten sobre els elements comuns de tot el complex immobiliari.

I. Constitució i quotes

La gènesi de la propietat horitzontal complexa es pot produir de dues formes diferents: la constitució inicial, en virtut de la qual s'atorga un títol constitutiu en el qual es crea la supracomunitat i les subcomunitats que la integren o bé, per associació de varies comunitats de propietaris ja existents, de manera que, per acord de les juntes de propietaris respectives, els Presidents de les mateixes o els propietaris únics atorguen el títol de constitució de la propietat complexa.

En el supòsit de la constitució inicial, el títol constitutiu ha de descriure el conjunt immobiliari complex, les diferents subcomunitats i els elements privatius. Pel cas de constitució per associació, el títol constitutiu ha de procedir a descriure el conjunt immobiliari i els elements, vials, zones enjardinades i d'esbarjo, així com els serveis comuns i determinar la quota de participació de participació de cada subcomunitat. En ambdós casos, el títol constitutiu s'ha d'atorgar en escriptura pública i s'ha d'inscriure en el Registre de la Propietat. Sembla que pel cas de constitució per associació seria suficient l'acord de 4/5 parts dels propietaris que representin 4/5 parts de les quotes de participació; és a dir, les exigències necessàries per a la modificació del títol constitutiu (en aquest sentit, GINER GARGALLO). No obstant, s'ha de tenir en compte que s'han de determinar, en el cas descrit, les quotes especials i aquestes requereixen, segons l'article 553-3.4, l'acord unànime de tots els propietaris dels elements privatius.

La inscripció registral es caracteritza pel que s'ha anomenat el triple foli real, de manera que s'obre un foli per la supracomunitat, un per cada subcomunitat i un per cadascun dels elements privatius existents.

Respecte de les quotes de participació, en la propietat horitzontal complexa coexisteixen dues quotes diferents: la quota general de participació i una quota especial. És en aquest sentit, que l'article 553-3, relatiu a la quota, indica que es poden establir, a més de la quota general, quotes especials per a despeses determinades i l'article 553-9, en referència al títol constitutiu, estableix que en aquest ha de constar la relació descriptiva de tots els elements privatius amb la quota de participació i, si escau, les especials que els corresponen. Doncs bé, és precisament, en seu de propietat horitzontal complexa on apareix junt a la quota general de participació en les despeses comunes, una quota especial. En aquest ordre d'idees, l'article 553-49 obliga a assignar la quota particular de participació amb independència de la quota general a cadascun dels elements privatius que formen les subcomunitats. Així, conviu la quota general respecte del complex immobiliari i la quota especial de l'edifici, portal o escala.

II. Regulació de les subcomunitats i acords

La llei catalana destina un únic precepte a disciplinar el règim jurídic de les subcomunitats i de la forma d'adopció d'acords, per part de les subcomunitats. Però com hi haurà ocasió de posar de manifest, en realitat sorprèn la manca de regulació d'extrems tan rellevants pel funcionament de les propietats horitzontal complexes a l'article 553-31, envers el detall amb el qual es norma la constitució i el reflex registral d'aquesta propietat horitzontal complexa. Situació que com veurem tornarà de nou a repetir-se en les propietats horitzontals per parcel·les.

En efecte, l'apartat primer de l'article 553-51 determina que cada subcomunitat pot tenir els seus òrgans de govern propis i adoptar aquells acords que solament l'afectin a ella, si això resulta possible segons el títol constitutiu, l'existència d'elements comuns exclusius d'una comunitat i la realitat física del conjunt. Com ja es va advertir, cada subcomunitat es regirà per les normes sobre propietat horitzontal simple, de manera que els seus òrgans específics de govern podran adoptar aquelles decisions que afectin en exclusiva als seus elements comuns, com podria ésser el cas, d'una subcomunitat formada per un local destinat a garatges i trasters. En aquest cas, els òrgans de govern d'aquesta subcomunitat seran els adients per a prendre les decisions relatives a la conservació i manteniment dels elements comuns de la mateixa (vgr. Zones de maniobra, rampes, barreres de pas, etz...), tota vegada que la realitat física del conjunt immobiliari ho permet. Però com es veurà, una cosa són aquelles decisions que una subcomunitat pot prendre per si sola respecte dels seus elements comuns, i altra molt diferent és el règim d'adopció d'acords en relació a aquells elements que són comuns a totes les subcomunitats, com succeeix per les zones enjardinades i d'esbarjo, piscines, etz...

Quant a aquestes darrers, caldrà que els acords siguin presos per les diferents comunitats o subcomunitats. I encara que la normativa (cfr. Art. 553-51.2) només ho contempla pel cas de previsió estatutària i en consonància amb la complexitat del conjunt immobiliari ("Els estatuts, si la complexitat del conjunt immobiliari i dels elements, els serveis i les instal·lacions comunes, el nombre d'elements privatius o altres circumstàncies ho fan aconsellable, poden regular un consell de presidents d'escala o d'edifici, que ha d'actuar de manera col·legiada per a l'administració ordinària dels elements comuns a tot el conjunt i s'ha de regir per les normes de la junta de propietaris adaptades a l'específica naturalesa del cas"), hauran de ser les diferents subcomunitats, mitjançant els seus representants orgànics, les que, segons les normes que preveuen l'adopció d'acords, procedeixin a la presa d'aquells que incideixin sobre els elements comuns. Aquí simplement s'escau efectuar dues precisions: una, que no es contempla que succeeix amb decisions relatives a l'administració extraordinària o a extrems com la modificació del títol constitutiu de la subcomunitat. I dues, que, a manca de previsió estatutària, s'hauria d'entendre que el règim d'adopció d'acords s'ha de prendre adaptant en la mesura que la naturalesa de la supracomunitat ho permeti les normes de la propietat horitzontal simple.

2. LES COMUNITATS I SUBCOMUNITATS PER A GARATGES I TRASTERS

El règim jurídic dels garatges i trasters pot adequar-se a diferents modalitats en atenció a la configuració dels mateixos. Per conseqüent, esdevé útil determinar l'opció a escollir abans de la constitució de la propietat horitzontal, atès que els efectes que es deriven varien en funció de l'opció escollida.

De l'anàlisi de les previsions de la regulació catalana, poden originar-se les següents possibilitats. En primer terme, els garatges, boxos o trasters es poden configurar com a annexos; és a dir, com a aquells espais físics que es troben vinculats de manera inseparable a un element privatiu. En aquest cas, participen de les notes següents:

• No tenen quota especial assignada

- Si els annexos consisteixen en places d'aparcaments, boxos o trasters, a diferència dels altres annexos, esdevé possible la cessió aïllada del seu ús. Baldament, els estatuts poden limitar aquesta cessió, excepte si es tracta de persones que conviuen amb els titulars de l'ús de l'element privatiu principal (art. 553-35).

En segon terme, les places d'aparcament i trasters es poden configurar com a elements comuns. En efecte, d'acord amb allò que es disposa a l'article 553-52.2 b): "... el local destinat a garatge o traster es configura com a element comú de la divisió horitzontal. En aquest cas, l'ús concret de les places d'aparcament o dels trasters no es pot cedir a terceres persones amb independència de l'ús de l'element privatiu respectiu". En aquesta concepció, no existirà propietat horitzontal complexa ni subcomunitat especial, a l'igual que succeïa en el cas anterior, perquè les places d'aparcament o trasters constitueixen elements comuns de la propietat i, atès que es tracta d'un element comú, la cessió de l'ús no es pot realitzar amb independència de l'ús de l'element privatiu respectiu.

En tercer terme, sí existirà subcomunitat o comunitat associada, i aleshores propietat horitzontal complexa, quan els trasters o places d'aparcaments es configurin com a elements privatius, ja sigui cadascun d'ells o bé el local destinat a aquest ús. Des d'aquesta doble opció, pot ésser un element privatiu la totalitat del local on es troben els aparcaments. En aquest supòsit, l'adquisició d'una quota indivisa del referit local atribueix l'ús exclusiu de les places d'aparcaments i trasters, així com la utilització de les rampes d'accés i sortida, les escales i zona de maniobra. Segons l'article 553-52, els titulars del local, els quals són titulars d'una quota indivisa que els permet usar les places d'aparcament i trasters no gaudeixen de l'acció de divisió de la comunitat ni dels drets d'adquisició preferent. I l'altra opció, consisteix en que cada traster o plaça d'aparcament esdevé un element privatiu. En aquest cas, cada plaça o traster se li ha d'assignar un número d'ordre, com a element privatiu, mentre que les rampes, escales i zones d'accés i maniobra són elements comuns del garatge o traster.

En darrer terme, s'ha de posar de manifest que la propietat horitzontal complexa s'imposa en el supòsit d'existència d'un complex immobiliari, quan diferents edificis subjectes a propietat horitzontal en comparteixen l'ús. La regulació d'aquesta subcomunitat es troba continguda a l'article 553-52-3 i participa de les dues notes següents:

- El local que conté les places d'aparcament, a part de conceptuar-se com a una subcomunitat, és part de cada propietat horitzontal en la projecció vertical que correspon.
- Els titulars de les places ostenten el dret a utilitzar totes les zones d'accés, distribució, maniobra i sortida de vehicles situades al local, amb independència de l'edifici concret en la vertical de la façana del qual estiguin situades, a no ser que existeixi una previsió estatutària diversa.

3. LA PROPIETAT HORITZONTAL PER PARCELLES

La regulació de la propietat horitzontal per parcel·les es conté en els articles 553-53 a 59 i en la disposició transitòria setena, de forma que es diferencien dos règims diversos: un, contingut a l'articulat per les propietats horitzontal per parcel·les que es constitueixin a partir de l'entrada en vigor del llibre cinquè del codi civil de Catalunya i, un altre, per aquelles propietats horitzontals per parcel·les ja existents a l'entrada en vigor. D'aquesta forma es supera l'absència de normació existent abans de la modificació de la llei de propietat horitzontal per la llei de 6 d'abril de 1999 i la reconducció a l'article 24 dels complexes immobiliaris de la llei estatal. Així, amb anterioritat al precepte estatal ("El régimen especial de propiedad establecido en el artículo 396 del Código Civil será aplicable a aquellos complejos inmobiliarios privados que reúnan los siguientes requisitos: a) Estar integrados por dos o más edificaciones o parcelas independientes entre sí cuyo destino principal sea la vivienda o locales...") la configuració de les anomenades "urbanitzacions privades" trobava el seu emparament en l'autonomia de la voluntat (art. 1.255 C.c), de forma que els diferents propietaris dels solars, edificats o no, determinaven una normativa referent als usos d'aquells elements comuns de la urbanització i una forma de contribució dels diferents titulars de les finques al manteniment, conservació i millora dels elements comuns. Però, en moltes ocasions, o bé la previsió voluntària no existia o bé esdevenia insuficient. En aquests supòsits, la jurisprudència del Tribunal Suprem va admetre des de fa dècades l'aplicació analògica de les normes contingudes en la llei de propietat horitzontal, sempre però que la particular concepció de la urbanització privada ho permetés (cfr. Entre altres, SSTS de 28 de maig de 1966, 20 de febrer de 1997 i 6 de juliol de 1999).

Per altra part, les urbanitzacions privades, com a realitat social existent, han estat objecte de diferents intents de regulació estatal que no han aconseguit el seu objectiu final i objecte d'atenció i previsió pel dret urbanístic. Des d'aquestes coordenades, una visió conjunta de la normativa aplicable precisa no solament conèixer les previsions de la norma catalana, sinó també totes aquelles que es contenen a la normativa urbanística catalana. Per això, el vigent article 553-53.2 ensenya que "El règim de propietat horitzontal per parcel·les afecta amb caràcter real les finques o els solars privatius i es regeix per les normes específiques d'aquesta secció i, supletòriament, per les d'aquest capítol, d'acord amb la seva naturalesa específica i amb el que disposa la normativa urbanística aplicable". Encara que el legislador refusa emprar la denominació d'urbanitzacions privades, atès que la considera incorrecta (cfr. Preàmbul III), el mot "urbanització" apareix de nou en els article 553-53, 57 i 58.

A diferència de les propietats horitzontals per parcel·les ja existents, per les quals la disposició transitòria setena exigeix la seva constitució conforme a les normes del títol cinquè, el règim que es preveu als articles 553-53 a 59 es configura com a voluntari, atès que a l'article 553-53-1 es llegeix que "El règim de la propietat horitzontal es pot establir, per parcel·les, sobre un conjunt de finques veïnes físicament independents que tenen la consideració de solars, edificats o no, formen part d'una urbanització i participen amb caràcter inseparable d'uns elements de titularitat comuna, entre els quals s'inclouen altres finques o serveis col·lectius, i també de limitacions sobre llur gaudi a favor de totes o d'algunes de les altres finques del conjunt". En aquest sentit, la constitució de la propietat horitzontal per parcel·les, a l'igual que succeeix amb la propietat horitzontal es conceptua com un règim voluntari; ço que contrasta no solament amb la imperativitat que establia la llei estatal, sinó a més amb la perseverança amb la qual la nova normativa catalana tracta d'adaptar, ara sí obligatòriament, els règims anteriors, ja siguin de propietat horitzontal simple (DT6ª) com el de les parcel·les a les disposicions vigents (DT7ª).

De la descripció de la propietat horitzontal estesa o per parcel·les que realitza el legislador català, s'extreuen els següents pressupòsits:

- L'existència d'un conjunt de finques veïnes amb independència física i que són solars, ja estiguin o no edificats.
- La integració d'aquests solars dins el si d'una urbanització i la seva participació de forma inseparable d'uns elements comuns.
- L'afectació dels solars per limitacions sobre llur gaudi a favor de totes o d'algunes de les altres finques del conjunt.
- Respecte al règim jurídic, el legislador català considera que la regulació de la propietat horitzontal per parcel·les es porta a terme per les normes pròpies d'aquesta secció (articles 553-53 a 553-59). En segon terme, i amb caire supletori, esdevenen d'aplicació les normes de la propietat horitzontal si ho permeten dos extrems a tenir en compte: un, la naturalesa específica de la propietat horitzontal per parcel·les i, dos, la normativa urbanística que resulti d'aplicació. En el nostre entendre, els problemes es poden presentar quan la propietat horitzontal per parcel·les, malgrat ésser una realitat, no es trobi constituïda formalment. En aquest supòsit, atès el caire voluntari de la constitució de la propietat per parcel·les, i sens perjudici de l'aplicació directa de la normativa urbanística, no sembla possible advocar per l'aplicació de les normes sobre propietat horitzontal. En efecte, a diferència de la Llei estatal, dotada d'imperativitat i en la qual, per raó d'una assentada jurisprudència s'admet la propietat horitzontal de fet, la normativa catalana refusa aquesta opció (vegeu YUFERA SALES a LOSCERTALES FUERTES, Propiedad horizontal, Madrid, 2007, págs. 61 y ss.) i, per conseGüent, esdevindrà aplicable el règim de la comunitat ordinària indivisa, tant en els casos de manca d'adopció voluntària del títol constitutiu de la propietat horitzontal simple com per parcel·les.

En tot cas, convé posar de manifest que la propietat horitzontal per parcel·les o esteses no solament presenta clares diferències fàctiques amb la propietat horitzontal simple, com el nombre molt més elevat de propietats separades o d'elements comuns, essent els per naturalesa escasos i els per destí més freqüents (vegeu GONZÁLEZ BOU, pág. 6 i MARTÍNEZ GARCÍA, págs. 319 i ss), sinó que també existeix una diferència jurídica rellevant, com és que en la propietat horitzontal estesa o per parcel·les, el conjunt no està format per un sol bé, com l'immoble en la propietat horitzontal simple, sinó per moltes finques interconnectades (cfr. GOMÁ LANZÓN, págs. 115 i ss)

I. El títol de constitució i la constància registral

La normativa catalana disciplina amb detall la constitució de la propietat horitzontal per parcel·les, així com tots els elements mínims que han de constar en el títol constitutiu, a la vegada que el reflex registral del mateix. I distingeix dues classes de propietat horitzontal esteses o per parcel·les segons es tracti d'aquelles que es constitueixen originàriament o de forma sobrevinguda. És a dir, per un costat, existeixen aquelles propietats horitzontal esteses que s'originen sobre una única finca que es parcel·la, o bé per diferents finques que s'agrupen i formar una de sola, per després donar lloc als diferents elements privatius (cfr. Decret Legislatiu 1/2005, de 26 de juliol, que aprova el text refós de la Llei d'urbanisme) o bé quan diferents finques existents passen a formar part d'una propietat horitzontal per parcel·les.

Respecte del títol constitutiu, aquest ha de constar obligatòriament en escriptura pública. Ja s'ha posat abans de relleu com aquesta inscripció és obligatòria, però no constitutiva i, per consegüent, la seva inscripció atribueix els efectes ja coneguts de la oposabilitat a tercers, la legitimació i la fe pública registral (cfr. Arts. 32, 34 i 38 LH).

L'atorgament del títol s'haurà de portar a terme pel propietari únic de la finca que es parcel·la, pels diferents propietaris de les finques que s'agrupen per a formar-ne una de sola i després procedir a la divisió per parcel·les o pels diferents propietaris de les finques que seran elements privatius en el cas de propietat horitzontal per parcel·les sobrevingudes. Sembla adequat entendre que la constitució de la propietat horitzontal esdevé en la majoria de supòsits un acte d'administració i que, per tant, solament la capacitat per a disposar serà l'exigible quan es constitueixi la propietat horitzontal estesa per agrupació de diferents finques i formació posteriors dels diferents elements privatius (cfr. ÁVILA NAVARRO en Propiedad Horizontal, coord. LOSCERTALES FUERTES, Madrid, 2007, págs. 362 y ss.).

En el títol constitutiu s'han de contenir com a mínim els següents extrems (art. 553-57):

- La descripció del conjunt en general, de manera que es descriguin les finques que integren el conjunt i els elements comuns, així com les dades identificatives de la urbanització
- La relació de les obres d'urbanització i de les instal·lacions comunes, així com el sistema de manteniment.

- Relació de les parcel·les i elements privatius, així com la quota de participació. Es detalla les exigències que han de constar en la descripció de les parcel·les (cfr. Arts. 9 LH i 51 RH, així com l'article 559-9 CCC. Quant a la competència exclusiva estatal en relació a l'ordenació d'instruments públics, vegeu STC 24 d'abril de 1989), entre les quals s'ha de fer referència al número d'ordre, quotes generals i especials, superfície, límits i, si és el cas, espais físics o annexos vinculats. S'exceptua la descripció individualitzada de cadascuna de les parcel·les (553-57.3) si la urbanització privada es constitueix per acord de tots o d'una part dels propietaris de parcel·les situades en una unitat urbanística consolidada, si ja figuren inscrites en el Registre de la Propietat com a finques independents. En tot cas, s'indica que sí ha de constar el número que correspon dins la urbanització, la identificació registral, la referència cadastral i els noms dels propietaris. S'ha criticat, quant a aquest darrer supòsit, que no s'hauria de dispensar la perfecta identificació de les finques per persones que quan atorguen el títol no tenen a la vista el Registre (vegeu AVILA NAVARRO, pàg. 363).
- Les regles generals o específiques sobre la destinació i l'edificabilitat de les finques i la informació sobre si són divisibles.
- Les normes estatutàries, si n'hi ha.
- La relació de terrenys reservats per a sistemes urbanístics i dels declarats d'ús i domini públic, si n'hi ha, en ca que la urbanització coincideixi territorialment amb una actuació urbanística.
- Un plànol descriptiu del conjunt, en virtut del qual s'identifiquin tant els elements privatius com els comuns. Es tracta d'una exigència pròpia de la llei catalana i que no es contempla als articles 9 LH i 51 RH, de forma que es poden plantejar problemes en relació a la constitucionalitat d'aquesta exigència. En tot cas, sí que s'ha de posar de manifest que, d'acord amb la Direcció General de Registres i del Notariat, el plànol no pot substituir a les descripcions literàries que es requereixen (cfr. RDGRN 1-10-2005. Vegeu també AVILA NAVARRO, pàgs. 365 i ss).

S'afegeix a l'article 553-57.2 que els efectes de les determinacions urbanístiques que constin en el títol de constitució solament tenen efectes merament informatius. La previsió legal s'ha d'entendre en el sentit que les determinacions urbanístiques vinculen sense necessitat de la seva constància registral i, per conseqüent, del reflex registral només es pot predicar un efecte informatiu.

Pel que fa a la constància registral del règim de propietat horitzontal per parcel·les, a l'article 553-58 s'han de ressenyar dos extrems diversos: el primer, que segons el propi precepte la inscripció al Registre de la Propietat del règim de propietat horitzontal per parcel·les es fa en consonància amb la legislació hipotecària i dues, que en el reflex registral permet apreciar les diferències entre aquelles propietats horitzontals per parcel·les constituïdes de forma originària o sobrevinguda.

En relació a la inscripció registral de la propietat horitzontal per parcel·les constituïdes de forma originària, s'ha d'efectuar conforme a les disposicions de la legislació hipotecària; remissió que s'ha d'entendre feta a l'article 8 de la llei Hipotecària. En aquest sentit, l'article 553-58.1 exigeix que es porti a terme una inscripció general per al conjunt, una per cadascuna de les finques privatives i, si és el cas, d'aquelles finques destinades a l'ús i gaudi o a serveis comuns.

La inscripció del conjunt s'ha d'efectuar sobre la finca matriu, ja sigui una sola de la qual sorgiran les diferents parcel·les que integraren els elements privatius o per agrupació de diferents finques fins a formar la única finca sobre la qual es constituirà el règim jurídic de la propietat horitzontal per parcel·les. Aquesta inscripció del règim de la urbanització s'ha de fer a favor de la persona o persones que el constitueixen sobre la finca o finques i ha de contenir les dades mínimes que exigeix l'article 553-57 i la referència a l'arxiu del plànol.

Quant a les finques privatives, aquestes s'efectuen conforme a allò que disposa l'article 8.5 LH i requereix, a més, la normativa catalana que consti:

- El número de la parcel·la que els correspon, la situació, la superfície, els límits i, si s'escau, els annexos.
- La quota o quotes de participació.
- El règim especial o les limitacions que les poden afectar de manera determinada.
- La referència a la inscripció general.

Respecte de les finques destinades a ús i gaudi o a serveis comuns s'inscriuen a favor dels titulars presents i futurs de les diverses finques privatives, sense que es requereixi esmentar-los de manera explícita ni fer constar les quotes que els corresponen.

Si la constitució de la propietat horitzontal per parcel·les té lloc de forma sobrevinguda, l'apartat sisè de l'article 553-58, preveu la seva constància registral, de manera que les finques són els elements privatius i, habitualment, estaran ja inscrites al Registre de la Propietat i el que s'haurà d'inscriure és el règim jurídic d'aquesta modalitat de propietat horitzontal, obrint un foli separat i independent per a la urbanització. En aquest supòsit, s'exigeix que en el foli del conjunt constin les circumstàncies que exigeix l'article 553-58 i que les finques, que esdevenen elements privatius, es relacionen per nota marginal, a la vegada que s'ha de fer constar la quota que els correspon.

II. Elements comuns i privatius

Els articles 553-54 i 55 es destinen, respectivament, a les finques de titularitat privativa i als elements comuns. Pel que fa referència als elements privatius, la normativa catalana destaca tres aspectes. En primer terme, s'efectua una declaració didàctica, però innecessària, en el sentit d'assenyalar que les finques privatives i llurs annexos pertanyen en exclusiva als seus titulars. En segon terme, es posa de manifest quelcom que es també propi del règim de la propietat horitzontal, com és la inseparabilitat dels elements comuns en relació als elements privatius. Així, s'indica que els actes d'alienació i gravamen, així com l'embargament de les finques privatives s'estén de forma inseparable a la participació que els correspon en els elements comuns. I, en darrer terme, i en consonància amb els paràmetres propis de la propietat horitzontal s'eliminen els drets d'adquisició preferents pels supòsits d'alienació de finques privatives. Baldament, cal observar que el que prohibeix la norma és la gènesi de drets d'adquisició preferent de caire legal, però res impedeix que les normes estatutàries en configurin de voluntaris.

En relació als elements comuns, convé efectuar les següents consideracions. En primer terme, malgrat que l'article 553-55 descriu el que són elements comuns, s'ha d'entendre que és una enumeració no exhaustiva, com el propi precepte ho posa de manifest al referir-se a "altres elements semblants". En aquesta línia d'idees, es consideren elements comuns les finques, els elements immobiliaris, els serveis i les instal·lacions que es destinen a l'ús i gaudi comú al que fa esment el títol constitutiu i, entre ells, s'inclouen les zones enjardinades i d'esbarjo, les instal·lacions esportives, els locals socials, els serveis de vigilància i altres elements semblants. En segon terme, es torna de nou a insistir sobre el tret definitori de la inseparabilitat dels elements comuns respecte dels elements privatius, atès que s'afirma que els elements comuns són inseparables de les finques privatives, a les quals es vinculen per mitjà de la quota de participació. I, en tercer terme, sí que té transcendència la previsió continguda a l'article 553-56, segons el qual s'indica que les limitacions a l'exercici de les facultats dominicals sobre finques privatives, imposades pel títol de constitució o pels estatuts, el planejament urbanístic o les lleis, tenen la consideració d'elements comuns. Com s'ha advertit, aquesta consideració com a elements comuns té rellevància pràctica, tota vegada que la modificació o supressió de les limitacions requerirà l'acord de la comunitat per a modificar el títol constitutiu i perquè les despeses per a la conservació de les limitacions seran despeses comunitàries.

III. El dret intertemporal

La disposició transitòria setena pretén que les "urbanitzacions privades existents" a l'entrada en vigor de la normativa catalana s'hagin obligatòriament de constituir d'acord amb les disposicions del llibre cinquè. I que, transcorreguts cinc anys des de la vigència de la norma, es confereix legitimació a qualsevol propietari per a sol·licitar judicialment l'atorgament del títol constitutiu. Malgrat la bona intenció que impulsa al legislador per a regularitzar aquelles situacions irregulars, considerem que a la praxis seran pocs els casos en els quals es procedirà a la referida constitució (obligatòria).

A continuació, es detalla el quòrum necessari per a l'atorgament voluntari del títol constitutiu, de manera que s'indica que esdevé suficient el vot favorable dels propietaris que representin dues terceres parts del total de les parcel·les concernides, amb l'exigència d'aportar la llicència de l'ajuntament del terme municipal on està situada la urbanització i bé acreditar que s'ha sol·licitat amb més de tres mesos d'antelació en relació a l'atorgament de l'escriptura.

També es contempla amb detall les exigències del títol constitutiu i la constància registral. Així, respecte del títol constitutiu es requereix que s'atorgui amb els extrems continguts a l'article 553-57 i amb el plànol actualitzat de les finques que integren els elements privatius i de les finques ocupades pels elements comuns.

S'afegeix que si els vials han passat a ser de domini públic, el règim de comunitat es pot constituir fins i tot si els propietaris d'un nombre no superior al 20% de les parcel·les concernides no s'hi integren. Recorda la normativa catalana, en aquesta disposició transitòria, que l'atorgament del títol constitutiu no comporta en cap cas la regularització de situacions urbanísticament irregulars ni necessàriament l'extinció de les associacions de propietaris.

Per a la constància registral, s'estableix que cal obrir un foli separat i independent per a la urbanització en el seu conjunt i que cal referir les finques privatives mitjançant notes marginals, amb expressa indicació de la quota que els correspon. Així mateix, es contempla la descripció dels elements privatius i dels elements comuns. En aquest sentit, s'assenyala que els elements privatius es poden descriure simplement fent referència a la descripció que consta al Registre de la Propietat, si es fa constar el seu número a la urbanització, les dades registrals i, si s'escau, la referència cadastral i, si s'escau, aquells elements privatius que estan destinats a l'aprofitament exclusiu de determinats propietaris. Pel que fa als elements comuns, s'han d'especificar els vials, els espais, les zones verdes i les obres d'infraestructura comunes que tingui la propietat horitzontal per parcel·les, sense que sigui necessari que consti la superfície ni la longitud dels carrers, els vials i les zones verdes.

Per últim, mereix ressenyar-se que en els apartats 7 i 8 de la transitòria es diferencia entre les associacions de propietaris constituïdes legalment i les que no. Quant a aquestes darreres, s'indica que els béns són dels membres de l'associació segons les normes civils, mentre que si estan constituïdes legalment i els béns formen part del seu patrimoni, ostenten legitimació per a promoure i gestionar el procés de constitució de la propietat horitzontal per parcel·les a través dels seus òrgans de govern.

IV. Extinció

L'article 553-59 contempla l'extinció voluntària de la propietat horitzontal per parcel·les. En aquesta línia d'idees, cal posar de manifest que l'extinció voluntària es desenvolupa necessàriament en dues fases diverses: una, en virtut de la qual es pren l'acord per l'extinció de la mateixa, en la que s'exigeix que aquesta es produeixi per acord de les tres cinquenes parts dels propietaris, que han de representar les tres cinquenes parts de les quotes de participació, i, dues, la liquidació, que comporta el manteniment de la junta de propietaris per a procedir al cobrament dels crèdits, el pagament dels deutes i la rendició de comptes a tots els propietaris.

Quant a aquesta fase de liquidació, l'article 553-59.2 exigeix la liquidació total. Això suposa, que, respecte de l'actiu, s'han de percebre les quotes endarrerides i els altres crèdits a favor de la urbanització. Pel que fa al passiu, s'han de complir les obligacions tant front a terceres persones com front als propietaris. També correspon a la junta de propietaris decidir l'alienació dels immobles d'ús comú (Vegeu AVILA NAVARRO, pàg. 374, sobre la innecessarietat de la subhasta pública per l'alienació dels mateixos). I, en darrer terme, s'ha de retre comptes de tot el procés de liquidació als propietaris.

BIBLIOGRAFIA SUMÀRIA

GETE-ALONSO Y CALERA, MARIA DEL CARMEN, "Urbanizaciones privadas (Explicación de una propuesta de regulación)", La Notaria, setembre-octubre, 2001, 9-10, pàgs. 99 i ss. GINER GARGALLO, ANTONI "La regulació de la propietat horitzontal al Codi Civil de Catalunya", Ponència a les XIV enes jornades de Dret català a Tossa, 21 i 22 de setembre de 2006, pàgs. 2 a 20. GOMÀ LANZÓN, IGNACIO "La propietat horitzontal estesa. La urbanització privada des del punt de vista de l'objecte de Dret", La Notaria, novembre-desembre, 2003, 11-12, pàgs. 115 i ss. GONZÁLEZ BOU, EMILI Aspectes pràctics de les urbanitzacions privades en la nova regulació del Codi Civil de Catalunya, XIV Jornades de Dret Català a Tossa, 21 i 22 de setembre de 2006. LOSCERTALES FUERTES, DANIEL (Coordinador) Propiedad Horizontal, Ley 5/2006, de 10 de mayo, del libro quinto del Código Civil de Cataluña, Comentarios, procesos judiciales y formularios, Madrid, 2007. MAGRO SERVET, VICENTE Prontuario de la propiedad horizontal en Cataluña, El Derecho Editores, 2006. MARTÍNEZ GARCÍA, MANUEL ANGEL "Urbanizaciones privadas", Academia Sevillana del Notariado, 2003, XIII, págs. 319 y ss.

JURISPRUDÈNCIA CITADA

-Respecte de l'aplicació analògica de les normes de la propietat horitzontal a les urbanitzacions privades, vegeu les SSTS de 28 de maig de 1966, 20 de febrer de 1997 i 6 de juliol de 1999.

-Sobre la competència exclusiva estatal per a l'ordenació de registres i instruments públics, cfr. STC de 24 d'abril de 1989.

-En relació a la inviabilitat que el plànol pugui substituir les inscripcions literàries, vegeu la Resolució de la Direcció General de Registres i del Notariat de ú d'octubre de 2005.

Capítol XVI
Comunitats especials

1. LA COMUNITAT PER TORNS

I. Concepte

Dins de les situacions de comunitat que regula el títol cinquè del llibre cinquè del codi civil de Catalunya es dedica el capítol quart, que compren de l'article 554-1 al 554-12, a un tipus especial de comunitat en què els seus titulars exerciten els seus drets per torns, que té el seu origen a França, Suïssa i els Estats Units, encara que es citen també altres precedents (BELTRAN DE HEREDIA), i que en els últims temps ha conegut una notable expansió a l'estat espanyol especialment en l'àmbit turístic, ja que permet als promotors ampliar el número de persones que podran adquirir els béns que promocionen i a aquestes satisfer la necessitat d'adequar el temps en el què potencialment es pot utilitzar el bé que adquireixen amb el temps real disponible per usar-lo (CUENCA ANTOLIN) a preus més assequibles que els de la propietat ordinària. No obstant, la comunitat per torns presenta no sols els inconvenients de tota comunitat, sinó, a més a més, aquells humans i jurídics derivats de la utilització successiva de l'immoble per part de diferents comuners, que, a més a més, freqüentement tenen la seva residència habitual lluny de l'habitatge que ocupen sols de manera discontinua i periòdica, inconvenients que justifiquen encara en major mesura la necessitat de regular aquesta institució.

Aquest tipus de comunitat, que es coneix en el mon anglosaxó com a *time-sharing*, rep freqüentment a l'estat espanyol el nom de multipropietat, denominació que s'ha considerat impròpia, ja que en els supòsits en els què el dret del què es gaudeix per torns no sigui un dret real aquest nom pot portar a confusió al consumidor, raó per la què la llei estatal de 15 de desembre del

1998 fa referència a l'aprofitament per torns i la catalana a la comunitat per torns.

L'article 554-1 defineix aquesta comunitat, que denomina especial, fent referència al seu contingut com aquella situació jurídica que confereix al seus titulars el dret de gaudir del bé sobre el qual recau, amb caràcter exclusiu, per unitats temporals discontínues i periòdiques, amb la particularitat que el torn delimita la participació dels titulars en ella, és precís configurar una organització més complexa del que és habitual per l'exercici dels drets i el compliment dels deures dels titulars dels torns, atès que el comuner té dret a una sèrie de serveis complementaris de l'habitatge que fan més complexa la seva administració, i s'exclou l'acció de divisió i el dret d'adquisició preferent legal entre els titulars, que són drets característics de la comunitat ordinària. La llei estatal 42/1998 de 15 de desembre "Sobre aprovechamiento por turno de bienes inmuebles de uso turístico y normas tributarias" la defineix al seu article primer de manera molt semblant encara que una mica més completa, posant de relleu que es tracta d'un dret que atribueix al seu titular la facultat de gaudir, amb caràcter exclusiu, durant un període de temps específic de cada any, d'un allotjament susceptible d'utilització independent per tenir sortida pròpia a la via pública o a un element comú de l'edifici en el què es trobi integrat i que estigui dotat, de manera permanent, amb el mobiliari adequat a l'efecte i al que s'afegeix el dret a la prestació dels serveis complementaris. D'altra banda, la doctrina destaca que es tracta d'un dret de naturalesa complexa, que es configura principalment com un dret de propietat especial, tractant-se d'una propietat individual per torns, exclusiva i excloent, plurilimitada al concurs d'altres multipropietaris, que es gaudeix en un temps concret i, una vegada acabat aquest, sorgeix pel titular una expectativa de retorn pel mateix període de l'any següent (DIAZ-AMBRONA BARDAJI).

II. Règim jurídic

D'acord amb el que disposa l'article 10.1 CC, la llei aplicable a la possessió, la propietat i els demés drets sobre béns tant immobles com mobles serà la del lloc a on es trobin, per tant, si l'objecte de la comunitat per torns es troba a Catalunya li seran d'aplicació les normes del títol cinquè en virtut de les competències que recull l'article 149.1 CE i que assumeix l'article 129 l'Estatut d'Autonomia de Catalunya, LO 6/2006, de 19 de juliol.

No obstant, la llei catalana regula la constitució, el règim jurídic i els drets i deures dels titulars d'aquest tipus de comunitat, determinant l'estatut jurídic-real de l'objecte, però no els contractes que celebri el promotor amb els adquirents del torn, ni les obligacions d'aquell a l'hora de donar publicitat al producte que promociona, ni els contractes de prestació de serveis de manteniment, situacions en les què els abusos i els fraus als consumidors han estat freqüents, ni tampoc els contractes en virtut dels quals el comuner transmeti el seu dret a tercers. Per aquesta raó, l'article 554-2.4 de la llei disposa que els aprofitaments per torns que s'estableixin sobre un edifici un conjunt immobiliari o sobre un sector diferenciat d'aquest i que tinguin com a finalitat l'explotació turística o de vacances s'hauran de regir per les normes del contracte d'aprofitament per torns.

Aquesta remissió legal s'ha d'entendre reduïda a la relació contractual que es pugui establir entre els comuners o el promotor que constitueix la comunitat i els adquirents del torn d'aprofitament, ja que la comunitat per torns que té per objecte un habitatge destinat a l'ús turístic s'ha d'entendre regulada per la llei catalana. D'altra banda, les normes contractuals a les que es refereix aquest article no poden ser altres que recull la llei estatal de 15 de desembre de 1998 d'aprofitament per torns de béns immobles d'ús turístics, quan sigui part del contracte el promotor, o qualsevol persona física o jurídica que participi professionalment en la transmissió o comercialització de dretes d'aprofitament per torns (article 1.5 d'aquesta llei), ja que és llavors quan cal tenir cura de protegir els interessos de l'adquirent davant de possibles fraus, mentre que cal entendre que si el contracte es celebra entre un comuner i un tercer, o els habitatges no tenen la finalitat esmentada seran d'aplicació les normes que regulen els contractes en general, ja que si la relació és entre iguals no són precises especials mesures de protecció (LETE ACHIRICA). L'esmentada protecció consisteix fonamentalment en concedir a l'adquirent la possibilitat de desistiment i en regular la promoció i la publicitat d'aquest tipus de comunitat, aspectes que encara que la llei catalana no en faci menció, cal entendre que també s'aplicaran a la promoció de comunitats situades a Catalunya. Finalment aquesta remissió s'imposa de manera imperativa exclusivament en aquells supòsits en els què la comunitat per torns es constitueixi amb una finalitat turística o de vacances per temporada (article 554-2.4), ja que és el supòsit més freqüent i en el què més gran nombre de fraus es produeixen, ja que els comuners acostumen a residir lluny del lloc a on passen les vacances. D'altra banda, la llei estatal recull i amplia el que disposa la Directiva 94/47/CE del Parlament i del Consell de 26 d'octubre de 1994, que no regula la comunitat per torns en sí, sinó que té per objecte la protecció dels adquirents en el que fa referència a determinats aspectes del contracte mitjançant el qual els consumidors adquireixen el torn, de tal manera que es refereix fonamentalment a la informació que ha de oferir-se al consumidor i els procediments i formes de resolució del contracte (article primer de la Directiva). Per aquesta raó, l'exposició de motius del llibre cinquè del Codi civil de Catalunya posa de relleu que les normes catalanes són diferents de les que recull la Directiva, però que hi són compatibles, ja que la regulació legal es limita a "béns unitaris" i exclou els supòsits en els què s'aplica la normativa europea, manifestacions que cal entendre en el sentit que la llei catalana regula la constitució i el règim de funcionament de la comunitat, mentre que les normes de caire contractual que es troben a la Directiva, i que es recullen a la llei estatal d'aprofitament per torns, també s'apliquen a Catalunya perquè són compatibles amb les del llibre cinquè del Codi civil català, en el mateix sentit que disposa l'article 554-2.4 que hem citat.

D'altra banda, les normes recollides al Codi civil català sols s'apliquen als drets d'aprofitament de caràcter real.

Per tant, cal tenir en compte que:

a) d'acord amb el que disposen els articles 554-12 i 554-2.4, la situació de comunitat per torns es regirà pels articles 554-1 a 554-12, que es refereixen exclusivament a ella. Supletòriament per les normes de propietat horitzontal pel que fa als òrgans de govern de la comunitat (articles 553-15 a 553-32) i en general per les d'aquest tipus de propietat (articles 553-1 a 553-59) en tot allò no regulat a les normes de comunitat per torns, sempre d'acord amb la naturalesa específica d'aquesta comunitat. Cal destacar, a més a més, que quan l'habitatge sotmès al règim de comunitat per torns formi part d'un edifici constituït en règim de propietat horitzontal caldrà tenir en compte alhora les normes pròpies de les dues comunitats.

b) Pel que fa al contracte en virtut del qual el promotor cedeix un torn determinat a un tercer, aquest es regirà per les normes

contractuals que recull la Llei estatal de 15 de desembre del 1998,
tant si el dret al torn es configura com real, com si té la consi-
deració de personal, sempre que en aquest darrer cas tingui una
durada superior a tres anys i s'anticipin les rendes corresponents
a algunes o totes les temporades, atorgant al consumidor la pro-
tecció que disposa la Directiva comunitària 94/47/CE, règim que
serà imperatiu en el supòsit que l'immoble es destini a l'explotació
turística o de vacances. Pel contrari, si en el contracte no hi par-
ticipa ni el promotor del conjunt, ni un professional d'aquest tipus
d'activitat, o si l'immoble no es destina a l'explotació turística o de
vacances la normativa a aplicar serà la general del contracte.

c) D'altra banda, si l'objecte de la comunitat, malgrat ser de
tipus real el dret d'aprofitament, queda exclòs de la llei catalana
caldrà aplicar també la llei estatal i el mateix caldrà entendre si
el dret dels titulars del torn és de tipus personal i té una durada
superior a tres anys i s'anticipen les rendes corresponents a algunes
o totes les temporades. Si té una durada interior caldrà aplicar
les normes de la LAU sobre arrendaments per ús diferent de la
vivenda habitual i si el que es lloga per torns és un apartament
turístic caldrà tenir en compte igualment el decret 163/1998 de
8 de juliol que regula l'arrendament d'habitatges amb finalitats
turístiques a Catalunya. Per últim, en determinats aspectes la
protecció del titular del torn derivarà dels preceptes que recullen
la Llei Hipotecària i les que tendeixen a la protecció dels drets
del consumidor en general.

III. Naturalesa jurídica

Una de les qüestions més debatudes en relació a aquest dret
és la seva naturalesa jurídica, ja que el dret de comunitat per
torn té una naturalesa complexa i, malgrat es configura princi-
palment com un dret real de caràcter especial, es pot constituir
igualment com personal. La Llei estatal de 15 de desembre del
1998 permet qualsevol de les dues configuracions, deixant aquest
aspecte a l'autonomia de la voluntat i considerant en aquest darrer
cas que es tracta d'una variant de l'arrendament de temporada al
qual se li apliquen les normes de la llei d'arrendaments urbans
o la llei d'aprofitament per torns segons els casos. Pel contrari,
de les normes recollides al capítol cinquè del llibre cinquè del
Codi civil de Catalunya es dedueix que l'ordenament català regula
exclusivament el supòsit en el què els titulars del torn ostenten

un dret de caire real formant una comunitat amb característiques especials. Aquesta conclusió resulta per un cantó de la situació sistemàtica de les seves normes dins del capítol cinquè del llibre cinquè, que fa referència a les situacions de comunitat, ajustant-se a la definició que dóna d'aquesta situació l'article 551-1,1 com aquella en la què dues persones o més comparteixen de manera conjunta i concurrent la titularitat de la propietat o d'un altre dret real sobre el mateix bé o un mateix patrimoni, encara que es configura dins d'aquest capítol com una comunitat especial. Per un altre cantó, aquesta conclusió deriva també del fet que els articles 554-2 i 554-7 disposen que la constitució del dret ha de constar en escriptura pública i s'ha d'inscriure al Registre de la Propietat o, si escau, en el de béns mobles que correspongui, tenint en compte que al citat Registre sols hi accedeixen drets de naturalesa real i en tot cas excepcionalment drets personal amb una durada i uns requisits que la llei catalana no exigeix.

Malgrat tot, això no obsta perquè el propietari d'un bé moble o immoble situat a Catalunya el pugui arrendar a diferents persones per unitats temporals, discontínues i periòdiques i en aquest cas els que gaudeixen del torn sols són titulars d'un dret personal i seran d'aplicació les normes que recull la Llei d'arrendaments urbans, la d'arrendaments rústics si és procedent, la d'arrendaments d'habitatges turístics a Catalunya o les normes sobre arrendaments de coses al CC, excepte en els supòsits en què la durada o les condicions de l'arrendament facin aplicable la llei d'aprofitament per torns per evitar que per aquesta via es pugui produir un frau a les normes contractuals de protecció al consumidor que recull aquesta llei. També cal entendre possible que el dret a gaudir d'un immoble durant un temps concret s'atribueixi en virtut d'una fórmula societària, aplicant les normes de la llei d'associacions catalana o les corresponents a la societat que es constitueixi, encara que es tractaria d'una societat atípica, ja que comportaria un dret estrany al vincle social, motiu pel qual aquesta possibilitat ha estat criticada per motius jurídics i pràctics (MARTINEZ VAZQUEZ DE CASTRO).

Aquesta configuració del dret com personal és la única admesa al Regne Unit. degut a les mateixes característiques de la propietat en aquest ordenament, mitjançant la fórmula d'establir que l'habitatge pertany a una associació o a una societat i els associats o socis com a tals tenen dret a ocupar-lo durant el temps previst als seus estatuts, o recorrent a la fórmula del *Trust*. La configuració del dret com personal és també la solució que adopta la Llei 18/86 de 6 de gener francesa. D'altra banda, al dret portuguès el Decret-Llei 275/1993 de 5 agost el configura com un dret real en cosa aliena d'habitació turística, a Grècia la llei de 14 d'octubre del 1986 com un arrendament periòdic, mentre que en el dret alemany es pot constituir com un dret de servitud personal del que gaudeixen diverses persones per torns o com un dret d'habitació permanent i periòdic. No obstant, tant el dret estatal, com el català, consideren el dret del comuner com un dret de caire real, encara que limitat en el temps, solució que també es permet en el dret alemany.

La comunitat especial per torns es configura en la llei catalana com un tipus de comunitat especial, fonamentalment perquè el gaudiment del bé s'estableix exclusivament per torns prefixats, però també perquè s'exclouen l'acció de divisió i els drets d'adquisició de caràcter legal entre els titulars (article 554-1.2 c)). Aquest tipus de comunitat s'ha de qualificar, segons alguns autors, com una comunitat pro diviso, o impròpia, és a dir aquella en la què la propietat correspon a diverses persones, però el conjunt de facultats que aquesta implica no estan repartides entre els copropietaris de manera homogènia per quotes, sinó que cada un d'ells gaudeix d'alguna, però no de totes les que són inherents al domini, de tal manera que en realitat es tracta de drets de propietat distints però concurrent sobre una mateixa cosa (ROCA GUILLAMON, O'CALLAGHAN). No obstant, en el supòsit de comunitat per torns tots els comuners tenen les mateixes facultats, el que succeeix és que alguna d'elles, com ara la de gaudir del bé, sols la poden exercitar de manera successiva, mentre que d'altres, com la de disposar del torn, en gaudeixen de manera ininterrompuda. Per aquesta raó, sembla procedent estimar, en el mateix sentit que altres autors com ara MARTINEZ VAZQUEZ DE CASTRO, que tant la normativa estatal com la catalana configuraren la situació d'aprofitament per torns com una comunitat *pro indiviso*, com aquell tipus de comunitat d'origen romà en la què el bé pertany a tots els comuners per quotes ideals, de tal manera que cada un d'ells pot disposar lliurement del seu dret sobre el conjunt, però el seu gaudiment es reparteix d'acord amb la quota de la qual cada un és titular, que en aquest cas es correspon amb el torn i perfilant més BADOSA COLL considera que la multipropietat-règim jurídic determinarà la configuració de la multipropietat-copropietat *pro indiviso,* de tal manera que les respectives quotes estaran predeterminadament adscrites a torns que s'adjudicaran als seus titulars, ja que és el gaudiment del bé i no el dret del propietat sobre el mateix el que s'extingeix al finalitzar cada torn i retorna quan aquest es torna a iniciar i mentre no gaudeix del torn el comuner manté la facultat de disposar del seu dret, raó per la què no es pot parlar de propietats independents que recauen sobre un mateix objecte en moments diferents.

IV. Objecte

L'objecte de la comunitat per torns és un bé que pot ser tant moble com immoble, però que en tot cas ha de ser determinat o determinable, supòsit aquest darrer que es dóna en l'allotjament que es denomina flotant en el què l'habitatge del què es gaudeix per torns no és sempre el mateix, però en tot cas es fixen al títol constitutiu criteris objectius per determinar-lo, ja que en cas contrari el contracte seria nul, com posa de relleu la Sentència de l'Audiència Provincial de Zaragoza de 6 de març del 2000. Pel contrari, el temps té la funció de delimitar el gaudiment de l'objecte, però no és l'objecte en sí,. No obstant, es pot afirmar també que aquest tipus de comunitat té un objecte complex qualificat temporalment, en quan l'integren dos elements: el material, l'immoble, i el temporal, el torn, de tal manera que la unió de les dimensions espacial i temporal formen un sola entitat objectiva (MARTINEZ VAZQUEZ DE CASTRO).

L'objecte pròpiament dit de la comunitat pot ser un bé immoble i és precís que es tracti d'edificis destinats a habitatges unifamiliars no permanents, estiguin identificats i dotats del mobiliari i de les instal·lacions suficients que, per llur naturalesa, siguin precises i siguin susceptibles d'un ús immediat, reiterat en el temps i divisible en torns, mentre que no és precís que es destinin a una finalitat turística o de vacances, sinó que la finalitat pot ser qualsevol altre (article 554-2.1), com ara de caire laboral.

També és possible que la comunitat es constitueixi sobre una pluralitat de vivendes unifamiliars o exclusivament sobre una vivenda unifamiliar que formi part d'un conjunt immobiliari. No obstant, s'exclouen d'aquesta regulació aquells locals que no siguin susceptibles de ser utilitzats com habitatges per no gaudir de les característiques precises per tal de servir a aquesta finalitat.

També poden ser objecte d'aquest tipus de comunitat els edificis dividits en règim de propietat horitzontal. No obstant, la norma

catalana tendeix en aquest supòsit a evitar una excessiva comple-
xitat de funcionament, així sols permet que es puguin sotmetre
al règim de comunitat per torns els edificis regits per les normes
de propietat horitzontal si tenen menys de set elements privatius,
mentre que, pel contrari, la llei estatal exigeix que com a mínim
en tingui deu (article 1.2 de la llei 42/1998), entenent segurament
que sols llavors es justifica la complexa organització que requereix
la comunitat per torns. És cert que el funcionament de un nombre
important de comunitats per torns dins d'una altre comunitat regi-
da per les normes pròpies de la propietat horitzontal pot portar a
una administració excessivament feixuga i a un major nombre de
conflictes, però aquesta limitació té igualment efectes perniciosos,
ja que exclou aquesta possibilitat en edificis grans que, segurament
per desgracia, proliferen en els llocs turístics.

La mateixa recerca de simplicitat ha portat a legislador català
a exigir que en el supòsit que l'immoble estigui sotmès al règim
de propietat horitzontal es constitueixi una comunitat per torns
per a cada unitat o element que formin l'edifici (article 554-2.3),
de tal manera que en cas contrari no es podrien regir per la llei
catalana i caldria entendre que es tracta d'una situació merament
obligacional i caldria arribar a la mateixa conclusió si també si
l'edifici constituït en règim de propietat horitzontal té més de set
elements privatius. No obstant, en aquests casos és possible que es
lloguin per torns les vivendes, es creï un dret real d'ús i habitació
sobre elles per torns o es pacti una comunitat ordinària i per acord
entre els comuneres es fixin els períodes d'utilització del bé per part
de cada comuner regint les seves relacions per les normes sobre
comunitat ordinària del llibre cinquè del Codi civil de Catalunya
a més de les que regulen les comunitats sotmeses al règim de
propietat horitzontal. Pel contrari, aquesta norma no sembla exigir
que tots els elements privatius de l'immoble estiguin sotmesos al
règim de comunitat per torns, requisit que exigeix l'article 1.2 de
la llei estatal i que es justifica també per evitar una complexitat
excessiva a l'hora d'organitzar conjuntament el funcionament de
les diverses comunitats i de situacions no comunitàries dins d'un
edifici regit per les normes de la propietat horitzontal, no obstant,
el fet que a la llei catalana sols es permeti aquest règim quan
l'immoble té menys de set elements privatius, explica segurament
que aquesta norma no sigui imprescindible.

No obstant, la llei no exclou que es puguin constituir com a
comunitats per torns els habitatges d'un edifici propietat d'una

sola persona o d'una comunitat ordinària, encara que superin el número de set, sempre que no estiguin sotmesos al règim de propietat horitzontal, ni exclou en aquest darrer cas que es tracti d'edificis no destinats a habitatges.

La comunitat per torns pot tenir també per objecte un bé moble, sempre que es tracti de vaixells, aeronaus no comercials o béns mobles identificables de manera clara i equipats adequadament que siguin susceptibles d'un ús reiterat i divisible en torns (article 554-2.2) com podria ser un vehicle qualsevol, que es pot identificar per la seva matrícula, una màquina, o qualsevol altre aparell amb característiques individualitzades.

L'element temporal que delimita l'objecte ve determinat pel torn que consisteix en una unitat discontínua i periòdica que no pot ser inferior a una setmana i que en tot cas també ha de ser determinat o determinable en referència a criteris objectius que puguin ser coneguts per l'adquirent, supòsit en el què el torn es denomina flotant, ja que en cas contrari el contracte serà nul, com posa de relleu la Sentència de l'Audiència Provincial de Tarragona de 2 d'octubre del 2000. La finalitat del torn és la de servir de mòdul per atribuir a cada comuner l'aprofitament exclusiu del bé i fixar la contribució a les despeses generals que correspon a cada un dels titulars (article 554-3.1), encara que també s'ha de deixar un torn per manteniment, neteja, reparacions que no pot ser inferior a dues setmanes i que no es té en compte a l'hora de repartir les despeses de la comunitat. Atès que els diferents torns poden ser de durada distinta, la contribució a les despeses pot ser també diversa, fixant-se proporcionalment al temps en el què el titular pot gaudir de l'habitatge. No obstant, el torn té també un altre finalitat que és atribuir al seu titular la possibilitat de votar en la Junta de la comunitat, però en aquest cas al titular de cada un dels torns gaudeix exclusivament d'un vot, sigui quina sigui la durada de la facultat d'utilitzar l'habitatge (article 554-3.2).

És possible pactar igualment la possibilitat d'un intercanvi de torns o no fixar per endavant quin serà l'habitatge del que es gaudirà dins d'un determinat complex immobiliari ni quin serà el temps en que aquest gaudiment es produirà, encara que evidentment si bé aquests aspectes poden no estar determinats sí han de ser determinables per criteris objectius fixats al títol constitutiu, i això permet per exemple un sistema rotatori de gaudiment del bé objecte de la comunitat referit a l'habitatge o al període d'utilització, possibilitat que és especialment apreciada ja que permet variar el lloc i l'espai en el què es gaudeix de les vacances segons els desitjos i les necessitats de cada moment. En tot cas, una vegada fixats els torns aquests sols es poden modificar per acord d'una majoria qualificada dels comuners que caldria entendre que és de les quatre cinquenes parts dels titulars, en el mateix sentit que disposa l'article 553-25 per la modificació del títol constitutiu en la propietat horitzontal.

V. Característiques

La comunitat per torns es caracteritza pel fet que:

a) l'objecte de la comunitat pot ser un bé immoble, sempre que sigui idoni per ser habitat i que a més estigui equipat i moblat de tal manera que pugui servir a la finalitat a la què es destina, o moble sempre que es pugui identificar clarament, estigui equipat adequadament i sigui susceptible d'un ús reiterat i divisible per torns. També és possible que la comunitat sigui titular d'espais comuns situats fora de l'edifici a on es troba l'habitatge, com ara piscines o camps d'esport, dels quals també poden gaudir tots els comuners durant el seu torn.

b) la facultat del comuner de gaudir del bé del que és titular s'exercita de forma exclusiva i excloent per unitats tempo- rals discontinues i periòdiques, que s'anomenen torn i que permeten el gaudiment de l'objecte per persones diverses de manera ordenada i no simultània, mentre que la facultat de disposar del mateix o de defensar-lo front a tercers o front als altres comuners és permanent

c) la durada, que no pot ser inferior a una setmana, i la qualitat del torn, d'acord amb l'època de l'any en què es pot usar, determinen la quota com a criteri econòmic que comporta el règim de participació dels titulars en la comunitat pel que fa al pagament de despeses

d) pel que fa al dret de vot en les juntes, el titular de cada torn té un vot a la junta de comunitat amb independència del valor d'aquest

e) a més de la organització pròpia de tota comunitat, que en el cas de comunitat per torns tindrà una importància molt minsa, ja que difícilment els comuners assistiran personalment a les Juntes, en aquest tipus de comunitat es requereix que es configuri un sistema d'administració i gestió portat per una persona física o jurídica, que en ocasions és la mateixa que va promoure la edificació, per organitzar i gestionar l'exercici dels drets i el compliment dels deures dels titulars del torn per tal que l'habitatge es trobi en condicions de servir a les finalitats a les què es destina. Aquestes empreses poden també oferir altres serveis complementaris a aquells referits a l'habitatge, com ara restaurants, bugaderies o guarderies que poden ser útils als comuners, encara que suposin per ells una despesa afegida, i que d'altra banda poden ser una important font d'ingressos per l'empresa que els ofereix. Les relacions entre la persona o l'empresa que s'encarregui de l'administració i gestió de la comunitat pot estar lligat a ella per un contracte d'arrendament de serveis o de mandat, que en tot cas hauria de ser retribuït i no es podria admetre com irrevocable (MARTINEZ VAZQUEZ DE CASTRO)

f) s'exclouen l'acció de divisió i els drets d'adquisició de caràcter legal entre els comuners, sense perjudici de la possibilitat de pactar aquest dret amb caràcter voluntari a l'escriptura en la què es constitueixi la comunitat

g) la comunitat es pot establir per un temps concret o amb un caràcter indefinit

h) és possible igualment pactar un sistema de intercanvi dels habitatges entre els diferents titulars, ja sigui dins del mateix immoble però en diferent unitat o torn, ja sigui amb habitatges d'un altre comunitat a través d'organitzacions d'intercanvi

VI. Constitució de la comunitat per torns

Per tal que es consideri constituïda una comunitat per torns regulada per la llei catalana es requereix:

A) de manera similar a allò que disposa l'article 553-7 en relació a la propietat horitzontal, que la construcció del bé que es vol subjectar a aquest règim estigui iniciada en el moment d'atorgar el títol constitutiu, en cas que en aquest moment no estigui finalitzada la construcció del bé moble o immoble objecte de la comunitat o aquest no estigui moblat o equipat adequadament, o no s'hagin obtingut les llicències corresponents, el règim de comunitat queda en suspens fins que s'acaba i es mobla. (articles 554-4.1 i 554-5.1 a)), de tal manera que no sols la comunitat sinó també el dret dels adquirents del torn queda en suspens fins aquell moment. El fet d'exigir que, com a mínim, s'hagi iniciat la construcció de l'edifici o del bé objecte de la comunitat en el moment en què aquesta es constitueix tendeix a assegurar que no es constitueixin comunitat sobre béns que finalment no arribin a existir, protegint d'aquesta manera a l'adquirent del dret al torn, encara que la llei no disposa quin grau d'execució s'exigeix.

B) Sols hi ha comunitat per torns si s'atorga un títol de constitució, que ha de constar en escriptura pública, per acord unànime dels propietaris del bé sobre el qual recau (articles 554-4.2, 554-5 i 554-6), de tal manera que cal entendre que la forma en aquest cas és un requisit *ad solemnitatem* i que la comunitat queda constituïda des de l'atorgament del títol de constitució, per analogia amb el que disposa l'article 553-7 en relació a submissió de l'immoble al règim de propietat horitzontal. No obstant, és possible que els que constitueixen la comunitat siguin els titulars d'una comunitat ordinària prèvia, però també cal admetre que la constitueixi un propietari únic o el mateix promotor de la construcció com a tràmit previ a la transmissió dels diversos torns als comuners, en el mateix sentit que es permet a la Llei de Propietat Horitzontal. D'altra banda, la constitució es pot fer mitjançant un negoci *inter vivos o mortis causa*.

El títol hi ha de constar almenys, és a dir amb caràcter mínim:

a) la identificació del bé. En aquest sentit cal tenir en compte l'article 9 LH i descriure la naturalesa, situació, límits, superfície de l'immoble en el què es troba l'habitatge individual i de l'habitatge en sí

b) la durada de la comunitat que no pot ser inferior a tres anys ni superior a cinquanta

c) la fixació del torn, al qual s'assigna una numeració correlativa amb la durada, la periodicitat, dates de inici i finalització

d) la determinació de la quota de contribució, que és proporcional al valor del torn, encara que si l'habitatge forma part d'un immoble subjecte al règim de propietat horitzontal caldrà tenir també en compte la quota general de l'habitatge que després es repercutirà en relació al torn.

e) el règim de gestió, d'administració i de representació, que s'ha d'ajustar a les normes de la secció primera del capítol III, és a dir als articles 553-1 al 553-32, és a dir a les disposicions generals del règim jurídic de la propietat horitzontal, amb les característiques pròpies de la comunitat per torns, ja que cal fixar no sols els òrgans de govern de la comunitat equivalents als de la propietat horitzontal, sinó també el sistema d'organitzar els serveis necessaris pel funcionament d'aquest tipus de comunitat

f) el mobiliari i els serveis inherents al bé que és objecte de la comunitat per torns i en aquest punt té especial transcendència la descripció dels serveis dels què pot gaudir el titular del torn

S'han de reservar, en el títol de constitució, com a mínim dues setmanes l'any, que no es poden configurar com a torns, per a reparacions, neteja, manteniment i altres finalitats d'utilitat comuna. (article 554-5.2)

El títol de constitució pot contenir uns estatuts, als quals s'aplicarien les normes de l'article 553-11, i un reglament de règim interior, al qual es regiria per allò que disposa l'article 553-12, amb les adaptacions necessàries d'acord amb les característiques de la comunitat per torns (article 554-4.3). Malgrat la llei considera voluntària l'adopció d'uns estatuts, atesa la natura d'aquest tipus de comunitat sembla indispensable que s'adoptin uns estatuts, que constant inscrits al Registre corresponent afectaran a tercers.

C) A més, l'article 554-7.1 disposa que el règim de comunitat per torns "s'ha d'inscriure" al Registre de la Propietat o, si escau, en el de béns mobles que correspongui. No obstant, no sembla correcte pensar que la inscripció del títol de constitució al Registre és constitutiva, sinó que, en tot cas, aquesta inscripció serà precisa per tal d'obtenir la protecció que aquest ofereix, com de fet reconeix l'article 553-7.2 referit a la propietat horitzontal quan posa de relleu que aquest fet produeix els efectes que aquesta estableix, encara que cal pensar també afectaria a tercers si es provés que l'adquirent els coneixia malgrat no constar al Registre (MARTINEZ VAZQUEZ DE CASTRO).

En tot cas, si es tracta de béns immobles la inscripció al Registre de la Propietat és possible, ja que es tracta d'un acte de transcendència real, en virtut del que disposa l'article 2.2 LH i 7 RH i en el supòsit que l'objecte de la comunitat sigui un bé moble la inscripció s'haurà de fer en el Registre de béns mobles creat pel Real Decret 1828/1999 de 3 de desembre La inscripció d'aquest règim s'ha de fer d'acord amb el sistema de pluralitat de fulls (article 554-7.2), aplicant per analogia els articles 8.4 i 5 LH, referits a la propietat horitzontal, article 68.1 RH que fa referència a la quota indivisa d'una finca destinada a garatge i article 66.6 RH en relació a la inscripció separada de les quotes d'aigua que li corresponguin a cada comuner (ROCA GUILLAMON i LEYVA de LEYVA). Es requerirà evidentment que el règim hagi estat constituït pel propietari o propietaris de l'immoble i que s'hagi inscrit la declaració d'obra nova pertinent o la conclusió de l'obra al Registre de la Propietat

VII. Contingut de la situació de comunitat per torns

Els titulars d'una comunitat per torns tenen segons la llei una sèrie de drets i deures, a més cal tenir en compte que als estatuts o al reglament de règim intern, si n'hi ha, es poden establir altres drets o obligacions a càrrec dels comuners.

Les facultats de les què gaudeix el comuner són globalment les d'aprofitament, exclusió i disposició. D'acord amb les particularitats de la comunitat per torns, l'article 554-9 enumera els drets legals dels comuners manifestant que són:

a) aprofitar el bé que és objecte de la comunitat de manera exclusiva durant el període de temps que li correspongui segons el títol en condicions de ser habitat. Durant aquest temps s'ha d'entendre a més que el titular té dret a gaudir de tots els serveis comuns i a rebre tots els serveis inclosos en el torn, raó per la què s'ha de reservar en el títol de constitució al menys una setmana per a reparacions, neteja, manteniment i altres finalitats d'utilitat comuna i pot reclamar les indemnitzacions procedents a qui correspongui en els supòsit que aquests drets no es respectin. Com a contrapartida el comuner no pot utilitzar l'habitatge fora del temps que li correspon, a no ser que el titular del torn següent li cedeixi el seu dret, sense que es pugui considerar en aquest cas que es tracta d'una situació de precari (STS 30 de març 1968)

b) cedir l'aprofitament a un altre persona, ja sigui a títol onerós o gratuït, cessió que no pot tenir un termini superior a aquell que se li ha atribuït al transmetent i que no permet a aquest alliberar-se de les seves obligacions respecte de la comunitat, responent front a ella no sols de les despeses comuns, sinó també dels danys i perjudicis que hagin pogut produir en la cosa els tercers als quals s'ha cedit l'ús.

c) participar en la gestió, l'administració i la representació de la comunitat d'acord amb el que estableix el títol de constitució, amb les normes pròpies de la comunitat per torns i les que regulen la propietat horitzontal en allò que sigui possible d'acord amb la naturalesa d'aquest tipus de comunitat. En tot cas, si es volen canviar els torns o la seva durada o si es vol adjudicar la gestió dels serveis comunitaris a un altre empresa caldria considerar precís el vot favorable de quatre cinquenes parts dels titulars en el mateix sentit que l'article 553-25.2.

d) disposar del torn entre vius o per causa de mort, a títol onerós o gratuït o constituir drets reals limitats sobre ell, subrogant-se el nou titular en els drets i les obligacions del transmetent durant el termini que falti per l'extinció del règim

e) encara que la llei no ho recull, s'ha d'entendre que el titular del torn està legitimat per exercitar una acció declarativa del seu dret en front a tot aquell que el desconegui, una acció reivindicatòria en front aquell que ocupi el seu torn indegudament, acció que com posa de relleu MARTINEZ VAZQUEZ DE CASTRO té especial interès en relació a aquells altres comuners que ocupin l'habitatge dins del torn del demandant i fins i tot els interdictes procedents per defensar la seva possessió, facultat que segurament li serà més útil al comuner atesa la major rapidesa d'actuació que permet aquests procediment. El comuner pot igualment exercitar una acció per reclamar danys i perjudicis a qui procedeixi en els supòsits en els què sigui privat de tot o part del seu torn, ja sigui per algun dels comuners o pel fet d'haver de realitzar obres urgents a la comunitat.

Són obligacions del titular d' acord amb l'article 554-10:

a) pagar les despeses generals dels serveis i espais comuns als que tingui dret i les pròpies de l'habitatge, d'acord amb el torn que li correspon i tenint en compte el seu valor. Cal entendre per tant que la seva responsabilitat és personal davant de l'administració i mancomunada en front a tercers, considerant en el mateix sentit que l'article 553-5 referit a la propietat horitzontal que el dret al torn queda afectat i respon dels deutes del seu titular en front a la comunitat

b) utilitzar el bé d'acord amb la seva destinació, respectar els drets dels altres titulars i actuar en interès de la comunitat, de tal manera que tindrà l'obligació de conservar-lo amb la diligència d'un bon pare de família i no podrà alterar l'allotjament o el seu mobiliari, ni tant sols per millorar-lo, sense l'acord dels altres titulars, d'acord amb les normes que regeixen la propietat horitzontal adaptades les característiques d'aquesta comunitat. Per tal que es pugui portar a terme un control efectiu sobre l'obligació de conservació del bé per part dels comuners és aconsellable incorporar al contracte un inventari de les diferents dependències

c) pagar els menyscabaments que ocasioni en el bé la setmana o les setmanes en què en gaudeixi el titular o les persones autoritzades per ell, sense perjudici de les accions que li corresponguin contra terceres persones.

L'article 554-11 descriu què s'ha d'entendre per despeses, com es determinen, com es liquiden i quines són les conseqüències del seu impagament.

Les despeses de l'immoble i dels serveis dels què aquest gaudeix i les càrregues del mateix es calculen en proporció al valor del torn, sense tenir en compte si aquest s'utilitza o no. Per determinarles i distribuir-les entre els titulars, fixar la prelació de crèdits i qualsevol altre qüestió que s'hi relacioni caldrà aplicar les normes del capítol tercer, d'acord amb la naturalesa de la comunitat per torns, és a dir s'aplicaran els articles 553-1 al 553-59 relatius a la propietat horitzontal.

Les despeses i les càrregues del bé i dels seus serveis s'han de liquidar anualment, sense perjudici de que el pagament s'hagi de fer periòdicament.

La manca de pagament de les despeses comporta la suspensió del dret a l'aprofitament del bé i del dret de vot en la comunitat, llevat que s'acrediti la impugnació judicial de l'import i que aquest s'ha consignat (article 554-11.2). Es tracta d'una mesura coercitiva, que no exonera del pagament del deute, ni impedeix que es reclami la responsabilitat conseqüent pels danys i perjudicis causats en el seu cas.

VIII. Extinció del règim

La comunitat per torns es pot extingir voluntàriament o forçosament, però sols es pot extingir voluntàriament si els comuners ho acorden de forma unànime (article 554-8.1) per exemple en el supòsit que hagi esdevingut antieconòmica. Aquest acord pot portar a que es converteixi en una comunitat ordinària en la què els comuners participen d'acord amb una quota que es correspon amb el valor del seu torn (article 554-8.2) o que es mantingui aquest règim si van ser els comuners els que van pactar la transformació de la comunitat ordinària en comunitat per torns. També cal entendre que s'extingeix voluntàriament en cas que tots els comuners renunciïn al seu torn menys un, ja que aquest esdevindria titular exclusiu, mentre que si renuncien tots el bé devindrà *res nullius*. La disparitat de criteris doctrinal sorgeix quan es discuteix què succeiria si sols renunciessin al seu torn un o algun dels comuners, ja que alguns autors entenen que el torn vacant acreix als demés, mentre altres consideren que aquesta queda com a *res nulllius* a mercè de qui la ocupi, no obstant, aquesta darrera possibilitat no sembla acceptable i en canvi cal decantar-se per l'acreixement del torn renunciat als comuners que no hagin renunciat al seu (MIQUEL GONZALEZ).

Pel que fa a l'extinció forçosa, cal tenir en compte que la comunitat per torns s'extingeix en primer lloc per qualsevol de les causes que porten a l'extinció de la propietat, com ara la pèrdua o destrucció del bé objecte de la comunitat, i en aquest cas si es tracta d'un bé immoble la comunitat es transformarà en ordinària, fixant-se les quotes proporcionalment amb el valor del torn i tenint per objecte el sòl sobre el qual estava construït l'edifici. A més si l'edifici o el bé moble estava assegurat els comuners esdevindran titulars de la indemnització que es rebi com a conseqüència de la destrucció del bé que es subrogarà en el lloc d'aquest. També s'extingirà pel transcurs del termini fixat al títol de constitució, que no pot ser inferior a tres anys ni superior a cinquanta (article 554-8.1), restant també llavors com una comunitat ordinària. D'altra banda, també caldria entendre que s'extingeix forçosament en el supòsit de consolidació, és a dir, si es produeix la reunió de totes les quotes del condomini en una mateixa persona, ja sigui per un comuner les adquireix totes o perquè ho fa un tercer i fins i tot en el supòsit que un comuner usucapeixi les altres quotes o ho faci un tercer, cas en el què la comunitat quedaria substituïda per la propietat del bé per part d'una sola persona.

2. LA COMUNITAT ESPECIAL PER RAÓ DE MITGERIA

I. Concepte

La secció primera del capítol cinquè del títol cinquè sobre les situacions de comunitat defineix la comunitat especial per raó de mitgeria i fixa quin és el seu règim jurídic, regulació que té el seu precedent als articles 285 a 289 de la Compilació catalana de 1960, que a la vegada tenien el seu origen a les anomenades Ordinacions de Sanctacilia. D'acord amb l'article 555-1.1 la mitgeria pot ser de dos tipus, de tanca i de càrrega amb característiques, com veurem, clarament diferenciades. No obstant, en qualsevol dels dos casos ens trobem davant d'una comunitat especial de la que formen part els propietaris de finques veïnes i que recau sobre parets o murs de característiques variables i sobre el sòl en el què aquestes reposen, construccions que per un cantó s'aixequen en el límit i en el sòl de dues, encara que inicialment pot ser que es construeixin en el límit de les dues però en el sòl exclusivament d'una d'elles, i que tenen com finalitat la de servir de tanca de separació entre els solars respectius, o d'element sustentador de les edificacions que s'hi construeixin. D'aquesta definició es dedueix el caràcter essencial de la finalitat a la què es destina la construcció i la comunitat que es crea per tal que puguem parlar de mitgeria, perquè si els dos propietaris confrontats construeixen cada un d'ells una paret dins el sòl propi en benefici també propi i, gaudint cada un d'una propietat exclusiva sobre ella, es tractarà de parets atansades i no d'una paret mitgera (SSTSJC de 21 de desembre del 1994 i 27 de febrer del 2006). D'altra banda, resulta també decisiu el lloc a on es construeixi, ja que si la paret no es troba en el límit entre les finques, encara que dins el sòl d'una d'elles, no pot ser d'utilitat per totes dues i no té sentit la comunitat.

El mateix article al segon apartat defineix què cal entendre per sòl mitger posant de relleu que és l'estructura horitzontal, que té com a finalitat servir d'element sustentador o de divisió de construccions que es trobin a diferents nivells en alçada o en el subsòl. Quan ens referim a sòl mitger habitualment ho fem aplicant aquesta qualificació a aquella franja de terreny en la què reposa la paret mitgera, no obstant, la definició que es fa en aquest segon apartat sembla referir-se a la denominada mitgeria horitzontal, és a dir a aquella superfície que es troba entre dues finques registrals que les divideix fent de sostre a la inferior i sustentant la situada a un nivell superior. No obstant, sembla dubtosa la oportunitat de introduir aquí aquesta situació, contemplada en algunes ocasions per la jurisprudència i la doctrina (DE LAMA), ja que malgrat tractar-se d'un element comú a les dues entitats registrals difícilment es pot assimilar a la mitgeria i menys encara aplicar-li les seves normes, ja que la única que es recolza en aquesta superfície és la superior i no es pot dir que ho faci per meitat. D'altra banda, la STSJC de 3 d'octubre del 2002 entén improcedent aplicar el règim de la mitgeria als forjats realitzats entre dues plantes d'un edifici constituït en règim de propietat horitzontal.

Per últim, l'esmentat article defineix la mitgeria com una situació de comunitat a la què es subjecta la construcció feta en el límit entre les finques i el sòl mitger situat entre elles, seguint el criteri defensat per alguns juristes anteriors a la Compilació (PELLA I FORGAS), i, en consonància amb aquesta consideració, la mitgeria es regula dins del títol cinquè com una comunitat més, encara que amb característiques especials que, en defecte de pacte, no es pot regir les normes pròpies de la servitud (a diferència de l'article 571 CC), ni tampoc per les que regulen la comunitat ordinària, sinó sols per aquelles que regulen la mitgeria (article 555-1.3). Aquesta definició i aquesta situació sistemàtica dins del llibre cinquè del Codi civil de Catalunya suposa prendre clarament posició davant dels diferents criteris doctrinals que s'han formulat respecte de la seva naturalesa jurídica, rebutjant per tant que la mitgeria es pugui definir com una servitud legal recíproca, com entenia BORRELL I SOLER, i com de fet considerava el legislador estatal al regular aquesta institució dins del capítol de servituds (articles 571 i ss C), sistemàtica que seguia també la Compilació catalana de 1960, encara que és possible evidentment pactar una servitud *de tigni immitendi* en virtut de la qual el titular de la finca dominant pugui recolzar la seva construcció en la que s'aixeca en la finca servent. D'altra banda, aquesta naturalesa jurídica porta a entendre que no és possible exercitar l'acció negatòria per tal d'oposar-se a la utilització de la paret per part del veí per tal de carregar una construcció entenent que la paret és mitgera (com entén la SAT de 1 d'octubre del 2001), sinó en tot cas el que caldria exercitar seria la reivindicatòria fonamentada en les proves de propietat sobre la paret., com reconeix la SAG de 16 de desembre del 2004.

La mitgeria és en tot cas una comunitat amb característiques tant especials que s'ha qualificat de comunitat pro diviso (PUIG FERRIOL ROCA TRIAS), ja que cada un dels comuners té dret a gaudir d'una part de l'element comú fix i predeterminat, encara que tots dos tenen drets i deures recíprocs respecte de la part de la què no se'n poden servir, raó per la què aquesta qualificació resulta la més adequada. No obstant, alguns autors l'han qualificat de comunitat *pro indiviso* (ALONSO PEREZ), malgrat els comuners no tenen dret a una quota global sobre el bé i altres juristes han considerat que, ateses les seves característiques no es pot parlar ni tant sols de comunitat (LLACER), o en tot cas com una comunitat d'ús que cap dins del marc de les relacions de veïnatge (ALBALADEJO) i fins i tot s'ha considerat purament com un cas típic de relacions de veïnatge (LOPEZ LOPEZ). De fet, cal posar de relleu que, malgrat cal entendre que els dos tipus de mitgeria comporten l'existència d'una situació de comunitat entre els mitgers, ja que existeixen unes relacions entre ells que excedeixen de les que vinculen als propietaris veïns, tant pel que fa a la constitució del règim com en relació als drets i deures que aquest comporta, en el supòsit de la mitgeria de tanca es pot parlar també de la incidència de les normes pròpies de les relacions de veïnatge en quan la seva constitució és forçosa i per tant constitueix un límit del dret de propietat, motiu pel qual es fa menció d'aquesta mitgeria als articles 546-1 i 546-2. No obstant, una vegada constituïda els drets i els deures dels propietaris veïns són propis d'una situació de comunitat. Pel contrari, les normes pròpies de les relacions de veïnatge no tenen cap incidència en la mitgeria de càrrega que sols es pot constituir per voluntat del propietaris confrontats i comporta un drets i deures propis d'una relació de comunitat encara que de caire molt especial, motiu pel qual no es fa referència a aquesta mitgeria dins les normes pròpies de les relacions de veïnatge.

Així, si bé el mode de constitució dels dos tipus de mitgeria és divers, els drets i deures dels comuners són anàlegs. Els dos tipus de mitgeria es regulen en primer lloc pel pacte i supletòriament per les normes del capítol cinquè que fa referència a aquest tipus de comunitat (article 555-1.3) que recullen normes predominantment dispositives, sense que en cap moment es considerin aplicables les normes generals que regulen les situacions de comunitat degut a les particularíssimes característiques d'aquesta. No obstant, la llei fa referència diverses vegades als límits que la regulació administrativa i urbanística imposen als titulars de la mitgeria, tant a l'hora de constituir-la com a l'hora de construir la paret mitgera, normes que són normes imperatives, i, pel que fa referència a la mitgeria de tanca, cal tenir igualment en compte el mode de constitució forçós que s'imposa al propietari afectat, ja que es tracta d'un límit que s'imposa als propietaris confrontats que són titulars de deures de tolerància i drets d'exclusió per tal de possibilitat una explotació econòmica racional de les finques.

3. LA MITGERIA DE CÀRREGA

I. Concepte

D'acord amb l'article 555-2 la mitgeria de càrrega és aquella situació de comunitat en la què la paret mitgera o el sòl mitger es troben situats en el límit entre dues finques confrontades, en principi ocupant la meitat de terreny de cada una d'elles sense perjudici de la possibilitat de pactar una proporció diferent. També es pot pactar que es constitueixi la comunitat sobre una paret edificada per un propietari en el límit entre les finques però en terreny propi, pagant en aquet cas el que no era propietari del terreny el valor de la meitat d'aquest i la meitat del cost de la construcció si vol recolzar en ella una edificació. La mitgeria de càrrega té com a finalitat servir d'element sustentador de les edificacions o altres obres de construcció que s'hi facin, sustentació que era molt important i comú fins a temps recents, ja que en l'actualitat, malgrat resten parets mitgeres antigues, les noves tècniques de construcció li han restat importància. Per tal que es pugui parlar de mitgeria de càrrega cal tenir doncs en comte la situació de la paret i la finalitat per la què es construeix.

Atesa la seva finalitat, la paret mitgera ha de tenir unes característiques determinades d'acord amb les necessitats de les parts i en tot cas respectant els usos de la construcció, per tal que pugui servir al fi que aquestes es proposen, ja que en cas contrari no podria tenir utilitat pels dos comuners que és l'essència de la comunitat. D'acord amb el que disposa l'article 555-3.1, la paret mitgera haurà de ser del tipus adequat i tenir els fonaments, la resistència, el gruix i· l'alçària pertinent en relació al projecte o la finalitat de les edificacions pactades, característiques que derivaran, per tant, del pacte de constitució de la mitgeria. No obstant, en el supòsit que no s'hagi pactat res caldrà entendre que les parts han volgut que aquesta tingui les característiques usuals al lloc a on es construeix i adequades a l'obra que s'ha de fer, segons les normes de construcció acceptades generalment. Pel contrari, si sols un dels propietaris té el projecte d'edificar, sols ell paga la construcció i en el pacte constitutiu de la mitgeria no s'estableix altre cosa aquest construirà d'acord amb les seves necessitats, ja que no pot saber quines seran les de l'altre comuner, però en tot cas ha de respectar també les característiques usuals de tota paret de càrrega i a més a més preveure un gruix de la paret la meitat en terreny propi i l'altre meitat en terreny del veí que permeti als dos propietaris recolzar en ella la construcció que puguin efectuar en el futur (article 555-3.2). No obstant, aquesta regulació no estipula quina ha de ser l'alçada de la paret mitgera que l'article 287.3 de la Compilació de 1960 fixava en tres metres, de tal manera que cal entendre que l'alçada haurà de ser aquella pactada o precisa per la finalitat de càrrega.

D'altra banda, al construir una paret mitgera els comuners han de respectar les normes urbanístiques que constitueixen un límit a l'autonomia de la voluntat. Així la construcció d'una paret mitgera en el límit entre les finques per tal de carregar la construcció que s'hi faci sols serà possible si en els terrenys confrontats la construcció pot arribar fins el límit comú d'acord amb les normes urbanístiques i gaudint de la corresponent autorització administrativa. En tot cas la construcció haurà de tenir l'aparença de mur exterior o de façana d'acord amb el que estableixi la normativa urbanística, (article 555-2.3 i 555-3.1).

II. Constitució

La mitgeria de càrrega era a la Compilació de 1960 de constitució forçosa, és a dir el propietari interessat en recolzar l'edifici que projecta construir en terreny propi podia aixecar una paret de càrrega dins els seus límits, però també podia fer-ho meitat en terreny propi i meitat en terreny del veí, encara que aquest no ho volgués. Aquesta possibilitat comportava una restricció de les facultats del propietari del terreny envaït que perdia la seva possessió, encara que no la propietat del mateix (PARA MARTIN), però la paret edificada permetia al veí recolzar en ella també una possible construcció futura en el seu terreny. El caràcter forçós d'aquest tipus de comunitat permetia fins i tot convertir en mitgera la paret de càrrega situada vora el límit entre les finques, que abans era propietat exclusiva del veí, ja que l'havia construït sobre terreny propi i havia pagat la seva construcció, mitjançant en aquest cas la corresponent indemnització pel valor del sòl envaït, reconeixent la necessitat que tenia qualsevol propietari de recolzar la construcció d'un immoble en una paret de càrrega com a conseqüència de les tècniques de construcció del moment i obligant-lo al pagament de la meitat del valor de construcció en el cas que volgués recolzar en ella una construcció seva. En el mateix sentit, es podia presumir la mitgeria quan la paret de càrrega estava situada en el límit entre les finques.

No obstant, la normativa tradicional catalana en aquesta matèria anterior a la Compilació, recollida a les Ordinacions de Sanctacilia, sols imposava la mitgeria en les parets de tanca de terrats, hortes i jardins i fora d'aquests casos BORRELL I SOLER entenia que l'interessat no podia ocupar sòl del veí, mentre que PELLA I FORGAS admetia per excepció que el propietari confrontat pogués carregar sobre la paret del veí ja construïda, pagant la corresponent indemnització. Aquesta consideració tradicional de la mitgeria de càrrega com voluntària, que la Compilació no recollia, és la que disposava la llei 13/1990 de 9 de juliol quan al seu article 28 establia que els propietaris confrontats la podien acordar, mentre que l'article 34, referit a la mitgeria de tanca, disposava clarament el seu caràcter forçós.

En el mateix sentit l'actual article 555-2 no sols declara de manera explícita que la mitgeria de càrrega és voluntària, de tal manera que sols pot ser fruit de l'acord de voluntat dels propietaris confrontats sino que, en consonància amb aquesta naturalesa, s'exclou tota possibilitat de presumir-la per aquesta raó queda clara la impossibilitat d'aplicar les presumpcions que recullen els articles 572, 574 i 593 CC, que tradicionalment s'havien aplicat a Catalunya, o les que admetia la doctrina segons el lloc a on s'havia construït la paret, en virtut del principi *superficie solus cedit*, i segons qui l'havia pagat, presumpció que, segons el derogat article 1250 CC i ara d'acord amb els articles 383 i 386 de la LEC del 2000, dispensarien de tota prova als afavorits per ella. De fet, sols queda a la llei una presumpció precisament contrària a la mitgeria que és la que recull l'article 546.8 que presumeix que els marges, les ribes i les parets de sustentació entre finques veïnes situades en cotes diferents són propietat del titular de la finca superior.

Per aquesta raó, la constitució d'una mitgeria de càrrega sols és possible en l'actualitat mitjançant el pacte dels propietaris confrontats i aquell que vulgui al·legar la seva existència haurà de provar aquest pacte, encara que naturalment es podrà valdre per fer-ho de qualsevol mitjà admès en dret i no és precís que aquest consti per escrit, ja que es pot deduir no sols d'altres proves, sinó de fets concloents, com ara que el demandat carregués la seva construcció sobre la meitat del mur sense que consti l'oposició del que el va construir, com posa de relleu la SAB de 13 d'abril del 2005), que es pot entendre com a fruit d'un pacte tàcit (LLACER). No obstant, també caldria admetre la possibilitat d'entendre constituïda la mitgeria per usucapió, ja que la mitgeria no es pot considerar una servitud i per tant res obsta a que es pogués usucapir tant el dret a ocupar una porció de la finca veïna com el dret a carregar sobre una paret construïda en el límit de les finques (PARA).

III. Règim jurídic

Respecte de règim de la mitgeria de càrrega cal destacar, en primer lloc, que els comuners han de contribuir al cost de la construcció de la mateixa. Com hem posat de relleu, la mitgeria s'ha de constituir per acord entre els propietaris confrontats, i una vegada acordada els dos han de contribuir a les despeses de la seva construcció en principi per meitat, encara que caldria admetre un pacte en el què s'establís un altre proporció si es considerava que la utilització no seria igual per part dels dos, pacte que es podria deduir del fet que el mur s'hagués construït sobre els terrenys confrontats en proporcions diferents (PUIG FERRIOL, ROCA TRIAS).

No obstant, és possible que en un primer moment, o de manera indefinida, malgrat acceptar la constitució de la mitgeria, un dels comuners no desitgi utilitzar la paret per tal de recolzar una edificació pròpia. En aquest cas, el que no vol edificar, com a mínim de moment, ha de cedir la meitat del terreny que ha d'ocupar la paret de càrrega i s'ha de considerar que ja llavors la mitgeria està constituïda, però sols en el moment en què desitgi recolzar en ella la seva construcció haurà de pagar la part del cost de construcció de la paret tal com s'hagi determinat al pacte de constitució de la mitgeria (article 555-4.1).

En el supòsit que s'hagi pactat el preu de la paret, si aquesta té les característiques acordades, i entre aquest pacte i el moment en què aquesta s'utilitzi pel propietari que no l'ha construït no ha transcorregut un espai de temps que hagi permès el seu deteriorament, la quantitat a pagar per poder carregar sobre la paret serà clara i el mateix succeirà si s'ha acordat que la quantitat fixada serà inamovible siguin quines siguin les circumstàncies que es produeixin No obstant, és possible per un cantó que la paret no sigui de les característiques pactades o que s'hagi deteriorat o que hagi perdut utilitat degut al pas del temps i en aquest supòsits l'article 555-4.2 permet que es recorri a l'autoritat judicial per tal que es rectifiqui la quantitats a pagar, tenint en compte que mentre es tramita el procediment els veïns interessats poden carregar sobre la paret sempre que paguin la quantitat pactada, sense perjudici de la possibilitat de repetir contra el que ha exigit un excés de preu si així ho establia una sentència judicial. És també possible que no s'hagi pactat el preu a pagar i llavors alguns autors entenen que aquest serà el cost de la construcció (PARA), mentre que d'altres consideren que el correcte es que s'hagi de pagar el preu que en aquell moment costaria aquella construcció tenint en compte l'estat del mur (LLACER), de fet, el més adient seria obligar al que carrega a satisfer l'equivalent en aquell moment dels diners que va suposar construir la paret, disminuït aquesta suma en la mesura que aquesta s'hagués deteriorat,

A més del preu de la construcció, la paret mitgera pot generar costos de conservació tant ordinaris com extraordinaris i aquests han de ser suportats per aquells que han pactat la mitgeria i han recolzat les seves construccions a la paret mitgera, en principi per meitat encara que cal admetre un pacte en que s'estableixi una proporció diferent. Malgrat això, fins que aquell propietari que ha desitjat i pactat la mitgeria no construeix no ha de pagar ni les despeses de construcció, ni les de conservació, sinó sols, com hem dit, permetre que s'envaeixi el sòl de la seva propietat per fer-ho.

El que no ha construït el mur no té obligació d'edificar carregant en ell però, si ho fa ha de pagar la part que li correspongui del cost de la construcció i a partir d'aquell moment el de les despeses de manteniment. Fins i tot si edifica sense recolzar-se en la paret mitgera el pacte de mitgeria l'obliga a pagar la part que li correspongui del cost de la construcció de la paret, ja que l'article 555-6 així ho disposa, però no les despeses generades per la seva conservació, perquè el citat article sols fa referència a l'article 555-4. Igualment està obligat si construeix a prendre les mesures de construcció adequades per no perjudicar al propietari que ha aixecat la paret i en cas que es produeixin l'haurà d'indemnitzar.

D'altra banda, el propietari que ha construït i pagat la paret mitgera la pot eixamplar o aixecar-la més i l'altre comuner haurà de pagar també aquestes modificacions quan vulgui utilitzar-la per carregar la seva construcció, però sols si les utilitza o li són profitoses. El propietari que ha construït la paret la pot també enderrocar sempre que l'altre comuner no hagi iniciat les obres de construcció de l'edifici confrontat que hi ha de carregar al damunt (article 555-7.1). Si el citat edifici ja s'ha iniciat però el seu propietari no ha pagat el cost de construcció de la paret mitgera que li correspongui, el que va construir la paret la podrà enderrocar sempre que notifiqui fefaentment la seva intenció al que no ha pagat i si aquest en el termini d'un mes no s'hi oposa pagant o consignant la quantitat deguda (article 555-7.2), sigui quin sigui el temps transcorregut des de que es va pactar, perquè la mitgeria es constitueix quan es pacta no quan es paga (PUIG FERRIOL, ROCA TRIAS) i el mateix cal entendre si l'obligat a pagar sols ho fa, o ho ha fet, en part.

El propietari que ha carregat sobre una paret mitgera una construcció pròpia pot enderrocar aquesta construcció, però ha de deixar la paret mitgera en l'estat adequat per la utilització futura i amb l'aparença de mur exterior o de façana corresponent d'acord amb la configuració originària (article 555-5.2) i en cas contrari haurà d'indemnitzar a l'altre comuner. No obstant, aquesta obligació sols serà exigible si els dos comuners han pagat les despeses de construcció de la paret, o si, una vegada notificada la voluntat d'enderrocar-la. el que no la va pagar no ho fa en el termini d'un mes, ja que si l'ha pagat sols un d'ells l'article 555-7 li permet enderrocar no sols la construcció, sinó també la paret en la que aquesta es recolza.

Per últim, la disposició transitòria vuitena del llibre cinquè del CCat disposa que la parets de càrrega que tenien la consideració de mitgeres abans del 8 d'agost del 1990 es continuen regint per la legislació anterior a aquella data, és a dir pels articles 285 a 289 de la Compilació de 1960, mentre es conservin, encara que no s'hagi fet ús del dret de càrrega, fins que hagin transcorregut deu anys des de l'entrada en vigor d'aquest llibre, és a dir, d'acord amb la disposició final del llibre cinquè, des de l'u de juliol del 2006.

4. LA MITGERIA DE TANCA

A la mitgeria de tanca fan referència els articles 546-1 i 546-2 dins del capítol sisè del títol quart que regula les relacions de veïnatge, ja que es tracta d'una comunitat que s'ha de tolerar forçosament pels propietaris de finques confrontades, d'acord amb el que disposa l'article 555-8.1, de tal manera que constitueix un límit al dret de propietat i no pas una limitació acordada voluntàriament. Els drets i deures que corresponen als propietaris veïns comporten que aquests hagin de tolerar que aquell d'ells que vulgui tancar la seva finca construeixi la tanca corresponent meitat en terreny propi i meitat en terreny de veí, perquè això beneficia en principi als dos propietaris que d'aquesta manera protegeixen el terreny del què són titulars. No obstant, el dret a tancar la finca i a fer-ho ocupant en part el terreny del veí sols es dóna en relació als patis, horts, jardins i solars i no pas en relació a altres terrenys que no es puguin qualificar com a tals i que presumiblement ni requereixen aquesta protecció, ni és econòmic establir-la, referència que es repeteix tant a l'article 546-1 com al 555-8.1. D'acord amb el que disposen aquests dos articles i seguint la normativa tradicional aquest dret no permet que la tanca tingui una alçada superior als dos metres, suficient per assolir la finalitat protectora que es pretén o en tot cas no superior a la que disposi la normativa urbanística si aquesta és inferior. Per aquesta raó, cal entendre que el que construeix la paret no pot fer-ho a una alçada superior a la citada, ni tant sols pagant ell la diferència de nivell, si no ho vol l'altre propietari, ja que una alçada superior es considera innecessària per la finalitat que es cerca.

Per tal que puguem parlar d'una paret de tanca mitgera caldrà que es tracti d'una construcció d'obra, ja que si es tanca amb rengles d'arbres, arbustos vius, d'espècies vegetals seques, de canyes, de xarxes o de teles metàl·liques l'article 546-2 disposa que només existirà comunitat si es pacta, entenent segurament que en aquest cas la funció de protecció és molt minsa. D'altra banda, segons aquest article, aquest tipus de tanca que no comporta elements de construcció s'haurà de situar en terreny propi, podrà tenir una alçada màxima de dos metres o aquella inferior que disposi la normativa urbanística, haurà de respectar la normativa vigent i les servituds existents i haurà de respectar també les distàncies entre plantacions que es recullen als articles 546-4 i 546-5.

Igual que succeeix amb la paret de càrrega, el sòl en el què es troba la paret de tanca és mitger, però en aquest cas no fa falta que els dos propietaris acordin la constitució de la comunitat, ja que aquesta és forçosa i això comporta que el que construeix pugui decidir unilateralment envair el terreny propietat del veí. No obstant, constituiria un abús d'aquest dret construir la paret amb un gruix superior al precís per la finalitat de protecció que es cerca envaint per tant el sòl del veí en una proporció excessiva.

També en el mateix sentit que es disposa en la mitgeria de càrrega, el propietari que no ha construït la paret de tanca no té obligació de pagar el cost de construcció ni les despeses de manteniment fins que no edifiqui o tanqui la seva finca, moment en el què s'ha de presumir que la tanca li és útil perquè protegeix la edificació o li estalvia el cost de tancar la part de la finca que ja ha estat tancada pel veí. Sembla que el mateix caldria entendre si un terreny que no estava cultivat es cultiva, ja que també en aquest cas es treu benefici de la tanca per protegir el sembrat. El preu a pagar en aquest cas serà el de la construcció (SAB 17 de gener 2003) encara que cal pensar que es podrà demanar un augment de la suma que va costar d'acord amb l'equivalència dels diners i una reducció si l'estat de la paret ho justifica.

Atès que no cal consentiment del propietari veí per construir les parets de tanca, si una paret es troba situada al límit entre dos finques meitat en el terreny de cada una d'elles és presumeix que és mitgera (com destaca la SAT de 1 d'octubre del 2001) llevat que hi hagi signes externs que evidenciïn que solament s'ha construït dins d'un dels solars. (article 555-8.3). Malgrat la redacció de l'article sembla que cal entendre que la paret no es presumeix mitgera no sols si està construïda dins la finca d'un dels propietaris confrontats, ja que llavors sols existiria mitgeria si s'havia pactat, sinó també si presenta signes externs que evidencien que no s'ha construït per tancar el solar, sinó per altres finalitats, com poden ser sosteniment de conductes d'aigua o altres. Per aquesta raó, la presumpció s'ha de considerar *iuris tantum* i es pot destruir per qualsevol mitjà de prova

En el supòsit que la paret tingui com a finalitat la sustentació entre finques situades a cotes diferents la presumpció és contrària a la mitgeria, ja que l'article 546-8 considera que és propietat del titular de la finca superior, i si en comptes de paret o marge el que separa a les finques és un pendent de la muntanya, no es pot parlar ni de mitgeria ni de mur de sustentació com destaca la sentència del TSJC de 13 de juny del 1994.

BIBLIOGRAFIA SUMÀRIA

ALONSO PEREZ. "De la servidumbre de medianeria" Comentari als articles 571 a 579 del CC a *Comentarios al CC*. Ministerio de Justicia. Madrid 1991. ASOCIACIÓN DE PROFESORES DE DERECHO CIVIL. *Conjuntos inmobiliàrios y multipropiedad. Ponencias y proyectos de Ley sobre Conjuntos Inmobiliarios.* Barcelona 1993. BADOSA COLL, F. "La multipropietat com règim jurídic immobiliari". *IV Jornades de Dret catallà a Tossa*. Barcelona 1988. BELTRAN DE HEREDIA CASTAÑO, J. *La comunidad de bienes en el derecho español.* Madrid 1954. CORDERO CUTILLAS, I. *El derecho de aprovechamiento por turno en la ley 42/1998 de 15 de diciembre.* Valencia 2003. CUENCA ANTOLIN, D. *El tiempo compartido. La nueva Ley sobre Derechos de Aprovechamiento por Turno de Bienes Inmuebles de Uso Turístico.* Valencia 2000. DIAZ-AMBRONA BARDAJÍ, M.D. "Apuntes sobre la multipropiedad". *Revista Crítica de Derecho Inmobiliario Registral,* nº 658 any 2000 pàgs 1439-1443. DE LAMA AYMA, A. "Régimen y naturaleza jurídica de la medianeria en la Ley 13/1990 de 9 de julio, de la acción negatoria, las servidumbres y las relaciones de vecindad". *La Notaria.* 2000, número 3. LETE ACHIRICA, J. "La configuración de la multipropiedad en España: la Ley 42/1998 de 15 de diciembre, sobre derechos de aprovechamieto por turno de bienes inmuebles de uso turístico y normas tributàrias". *Actualidad Civil.* 1999. LEYVA DE LEYVA, A. "La propiedad cuadridimensional: un estudio sobre la multipropiedad". *Revista Crítica de Derecho Inmobiliario.* 1985. LOPEZ LOPEZ, A. "La titularitat dominical" en *Derechos reales y derecho inmobiliario registral.* Valencia 1994. MIQUEL GONZALEZ, J.M. "Comentarios al Código civil compilaciones forales". Madrid 1985. MONTÉS PENADES, V. "Sucesión en el goce y multipropiedad" *IV Jornadas de Derecho catalan en Tossa.* Barcelona 1988. MUNAR BERNAT, P.A. *Regimenes jurídicos de multipropiedad en Derecho comparado.* Madrid 1991. O'CALLAGHAN MUÑOZ, X. "La Multipropiedad". *Actualidad civil.* nº 27 juny 1987. PARA MARTIN, A. "Comentario a los artículos 285 a 289" a *Comentarios al Código civil y Compilaciones forales,* Edersa. Madrid 1987. PUIG FERRIOL, L., ROCA TRIAS. E. *Fundamentos del Derecho civil de Cataluña.* Barcelona 1982. ROCA GUILLAMON. J. "Consideraciones sobre la llamada multipropiedad" RDN juliol-desembre 1982.

JURISPRUDÈNCIA CITADA

Sentència del Tribunal Suprem 30 de març del 1968: pel que fa a la impossibilitat d'utilitzar l'habitatge fora del temps que li correspon.

Sentència del Tribunal Superior de Justícia de Catalunya de 13 de juny del 1994: respecte de la importància de la finalitat amb la què es construeix la paret per qualificar-la.

Sentència del Tribunal Superior de Justícia de Catalunya de 21 de desembre del 1994: el pendent que separa dues finques no és mitger.

Sentència de l'Audiència Provincial de Tarragona de 2 d'octubre del 2000: respecte de la necessitat de fixar criteris objectius per determianr el torn.

Sentència de l'Audiència Provincial de Zaragoza de 6 de març del 2000

Sentència de l'Audiència Provincial de Tarragona de 1 d'octubre del 2001: pel que fa a la improcedència de l'acció negatòria a la mitgeria i respecte a la presumpció d'existència.

Sentència del Tribunal Superior de Catalunya de 3 d'octubre del 2002: sobre la improcedència d'aplicar el règim de la mitgeria als forjats.

Sentència de l'Audiència Provincial de Barcelona de 17 de gener del 2003: el preu que ha de pagar el que treu venefici de la parte de tanca és el de construcció.

Sentència de l'Audiència Provincial de Girona de 16 de desembre del 2004: procedència d'exercitar l'acció reivindicatòria a la mitgeria.

Sentència de l'Audiència Provincial de Barcelona de 13 d'abril del 2005: prova de la constitució d'una mitgeria.

Sentència del Tribunal Superior de Catalunya de 27 de febrer del 2006: respcete de la importancia amb la què es construeix la paret per qualificar-la com mitgera.

Capítol XVII
El dret d'usdefruit

1. CONSIDERACIONS GENERALS

I. Precedents

Existeix un consens general que el dret real d'usdefruit té els seus orígens en el dret romà i que la seva regulació en els drets actuals segueix en molts punts la normativa que es deriva dels seus precedents, que es troben fonamentalment en el Llibre VII del Digest *"De usufructu et quemadmodum quis utatur fruatur"*. El concepte romà del dret d'usdefruit és el que es deriva del Digest 7,1,1, on s'estableix que *Usufructus est ius alienis rebus utendi fruendi salva rerum subtantia,* que ha portat a configurar el dret d'usdefruit com un dret real sobre cosa aliena, que limita de forma temporal les facultats dominicals plenes que es deriven del dret de propietat; en el sentit que si es constitueix un dret real d'usdefruit, el propietari del bé segueix ostentant la condició de propietari, encara que es tracta d'un dret de propietat buit de contingut econòmic, i per aquest motiu rep el nom de nu propietari, en·front del qual es troba l'usufructari titular d'un dret real de gaudiment sobre el mateix bé, que li permet en els casos generals fer seus tots els fruits i rendiments que produeix. Afegim ara que el mateix dret romà ha originat la possibilitat de configurar jurídicament el dret d'usdefruit de forma diferent, que es centra en la possibilitat de configurar-lo com a *pars dominii,* i així resulta per exemple de la disposició que es troba en el Digest 7,1,4, en el qual s'estableix que *usufructus in multis casibus pars dominii est, et extat, quod vel praesens, vel ex die dari potest,* que ha portat a atribuir a l'usufructuari unes facultats dominicals sobre el bé objecte del dret d'usdefruit.

La regulació romana del dret d'usdefruit ha estat vigent tradicionalment a Catalunya, encara que la doctrina jurídica catalana posava de manifest que la regulació romana coexistia amb una pluralitat de drets d'usdefruit d'origen consuetudinari que s'apartaven del model romà, que es centraven fonamentalment en uns drets d'usdefruit de caràcter familiar i successori (PELLA Y FORGAS). Arrel de la Compilació catalana de l'any 1960 s'estableix a nivell legislatiu una regulació dels usdefruits familiars i successoris, amb la conseqüència que els compiladors sols van considerar oportú regular l'usdefruit d'arbreda en els articles 279 al 282 del text compilat, fet que va suposar introduir amb un caràcter més aviat general la normativa del Codi civil espanyol sobre aquest dret real. Aquesta situació perdura fins a la vigència de la Llei catalana13/2000, de 20 de novembre, de regulació dels drets d'usdefruit, d'ús i d'habitació, que segons explicita el seu preàmbul "Pel que fa al dret d'usdefruit s'ha optat, de moment, per establir només una regulació de les especifitats que ha tingut aquesta institució i les que es consideren que ha de tenir de futur en el dret català i, per tant, compatible amb els principis propis del dret català; així, després del que estableix el títol constitutiu i les disposicions catalanes corresponents, s'ha d'aplicar la normativa d'aquell Codi". Aquestes previsions s'han de relacionar amb el preàmbul de la Llei que aprova el Llibre cinquè del Codi civil de Catalunya, relatiu als drets reals, en el qual s'esmenta que "Els drets d'usdefruit, d'ús i d'habitació es regulen d'acord amb la Llei 13/2000, del 20 de novembre, de regulació dels drets reals d'usdefruit, ús i habitació, tot que s'hi introdueixen millores de tècnica jurídica. S'hi introdueix l'usdefruit de propietari i es modifica el règim de l'usdefruit de participacions en fons d'inversió i en altres instruments d'inversió col.lectiva per a adequar-los a la realitat d'un mercat que no sempre produeix increments de valor".

II. Concepte i característiques

El concepte de dret real d'usdefruit és el que es deriva de l'article 561-2.1, en el qual es preveu que "L'usdefruit és el dret real d'usar i gaudir béns aliens salvant-ne la forma i la substància, fora que les lleis o el títol de constitució estableixin una altra cosa". En base al precepte transcrit fem les consideracions que segueixen respecte a les característiques del dret d'usdefruit a l'ordenament jurídic català actual.

Assenyalem inicialment que el legislador català manté el criteri tradicional de configurar jurídicament el dret d'usdefruit com un dret real, característica que mai s'ha discutit i que resulta a més de l'article 2,2n LH. Més interès té fer referència a la seva configuració com a dret real limitat, que es deriva en primer lloc de la sistemàtica del Llibre cinquè del Codi civil de Catalunya, ja que regula el dret d'usdefruit com una de les modalitats dels drets reals limitats, que suposa configurar-lo com un dret real limitat i a la vegada limitatiu del dret de propietat, que és una característica comuna a tots els drets reals limitats, perquè atribueixen al titular del dret de propietat i al titular del dret real limitat uns drets diferents, mentre que en les situacions de cotitularitat cadascun d'ells ho és del mateix dret —absolut o limitat—, com resulta de l'article 551-1.1.

Amb això també es vol posar de manifest que la possibilitat de configurar jurídicament el dret d'usdefruit com un cas de *pars dominii* podia tenir una certa justificació en el dret romà, que atribuïa a l'usdefruit la condició de servitud personal, en contraposició a les servituds reals o predials, perquè sols aquestes limitaven o reduïen de forma parcial el contingut econòmic del dret de propietat, mentre que l'usdefruit en els casos generals deixava buit de contingut econòmic el dret de propietat, circumstància que d'alguna forma possibilitava configurar el dret d'usdefruit com una *pars dominii.* Tesi que cal refusar, perquè ha desaparegut dels ordenaments jurídics moderns la possibilitat de configurar el dret d'usdefruit com una servitud personal. Des d'una perspectiva més realista s'ha d'afirmar que la possibilitat d'atribuir a persona diferent del propietari fins i tot la totalitat dels rendiments econòmic d'un bé o d'uns béns determinats no és incompatible amb la configuració de l'usdefruit com un dret real limitat sobre un bé propietat d'una altra persona, sempre que l'usdefruit tingui una durada temporal limitada, com resulta de l'article 561-16. I aquesta característica fonamental del dret d'usdefruit, que permet consolidar en un moment posterior en la persona del propietari totes les facultats dominicals, fa innecessari recórrer a la figura artificiosa de la *pars dominii,* perquè permet mantenir com a drets diferents els que s'atribueixen al nu propietari i a l'usufructuari; encara que aquesta dualitat de drets sigui compatible amb l'existència d'una comunitat d'interessos entre el nu propietari i l'usufructuari (PUIG BRUTAU), que s'equilibren per la via d'atribuir al dret d'usdefruit una durada temporal i d'imposar a l'usufructuari el límit de tenir que respectar la destinació econòmica del bé gravat (segons l'article 561-2.3).

Una altra característica que delimita el dret real d'usdefruit és atribuir al seu titular les facultats d'ús i gaudi dels béns objecte del seu dret, però no de forma absoluta, sinó amb el deure de salvar la forma i la substància dels béns objecte del dret d'usdefruit. La facultat d'ús pressuposa en els casos generals que l'usufructuari esdevé posseïdor material dels béns objecte del seu dret (segons l'article 561-2.2). I pel que fa referència a la facultat de gaudi, aquí sols hem de precisar que suposa atribuir a l'usufructuari totes les utilitats que produeixen el bé o els béns objecte del dret d'usdefruit (vegeu l'article 561-6.1) en la forma que s'explicita després; i amb la precisió que segons l'article 561-2.2 no es desnaturalitza el dret real d'usdefruit pel fet que l'usufructuari sols tingui la facultat de percebre una part dels fruits o de les utilitats (com preveu l'article 561-3.1), cas en el qual els fruits i les utilitats excloses corresponen al propietari en els casos generals d'acord amb l'article 541-1.2. De totes formes la proposició darrera de l'article 561-2.2 estableix una norma interpretativa favorable a l'usufructuari, en el sentit que "Hom presumeix que les utilitats no excloses els corresponen".

Les facultats esmentades d'ús i gaudi de l'usufructuari estan subjectes als límits que estableix l'article 561-2.1, és a dir, que s'han d'exercir salvant la forma i la substància dels béns objecte del dret real d'usdefruit. El precepte modifica en part l'article 3.1 de la Llei 13/2000, que també atribuïa a l'usufructuari les facultats d'ús i de gaudi dels béns objecte del seu dret, amb el límit de tenir que respectar la seva substància, mentre que l'article 561-2.1 l'imposa el doble límit de tenir que respectar la seva substància i la forma dels béns objecte de l'usdefruit. Amb aquesta modificació el legislador català no fa altra cosa que copiar la definició que dóna del dret d'usdefruit l'article 467 del Codi civil espanyol amb una oportunitat com a mínim discutible, especialment si es recorda que aquesta doble limitació ha estat objecte de fonamentades crítiques, perquè sols ha servit per a complicar de forma innecessària els límits que emmarquen el dret de l'usufructuari. En aquests moment sols cal precisar que l'obligació de conservar la substància del bé objecte del dret d'usdefruit apareix ja a la disposició esmentada del Digest 7,1,1, mentre que l'obligació de conservar la forma del bé és una innovació que té el seu origen a l'article 435 del projecta de Codi civil espanyol de l'any 1851, que segons el seu comentarista s'introdueix en base a la consideració que si s'altera la forma del bé, aquesta alteració equival a un acte de disposició (GARCIA GOYENA); afirmació més aviat arriscada si se li atribueix aquest caràcter general, que en canvi té el seu sentit si es projecta al supòsit d'haver alterat el testador la forma del bé objecte del llegat, ja que l'alteració es configura jurídicament com un cas d'extinció del llegat segons l'article 307,II CS i l'article 869,1r del Codi civil espanyol (MALUQUER DE MOTES). Això ens porta a pensar que en aquest punt el legislador català ha estat excessivament fidel a uns precedents, algun d'ells prou discutible, i que en un intent de donar un caire de modernitat a la regulació del dret d'usdefruit en el nostre dret, hauria estat millor connectar de forma directa les facultats d'ús i de gaudiment de l'usufructuari segons l'article 561-2.1 amb el límit de tenir que respectar la destinació econòmica del bé o dels béns objecte del dret d'usdefruit, com estableix l'apartat 3 del mateix precepte, que permeten suprimir sense inconvenients greus els límits tradicionals i poc precisos de conservar la forma i la substància, que responen a unes coordenades socials i econòmiques molt poc actuals i que a més no encaixen amb la facultat que l'article 561-6.4 reconeix a l'usufructuari d'introduir millores en els béns objecte de l'usdefruit, que s'adiuen de forma més clara amb el límit de tenir que respectar la seva destinació econòmica. Recordem també que el criteri de mantenir el destí econòmic dels béns opera com una mena de principi o criteri general en matèria de dret de béns, com resulta per exemple de l'article 511-3 respecte els fruits, de l'article 532-2.1 sobre extinció dels drets reals quan resulta impossible que el bé pugui complir la seva funció o destinació econòmica, de l'article 552-6.1sobre la facultat d'ús per cada cotitular en les situacions de comunitat ordinària indivisa i, també, de l'article 561-4 en relació amb l'usdefruit de béns deteriorables.

Els límits esmentats de tenir que conservar la forma i la substància, que delimiten el dret real d'usdefruit segons l'article 561-2.1, operen "fora que la llei o el títol de constitució estableixin una altra cosa". Del precepte es resulta que si es respecta la característica essencial del dret d'usdefruit, que no és altra que separar en tot o en part els drets d'ús i gaudiment de les altres facultats que es deriven del dret de propietat, els límits que estableix l'article 561-2.1 a les facultats de l'usufructuari no tenen caràcter imperatiu, ja que es poden deixar sense efectes per disposició de la llei en casos determinats (vegeu per exemple l'article 561-5en relació amb el quasiusdefruit) o per voluntat dels interessats a l'empara del principi d'autonomia privada (cas per exemple de l'usdefruit amb facultat de disposició segons els articles 561-21 al 561-24), que es poden manifestar al temps de constituir-se el dret d'usdefruit o en un moment posterior. La possibilitat de poder modificar els límits que pels casos normals delimiten la posició jurídica de l'usufructuari és encertada, especialment si no s'obliden les diferents finalitats que es poden assolir mitjançant la constitució d'un dret d'usdefruit, com resulta del mateix text legal, que el contempla no sols com un dret real limitat de gaudiment, sinó també com una modalitat dels drets reals de garantia (vegeu l'article 561-3.2,c).

Assenyalem finalment com a característica que delimita el dret real d'usdefruit que suposa la concurrència simultània en el temps dels drets de l'usufructuari i de nu propietari sobre els mateixos béns, que permet afirmar que no pot existir un dret real d'usde-fruit sense que aparegui la persona del nu propietari. El problema es pot presentar en els casos d'establir-se el dret real d'usdefruit via disposició testamentària, especialment en els casos d'institu-ció hereditària en l'usdefruit, sense que el testador designi a la vegada nu propietari. Per aquest supòsit l'article 140 CS preveu que si l'instituït en l'usdefruit ha d'assumir la condició d'hereu, es suprimeix la limitació que suposa el dret d'usdefruit i l'insti-tuït esdevé hereu pur i lliure del testador si no hi ha instituït un hereu posterior per a després de la seva mort, mentre que assumeix la condició d'hereu gravat de restitució fideïcomissària si —per a després de la seva mort— el testador ha instituït un altre hereu (sobre el fonament d'aquesta disposició vegeu el volum III, d'aquesta obra, capítol II, 2,II,b).

III. Règim jurídic

El llibre cinquè del Codi civil de Catalunya regula de forma completa el dret real d'usdefruit, però això no vol dir que tots els preceptes que s'inclouen en el seu títol VI, capítol I "El dret d'usdefruit" tinguin caràcter imperatiu. Ho posa de manifest en primer lloc l'apartat II del preàmbul de la Llei 5/2006 quan preci-sa que "Aquest codi parteix dels principis bàsics de llibertat civil, que es manifesta deixant a l'autonomia de la voluntat un camp molt ampli d'actuació en la constitució i la configuració dels drets reals limitats..."; i ho reafirma després l'article 561-1.1 a l'establir que "El dret d'usdefruit es regeix pel títol de constitució i per les modificacions que hi introdueixin els titulars del dret". I si es relaciona aquest precepte amb l'article 561-2.1, que com s'ha indicat permet modificar els límits que pels casos generals s'imposen a l'usufructuari de conservar la forma i la substància del béns objecte del seu dret, hem d'afirmar el caràcter essencialment dispositiu, i per tant no imperatiu, dels preceptes que el legislador català dedica a la regulació del dret d'usdefruit. Amb la possibilitat subsegüent que els interessats puguin modificar aquest règim legal, excepte en els aspectes que delimiten les característiques essencials del dret d'usdefruit com un dret real limitat sobre cosa aliena, ja que la modificació d'aquests trets essencials ha de portar a la conclusió que la voluntat dels interessats era constituir un dret real diferent (per exemple una situació de comunitat típica o atípica); de la mateixa manera que no podran modificar les normes imperatives que estableix el legislador a l'hora de regular el dret d'usdefruit, com són per exemple les que es refereixen a la seva durada (article 561-3.4) o la durada de l'usdefruit successiu establert a favor d'una pluralitat de persones físiques (article 561-15). La modificació de l'esquema legal es pot fer en el títol de constitució del dret d'usdefruit o en un moment posterior segons l'article 561-1, i es pot projectar no sols sobre els drets derivats de l'usdefruit creats a l'empara del principi d'autonomia privada, sinó també respecte els drets d'usdefruit legals via modificació del seu contingut una vegada establerts, amb les limitacions assenyalades fa uns moments. La legitimació per a modificar el contingut de l'usdefruit s'atribueix al titular o als titulars de la nua propietat i del dret d'usdefruit o els seus successors en cadascuna d'aquestes titularitats.

Si el títol —en sentit material— que ha originat el dret d'usdefruit no preveu de forma clara el seu règim jurídic (pensem en el cas d'haver-se constituït per usucapió), s'aplica amb caràcter supletori la normativa que preveu el títol VI, capítol I del llibre cinquè del Codi civil de Catalunya, ja que com precisa la proposició primera de l'article 561-1.2 "El dret d'usdefruit, en allò que no resulta del títol de constitució ni de les seves modificacions, es regeix per les disposicions d'aquest codi". De totes formes el legislador ha tingut present que una bona part dels drets d'usdefruit que es constitueixen tenen un clar sentit successori o familiar, circumstància que ha determinat afegir a l'esmentat article 561-1.2 una proposició segona, en la qual s'estableix que en aquests casos s'aplica també la normativa que "amb relació amb aquest dret (d'usdefruit) estableixen el Codi de successions i el Codi de família";

que posa de manifest l'aplicació als drets d'usdefruit successoris i familiars de la seva normativa específica amb caràcter preferent i la supletorietat de la normativa del llibre cinquè del codi civil de Catalunya sobre el dret d'usdefruit en aquests casos.

2. CONSTITUCIÓ

Amb caràcter general preveu l'article 561-3.1 que "L'usdefruit es pot constituir per qualsevol títol..."i si es relaciona el precepte amb l'article 531-1, que exigeix també l'existència d'un títol per a l'adquisició dels drets reals, hem d'entendre que el dret real d'usdefruit es pot constituir en base a qualsevol dels fets o actes jurídics que segons les previsions del nostre legislador tenen virtualitat per a originar la creació d'un dret real d'usdefruit. Concretament:

I. Per negoci jurídic entre vius

El dret real d'usdefruit es pot constituir en base a un negoci jurídic entre vius, amb independència del fet que es fonamenti en una causa onerosa o gratuïta (segons l'article 1274 CC). Pel que fa referència als requisits de capacitat, cal recordar inicialment que la constitució d'un dret real d'usdefruit implica establir un gravamen sobre el bé objecte d'aquest dret que repercuteix de forma important sobre el seu valor de mercat, circumstància que posa de manifest que per a la constitució d'un usdefruit via contracte el propietari ha de gaudir de la capacitat d'obrar necessària per a disposar del seus béns segons els articles 151, 159 i 212 CF. Si el dret d'usdefruit es constitueix en una escriptura de capítols matrimonials (cas per exemple de l'article 69 CS), el titular o els titulars dels béns que es volen gravar amb un dret real d'usdefruit que tingui la condició d'atorgant dels capítols, haurà de reunir els requisits de capacitat i, en el seu cas els complements de capacitat que corresponguin, per a l'atorgament d'uns capítols (vegeu l'article 16 CF). I si el dret d'usdefruit es constitueix via donació, el propietari que vol establir aquest gravamen haurà de reunir els requisits de capacitat que exigeix la llei per aparèixer com a donant (vegeu l'article 531-10). Pel que a referència a la persona de l'usufructuari, entenem serà suficient en els casos generals la capacitat per a contractar (vegeu els articles 1263 i

1264 CC), per a convenir uns capítols matrimonials (article 16 CF) o per aparèixer com a donatari (article 531-21). Pressuposada la capacitat en la forma esmentada, el titular del bé o dels béns que es volen gravar amb un dret real d'usdefruit haurà de gaudir també de la legitimació necessària, que s'atribueix al propietari únic del bé, a l'usufructuari dins els límits del seu dret (article 561-9), al superficiari en les mateixes condicions (article 564-4.2), al censatari (article 565-5.1) i al titular d'un dret de vol (article 567-4.1). Si el bé sobre el qual es vol constituir un dret d'usdefruit es troba en situació de cotitularitat, per a la constitució d'un dret real d'usdefruit sobre el mateix s'exigirà el consentiment unànime de tots ells (article 552-7.6).

En relació amb els requisits de forma s'han de fer les precisions següents. Si el dret d'usdefruit es constitueix via contracte, per a la seva vàlida constitució no s'exigeixen uns requisits de forma especials (argument article 1278 CC), excepte el de la tradició en qualsevol de les formes que preveu la llei (vegeu els articles 531-1, 531-4 i 531-5); altra cosa és que per a la seva constància registral s'exigeixi el compliment dels requisits de forma que preveu l'article 3 LH. Pel cas de constitució d'un dret real d'usdefruit en capítols matrimonials s'exigirà el requisit de l'escriptura pública segons l'article 17,I CF. I pel cas de constituir-se via donació s'hauran de complir els requisits de forma que estableix l'article 531-12.

La constitució del dret d'usdefruit per negoci jurídic entre vius es pot fer: *i)* mitjançant crear el dret d'usdefruit a favor d'una altra persona i conservar el transmitent la nua propietat; *ii)* per la via de transmetre la nua propietat a una altra persona i reservar-se el transmitent el dret d'usdefruit; i *iii)* quan el propietari d'un bé transmet la nua propietat a una persona i en el mateix títol crea un dret d'usdefruit a favor de tercera persona.

II. Per negoci jurídic per causa de mort

Es dóna amb freqüència la constitució del dret real d'usdefruit en els negocis jurídics per causa de mort, ja sigui en la seva modalitat de l'heretament (vegeu els articles 68, 69 i 74 CS) o actualment en testament segons els articles 140, 283 i 304 CS. Si el llegat d'usdefruit es constitueix en heretament, el que ordena la constitució del dret real haurà de reunir els requisits de capacitat que exigeix la llei per a convenir l'heretament (article 67,III CS); i si s'ordena en testament o en codicil el constituent del dret d'usdefruit haurà de reunir els requisits de capacitat que exigeix la llei per a testar (articles 103 i 104 CS). En aquests casos per esdevenir usufructuari s'exigirà també que concorrin els requisits generals de capacitat per a ésser hereu o legatari (segons els articles 9 i 10 CS) i no haver incorregut l'usufructuari en alguna de les causes d'indignitat successòria que preveuen els articles 11 i 77 del mateix Codi.

III. Per usucapió

Segons l'article 531-23.1 es poden adquirir per usucapió els drets reals possessoris, precepte que s'ha de posar en relació amb l'article 561-2.1 que confereix a l'usufructuari el dret a posseir els béns objecte de l'usdefruit. Amb la conseqüència doncs que es pot constituir per usucapió si una persona posseeix un o més béns en concepte de titular d'un dret d'usdefruit de forma pública, pacífica i ininterrompuda (segons l'article 531-24.1) durant els terminis que preveu l'article 531-27; que originarà la creació del dret d'usdefruit a favor de l'usucapient en virtut d'un títol adquisitiu originari (vegeu l'article 531-23).

IV. La llei

El dret successori i el dret familiar català estableixen en ocasions un dret d'usdefruit a favor de determinades persones, amb la finalitat de protegir uns interessos que el legislador considera oportú prendre en consideració, encara que la seva regulació legal presenta en ocasions desviacions significatives respecte el dret d'usdefruit que regula el títol VI, capítol I del llibre cinquè del Codi civil de Catalunya. Com a més característic esmentem l'usdefruit de tota l'herència a favor del consort supervivent en el cas de successió intestada si esdevenen hereus els fills o descendents del causant de la successió (article 331 CS). Respecte al seu règim jurídic vegeu el volum III d'aquesta obra, capítol XXIII,4.

Precisem també que els drets d'usdefruit que anomenem legals no els estableix la llei de forma directa, ja que el legislador no fa altra cosa que oferir a determinades persones la possibilitat d'exigir la constitució d'un dret real d'usdefruit, fins i tot contra la voluntat del propietari dels béns objecte d'aquest eventual gravamen.

V. A *non domino*

Amb anterioritat (vegeu capítol IV,1) hem esmentat que entre els títols d'adquisició dels drets reals en general s'inclou el que es deriva de determinades adquisicions *a non domino*. Tota vegada que aquesta possibilitat no s'exclou en relació amb el dret real d'usdefruit, hem d'entendre que es pot constituir per aquesta via d'acord amb les prevencions que es deriven de l'article 522-8 i de l'article 34 LH.

VI. Determinacions accessòries

El fet que segons l'article 561-1.1 el dret d'usdefruit es regeix en primer lloc pel títol de la seva constitució, ha determinat que el legislador consideri oportú establir que en el seu títol de constitució apareguin determinades prevencions, que suposen apartar-se en certs aspectes del règim que estableix pels casos generals, en atenció a les finalitats que persegueixen els interessats. L'article 561-3.2 preveu tres possibles casos, que evidentment no són els únics que es poden establir en el títol de constitució; però tal vegada perquè es creu que són els més freqüents, ha considerat oportú donar-els-hi un tractament específic.

En primer lloc l'article 561-3.2,a) preveu que en el títol de constitució es pugui convenir que "Els constituents es reserven el dret de reversió a favor seu o de terceres persones en el termini o amb les condicions que s'estableixin". El règim jurídic d'aquest dret de reversió s'estableix en primer lloc en base al principi d'autonomia privada i en allò que no han previst els interessats, s'aplicaran amb caràcter supletori les prevencions que estableix el legislador en funció del títol constitutiu del dret d'usdefruit. Vegeu l'article 531-19 respecte a les donacions amb pacte de reversió i els articles 87 al 89 CS respecte el pacte reversional que s'acostumava a inserir en els heretaments cumulatiu i mixt.

Segons l'article 561-3.2,b) en el títol de constitució del dret d'usdefruit es pot establir que "Els usufructuaris tinguin dret als rendiments o utilitats que generin els béns objecte de l'usdefruit lliures de qualsevol despeses i càrregues, o bé que s'apliqui l'article 561-12". La remissió a aquest precepte determina la validesa del pacte que posa a càrrec de l'usufructuari les càrregues privades existents en el moment de constitució de l'usdefruit, així com les despeses que esmenta el mateix precepte mentre està vigent el

dret d'usdefruit. I pel que fa referència a l'eficàcia del pacte se-
gons el qual l'usufructuari té dret als rendiments i utilitats que
generen els béns usufructuats lliures de qualsevol despesa o càr-
rega, aquesta prevenció té la seva incidència respecte els articles
522-3.1, 541-3.2 i 561-6.2, que pels casos generals imposen als
perceptors dels fruits el deure d'assumir-les despeses generades
per a produir-los, deure que es pot deixar sense efectes en virtut
del que preveu l'article 561-3.2,b).

Per últim l'article 561-3.2,c) permet convenir que "L'usdefruit es
constitueixi en garantia o en seguretat d'una obligació dinerària,
cas en el qual les utilitats del bé gravat s'imputen al pagament
del deute". Aquest pacte permet —valgui l'expressió— desnatura-
litzar en certa manera el dret d'usdefruit, que es sol presentar
com el prototipus dels drets reals limitats de gaudiment, amb la
finalitat de convertir-lo en un instrument de garantia; però sense
que això impliqui convertir-lo en un dret real de garantia, ja que
no atribueix a l'usufructuari el *ius distrahendi* sobre el bé objecte
de l'usdefruit (ARNAU RAVENTOS). Una possibilitat semblant
existeix en el dret civil alemany, respecte el qual s'esmenta la
figura de l'usdefruit conferit al creditor hipotecari, freqüent segons
sembla en els contractes sobre edificacions com a succedani del
dret d'anticresi (que desconeix el Codi civil alemany), que permet
al creditor hipotecari percebre els fruits i imputar-los al capital
(vegeu en aquest sentit WOLFF *et alii, Tratado de Derecho civil*
<traducció espanyola>, volum III-2, pàg. 69). Els anotadors de l'obra
esmenten que el dret espanyol desconeix el dret d'usdefruit a favor
del creditor hipotecari, en primer lloc perquè el nostre ordenament
jurídic regula el dret d'anticresi i, en segon lloc, perquè la regla
sisena de l'article 131 LH estableix una modalitat especial per
a la màxima efectivitat del dret del creditor hipotecari sobre els
fruits. La posició del legislador català en aquest punt ha estat fer
referència al dret d'usdefruit amb finalitats de garantia, ja sigui
com alternativa del dret real d'anticresi, o com a substitutiva del
mateix pel cas de recaure sobre béns mobles; en qualsevol cas per
a integrar el contingut del dret d'usdefruit convingut amb finali-
tats de garantia escaurà aplicar, amb les adaptacions escaients,
les normes que regulen el dret real d'anticresi.

3. OBJECTE

I. En general

Quan l'article 561-2.1 caracteritza l'usdefruit com un dret real d'usar i gaudir béns aliens no estableix cap precisió respecte els béns que poden ésser objecte d'un dret d'usdefruit, circumstància que porta a l'afirmació inicial que pot recaure sobre tota classe de béns d'acord amb la disposició de l'article 511-1, és a dir, sobre coses i drets patrimonials. D'aquesta consideració inicial se'n deriva que l'objecte dels drets d'usdefruit són els béns sobre els quals el titular del dret d'usdefruit exerceix les seves facultats d'ús i gaudi (segons l'article 562-2.1), amb independència que es tracti de béns mobles o béns immobles, béns corporals o béns immaterials o drets, sempre que no tinguin el caràcter de personalíssims, béns individuals o una universalitat de dret o de fet. El dret d'usdefruit també pot tenir per objecte béns que no tinguin la condició de fructífers, perquè segons l'article 561-2.2 l'usufructuari té dret a percebre les utilitats que es deriven del bé objecte del seu dret, fet que determina la possibilitat de constituir un dret d'usdefruit sobre béns no fructífers, sempre que pugui proporcionar una utilitat a favor de l'usufructuari, encara que no encaixi en el concepte de fruit segons l'article 511-3. El problema s'ha centrat en ocasions sobre la possibilitat d'establir un dret d'usdefruit sobre la nua propietat, que tradicionalment s'ha solucionat en sentit negatiu, encara que actualment es pensa en la seva viabilitat per la via d'un usdefruit successiu (amb referència a un supòsit de llegat d'usdefruit successiu la STSJC de 3 de febrer de 2005 manté la tesi contrària a la possibilitat d'un llegat sobre la nua propietat, que en canvi admet el vot particular formulat per dos dels magistrats que integraven la Sala). En benefici de l'usufructuari s'aplica amb caràcter general el principi de la subrogació real, segons resulta dels articles 561-5 i 561-16.1,d) i e).

Així i tot el dret real d'usdefruit presenta unes característiques especials quan recau sobre determinats béns. En concret:

II. Usdefruit de béns deteriorables

El límit que l'article 562-2.1 imposa a l'usufructuari de salvar la forma i la substància del bé o dels béns objecte del seu dret no ha d'operar en sentit estricte quan recau sobre béns deteriorables, ja que la tesi contrària portaria en molts casos a convertir en inútils les facultats d'ús i gaudi que el mateix precepte atribueix a l'usufructuari. Per aquest motiu l'article 561-4 estableix que "Si l'usdefruit recau sobre béns deteriorables, els usufructuaris se'n poden servir segons llur destinació i els han de restituir, en extingir-se l'usdefruit, en l'estat en que es troben, indemnitzant els propietaris pel deteriorament que han sofert per dol o culpa".

El precepte sols s'aplica a una categoria determinada de béns, que tenen la condició d'objectes corporals mobles que si es fan servir de forma escaient sofreixen un desgast progressiu, però sense que s'arribin a consumir o destruir, ja que en aquest darrer cas s'hauria de parlar de béns consumibles. Per tant si el bé té el caràcter de deteriorable —en els termes esmentats— l'usufructuari pot exercir les facultats d'ús i gaudi que li confereix l'article 561-2.1 sempre que el seu exercici s'adeqüi a la destinació econòmica del bé objecte de l'usdefruit (segons l'apartat 3 del mateix precepte), encara que això suposi en part modificar la seva forma i substància. Del precepte en resulta per tant que si el deteriorament del bé es produeix com a conseqüència de l'exercici per part de l'usufructuari de les seves facultats d'acord amb la seva destinació econòmica o, també, si el deteriorament es produeix per cas fortuït, l'usufructuari no assumeix cap mena de responsabilitat i compleix amb el deure de restitució si lliura els béns usufructuats en l'estat en què es troben en el moment de l'extinció de la seva titularitat. Mentre que si el deteriorament del bé es produeix com a conseqüència d'una actuació dolosa o culposa per part de l'usufructuari en l'exercici de les seves facultats, també haurà de restituir el bé o els béns usufructuats en l'estat en què es troben en el moment d'extingir-se l'usdefruit; si bé en aquest cas assumeix també l'obligació d'indemnitzar únicament els danys i perjudicis derivats del deteriorament que li siguin imputables. El fet que els béns usufructuats tinguin el caràcter de deteriorables, no eximeix l'usufructuari de suportar les despeses de conservació d'aquests béns en la mesura que es consideri escaient segons les seves característiques.

Si el deteriorament dels béns usufructuats es produeix com a conseqüència de la conducta dolosa o culposa de l'usufructuari, entenem que mentre està vigent el dret d'usdefruit el nu propietari pot interessar dels organismes jurisdiccionals les mesures que preveu l'article 561-8.1.

III. Usdefruit de béns consumibles

La categoria dels béns consumibles té el seu origen en el dret romà (Digest 13,6,3-6), que qualifica de consumibles les coses que es consumeixen com a conseqüència de l'ús que es fa d'elles, definició que posa de manifest que es tracta d'una categoria que es projecta fonamentalment sobre les coses corporals mobles. Cal precisar de totes formes que el concepte de cosa consumible no s'ha d'entendre en un sentit físic sinó en un sentit tècnic-jurídic; en primer lloc perquè la consumició física no vol dir destrucció de la matèria sinó transformació de la funció econòmica-social del bé d'acord amb el seu ús normal; i en segon lloc perquè jurídicament és possible que un bé es consumeixi encara que es mantingui físicament inalterable, com succeeix respecte el diner (tal com resulta de l'article 561-5.2 que inclou en la categoria dels béns consumibles l'usdefruit de diners) o amb els materials de construcció incorporats a un edifici, encara que es mantinguin inalterables, perquè el seu ús no és altre que la incorporació a un edifici (com posa en relleu BIONDI, *Los bienes* <traducció espanyola>. Barcelona, 1961, pàg. 91 i seg.). A l'usdefruit de béns consumibles es refereix l'article 561-5, que en el seu apartat 1 el caracteritza pel fet que "Si l'usdefruit recau, en tot o en part, sobre béns consumibles, hom ha de restituir béns de la mateixa quantitat i qualitat o, si això no és possible, llur valor en el moment de l'extinció del dret".

El precepte transcrit s'intitula "Quasiusdefruit", denominació que d'una forma o altra pot donar a entendre que el quasiusdefruit no és realment un dret real d'usdefruit sinó un dret semblant o proper a l'usdefruit, precisió que té la seva importància quan es vol establir la naturalesa jurídica de l'usdefruit de béns consumibles. En aquest sentit cal fer esment del corrent doctrinal que posa en dubte que l'usdefruit de béns consumibles es pugui configurar jurídicament com un dret d'usdefruit, tesi que en el context del dret civil català es pot fonamentaren el mateix article 561-5.1 que pel cas del quasiusdefruit obliga a l'usufructuari a restituir no els mateixos béns —perquè ja s'han consumit— sinó béns de la mateixa quantitat o qualitat i, subsidiàriament, el seu valor, mentre que respecte el dret d'usdefruit l'article 561-16.4 imposa a l'usufructuari restituir els mateixos béns quan s'extingeixi la seva titularitat; construcció que implica atribuir a l'usufructuari de béns consumibles la condició de propietari dels béns des del moment de la constitució del dret d'usdefruit o, també, des del moment en què perden la seva individualitat en el patrimoni de l'usufructuari o en darrer terme des que es consumeixen els béns objecte de l'usdefruit. En contra d'aquesta tesi es pot al.legar, inicialment, que el legislador regula l'usdefruit de béns consumibles en el capítol que destina al dret d'usdefruit, circumstància que permet afirmar que ens trobem aquí davant d'una modalitat del dret d'usdefruit per raó del seu objecte que imposa ampliar les facultats de l'usufructuari, però sense que aquesta ampliació desnaturalitzi el dret d'usdefruit, com resulta amb caràcter general de l'article 561-2.1 i dels articles 561-21 i següents en relació amb l'usdefruit amb facultats de disposició. A favor d'aquesta tesi s'al.lega també que en l'usdefruit de béns consumibles el nu propietari ja sap que a l'extinció del dret d'usdefruit no rebrà els mateixos béns sinó uns altres de la mateixa quantitat i qualitat si els béns tenen el caràcter de fungibles o el seu valor en altre cas (segons l'article 565-5.1), circumstància que posa de manifest que en l'usdefruit de béns consumibles es produeix un canvi respecte al bé objecte del dret d'usdefruit compatible amb el fet de la seva subsistència sobre la cosa transformada com a conseqüència d'haver-se consumit el bé inicial que fa possible la subsistència del dret real d'usdefruit (TORRELLAS TORREA). Es pot afegir encara que en el cas d'usdefruit de béns consumibles quan es consumeix el bé, l'usufructuari respecte el seu destí econòmic (com exigeix l'article 561-2.3), que no és altre que el d'ésser consumit en el sentit jurídic abans exposat; i si bé és cert que això suposa no respectar la forma ni la substància del bé (com exigeix l'article 561-2.1), no hem d'oblidar que la llei o el títol de constitució poden suprimir aquests límits a les facultats de l'usufructuari, supressió encara més clara quan la mateixa naturalesa del bé usufructuat és incompatible amb la limitació de mantenir la forma i la substància que tenia al temps de la constitució de l'usdefruit.

La construcció jurídica que s'ha fet de l'usdefruit de béns consumibles té unes conseqüències. Esmentem com a més significatives que la pèrdua o destrucció del bé mentre està vigent el dret d'usdefruit, sense intervenció de dol o culpa de l'usufructuari, perjudiquen al nu propietari per la seva condició de propietari (argument article 1182 CC). I si es produeix una situació concursal, l'aplicació de l'article 80 de la Llei 22/2003, de 9 de juliol, ens porta a considerar que la declaració de concurs de l'usufructuari determinarà que els béns objecte de l'usdefruit no siguin lliurats a l'administració concursal i que l'usufructuari segueixi gaudint de les facultats possessòries normals que es deriven del dret d'usdefruit; però el nu propietari podrà separar del concurs la nua propietat. Mentre que si la situació de concurs es produeix en relació amb el nu propietari, l'usufructuari seguirà gaudint de les facultats que es deriven del dret d'usdefruit sobre béns consumibles.

Precisem finalment que l'extinció del dret d'usdefruit determinarà que l'usufructuari —o els seus hereus— han de restituir béns de la mateixa quantitat i qualitat, és a dir, hauran de lliurar la mateixa quantitat de béns que van rebre quan es va constituir el dret d'usdefruit, encara que s'hagi modificat en més o en menys el seu valor, i hauran de lliurar béns de la mateixa qualitat, fet que determina no s'apliqui en aquest cas l'article 1167 CC, que en relació amb el compliment de les obligacions genèriques permet que el deutor s'alliberi del vincle obligatori si lliura béns de qualitat mitjana. Pel cas de no ésser possible la restitució del *tantundem* l'article 561-5 preveu —amb caràcter subsidiari— que l'usufructuari o els seus hereus compleixin de forma correcta el deure de restitució si lliuren el valor dels béns objecte del dret d'usdefruit en el moment de la seva extinció. S'aplica en aquest cas el criteri valorista sobre pagament dels deutes dineraris, perquè la desaparició del bé com a conseqüència d'haver-se consumit es transforma en un valor que s'ha de liquidar en diners, amb la finalitat que d'aquesta forma el nu propietari percebi la quantitat que li atribueixi el mateix poder adquisitiu que en el moment de la restitució equivalgui al que tenia el bé al temps de la constitució de l'usdefruit (TORRELLAS TORREA).

4. MODALITATS

Es poden establir les següents:

I. Usdefruit universal i particular

Aquesta distinció es pot fonamentar en l'article 563-3.1, en el qual es preveu que l'usdefruit es pot constituir sobre la totalitat, una part dels béns d'una persona o sobre un o més béns determinats. L'usdefruit es qualifica d'universal quan recau sobre la totalitat del patrimoni d'una persona. Del mateix precepte en resulta que la constitució d'un usdefruit universal pot tenir el seu origen en un negoci jurídic per causa de mort, com és el cas del convingut quan s'estableix un heretament (segons l'article 69 CS), en el cas de la institució hereditària en l'usdefruit (article 140 CS) o en el supòsit d'un llegat d'usdefruit universal (article 304 idem); i també es pot constituir en base a un negoci jurídic entre vius, que es pot fonamentar en una causa onerosa o gratuïta (pensem en el cas de constitució de l'usdefruit d'una empresa). L'usdefruit no perd el seu caràcter d'universal, encara que s'excloguin uns béns concrets o determinats del dret d'usdefruit, ja sigui per voluntat dels interessats (vegeu l'article 304,II CS) o per disposició de la llei, com és el cas de l'article 331,II CS que exclou de l'usdefruit universal intestat les llegítimes, les donacions per causa de mort i determinats llegats.

Enfront de l'usdefruit universal apareix el particular, que té per objecte un o més béns concrets o determinats. Una situació fins a cert punt intermèdia es pot donar quan el dret d'usdefruit s'estableix sobre una part alíquota del patrimoni de la persona, que en els casos generals entenem s'ha de configurar jurídicament com un dret d'usdefruit únic que des d'aquesta perspectiva es pot qualificar d'universal perquè recau sobre una part alíquota o abstracta del patrimoni, amb independència dels béns concrets que integren el mateix. Mentre que en altres casos l'usdefruit s'ha de qualificar de particular si s'estableix sobre una determinada categoria de béns que es troben en un patrimoni, com seria —posem per cas— un dret d'usdefruit sobre els bens mobles o sobre els béns immobles o sobre els béns que es troben en un lloc determinat; ja que en qualsevol d'aquests casos pensem que s'ha constituït una pluralitat de drets d'usdefruit en funció del nombre d'objectes gravats amb aquest dret real limitat. Sens perjudici d'aplicar en aquest darrer cas certes prevencions derivades del fet d'existir certes connexions entre els diferents béns objecte del dret d'usdefruit (ALBALADEJO).

II. Usdefruit total i parcial

Aquesta distinció es fonamenta en el mateix article 561-3.1, on es preveu que l'usdefruit es pot constituir per qualsevol títol sobre la totalitat o una part de llurs utilitats, que porta a qualificar de total el dret d'usdefruit que recau sobre la totalitat de les utilitats que es deriven dels bens gravats amb el dret d'usdefruit i de parcial en els altres casos. Si el dret d'usdefruit té el seu origen en la llei, serà la norma concreta la que determini el caràcter total o parcial del dret d'usdefruit; mentre que si es constitueix a l'empara del principi d'autonomia privada, els interessats poden constituir el dret d'usdefruit amb el caràcter de total o de parcial.

La doctrina jurídica catalana tradicional entenia que el dret d'usdefruit, en la mesura que comporta un gravamen important sobre les facultats que es deriven del dret de propietat, determinava que s'haguessin d'interpretar en sentit restrictiu els drets de l'usufructuari. El dret vigent modifica —almenys en part— aquest criteri, ja que segons l'article 561-2.2 l'usufructuari té dret a percebre les utilitats no excloses per la llei o pel títol de constitució de l'usdefruit i, a més, presumeix que les facultats no excloses corresponen a l'usufructuari. El canvi de criteri pot tenir el seu fonament amb les finalitats alimentàries —en sentit ampli— que normalment fonamenten la constitució d'un dret d'usdefruit.

III. Usdefruit simultani i successiu

L'article 561-3.1 preveu també que el dret d'usdefruit es pugui constituir de forma simultània o successiva a favor de diverses persones, que origina la distinció entre les situacions de cotitularitat en l'usdefruit d'usdefruit successiu, que són objecte d'estudi en aquest apartat.

A) COTITULARITAT EN L'USDEFRUIT

Segons l'article 561-3 l'usdefruit es pot constituir de forma simultània a favor d'una pluralitat de persones, situació que l'article 561-14 qualifica de cotitularitat en l'usdefruit, que de forma acurada es defineix com l'usdefruit que es constitueix de forma simultània a favor de persones que viuen en el moment de la seva constitució, amb inclusió dels concebuts (articles 29 i 30 CC), que recau sobre el mateix bé o béns i origina la creació d'un sol dret d'usdefruit a favor del tots els cotitulars i els hi atribueix també els mateixos drets i obligacions (RIVERO HERNANDEZ). El legislador català sols s'ha preocupat de regular aspectes particulars de la cotitularitat en l'usdefruit quan s'estableix entre persones unides entre elles per uns determinats vincles familiars, regulació parcial que presenta els seus problemes.

Inicialment, i d'acord amb el que s'ha exposat fins ara, l'usdefruit simultani es pot constituir per qualsevol de les vies que permet l'article 561-3 i d'acord amb el mateix precepte es pot constituir amb el caràcter d'universal o de particular i, també, amb el caràcter de total o de parcial. Tota vegada que la llei no estableix uns requisits especials en relació amb els subjectes, entenem que es pot establir una cotitularitat amb l'usdefruit amb independència que la condició d'usufructuari recaigui en persones físiques o jurídiques, encara que aquesta darrera possibilitat serà més aviat infreqüent a la pràctica.

Problema important que origina la cotitularitat en l'usdefruit és determinar les conseqüències aque es deriven del fet d'extingir-se la titularitat de qualsevol dels usufructuaris (normalment com a conseqüència de la mort). Si els cotitulars del dret d'usdefruit són uns cònjuges, unes persones unides en una situació d'unió estable de parella, fills o germans de la persona que ha constituït el dret d'usdefruit, preveu l'article 561-14.1 que si el dret d'usdefruit s'ha establert amb el caràcter de vitalici conjunt a favor de les persones esmentades, llevat que el títol de constitució estableixi una altra cosa, l'usdefruit no s'extingeix fins a la mort de tots els cotitulars, de manera que la quota o el dret dels que premoren incrementa la dels sobrevivents en la proporció que correspongui.

Del precepte en resulta que la incrementació no s'estableix per tots els casos de cotitularitat en l'usdefruit entre les persones esmentades, sinó que s'exigeix que concorrin a la vegada dos requisits. El primer que l'usdefruit s'hagi constituït amb el caràcter de vitalici, que s'haurà de donar respecte a tots els cotitulars del dret d'usdefruit, amb la conseqüència que si s'ha constituït amb el caràcter de temporal (com autoritza l'article 561-16.2), la mort d'un dels usufructuaris no determinarà l'increment a favor dels supervivents, si ens atenem a la lletra de l'article 561-14.1. Un segon requisit que exigeix el precepte és que el dret d'usdefruit a favor de les persones que esmenta el precepte s'hagi constituït "conjuntament", expressió que apareix també en els articles 38 i 30 CS respecte el dret d'acréixer entre cohereus, que dóna a entendre l'oportunitat d'aplicar aquí les prevencions que estableixen els preceptes successoris esmentats per tal de determinar quan existeix conjunció; ja que com posa de manifest la doctrina actual, la inexistència de conjunció sols es dóna en els casos de disjunció total, és a dir, quan en clàusules diferents es constitueix un dret d'usdefruit en porcions separades de béns, tant si són iguals com desiguals, i amb la precisió final que sempre que el dret d'usdefruit es constitueixi sobre els mateixos béns es produeix l'increment de la quota dels altre usufructuaris, encara que després s'estableixi en clàusules separades, perquè la concurrència de conjunció o disjunció es resol a favor de la primera, perquè la segona té un caràcter simplement divisori (BOSCH CAPDEVILA). Un tercer requisit és que es produeixi una vacant de quota com a conseqüència de la mort d'un dels cotitulars en el cas d'usdefruit constituït conjuntament a favor de les persones esmentades, que dóna a entendre que si es produeix la vacant respecte a una quota per qualsevol altra causa, aquest fet determinarà que no es produeixi l'increment, encara que l'oportunitat d'aquesta solució es pot qüestionar. Per últim cal assenyalar el caràcter simplement dispositiu -i per tant no imperatiu- de l'increment ja que no es produeix, encara que es tracti d'un usdefruit vitalici i conjunt i que la quota vacant tingui en seu origen en la mort d'un usufructuari, si en el títol de constitució del dret d'usdefruit s'estableixi una altra cosa (segons el mateix article 561-14.1).

Fins aquí hem plantejat el problema respecte a l'usdefruit conjunt establert a favor de les persones que esmenta l'article 561-14.1, però és possible que la cotitularitat en l'usdefruit s'estableixi en relació amb unes persones no unides entre elles pels vincles familiars que esmenta al precepte, que planteja el problema subsegüent de determinar si procedeix o no l'increment. La solució negativa és la que acollia l'article 10.3 de la Llei 13/2000, segons la qual "Quan es tracta de persones sense els vincles esmentats en els punts 1 i 2, la mort d'un dels titulars extingeix l'usdefruit en la quota corresponent"; encara que en base el mateix es podia presentar el dubte de la seva aplicació en el cas de produir-se la vacant respecte a una de les quotes per causa diferent a la mort. El cert és que l'article 10.3 esmentat s'ha suprimit, supressió que deixa en la indeterminació el règim jurídic que cal aplicar a la quota vacant en el supòsit d'haver-se establert la cotitularitat en el dret d'usdefruit en el cas que ara s'examina. Així i tot sembla que la solució més ajustada a la voluntat del legislador no és altra que concretar la incrementació al cas d'existir entre els cotitulars del dret d'usdefruit els vincles familiars que estableix el precepte, d'una oportunitat igualment opinable. En tot cas ara sols cal afegir que aplicar o no el règim de la incrementació en cada cas concret exigirà interpretar la voluntat dels interessats, d'acord amb les normes sobre interpretació dels actes jurídics entre vius o per causa de mort, en funció del títol que ha determinat la constitució del dret d'usdefruit (sobre necessitat de determinar la quota que correspon a cada usufructuari vegeu la interlocutòria del president del Tribunal Superior de Justícia de Catalunya de 14 de gener de 2002). I si el dret d'usdefruit a favor de dues o més persones s'ha establert via llegat d'usdefruit universal, s'ha de tenir present que segons l'article 304,IV CS "Adquirit l'usdefruit llegat a diverses persones, el corresponent a cada legatari que vagi faltant per mort o per una altra causa incrementa els dels altres, àdhuc el de qui l'ha renunciat o l'ha cedit anteriorment, llevat de quan el testador hagi assenyalat parts".

Un supòsit particular es preveu a l'article 561-14.2, en el qual s'estableix que "L'usdefruit, si s'ha constituït en consideració expressa al matrimoni o a la unió estable de parella dels afavorits, en cas de divorci, nul.litat o separació judicial o de fet dels cònjuges o extinció de la relació de parella, s'extingeix totalment, llevat que es demostri que és una altra la voluntat del constituent o la constituent". El precepte sols s'aplica als usdefruits establerts a favor d'uns cònjuges o de les persones que han constituït una unió estable de parella d'acord amb els requisits que estableix l'article 1 de la Llei 10/1998, que en tot cas s'ha d'interpretar en sentit més aviat restrictiu, ja que es concreta al cas de constitució del dret d'usdefruit en consideració "expressa" al matrimoni o a la unió estable de parella, com resulta del fet que el qualificatiu d'"expressa" mancava en el seu antecedent, és a dir, l'article 10.2 de la Llei 13/2000. Pel que fa referència al seu règim jurídic, es preveu que si es produeix una situació de crisi matrimonial o de la parella, a menys que sigui una altra la voluntat del constituent del dret d'usdefruit, aquests fets determinen la seva extinció i la consolidació subsegüent amb el dret de propietat; i sense que pugui operar en aquest cas la incrementació a favor del supervivent en un moment posterior com preveu l'article 561-14.1, perquè en aquest moment posterior el dret d'usdefruit ja no existeix.

B) USDEFRUIT SUCCESSIU

Quan el dret d'usdefruit s'ha constituït a favor d'una pluralitat de persones es pot establir amb el caràcter de simultani o de successiu, segons determini el títol de la seva constitució o modificació; ara sols cal afegir que en el dubte s'ha d'entendre que s'ha constituït amb el caràcter de simultani, ja que no sembla oportú establir uns criteris de preferència entre els usufructuaris si no resulta d'una voluntat clara del constituent del dret. Pel que fa referència al seu règim jurídic, l'article 561-15 preveu que "S'aplica als usdefruits successius el límit de crides que l'article 204 del Codi de successions estableix per a les substitucions fideïcomissàries".

L'usdefruit es qualifica de successiu quan una pluralitat de persones esdevenen titulars d'aquest dret una després de l'altre, encara que cadascun dels usufructuaris deriva el seu dret de la persona que ha constituït l'usdefruit i no de l'usufructuari anterior (argument article 181,II CS); fet que determina l'existència d'una pluralitat de drets d'usdefruit que neixen successivament quan s'extingeix l'anterior, encara que existeix un sol dret d'usdefruit en cada moment, amb la conseqüència que la seva extinció total únicament es produeix quan s'acaba el darrer dels usdefruits successius (RIVERO HERNANDEZ). Per tal d'evitar els inconvenients que es deriven de la vinculació dels béns durant un nombre indefinit de generacions, es preveu l'aplicació a l'usdefruit successius dels límits que estableix l'article 204 CS pels fideïcomisos hereditaris, que porta a la conseqüència d'admetre que es pugui nomenar un nombre indefinit d'usufructuaris si tots ells viuen en el moment de constitució del dret d'usdefruit, i i que sols puguin tenir la condició d'usufructuaris successius les persones que no passen de la segona generació respecte al constituent si es tracta d'un usdefruit que té el caràcter de familiar (segons l'article 24 CF i l'article 69 CS) o de la segona crida si l'usdefruit no té el caràcter de familiar. Si el dret d'usdefruit s'ha constituït a favor de persones jurídiques, no pot excedir dels noranta-nou anys segons l'article 561-3.4. En tot cas la crida a favor d'usufructuaris successius més enllà dels límits que preveu la llei, aboca a un supòsit de nul.litat parcial segons l'article 204,IV CS.

5. TEMPORALITAT DEL DRET D'USDEFRUIT

Com s'ha posat de manifest a l'inici d'aquest capítol el dret d'usdefruit és un dret de durada limitada en el tremps i com que segons l'article 561-1.1 es regeix en primer lloc pel títol de la seva constitució, del precepte se'n deriva que en els casos de constitució voluntària de l'usdefruit els interessats poden fixar a l'empara del principi d'autonomia privada la seva durada. La qüestió no es problemàtica en el cas d'usdefruit establert a favor d'una persona física, atès que segons l'article 561-3.3 té el caràcter de vitalici, llevat que el títol de constitució estableixi una altra cosa; ja que del precepte en resulta que la durada màxima del dret d'usdefruit a favor d'una persona física s'estableix en funció de la seva vida, durada que a més està d'acord amb les finalitats que des dels seus orígens s'assigna a l'usdefruit, però que deixa oberta la possibilitat de fixar la seva durada per un termini inferior, segons resulta de l'article 532-1. I si la durada del dret d'usdefruit s'estableix en funció de la data en què una tercera persona arribi a una edat determinada (com preveu l'article 561-12.2), la seva durada és igualment temporal, ja que forçosament arribarà aquest dia de l'aniversari. El problema apareix en relació amb els usdefruits successius, que podrien tenir una durada indefinida o perpètua per voluntat dels interessats, possibilitat que barra l'article 561-15, al qual ja hem fet referència (vegeu *supra*, 3,III,B), perquè l'usdefruit perpetu o indefinit pot portar als mateixos inconvenients que es deriven de les vinculacions, inconvenient que es vol evitar mitjançant les disposicions contràries a les vinculacions que apareixen en el nostre país des de mitjans del segle XIX i que han originat l'article 204 CS.

Una problemàtica en part diferent apareix quan el dret d'usdefruit s'estableix a favor de persones jurídiques, que per la seva pròpia naturalesa no tenen una vida limitada en el temps, encara que la llei estableix unes causes generals d'extinció de les persones jurídiques, que en els casos generals determinaran l'extinció del dret d'usdefruit establert al seu favor segons l'article 561-16.1,b). Però mentre no es produeix alguna de les causes d'extinció previstes, les persones jurídiques perduren durant un període de temps indefinit, circumstància que permet afirmar que amb caràcter general la durada de l'usdefruit a favor d'una persona jurídica el poden fixar els interessats a l'empara del principi d'autonomia privada, encara que amb el límit de no poder-se constituir per un període superior a noranta-nou anys segons l'article 561-3.4; i amb la precisió —segons el mateix precepte— que "Si el títol de constitució no estableix una altra cosa, es presumeix constituït per trenta anys". El límit dels noranta nou anys entenem que s'estableix amb caràcter imperatiu i que, per tant, s'estableix també pels casos d'usdefruit successiu a favor d'una pluralitat de persones jurídiques. Segons la interlocutòria del president del Tribunal Superior de Justícia de Catalunya de 4 de setembre de 1997, encara que amb referència a l'article 515 CC vigent aleshores a Catalunya, el límit temporal s'estableix sols en relació amb les adquisicions originàries del dret d'usdefruit.

Interessa fer en aquest apartat unes consideracions sobre la temporalitat del dret d'usdefruit pel cas d'haver-se constituït sota condició o termini resolutori, possibilitat que resulta de l'article 561-1.1 quan preveu que el dret d'usdefruit es regeix inicialment pel títol de la seva constitució. Si el dret d'usdefruit s'ha constituït subjecte a condició resolutòria, es clar que l'arribada del termina provoca la seva extinció, d'acord amb les prevencions generals en relació amb els negocis a termini. Però no hem d'oblidar que segons l'article 561-3.4 l'usdefruit establert a favor d'una persona física és vitalici, llevat que el títol de constitució estableixi una altra cosa, precepte que ofereix la possibilitat de plantejar el problema de si l'establiment d'un termini resolutori equival o no a establir una regla contrària al caràcter vitalici del dret d'usdefruit. Creiem que la regla general és el seu caràcter vitalici, ja que l'article 561-3.3 no el presumeix vitalici sinó que el declara vitalici, encara que certament de forma no imperativa. Per tant si el dret d'usdefruit s'ha constituït sota termini resolutori, sembla prudent entendre que s'estableix amb la finalitat d'escurçar la seva durada i no per allargar-la més enllà de la mort de l'usufructuari (ALBALADEJO); amb la conseqüència doncs que pels casos generals hem d'entendre que s'extingirà a la mort de l'usufructuari, encara que no s'hagi escolat el termini establert, a menys que es pugui entendre que és una altra la voluntat dels interessats, que s'obtindrà en cada cas en base a la normativa sobre interpretació dels negocis jurídics entre vius o per causa de mort. Solució que amb les adaptacions escaients es pot fer extensiva al dret d'usdefruit constituït sota condició resolutòria.

BIBLIOGRAFIA SUMÀRIA

DORAL GARCIA DE PAZOS, *Comentarios al Código Civil y Compilaciones Forales*. Madrid, 1992, volum VII-1; MALUQUER DE MOTES, *Los conceptos de "sustancia", "forma" y "destino" de las cosas en el Código Civil*. Madrid, 1992; BELUCHE RINCON, *La relación obligatoria de usufructo*. Madrid, 1996; TORRELLAS TORREA, *El usufructo de cosas consumibles*. Madrid, 2000; BOSCH CAPDEVILA, *L'"acreixement" i l'"increment" en el dret patrimonial català*, a "La Notaria", 2001 (núm. 11-12), pàg. 405 i seg.; MORENO QUESADA, *El usufructo de la nuda propiedad*, a l'ADC, 2005, pàg. 1153 i seg.; RIVERO HERNANDEZ, *Comentarios de Derecho patrimonial catalán*. Barcelona, 2005, pág. 129 i seg.; RIVERO HERNAN-

DEZ, *Usufructos simultáneos y sucesivos en Derecho Catalán,* a "Homenaje al profesor Lluís Puig i Ferriol". València, 2006, volum II, pàg. 2061 i seg.; ARNAU RAVENTOS, *El efecto anticrético de las garantías reales en el derecho civil catalán,* a "La Notaria", 2006 (núm. 28), pàg. 77 i seg.

JURISPRUDÈNCIA CITADA

Tribunal Suprem

19 novembre 1958: obligacions de l'usufructuari posteriors a l'extinció de l'usdefruit.

Tribunal Superior de Justícia de Catalunya

3 febrer 2005: objecte del dret d'usdefruit.

Interlocutòries del President del Tribunal Superior de Justícia de Catalaunya

4 setembre 1997: durada del dret d'usdefruit a favor d'una persona jurírica

14 gener 2002: cotitularitat en l'usdefruit

Capítol XVIII

El dret d'usdefruit (II)

1. EXERCICI DEL DRET D'USDEFRUIT

La constitució d'un dret d'usdefruit origina l'existència d'una relació jurídica entre el nu propietari i l'usufructuari, en la qual cadascun dels interessats ostenta un conjunt de drets limitats per la coexistència d'unes obligacions, establertes amb la finalitat de crear un punt d'equilibri entre ells, derivat de la coexistència simultània en el temps de dos drets reals sobre el mateix objecte. El conjunt de drets i obligacions del nu propietari i l'usufructuari el poden establir els interessats a l'empara del principi d'autonomia privada segons l'article 561-1.1. En defecte o per insuficiència del títol constitutiu regeixen les prevencions que estableix la llei, que s'exposen en els apartats següents.

I. Posició jurídica de l'usufructuari

Es considera oportú examinar per separat els seus drets i les seves obligacions.

A) OBLIGACIONS

S'exposen en base a la sistemàtica següent:

a) Obligacions inicials

Segons l'article 561-7.1 "Els usufructuaris, llevat que el títol de constitució estableixi una altra cosa, abans de prendre possessió dels béns, els han d'inventariar, citant els nus propietaris, i han de prestat caució en garantia del compliment de llurs obligacions". El precepte s'ha de posar en relació amb l'article 561-2.1 quan confereix a l'usufructuari les facultats d'ús i gaudi dels béns objecto del seu dret i com que aquests béns en un moment posterior els ha de restituir al seu propietari (excepte en el quasiusdefruit segons l'article 561-5), per tal de delimitar l'objecte i la seguretat de la restitució s'imposen les obligacions d'inventari i caució com a requisits previs a la facultat de prendre possessió dels béns usufructuats. La llei no estableix uns requisits de forma especials per a l'inventari (excepte en el cas de l'usdefruit universal capitular segons l'article 25.2 CF), requisit que en qualsevol cas poden exigir els interessats si es fan càrrec de les despeses que això suposa. Amb referència al seu compliment de l'article 561-7.2 en resulta que l'inventari ha de contenir una descripció dels béns sobre els quals recau el dret d'usdefruit d'acord amb les seves característiques, que en el cas de recaure sobre béns immobles serà oportú relacionar amb l'article 9 LH i amb l'article 51 del seu reglament; inventari que ha d'anar acompanyat d'una avaluació dels béns objecte de l'usdefruit i pot anar acompanyat també d'un dictamen pericial si ho considera oportú l'usufructuari. Però com que segons el mateix article 561-7.1 l'inventari s'ha de practicar amb citació del nu propietari, si aquest concorre a la seva pràctica pot exigir la intervenció d'un expert a l'hora de determinar l'estat, la condició i el valor dels béns objecte de l'usdefruit, amb l'obligació de pagar les despeses que això ocasioni. L'usufructuari pot prendre l'inventari per la seva pròpia iniciativa o a instàncies del nu propietari, que pot exigir judicialment a l'usufructuari el compliment d'aquesta obligació a càrrec de l'usufructuari, que en tot cas és la persona obligada a pagar les despeses que ocasioni la formalització de l'inventari. De l'article 561-7.1 en resulta també que si l'usufructuari incompleix l'obligació de prendre inventari, no pot exigir que se li lliuri la possessió dels béns objecte del seu dret, però sí podrà exigir els fruits i les utilitats que li confereix l'article 561-6.1, amb obligació de pagar les despeses de producció i de retribuir l'activitat desenvolupada pel nu propietari (BELUCHE RINCON). Esmentem finalment que el títol de constitució de l'usdefruit pot deixar sense efecte l'obligació de prendre inventari (article 561-7.1 i article 25 CF), possibilitat que exclou l'article 304,II CS respecte el llegat d'usdefruit universal i l'article 331,I del mateix Codi amb referència a l'usdefruit vidual intestat (cal tenir present en aquest darrer cas que en la seva constitució no intervé la voluntat dels interessats).

Pel que fa referència a l'obligació de prestar caució que també imposa l'article 561-7, el precepte l'estableix igualment com a requisit per a prendre possessió dels béns objecte de l'usdefruit, amb la conseqüència doncs que l'usufructuari té dret a percebre els fruits i les utilitats des del moment de la constitució de l'usdefruit, amb els condicionaments que s'han fet fa uns moments en relació amb l'inventari. L'article 561-7.1 res preveu sobre les caucions que ha de prestar l'usufructuari en garantia del compliment de les seves obligacions i, davant d'aquest silenci legislatiu, ens inclinem per aplicar aquí —amb les adaptacions que escaiguin— les prevencions que els articles 207 i 208 CS estableixen en relació amb l'herència fideïcomesa, perquè tan l'usufructuari com l'hereu fiduciari han de restituir els béns objecte de la seva titularitat en un moment posterior. L'usufructuari pot establir per la seva pròpia iniciativa les garanties que consideri escaients, però ho ha de fer amb citació del nu propietari, que podrà manifestar el seu acord o desacord respecte a les garanties que ofereix l'usufructuari; en qualsevol cas el nu propietari pot exigir a l'usufructuari les garanties que consideri escaients, que en el seu moment concretarà la resolució judicial cas de no existir un acord entre els interessats. Segons el mateix article 561-7.1 les garanties que ha de prestar l'usu-fructuari tenen com a finalitat respondre "del compliment de llurs obligacions", que seran les derivades del deure de restitució quan s'extingeixi l'usdefruit, les derivades dels danys que pot ocasionar als béns usufructuats o per l'incompliment o el compliment defec-tuós de qualsevol de les obligacions a càrrec seu segons la llei o el títol constitutiu de l'usdefruit. Tampoc precisa el legislador qui ha de pagar les despeses que origini la constitució de les cauci-ons esmentades, que ens inclinem a pensar que en atenció a les seves finalitats serà oportú posar-les a càrrec de l'usufructuari i el nu propietari per parts iguals, ja que en definitiva aquestes garanties s'estableixen en benefici d'ambdós. El deure de prestar les garanties esmentades no s'estableix amb caràcter imperatiu, ja que de forma expressa l'article 561-7.1 preveu que el títol de constitució estableixi una altra cosa i la mateixa prevenció esta-bleix l'article 304,III CS respecte el llegat d'usdefruit universal; mentre que en relació amb l'usdefruit universal capitular l'article 27 CF estableix que l'usufructuari no ha de prestar cap mena de caució, llevat aque es disposi altrament. La dispensa de prestar les garanties esmentades s'ha d'entendre en principi irrevocable, encara que amb bon criteri s'apunta l'oportunitat que per decisió judicial s'obligui a l'usufructuari a prestar les garanties escaients si fa un ús incorrecte o actua de forma abusiva en relació amb els béns usufructuats (BELUCHE RINCON).

b) Obligacions mentre està vigent el dret d'usdefruit

Mentre està vigent el dret d'usdefruit l'usufructuari en l'exercici dels seus drets s'ha de comportar d'acord amb les regles d'una administració ordenada (article 561-2.3), que d'acord amb la tradició jurídica catalana suposa imposar a l'usufructuari el deure d'actuar d'acord amb la diligència pròpia d'un bon pare de família (Digest 7,1,9-2); deure de diligència que es connecta de forma directa amb el límit que estableix el mateix precepte de respectar la destinació econòmica del bé usufructuat. D'aquesta correlació creiem se'n deriva que les facultats de l'usufructuari estan subjectes al límit de respectar la destinació econòmica del bé gravat, que no es preveu es pugui deixar sense efectes a diferència del que preveu l'article 561-2.1 en relació amb el deure de conservar la forma i la substància, diferència que es pot justificar en base a la consideració que la destinació econòmica del bé és una facultat exclusiva del propietari (segons l'article 541-1) que per tant ha de respectar l'usufructuari. En el sentit doncs que incompleix les regles d'una ordenada administració si modifica la destinació econòmica que el propietari ha donat al bé o béns objecte de l'usdefruit; amb la conseqüència que si manca una prevenció expressa del propietari en aquest sentit, l'usufructuari ha de gaudir dels béns usufructuats d'acord amb la seva naturalesa i els costums locals, encara que en ocasions es pugui considerar admissible una modificació parcial de la destinació econòmica si així ho exigeix l'interès social que l'article 541-2 estableix en relació amb el dret de propietat. El deure que l'article 561-2.3 imposa a l'usufructuari d'observar les regles d'una ordenada administració s'ha de relacionar amb l'article 561-18.1, segons el qual "Els usufructuaris han d'assegurar els béns objecte de llur dret si l'assegurança és exigible per les regles d'una administració econòmica ordenada i usual. Si ja estaven assegurats en el moment de constituir l'usdefruit, els usufructuaris han de pagar les primes"; precepte que entenem és particularment aplicable als casos en què la utilització que fa l'usufructuari dels béns objecte del seu dret comporti un risc afegit de pèrdua o deteriorament d'aquests béns.

Arribats a aquest punt interessa fer unes precisions respecte a l'incompliment de l'obligació d'observar les regles d'una bona administració que estableix l'article 561-2.3. La resposta es troba a l'article 561-8.1, segons el qual "Els usufructuaris que deterioren els béns usufructuats responen dels danys causants davant els nus propietaris...", del qual en resulta en primer lloc que la sanció que estableix el legislador pels casos d'incompliment de l'obligació esmentada és la d'indemnitzar els danys i perjudicis ocasionats al nu propietari. Però el precepte no sols preveu aquesta conseqüència sinó també la possibilitat de constituir una administració judicial dels béns usufructuats, que imposa determinar quan escaurà aplicar una o altra conseqüència. Com a regla general es pot establir que escaurà la constitució d'una administració judicial en els casos de perjudicis greus als interessos del nu propietari, amb independència de l'entitat dels perjudicis en un sentit purament objectiu; criteri que es pot concretar una mica més en el sentit de prendre també en consideració el fet de si la caució prestada per l'usufructuari en garantia del compliment de les seves obligacions (segons l'article 561-7.1) es pot considerar suficient per a respondre dels danys ocasionats per l'incompliment de l'obligació de portar a terme una bona administració. La possibilitat d'exigir una responsabilitat pels danys causats o per interessar la constitució d'una administració judicial s'estableix en funció dels actes dels usufructuaris; expressió que hem d'entendre en el sentit d'ésser procedent qualsevol de les mesures esmentades no sols en els casos de danys ocasionats personalment pels usufructuaris sinó també pels danys ocasionats per terceres persones, en aplicació de les regles generals sobre responsabilitat del deutor pels actes dels seus auxiliars i, també, pels danys ocasionats per les persones a les quals l'usufructuari ha cedit el seu dret de gaudiment. En relació amb les circumstàncies temporals es precisa que s'ha de tractar d'actes que ocasionen un deteriorament dels béns objecte del dret d'usdefruit realitzats en el període comprès des de la presa de possessió dels béns en concepte d'usufructuari i l'extinció del dret d'usdefruit (CATALÀ ROS). I respecte a les conseqüències que es deriven del deteriorament dels béns objecte del dret d'usdefruit esmentem que poden ésser dues, ja que en casos determinats l'usufructuari sols ha de respondre dels danys causats, mentre que en altres casos a més de respondre d'aquests danys es pot veure afectat per la constitució d'una administració judicial dels béns objecte de l'usdefruit a instàncies del nu propietari; fet que implicarà privar a l'usufructuari de la possessió material dels béns usufructuats que li atribueix l'article 561-2.2, i també de les facultats d'ús i d'administració dels mateixos béns, però no la de percebre els fruits a què té dret segons l'article 561-6, amb les minves que escaiguin, derivades en els casos generals de les despeses que ocasioni l'administració judicial dels béns usufructuats.

L'article 561-8.2 imposa als usufructuaris una altra obligació mentre està vigent la seva titularitat, com és la de "notificar als propietaris tot acte de tercers del qual tingui notícia que pugui perjudicar els béns usufructuats. Si no ho fan, responen dels danys i perjudicis imputables a aquesta omissió". En aquest cas l'usufructuari respon dels danys que experimentin els béns usufructuats —no per actes propis— sinó per actes de terceres persones, responsabilitat que té la seva justificació en el fet que segons l'article 561-2.2 l'usufructuari es troba normalment en possessió immediata dels béns usufructuats i és precisament en base a aquesta possessió que pot assabentar-se més fàcilment de qualsevol pertorbació jurídica o material que puguin experimentar els béns usufructuats per actes de tercera persona. La responsabilitat de l'usufructuari es fonamenta en la manca de notificació al propietari de l'acte perjudicial ocasionat pel tercer, que ens porta a la tesi que l'usufructuari assumeix la càrrega de la prova d'haver fet la notificació escaient al nu propietari, notificació que ha de practicar des que tingui notícia de l'acte perjudicial pels béns usufructuats, expressió que entenem es refereix no sols als perjudicis actuals sinó també referida als actes dels tercers que suposin de forma versemblant que es produiran perjudicis en un moment posterior. L'incompliment deu deure de notificar determinarà que l'usufructuari respongui dels danys i perjudicis ocasionats als béns usufructuats des que es produeixen, amb aplicació de les normes generals sobre responsabilitat contractual. L'incompliment del deure de notificar implica únicament assumir la responsabilitat pels danys i perjudicis ocasionats al nu propietari, però no la possibilitat de constituir una administració judicial dels béns usufructuats, segons resulta d'un examen comparatiu dels apartats 1 i 2 de l'article 561-8.

Una tercera obligació que assumeix l'usufructuari mentre està vigent la seva titularitat és la que estableix l'article 561-12.1, en el qual es preveu que "Les càrregues privades existents en el moment de constituir l'usdefruit, les despeses de conservació, manteniment, reparació ordinària o subministrament dels béns usufructuats i els tributs i les taxes de meritació anual són a càrrec dels usufructuaris". Aquesta obligació es deriva en bona part del límit que l'article 561-2.1 imposa a l'usufructuari de salvar la forma i la substància dels béns objecte de l'usdefruit, de respectar la destinació econòmica dels béns usufructuats i de comportar-se d'acord amb les regles d'una administració ordenada segons l'apartat 3 del mateix precepte; ja que com posa de manifest la doctrina és correcte que l'usufructuari assumeixi l'obligació de mantenir els béns usufructuats en estat normal de conservació, mantenint la seva activitat productiva habitual, no sols amb la finalitat indiscutible de protegir els interessos del nu propietari, sinó també com a mesura raonable de política econòmica, que permet incentivar el manteniment dels béns en condicions de productivitat (BELUCHE RINCON). Així i tot l'article 561-3.2,b) permet que en el títol de constitució de l'usdefruit es pugui trencar la correlació entre el dret de gaudiment de l'usufructuari i el pagament d'aquestes càrregues i despeses per la via d'atribuir a l'usufructuari tots els rendiments i utilitats que produeixin els béns usufructuats lliures de les càrregues i despeses que esmenta l'article 561-12.1.

La primera despesa que l'article 561-12.1 posa a càrrec de l'usufructuari és pagar a càrrec seu "Les càrregues privades existents en el moment de constituir l'usdefruit". El qualificatiu de privades creiem té el sentit de diferenciar-les de les càrregues que podem anomenar públiques, que segons el mateix precepte es centrarien en els tributs i les taxes de meritació anual. Les càrregues privades que segons el precepte ha de pagar l'usufructuari són les que existeixen en el moment de constitució del dret d'usdefruit, com són per exemples les derivades de les despeses raonables per a la producció dels fruits pendents al començament de l'usdefruit que l'article 561-6.2 posa a càrrec de l'usufructuari, atesa la interrelació que el precepte estableix entre ambdós conceptes; com també les despeses existents quan es va constituir el dret d'usdefruit derivades de les pensions de cens segons els articles 565-1.1 i 565-8.

L'article 561-12.1 imposa també a l'usufructuari pagar les despeses següents: *i)* de conservació dels béns usufructuats, és a dir, les despeses necessàries o indispensables per tal de prevenir les alteracions materials dels béns usufructuats i la violació del seu estat juridic, així com advertir el propietari de la necessitat de les reparacions a càrrec seu (LACRUZ BERDEJO-LUNA SERRANO); *ii)* el manteniment dels béns usufructuats, que es centren en les despeses que ocasiona la seva gestió derivades d'una explotació normal del mateixos d'acord amb el seu destí material o jurídic; *iii)* reparació ordinària dels béns usufructuats, que es refereix a les despeses que s'han de fer amb la finalitat de mantenir el valor

dels béns objecte del dret d'usdefruit d'acord amb l'estat en què
es trobaven al temps de la seva constitució, que obliga per tant
a tenir que suportar les despeses que es deriven del seu ús nor-
mal, però no les derivades del pas del temps si l'usdefruit recau
sobre béns deteriorables segons l'article 561-4 (DORAL GARCIA
DE PAZOS); iv) les de subministrament, que s'interpreta en el
sentit de pagament de les despeses derivades del servei a què
es destinen els béns objecte de l'usdefruit i que es vinculen als
mateixos béns (RIVERO HERNÁNDEZ); i v) finalment les des-
peses derivades dels tributs i les taxes de meritació anual, que
entenem es concreten als tributs i taxes que graven les utilitats
que percep l'usufructuari, sempre que siguin de meritació anual,
com exigeix el precepte.

Afegeix l'article 561-12.2 que "Si els usufructuaris no assumeixen
les càrregues ni paguen les despeses, els tributs o les taxes a què
fa referència l'apartat 1 després que els nus propietaris els ho hagin
requerit, aquests les poden satisfer a càrrec dels usufructuaris". Per
a l'aplicació del precepte s'exigeix que el nu propietari requereixi
a l'usufructuari a fer les despeses previstes en el seu apartat 1
i si no obstant el requeriment l'usufructuari manté una conducta
passiva, els nu propietari pot atendre les despeses "a càrrec dels
usufructuaris", amb la conseqüència doncs de poder exigir mentre
està vigent el dret d'usdefruit el reemborsament de les despeses
que ha pagat a l'usufructuari amb els seus interessos i els danys
i perjudicis que eventualment es poden derivar l'incompliment de
les obligacions que l'article 561-12.1 posa inicialment a càrrec dels
usufructuaris. Afegim en aquest punt que si el nu propietari paga
aquestes despeses a càrrec de l'usufructuari sense haver fet el
requeriment que exigeix l'article 561-12.2, això determinarà que
no s'apliqui aquest precepte, però sí les prevencions generals dels
articles 1158, 1159 i 1209 al 1213 CC.

Esmentem finalment en aquest apartat que mentre està vigent
el dret d'usdefruit, l'usufructuari assumeix també l'obligació de
pagar els interessos de les quantitats invertides pel nu propietari
per a les despeses a què fa referència l'article 561-12.3.

c) Obligacions posteriors a l'extinció de l'usdefruit

La fonamental és la restitució dels béns objecte del dret d'us-
defruit al nu propietari o als seus hereus que estableix l'article
561-16.4, segons el qual "Els béns usufructuats, una vegada extingit

l'usdefruit, s'han de restituir als nus propietaris, sens perjudici del dret de retenció dels antics usufructuaris o de llurs hereus per raó de les despeses de reparacions extraordinàries que els deguin". El deure de restitució que exigeix el precepte pressuposa que l'usufructuari es troba en possessió dels béns objecte de l'usdefruit al temps de l'extinció d'aquest dret i es projecta sobre els mateixos béns sobre els quals es va constituir d'acord amb el seu estat, condició i valor segons resulti de l'inventari (vegeu l'article 561-7.2) o en el seu cas del resultat de les proves; amb la prevenció que si el dret d'usdefruit recau sobre béns deteriorables, s'han de restituir en l'estat en què es troben (article 561-4), que en el cas de recaure el dret d'usdefruit sobre béns consumibles s'han de restituir béns de la mateixa espècie o qualitat o, subsidiàriament, el seu valor en el moment de l'extinció de l'usdefruit (article 561-5) o dels béns subrogats en els casos que preveu l'article 561-16.1,d). El deure de restitució afecta l'usufructuari, encara que normalment recaurà sobre els seus hereus en atenció al caràcter generalment vitalici d'aquest dret segons l'article 561-3.3.

La concurrència d'una de les causes que determinen l'extinció de l'usdefruit provoca de forma automàtica la pèrdua de la titularitat de l'usufructuari sobre els béns objecte del seu dret i, també, que el seu lliurament s'hagi de configurar com un efecte immediat i directe del poder atractiu del dret real del nu propietari, en el qual es troben totes les facultats que integren el dret d'usdefruit, reversió que es produeix *ipso iure* i de la mateixa manera automàtica que l'extinció de l'usdefruit (STS de 19 de novembre de 1958). Amb la finalitat de fer efectiva aquesta restitució, si l'usufructuari o els seus hereus no la compleixen de forma voluntària, el propietari podrà exercitar les accions personals o reals que cregui escaients en defensa de la seva titularitat.

Segons la proposició darrera de l'article 561-16.4 el deure de restitució esmentat opera "sens perjudici del dret de retenció dels antics usufructuaris o de llurs hereus per raó de les despeses de reparacions extraordinàries que es deguin". El precepte s'ha de relacionar amb l'article 569-4,a) que preveu la possibilitat d'exercir el dret de retenció amb la finalitat de garantir "El rescabalament de les despeses necessàries per a conservar i gestionar el bé i de les despeses útils, si hi ha dret a reclamar-ne el reemborsament". En aquests moment sols cal posar de manifest que en el cas de l'usdefruit el dret de retenció sols es pot constituir per a garantir el pagament de les despeses fetes per l'usufructuari per raó de reparacions extraordinàries fetes en els béns usufructuats, però no pels demés conceptes que esmenta l'article 569-4,a), ja que aquest precepte confereix un abast més ampli al dret de retenció en els casos generals perquè pressuposa que l'admet la normativa aplicable, amb la conseqüència doncs que s'aplica amb el caràcter restrictiu que resulta de l'article 561-16.4 en el cas de l'usdefruit, ja que existeix una previsió concreta en aquest sentit.

B) DRETS

Amb caràcter general s'ha d'afirmar que els drets de l'usufructuari són els que estableix el títol de constitució del dret d'usdefruit o el que es deriva de la llei que permet la seva constitució (article 561-1). Si manquen aquestes previsions, els drets normals de l'usufructuari són el següents:

a) Possessió

Segons l'article 561-2.2 "Els usufructuaris tenen dret a posseir els béns objecte de l'usdefruit...", facultat que es deriva en bona part del concepte d'usdefruit que estableix l'article 561-2.1, ja que si segons aquest precepte l'usdefruit no és altra cosa que el dret real d'usar i gaudir béns aliens, les facultats d'ús i gaudi pressuposen en els casos generals que l'usufructuari es troba en possessió dels béns objecte de l'usdefruit, que als efectes de l'article 521-4.1 suposarà atribuir al nu propietari la possessió derivada del dret de propietat o *ius possidendi* i a l'usufructuari la possessió material del bé o dels béns objecte de l'usdefruit (vegeu *supra,* capítol II, III,1). D'aquesta consideració inicial se'n deriva que l'usufructuari pot exercitar les accions judicials escaients per tal de retenir o recuperar la possessió dels béns objecte del dret d'usdefruit (vegeu l'article 522-7). Sens perjudici que l'usufructuari pugui ésser privat d'aquestes facultats possessòries immediates si deteriora els béns usufructuats, com preveu l'article 561-8.1. En qualsevol cas la possessió en concepte d'usufructuari permet adquirir per usucapió el dret real d'usdefruit (argument articles 531-23.1 i 531-24.1), però no el dret de propietat sobre el bé, a menys que es produeixi una inversió eficaç del concepte possessori segons l'article 521-6.

La possessió material dels béns objecte del dret d'usdefruit per part de l'usufructuari comporta a la vegada que ostenti la facultat de fer ús d'aquests béns (com explícitament estableix l'article 561-2). En l'exercici de la facultat d'ús l'usufructuari ha de respectar la destinació econòmica del bé o dels béns objecte de l'usdefruit (article 561-2.3), que en els casos generals s'establirà en funció de la destinació econòmica que tenien al temps de constituir-se el dret d'usdefruit, a menys que els interessats convinguin la seva modificació en un moment posterior.

b) Gaudi

La facultat de gaudi de l'usufructuari apareix en el concepte d'usdefruit que estableix l'article 561-2.1 i es concreta després a l'apartat 2 del mateix precepte, en el qual es preveu que l'usufructuari té dret "a percebre totes les utilitats no excloses per la llei o pel títol de constitució" (de l'usdefruit). En base a aquestes preceptes cal esmentar inicialment que el dret de l'usufructuari no es concreta a percebre els fruits dels béns objecte del dret d'usdefruit sinó que va més enllà, ja que el precepte parla d'"utilitats" que es deriven dels béns usufructuats, que entenem és un concepte més ampli.

Pel que fa referència als fruits, i en relació amb els anomenats fruits de la cosa segons l'article 511-3.1, l'article 561-6.2 precisa que "en l'usdefruit voluntari els usufructuaris tenen drets als fruits pendents al començament de l'usdefruit, amb obligació de pagar les despeses raonables, i els propietaris, als fruits pendents a l'acabament en proporció al grau de maduració, amb l'obligació de pagar la quota corresponent de les despeses per a produir-los". El precepte sols s'aplica als usdefruits voluntaris, encara que les solucions que ofereix no tenen el caràcter d'imperatives, amb la conseqüència doncs que els interessats poden establir uns criteris diferents; i amb la conseqüència també que el precepte no s'aplica als usdefruits que estableix la llei ateses les finalitats que persegueixen els anomenats usdefruits legals. Respecte els fruits de la cosa pendents al començament de l'usdefruit entenem que aquests fruits corresponen a l'usufructuari, en el sentit que té dret a exigir-los des d'aquest moment, encara que mentre es troben en la situació de pendents el dret de propietat sobre els mateixos s'atribueix al nu propietari, amb la conseqüència doncs que el dret de propietat sobre els fruits pendents sols s'atribueix a l'usufructuari quan es separen del bé que els produeix (article 541-4.1), moment des del qual deixen de tenir la condició de pendents i assoleixen la condició de cosa independent respecte el béns que els produeixen. Precisa també l'article 561-6.2 que l'atribució dels fruits pendents a l'usufructuari al temps de constituir-se el dret d'usdefruit comporta a la vegada que assumeixi "l'obligació de pagar les despeses raonables per a produir-los", expressió en part diferent a la que apareix respecte a altres supòsits semblants, en els quals s'imposa al perceptor dels fruits l'obligació de pagar les despeses originades per a la producció dels fruits (segons els articles 522-3, 541-3.2 i el mateix article 561-6.2, proposició darrera), mentre que en relació amb el cas que ara es considera, el legislador es val del criteri més estricte de "despeses raonables" per a la producció dels fruits. Restricció que es pot justificar en base el caràcter normalment vitalici del dret d'usdefruit, que porta a la conveniència de limitar d'alguna forma en benefici de l'usufructuari el conflicte d'interessos que en aquest punt es suscita en relació amb el propietari que ha fet aquestes despeses. I respecte els fruits de la cosa pendents a l'extinció del dret d'usdefruit l'article 561-6-2 els atribueix al propietari, amb aplicació del criteri general de poder exigir l'usufructuari o els seus hereus les despeses per a produir-los; amb la precisió segons el mateix precepte que s'atribueixen al propietari en proporció al grau de maduració al temps que s'acabi el dret d'usdefruit, perquè segons el grau de maduració dels fruits, aquests tenen un valor econòmic diferent.

Si dels fruits de la cosa passem a la categoria diferent dels fruits dels drets, que són els rendiments que se n'obtenen d'acord amb llur destinació i els que produeixen en virtut d'una relació jurídica (article 531-3.2), s'aplica la regla de l'article 561-6.3, segons la qual "Els fruits d'un dret s'entenen percebuts dia a dia i pertanyen als usufructuaris en proporció al temps que duri l'usdefruit" (vegeu també l'article 541-4.2).

Com s'esmentava al començament d'aquest apartat, l'article 561-6.1 no sols atribueix a l'usufructuari el dret a percebre els fruits dels béns usufructuats sinó també les seves utilitats, que imposa tenir que fer unes breus precisions sobre el concepte d'utilitat i les seves diferències amb el concepte de fruits. A l'hora de precisar el concepte d'aquests (vegeu *supra,* capítol I, 3, II, E), a) hem precisat que tenen la condició de fruits els rendiments que produeix la cosa de forma natural o amb intervenció d'una activitat humana que no afecta el valor patrimonial de la cosa mare que els produeix, perquè pot seguir produint fruits en el futur durant un cert temps, de la mateixa manera que es pot atribuir el concepte de fruits als altres rendiments que s'obtenen de la cosa mare segons la seva destinació encara que això suposi esgotar de forma progressiva la possibilitat de produir fruits successius; i en base a aquestes consideracions es pot entendre que el concepte d'utilitat es refereix als rendiments que es poden obtenir dels béns al marge del criteri de la normalitat, perquè es tracta de rendiments que no s'ajusten al destí econòmic de la cosa, com exigeix l'article 561-2.3. Cal precisar de totes formes que l'usufructuari no té dret a percebre totes les utilitats que es deriven dels béns usufructuats, ja que el concepte que n'hem donat continua essent poc concret. En principi es pot atribuir la condició d'utilitats que pot percebre l'usufructuari als rendiments de les coses que no s'ajusten al seu destí econòmic, com pot ésser el de caçar els animals que es troben a les finques objecte del dret d'usdefruit, sempre que la caça d'aquests animals no estigués d'acord amb el seu destí econòmic de la finca ja que en aquest cas tindrien la condició de fruits (segons el Digest 22,1,26) o, també, la possibilitat d'obtenir de determinats béns usufructuats uns rendiments escaients en base a les activitats professionals de l'usufructuari. Però el dret de l'usufructuari a percebre les utilitats dels béns usufructuats no li permet adquirir un dret de propietat sobre les noves accions que es distribueixen en el cas d'augment de capital d'una societat, ja que les noves accions no constitueixen un rendiments de les anteriors sinó una representació nova de la participació en la societat (BIONDI); sens perjudici que el dret de l'usufructuari es faci extensiu als rendiments que produeixin aquestes noves accions mentre està vigent el dret d'usdefruit (argument article 240,3r CS). De la mateixa manera que l'usufructuari tindrà dret a percebre en concepte d'utilitats els fruits que es derivin dels béns que com a conseqüència de l'accessió s'incorporin a béns objecte del dret d'usdefruit o els fruits que es derivin del tresor descobert en una finca objecte del dret d'usdefruit mentre aquest està vigent (argument article 213 CS).

c) Millores

Segons l'article 561-6.4 "Els usufructuaris poden introduir millores als béns objecte de l'usdefruit, dins els límits del seu dret, amb la facultat de retenir-les a l'acabament de l'usdefruit si això és possible sense deteriorar l'objecte". La facultat d'introduir millores que estableix el precepte es justifica en base a la consideració d'atribuir a l'usufructuari la possibilitat d'obtenir una major rendabilitat, que a més està d'acord amb les finalitats que normalment es volen assolir mitjançant la creació d'un dret real d'usdefruit. El mateix article 561-6.4 estableix un límit a la facultat d'introduir millores, ja que l'usufructuari sols pot millorar els béns objecte de l'usdefruit "dins els límits del seu dret", expressió que entenem en els sentit que mitjançant la introducció de millores l'usufructuari no pot modificar la destinació econòmica que el propietari hagi atribuït als béns objecte de l'usdefruit, com resulta de l'article 561-2.3.

En el context de l'article 561-6.4 el concepte de millores pressuposa una activitat per part de l'usufructuari, que es tradueix en unes despeses que realitza o en la realització d'unes activitats personals, que provoquen un augment estable del valor dels béns objecte del dret d'usdefruit. D'aquesta primera consideració resulta que s'exclouen, als efectes que ara i aquí interessen, del concepte de millores els augments de valor que puguin experimentar el béns objecte del dret d'usdefruit per causes que podem anomenar naturals, com succeeix en determinats casos d'accessió (vegeu els articles 366 al 374 CC); de la mateixa manera que s'exclouen del concepte de millores les anomenades necessàries, que segons el Digest 50,16,79 pr. són les que es deriven de les despeses indispensables per tal d'evitar la pèrdua o el deteriorament dels béns. Segons l'article 561-12.3 aquestes despeses, sempre que no es derivin de cap incompliment dels usufructuaris, són a càrrec dels nus propietaris.

De l'article 561-6.4 se'n deriva també que les millores útils i suntuàries que introdueixi l'usufructuari als béns usufructuats no donen dret a indemnització quan s'extingeix el dret d'usdefruit, ja que l'usufructuari les introdueix amb coneixement del caràcter essencialment temporal de la seva titularitat sobre els béns millorats i en interès propi. Això justifica que segons el mateix article 561-6.4 l'usufructuari pugui retirar les millores a l'acabament de l'usdefruit, però sols "si això és possible sense deteriorar l'objecte", ja que en altre cas la separació de la millora ocasionaria un perjudici al nu propietari, agreujat tal vegada pel fet de no resultar beneficiat per les millores fetes per l'usufructuari.

d) Disposició del dret d'usdefruit

Segons la normativa tradicional vigent a Catalunya el dret d'usdefruit es qualifica d'intransmissible o personalíssim, amb la conseqüència que l'usufructuari no pot disposar del seu dret i si contravé aquesta prohibició l'acte es qualifica de nul, encara que deixa subsistent el dret d'usdefruit (Digest 23,3,66). Els ordenaments jurídics moderns, amb excepcions, superen el caràcter personalíssim del dret d'usdefruit, criteri que accepten l'article 480 CC espanyol, l'article 107, nº. 1 LH i darrera d'ells l'article 4 de las Llei catalana 13/2000. de 20 de novembre, que és l'antecedent immediat de l'article 561-9.

a') Determinació del seu abast

Com s'ha esmentat fa uns moments el dret d'usdefruit no té el caràcter de personalíssim segons el dret civil català actual, tesi que permet afirmar que l'usufructuari pot gaudir de forma directa dels béns objecte del dret d'usdefruit, de forma indirecta mitjançant cedir l'ús i el gaudiment dels drets usufructuats a tercera persona mitjançant una contraprestació, que tindrà el caràcter de fruit del dret o fruit civil segons l'article 511-3.2, i també permet a l'usufructuari disposar del seu dret a favor de tercera persona, ja sigui mitjançant un acte d'alienació o de gravamen (DORAL GARCIA DE PAZOS). Així resulta inicialment de l'article 561-9.1 segons el qual "L'usdefruit és disponible per qualsevol títol" i també de l'apartat 3 del precepte quan preveu que "Els contractes que fan els usufructuaris s'extingeixen al final de l'usdefruit". Encara que els preceptes esmentats estableixen amb caràcter general la disponibilitat del dret real d'usdefruit, el mateix ordenament jurídic català preveu unes excepcions a aquest principi general, com són la de l'article 30 CF respecte a l'usdefruit universal capitular i la de l'article 69 CS pels casos d'usdefruit universal convingut en un heretament o uns condicionaments, en el cas de l'usdefruit amb facultat de disposició (articles 561-21 al 561-24 (que són objecte d'estudi en el capítol següent). D'aquesta consideració general en resulta que l'usufructuari pot establir respecte el seu dret un contracte que tingui per objecte cedir a terceres persones les seves facultats d'ús i gaudi sobre els béns usufructuats, que planteja el problema de determinar si l'usufructuari en el cas que podem considerar més freqüent d'un contracte d'arrendament transmet a l'arrendatari únicament l'exercici del dret d'usdefruit o si li transmet també la condició d'usufructuari. Creiem més convincent la primera tesi, ja que com posa en relleu doctrina autoritzada si l'usufructuari estableix un contracte d'arrendament sobre el seu dret únicament cedeix a l'arrendatari el seu exercici, és a dir el dret a percebre els fruits i les utilitats dels béns objecte del dret d'usdefruit, però l'usufructuari no desapareix de l'escena jurídica després d'haver convingut el contracte d'arrendament sinó que continua essent usufructuari, amb la diferència que el seu dret de gaudi ja no recau sobre els fruits que s'obtenen dels béns objecte de l'usdefruit sinó sobre els fruits que es deriven de la relació jurídica a títol onerós que ha establert amb l'arrendatari (vegeu en aquest sentit ROCA SASTRE, *Derecho Hipotecario*. Barcelona, 1968, volum IV-1, pàg. 395 i seg.). Amb la conseqüència que l'usufructuari respondrà enfront el propietari juntament amb l'arrendatari dels danys causats per aquest als béns usufructuats objecte del contracte d'arrendament, perquè ha preferit conferir a un tercer la possessió dels béns objecte de l'usdefruit a canvi d'una contraprestació que considerava favorable als seus interessos; i si la cessió s'ha fet a títol gratuït (cas per exemple del contracte de comodat segons l'article 1741 CC) entenem que s'ha d'aplicar la mateixa solució, ja que el designi de l'usufructuari que cedeix la cosa en comodat en benefici del comodatari no ha de repercutir negativament sobre els interessos del propietari, aliè al contracte de comodat i al designi de liberalitat que presideix l'actuació de l'usufructuari.

En relació amb els contractes sobre cessió de l'ús i gaudi dels béns usufructuats l'article 561-9.3 preveu que "s'extingeixen al final de l'usdefruit", precepte aplicable als arrendaments subjectes al Codi civil, amb la prevenció que es deriva dels seus articles 1570 i 1577 si es tracta d'arrendament de finques rústegues subjectes a la seva normativa. Si es tracta d'arrendament de finques rústegues subjectes a la normativa especial, cal atenir-se a l'article 10 de la Llei 49/2003, de 26 de novembre, d'arrendaments rústecs, en el qual es preveu l'extinció del contracte quan es resol el dret de gaudi de l'arrendador, a menys que en aquest moment no hagi acabat l'any agrícola, ja que en aquest cas el contracte subsisteix fins a la conclusió de l'any agrícola o fins i tot durant un temps superior si hagués concorregut el propietari a l'atorgament del contracte. Si es tracta d'un contracte d'arrendament sotmès a la normativa especial sobre arrendaments urbans s'aplica l'article 13.2 de la Llei 29/1994, de 24 de novembre, d'arrendaments urbans, en el qual es preveu que els arrendaments atorgats per l'usufructuari i altres persones titulars d'un dret de gaudiment semblant s'extingeixen quan s'acaba la titularitat de l'arrendador, a més de les altres causes d'extinció que preveu la llei.

L'article 569-6 permet que l'usufructuari pugui establir contractes que tingui per objecte l'ús i gaudi dels béns objecte del seu dret i, també, que pugui disposar del seu dret per qualsevol títol (segons el seu apartat 1). En base a aquest precepte hem d'entendre que l'usufructuari pot disposar del dret d'usdefruit a títol onerós o a títol gratuït i que aquesta facultat dispositiva es pot encarrilar per la via d'una alienació del dret d'usdefruit o per la via d'establir un gravamen sobre aquest mateix dret, com resulta de l'article 107, nº. 1 LH, precepte que per raons d'analogia és aplicable als altres drets reals de garantia o a la constitució d'altres drets reals limitats. En relació amb l'exercici d'aquestes facultats dispositives es planteja una altra vegada el problema de determinar l'objecte de l'acte dispositiu. Pels casos d'hipoteca precisa l'article 107, nº. 1 LH que el seu objecte és el dret d'usdefruit, expressió que entenem en el sentit de la seva configuració jurídica com un dret real de realització del valor perquè recau sobre el valor en venda del bé objecte d'aquest dret real limitat, que ens porta a la tesi que la hipoteca del dret d'usdefruit recau sobre el seu contingut econòmic. Més dubtes presenta determinar l'objecte de l'acte d'alienació del dret d'usdefruit, en el sentit de si comporta transmetre al cessionari únicament el contingut econòmic del dret d'usdefruit o si en aquest cas l'objecte de la cessió és transferir al cessionari la condició d'usufructuari que fins aleshores corresponia al cedent. Entenem com a tesi més ajustada que l'objecte de la cessió és únicament el contingut econòmic del dret real d'usdefruit, però no la condició d'usufructuari. A favor d'aquesta tesi esmentem que l'article 561-7.1 imposa a l'usufructuari el deure de prestar caució "en garantia del compliment de llurs obligacions", i entre les obligacions que garanteix la caució s'hi troba la de restituir els béns objecte de l'usdefruit al seu propietari una vegada extingit l'usdefruit (segons l'article 561-16.4), que hem d'entendre persisteix encara que l'usufructuari hagi alienat el seu dret a favor de tercera persona en base a l'article 561-9.1, perquè es tracta d'una alienació no definitiva en atenció al caràcter temporal de la titularitat de l'usufructuari cedent. Es pot afegir encara que l'obligació de restituir forma part del que podem anomenar obligació connectada al dret d'usdefruit per disposició de la llei amb la finalitat de disciplinar els punts de contacte que es donen entre el nu propietari i l'usufructuari en base el fet que els seus drets i obligacions recauen sobre el mateix bé (ALBALADEJO); i si es parteix d'aquest criteri, l'usufructuari no pot alliberar-se de l'obligació de restituir per actes que siguin imputables al cessionari del dret d'usdefruit, a menys que el propietari hagués prestat el seu assentiment a la cessió, ja que aquest assentiment equival a una declaració de voluntat favorable a un canvi de la persona del deutor de l'obligació de restitució (segons l'article 1205 CC). Amb la conseqüència dons que si manca l'assentiment del nu propietari, també en aquest cas el cessionari i l'usufructuari alienant responen conjuntament enfront el propietari si l'obligació de restitució no es pot fer efectiva per causes imputables al cessionari, amb independència del fet que la cessió es fonamenti en una causa onerosa o gratuïta.

L'article 4.1 de la Llei 13/2000 —antecedent immediat del llibre cinquè del Codi civil de Catalunya en aquest punt— sols permetia a l'usufructuari disposar del seu dret per actes entre vius, restricció que no ha passat a l'article 561-9, que li permet disposar del dret d'usdefruit "per qualsevol títol", expressió que entenem permet que l'usufructuari també pot disposar *mortis causa* del dret d'usdefruit per a després de la seva mort si té una durada superior a la vida de l'usufructuari, com resulta de l'article 561-3-3 que sols el presumeix vitalici. El mateix criteri es mantenia en relació amb l'article 4.1 de la Llei 13/2000, que sols facultava per a disposar del dret d'usdefruit per actes entre vius, en base a considerar que aquesta restricció s'establia en funció del dret d'adquisició preferent del nu propietari que establien els articles 4 i 5 de la llei esmentada, dret d'adquisició preferent que no opera en els supòsits de disposició per causa de mort (RIVERO HERNÁNDEZ).

Els actes dispositius realitzats per l'usufructuari no tenen una eficàcia definitiva, ja que la titularitat de l'usufructuari sobre els béns objecte del seu dret és essencialment temporal (vegeu els articles 561-3.3 i 561-15), amb la conseqüència doncs que s'aplica aquí el conegut principi general *resoluto iure dantis, resolvitur ius concessum*. Altra cosa és determinar quins efectes es deriven pel cessionari quan l'usufruct s'extingeix de forma voluntària per decisió unilateral de l'usufructuari manifestada abans del fet que determinaria la seva extinció segons el títol constitutiu o segons la llei. Amb caràcter general preveu l'article 561-16.3 que "L'extinció voluntària del dret d'usdefruit no comporta l'extinció dels drets reals que l'afecten fins que no venç el termini o no es produeix el

fet o la causa que comporten l'extinció". Una aplicació particular
del mateix criteri es troba a l'article 107,n°. 1 LH, en el qual es
preveu pel cas d'hipoteca del dret d'usdefruit que si aquest s'ex-
tingeix per voluntat de l'usufructuari, subsisteix la hipoteca fins
el compliment de l'obligació garantida o fins que arribi la data
de conclusió del dret d'usdefruit sense tenir en compte la data
de la seva extinció en base a la voluntat de l'usufructuari. Vegeu
també l'article 37,1r LH.

b') Dret d'adquisició preferent del nu propietari

S'estableix amb el caràcter de novetat en els articles 4.2 i 5 de
la Llei 13/2000, que segons el seu preàmbul es considera com una
conseqüència de l'alienabilitat del dret d'usdefruit, ja que atesa "la
importància que aquest fet pot representar per al nu propietari,
s'atribueix a aquest la possibilitat d'evitar-ne el canvi subjectiu
i se li dóna la possibilitat d'exercir el dret d'adquisició preferent
per a recuperar aquell dret". Amb determinades variants el ma-
teix dret d'adquisició preferent a favor del nu propietari apareix
en els articles 561-9.2 i 561-10 amb les mateixes finalitats, que
es poden qualificar de positives en el context actual, especialment
si es recorda el caràcter normalment vitalici del dret d'usdefruit
segons l'article 561-3.3; que pressuposa perllongar de forma signi-
ficativa la seva durada en els casos generals com a conseqüència
de la vida de la persona fins a una edat molt avançada, fet que
pot repercutir de forma negativa en determinats casos sobre els
interessos generals davant una eventual incúria per part de l'usu-
fructuari i el nu propietari en la gestió dels béns usufructuats.
Pel que fa referència al seu règim jurídic, interessa fer aquí les
precisions següents:

- El dret d'adquisició preferent s'estableix amb caràcter unila-
  teral, és a dir únicament a favor del nu propietari però no
  a favor de l'usufructuari, i a més apareix amb caràcter no
  imperatiu, ja que segons l'article 561-9.2 s'estableix "llevat
  que el títol de constitució estableixi una altra cosa", pro-
  bablement perquè es pensa que en molts casos persegueix
  afavorir els interessos del propietari i de l'usufructuari i no
  unes finalitats d'interès públic o general. L'exclusió del dret
  d'adquisició preferent es pot establir no sols en el títol de
  constitució de l'usdefruit sinó també en el títol de la seva
  modificació i creiem, també, que el seu titular pot renunciar

en qualsevol moment al seu exercici, sense que la llei exigeixi uns requisits de forma especials per a la renúncia, que en tot cas resta sotmesa a les prevencions generals en matèria d'interpretació de la declaració de voluntat del renunciant.

- El dret d'adquisició preferent a favor del nu propietari s'estableix en la doble modalitat del tanteig i del retracte, encara que no amb caràcter cumulatiu sinó subsidiari, en el sentit que es confereix inicialment en forma de tanteig i si aquest es frustra per les causes que preveu la llei el dret de tanteig es converteix en un dret de retracte (vegeu l'article 561-10.3).

- En la modalitat del dret de tanteig, entès com el dret que faculta el seu titular per a adquirir en les mateixes condicions pactades amb un altre adquirent (vegeu l'article 568-1.1,b) afecta a l'usufructuari que es proposa transmetre el seu dret d'usdefruit i s'estableix a favor de la persona que té la condició de nu propietari quan l'usufructuari vol transmetre la seva titularitat a tercera persona, amb inclusió dels titulars d'un dret real o personal sobre els béns objecte de l'usdefruit. Si la nua propietat correspon a una pluralitat de titulars subjectes al règim de la comunitat ordinària, l'exercici del dret de tanteig no sembla que es pugui qualificar d'acte de disposició (que segons l'article 552-7.6 s'ha d'acordar per unanimitat) i per tant apuntem com a solució més ajustada que pel seu exercici s'exigeixi la majoria qualificada de les tres quartes parts de les quotes que preveu l'article 552-7.3.

- El dret d'adquisició preferent del nu propietari opera en el cas de transmissió projectada del dret d'usdefruit segons l'article 561-9.2 i pel que fa referència al sentit de l'expressió transmetre que apareix en el precepte, és oportú relacionar-lo amb l'article 561-10.2 que el projecta sobre els actes de transmissió onerosa i de transmissió gratuïta; en conseqüència entenem que opera el dret d'adquisició preferent en forma de tanteig quan l'usufructuari pretén transmetre el seu dret a favor de tercera persona en base a un acte que es fonamenti en una causa onerosa o gratuïta (segons l'article 1274 CC). Respecte al sentit que val donar a l'expressió "transmissió onerosa" de l'article 561-10.1 es pot entendre que es concreta en la fonamentada en un contracte de compravenda, ja que el precepte fa una referència expressa al "preu convingut" i el preu és un dels elements que identifiquen el contracte de compravenda segons l'article 1445 CC. Així i tot apuntem l'oportunitat de fer extensiu el dret d'adquisició preferent a favor del nu propietari en altres casos de contractes amb finalitats transmissives fonamentats en una causa onerosa, com poden ésser un contracte de permuta, transacció o aportació social; tesis que es pot fonamentar en el fet que tant l'article 561-9.2 com l'article 561-10.1 es refereixen a transmissió en un sentit molt general, és a dir sense concretar-la al contracte de compravenda, a diferència del que succeeix per exemple en relació amb el tanteig emfitèutic, que s'estableix pels casos generals d'alienació a títol onerós dels drets del censalista o del censatari (article 565-23.2), però amb exclusió dels contractes de permuta i transacció segons l'article 565-26, exclusió que no fa el legislador a l'hora de regular el dret d'adquisició preferent del nu propietari (i tampoc pels casos de dret de tanteig en les situacions de comunitat indivisa ordinària segons l'article 552-4).

- Per tal de fer possible el dret de tanteig l'article 561-10.1 exigeix que l'usufructuari que es proposa transmetre el seu dret notifiqui de forma fefaent al nu propietari indicant el nom de l'adquirent, el preu convingut o el valor que es dóna al dret, en el cas de transmissió gratuïta, prevenció que estimem s'ha de complir també en els casos de transmissió onerosa quan la contraprestació a càrrec de l'adquirent del dret d'usdefruit no consisteixi en una quantitat de diners, així com les altres circumstàncies rellevants de l'alienació. Amb referència a l'article 5 de la Llei 13/2000 s'argumentava que l'acreditació de la pràctica d'aquesta notificació no s'exigia com a requisit per a la inscripció de l'usdefruit a favor del tercer adquirent (RIVERO HERNANDEZ).

- Pel que fa referència a l'exercici del dret de tanteig, i en relació amb les seves circumstàncies temporals, l'article 561-10.2 estableix que les nus propietaris l'han d'exercir "en el termini d'un mes a comptar de la notificació que estableix l'apartat 1, que poden exercir pagant-ne el preu o, si no n'hi ha, el valor notificat pels usufructuaris" (sobre computació d'aquest termini vegeu l'article 122-5). Si la nua propietat correspon a una pluralitat de persones, entenem d'aplicació l'article 568-4 que obliga al seu exercici per tots conjuntament o per un o diversos d'ells per cessió dels altres, amb la finalitat d'evitar la creació d'una comunitat no desitjada entre l'adquirent del dret d'usdefruit i l'altre o els altres nus propietaris.

- Efecte fonamental del dret de tanteig és que el nu propietari gaudeix de la facultat d'adquirir el dret d'usdefruit pagant-ne el preu convingut amb el tercer o, si no n'hi ha, el valor notificat pels usufructuaris (article 561-10.2).

- La recepció de la notificació que preveu l'article 561-10.1 atorga al nu propietari titular del dret de tanteig no sols la possibilitat d'exercir-lo d'acord amb els requisits esmentats sinó també la possibilitat d'impugnar el seu contingut, si es creu que el preu convingut amb el tercer o el valor que l'usufructuari atribueix al seu dret no es corresponen amb la realitat, impugnació que té com a finalitat fer efectiu en aquest cas el criteri general que informa qualsevol dret de tanteig, que no és altre que poder adquirir el bé amb les mateixes condicions pactades amb l'altre adquirent (article 568-1,b).

- Pel que fa referència al dret de retracte, entès en el sentit de l'article 568-1,c) com a facultat del seu titular de subrogar-se en el lloc de l'adquirent amb les mateixes condicions convingudes una vegada ha tingut lloc la transmissió, precisem que: *i)* titular del dret de retracte és el nu propietari, que en el cas d'exercici judicial del seu dret s'ha d'adreçar únicament contra el tercer adquirent però no contra l'usufructuari transmitent, sens perjudici de la intervenció voluntària d'aquest en el procés a l'empara de l'article 13.1 LEC; *ii)* el dret de retracte escau quan s'ha consumat la transmissió del dret d'usdefruit a favor de tercera persona en base a un acte de finalitats transmissives, que entenem no ha d'ésser necessàriament un contracte, com resulta del fet de no haver passat a l'article 561-10 la prevenció de l'article 5-4 de la Llei 13/2000, que no conferia el dret d'adquisició preferent en els supòsits d'execució judicial, extrajudicial o administrativa; *iii)* en relació amb la seva procedència de l'article 561-10.3 en resulta el seu caràcter subsidiari respecte el dret de tanteig, en el sentit que si el nu propietari no exercita de forma voluntària el dret de tanteig preferent no pot exercir després el dret d'adquisició preferent en forma de retracte, a menys que la manca d'exercici del dret de tanteig tingui el seu origen en la manca de la notificació que exigeix l'apartat 1 del precepte o que la transmissió s'hagi dut a terme en circumstàncies diferents a les notificades; *iv)* respecte a les

seves circumstàncies temporals l'article 561-10.3 preveu que
el dret de retracte s'ha d'exercir "en el termini de tres mesos
a comptar de la data en què hagin tingut coneixement de
l'alienació i les circumstàncies d'aquesta o a comptar de la
data de la inscripció de la transmissió en el registre corres-
ponent" (el mateix règim estableix l'article 552-4.2 pel dret
de retracte en les situacions de comunitat ordinària indivisa
i, per tant, ens remetem a les precisions que es fan sobre el
mateix *supra,* capítol XII, 2, III, B) amb la finalitat d'evitar
repeticions; i *v)* efecte fonamental del dret de retracte és la
subrogació del nu propietari retraient en la posició jurídica
de l'adquirent (article 568-1,c), que no comporta l'existència
d'una nova transmissió a favor del retraient sinó el mante-
niment de la primera transmissió, amb l'inevitable canvi de
la persona adquirent i amb la precisió final que si la nua
propietat correspon a una pluralitat de persones, el dret de
retracte l'han d'exercitar totes elles conjuntament o una o
diverses d'elles per cessió de les altres (article 568-4).

e) En les situacions de cotitularitat

Pel cas que el dret d'usdefruit recaigui sobre la quota d'un bé
que es troba en situació de comunitat la facultat de demanar la
seva dissolució mitjançant la divisió s'atribueix únicament al pro-
pietari (segons els articles 552-10.1 i 561-11.1), circumstància que
determina la conveniència de precisar els drets que en la situació
de comunitat corresponen a l'usufructuari de la quota, perquè
mentre està vigent la situació de comunitat no pot demanar-ne la
dissolució. Amb aquesta finalitat s'ha d'acudir a l'article 561-11.2,
en el qual es preveu que "L'usufructuari o usufructuària de la
quota d'un bé en comunitat pot exercir els seus drets sense neces-
sitat d'intervenció del nu propietari o nua propietària en matèria
d'administració i percepció de fruits i interessos". El precepte té el
seu antecedent a l'article 8.1 de la Llei 8/2000, que havia provocat
el problema de determinar quins eren els drets que corresponen
a l'usufructuari en aquests casos, dubtes que tracta de solucionar
l'article 561-11.2 que els concreta als drets "en matèria d'adminis-
tració i percepció de fruits i interessos". Del precepte creiem en
resulta que l'usufructuari pot percebre els fruits i les utilitats que
li corresponen sobre els béns objecte de l'usdefruit segons l'article
561-6 sense intervenció del nu propietari; tesi que recolza l'article

561-2.2 que atribueix a l'usufructuari les facultats possessòries i de gaudiment sobre els béns objecte del seu dret, facultats que en el cas que ara interessa ha d'exercir juntament amb els altres cotitulars del bé que es troba en situació de comunitat.

Precisa també l'article 561-11-2 que en aquest cas l'usufructuari pot exercir els seus drets sense necessitat d'intervenció del nu propietari en matèria d'administració del bé o béns que es troben en situació de comunitat. Pensem que el precepte es refereix sols als actes que l'article 552-7.2 qualifica d'administració ordinària subjectes al règim de les majories simples, però no als actes d'administració extraordinària que exigeixen la majoria qualificada que preveu l'article 552-7.3. Criteri que es fonamenta en el concepte d'actes d'administració extraordinària que s'ha donat abans (vegeu *supra,* capítol XII, 2, 4, B), segons el qual s'inclou en la categoria jurídica dels actes d'administració extraordinària els que impliquen modificar la destinació econòmica del bé, modificació que en els casos generals va més enllà de les facultats que la llei atribueix a l'usufructuari (segons l'article 561-2.3).

II. Posició jurídica del nu propietari

Mentre està vigent el dret d'usdefruit la posició jurídica del nu propietari ve presidida pel conjunt dels següents drets i obligacions:

A) *DRETS DEL NU PROPIETARI*

Del context del llibre cinquè del Codi civil de Catalunya se'n deriven els següents:

a) *Drets correlatius a determinades obligacions a càrrec de l'usufructuari*

S'inclou en aquest apartat en primer lloc el dret d'ésser citat per l'usufructuari per tal de controlar la presa d'inventari que estableix l'article 561-7.1, que comporta a la vegada del dret del nu propietari a exigir a l'usufructuari la pràctica de l'inventari si aquest no ho fa per la seva iniciativa, així com fer determinar pericialment l'estat i condició dels béns usufructuats a avaluar-los a càrrec seu (segons l'article 561-7.2). Del mateix article 561-7.1 en resulta el dret del propietari a exigir a l'usufructuari que presti les caucions escaients en garantia del compliment de les seves obligacions, amb la precisió que pot exigir aquest dret fins i tot en el supòsit que el títol constitutiu dispensi l'usufructuari del deure de prestar caució, però no en qualsevol cas, sinó únicament quan l'usufructuari fa un ús incorrecte del béns objecte del seu dret, a menys que prefereixi constituir una administració judicial dels béns usufructuats a l'empara de l'article 561-8.1.

Si mentre està vigent l'usdefruit l'usufructuari deteriora els béns objecte de l'usdefruit, l'article 561-8.1 confereix al nu propietari el dret a reclamar-li l'import dels danys ocasionats als béns, demanar es mesures cautelars escaients per tal de prevenir danys futurs, exigir a l'usufructuari que asseguri els béns si l'assegurança és exigible segons les regles d'una administració econòmica ordenada i usual (article 561-18.1) i fins i tot demanar que es constitueixi una administració judicial dels béns usufructuats. Per la seva part l'article 561-8.2 confereix al nu propietari la facultat de reclamar a l'usufructuari els danys i perjudicis que experimenten els béns ocasionats per terceres persones, si l'usufructuari incompleix el deure de notificar al nu propietari els actes perjudicials realitzats pels tercers dels quals tingui notícia.

Correlativa a la facultat que es confereix a l'usufructuari de disposar del seu dret segons l'article 561-9.1 és el dret d'adquisició preferent del nu propietari en la doble modalitat del tanteig i del retracte (article 561-9.2 i article 569-10), d'acord amb els requisits que abans s'han exposat (vegeu *supra,* I, B), d), b').

Esmentem també en aquest apartat el dret que l'article 561-12.2 atribueix al nu propietari d'exigir a l'usufructuari mentre està vigent el seu dret les despeses que esmenta el precepte si les ha pagat el nu propietari, després d'haver requerit infructuosament a l'usufructuari el compliment d'aquestes obligacions que la llei posa a càrrec seu.

b) Facultats dispositives

La constitució d'un dret real d'usdefruit determina en els casos generals sostreure al propietari les facultats d'ús i gaudi dels béns usufructuats (article 561-2), però com que l'usdefruit no és altra cosa que un dret real limitat, això vol dir que el propietari —o si es vol el nu propietari— conserva les altres facultats que formen el contingut del dret de propietat, entre les quals interessa aquí la de disposició (vegeu l'article 541-1.1). Per aquest motiu es preveu a l'article 561-9.4 que "Els nus propietaris poden disposar dels béns usufructuats i introduir-hi modificacions que no n'alterin la forma ni la substància i que no perjudiquin els usufructuaris".

Respecte a la facultat dispositiva que es tradueix en una alienació o transmissió de la nua propietat no s'estableixen limitacions ni condicionaments que els que esmenta el precepte, ja que l'article 561-9.2 sols estableix un dret d'adquisició preferent quan s'aliena el dret d'usdefruit però no la nua propietat, encara que els interessats poden convenir a l'empara del principi d'autonomia privada un dret d'adquisició preferent a favor de l'usufructuari pels casos d'alienació de la nua propietat. I si la facultat de disposició s'exerceix via constitució d'un gravamen, és a dir, gravar la nua propietat amb un altre dret real limitat, cal fer determinades precisions. Si la constitució d'aquest segon dret real limitat no s'interfereix amb les facultats d'ús i gaudi de l'usufructuari (segons l'article 561-2) el nu propietari el pot constituir lliurement, com resulta de l'article 107, nº. 2 LH que permet sense restriccions l'usdefruit de la nua propietat. Mentre que si es tracta de constituir un dret de penyora sobre la nua propietat d'un bé corporal, interessa recordar que segons l'article 561-1.2 la possessió material s'atribueix normalment a l'usufructuari i per tant el nu propietari no pot lliurar la possessió material de la cosa al creditor pignoratici (com exigeix l'article 569-13.1,a), amb la conseqüència doncs que el nu propietari no pot constituir un dret de penyora sobre els béns mobles que ara considerem, si s'interpreta aquest precepte en el sentit que en relació amb els béns corporals o materials la constitució del dret real de penyora exigeix la tradició real o material del bé (vegeu *infra,* capítol XXVIII, 3, II, B). Mentre que si es constitueix un dret de penyora sobre béns respecte els quals es pot transmetre la seva possessió pels altres mitjans que preveu l'article 531-4.2 i l'article 531-5, creiem que el nu propietari podrà empenyorar el seu dret, que en tot cas no haurà d'afectar a la substància i a la integritat del dret d'usdefruit constituït amb anterioritat.

De l'article 561-9.4 en resulta també que el nu propietari pot gravar la finca objecte del seu dret amb una servitud sense restriccions si la constitució del dret real de servitud no perjudica els interessos de l'usufructuari (vegeu en aquest sentit la STS de 24 de juny de 1967 en relació amb la servitud *altius non tollendi);* mentre que si la constitució de la servitud perjudica els interessos de l'usufructuari, aquest pot oposar-se a l'exercici de la servitud, a menys que amb posterioritat l'hagi consentida.

L'article 561-9.4 permet al nu propietari realitzar els actes dispositius esmentats sobre els béns objecte de l'usdefruit i, també, introduir-hi modificacions, com poden ésser obres de millora, reparacions, transformacions o plantacions, amb les limitacions que estableix el mateix precepte "que no n'alterin la forma ni la substància i que no perjudiquin els usufructuaris". Pel que fa referència a les obres de reparació, cal tenir en compte que les extraordinàries són a càrrec dels nus propietaris segons l'article 561-12.3, amb la conseqüència doncs que ve obligat a assumir les despeses que es deriven de les reparacions extraordinàries que tenen com a finalitat la conservació dels béns usufructuats per tal de no perjudicar a l'usufructuari i amb la facultat subsegüent d'exigir a l'usufructuari l'interès de les quantitats invertides (article 561-12.3, fi). De la mateixa manera que l'usufructuari ha de tolerar la realització de los obres que originen aquestes despeses extraordinàries, encara que mentre es realitzen limitin o restringeixin alguna de les seves facultats normals.

Pel que fa referència a altres modificacions voluntàries sobre els béns objecte de l'usdefruit, si les que vol realitzar el nu propietari beneficien també l'usufructuari, perquè suposen un increment de les seves facultats d'ús i gaudiment (segons l'article 561-6.1) normalment no es presentaran problemes; que sí en canvi poden aparèixer quan les modificacions, encara que es puguin qualificar de positives perquè suposen una millor objectiva del bé modificat, d'alguna forma poden perjudicar els interessos de l'usufructuari. Sembla més escaient la resposta negativa en base a l'article 561-9.4 que estableix com a límit a les facultats de modificar els béns usufructuats que la modificació perjudiqui l'usufructuari, expressió que entenem en el sentit que modifiqui les facultats d'ús i de gaudi de l'usufructuari que segons l'article 561-1.2 caracteritzen el dret real d'usdefruit. A menys que en base a la funció social del dret de propietat que estableix l'article 33 de la Constitució, i darrera d'ell l'article 541-2, s'entengui que una conducta capriciosa de l'usufructuari no hauria d'impedir que el nu propietari realitzés obres de millora sobre els béns objecte de l'usdefruit, encara que això suposés una minva de les facultats d'ús i gaudiment de l'usufructuari (com proposen LACURZ BERDEJO-LUNA SERRANO). Des d'aquesta perspectiva pensem que no té massa sentit reproduir a l'article 561-9.4 el límit que l'article 561-2.1 imposa a l'usufructuari de tenir que respectar la forma i la substància dels béns en relació amb la seva facultat de gaudi, límit que el precepte fa ara extensiu al nu propietari, respecte al qual sembla suficient el límit de no perjudicar els interessos de l'usufructuari.

L'article 561-9.4 estableix, en la seva proposició darrera, que els nus propietaris "Per a fer construccions o edificacions, ho han de notificar als usufructuaris, els quals s'hi poden oposar si entenen que lesionen llurs interessos". Pensem que amb aquesta previsió el legislador considera que el fet de construir o edificar sobre la finca objecte del dret d'usdefruit comportarà en els casos generals modificar la destinació econòmica del bé, que pot ésser desfavorable als interessos de l'usufructuari, que fins aleshores ha exercit de forma satisfactòria per a ell les facultats d'ús i de gaudi d'acord amb el destí econòmic inicial dels béns usufructuats. Per això el precepte exigeix que el nu propietari notifiqui a l'usufructuari la seva decisió de construir o d'edificar sobre les finques objecte del dret d'usdefruit, amb la finalitat que l'usufructuari pugui manifestar la seva conformitat o oposició; i en aquest cas amb la possibilitat que el nu propietari pugui plantejar la seva decisió davant dels organismes jurisdiccionals si considera que l'oposició de l'usufructuari es pot qualificar de capriciosa o abusiva, així com també interessar que l'oposició de l'usufructuari hagi de cedir davant d'un interès social o general. Perquè en aquest darrer cas l'usufructuari no experimentarà uns perjudicis essencials, ja que podrà percebre les utilitats que es derivin de les noves construccions o edificacions en base a l'article 561-6.1.

c) Exercici de l'acció de divisió de la comunitat

L'article 561-11 es refereix al supòsit d'un bé que es troba en situació de condomini i que la quota d'un dels copropietaris es troba gravada amb un dret real d'usdefruit. Recordem inicialment que per a les situacions de comunitat ordinària indivisa l'article 552-10.1 estableix que "Qualsevol cotitular pot exigir en qualsevol moment i sense expressar-ne els motius la divisió de l'objecte de la comunitat", del qual se'n deriva que el fet d'estar gravades una o més quotes amb un dret d'usdefruit no ha d'impedir que aquests puguin demanar al divisió del bé, encara que el precepte —per raons sistemàtiques hem d'entendre— no es preocupi d'establir si s'han de preveure determinades garanties per l'usufructuari. Per tal de suplir aquesta omissió preveu l'article 561-11 que "Els nus propietaris d'una quota d'un bé en condomini en poden fer la divisió, sense necessitat de consentiment dels usufructuaris. Tanmateix, els han de notificar la divisió i els usufructuaris tenen el dret d'impugnar-la si entenen que lesiona llurs interessos". El precepte es refereix doncs al supòsit de recaure de forma simultània sobre la quota d'un bé en situació de comunitat ordinària indivisa un dret de nua propietat i un dret d'usdefruit.

De l'article 552-11.1 en resulta que sols els cotitulars estan legitimats per a exigir la divisió del bé comú, amb la conseqüència doncs que està mancat d'aquesta legitimació l'usufructuari (com ja va tenir ocasió de precisar la sentència del Tribunal Suprem de 9 de febrer de 1970), ni el fet que l'usdefruit gravi la quota de sols un cotitular ha d'impedir que els altres puguin demanar al divisió de la cosa comuna (vegeu la sentència del Tribunal Suprem de 27 de desembre de 1999). Aquesta legitimació individual del nu propietari s'ha de concordar amb la càrrega que el mateix precepte li imposa de notificar al pràctica de la divisió a l'usufructuari, notificació que no es sotmet a uns requisits de forma especials ni tampoc a uns límits temporals, però que en tot cas s'ha d'emmarcar en el període comprès entre l'inici de les operacions divisòries i el fi de les mateixes. Respecte a les conseqüències de la manca de notificació precisa la doctrina que ha de permetre a l'usufructuari ignorar la divisió practicada i les seves conseqüències i negar-se a modificar les seves facultats de gaudiment encara que ho exigeixi un altre cotitular (RIVERO HERNADEZ). En un sentit menys dràstic es pot entendre que la llei no estableix el requisit de la notificació per tal d'obtenir l'assentiment de l'usufructuari, que portaria a la conseqüència que en els casos de manca de notificació l'usufructuari sols podria exigir els danys i perjudicis que ha experimentat com a conseqüència de la divisió practicada sense haver tingut oportunitat d'exercir unes funcions de control, que es donaria enfront el nu propietari i, també, enfront els altres cotitulars que hagin contribuït d'alguna forma a lesionar els interessos de l'usufructuari.

La finalitat de la notificació és permetre a l'usufructuari intervenir en les operacions divisòries i controlar que no es facin en perjudici dels seus drets, que en el cas de pràctica judicial de la divisió pot determinar la intervenció voluntària de l'usufructuari en el procés a l'empara de l'article 13 de a Llei d'enjudiciament civil. En qualsevol cas —és a dir amb independència que s'hagi practicat o no la notificació— l'usufructuari pot impugnar la divisió si considera que "lesiona els seus drets", sense establir cap límit quantitatiu respecte a la lesió. La referència a la lesió ens

porta a pensar que l'usufructuari pot exercir les accions rescis-
sòries escaients en base a l'article 1291,3r del Codi civil, encara
que l'usufructuari no es pot qualificar en sentit estricte de cre-
ditor del nu propietari; a menys que l'usufructuari hagi prestat
amb posterioritat el seu assentiment a la divisió en la qual no
ha intervingut.

Practicada la divisió el dret de l'usufructuari sobre la quota
que corresponia al nu propietari en la situació de comunitat, es
concreta en un dret d'usdefruit sobre els béns adjudicats al nu
propietari titular de la quota (article 561-11.3); que pressuposa per
tant l'aplicació dels criteris generals sobre la subrogació real.

B) OBLIGACIONS DEL NU PROPIETARI

Com a més significatives esmentem les següents:

a) Despeses a càrrec seu

Segons l'article 561-12.3 "Les despeses de reparacions extraor-
dinàries que no derivin de cap incompliment dels usufructuaris
són a càrrec dels nus propietaris". El concepte de despeses extra-
ordinàries s'obté per exclusió de les despeses que l'apartat 1 del
precepte qualifica d'ordinàries, que determina tinguin el caràcter
d'extraordinàries les que no es poden qualificar de despeses de
conservació, manteniment, reparació ordinària i subministrament
dels béns usufructuats.

En relació amb aquestes despeses es pot plantejar el problema
que s'ha suscitat en relació amb l'article 501 del Codi civil, que
no és altre que determinar si el precepte estableix realment una
obligació a càrrec del nu propietari o si li confereix únicament la
facultat de fer aquestes despeses, en atenció que mentre està vigent
el dret d'usdefruit els béns objecte d'aquest dret no proporcionen
cap benefici al nu propietari i, també, que en els casos generals
el propietari no ve obligat a realitzar despeses extraordinàries en
els béns objecte d'un dret de propietat ple, que normalment no li
proporcionarà determinats beneficis. A l'hora de resoldre aquesta
qüestió sembla oportú esmentar que l'article 561-12.3 precisa que
aquestes despeses "són a càrrec dels nus propietaris" i la mateixa
expressió "són a càrrec" apareix a l'apartat 1 en relació amb les
despeses a càrrec de l'usufructuari; i en relació amb aquestes dar-
reres entenem que el legislador imposa a l'usufructuari l'obligació

de realitzar aquestes despeses, que es deriven de l'obligació que l'article 561-2.2 imposa a l'usufructuari de portar una bona administració dels béns usufructuats. Des d'aquesta perspectiva entenem que per tal d'equilibrar les posicions jurídiques de l'usufructuari i del nu propietari aquest ve obligat a realitzar les despeses necessàries a què fa referència l'article 561-12.3, obligació que pot exigir-li l'usufructuari, a menys que aquest prefereixi pagar-les a càrrec seu i exigir després el seu import al nu propietari o als seus hereus quan s'extingeixi l'usdefruit, amb facultat en aquest darrer cas d'exercir el dret de retenció a l'empara de l'article 569-4,a). Cal precisar encara que el nu propietari sols ve obligat a fer-se càrrec d'aquestes despeses quan "no derivin de cap incompliment dels usufructuaris" (article 561-12.3), expressió que entenem en el sentit que el nu propietari no assumeix aquesta obligació quan les despeses extraordinàries tenen el seu origen en el fet de no haver realitzat l'usufructuari les despeses ordinàries a càrrec seu d'acord amb l'article 561-12.1 i, també, quan es derivin de l'incompliment per part de l'usufructuari de les obligacions que la llei posa a càrrec seu que repercuteixin directament sobre els béns objecte del dret d'usdefruit. Atès que segons l'article 561-2.2 la possessió material dels béns usufructuats s'atribueix normalment a l'usufructuari, una regla de bon sentit porta a entendre que aquest assumeix a la vegada la càrrega de notificar al nu propietari la necessitat de fer aquestes despeses extraordinàries.

L'article 561-12.3 també posa a càrrec del nu propietari "les contribucions especials que impliquen una millora permanent dels béns usufructuats". A l'hora de delimitar el seu concepte sembla oportú precisar que s'estableix en aquest punt un criteri diferent del que resulta de l'article 214,III del Codi de successions en relació amb l'herència fideïcomesa; ja que aquest precepte distingeix entre impostos sobre els productes a càrrec de l'hereu fiduciari i els impostos sobre el capital a càrrec de l'herència fideïcomesa, distinció que no apareix a l'article 561-12, que esmenta en el seu apartat 1 els tributs i les taxes de meritació anual a càrrec de l'usufructuari i les contribucions especials que determinen una millora permanent dels béns usufructuats a càrrec del nu propietari. En base a aquest diferent plantejament es pot afirmar que l'impost sobre els béns immobles, encara que s'estableix sobre el capital, va a càrrec de l'usufructuari, ja que es tracta d'un impost de meritació anual com preveu l'article 561-12.1. Mentre que el nu propietari ve obligat a pagar els tributs derivats de l'increment de valor de les finques objecte del dret d'usdefruit, que en definitiva incrementen el seu patrimoni, i les càrregues tributàries derivades del plantejament urbanístic entre altres.

El legislador té present que aquesta solució imposa al nu propietari assumir unes despeses respecte a uns béns que no li reporten beneficis econòmics, ja que en els casos generals tots els fruits i les utilitats del béns s'atribueixen a l'usufructuari (segons els articles 561-2.2 i 561-6.1). Això justifica que segons la proposició darrera de l'article 561-12.3 "En tots aquests casos, els nus propietaris poden exigir als usufructuaris l'interès de les quantitats invertides".

b) En relació amb l'usdefruit de finca hipotecada

El fet que la constitució d'un dret real d'hipoteca no determina que el seu titular tingui la condició de posseïdor material del bé hipotecat (segons resulta de l'article 145 LH), permet que el propietari que ha hipotecat el seu dret sobre la finca pugui després constituir un dret d'usdefruit sobre la mateixa, que imposa determinar la incidència que poden tenir sobre el dret d'usdefruit les vicissituds de la hipoteca. Hem d'atenir-nos inicialment a l'article 561-13.1, segons el qual "Els usufructuaris de finques hipotecades no han de pagar el deute garantit amb la hipoteca". El sentit del precepte és establir que quan el propietari hipoteca el seu dret de propietat sobre la finca, ja sigui en garantia d'un deute propi o d'un deute aliè, el creditor hipotecari no pot exercitar enfront l'usufructuari l'acció personal que es deriva del dret de crèdit ni l'acció real que es deriva del dret d'hipoteca, perquè l'usufructuari no assumeix en cap moment la condició de deutor personal ni la de deutor hipotecari. La posició jurídica de l'usufructuari és doncs la d'un tercer posseïdor de la finca hipotecada (com resulta de l'article 127,III LH), és a dir, es tracta de l'adquirent no deutor d'un dret real que recau sobre la finca hipotecada (DORAL GARCIA DE PAZOS).

Delimitada d'aquesta forma la posició jurídica de l'usufructuari interessa fer ara unes precisions breus sobre els seus drets i obligacions. Si es projecten en primer lloc sobre l'anomenada fase de seguretat de la hipoteca, no hem d'oblidar que en els casos generals l'usufructuari esdevé posseïdor material dels béns usufructuats (segons l'article 561-2.2) i si gestiona aquests béns de forma incorrecta, fins el punt de portar a terme actes que provoquen una disminució del valor dels béns hipotecats, el creditor hipotecari pot exercir l'acció de devastació que preveu l'article 117 LH, que fins i tot pot determinar que es privi a l'usufructuari de la possessió material dels béns objecte del seu dret. Des d'aquesta perspectiva interessa precisar que l'article 561-13.1 no imposa a l'usufructuari pagar el deute garantit amb la hipoteca, ni els seus interessos a menys que s'hagi convingut una altra cosa (GARCIA CANTERO), però això no exclou que l'usufructuari pugui pagar el deute garantit amb la hipoteca de forma voluntària, fet que determinarà l'aplicació de la normativa general sobre pagament del deute per tercera persona.

Si no es fa efectiu el deute garantit amb el dret d'hipoteca, a instàncies del creditor hipotecari s'obre la fase d'execució, que determina la venda en subhasta pública del bé hipotecat i que amb el producte de la subhasta es faci efectiu el dret del creditor (segons l'article 1858 CC). Per aquests casos preveu l'article 561-13.2 que "Els nus propietaris, si l nua propietat de la finca hipotecada es ven forçosament per a pagar el deute, responen davant els usufructuaris del perjudici causat". Com s'ha esmentat fa uns moments, l'aparat 1 del precepte contempla el supòsit d'hipoteca del dret de propietat, perquè el dret d'usdefruit s'ha constituït amb posterioritat, i és precisament per aquest supòsit que té sentit el que disposa l'apartat 2 de l'article 561-13 que els nus propietaris "responen davant els usufructuaris del perjudici causat"; perquè l'execució de la hipoteca determina a la vegada l'extinció dels gravamen constituïts amb posterioritat a la mateixa (segons l'article 134 LH). Amb la conseqüència doncs que el nu propietari haurà de rescabalar l'usufructuari dels perjudicis ocasionats per aquesta extinció anticipada del dret d'usdefruit, ja sigui amb càrrec a les quantitats que ha percebut de la subhasta després de cobertes les responsabilitats que es deriven de l'execució hipotecària o amb càrrec a la resta del patrimoni del nu propietari o, també, mitjançant establir un nou dret d'usdefruit sobre altres béns que es troben en el seu patrimoni. Ara sols cal afegir que aquest règim no sembla aplicable al supòsit que literalment preveu el precepte d'execució forçosa de la nua propietat, que pressuposa que el dret d'usdefruit es va constituir amb anterioritat a la hipoteca, fet que determina la subsistència del dret d'usdefruit —per la seva condició de dret real— a càrrec de l'adquirent de la finca hipotecada. A menys que s'entengui que el precepte estableix la possibilitat que el propietari de la finca pot hipotecar sols la nua propietat, encara que en aquests moments no es trobi gravada amb un dret d'usdefruit.

2. EXTINCIÓ DEL DRET D'USDEFRUIT

I. Causes d'extinció

Segons l'article 561-16.1 "El dret d'usdefruit s'extingeix per les causes generals d'extinció dels drets reals...", precepte que s'ha de relacionar amb l'article 532-1, en el qual es preveu que "Els drets reals s'extingeixen quan ho estableix aquest codi o el títol de constitució i per la pèrdua del bé, la consolidació i la renúncia del seu titular". Respecte a aquestes causes generals d'extinció dels drets reals ens remetem a les consideracions que s'han fet *supra* (vegeu capítol VIII,4), sens perjudici de fer després unes precisions quan s'apliquen al dret real d'usdefruit.

La primera causa d'extinció que preveu l'article 561-16, en el seu apartat a), és "La mort de l'usufructuari o usufructuària o del darrer d'ells en els casos a què fa referència l'article 561-14.1, en els usdefruits vitalicis". Aquesta és la causa que podem anomenar normal d'extinció del dret real d'usdefruit, com resulta de l'article 561-3.3 que el presumeix vitalici, que s'ha de fer extensiva a la declaració de mort de l'usufructuari (vegeu l'article 195 CC); en qualsevol d'aquests casos l'efecte extintiu es produeix de forma automàtica des de la mort de l'usufructuari, que determina igualment i des del mateix moment que el nu propietari recuperi els drets que fins aleshores corresponien a l'usufructuari ((STS de 14 de desembre de 1956). Si el dret d'usdefruit s'ha constituït amb el caràcter de successiu (com preveuen els articles 561-3.1 i 561-14), i a més amb el caràcter de vitalici sols s'extingeix a la mort del darrer usufructuari perquè existeix un sol dret d'usdefruit. Pel cas d'haver disposat l'usufructuari del seu dret d'usdefruit a favor de tercera persona (com preveu l'article 561-9.1), hem precisat abans que la condició d'usufructuari resta vinculada al transmitent i si això és així, l'usdefruit s'extingeix quan mor el transmitent (en contra NAVARRO VIÑUELAS). Si el dret d'usdefruit s'ha constituït a favor d'una persona jurídica la seva extinció es produeix com a conseqüència de "L'extinció de la persona jurídica usufructuària, si no la succeeix una altra, que es produeixi abans del venciment del termini de durada de l'usdefruit, sens perjudici de la legislació concursal aplicable". L'excepció que fa el precepte pel cas de succeir a la persona jurídica una altra s'ha de concretar a l'anomenada fusió per absorció, que d'acord amb el que preveuen l'article 43.1 LF i l'article 233.2 de la Llei de societats anònimes determinen —en relació amb el supòsit que ara interessa— que la persona jurídica és absorbida per una altra que ja existeix i que adquireix en bloc el patrimoni de la patrimoni de l'absorbida. Precisem que en aquests casos l'extinció del dret d'usdefruit es produeix quan s'ha esgotat el període de liquidació del patrimoni de la persona jurídica en base a la concurrència d'una de les causes que determinen l'extinció de la seva personalitat, ja que durant el període de liquidació subsisteix la personalitat jurídica (vegeu l'article 27.1 LA). La referència que fa l'article 561-16,a) a la legislació concursal es refereix als articles 148 i 149 de la Llei 22/2003, de 9 de juliol.

Una tercera causa d'extinció del dret d'usdefruit apareix a l'article 561-16.1,c), que concreta en la "Consolidació, si l'objecte de l'usdefruit és un bé moble, excepte si els usufructuaris tenen interès en la continuïtat de llur dret". El precepte s'ha de relacionar amb l'article 532-3.1, que estableix com a causa general d'extinció dels drets reals la reunió de titularitats entre el propietari i el titular d'un dret real limitat sobre el mateix bé, encara que l'apartat 2 del precepte preveu que en determinats supòsits aquesta reunió de titularitats determina la subsistència del dret real limitat i un d'aquests supòsits és el de l'article 561-16.1,c) en relació amb l'usdefruit de béns immobles, encara que el precepte admet que per pacte es pugui fer extensiu a l'usdefruit de béns mobles. La Llei 13/2000 no regulava els casos d'extinció del dret d'usdefruit, fet que determinava l'aplicació de la normativa del Codi civil com a supletòria i que va plantejar el dubte sobre si en els casos de consolidació era possible la subsistència del dret d'usdefruit si l'usufructuari tenia interès en la seva subsistència, dubte que es resolia en sentit negatiu, ja que la normativa del Codi civil aplicable com a supletòria no preveia aquesta possibilitat, que tampoc admetia el dret tradicional en aplicació del conegut principi *nemine res sua servit*, a menys que en el títol de constitució s'hagués pactat una altra cosa (RIVERO HERNANDEZ). Aquest pacte contrari resulta ara l'article 561-16.1,c) en el cas d'usdefruit de béns immobles i es pot establir a l'empara del principi d'autonomia privada en relació amb els béns mobles. Això determina que el dret civil català actual admet l'usdefruit de propietari, com posa de manifest l'apartat III del preàmbul de la Llei 5/2006. Pel que fa referència a la seva utilitat cal dir que des del punt de vista de la seva existència i titularitat la manca d'extinció —encara que s'hagi produït la consolidació— determina que el dret real limitat manté la seva eficàcia *erga omnes* quan confereix un avantatge que no es deriva de la condició de propietari —per exemple una preferència sobre el dret d'un tercer—; i si es considera la situació des de la perspectiva de l'exercici del dret, preveu una separació futura del dret de propietat —per exemple mitjançant un acte dispositiu— que permet que el dret real limitat recuperi la seva situació dinàmica (LLÀCER MATACÀS). Pels casos en que la consolidació determini l'extinció del dret real limitat, l'efecte extintiu es produeix en les relacions entre nu propietari i usufructuari, però no en relació amb els tercers que deriven els seus drets de l'usufructuari, respecte els quals el dret d'usdefruit subsisteix fins el moment de la seva extinció per altres causes que no siguin la renúncia (com resulta de l'article 197,1r LH).

Una altra causa d'extinció del dret d'usdefruit és la "Pèrdua total dels béns usufructuats, sens perjudici de la subrogació real si escau". El precepte es refereix a la pèrdua sobrevinguda del bé en sentit material, que segons l'article 532-2.1 es produeix quan "les condicions del bé impossibiliten als titulars de fer-ne complir la funció o la destinació econòmica"; que comprèn els supòsits de destrucció física del bé, la seva destrucció en sentit jurídic (en bé deixa d'ésser apropiable) o per pèrdua de la seva individualitat (casos per exemple dels articles 511-2.1,c) i 542-1 i concordants). La pèrdua del bé no sempre determina l'extinció del dret d'usdefruit, ja que el precepte estableix aquesta causa d'extinció "sens perjudici de la subrogació real si escau". Que determinarà que en aquest cas s'apliquin els criteris aque informen la subrogació real i per tant que el dret d'usdefruit subsisteixi sobre els béns que es subroguen en el lloc dels que s'han perdut, com succeeix per exemple en els casos que preveu l'article 532-2.3. Si la pèrdua del bé s'ha de qualificar de parcial s'aplica l'article 561-17, segons el qual "El dret, si els béns usufructuats es perden solament en part, continua sobre la part romanent" (vegeu en el mateix sentit l'article 532-2.2); expressió que entenem en el sentit de continuar el dret d'usdefruit sobre els béns que resten després de la pèrdua total dels altres o sobre la part del bé únic objecte del dret d'usdefruit que possibilita el compliment de la seva funció o destinació econòmica.

Preveu també l'article 561-16.1,e) que el dret d'usdefruit s'extingeix per "Expropiació forçosa dels béns usufructuats, sens perjudici de la subrogació real si escau", que en realitat no és altra cosa que una aplicació particular del supòsit que preveu l'apartat anterior del precepte, ja que l'expropiació forçosa determina la pèrdua en sentit jurídic del bé objecte del dret d'usdefruit. L'expropiació forçosa del bé o dels béns usufructuats determina normalment l'extinció del dret d'usdefruit que recau sobre el bé expropiat (segons l'article 8è de la Llei d'expropiació forçosa) i, també, el dret del propietari expropiat a percebre el preu just com a contraprestació (article 25 idem), que en el cas de bé o béns objecte a la vegada d'un dret d'usdefruit presenta el problema de determinar en quina mesura l'usufructuari ha de participar sobre la contraprestació que ha de pagar l'expropiant. L'article 561-16.6.1,e) preveu les mateixes solucions que estableix el seu apartat anterior pels casos de pèrdua del bé o béns objecte de l'usdefruit, és a dir, la seva extinció o que s'apliqui la subrogació real. Aquesta segona opció és la que operarà quan com a conseqüència de l'expropiació forçosa l'expropiat percebi un altre bé, en qualsevol de les modalitats que preveu l'article 1.1 de la Llei d'expropiació forçosa, que en definitiva suposa la subsistència del dret d'usdefruit amb una modificació sobrevinguda sobre el seu objecte. Mentre que si com a conseqüència de l'expropiació forçosa el propietari percep una indemnització dinerària o preu just, la participació de l'usufructuari es determina, a menys que els interessats acordin una altra cosa, segons les regles de l'usdefruit de diners de l'article 561-33 (que és objecte d'estudi en el capítol següent) segons l'article 561-19. Si l'expropiació forçosa recau sobre una part del bé, apuntem la conveniència de coordinar les solucions que es deriven de l'article 561-17 i l'article 561-19.

Segons l'article 561-16.1,f) el dret real d'usdefruit s'extingeix "per nul.litat o resolució dels drets dels transmitents o dels constituents de l'usdefruit sens perjudici de terceres persones". En una breu exegesi del precepte és suficient recordar que si el constituent del dret d'usdefruit no té un dret definitiu sobre els béns, sols pot gravar-los amb un dret d'usdefruit dins els límits de la seva titularitat i el mateix s'aplica pel cas de transmissió d'un dret d'usdefruit ja constituït (vegeu *supra,* capítol anterior 2,I i aquest mateix capítol 1,I,B,d). Pel cas de nul.litat del títol constitutiu del dret d'usdefruit aquest no ha arribat a néixer a la vida del dret, amb la conseqüència dons que no ens trobem en sentit estricte davant d'un cas d'extinció, perquè la declaració de nul.litat no fa altra cosa que esborrar l'aparença d'un dret d'usdefruit creada per un acte jurídic nul. Mentre que en els casos de resolució del dret del constituent de l'usdefruit sí ens trobem davant d'un dret que existeix, encara que amb caràcter claudicant, però que s'extingeix en virtut del conegut principi *resoluto iure dantis, resolvitur ius concessum*. Encara que tant pels supòsits de nul.litat com de resolució l'article 561-16.1,f) estableix l'extinció del dret d'usdefruit "sens perjudici del dret de terceres persones"; que suposa l'aplicació de les prevencions legals a favor de terceres adquirents d'un dret d'usdefruit d'un no titular o d'un titular no definitiu, d'acord amb allò que estableixen els articles 34 i 37 LH pels béns immobles i l'article 522-8 pels béns mobles.

Una darrera causa d'extinció es preveu a l'article 561-16.1,g) amb referència a l'"Extinció de l'obligació dinerària en garantia o assegurança de la qual s'ha constituït l'usdefruit". El precepte s'ha de posar en relació amb l'article 561-3.2 quan preveu que en el títol de constitució de l'usdefruit es pot establir que es constitueixi en garantia o en seguretat d'una obligació dinerària, circumstància que determinarà que si s'extingeix per qualsevol de les causes que preveu la llei l'obligació que es va garantir, aquest fet determina a la vegada la desaparició la causa que va determinar la constitució del dret real d'usdefruit amb finalitats de garantia.

Les causes d'extinció del dret d'usdefruit que esmenta l'article 561-16.1 en els seus set apartats no són les úniques, com resulta del seu apartat primer que hi afegeix les causes generals d'extinció dels drets reals. En conseqüència el dret d'usdefruit també s'extingeix per renúncia del seu titular (article 532-4.1), encara que aquesta causa d'extinció sols produeix efectes immediats entre l'usufructuari i el nu propietari, però no enfront els creditors de l'usufructuari o dels tercers que deriven els seus drets del mateix, respecte els quals el dret d'usdefruit subsisteix mentre no s'extingeixi per una altra causa, com resulta també de l'article 561-16.3 i de l'article 107, núm. 1 LH. I segons l'article 532-1.1 el dret d'usdefruit s'extingeix també en els casos que es deriven del títol de la seva constitució, que pressuposa la possibilitat que el dret d'usdefruit es constitueixi sota termini o condició resolutòria, que planteja la seva incidència en relació amb el caràcter normalment vitalici del dret d'usdefruit segons l'article 561-3.3. Amb la finalitat d'evitar repeticions ens remetem a les consideracions que en fan en el capítol anterior, 5.

II. Efectes

Com a fonamental esmentem que els drets que l'usdefruit atribueix a l'usufructuari reverteixen de forma automàtica al nu propietari, fet que determina l'obligació de l'usufructuari o dels seus hereus de restituir al propietari la possessió dels béns que han estat objecte de l'usdefruit i que es procedeixi a la liquidació de les situacions que es troben en situació de pendència (vegeu l'article 561-16.4). Amb la finalitat d'evitar repeticions ens remetem una vegada més a les consideracions que s'han fet *supra,* 1,I,A,c.

L'extinció del dret d'usdefruit determina a la vegada la resolució dels actes dispositius atorgats per l'usufructuari i dels contractes que ha atorgat sobre els béns objecte del seu dret, en aplicació dels articles 561-9.1 i 3 que ja s'han exposat (vegeu *supra,* 1,I,B),d). I recordem també que l'extinció del dret d'usdefruit per voluntat de l'usufructuari determina en casos determinats la subsistència del dret d'usdefruit en benefici de certes persones que deriven els seus drets de l'usufructuari, com s'ha exposat a l'apartat anterior pels casos de renúncia de l'usufructuari o d'extinció del dret d'usdefruit per consolidació.

3. PROTECCIÓ DEL DRET D'USDEFRUIT

Segons el dret tradicionalment vigent a Catalunya l'usufructuari gaudia de la *vindicatio usufructus* o *actio confessoria* si es produïa una lesió dels seus drets per part del nu propietari o de tercera persona (Digest 7,1,60 pr. i Digest 7,6,5-1), amb la finalitat d'obtenir la declaració del seu dret i la restitució dels béns objecte de l'usdefruit. D'acord amb aquest precedent estableix l'article 561-20 que "Els usufructuaris poden exercir les accions corresponents a la tutela de llur dret i exigir als nus propietaris que els facilitin els elements de prova que tinguin".

Sembla oportú recordar ara que segons el dret tradicional el dret d'usdefruit s'adscriu a la categoria jurídica de les servituds personals i encara que pel dret actual s'ha de refusar aquesta configuració, això és compatible amb el fet que considerem oportú integrar aquest article 561-20 amb les prevencions que es troben a l'article 566-13 respecte a l'acció confessòria de servitud; en base a les quals es pot afirmar que l'acció prevista a l'article 561-20 té com a finalitat interessar que es declari l'existència del dret real d'usdefruit i la restitució a l'usufructuari dels béns objecte del seu dret. I pel que fa referència a la legitimació activa i passiva i requisits pel seu exercici, així com a la seva prescripció, ens remetem a les consideracions que es fan respecte a l'exercici de l'acció confessòria de servitud (vegeu *infra,* capítol, 2.).

Precisem també que a més d'aquesta acció l'usufructuari també pot exercir les accions possessòries escaients, ja que segons l'article 561-2.2 "Els usufructuaris tenen dret a posseir els béns objecte de l'usdefruit"; de la mateixa manera que l'usufructuari està legitimat per a l'exercici de l'acció publiciana en base a l'article 522-7.2.

BIBLIOGRAFIA SUMÀRIA

A més de l'esmentada en el capítol anterior vegeu CATALÀ ROS, *El abuso del usufructuario: análisis del artículo 520 del Código civil.* Madrid, 1995; LLÀCER MATACÀS, *Entorn a la consolidació en l'ordenament civil català,* a "El futur del dret patrimonial de Catalunya. (Materials de les Desenes Jornades de Dret Català a Tossa). València, 2000, pàg. 717 i seg.; NAVARRO VIÑUELAS, *Sobre la extinción del derecho real de usufructo,* a "La Notaria", 2002 (núm. 6), pàg. 49 i seg.

JURISPRUDÈNCIA CITADA

Tribunal Suprem

14 de desembre de 1956: extinció del dret d'usdefruit
19 novembre 1958: obligacions de l'usufructuari
24 juny 1967: exercici del dret d'usdefruit
9 febrer 1970: usdefruit en situacions de cotitularitat
27 desembre 1999: usdefruit en situacions de cotitularitat

Capítol XIX

El dret d'usdefruit (III). El dret d'ús i el dret d'habitació

1. PARTICULARITATS EN MATÈRIA DE DRET D'US-DEFRUIT

En base a la sistemàtica que presenta el llibre cinquè del Codi civil de Catalunya tractem en aquest apartat les particularitats que presenta el dret d'usdefruit, ja sigui en atenció a les facultats atribuïdes a l'usufructuari o per l'objecte sobre el que recau el dret d'usdefruit.

I. L'usdefruit amb facultat de disposició

A) CONCEPTE I FINALITATS

Com resulta dels capítols anteriors la constitució d'un dret d'usdefruit implica que sobre els mateixos béns conflueixen de forma simultània uns drets de l'usufructuari, que es centren fonamentalment en unes facultats de possessió, ús i gaudi d'aquests béns (segons l'article 561-2), i uns drets del nu propietari derivats del dret de propietat, encara que buida de contingut econòmic, però que deixa vigent la facultat de disposició (segons l'article 561-9.4), perquè es tracta d'una facultat derivada del dret de propietat segons l'article 541-1. Aquesta distribució de facultats entre usufructuari i nu propietari es pot trencar en benefici de l'usufructuari —a l'empara del principi d'autonomia privada— si se li atribueixen unes facultats dispositives sobre els béns objecte de l'usdefruit, facultats dispositives que s'afegeixen a les normals que confereix el dret d'usdefruit segons l'article 561-2. Apareix d'aquesta forma l'anomenat usdefruit amb facultat de disposició, que té els seus orígens en unes pràctiques consuetudinàries molt arrelades a Catalunya en èpoques no massa llunyanes, que apareixen amb la finalitat de potenciar les finalitats alimentàries que des dels seus orígens fonamenten el dret real d'usdefruit. Aquestes pràctiques consuetudinàries adquireixen caràcter legal en els articles 14 al 19 de la Llei 13/2000, que són l'antecedent immediat dels articles 561-21 al 261-24, que s'inclouen en una secció intitulada "Usdefruit amb facultat de disposició".

Amb la finalitat de delimitar de forma més completa l'usdefruit amb facultat de disposició sembla oportú fer unes altres precisions. La primera és que la facultat de disposició sobre els béns objecte de l'usdefruit no forma part dels drets que amb caràcter general s'atribueixen a l'usufructuari, amb la conseqüència doncs que sols gaudeix de determinades facultats dispositives si així es deriva de la voluntat dels interessats, com resulta de l'article 561-21.1, que les atribueix "si així ho estableix el títol de constitució" (de l'usdefruit). La concessió d'aquesta facultat no es subjecta a una declaració de voluntat taxativa, ja que entenem es pot constituir de forma implícita en atenció a les finalitats que en cada cas concret persegueixin els constituents del dret d'usdefruit. I una segona precisió que cal fer des d'ara és que en el cas de l'usdefruit amb facultat de disposició les facultats de l'usufructuari es projecten de forma directa sobre els mateixos béns objecte del dret d'usdefruit; en el sentit que en l'exercici de les facultats dispositives l'usufructuari pot transmetre o gravar definitivament els béns usufructuats. Amb aquestes consideracions es vol posar de manifest que no s'ha de confondre la facultat de disposar definitivament dels béns objecte de l'usdefruit per part de l'usufructuari, que sols apareix en la modalitat de l'usdefruit amb facultat de disposició, amb la facultat que l'article 561-9.1 confereix a l'usufructuari de disposar per qualsevol títol de l'usdefruit; és suficient recordar ara que la disposició del dret d'usdefruit determina únicament transmetre a l'adquirent el seu contingut econòmic, però no amb caràcter definitiu, sinó fins el moment de la seva extinció final d'acord amb l'article 561-9.3 (vegeu *supra,* capítol anterior, 1,I,B),d).

Pel cas de constituir-se el dret d'usdefruit en testament s'ha presentat tradicionalment el problema de d'establir les seves diferències amb el fideïcomís de residu (vegeu els articles 243 al 248 CS), en atenció que ambdues institucions persegueixen moltes vegades la mateixa finalitat. Pel dret actual la diferència és clara, ja que en el cas de l'usdefruit amb facultat de disposició el nu propietari i l'usufructuari adquireixen de forma simultània els respectius drets des del moment de la constitució de l'usdefruit, a diferència del que succeeix en el fideïcomís de residu, en el qual l'únic titular dels béns és l'hereu o legatari fiduciari mentre està pendent el fideïcomís, fase en la qual el fideïcomissari sols gaudeix de l'expectativa d'adquirir els béns que no han estat objecte de disposició per part del primer instituït (vegeu en aquest sentit STSJC de 22 de setembre de 2003).

Sembla oportú afegir ara que determinats usufructuaris gaudeixen també d'unes facultats dispositives, com succeeix en l'anomenat usdefruit de regència, ja que l'article 69 CS permet la realització de determinats actes dispositius, que els interessats poden augmentar o restringir. Ara sols cal precisar que les facultats dispositives tenen unes finalitats diferents segons es projectin sobre un usdefruit de regència o sobre un usdefruit amb facultat de disposició. En el sentit que aquest darrer té normalment com a finalitat afavorir l'usufructuari per la via de procurar-li uns mitjans econòmics escaients mentre està vigent el dret d'usdefruit, mentre que l'anomenat usdefruit de regència té com a finalitat essencial protegir o beneficiar la comunitat familiar creada per un heretament i no beneficiar únicament a l'usufructuari (GARRIDO MELERO). Diferències que expliquen que en el cas de l'usdefruit amb facultat de disposició no s'aplica normalment la subrogació real (segons l'article 561-24), que en canvi opera normalment en l'usdefruit de regència (article 69 CS, proposició darrera).

B) CONSTITUCIÓ

L'article 561-21.1 preveu que l'usufructuari pot disposar dels béns usufructuats "si així ho estableix el títol de constitució" (de l'usdefruit), precepte que interessa relacionar amb l'article 561-1, segons el qual l'usdefruit es regeix pel títol de la seva constitució. De la interrelació que existeix entre ambdós preceptes en resulta que l'usdefruit amb facultat de disposició es pot constituir per qualsevol títol, encara que sembla oportú fer ara unes breus consideracions. Com s'ha esmentat anteriorment (vegeu *supra*, capítol XVII, 2), el dret d'usdefruit es pot constituir per llei i per usucapió, supòsits en els quals no s'origina un dret d'usdefruit amb facultat de disposició, ja que la llei preveu la possibilitat d'exigir la constitució d'un dret d'usdefruit sobre un patrimoni o sobre uns béns aliens prenent com a base la regulació general del dret d'usdefruit; i en els casos de constitució del dret d'usdefruit per usucapió s'ha de considerar inversemblant que la possessió per part de l'usufructuari durant el temps necessari per a usucapir pugui reunir els requisits necessaris per esdevenir titular d'un dret d'usdefruit amb facultat de disposició. D'aquestes consideracions se'n deriva per tant que l'usdefruit amb facultat de disposició s'origina normalment per negoci jurídic per causa de mort, ja sigui en la seva modalitat del testament que permet la institució hereditària i el llegat d'usdefruit, o en la modalitat de l'heretament, ja sigui per via de reserva a favor dels heretants dels béns tramesos a l'hereu, per atribuir-se els cònjuges heretants recíprocament l'usdefruit —normalment universal— sobre els béns del premort o per atribuir el consort heretant per a després de la seva mort l'usdefruit a favor de l'altre consort (ROCA SASTRE). També es pot convenir un usdefruit amb facultat de disposició en negoci jurídic entre vius, normalment en un negoci jurídic fonamentat en una causa gratuïta (en el sentit de l'article 1274 CC).

La constitució d'un usdefruit amb facultat de disposició té per tant el seu origen en el principi d'autonomia privada, afirmació que porta a la conseqüència que el mateix principi determini en quins casos i d'acord amb quins requisits l'usufructuari pot exercir les seves facultats dispositives. Per altra part recordem també l'origen essencialment consuetudinari de la institució, que inevitablement determina que tingui uns perfils poc definits, que normalment es concreten per la via de la seva adaptació a les necessitats econòmiques, familiars i socials que imperen en cada època, possibilitat que respecta la normativa actual, com resulta de l'article 561-21.1 i de la seva remissió al títol de constitució de l'usdefruit. La doctrina que ha tingut un coneixement més directa de la institució esmenta com a modalitats més significatives la facultat de disposició per actes entre vius i per causa de mort, per actes entre vius a títol onerós o gratuït, per a disposar a títol onerós o fent referència a les facultats de vendre i gravar, per a disposar sense necessitat de justificar la causa que origina l'acte dispositiu, per a disposar sols en cas de necessitat, per a disposar sols després que l'usufructuari hagi consumit els béns propis, per a disposar fins a determinada quantia, per a disposar sols de béns determinats, pera disposar amb l'assentiment del nu propietari o d'altres persones, per a disposar sols en els casos que s'han previst, per a disposar sense necessitat de tenir que donar comptes de la inversió de la contraprestació obtinguda o, també, per a disposar amb la finalitat d'invertir o subrogar l'import de la contraprestació en altres béns o per assolir una finalitat determinada (ROCA SASTRE).

C) CONTINGUT

S'examina en aquest apartat el règim jurídic de la disposició respecte a l'usufructuari i el nu propietari.

a) Respecte a l'usufructuari

a') Posició jurídica de l'usufructuari en l'usdefruit amb facultat de disposició

Com s'ha esmentat fa uns moments, l'abast de les facultats dispositives de l'usufructuari s'estableixen en cada cas concret en base a la interpretació del títol de constitució de l'usdefruit, però abans d'examinar el seu abast sembla oportú fer unes consideracions per tal de delimitar la posició jurídica de l'usufructuari en aquest cas. Aspecte que en el decurs dels segles ha provocat importants dissensions a nivell doctrinal, que en darrer terme es concreten en determinar si el fet d'atribuir a l'usufructuari, a més de les facultats que es deriven del règim normal de l'usdefruit, la de disposar dels béns usufructuats, suposa desnaturalitzar el dret d'usdefruit o si cal decidir-se per la seva subsistència encara que l'usufructuari gaudeixi d'unes determinades facultats dispositives. En base al dret actual entenem que la posició més correcta és entendre que l'usdefruit amb facultat de disposició no és altra cosa que un dret d'usdefruit, o si es vol un dret d'usdefruit que presenta determinades particularitats, perquè el fet d'atribuir a l'usufructuari unes facultats dispositives no té entitat suficient per a convertir l'usufructuari en propietari, ni que sigui per la via d'entendre que s'ha establert un fideïcomís de residu, si la voluntat del constituent del dret d'usdefruit és mantenir-lo com a titular d'un dret real limitat de gaudiment i no en propietari —encara que no definitiu— dels béns objecte del seu dret (LACRUZ BERDEJO). A favor d'aquesta tesi es pot al.legar inicialment el criteri del legislador de regular l'usdefruit amb facultat de disposició en el Llibre cinquè del Codi civil de Catalunya relatiu als drets reals, mentre que el fideïcomís de residu es regula com una de les modalitats de l'herència fideïcomissària en els articles 243 al 248 CS.

Una segona consideració que cal fer és que si bé la facultat de disposició forma part del contingut del dret de propietat, com resulta de l'article 541-1.1, això no vol dir que sols el propietari estigui legitimat per a disposar dels béns objecte del seu dret, ja que la facultat de disposició del propietari és compatible amb el fet que confereixi una legitimació per a disposar dels seus béns a una altra persona —en el cas que ara es considera a l'usufructuari—, perquè la facultat de disposició no té el caràcter de personalíssima des del moment en què el seu titular pot transferir-la a una altra persona, que en exercici d'aquesta legitimació pot disposar eficaçment i de forma definitiva d'uns béns de propietat aliena. I sense que això suposi desnaturalitzar el dret d'usdefruit, perquè si bé és cert que l'exercici d'aquesta legitimació afecta directament a la substància dels béns objecte de l'usdefruit, no hem d'oblidar que segons l'article 561-2.1 existeix un veritable dret d'usdefruit encara que el títol de la seva constitució permeti alterar la forma i la substància dels béns usufructuats.

b') Abast de les facultats dispositives

La legitimació per a disposar de l'usufructuari no el converteix en propietari dels béns objecte de l'usdefruit, precisió que no cal oblidar en aquests moments, amb la finalitat de posar en relleu que el propietari pot disposar dels seus béns per qualsevol títol, tesi que no es pot fer extensiva a l'usufructuari amb facultat de disposició, que sols pot realitzar actes dispositius dins els límits establerts en el títol de constitució de l'usdefruit.

A l'hora de fixar l'abast de les seves facultats dispositives hem d'atenir-nos a l'article 561-21.2, segons el qual "L'atorgament de la simple facultat de disposició inclou les disposicions a títol onerós"; amb la conseqüència doncs que si es confereix a l'usufructuari la facultat de disposició sense més precisions, sols pot disposar dels béns objecte del dret d'usdefruit en base a un contracte fonamentat en una causa onerosa en el sentit de l'article 1274 CC. La proposició segona del mateix article 561-21.2 estableix una regla de caire interpretatiu, amb la finalitat de precisar aque "La facultat d'alienar a títol de venda comprèn la de fer-ho per qualsevol altre a títol onerós", interpretació raonable, ja que la compravenda es presenta com el prototipus dels contractes transmissius fonamentats en una causa onerosa i per tant s'ha d'entendre que la facultat de vendre establerta pel constituent de l'usdefruit es vol fer extensiva als altres contractes transmissius fonamentats en una causa one-rosa, a menys que en aplicació de les normes generals sobre els negocis jurídics es pugui entendre que la voluntat del constituent era referir-se sols al contracte de compravenda. En relació amb aquestes facultats dispositives l'article 14-2 de la Llei 13/2000 precisava que l'usufructuari pot disposar dels béns usufructuats "fins i tot a canvi d'una renda vitalícia o d'algun dret temporal", precisió que no ha passat a l'article 561-21.2. Així i tot creiem que s'ha de mantenir pel dret actual la mateixa solució. En primer lloc perquè si ens atenem a la definició que dóna l'article 1790 CC dels contractes aleatoris en general, la causa que els fonamenta encaixa de forma clara en el concepte de causa onerosa que es-tableix l'article 1274 CC. I en segon lloc perquè per la via d'un contracte aleatori es poden assolir de forma clara les finalitats que normalment persegueix l'usdefruit amb facultat de disposició. Pot presentar també dubtes si la facultat de disposició s'ha de fer extensiva a la de gravar els béns usufructuats amb un dret real de garantia. Des d'una perspectiva dogmàtica la resposta és afirmativa, ja que es considera que els actes de disposició inclouen la transmissió i el gravamen. Més problemàtic és determinar si la constitució d'un dret real de garantia es pot qualificar d'acte dispositiu a títol onerós, ja que en aquest punt no hem d'obli-dar que la seva onerositat no s'estableix en funció de l'obligació assegurada, sinó en base el fet que la persona que grava el bé amb un dret real de garantia percebi o no una contraprestació (ALBALADEJO). Ateses les finalitats que normalment persegueix l'usdefruit amb facultat de disposició, creiem que l'usufructuari no pot gravar els béns objecte de l'usdefruit amb un dret real de garantia per tal d'assegurar el compliment d'una obligació aliena, encara que percebi una contraprestació; mentre que en els casos d'establir-se el gravamen per tal de garantir un deute propi la resposta pot ésser inicialment afirmativa, si d'acord amb les regles d'una ordenada administració es pot entendre que les finalitats que van determinar la constitució d'un usdefruit amb facultat de disposició es poden assolir mitjançant la transmissió dels béns usufructuats o per la via d'establir un dret real de garantia sobre els mateixos béns.

Interessa afegir ara que la simple facultat de disposar es con-creta als actes fonamentats en una causa onerosa, ja que segons l'article 561-21.3 "L'atorgament de la facultat de disposició a títol gratuït s'ha d'expressar amb claredat". El precepte modifica en part l'article 14.3 de la Llei 13/2000, que facultava a l'usufructuari per a disposar a títol gratuït "si ho disposa el títol constitutiu", mentre que l'article 561-21.3 és més estricte, ja que exigeix que la facultat de disposició a títol gratuït l'estableixi el títol constitutiu "amb claredat"; expressió que està d'acord amb la regla interpretativa de l'article 1289 CC, que estableix un criteri favorable a interpretar en sentit restrictiu els negocis jurídics fonamentats en una causa gratuïta. De totes formes el precepte no resol el problema de si l'usufructuari amb facultat de disposició pot fer-ho per la via d'una donació remuneratòria, que segons l'article 531-17 és la que es fa en premi o en reconeixement, no exigibles jurídicament, dels mèrits contrets o dels serveis prestats pels donataris o les que es fan amb caràcter benèfic. Com s'ha exposat abans (vegeu *supra,* capítol VI,2,III,B), del precepte en resulta que el règim jurídic de les donacions remuneratòries és el general de les donacions, que en la part que ara interessa suposa l'aplicació del règim que preveu l'article 561-21.3 (vegeu també STSJC de 28 de gener de 2002). I sobre l'exercici de la facultat de disposició en base a un *negotium mixtum cum donatione* vegeu STSJC de 22 de setembre de 2003, que no permet realitzar aquest acte dispositiu si l'usufructuari sols gaudeix de la facultat de disposició per actes a títol onerós.

Un darrer problema que es considera en aquest apartat, és si el títol de constitució del dret d'usdefruit amb facultat de disposició sols permet a l'usufructuari per a disposar per actes entre vius o si inclou també la facultat per a disposar per actes *morits causa.* Si ens atenem al fet que l'usdefruit amb facultat de disposició s'estableix amb la finalitat d'atribuir a l'usufructuari uns mitjans suficients de subsistència durant la seva vida, no té massa sentit conferir-li unes facultats dispositives que sols esdevenen eficaces després de la seva mort. Però des del moment en què l'article 561-21.3 preveu que en el títol de constitució del dret d'usdefruit es pugui atribuir a l'usufructuari la facultat de disposició per actes entre vius a títol gratuït, alienes per tant a les finalitats que normalment persegueix l'usdefruit amb facultat de disposició, cal entendre que és possible conferir a l'usufructuari les facultats de disposició per actes *mortis causa,* sempre que aquesta facultat s'expressi amb claredat. Creiem de totes formes que la facultat de disposició a títol gratuït per actes entre vius no es pot fer extensiva als actes de disposició per causa de mort. La STSJC de 27 de maig de 2002 admet la validesa de l'usdefruit amb facultats de disposició per causa de mort a favor dels fills comuns, encara que en aquest cas la sentència de cassació qualifica el supòsit d'usdefruit de regència.

c') Usdefruit amb facultat de disposició amb consentiment d'altri

Aquesta modalitat de l'usdefruit amb facultat de disposició apareix a l'article 561-22, que en el seu apartat 1 preveu que "Si la facultat de disposició està subjecta al consentiment d'altres persones, és suficient l'acord de la majoria, llevat que el títol de constitució estableixi una altra cosa". El precepte preveu que el constituent del dret d'usdefruit amb facultat de disposició pugui establir uns mitjans de control sobre l'oportunitat de realitzar determinats actes dispositius, control que en ocasions tindrà com a finalitat protegir els interessos del nu propietari i en altres casos al mateix usufructuari amb facultat de disposició, en atenció a les circumstàncies que poden concórrer en la seva persona. En qualsevol cas el titular de la facultat de disposició és l'usufructuari en base a una legitimació que es deriva del títol de constitució de l'usdefruit, amb la conseqüència doncs que el consentiment de les altres persones s'ha de qualificar en sentit tècnic d'assentiment a l'acte dispositiu que vol realitzar l'usufructuari, perquè la declaració de voluntat del tercer o dels tercers té com a finalitat aprovar l'acte dispositiu que es proposa realitzar l'usufructuari. Sobre l'abast de l'assentiment hem de precisar que en el cas de l'article 561-22.3 és força concret, ja que s'ha de limitar a comprovar si l'usufructuari es troba realment o no en situació de necessitat que justifiqui l'acte dispositiu, previsió que es pot fer extensiva als altres casos concrets que s'han previst en el títol de constitució de l'usdefruit; per tant en altres supòsits l'assentiment del tercer o tercers pot tenir un abast més ampli, que es determinarà d'acord amb les previsions establertes en el títol de constitució de l'usdefruit.

Correspon la facultat de donar l'assentiment al tercer o tercers designats en el títol de constitució del dret d'usdefruit amb facultat de disposició en negoci jurídic per causa de mort, metre que en el cas d'haver-se constituït per negoci jurídic entre vius el titular de la facultat de donar l'assentiment pot ésser el mateix nu propietari (com preveu l'article 561-22.2), encara que també es pot establir conjuntament a favor d'ell i de terceres persones. El titular de la facultat de prestar l'assentiment haurà de reunir els requisits de capacitat que exigeix la llei per a contractar segons l'article 1263 CC, i la seva declaració de voluntat podrà ésser impugnada si s'ha realitzat amb intervenció d'un vici del consentiment rellevant en els negocis jurídics entre vius (segons l'article 1301 CC).

La llei no estableix uns requisits de forma especials per a la declaració d'assentiment ni tampoc que s'exterioritzi en determinades circumstàncies temporals, encara que del context del precepte en resulta que el criteri del legislador és que l'assentiment sigui anterior o coetani a la realització de l'acte dispositiu, però sense que això suposi que s'hagi d'excloure que es pugui prestar amb posterioritat, amb aplicació de la normativa general sobre la ratificació *ex* article 1259,II CC. La llei no exigeix que es justifiqui la decisió de concedir o denegar l'assentiment, encara que en aquest punt es creu que una denegació mancada de raonabilitat pugui ésser revocada pels organismes jurisdiccionals a instàncies de l'usufructuari (BARDAJÍ). Encara que l'article 561-22.3 sols preveu de forma expressa el recurs a l'autoritat judicial pel cas d'usdefruit amb facultat de disposició en cas de necessitat de l'usufructuari, no sembla que la finalitat del precepte sigui excloure la possibilitat d'acudir als organismes jurisdiccionals en altres casos.

Si la facultat d'atorgar l'assentiment a l'acte dispositiu s'ha atribuït de forma conjunta a una pluralitat de persones, llevat aque el títol de constitució hagi previst una altra cosa, serà suficient l'acord adoptat per la majoria dels nomenats que han assumit la funció d'atorgar l'assentiment (article 561-22.1); excepte si l'assentiment l'han de donar els nus propietaris, ja que segons l'apartat 2 del precepte exigeix l'acord dels copropietaris que representen la majoria de les quotes o drets. Pels casos de no existir o de no poder prestar el seu assentiment les persones designades en el títol de constitució de l'usdefruit s'admet l'aplicació de l'article 245,1r CS, que en relació amb el fideïcomís de residu permet —llevat de voluntat contrària del testador— que es pugui realitzar l'acte dispositiu si els titulars de la facultat d'assentir a la seva realització han mort, han renunciat o han quedat incapacitats.

I pel que fa referència als efectes que es deriven de la realització de l'acte dispositiu sense haver obtingut l'assentiment necessari, a manca de previsió legislativa concreta creiem que l'acte dispositiu s'ha de qualificar inicialment de vàlid, encara que mancat d'eficàcia enfront el nu propietari, que podrà impugnar-lo, amb aplicació de les normes generals sobre protecció dels tercers adquirents de bona fe.

d') Usdefruit amb facultat de disposició en cas de necessitat

És segurament la modalitat de l'usdefruit amb facultat de disposició més arrelada a Catalunya i que ara regulen els articles 561-23 i 561-24, que en bona part recullen les pràctiques tradicionals sobre la institució i a la vegada procuren adaptar-la als models familiars vigents en els nostres temps. Segons l'article 561-23.1 els usufructuaris amb facultat de disposició en cas de necessitat poden exercir les facultats dispositives que es deriven del títol de constitució per a satisfer les necessitats personals de l'usufructuari o les necessitats familiars. Del precepte en resulta inicialment que l'usdefruit amb facultat de disposició en cas de necessitat es pot establir en la doble modalitat de conferir a l'usufructuari unes facultats dispositives amb la finalitat d'atendre les seves necessitats personals o, també, amb la finalitat d'atendre les necessitats familiars, que presenta en aquest segon cas la necessitat de precisar d'alguna forma el concepte de família. Evidentment inclou el mateix usufructuari i del precepte en resulta també que s'inclou el consort de l'usufructuari ja que es fa una referència expressa a l'altre membre de la parella estable, amb la precisió que tant en un cas com en l'altre s'inclou el cònjuge i el membre de la parella amb independència que es tracti d'una relació entre persones del mateix sexe o de sexe diferent. Més dificultats presenta determinar quines altres persones s'inclouen en el concepte de família en el supòsit que ara interessa. Apareix l'oportunitat de fer referència a l'article 4.2 CF i a l'article 4.1 LUEP, en base als quals l'usufructuari podrà disposar dels béns usufructuats per tal d'atendre les necessitats dels fills comuns i no comuns de la parella que conviuen amb ells i per tal d'atendre les necessitats d'altres parents que conviuen amb la parella. De totes maneres, i en atenció a les finalitats que es deriven de l'usdefruit amb facultat de disposició, apuntem l'oportunitat d'entendre per necessitats familiars les que es refereixen a les persones esmentades, encara que no convisquin amb l'usufructuari, sempre que es tracti de persones que en el moment de constitució de l'usdefruit depenien econòmicament de l'usufructuari; de la mateixa manera que apuntem l'oportunitat d'excloure els familiars esmentats, encara que convisquin amb l'usufructuari, si no depenen econòmicament d'ell.

Presenta també les seves dificultats fixar el concepte de necessitat que origina l'exercici de els facultats dispositives. Des d'una perspectiva realista s'afirma que si l'usdefruit amb facultat de disposició s'ha establert amb la finalitat de fer front a les despeses familiars, l'usufructuari pot exercir les seves facultats dispositives amb la finalitat d'atendre les despeses que l'article 4 CF i l'article 4 LUEP qualifiquen de familiars; mentre que si les facultats dispositives es confereixen amb la finalitat d'atendre les necessitats personals de l'usufructuari, sols pot disposar per tal de procurar-se els aliments necessaris per a subsistir (GARRIDO MELERO). Apuntem de totes formes l'oportunitat de perfilar aquest criteri en el sentit de prendre en consideració els paràmetres que es deriven de l'article 561-23.2, en base al qual l'usufructuari pot exercir les facultats dispositives amb la finalitat de procurar-se aliments i, també, per a l'exercici de la seva professió o ofici, que moltes vegades pot determinar que no s'origini la situació de tenir que reclamar aliments. Precisa la STS de 9 de març de 2000 que per a fixar el concepte de necessitat cal prendre en consideració les circumstàncies personals que concorren en l'usufructuari.

Requisit per a l'exercici correcte de la facultat de disposició és que "Els usufructuaris no poden exercir la facultat de disposició si abans no han disposat del seus béns propis no necessaris per a aliments o per a l'exercici de la seva professió o ofici" (article 561-23.2). En relació amb el precepte transcrit apareix el problema de si l'usufructuari pot exercir les seves facultats dispositives quan la situació de necessitat té el seu origen en causes que li són imputables. Si es tracta d'un dret d'usdefruit amb facultat de disposició establert únicament en benefici de l'usufructuari, apuntem l'oportunitat d'aplicar l'article 260.4 CF, que permetria a l'usufructuari disposar únicament per a procurar-se els aliments necessaris per a la vida. En altres casos la conducta incorrecta de l'usufructuari respecte a la gestió del seu patrimoni no hauria de condicionar l'exercici de les facultats dispositives, sens perjudici de reconèixer al nu propietari la facultat d'interessar l'adopció d'unes mesures de control en aplicació de l'article 561-8.1.

L'exercici de la facultat de disposició en cas de necessitat es pot condicionar al fet d'obtenir el consentiment de les persones previstes en el títol de constitució de l'usdefruit (vegeu l'article 561-22.3) o es pot exercir sense necessitat d'obtenir l'assentiment de terceres persones si així ho estableix el títol constitutiu. Per aquest darrer cas hem d'entendre que la voluntat del constituent és que el mateix usufructuari ha d'apreciar si concorre o no l'estat de necessitat que justifica l'acte dispositiu, ja que li va conferir unes facultats dispositives en la confiança que les exerciria *boni viri arbitratu.* D'aquí se'n deriva que si el constituent del dret d'usdefruit no ha establerts uns controls per a l'exercici de les facultats dispositives, els actes realitzats per l'usufructuari seran inicialment vàlids i eficaços si considera que concorre l'estat de necessitat, perquè es tracta d'uns actes realitzats a l'empara de la confiança que el constituent del dret d'usdefruit ha dipositat en l'honorabilitat i en la bona fe de l'usufructuari, al qual no es pot exigir que acrediti la situació de necessitat, perquè això suposaria imposar-li una restricció no volguda pel constituent de l'usdefruit (vegeu STS d'1 de febrer de 1927, 9 d'octubre de 1986 i 9 de març de 2000); tesi que a la vegada comporta que la qualificació registral no es pot fer extensiva a l'existència o no de la necessitat (RDGRN d'11 de juliol de 2003). Aquest criteri jurisprudencial explica que l'article 561-23.4 estableix que "No cal el consentiment dels nus propietaris per a exercir la facultat de disposició...", però com que l'acte dispositiu pot contravenir les finalitats que persegueix la institució l'article 561-23.4 preveu una mesura de control *a posteriori,* en el sentit que "Els usufructuaris han de notificar l'acte de disposició als nus propietaris en el termini d'un mes a comptar de l'atorgament". Sense posar en dubte l'oportunitat de la notificació, que no exigeix uns requisits de forma especials, els dubtes poden aparèixer en canvi en relació amb la seva eficàcia, aspecte que no contempla el precepte. Hem d'entendre que la manca de notificació *a posteriori* no ha d'afectar a l'eficàcia de l'acte dispositiu realitzat a l'empara d'una legitimació escaient; encara que la manca de notificació pot repercutir negativament sobre l'usufructuari, ja que en ocasions pot presumir la voluntat d'amagar l'existència d'uns actes dispositius fraudulents.

Si l'usufructuari ha disposat a títol onerós dels béns usufructuats, es presenta el problema de determinar el destí que s'ha de donar a la contraprestació obtinguda; que en el cas concret de la disposició en cas de necessitat no presenta dificultats greus, ja que un acte dispositiu realitzat amb aquesta finalitat persegueix proporcionar a l'usufructuari o a la seva família el suport econòmic escaient per tal d'atendre les seves necessitats, que pressuposa una facultat de consumir l'import de la contraprestació. Criteri que acull l'article 561-24.1 "La contraprestació, una vegada exercida la facultat de disposició a títol onerós, és de lliure disposició dels usufructuaris". Una qüestió col.lateral es presenta quan la contraprestació obtinguda és superior a les necessitats que es volen cobrir mitjançant l'acte dispositiu, que resol l'article 561-24.2 en el sentit que "En el supòsit de disposició per cas de necessitat, la part de contraprestació que no s'ha hagut d'aplicar a satisfer-la se subroga en l'usdefruit".

Per últim interessa fer unes breus consideracions sobre els efectes de l'acte dispositiu realitzat per l'usufructuari sense la concurrència d'un veritable estat de necessitat. A l'hora de resoldre la qüestió recordem inicialment que quan s'imposa a l'usufructuari un sistema de control a l'hora d'exercir les seves facultats dispositives els actes que realitza al.legant l'estat de necessitat són inicialment vàlids i eficaços, amb la conseqüència doncs que no poden impugnar-se per manca de justificació de la necessitat *a priori* (vegeu STS d'1 de febrer de 1927) i, a més, són inscribibles en el Registre de la Propietat sense necessitat de tenir que acreditar que es van realitzar en base a una situació de necessitat (RDGRN de 22 de maig, 27 de juny i 11 de juliol de 1942). Altra cosa és, evidentment, entendre que això suposi conferir validesa als actes dispositius realitzats al marge de l'estat de necessitat, ja que aquest requisit s'ha de complir (STS de 2 de juliol de 1991). Com precisa la sentència del mateix Tribunal de 3 de març de 2000 sempre resta oberta la possibilitat d'impugnar l'acte dispositiu per manca de necessitat, com succeeix en els casos de simulació, exercici abusiu del dret, dol o mala fe en la creació de la necessitat, amb la finalitat de no burlar els interessos del nu propietari. Amb la prevenció que assumeix la càrrega de la prova la part que al.lega que l'actuació de l'usufructuari no s'ajusta als paràmetres de la bona fe (STS de 8 d'octubre de 1986). Sobre impugnació de l'acte dispositiu realitzat amb abús de dret vegeu STSJC de 22 de setembre de 2003.

Pels casos en què no escau l'acció impugnatòria, que normalment es centren en el fet d'ésser l'adquirent persona aliena a l'actuació fraudulenta de l'usufructuari, escau aplicar l'article 561-23.4, segons el qual "els usufructuaris responen dels perjudicis causats si no hi havia necessitat o no van actuar d'acord amb el que estableix l'aparat 1" (necessitats personals o familiars).

b) *Respecte el nu propietari*

El fet que el títol de constitució de l'usdefruit permeti a l'usufructuari exercir les facultats dispositives a què s'ha fet referència sobre els mateixos béns, no s'ha d'entendre en el sentit que això suposi deixar buit de contingut la nua propietat, ja que també en aquest cas coexisteixin de forma simultània sobre els mateixos béns els drets que es deriven de la institució a favor del nu propietari i l'usufructuari. Amb això es vol posar de manifest que aquesta situació no implica que el nu propietari es vegi privat de l'exercici de les facultats dispositives que es deriven del dret de propietat (segons l'article 541-1.1), ja que el nu propietari conserva les seves facultats sobre els béns objecte de l'usdefruit; afirmació que es formula en el sentit que en aquest cas el nu propietari transmet en aquests casos a l'adquirent una titularitat no definitiva sobre els béns objecte de l'usdefruit, ja que la titularitat de l'adquirent es resoldrà si, mentre està vigent el dret d'usdefruit, l'usufructuari exercirà les facultats dispositives que es deriven del títol de constitució de l'usdefruit amb facultat de disposició.

L'usdefruit amb facultat de disposició també atribueix al nu propietari la facultat de donar el seu assentiment als actes dispositius de l'usufructuari, com preveu l'article 561-22.2 pel cas d'usdefruit amb facultat de disposició amb consentiment d'altri; i en l'usdefruit amb facultat de disposició en cas de necessitat el nu propietari té dret a rebre la notificació que l'article 561-23.3 imposa a l'usufructuari respecte els actes dispositius realitzats, així com la facultat d'impugnar els actes realitzats per l'usufructuari sense que existeixi un veritable estat de necessitat.

II. Usdefruit de boscos i de plantes

Tradicionalment s'havia aplicat a Catalunya la normativa romana sobre usdefruit de boscos i de plantes, que s'havia interpretat en un sentit més aviat restrictiu amb referència a les facultats de l'usufructuari en aplicació del conegut principi *salva rerum substantia*; encara que un sector doctrinal més en contacte amb el món agrari català defensava uns criteris més favorables per l'usufructuari, criteri que en certa manera apareix a la STS de 24 de febrer de 1960. La Compilació de l'any 1960 va regular l'usdefruit de boscos en els seus articles 279 al 282, amb la finalitat d'ampliar les facultats de l'usufructuari i d'aquesta forma posar fi als dubtes que presentava la normativa romana. Els preceptes compilats informen en bona part els articles 20 al 25 de la Llei 13/2000, substituïts actualment pels articles 561-25 al 561-31 que integren la secció quarta "Usdefruit de boscos i de plantes" del capítol I, títol VI del llibre cinquè del Codi civil de Catalunya, el primer dels quals precisa que "S'aplica a l'usdefruit de boscos i de plantes, en allò a què no fa referència el títol de constitució, el costum de la comarca". Aquesta normativa, complementada si escau pels costums locals, es refereix a les matèries següents:

A) ARBRES O ARBUSTOS QUE ES RENOVEN O REBRO-TEN

A aquesta modalitat de l'usdefruit d'arbreda es refereix l'article 561-28, que en el seu apartat 1 precisa que "Els usufructuaris poden tallar i fer seus els arbres i els arbustos que es renoven o rebroten en funció de la capacitat de regeneració de l'espècie de que es tracti i sempre que no estiguin compresos en els casos a què fa referència l'article 561-27.1". El precepte fa referència a la categoria d'arbres que el Digest 50,16,30 identifica com a *silva caeduae* i que es centra en els arbres i arbustos que una vegada tallats tornen a néixer de les arrels. Respecte a aquesta modalitat de l'usdefruit d'arbreda les facultats de l'usufructuari es centren no sols en les de percebre els seus fruits i utilitats sinó que l'usufructuari també pot fer seus els mateixos arbres, als quals s'atribueix la condició de fruits perquè es renoven de forma periòdica, motiu pel qual l'usufructuari no resta obligat a reposar els que ha tallat; i en base a aquesta consideració s'argumentava —en relació amb el text compilat— que l'usufructuari perd la facultat de tallar aquests arbres quan no han assolit encara la possibilitat de renovar-se o de rebrollar o quan ja l'han pèrdua pel decurs dels anys (MIQUEL GONZALEZ), tesi que creiem avala l'article 561-28.1 quan fa referència a la "capacitat de regeneració de l'espècie". Però encara que es tracti d'arbres que es renoven o rebroten, l'usufructuari no gaudeix de la facultat de tallar-los i fer-los seus quan els arbres o arbustos tenen una destinació deter-minada respecte la finca on es troben, com són les esmentades a títol d'exemple a l'article 561-27.1, perquè això suposa que no es puguin qualificar de fruits de la finca, amb la conseqüència que l'usufructuari no els pot tallar i fer seus perquè això suposaria no respectar l'obligació que l'imposa l'article 561-2.3 de respectar la destinació econòmica de la finca objecte de l'usdefruit. Les facul-tats de l'usufructuari es limiten doncs en aquest cas a percebre els fruits i les utilitats de les plantes, amb aplicació dels costums locals que puguin existir.

El que s'ha exposat fins aquí en relació amb els arbres o ar-bustos que es renoven o rebroten ho fa extensiu l'article 561-28.2

"als arbres de ribera i als de creixença ràpida, però els usufructuaris han de replantar els que tallin", perquè aquests arbres no es renoven ni rebroten. I segons l'article 561-28.3 "Els usufructuaris poden disposar dels plançons i dels arbustos de viver amb obligació de restituir les tretes efectuades", perquè representen el rèdit o rendiment normal de la finca, però com que a la vegada els plançons o els arbustos del viver tenen la condició d'*instrumentum fundi* (segons el Digest 7,1,9-6), s'obliga a l'usufructuari a reposar les tretes efectuades amb la finalitat de respectar la destinació econòmica de la finca (com exigeix l'article 561-2.3).

B) ARBRES O ARBUSTOS QUE NO ES RENOVEN NI RE-BROTEN

Es tracte de les espècies que el dret romà anomena *silva non caeduae,* que segons el Digest 50,16,30 es refereix als arbres que no es destinen a la tallada o que no reneixen o rebroten de les arrels una vegada tallats. Aquest precedent informa l'article 561-29 segons el qual "Els usufructuaris d'arbres o arbustos que, una vegada tallats, no es renoven ni rebroten solament poden podar-ne les branques i, si els nus propietaris ho autoritzen, tallar-los". En una interpretació literal del precepte es pot entendre que l'única facultat que es concedeix als usufructuaris és podar les branques d'aquests arbres i arbustos i donar el destí que creguin adient al resultat de la poda. Però pensem que cal superar aquesta interpretació de l'adverbi "solament" i entendre que en aquest cas els usufructuaris gaudeixen a més de la facultat de percebre els fruits i les utilitats d'aquests arbres en base a l'article 561-6.1, entre les quals s'inclouen les branques objecte de la poda. Si l'usufructuari talla qualsevol d'aquests arbres o arbustos, el destí de l'arbre tallat s'ha d'establir en funció de l'autorització concedida pel nu propietari en aplicació de les normes generals sobre interpretació dels negocis jurídics i amb l'oportunitat de prendre en consideració els costums locals.

C) USDEFRUIT DE MATES

Segons l'article 561-31 "Els usufructuaris poden disposar de les mates fent tallades periòdiques segons el costum de la comarca", precepte que d'acord amb el seu precedent (Digest 7,1,9-7 i 10) la doctrina tradicional catalana interpretava en el sentit d'atribuir a l'usufructuari la facultat de tallar les mates amb la finalitat d'obtenir-ne llenya, carbó o productes semblants. El "Costumari català" publicat l'any 1921 atribueix la condició de mates al bosc baix i a la garriga.

D) BOSCOS

La rúbrica que encapçala l'article 561-26 "Boscos" té per objecte determinar les facultats de l'usufructuari sobre els arbres d'una finca que es destina a fusta, que serveix per a posar de manifest —almenys des de la perspectiva del dret privat— que no tenen la condició de boscos els conjunts d'arbres que es troben en una finca determinada si el seu destí no és tallar-los amb la finalitat d'obtenir fusta perquè es troben a la finca amb altres finalitats, com són les que esmenta a títol exemplificatiu l'article 561-27.1, que s'intitula precisament "Arbres que no són boscos", encara que segons el llenguatge corrent es poden qualificar de boscos.

En relació amb l'usdefruit de boscos la facultat essencial de l'usufructuari és tallar i podar els arbres (segons l'article 561-26), encara que la poda com a dret ja s'inclou amb la facultat de tallar, que ens porta a pensar que la poda s'ha de configurar més aviat com una obligació de l'usufructuari, amb la finalitat de facilitar el creixement normal del bosc. Interessa precisar ara que segons el mateix precepte l'usdefruit de boscos es projecta sobre les fin-ques que es destinen a fusta "per llur naturalesa", expressió que suposa decantar-se per un criteri marcadament objectiu a l'hora de fixar l'àmbit d'aplicació del precepte, en el sentit que es tracta de finques que abans o al temps de la constitució de l'usdefruit tenien com a destinació econòmica l'obtenció de fusta, que a la vegada suposa atribuir als mateixos arbres la condició de fruits de la finca. Per altra part aquesta referència al destí econòmic de la finca en base a la naturalesa dels bosc porta a l'afirmació que l'usufructuari no pot alterar les característiques silvícoles dels bosc, encara que sigui amb la finalitat de fer-lo més productiu, ni tampoc alterar l'espècie de la massa d'arbres encara que això es consideri favorable al termes econòmics si, en definitiva, alteren el bosc (VIOLA DEMESTRE). Encara que aquest criteri objectiu no es porta fins a les darreres conseqüències, ja que un bosc que en termes purament objectius té com a destinació econòmica la fusta el propietari pot atribuir-li unes finalitats diferents, com poden ésser qualsevol de les que esmenta l'article 561-27.1. En aquest cas el destí específic que li ha atribuït el propietari suposa conferir als arbres un destí específic, que preval sobre el destí econòmic establert d'acord amb uns criteris purament objectius i aquest destí econòmic específic l'ha de respectar l'usufructuari segons l'article 561-2.3, perquè als efectes de l'article 561-26.1 ja no es tracta d'un usdefruit de boscos sinó de l'usdefruit d'un conjunt d'arbres que no tenen la condició de bosc. Destí econòmic específic que moltes vegades es pot considerar favorable als interessos generals.

Sobre les facultats de l'usufructuari de boscos precisa l'article 561-26 que l'usufructuari pot tallar els arbres i fer-los seus, encara que aquesta facultat es subjecta a determinats condicionaments. El primer és que la talla s'ha de fer en base a una explotació racional del bosc, que suposa extreure dels arbres les utilitats que poden proporcionar i que —com recorda el "Costumari català" esmenat— les talles d'arbres s'han de fer en el temps escaient, amb la finalitat d'evitar l'envelliment excessiu de l'arbre i també la seva tallada prematura; per tant la facultat de tallar els arbres no suposa que l'usufructuari pugui destruir el bosc per la via de consumir tota l'arbreda i no deixar res pel propietari (segons la STS de 21 de novembre de 1973). És oportú afegir que el requisit de l'explotació racional ha de permetre que l'usufructuari, sempre que respecti el destí econòmic de la finca, no està obligat a seguir les pràctiques anteriors del propietari sobre tallada d'arbres, ja que aquestes pràctiques poden ésser equivocades o perjudicials pel bosc, amb la conseqüència que es poden substituir per una explotació racional del mateix.

L'article 561-26 imposa a l'usufructuari un segon condicionament, que és procedir a la talla dels arbres "d'acord amb un pla tècnic", prevenció que s'ha de relacionar amb l'article 46.1 de la Llei 6/1988, de 30 de març, forestal de Catalunya, amb la finalitat d'evitar que mitjançant un acord entre l'usufructuari i el nu propietari es realitzi una explotació del bosc que no es pugui qualificar de racional, ja que aquest acord seria ineficaç per la incidència de la legislació administrativa sobre explotació dels boscos (com resulta de l'article 58 de la mateixa Llei). Esmentem en aquest punt que existeix un criteri doctrinal favorable a la possibilitat de modificar el pla tècnic d'explotació com a conseqüència de fets extraordinaris, que ha de permetre als interessats demanar la revisió del pla tècnic per tal d'adaptar-lo a les noves circumstàncies (MIQUEL GONZALEZ).

E) CONJUNT D'ABRES QUE NO SÓN BOSCOS

Com s'ha esmentat a l'apartat anterior, tenen la condició de boscos la massa d'arbres que es destinen a fusta, criteri que porta a la conseqüència que si la massa d'arbres que des d'una òptica objectiva tenen aquesta finalitat el propietari els destina a altres finalitats, la finca ja no es qualifica de bosc i per tant les facultats de l'usufructuari són los que estableix l'article 561-27.1, en el qual es preveu que "Els usufructuaris de conjunts d'arbres destinats a una funció d'esbarjo o d'ornament d'una finca, o fer ombra, a augmentar l'aglutinament del sòl, a fixar la terra, a defensar les finques del vent, a endegar les aigües, a donar fertilitat al sòl o a altres usos accessoris del terreny, diferents dels d'obtenir fusta, n'han de respectar la destinació originària". Del precepte en resulta que l'usufructuari en aquest cas no pot tallar els arbres sinó únicament fer seus els seus fruits o utilitats segons l'article 561-6.1, perquè la tallada d'arbres o la modificació d'aquesta destinació específica suposaria contravenir la destinació econòmica de la finca (vegeu l'article 561-2.3) i a la vagada podria perjudicar determinats interessos generals. Vegeu també l'article 25.1 de la Llei forestal de Catalunya.

F) ARBRES MORTS I DANYATS

El seu règim jurídic s'estableix a l'article 561-30, en el qual es preveu que "Els usufructuaris fan seus els arbres que morin, encara que es tracti d'arbres fruiters, i els nus propietaris, els arrancats, els capolats o els destruïts pel vent o pel foc si els usufructuaris no els fan servir per a fer llenya per al consum domèstic o per a reparar els edificis compresos en l'usdefruit". Com es pot comprovar el precepte estableix una dualitat de solucions en funció de la causa que ha determinat la pèrdua de l'arbre: i) Si s'ha produït per causes naturals, que es centren en al vellesa o malaltia de l'arbre, l'usufructuari els fa seus, precepte que modifica el seu antecedent article 24 de la Llei 13/2000, que establia únicament la possibilitat de fer seu l'arbre; com també modifica el seu precedent més remot l'article 281,III CDC en el sentit de fer extensiva la facultat als arbres fruiters sense condicionaments, mentre que el text compilat imposava a l'usufructuari l'obligació de reposar l'arbre fruiter mort. ii) Si la pèrdua de l'arbre es produeix per altres causes, d'entre les que esmenta l'article 561-

30 d'ésser destruïts o capolats pel vent o pel foc, allò que resta de l'arbre s'atribueix al nu propietari, a menys que l'usufructuari tingui interès en fer seves les restes amb la finalitat de destinar-les al seu consum domèstic o per reparar edificis compresos en l'usdefruit. Aquesta decisió unilateral de l'usufructuari no necessita l'assentiment ni el consentiment del nu propietari.

III. Usdefruit de diners

L'usdefruit de diners es presenta, inicialment, com una de les modalitats més significatives de l'usdefruit de béns consumibles, que sota la denominació de quasiusdefruit es regula a l'article 561-5, al qual ja ens hem referit abans (vegeu *supra,* capítol XVII,3,II); que presenta com a característica fonamental que en el moment de la seva extinció l'usufructuari o els seus hereus no han de restituir els mateixos diners sinó el seu valor.

A l'usdefruit de diners es refereix també l'article 561-32, en el qual es precisa que es regeix en primer terme pel títol de la seva constitució i pels acords entre els usufructuaris i els nus propietaris i, si no hi ha títol ni acords, per les disposicions del capítol del llibre cinquè relatives al dret d'usdefruit. Deixant al marge el cas que el títol de constitució estableixi una altra cosa o que els interessats acordin un règim diferent, el règim jurídic de l'usdefruit de diners es projecta sobre els seus rendiments i sobre el capital. Pel que fa referència al primer d'ells precisa l'article 561-33.1 que "Els usufructuaris de diners tenen dret als interessos i als altres rendiments que produeix el capital". Del precepte en resulta en primer lloc que la facultat de gaudiment de l'usufructuari es concreta en els interessos, que s'adscriuen a la categoria jurídica dels fruits d'un dret segons l'article 511-3.2 i que l'usufructuari percep dia a dia en proporció al temps de durada de l'usdefruit (article 561-6.3). Preveu també l'article 561-33.1 que l'usufructuari també té dret a percebre "altres rendiments" que es derivin del diner invertit, expressió que entenem fa referència a les altres utilitats que es poden convenir com a conseqüència de la inversió dels diners mentre està vigent l'usdefruit, encara que no concorri el requisit de la periodicitat que caracteritza els fruits dels drets.

Altra qüestió és determinar les garanties que cal establir amb la finalitat d'evitar que, en el cas d'insolvència de l'usufructuari al temps de l'extinció de la seva titularitat, no pugui fer efectiu el deure de restitució perquè ha consumit el diner que tenia la condició de capital en aquesta modalitat de l'usdefruit. L'article 561-33.2 preveu una dualitat de solucions en funció del fet que s'hagi establert la caució que preveu l'article 561-7. "Els usufructuaris que han prestat garantia suficient poden donar al capital la destinació que estimin convenient", del qual en resulta que l'usufructuari està legitimat per a disposar del diner objecte de l'usdefruit mitjançant la seva inversió, que d'aquesta forma esdevé irreivindicable pel nu propietari enfront del tercer; amb la conseqüència que el deure de restitució quan s'extingeix l'usdefruit es projecta sobre el *tantundem* garantit per la caució que va prestar l'usufructuari (RIVERO HERNANDEZ). I si l'usufructuari no ha prestat les garanties aque preveu l'article 561-7, s'apliquen les prevencions que estableix l'article 561-3.2, proposició segona, "Altrament, han de posar el capital a interès en condicions que garanteixin la integritat". Encara que el precepte sembla atribueix aquesta facultat a l'usufructuari, en els casos generals correspondrà al nu propietari, ja que si l'usufructuari no ha prestat les caucions que preveu la llei, no haurà adquirit la possessió dels béns usufructuats i per tant no estarà en condicions de fer la inversió.

IV. Usdefruit de participacions en fons d'inversió

Els fons d'inversió es regulen a la Llei estatal 35/2003, de 4 de novembre, d'institucions d'inversió col.lectiva, completada pel reglament aprovat pel Reial Decret 1309/2005, de 4 de novembre. Aquesta normativa estatal sobre fons d'inversió es qualifica de mercantil, amb la conseqüència que s'aplica a Catalunya per tractar-se de matèria que segons l'article 149.1,6ª CE és competència exclusiva de l'Estat. De totes formes això és compatible amb el fet que el dret d'usdefruit sobre participacions en fons d'inversió sigui matèria pròpia del dret civil, amb la precisió que es refereix únicament a les relacions entre usufructuari i nu propietari, però no en les relacions de qualsevol d'ells envers les entitats dipositària o gestora dels fons; fet que justifica que el legislador català ha considerat oportú regular aquest aspecte dels fons d'inversió en base a les competències que en matèria de dret civil es deriven de l'article 149.1,8ª CE i l'article 129 EAC. A l'empara d'aquestes competències legislatives l'usdefruit sobre participacions en fons d'inversió es regula inicialment en els articles 27, 28 i 29 de la Llei 13/2000, que han esta derogats pels articles 561-34 al 561-37, que segons el preàmbul del llibre cinquè del Codi civil de Catalunya modifiquen en part la normativa anterior "per tal d'adequar-la a la realitat d'un mercat que no sempre produeix augments de valor". Interessa recordar des d'ara el caràcter no imperatiu d'aquesta normativa civil, ja que segons l'article 561-32 els usdefruits "de participacions en fons d'inversió i en altres instruments d'inversió col.lectiva es regeixen, en primer lloc, pel títol de constitució i pels acords entre els usufructuaris i els nus propietaris i, si no hi ha títol ni acords, per les disposicions d'aquest capítol".

El fet que en els usdefruits de participacions en fons d'inversió hi intervenen, a més de l'usufructuari i el nu propietari, les entitats gestoria i dipositària dels fons, ofereix l'oportunitat de precisar en quins supòsits s'aplica la normativa catalana sobre aquesta modalitat de l'usdefruit. Atesa la configuració jurídica dels fons d'inversió com a valor mobiliaris s'argumenta, en base als articles 10.1 i 16.1 CC, que si les participacions estan representades per anotacions en compte s'aplica la normativa catalana quan el domicili de l'entitat encarregada del registre comptable de les participacions es troba a Catalunya, mentre que si les participacions no estan representades per anotacions comptables l'aplicació de la normativa catalana s'estableix en base el fet que l'entitat gestora dels fons tingui el seu domicili a Catalunya; amb la precisió que si d'acord amb aquests criteris s'aplica la normativa catalana, aquesta normativa s'aplica encara que es modifiqui el domicili de les entitats esmentades, a menys que usufructuari i nu propietari acordin una altra cosa (AGUSTIN TORRES).

A l'hora de concretar la posició jurídica de l'usufructuari en els fons d'inversió és oportú fer una referència al seu concepte, que d'acord amb l'article 3.1 de la Llei 35/2003 es defineixen com "patrimonios autónomos separados sin personalidad jurídica, pertenecientes a una pluralidad de inversores, incluidos entre ellos otras instituciones de inversión colectiva, cuya gestión y representación corresponde a una sociedad gestora, que ejerce las facultades de dominio sin ser propietaria del fondo, con el concurso de un depositario, y cuyo objeto es la captación de fondos, bienes o derechos del público para gestionarlos e invertirlos en bienes, derechos, valores u otros instrumentos financieros o no, siempre que el rendimiento del inversor se establezca en función de los resultados colectivos". En base a aquest concepte de les participacions en fons d'inversió hem de fer aquí unes consideracions respecte a la incidència que cal atribuir a la constitució d'un usdefruit sobre els mateixos.

Com succeeix respecte el dret d'usdefruit en general, també aquí ens trobem que sobre el mateix bé conflueixen de forma simultània en el temps dues titularitats sobre els béns objecte del fons d'inversió. D'una part el nu propietari, respecte el qual precisa l'article 561-34.3 que "Els nus propietaris gaudeixen, a títol exclusiu, de la condició de partícips a l'efecte d'exigir el reemborsament total o parcial de les participacions"; precepte que interpretem en el sentit que els nus propietaris gaudeixen també de les facultats dispositives i de les altres facultats que es deriven de la regulació del dret d'usdefruit en general, segons s'ha exposat abans (vegeu *supra,* capítol anterior, 1,II). Conseqüència d'aquesta titularitat sobre el fons d'inversió és que el dret d'informació sobre gestió del fons no s'atribueix a l'usufructuari sinó al nu propietari, com resulta de l'article 561-36.4 "Els usufructuaris, si l'entitat gestora del fons no es la facilita directament, poden exigir als nus propietaris tota la informació que l'entitat gestora els faciliti relativa al fons i a les participacions usufructuats". Pel que fa referència a la posició jurídica de l'usufructuari, el seu dret de gaudiment segons l'article 561-2 es concreta a les plusvàlues del fons d'inversió (article 561-34.1), amb aplicació de les normes sobre fruits dels drets (article 561-35). I pel que fa referència als altres drets i obligacions de l'usufructuari s'aplica la normativa general del dret d'usdefruit, amb excepció dels drets i obligacions que es deriven del fet de trobar-se l'usufructuari en possessió material dels béns objecte de l'usdefruit i de les obligacions que es deriven de la facultat d'ús dels mateixos (article 5611-2.2), ja que la possessió i gestió de les participacions dels fons d'inversió s'atribueixen a terceres persones o entitats.

Interessa fer ara unes precisions sobre els drets dels usufructuaris sobre les plusvàlues, encara que amb caràcter previ és oportú recordar les diferències que s'estableixen respecte a les participacions en fons d'inversió. En la part que ara interessa precisem que es distingeix entre fons d'inversió acumulatius, anomenats també de capitalització o de creixement, que suposen acumular de forma automàtica al patrimoni del fons les plusvàlues de la cartera i els beneficis que s'obtenen, amb l'increment subsegüent del valor de les participacions perquè el fet de reinvertir els beneficis provoca que sols es posin de manifest quan es produeix el reemborsament del capital; a diferència dels fons d'inversió anomenats distributius, que impliquen un repartiment o distribució periòdica entre els partícips en forma de dividends dels beneficis obtinguts com a conseqüència del desenvolupament normal del fons (MARTINEZ BEDOYA). En termes generals el dret de gaudi de l'usufructuari es concreta en les plusvàlues eventuals que es deriven dels fons d'inversió (segons l'article 561-34.1), però si es relaciona el precepte amb l'article 561-35 s'observa que aquest es refereix als rendiments i a les plusvàlues com a categories diferents; per tant hem d'entendre que el dret de gaudi de l'usufructuari es concreta en el dret de percebre els repartiments periòdics dels beneficis que produeixen els fons d'inversió distributius i en la plusvàlua que origina el fons en el període comprès entre la constitució i l'extinció de l'usdefruit. En tot cas l'article 561-35 aplica el règim jurídic propi dels fruits dels drets tant als rendiments com a les plusvàlues, amb la conseqüència que s'entenen percebuts dia a dia i pertanyen a l'usufructuari en proporció al temps de durada de l'usdefruit (article 561-6.3). Pel cas de no generar el fons d'inversió plusvàlues i sí un resultat negatiu, preveu l'article 561-34.2 que "Les minusválues eventuals no generen obligacions dels usufructuaris vers els nus propietaris", és a dir, en aquest cas res pot exigir l'usufructuari en concepte de plusvàlues, de la mateixa manera que tampoc assumeix obligacions de rescabalament envers el nu propietari per la manca de plusvàlues.

Cal fer referència ara a les particularitats aque es presenten quan es produeix el reemborsament del fons d'inversió mentre està vigent el dret d'usdefruit, facultat de reemborsament que la llei atribueix únicament al nu propietari (article 561-34.3). Segons l'article 561.34.4 "El capital obtingut, en cas de reemborsament de participacions abans de l'extinció de l'usdefruit, s'ha de reinvertir d'acord amb el que estableix el títol de constitució o segons l'acord de les persones interessades. Si no hi ha títol ni acord, s'apliquen les regles de l'usdefruit de diners", és a dir, les de l'article 561-32.2; supòsit que es qualifica de modificació de l'objecte de l'usdefruit, que no s'extingeix per novació, ja que sols implica alteració del tipus d'utilitat fruïda fins aleshores (ESPINA). La possibilitat de demanar el reemborsament de la participació té el límit que preveu l'article 561-34.5 "Els nus propietaris de participacions en fons d'inversió garantits solament en poden demanar el reemborsament una vegada vençut el termini de garantia". Afegim que el concepte de fons inversió garantits es deriva del fet que la societat gestora del fons obté d'un tercer, comprometent ella certa gestió i administració qualificada del fons, l'obligació d'atendre eventuals reclamacions dels partícips referents a una determinada revalorització o rendiment de les participacions, si no s'assoleix (ESPINA). La restricció es fonamenta en l'oportunitat de no privar a l'usufructuari dels beneficis que es poden derivar de la garantia.

Uns problemes particulars es deriven del dret de reemborsament a instàncies del nu propietari quan es tracta d'uns fons d'inversió acumulatiu, ja que en aquest cas l'usufructuari sols té dret a les plusvàlues. Segons l'article 561-36.1 "Els usufructuaris de participacions en fons d'inversió de caràcter acumulatiu tenen dret a les eventuals plusvàlues produïdes entre la data de constitució del dret i la data d'extinció o la del reemborsament si aquest es demana abans de l'extinció de l'usdefruit"; del qual en resulta que el nu propietari fa seves les plusvàlues generades pel fons d'inversió des que entre a formar part del seu patrimoni fins a la data de constitució de l'usdefruit, mentre que corresponen a l'usufructuari les plusvàlues que es produeixen des de la constitució de l'usdefruit fins el moment de la seva extinció amb el caràcter de fruits dels drets (article 561-35). Un problema subsegüent es presenta en el cas que s'extingeixi el dret d'usdefruit mentre està vigent el fons d'inversió acumulatiu, ja que en aplicació de la normativa general això determinaria el dret de l'usufructuari a reclamar les plusvàlues que li corresponen fins el moment de l'extinció de l'usdefruit, que moltes vegades ocasionaria perjudicis al nu propietari, que tindria que fer efectives aquestes plusvàlues amb càrrec a al resta del seu patrimoni. I precisament per tal d'evitar aquests perjudicis estableix l'article 561-36.2 que "Els usufructuaris tenen dret a les eventuals plusvàlues en el moment en què s'extingeix l'usdefruit, però solament en poden sol.licitar el pagament quan es produeixi el reemborsament". Afegeix l'apartat 3 del precepte que "L'acció per a exigir el compliment de l'obligació de pagament dels rendiments de l'usdefruit prescriu al cap de deu anys, comptats des del dia en què es produeix el reemborsament"; precepte que allarga fins a deu el termini de cinc anys que preveia l'article 30.3 de la Llei 13/2000, amab la finalitat —hem de pensar— de concordar-lo amb el termini general de prescripció de l'article 121-20.

La solució que ofereix l'article 561-3.2 presenta l'inconvenient que en aquest cas l'usdefruit sols proporciona beneficis als hereus de l'usufructuari, com succeeix si sols sigui exigible el reemborsament una vegada mort l'usufructuari, com ja preveia el preàmbul de la Llei 13/2000. Amb la finalitat de superar aquest inconvenient, encara que únicament pels casos de constitució del dret d'usdefruit com a conseqüència d'una successió per causa de mort, es preveu a l'article 561-36.5 que "Els usufructuaris que ho són per disposició testamentària, llevat de disposició contrària dels testadors, i els que ho són per successió intestada poden optar per percebre les plusvàlues de l'usdefruit d'acord amb el que estableixen els apartats 1 i 2 o per exigir als nus propietaris que els garanteixin un rendiment equivalent al d'un usdefruit de diners per un capital igual al valor del fons en el moment d'exercir l'opció. Els usufructuaris han de notificar llur opció als nus propietaris en el termini de sis mesos des de l'acceptació de l'herència. Si no ho fan, s'apliquen les regles generals dels apartats 1 i 2". L'expressió "poden optar" que apareix en el precepte dóna a entendre que ens trobem aquí davant d'una modalitat de les obligacions alternatives amb facultat d'elecció per part de l'usufructuari creditor de les plusvàlues, que pressuposa l'oportunitat de completar les previsions que estableix el precepte amb els articles 1131 al 1136 CC sobre règim jurídic de les obligacions alternatives.

Per últim el legislador català ha considerat oportú establir unes previsions per tal de determinar l'obligat a pagar les comissions que generi la constitució, manteniment i extinció del fons d'inversió. L'article 561-37 -entenem que en defecte de pacte en contrari (article 561-32)- preveu les solucions següents: *i)* Segons el seu apartat 1 "Les comissions per l'adquisició o la subscripció de participacions en un fons d'inversió s'imputen als nus propietaris...", solució que s'ajusta a l'article 561-34.3 que atribueix al nu propietari la titularitat del fons. *ii)* Una solució en part diferent estableix el mateix precepte pel supòsit que l'usdefruit "es constitueixi simultàniament, cas en el qual són a càrrec dels nus propietaris i dels usufructuaris en la proporció que els correspongui d'acord amb la valoració de l'usdefruit", valoració que escaurà fer d'acord amb les previsions de la legislació fiscal, i amb la precisió que la solució es fonamenta en la causa o motiu que ha determinar la constitució d'un fons d'inversió. *iii)* Estableix l'article 561-37.2 que "Les comissions corresponents a la gestió del fons, mentre duri l'usdefruit, són a càrrec dels usufructuaris", solució que s'ajusta a les previsions de l'article 561-12.1 que atribueix a l'usufructuari el pagament de les despeses de conservació i manteniment dels béns usufructuats. *iv)* Per últim l'article 561-37.3 preveu que "Les comissions per reemborsament per extinció del fons o pel reemborsament anticipat són a càrrec dels nus propietaris, llevat el cas en què els usufructuaris exerceixin l'opció que regula l'article 561-36.5, cas en el qual s'imputen a aquests"; dualitat de solucions que s'estableix en base a la legitimació per a demanar el reemborsament segons els articles 561-34.3 i 561-36.5.

2. EL DRET D'ÚS I EL DRET D'HABITACIÓ

I. Disposicions comunes

A) CONCEPTE I RÈGIM JURÍDIC

Els drets d'ús i d'habitació tenen el seu origen en el dret romà que els considera com una modalitat del dret d'usdefruit, ja que aquest dret es regula fonamentalment en el Llibre VII del Digest i en el context d'aquest llibre —i més concretament en el seu tí-tol VIII— es regulen els drets d'ús i d'habitació, als quals es fa extensiva en bona part la regulació establerta pel dret d'usdefruit (segons el Digest 7,1,3-3). Aquesta normativa romana va formar part del dret civil català des de l'època de la recepció i fins a la vigència de la Compilació catalana de l'any 1960, ja que la seva DF segona donava entrada a la normativa del Codi civil sobre els drets d'ús i d'habitació (vegeu STSJC de 4 de febrer de 1999). La Llei catalana 13/2000 posa fi a la vigència de la normativa del Codi civil ja que va establir una regulació pròpia dels drets d'ús i d'habitació, normativa que ha estat derogada per la DD única del Llibre cinquè del Codi civil de Catalunya, que s'aplica als drets d'ús i d'habitació constituïts a títol gratuït abans de la seva entrada en vigor, mentre que els constituïts a títol onerós abans de la seva entrada en vigor es regeixen per la normativa anterior si els titulars d'aquests drets i els propietaris no pacten una altra cosa (vegeu la seva DT novena). Vegeu també la DT única de la Llei 13/2000.

Pel que fa referència a la normativa actual preveu l'article 562-1 que "Els drets d'ús i d'habitació es regulen pel que esta-bleixen llur títol de constitució, aquest capítol i, subsidiàriament, la regulació de l'usdefruit". L'aplicació de la normativa sobre l'usdefruit com a supletòria requereix una certa atenció, ja que el legislador català ha adoptat el criteri d'atribuir autonomia als drets d'ús i d'habitació en front el dret d'usdefruit, com resulta del fet d'haver-los regulat en capítols diferents dins el seu títol VI "Dels drets reals limitats".

A l'hora de fixar inicialment el seu concepte precisem que el dret d'ús comporta la facultat d'utilitzar un o més béns i de percebre de forma molt limitada els seus fruits o rendiments en la mesura que resulti del títol de la seva constitució (PELLA Y FORGAS); i de forma inicial es pot definir el dret d'habitació com el dret que atorga al seu titular la facultat d'ocupar la part d'un habitatge en la mesura que assenyali el seu títol constitutiu i, subsidiàriament, en la mesura necessària per a atendre les necessitats d'habitatge del seu titular i de les persones que conviuen amb ell (article 562-9). L'abast de les facultats que es deriven dels drets d'ús i d'habitació es fa de forma més detallada al tractar de cadascun d'ells en particular.

B) CONSTITUCIÓ

Si ens atenem als precedents resulta del Digest 7,8,1-1 resulta que els drets d'ús i d'habitació es poden constituir per les mateixes vies que originen el dret d'usdefruit. En base a aquest precedent assenyalem ara que els drets d'ús i d'habitació es poden constituir per negoci jurídic entre vius fonamentat en una causa onerosa o gratuïta, per negoci jurídic per causa de mort, per usucapió i *a non domino* d'acord amb els requisits de capacitat, legitimació i de forma que s'han exposat en relació amb el dret d'usdefruit (vegeu *supra,* capítol XVII, 2). En relació amb els subjectes implicats interessa posar en relleu que segons l'article 562-10 sols pot ésser titular d'un dret d'habitació la persona física, restricció que es justifica en base a què l'article 562-9 estableix com a finalitat d'aquest dret "atendre les necessitats d'habitatge dels titulars", necessitat que no es pot fer extensiva a les persones jurídiques (RIVERO HERNANDEZ); encara que l'exclusió de les persones jurídiques no es pot fer extensiva al dret d'ús, ja que la seva finalitat d'atendre les necessitats del seu titular (segons l'article 562-6) no sembla s'hagi de concretar a les necessitats estrictament personals. Recordem que en relació amb el dret d'usdefruit hem exposat que la seva constitució es podia derivar de la llei, en el sentit que per tal d'atendre necessitats determinades en ocasions es pot exigir la constitució d'un dret d'usdefruit fins i tot sense o contra la voluntat del propietari del bé gravat, possibilitat que el legislador no fa extensiva al dret d'ús; mentre que respecte el dret d'habitació es preveu la seva constitució legal quan procedeix reclamar l'any de viduïtat (article 36 CF) i, també, amb la possibilitat que el dret d'habitació es pugui originar per resolució judicial en els litigis derivats d'una crisi matrimonial (article 83 CF).

Pel que fa referència als béns que poden ésser objecte d'un dret d'ús i d'habitació ens remetem també a les consideracions que s'han fet abans sobre l'objecte del dret d'usdefruit (vegeu *supra,* capítol XVII, 3). Precisem ara únicament que el dret d'ús es pot establir sobre béns mobles i sobre béns immobles, mentre que el dret d'habitació —per la seva pròpia naturalesa— sols es pot constituir sobre béns immobles idonis per a satisfer les necessitats d'habitatge del seu titular (article 562-9).

C) MODALITATS

Segons l'article 562-3.1 "Els drets d'ús i d'habitació es poden constituir a favor de diverses persones, simultàniament o successivament, però, en aquest darrer cas, solament si es tracta de persones vives en el moment en què es constitueixen". Si el dret d'ús o d'habitació s'ha constituït de forma simultània a favor d'una pluralitat de persones, cadascuna d'elles tindrà la condició de cotitular del dret en proporció a la respectiva quota. Es presenta de totes formes el problema de determinar el destí que s'ha de donar a la quota del cotitular que deixa de ser-ho —normalment com a conseqüència de a seva mort— que en aplicació de l'article 562-1 pensem s'ha de resoldre en base a l'aplicació dels criteris que es deriven de l'article 561-14 per a les situacions de cotitularitat en l'usdefruit. Afegeix l'article 562-3.2 que "El dret, en els dos casos a què fa referència l'apartat 1, s'extingeix a la mort del darrer titular", precisió que s'aplica per tant als drets d'ús i d'habitació constituït de forma simultània o successiva, que són els dos supòsits que contempla l'apartat 1 del precepte.

Afegim en aquest apartat que en relació amb els drets d'ús i d'habitació s'estableix una regla en part diferent a la prevista respecte el dret d'usdefruit, ja que en els casos d'usdefruit successiu l'article 561-15 permet que puguin tenir la condició d'usufructuaris persones no nascudes ni concebudes al temps de la constitució de l'usdefruit, encara que sols dins els límits que permet l'article 204 CS; mentre que en relació amb els drets d'ús i d'habitació sols es permet que es constitueixin a favor de persones vives en el moment de la seva constitució.

Per últim estableix l'article 562-2 que "El dret d'ús o d'habitació constituït a favor d'una persona física es presumeix vitalici", que reprodueix la presumpció que estableix l'article 561-3.2 pel dret d'usdefruit, encara que aquest precepte fa l'excepció que "el títol de constitució estableixi una altra cosa"; excepció que creiem aplicable igualment als drets d'ús i d'habitació, ja sigui en base a l'article 562-1 i, també, en base a que el seu caràcter vitalici s'estableix únicament com a presumpció. Si el dret d'ús s'estableix a favor d'una persona jurídica, la seva durada serà la que determina l'article 561-3.4 en relació amb el dret d'usdefruit.

D) INDISPONIBILITAT

L'article 562-4 s'intitula "Indisponibilitat del dret" (d'ús o d'habitació) i segons el seu apartat 1 "Els usuaris i els habitacionistes solament poden gravar o alienar llur dret si hi consenten els propietaris", principi d'indisponibilitat que té els seus orígens en el Digest 7,8,8 pr. i 11. Precisem inicialment que l'article 562.4 es refereix a la indisponibilitat dels drets d'ús i habitació, en el sentit de prohibir als seus titulars transmetre´ls a terceres persones, ja sigui per mitjà d'un negoci jurídic entre vius a títol onerós o gratuït o per mitjà d'un negoci jurídic per causa de mort, de la mateixa manera que prohibeix als titulars d'aquests drets disposar del seu contingut econòmic a favor de terceres persones o per a disposar dels béns objecte del seu dret, facultat que sols apareix en l'usdefruit amb facultat de disposició (article 561-21).

Pel que fa referència a l'abast d'aquesta indisponibilitat precisem que la constitució d'un dret d'ús o d'habitació sense més precisions determina la seva vigència. Altra cosa és determinar si el títol constitutiu pot establir que els seus titulars puguin disposar dels seus drets, ja sigui de forma lliure o d'acord amb els condicionaments o restriccions establertes. La tesi afirmativa es pot fonamentar en l'article 562-1, que estableix la prevalença del títol constitutiu, però creiem que el criteri del legislador és contrari a la possibilitat la seva transmissibilitat, ja que de forma explícita estableix l'article 562-4.1 que els titulars *solament* poden alienar o gravar llur dret "si hi consentien els propietaris", que per tant pressuposa que excepte en aquest cas els drets d'ús i habitació tenen el caràcter d'indisponibles en atenció a les seves finalitats.

Un problema col.lateral presenta l'article 562-4.1 quan preveu que els drets d'ús i habitació es poden gravar "si hi consenten els propietaris" i la incidència d'aquesta previsió sobre l'article 108, núm. 3 LH, que no permet hipotecar els drets d'ús i d'habitació, creiem que en funció de la seva inalienabilitat segons l'article 525 CC. Amb referència als drets d'ús i habitació sotmesos a la normativa catalana creiem que l'article 562-4.1 té virtualitat —com a llei posterior— per a establir que poden ésser objecte d'un dret d'hipoteca no obstant l'article 108, núm. 3 LH, encara que únicament en el supòsit de consentir la seva constitució el propietari i el titular del dret d'ús o d'habitació; perquè d'aquesta forma es permet superar de forma satisfactòria la via artificiosa de tenir que renunciar els titulars dels drets d'ús i habitació a llurs drets, amb la finalitat que el propietari pugui hipotecar la propietat lliure de càrregues (GONZALEZ BOU). Tesi que amb les adaptacions escaients es pot fer extensiva als altres drets reals de garantia.

Una aplicació particular d'aquest criteri apareix a l'article 562-4.2, en el qual es preveu que "L'execució d'una hipoteca sobre el bé comporta l'extinció dels drets d'ús i habitació si llurs titulars va consentir a constituir-la, sens perjudici del que estableix l'article 83 del Codi de família en matèria d'ús d'habitatge". El precepte es refereix al supòsit que sobre un bé gravat amb un dret d'ús o d'habitació el seu propietari el gravi després amb una hipoteca en exercici de les seves facultats dispositives que no es veuen limitades per l'existència d'un dret d'ús o d'habitació (argument article 561-9.4). Si es dóna aquest cas, resultarà que si es procedeix a l'execució de la hipoteca, l'adquirent hauria de respectar els drets d'ús i habitació constituïts amb anterioritat al gravamen hipotecari (article 134 LH), mentre que si els titulars dels drets d'ús i habitació han prestat el seu consentiment a la constitució de la hipoteca, aquest consentiment —als efectes de l'article 562-4.2— equival a una renuncia per part dels seus titulars als drets d'ús o habitació pel cas que s'executi la hipoteca. Vegeu la interlocutòria del president del Tribunal Superior de Justícia de Catalunya de 2 de juliol de 2001, en relació amb la hipoteca constituïda sobre finca gravada amb un dret d'habitació abans de la vigència de la Llei 13/2000.

L'efecte extintiu dels drets d'ús i habitació en el cas que ara s'examina té una limitada excepció segons la proposició darrera de l'article 562-4.2 pel cas que el dret d'ús o d'habitació recaigui sobre finca que té la condició d'habitatge familiar, ja que l'efecte extintiu es preveu "sens perjudici del que estableix l'article 83 del Codi de família en matèria d'ús de l'habitatge familiar". Aquest precepte fa referència a l'atribució de l'habitatge familiar en les situacions de crisi matrimonial, ja sigui en la forma convinguda pels interessats o subsidiàriament per resolució judicial, amb la prevenció que en qualsevol d'aquests casos l'efecte extintiu del dret d'ús o d'habitació en base el consentiment prestat pel seu titular a la constitució de la hipoteca per part del propietari de la finca no vincula a l'altre consort que no ha consentit la constitució de la hipoteca, d'acord amb les prevencions que estableix l'article 9 CF.

E) EXTINCIÓ

Preveu l'article 562-5 que "Els drets d'ús i habitació s'extingeixen per resolució judicial en cas d'exercici greument contrari a la naturalesa del bé, sens perjudici del que estableix l'article 561-8.1". Entenem que el precepte no estableix una causa única d'extinció dels drets d'ús i habitació, com es podria deduir del seu sentit literal, sinó que estableix una causa d'extinció que s'ha d'afegir a les que estableix l'article 561-6 pel dret d'usdefruit, com resulta dels seus precedents article 37.1 de la Llei 13/2000 i Digest 7,1,3-3 i, també, de l'article 562-1. Pel que fa referència a les causes que determinen l'extinció del dret d'usdefruit ens remetem al que s'ha exposat *supra*, capítol anterior, 2.

Com a causa específica d'extinció dels drets d'ús i habitació l'article 562-5 preveu "la resolució judicial en cas d'exercici greument contrari a la naturalesa del bé, sens perjudici del que estableix l'article 561-8.1"; en el qual es preveu que si els usufructuaris deterioren els béns usufructuats "responen dels danys causats davant els nus propietaris, que poden sol.licitar a l'autoritat judicial que adopti les mesures necessàries per a preservar els béns, inclosa llur administració judicial". Pel que fa referència a la causa d'extinció que preveu l'article 562-5 "l'exercici greument contrari a la naturalesa del bé", apuntem l'oportunitat de fixar el seu concepte en base a la relació que creiem existeix amb l'article 561-2.3, que imposa a l'usufructuari —i també als titulars dels drets d'ús o habitació (article 562-1)— el deure de respectar la destinació econòmica del bé gravat, perquè modificar la destinació econòmica del bé gravat amb un dret d'ús o d'habitació suposa actuar de forma contrària a la naturalesa del bé. De totes formes l'exercici contrari a la naturalesa del bé no provoca sempre l'extinció dels drets d'ús o habitació sinó únicament l'exercici "greument contrari" a la naturalesa del bé, que té la seva justificació en el fet que els drets d'ús i habitació pressuposen que el titular exerceix de forma directa les seves facultats sobre els béns objecte del dret, fet que determina a la vegada la inoportunitat d'aplicar les mesures que preveu l'article 561-8.1 en relació amb l'usdefruit, ja que aquest pot subsistir encara que es privi l'usufructuari de l'exercici directe dels béns objecte del seu dret (RAMS ALBESA) mitjançant l'aplicació de les mesures que estableix aquest precepte. Que també serà d'aplicació als drets d'ús o habitació quan no es pugui qualificar de *greument* contrari a la naturalesa dels béns l'actuació dels seus titulars, gravetat que establirà en cada cas concret la resolució judicial escaient en atenció a la naturalesa dels béns objecte dels drets d'ús o habitació.

II. El dret d'ús

Amb caràcter general preveu l'article 562-6 que el contingut fonamental del dret d'ús es concreta en les facultats que atribueix el seu titular de posseir i utilitzar els béns objecte del seu dret, precepte que interessa relacionar amb l'article 561-2, del qual resulta que el contingut fonamental del dret d'usdefruit es centra en les facultats que es confereixen a l'usufructuari de posseir, usar i gaudir dels béns objecte del seu dret. D'aquesta exposició inicial en resulta que el drets d'ús atribueix al seu titular unes facultats possessòries d'ús i utilització, mentre que les facultats de gaudiment s'atribueixen a l'usufructuari però no al titular d'un dret d'ús almenys de forma inicial, ja que l'article 562-8 permet a l'usuari percebre determinats fruits que produeixen els béns objecte del seu dret, cas que el precepte qualifica d'ús especial. Aquesta posició del legislador sembla qüestionable, ja que un dret d'ús limitat a unes facultats possessòries i d'utilització dels béns en la majoria dels casos no tindrà entitat suficient per a atendre les necessitats de l'usuari i dels altres beneficiaris (BROCÀ), i si la facultat de percebre determinats fruits sols es pot fer efectiva per a cobrir les mateixes necessitats que es deriven de les facultats possessòries i d'utilització, sembla hauria estat oportú establir com a contingut normal del dret d'ús les facultats possessòries, d'utilització i de gaudi amb la finalitat d'atendre les necessitats que preveuen els articles 562-6 i 562-8.1. Criteri que permetria també establir una diferència significativa entre el dret d'ús i el dret d'usdefruit, ja que l'article 561-2.2 en el dubte atribueix a l'usufructuari totes les utilitats no excloses, mentre que a l'usuari se li atribueixen únicament les utilitats escaients per tal d'atendre les necessitats dels beneficiaris del dret d'ús, que suposa per tant establir unes diferències entre ambdós drets reals limitats de gaudiment en base a uns criteris quantitatius i no qualitatius. Sembla oportú precisar també que l'article 562-8.1 sols permet a l'usuari percebre els fruits que produeixi la finca o finques objecte del seu dret o fruits de la cosa en el sentit de l'article 511-3.1, encara que limitats al cas de procedir els fruits d'una finca i no d'altres coses corporals, criteri que suposa a la vegada excloure la possibilitat que l'usuari pugui fer seus els anomenats fruits del dret (segons l'article 511-3.2) mitjançant establir una relació jurídica sobre el bé que produeix aquests fruits, possibilitat que no s'hauria de marginar especialment en els casos en què el titular del dret d'ús, en atenció a les seves condicions o circumstàncies personals, no es trobi en condicions d'obtenir mitjançant una activitat personal uns fruits o rendiments de les coses objecte del seu dret per tal d'atendre les seves necessitats, si es podrien atendre amb els rendiments derivats d'una relació jurídica establerta sobre els béns objecte del dret d'ús. Facultats que creiem no contradiu el principi d'indisponibilitat *ex* article 562-4.1, que es refereix sols als actes d'alienació i gravamen.

Amb aquestes consideracions es vol posar de manifest l'oportunitat de qualificar aquests drets d'ús d'especials, perquè dels precedents en resulta la conveniència de no limitar el contingut del dret d'ús a l'*uti* amb exclusió del *frui*, com resulta del Digest 7,8,4 pr., que permet a l'usuari llogar es habitacions que no necessita pels seu ús particular i que creiem autoritza també l'article 562-7 si s'interpreta d'acord amb la tradició jurídica catalana (com resulta de l'article 111-2.1). Unes consideracions semblants es poden fer en relació amb l'article 562-8.2, segons el qual "El dret d'ús constituït sobre bestiar dóna dret a percebre'n, per a atendre les necessitats a què fa referència l'apartat 1, les cries i els altres productes", que en relació amb els seus precedents -i sense necessitat de qualificar el dret d'ús d'especial- permet a l'usuari utilitzar els fems per tal d'adobar les finques de conreu i per a utilitzar el bestiar per a les necessitats de les finques (Digest 7,8,12-2 i 3); facultats a les quals l'article 568-6.2 afegeix la de gaudir de les cries dels animals, amb la finalitat de superar el criteri excessivament restrictiu que establia el mateix dret romà sobre les cries. I per últim preveu l'article 562-8.3 que "El dret d'ús constituït sobre un bosc o sobre plantes dóna dret a talar els arbres i a talar les mates que calgui per a tendre les necessitats a què fa referència l'apartat 1, i fins i tot vendre el producte, d'acord amb el que estableix la secció tercera del capítol I". Si es relaciona el precepte amb el seu precedent (Digest 7,8,22), resulta que aquestes facultats atribuïdes a l'usuari sobre els fruits del bosc o plantes es fonament en la conveniència de donar-li un contingut positiu, que segons la disposició esmentada es podria desvirtuar si el titular del dret d'ús no pogués talar arbres i vendre'ls. Amb la precisió que en aquest cas les facultats de l'usuari, a més de restar sotmeses a la prevenció general d'atendre les necessitats dels beneficiaris del dret d'ús, l'article 562-8.3 imposa també tenir en compte les prevencions de la secció tercera capítol I, que es refereixen a l'usdefruit amb facultat de disposició; remissió que no creiem correcta, ja que si ens atenem al seu precedent, és a dir l'article 41.3 de la Llei 13/2000, la remissió s'ha d'entendre feta a les disposicions sobre l'usdefruit de boscos i plantes (que es troba a la secció quarta del mateix capítol).

Pel que fas referència a l'abast del dret d'ús d'habitatge precisa l'article 562-7 que "L'ús d'un habitatge s'estén a la totalitat d'aquest i comprèn el de les dependències i annexos". Aquesta extensió del dret d'ús a tot l'habitatge s'estableix amb independència de les necessitats de l'usuari, a menys que en el títol de constitució s'hagi convingut una altra cosa. Si es relaciona el precepte amb el seu antecedent, que es troba en el Digest 7,8,12 es pot precisar que el dret d'ús sobre la casa que forma part d'una explotació agrària es fa extensiu a la facultat d'habitar tota la casa i per a fer ús dels locals necessaris per a guardar els fruits de la finca; de la mateixa manera aque segons el Digest 7,8,10-4 el dret d'ús també es fa extensiu als cellers i magatzems. Si la casa sobre la qual recau e dret d'ús té la condició d'urbana, la determinació de les seves dependències i annexos es pot establir en base a l'article 553-35, que es refereix als annexos en el règim de la propietat horitzontal i a l'article 22.2 LAU.

Una darrera precisió que cal fer és que l'article 562-6 permet a l'usuari exercir les seves facultats no sols per a atendre les pròpies, sinó també per tal d'atendre les de les persones aque conviuen amb ell. En aquest punt el precepte modifica l'article 38 de la Llei 13/2000, que atribuïa a l'usuari unes facultats per tal d'atendre a les necessitats de "la seva família", mentre que el text actual es refereix a les persones que conviuen amb l'usuari, que tal vegada està més d'acord amb el precedent anterior, que es troba en el Digest 7,8,2-1 i 3, que consideren beneficiaris del dret d'ús els familiars de l'usuari i les persones que conviuen amb ell en situació de dependència o a canvi de pagar-li una contraprestació. En base a aquesta normativa es pot concretar el concepte de beneficiaris en els familiars que conviuen amb ell i, també, a les altres persones que conviuen amb ell, encara que no siguin familiars seus.

III. El dret d'habitació

Pel que fa referència al seu contingut precisa l'article 562-9 que comporta la facultat d'ocupar les dependències i els annexos d'un habitatge que determina el títol de constitució i, en el seu defecte, els que calen per tal d'atendre les necessitats del seu titular i de les persones que hi conviuen. Del precepte en resulta en primer lloc que els beneficiaris del dret d'habitació són el mateix titular i les persones que conviuen amb ell, que són les que hem esmentat fa uns moments en relació amb el dret d'ús segons l'article 562-8.1, que es val de la mateixa expressió. Pel que fa referència al seu abast objectiu precisa l'article 562-9 que comprèn no sols l'habitatge en sentit estricte sinó també les seves dependències i annexos, que reprodueix també en aquest punt l'article 562-7 en relació amb el dret d'ús sobre la totalitat d'un habitatge i per tant ens remetem igualment a les consideracions que s'han fet sobre aquest precepte. De totes formes interessa afegir ara que mentre l'article 562-7 fa extensiu el dret d'ús a la totalitat de l'habitat-ge, amb un criteri més restrictiu l'article 562-9 concreta el dret d'habitació, a manca de previsió diferent en el títol de la seva constitució, a les dependències de l'habitatge que calen per a les necessitats del titular del dret i de les persones que conviuen amb ell. Precisem també que el dret d'habitació —per la seva pròpia naturalesa— té una durada en el temps, normalment és un dret vitalici, circumstància que pot determinar un augment posterior de les necessitats de l'habitacionista, cas en el qual serà d'aplicació la proposició darrera de l'article 562-9, que permet a l'habitacionista ocupar les dependències de l'habitatge i de les seves dependències o annexos per tal d'atendre les noves necessitats; previsió que si es relaciona amb el seu precedent Digest 7,8,22-1 permet afirmar que mentre el titular d'un dret d'habitació sols ocupa una part de les dependències de l'habitatge per tal d'atendre unes necessitats actuals, la resta de les dependències no les pot ocupar el propietari, amb la finalitat de no frustrar les eventuals noves necessitats del titular del dret d'habitació.

La indisponibilitat del dret d'habitació es concreta als actes d'alienació i gravamen (article 562-4.1), que permet afirmar no s'ha de fer extensiva a la possibilitat que el seu titular pugui arrendar la finca objecte del dret d'habitació, com resulta del Codi 3,33,13, que justifica la solució afirmativa en el fet que en atenció a les finalitats del dret d'habitació, és indiferent que el seu titular el gaudeixi de forma directa o per la via de percebre una contra-prestació en concepte de lloguer. En el context actual no sembla aquest argument massa convincent. Per això apuntem l'oportunitat de fonamentar la tesi afirmativa en la consideració que el titular del dret d'habitació pugui satisfer les seves necessitats d'habitatge per la via d'establir un contracte d'arrendament sobre la finca objecte del dret d'habitació si per les seves característiques no pot satisfer les necessitats d'habitatge del seu titular, que en canvi poden tenir una solució satisfactòria amb càrrec a les rendes que s'obtenen del contracte d'arrendament. La tesi contrària apareix a la STSJC de 4 de febrer de 1999, si bé cal tenir present que es fonamenta en l'article 525 CC, vigent aleshores a Catalunya, que prohibeix a l'habitacionista arrendar la finca.

Pel que fa referència al règim jurídic de les despeses l'article 562-11 preveu que "Són a càrrec de l'habitacionista les despeses de l'habitatge que siguin individualitzables i que es derivin de la utilització que en fa, i també les despeses corresponents als serveis que hi hagi instal.lat o contractat". De l'article 562-9 en resulta que el dret d'habitació té com a finalitat principal aten-dre les necessitats d'habitatge del seu titular, circumstància que en bona part determina que es constitueix normalment a títol gratuït, i en la gran majoria dels casos en disposició per causa de mort, fets que determinen que el propietari del bé no rep cap contraprestació de l'habitacionista i, per tant, apareix l'oportunitat d'establir via legislativa una mena d'equilibri entre els interessos del propietari i els de l'habitacionista. L'article 562-11 resol aques-ta situació, en primer lloc, per la via d'imposar a l'habitacionista les despeses de l'habitatge en les quals concorre el doble requisit d'ésser individualitzables i que es derivin del servei que fa de la totalitat o part de l'habitatge, solució correcta perquè pot evitar eventuals despeses abusives per part de l'habitacionista, que no té sentit imposar-les al propietari. I en segon lloc són també a càrrec de l'habitacionista les despeses que corresponen als serveis que ha instal.lat o contractat; perquè si per raons de comoditat o fins i tot per necessitats personals instal.la o contracta determinats serveis que no tenia la finca en el moment de constitució del dret d'habitació, aquest fets van més enllà del contingut del dret d'habitació segons l'article 562-9.

BIBLIOGRAFIA SUMÀRIA

A mes de l'esmentada en els capítols anteriors vegeu també ROCA SASTRE, *Estudios de Derecho Privado*. Madrid, 1948, volum II, pàg. 71 i seg.; REBÉS SOLÉ, *Notas al título "del usufructo" de la Compilación del Derecho civil especial de Cataluña"*, a la RJC, 1966, pàg. 351 i seg.; MIQUEL GONZALEZ, *Comentarios al Código Civil y Compilaciones Forales*. Madrid, 1987, volum XXX, pàg. 20 i seg.; RAMS ALBESA, *Uso, habitación y vivienda familiar.* Madrid, 1987; LACRUZ BERDEJO, *Donación obligacional de bienes usufructuados con facultad de disponer entre vivos*, a "Estudios de Derecho privado común y foral". Saragossa, 1992, volum II, pàg. 181 i seg.; GONZALEZ BOU, *Indisponibilidad de los derechos de uso y habiación en el Derecho catalán: comentario al artículo 36 de la Ley 13/2000, de 20 de noviembre, del Parlament de Catalunya*, a "La Notaria, 2001 (núm. 3), pàg. 79 i seg.; AGUSTIN TORRES-AGUSTIN JUSTRIBÓ, *Algunas implicaciones fiscales del usufructo con facultad de disposición (Ley catalana 13/2000, de 20 de noviembre)*, a "La Notaria, 2001 (núm. 6), pàg. 123 i seg.; GARRIDO MELERO, *Usufructo de disposición y usufructo de regencia*, a "La Notaria", 2001 (núm. 11-12, volum II), pàg. 141 i seg.; VILLAGRASA ALCAIDE, *El derecho real de habitación en la Ley 13/2000, de 20 de noviembre, del Parlamento de Cataluña sobre regulación de los derechos de usufructo, uso y habitación*, a "La Notaria", 2002 (núm. 7-8, volum I), pàg. 25 i seg.; AGUSTIN TORRES, *Usufructo sobre participaciones en fondos de inversión. Ley catalana 13/2000, de 20 de noviembre*, a la RJC, 2002, pàg. 9 i seg.; ESPINA, *Drets reals catalans amb objecte mercantil. L'usdefruit de participacions en fons d'inversió i la penyora de valors*, a la RJC, 2002, pàg. 945 i seg.; MARTINEZ BEDOYA, *Estudio teórico y práctico del usufructo de participaciones de fondos de inversión acumulativos*, a l'ADC, 2002, pàg. 659 i seg.; VIOLA DEMESTRE, *L'usdefruit de boscos i plantes al dret civil de Catalunya*, a LC núm. 427 (de 6 de febrer de 2003), pàg. 1 i seg.; BARDAJI, *Consentimiento ajeno en el usufructo con facultad de disposición*, a "La Notaria", 2004 (núm. 9), pàg. 19 i seg.; AGUSTIN TORRES-AGUSTIN JUSTRIBÓ, *Algunas implicaciones fiscales en los usufructos de dinero y de participaciones en fondos de inversión*, a "La Notaria", 2006 (núm. 34), pàg. 39 i seg.

JURISPRUDÈNCIA CITADA

Tribunal Suprem

1 febrer 1927: usdefruit amb facultat de disposició en cas de necessitat
24 febrer 1960: usdefruit de boscos
21 novembre 1973: usdefruit de boscos
9 octubre 1986: usdefruit amb facultat de disposició en cas de necessitat
2 juliol 1991: usdefruit amb facultat de disposició en cas de necessitat
3 març 2000: usdefruit amb facultat de disposició en cas de necessitat
9 març 2000: usdefruit amb facultat de disposició en cas de necessitat

Tribunal Superior de Justícia de Catalunya

4 febrer 1999: dret d'habitació
28 gener 2002: usdefruit amb facultat de disposició
27 maig 2002: usdefruit amb facultat de disposició
22 setembre 2003: usdefruit amb facultat de disposició

DIRECCIÓ GENERALS DELS REGISTRES I DEL NOTARIAT

22 maig 1942: usdefruit amb facultat de disposició en cas de necessitat
27 juny 1942: usdefruit amb facultat de disposició en cas de necessitat
11 juliol 1942: usdefruit amb facultat de disposició en cas de necessitat
11 juliol 2003: usdefruit amb facultat de disposició en cas de necessitat

INTERLOCUTÒRIES PRESIDENT DEL TRIBUNAL SUPERIOR DE JUSTÍCIA DE CATALUNYA

2 juliol 2001: consentiment del titular d'un dret d'habitació a la constitució d'una hipoteca per part de l'usufructuari de la finca

Capítol XX
El dret de superfície i el dret de vol

1. EL DRET DE SUPERFÍCIE

I. Precedents

El dret català ha regulat el dret de superfície com a dret real des de la llei 22/2001, de 31 de desembre, *de regulació dels drets de superfície, de servitud i d'adquisició voluntària o preferent*, que ha estat incorporada, amb algunes diferències, als articles 564-1 al 564-6 del Codi civil català. L'anterior llei ha estat derogada per la 5/2006, del llibre Cinquè del Codi civil i els problemes de dret transitori queden recollits en la D.T. 11, que estableix que els drets constituïts abans de l'entrada en vigor de la Llei 5/2006 es regiran per l'anterior legislació que els era aplicable.

Fins la llei 22/2001 el dret de superfície s'havia regit per legislació fonamentalment urbanística. És conegut que l'article 1655 CC conté una clàusula oberta que es refereix a "foros" i drets d'anàloga naturalesa, que s'estableixin desprès del Codi civil, als quals s'aplicaran les disposicions d'aquest relatives al cens emfitèutic; els autors entenen que la regla d'aquest article unida a la de l'article 1611 CC, que exclou els drets de superfície de la regla sobre la redempció dels censos constituïts abans de la vigència del Codi, permetia considerar que aquest dret estava present en la norma codificada. S'ha considerat que l'article 1611.3 CC estableix el principi del doble domini, però la discussió no passa d'aquí. En canvi, el dret de superfície, com a mecanisme per permetre determinades operacions urbanístiques, es regula de forma directa de nou en la primera *Ley del Régimen del Suelo y Ordenación Urbana,* de 16 de maig de 1956; la reforma de l'esmentada llei per la de 2 de maig de 1975 (text refós de 9 abril 1976) va afectar la normativa del dret de superfície, però el va mantenir sempre en el camp urbanístic, ja que s'aplicava quan el seu destí era "la construcción de viviendas, servicios complementarios, instalaciones industriales y comerciales u otras edificaciones determinadas en los Planes de Ordenación". La vigent llei 8/2007, de 28 de maig, del suelo, regula el dret de superfície en els articles 35 i 36.

En virtut de les competències atribuïdes en matèria d'urbanisme a la Generalitat en l'article 9.9 de l'Estatut de 1979, es va aprovar l'actualment vigent Text refós de la Llei d'Urbanisme (Decret legislatiu 1/2005, de 26 juliol); en aquesta norma de tipus públic, l'article 162 regula el dret de superfície, que poden constituir l'Administració de la Generalitat, les entitats locals i altres persones de dret públic i també els particulars. La finalitat d'aquest dret és destinar els terrenys sobre el que es constitueix a la construcció d'habitatges, l'establiment de serveis complementaris o fer instal·lacions industrials, logístiques i comercials o d'altres determinades en els plans d'urbanisme. S'estableix la manca d'efectivitat del dret d'accessió (article 162.2 LU); es preveu la cessió onerosa o gratuïta del dret de superfície i pel que fa als aspectes substantius del dret que no estiguin regulats en la Llei d'urbanisme, l'article 162.4 LU diu que seran establerts a la legislació que els sigui aplicable, que es el Codi civil de Catalunya, que regula aquest dret en els articles 564-1 a 564-6. Es pot considerar com si la Llei d'Urbanisme establís una base per al dret quan tingui les finalitats establertes a l'article 162, que haurà de ser completat per les normes del Codi civil català, el qual, però, abasta altres aspectes que no estan previstos, ni tenen perquè, en l'esmentada Llei d'urbanisme.

II. Legislació aplicable

Aquesta doble naturalesa, civil i urbanística, obliga a determinar quina és la legislació reguladora d'aquest dret. Per tal d'arribar a conclusions correctes, s'haurà de distingir segons la seva naturalesa.

1º *Dret civil de superfície*. Es regirà per les normes del Codi civil català, en els articles 564-1 al 564-6, a més del que es disposa en la legislació hipotecària i més concretament, l'article 16 RH, que planteja greus problemes de comprensió després que la seva reforma, efectuada pel R.D. 1867/1998, de 4 de setembre, fos anul·lada per la sentència del Tribunal Suprem, Sala 3ª de 31 gener 2001. Això produeix una situació certament confusa llei estatal d'Urbanisme (DÍEZ PICAZO-GULLON). Segons LARRON-DO, aquesta anul·lació produeix que es mantingui la vigència de l'anterior article 17 RH, en la redacció de l'any 1959.

2ª. *Dret de superfície urbanística*. Es regula per l'article 162 LU, que es remet en allò que fa als aspectes substancials i processals del dret, a la legislació que sigui aplicable al dret de superfície i, per tant, al Codi civil català.

III. Concepte

L'article 564-1 defineix el dret de superfície dient que "és un dret real limitat sobre una finca aliena que atribueix temporalment la propietat separada de les construccions o de les plantacions que hi estiguin incloses" i afegeix que "en virtut del dret de superfície, es manté una separació entre la propietat d'allò que es construeix o es planta i el terreny o el sòl en què es fa". D'aquesta manera el Codi defineix un dret real, autònom, limitat que grava una finca aliena i que té un cert parentiu jurídic amb l'emfiteusi, amb un precedent notable a Catalunya en la *rabassa morta* (BADOSA).

Les definicions que del dret de superfície es troben en els articles 564-1 i 162 LU ens porten a una sola conclusió respecte a la naturalesa del dret, que produirà importants conseqüències pràctiques. La doctrina està d'acord en considerar que amb la creació d'un dret d'aquesta naturalesa es produeix una separació en el domini d'allò construït o plantat i el sòl en què aquesta edificació o plantació s'efectua. La raó d'aquesta separació es troba en què l'article 564-1 impedeix els efectes del principi *superficies solo cedit*, que produeix l'accessió d'allò plantat o edificat en sòl aliè a qui és propietari del sòl i que està present en l'article 542-3, amb la corresponent presumpció de l'article 542-4, que quan s'ha pactat un dret de superfície, deixa d'aplicar-se. Aquest és l'efecte principal del dret de superfície a la pràctica, per tal com crea dos objectes diferenciats (BADOSA): i) per una banda, el suport físic per a les edificacions (542-7) o plantacions (article 542-5), que és la finca base, i ii) la superfície, que es refereix a allò plantat o edificat. Per aquesta raó, diu BADOSA que es tracta d'un únic dret de contingut doble. Ara bé, aquesta explicació de la naturalesa del dret de superfície no té en compte algunes objeccions que deriven del mateix Codi. Certament quan es crea un dret de superfície, s'escindeixen els dos objectes que fins a la seva creació es mantenien units, és a dir, el sòl i allò que hi ha plantat o edificat; però quan es constitueix aquest dret, no estem dividint la propietat, com passava en l'antiga teoria del dret d'emfiteusis com a domini dividit i que és possible encara aplicar a la *rabassa morta*, sinó que es tracta de la creació d'un dret limitat i temporal sobre el sòl propi, escindint-la d'allò que s'hi edifica o planta. No es tracta d'un únic dret de contingut doble, sinó de dos drets diferents, un dels quals, la superfície, limita el dret del propietari. Per tant, creiem que no es tracta d'un règim immobiliari, sinó que el que es produeix és solament un dret de propietat diferent sobre l'edifici o la plantació efectuada pel legitimat, titular del dret de super-fície. Ara bé, dit això, és cert que el superficiari gaudeix del sòl aliè, de manera que es pot afirmar que la propietat del sòl que manté el propietari, es veu limitada no tant per la derogació de les regles de l'accessió, sinó per la facultat de gaudi del sòl que necessàriament ha de tenir el superficiari qui, per tant, a més de tenir la propietat d'allò plantat o edificat, té el dret de gaudi. I per aquestes raons, el dret podrà ser constituït per tots aquells que gaudeixen de la possessió del sòl, ja sigui en virtut del mateix dret de propietat, com d'un altre dret real que els legitimi, com ara l'usdefruit o el mateix dret de superfície (article 564-4.2,a) i també per això es produirà la consolidació en el propietari quan el dret s'extingeixi (articles 564-6.2 i 532-3). En conclusió, existint dos objectes, el sòl i allò que s'hi ha edificat o plantat, aquest segon objecte està subordinat al primer, en tant que l'autonomia del segon és temporal. Aquesta és la interpretació que deriva de la mateixa redacció de l'article 564-1, que, de manera redundant, insisteix en proclamar la separació entre el sòl i allò que s'hi planta o edifica, dient que el dret que recau sobre aquests objec-tes, és *limitat* en relació a la propietat del sòl, de manera que constitueix un domini limitat, però no dividit.

D'aquí es deriven les característiques d'aquest dret:

1r. És un dret real limitatiu del domini (STS 6 octubre 1987).

2n. És un dret temporal, tal com es dedueix de l'article 564-3.2,a).

3r. Té contingut de dret de propietat, per bé que limitat a les edificacions i plantacions.

4t. Evita l'aplicació de les regles de l'accessió.

IV. Classes de superfície

Malgrat el que disposa l'article 564-2, el dret de superfície es pot distingir segons la seva finalitat i en aquest sentit parlarem de superfície urbanística i de superfície civil (vegeu apartat II), o bé de superfície per edificar o per plantar, d'acord amb el que es disposa en l'article 564-1.

L'article 564-2 es refereix a altres dues possibilitats: el dret de superfície constituït sobre construccions o plantacions ja existents en el sòl (pr. 1), o bé les que es construiran com a conseqüència de la creació del dret. Per bé que en ambdós casos la constitució del dret de superfície suposa un acte d'alienació, l'objecte difereix en les dues modalitats previstes en aquest article. Quan el dret es constitueix sobre edificis o plantacions ja existents, se separa una part del dret de propietat que ostentava el titular del sòl i que ja havia adquirit en virtut del principi *superficies solo cedit*. Quan el que és objecte del dret és la plantació o edificació futures, el que es fa és evitar el funcionament de l'accessió i distribuir els drets de propietat sobre cada un dels objectes. Cal tenir en compte que, com veurem, llevat que existeixi pacte en contra, aquesta escissió la pot realitzar el mateix superficiari.

L'article 564-2.1 estableix que el dret es pot constituir sobre construccions ja existents "sobre el nivell del sòl o sota d'aquest nivell". Aquí es permet un dret de superfície sobre el sòl, que pot interferir amb les disposicions relatives al dret de vol, arribant-se a un punt en què pot ser impossible distingir entre superfície i dret de vol, per molt que la llei estableixi un règim diferent per a cada un dels drets.

V. Constitució del dret de superfície

A) CAPACITAT

Per constituir el dret, cal tenir la facultat de disposició de la finca sobre la qual es constitueix. Per tant, poden constituir el dret de superfície els propietaris i els altres titulars de drets reals possessoris que tinguin la lliure disposició de la finca afectada (article 564-3.1). La llei exigeix que el dret que s'ostenti tingui la naturalesa possessòria; per tant, poden constituir aquest dret també els propietaris, els usufructuaris, els propietaris que tinguin limitat el dret de disposició (p.e. hereus fiduciaris), sempre dintre dels límits de la facultat per disposar que els atorga el dret del que siguin titulars. Queden exclosos els titulars de drets reals de garantia en alguns casos, perquè no hi ha possessió, com en la hipoteca, i en altres supòsits en què no hi ha lliure disposició de la finca afectada, com en el cas de la retenció immobiliària (article 569-3). Tampoc poden constituir drets de superfície els titulars de servituds, perquè solament posseeixen el dret i no la finca, ni tampoc els titulars de drets reals d'ús i d'habitació, perquè segons l'article 562-4, no tenen el dret de disposició sobre la finca, sinó solament sobre llur dret, sempre que hi consentin els propietaris.

Respecte a la capacitat, quan el creïn el titulars de la potestat o bé els tutors, els negocis jurídics corresponents hauran de complir les condiciones establertes en els articles 151 i 212 CF. També s'ha de tenir en compte que en el cas que el constitueixi un fiduciari o bé un usufructuari, la superfície tindrà la durada del seu dret, extingint-se en el moment en què aquest acabi.

B) OBJECTE

El dret de superfície pot recaure sobre finques, rústiques i urbanes, o bé sobre el mateix dret de superfície, si no s'ha pactat res en contra.

C) FORMA

El dret de superfície solament es pot crear i adquirir per un contracte, o per causa de mort. El contracte pot tenir causa onerosa o gratuïta, de manera que la donació serà un títol adient per a la constitució i adquisició d'aquest dret. El mateix article 162.3 LU preveu la constitució onerosa o gratuïta del dret de superfície urbanística i res hi ha en contra de l'aplicació d'aquesta mateixa norma a la superfície civil.

En canvi no sembla que sigui possible l'adquisició del dret de superfície per usucapió. Hi ha diverses raons, entre les quals es troben la característica formal del negoci jurídic de constitució del dret real, la naturalesa de dret real limitat en el temps, per bé que, com afirma BADOSA, aquesta possibilitat es pot superar si apliquem el límit legal de 99 anys establert a l'article 564-3.2,a).

El Codi civil català exigeix l'escriptura pública com a requisit d'eficàcia del dret de superfície; per tant, no serà eficaç el constituït en document privat. En el mateix sentit, el Codi exigeix escriptura pública per a la constitució del dret de vol (article 567-2) i els drets d'adquisició preferent voluntària (article 568-2) si recauen sobre béns immobles. L'escriptura ha de tenir un contingut mínim determinat a l'article 564-3-2. Quan el dret de superfície s'hagi constituït *mortis causa*, serà també necessari l'atorgament posterior de l'escriptura pública per a l'efectivitat del dret; l'escriptura s'haurà d'atorgar entre l'hereu o l'obligat pel llegat i el legatari en favor del qual s'ha atorgat la facultat d'exigir la constitució d'aquest dret.

D) INSCRIPCIÓ

El Codi civil català no exigeix la inscripció per a l'eficàcia del dret, que és inscriptible, d'acord amb el que disposa l'article 2.2 LH; la inscripció no té valor constitutiu en el dret català, ja que no l'exigeixen ni l'article 564-3.3, que es refereix solament a l'oposabilitat del dret front a tercers, ni l'article 162 LU. Una conclusió semblant va ser sostinguda per la sentència de 26 novembre 2002 en relació al dret de superfície de dret privat creat a l'empara de l'autonomia de la voluntat en el Codi civil.

VI. El contingut del dret de superfície

El Codi civil català, en l'àmbit dels drets reals, sol establir un doble contingut: aquell que deriva de la mateixa naturalesa del dret i que és el contingut necessari que s'ha d'incorporar a l'escriptura pública de constitució del dret real que es tracti, com succeeix en el dret de superfície (article 564-3) i en el dret de vol (article 567-2). A més, preveu els possibles pactes que els interessats incloguin en el concret dret de superfície que estan creant, en vertiente de l'autonomia de la voluntat que els reconeixen els articles 564-3 i 4. Per tant, s'hauran d'estudiar aquests dos aspectes.

A) EL CONTINGUT NECESSARI: L'ARTICLE 564-3.2

D'acord amb aquesta disposició, els interessats hauran d'incloure en el negoci jurídic creador del dret de superfície els pactes següents:

1r. *La durada del dret*. El dret de superfície té naturalesa essencialment temporal. Això significa que les parts poden pactar la durada que els convingui més, tenint en compte, però, que la mateixa norma estableix un límit màxim de durada, 99 anys, més enllà del qual el dret no pot ser pactat. Aquest límit es refereix tant a les construccions ja existents, com a les futures (EGEA-FERRER). Aquesta limitació presenta dos problemes interpretatius: el primer es refereix a l'eficàcia dels pactes que establissin una durada superior al límit dels 99 anys. La discussió se centra en determinar si el pacte és nul de ple dret, o bé, si s'anul·laria només en la part que superés els 99 anys, provocant-se així una ineficàcia parcial. LARRONDO considera que aquesta limitació és un requisit de validesa del dret, de manera que si es pacta per un termini superior a aquell establert legalment, el dret no arriba a néixer, perquè és d'essència la seva mateixa limitació temporal. Penso que s'haurien de distingir dues possibilitats: la primera, que es pactés la superfície per temps indefinit i en aquest cas, estic d'acord amb l'opinió abans manifestada i coincideixo en què, el dret és ineficaç perquè no té la limitació temporal essencial a la seva naturalesa. Ara bé, quan el dret es pacti per un període superior als 99 anys, per bé que no sigui per temps indefinit, la meva opinió és que ens trobem davant d'una ineficàcia parcial, que portarà a la nul·litat de l'excés de temps i això per tal de preservar el mateix dret, ja que resulta ineficient declarar-ne la nul·litat absoluta, quan es pot mantenir reduint-ne la durada.

L'altra problema que sorgeix de la regla de la limitació temporal establerta a l'article 564-3,2 es produeix quan les parts no estableixen un terme; en aquest cas, es pot aplicar la regla de l'apartat a) que determina el límit dels 99 anys pels pactes sobre el termini. D'aquesta manera, una norma que es refereix únicament al límit de l'autonomia de la voluntat, serveix al mateix temps per determinar el límit temporal del dret a manca de pacte concret.

Finalment, s'ha de plantejar el pacte sobre la renovació del dret de superfície un cop arribat el termini pactat. Aquesta possibilitat no està prevista a la llei i es pot argumentar que el límit temporal no permetria una prolongació més enllà dels 99 anys de durada màxima (BADOSA); ara bé, l'article 564-6.2 preveu que es pugui pactar en contra de la reversió als propietaris del sòl, de les construccions o plantacions un cop arribat el termini de finalització del dret, la qual cosa podria implicar que arribat el termini, es pogués pactar un nou dret de superfície. Aquest possibilitat, però, estaria limitada per la durada màxima del dret establerta legalment.

2n. *Les característiques essencials de la construcció/plantació existent o futura i, en aquest darrer cas, el termini per a fer-la.* Com es pot comprovar, en aquesta norma, es preveu la possibilitat que es tracti d'una obra nova o bé d'una obra ja realitzada i exigeix que es determinin la forma, les característiques de l'edificació/plantació i el termini per a realitzar-les. Aquesta regla és essencial i no s'ha de confondre amb la que s'estudiarà a continuació, continguda en l'article 564-4.3,a), sobre les garanties que es poden establir en relació a les característiques d'allò que s'ha de construir o plantar i en relació al mateix termini.

3r. En el cas que el dret de superfície no afecti tot el sòl, s'hauran de determinar *les mesures afectades i la situació.* Això s'haurà de fer d'acord amb la legislació hipotecària i la legislació urbanística. En relació a la hipotecària, les regles estan contingudes en l'article 9.1 LH, que estableix que la inscripció haurà de contenir l'expressió de les circumstàncies relatives a la naturalesa, situació i llindars dels immobles objecte de la inscripció, així com la seva mesura superficial, nom i número, si consten en el títol; es pot completar la identificació de la finca mitjançant la incorporació al títol d'una base gràfica o la seva descripció topogràfica, regla que s'ha de complementar amb el que disposa l'article 51, 1 al 4 RH.

L'article 564-3.2,c) es refereix a les limitacions urbanístiques aplicables, que s'hauran de tenir sempre en compte, independentment del que estableixin les parts en crear el dret de superfície.

4t. *El preu d'entrada i el cànon que hauran de satisfer els superficiaris.* Aquest no és un requisit essencial, perquè com hem dit abans, es pot constituir el dret de superfície a títol gratuït o bé per causa de mort, perquè res no exigeix que el dret real s'hagi de constituir a títol onerós. Això es dedueix de la mateixa redacció de la regla referida al "preu d'entrada o el cànon", perquè el Codi civil català salva la seva obligatorietat amb l'expressió "si escau", la qual cosa significa que es pot constituir el dret tant a títol onerós com a títol gratuït; la voluntarietat de la constitució del cànon queda demostrada també a l'article 564-4.2,b). Malgrat això, s'ha de dir que una constitució a títol gratuït pot portar a un dret de superfície onerós en el sentit que s'obligui al superficiari a abonar un cànon periòdic, que haurà de pagar qui sigui titular del dret de superfície. Per tant, el cànon constitueix una obligació periòdica entre el superficiari i el propietari de la finca sobre la qual es constitueix aquest dret (BADOSA) i que es tracta d'una obligació *propter rem*, de manera que està vinculat a la titularitat real sobre la finca.

L'omissió de les circumstàncies exigides en aquest article produeix la nul·litat de la constitució del dret de superfície, ja que es tracta d'elements essencials del dret.

B) EL CONTINGUT VOLUNTARI. L'ARTICLE 564-4

La llei 22/2001 va establir dos nivells en la previsió del possible contingut del dret de superfície: per una banda, els continguts obligatoris, l'absència dels quals produïa la nul·litat, i per una altra banda, els continguts voluntaris, que tot respectant l'autonomia de la voluntat dels constituents, podien afegir als obligatoris. Aquesta bipartició s'ha recollit completament al Codi civil català, que en l'article 564-4 descriu els possibles continguts voluntaris, que poden concórrer o no en l'escriptura de constitució, però si s'opta per integrar-los, poden tenir alguna limitació, com veurem tot seguit. Per altra banda, l'article 564-4 distingeix els possibles pactes voluntaris segons sigui el dret constituït, de manera que hi ha pactes que afecten solament al dret constituït sobre una edificació o plantació noves, mentre que en el paràgraf segon es preveuen els que es poden afegir en qualsevol dret de superfície, es refereix a una nova edificació o plantació o a una ja existent. És evident que l'article 564-4 no conté un *numerus clausus* de pactes possibles, sinó que es limita a enumerar i establir unes limitacions en aquells que es consideren més freqüents, la qual cosa no exclou els que siguin convenients i adequats en cada cas concret; a més, el mateix Codi civil català preveu altres pactes en altres articles, com ara el contrari a la reversió al propietari del sòl en el moment de l'extinció del dret previst a l'article 564-6.2. El règim voluntari es pot pactar tant en el moment de constitució del dret, com en moments posteriors, canviant el que es va establir originàriament, sense que, però, es pugui alterar allò fixat en relació amb els continguts obligatoris. L'article 564-4.2 s'aplica a les dues modalitats previstes a l'article 564-2, mentre que el paràgraf tercer s'aplica únicament a la situació prevista a l'article 564-2,2, és a dir, a edificacions o plantacions posteriors.

1r. *Pactes relatius a qualsevol dret de superfície*. Poden constar en la constitució de drets sobre construccions o plantacions ja existents en el moment de crear el dret, així com a aquelles que es constitueixin en el futur, per tant, als dos casos previstos als articles 564-2. Són els següents:

- La limitació de la disponibilitat del superficiari sobre el dret constituït, sotmetent-lo a l'aprovació del propietari del sòl (article 564-4.2,a). Amb aquesta norma es limita la lliure disponibilitat del dret per part del superficiari i coincideix amb el que disposava l'article 16.1,d) RH. Inclou, per tant, una limitació a la lliure facultat de disposició, que haurà d'obeir a un interès del propietari del sòl. LARRONDO diu que aquest interès pot obeir a la prohibició de determinats usos, construccions de característiques especials, drets d'adquisició preferents o gravàmens tos ells fets en perjudici del propietari del sòl. En virtut d'aquest pacte es pot, també, configurar el dret com a personalíssim.

Al mateix temps, la norma que es comenta inclou una altra possibilitat que consistiria no tant en la limitació de la facultat de disposar, sinó en l'obligació d'obtenir el consentiment dels propietaris de la finca per a la validesa de determinats actes de disposició que pretengui fer el superficiari, de manera semblant a l'usdefruit amb facultats de disposar, previst a l'article 561-22 quan aquesta facultat està sotmesa al consentiment d'altres persones i que es pot aplicar en defecte de pacte i en tot allò que sigui compatible amb el dret de superfície.

LARRONDO puntualitza que els actes que es poden sotmetre a aquestes limitacions no poden incloure els de disposició forçosa, com les alienacions fetes en expropiació forçosa o bé en un procediment executiu.

- L'establiment d'una pensió periòdica, amb el límit que el seu pagament no es pot garantir amb el mateix dret de superfície si els superficiaris fan una nova construcció (article 564-4.2,b). Aquesta norma té diferents aspectes. No es pot identificar aquest pacte amb el relatiu al cànon establert a l'article 564-3.2, d), sinó que aquí es tracta de pactar una de les pensions vitalícies, regulades en la llei 6/2000, de 19 juny, *de pensions vitalícies* (EGEA-FERRER), que pot coexistir o no amb el cànon. Solament es pot referir a aquesta qüestió perquè s'anomena de forma diferent que el dret que deriva del mateix dret de superfície, que pot existir o no segons estableix l'article 564-3 i no es pot interpretar de tal manera que es produeixi una redundància. A més, aquest és un dret voluntari, mentre que el cànon no ho és, encara que podrà no existir si es tracta d'un dret de superfície constituït a títol gratuït. Segurament la llei contempla aquí una forma de pagament específica, diferent del cànon, que podrà o no coexistir amb aquest.

Una qüestió diferent és la relativa a la garantia pel pagament de la pensió. La regla és que es pot establir qualsevol dret de garantia, inclosa la hipoteca, d'acord amb el que disposa l'article 569-34, que l'admet tant si l'han concedit entitats públiques, com si s'ha constituït entre particulars, desenvolupant així el que disposa l'article 107.5 LH. L'article 564-4.2,b) limita, però, el tipus de garantia quan s'ha constituït el dret de superfície sobre una edificació o plantació futures, ja que en aquest cas, la llei limita el dret de disposició del superficiari prohibint que aquesta edificació pugui ser l'objecte de la garantia del pagament de la pensió, tal com estableix l'article 564-5, que prohibeix directament el pacte "que estableixi el comís per impagament de la pensió convinguda si es tracta d'un dret establert sobre una construcció o una plantació feta pels superficiaris desprès d'haver-se constituït el dret", de manera que aquest pacte és nul. Per tant, està prohibit que en el cas que el superficiari deixi de pagar la pensió, el propietari del sòl faci seva l'edificació realitzada pel superficiari en virtut del dret de què és titular i d'aquesta manera s'aplica la prohibició del pacte comissori exclós en l'article 565-8,7 i que es troba implícita en l'article 569-2, quan estableix que els efectes dels drets reals de garantia son, entre d'altres, "la realització del valor del bé" i que, per tant, impedeix que el creditor faci seus directament els béns objecte de la garantia (en contra SSTSJC de 29 maig i 31 octubre 1991). Per tant, es podrà pactar qualsevol garantia, exceptuant la que tingui per objecte el mateix dret de superfície. Aquesta limitació solament afecta la construcció feta pel superficiari; per tant, si la construcció ja existeix en el moment de constituir aquest dret, es pot garantir el pagament de la pensió amb la mateixa edificació, independentment de qui l'hagi construït. Les plantacions queden afectades també per aquesta limitació i, per tant, no es podrà garantir el pagament amb el dret de superfície sobre una plantació. Sembla, per tant, que la regla es refereix únicament a edificacions fetes pel superficiari, no a les fetes pel propietari del sòl o bé per terceres persones abans de constituir el dret de superfície. Pel que fa a les plantacions, l'article 564-4.2,b) s'ha de completar amb l'article 564-5.

- El règim de liquidació de la possessió (article 564-4.2,c). És una conseqüència de l'extinció del dret de superfície. Els interessats poden pactar el que creguin més convenient o remetre's a les regles dels articles 522-2 a 522-5 Codi civil català. Pensem que en el cas que no s'estableixin aquestes regles, s'aplicarà el que disposen els articles citats, tenint en compte la naturalesa del mateix dret.

- És una regla comuna als dos tipus de dret de superfície la possibilitat de pactar drets d'adquisició preferent tant per part dels superficiaris com pels propietaris. Aquests pactes es poden reconèixer tant a un com a altre dels implicats en aquest dret; es poden pactar en el mateix títol de constitució com en altres posteriors i es regulen, a manca de pacte, pel que disposen les parts i en el seu defecte, pel que està regulat en els articles 565-23 a 565-28 del Codi en relació a la fadiga (article 564-4.4. Vegeu capítol XXII). La constitució d'aquest drets no pot encobrir una garantia pel propietari, vulnerant l'article 564-5.

2n. *Pactes relatius al dret de superfície constituït sobre una construcció o plantació futura (article 564-4.3).*

Amb les mateixes característiques que els pactes que es poden incloure en totes les constitucions de drets de superfície, l'article 564-4.3 preveu aquells que es poden establir en les superfícies que tenen com a objecte una construcció o una plantació noves. Són els següents:

- La fixació del termini per fer la plantació o la construcció. És evident que es tracta d'un termini diferent del mateix dret de superfície i que segurament serà menor. El termini pot ser pactat o bé l'establert en la llicència d'obres corresponent, al qual es poden remetre els interessats. La garantia del propietari del sòl sobre el compliment del termini per part del superficiari es troba en la possibilitat d'acordar aquest termini com a condició resolutòria o bé, en general, com a causa d'extinció del dret de superfície. En el cas que no s'hagi complert el termini, poden tenir lloc dues situacions: o bé no s'ha edificat o plantat res, o bé s'ha començat a edificar o plantar, però no s'ha acomplert el termini pactat; en aquest darrer cas, l'article 564-4.3,a) estableix que allò que s'hagi construït o plantat reverteix en el propietari del sòl, llevat de pacte en contra. Es tracta, per tant, d'una reversió automàtica que solament deixa de produir-se en el cas que es pactin o bé un nou dret de superfície, o bé unes determinades indemnitzacions, acords que poden no constar necessàriament en la constitució del dret, sinó pactar-se un cop produït l'incompliment del termini.

- L'atribució al propietari del sòl, d'un dret d'ús sobre habitatges o locals integrats en la nova construcció. Aquest dret d'ús és el regulat en els articles 562-1 a 562-8 del Codi civil català. Cal tenir en compte l'article 562-6 que estableix el contingut d'aquest dret en el cas de manca de pacte (vegeu cap XIX). Es tracta de l'ús d'una cosa aliena, ja que allò edificat en virtut d'aquest dret pertany al superficiari i no es tracta d'una contraprestació per la constitució de la superfície, ni d'una permuta, com es regula en l'article 1 de la llei 23/2001, de 31 desembre, de *cessió de finca o d'edificabilitat a canvi de construcció futura*. Es tracta de l'establiment d'un dret real sobre el dret de superfície, per tant, un *ius in re aliena*, que manté les titularitats resultants de la constitució del dret, però grava el del superficiari; en conseqüència es pot inscriure en el Registre de la Propietat.

Ara bé, no sembla que es pugui excloure la constitució d'un dret que permeti usar allò construït pel superficiari per mitjà d'un dret d'un altre tipus, com ara un arrendament; això seria possible en virtut de l'autonomia de la voluntat que presideix aquests pactes, perquè com diu LARRONDO, la norma conté un concepte genèric, en el que cap qualsevol dret real o personal d'ús o gaudi. El règim jurídic en aquest cas serà el que les parts hagin pactat o en tot cas, el corresponent al dret acordat.

- L'atribució al superficiari de la facultat de constituir el règim de propietat horitzontal en els casos de noves construccions. Requereix que la nova construcció tingui les condiciones per a poder gaudir del règim jurídic de la propietat horitzontal, d'acord amb l'article 553-2. L'inconvenient d'aquesta facultat es troba en què quan retorna allò edificat al propietari del sòl, hauria de cessar el règim de propietat horitzontal constituïda, amb la consegüent afectació als drets de tercers adquirents i per evitar-ho, es requereix el pacte per mantenir el règim quan es produeixi la reversió.

3r. *Pactes sobre plantacions o edificacions preexistents (article 564-4.4).*

Un tercer tipus de pactes voluntaris es refereix a la superfície creada sobre plantacions o edificacions ja existents, modalitat prevista a l'article 564-2.1. En aquest cas s'atribueix al propietari del sòl una facultat que BADOSA qualifica com a dret de control, d'acord amb la que es reconeix al propietari del sòl el dret a extingir o resoldre el dret per impagament de la pensió, el mal ús o per donar a la superfície una destinació diferent a la que s'havia pactat, sempre que tot això posi en perill la construcció o la plantació. Hem de tenir en compte que en aquest cas es protegeix el dret del propietari que originàriament ja havia construït o plantat o que cedeix al superficiari una edificació o plantació preexistent que li pertanyia al propietari. S'assegura així contra les males pràctiques del superficiari, però amb l'advertiment que solament serà possible l'exercici del dret quan s'hagi pactat. Si no s'ha pactat l'extinció i es produeix algun dels supòsits previstos a l'article 564-4.4, s'hauran d'aplicar les regles generals sobre incompliment.

En aquesta regla, l'expressió "pensió" s'ha d'entendre com a cànon i el seu impagament no dona dret al comís, sinó a l'extinció del dret, amb la liquidació de la situació possessòria corresponent.

VII. L'oposabilitat a tercers del dret de superfície

El Codi civil català elimina la inscripció constitutiva del dret de superfície; el dret és eficaç en el moment en què s'atorga l'escriptura pública amb els requisits establerts a l'article 564-3 i des d'aquest moment produeix efectes entre les parts atorgants de l'escriptura (STS de 26 novembre 2002). Ara bé, l'article 564-3.3 estableix que "la constitució i les modificacions del dret de superfície es poden oposar a terceres persones de bona fe d'ençà que s'inscriuen en el Registre de la Propietat de la manera i amb els efectes que estableix la legislació hipotecària o d'ençà que les terceres persones n'hagin tingut coneixement". L'article en qüestió no afegeix gran cosa al règim general de la inscripció dels drets reals, perquè és evident que si no es obligatòria la inscripció per a la constitució del dret, el sistema de publicitat registral és el general de publicitat: solament afecta a tercers allò inscrit, independentment que el dret real existeixi al marge del Registre. L'oposabilitat significa que els tercers podran al·legar que no els afecta el dret real no inscrit. És a dir, que entre les parts, el dret existeix i els vincula al marge que s'hagi o no inscrit, mentre que front a tercers no es pot oposar si no figura inscrit. Això afectaria la mateixa existència del dret i als pactes entre les parts, que s'han descrit abans. Una altra cosa és que sigui convenient, per protegir el mateix propietari del sòl, que el dret estigui inscrit, donada la possibilitat de constituir drets reals sobre el dret de superfície, facultat de què gaudeix el superficiari; però malgrat l'opinió d'algun comentarista de l'anterior llei, el Codi català opta per la inscripció voluntària i no constitutiva.

L'article 564-3.3, però, en allò que afecta els tercers, afegeix que també els afecta el dret als tercers que el coneguin i, afegim nosaltres, els pactes entre les parts. Es tracta d'una qüestió de prova, de manera que els tercers queden afectats no solament quan el dret i els pactes que el regulen constin en el Registre de la Propietat, sinó també quan el coneguin, establint-se així dos sistemes de publicitat que afectaran la bona fe dels tercers.

VIII. L'extinció del dret de superfície

A) CAUSES

L'extinció del dret de superfície es produeix per les causes generals d'extinció dels drets reals, que són les contingudes en els articles 532-1 a 532-4, és a dir, la pèrdua dels béns, tant del sòl sobre el què s'ha constituït el dret, com dels edificis o plantacions, amb les conseqüències previstes a l'article 564-6.4. També per la consolidació i la renúncia (vegeu cap VIII). Ara bé, hi ha una causa d'extinció pròpia del dret de superfície que és l'arribada del termini pel que es va pactar o, en cas de manca de pacte, el transcurs dels 99 anys de durada màxima del dret, així com per causa de l'incompliment d'algun dels pactes establerts voluntàriament per les parts i més concretament, del termini per edificar o plantar, el mal ús, l'impagament de la pensió o la destinació a un ús diferent d'aquell que s'ha acordat.

B) EFECTES

El Codi civil català estableix dos grups d'efectes quan té lloc una causa d'extinció: a) el general, previst a l'article 564-6.2, i b) els efectes especials segons quina sigui la causa que hagi produït l'extinció del dret.

Els *efectes generals* són la reversió i la necessitat de liquidar l'estat possessori.

1r. *La reversió*. Consisteix en què el propietari del sòl adquireix tot allò que s'havia plantat o edificat i que subsisteix en el moment de l'extinció del dret. Efectivament, l'extinció del dret de superfície produeix que desaparegui l'obstacle que impedia els efectes de l'accessió i, per tant, tot allò plantat o edificat en sòl aliè reverteix al propietari d'aquest sòl, sense indemnització, perquè els beneficis que ha comportat la utilització del sòl compensa la pèrdua de la propietat d'allò plantat o edificat. La reversió no és un benefici per al propietari del sòl, sinó solament un efecte automàtic de l'extinció del dret (BADOSA). La reversió pot també tenir causa en l'incompliment del termini pactat per edificar o plantar, d'acord amb l'article 564-4.3,a).

Ara bé, l'article 564-4.2 admet la possibilitat que existeixi un pacte en contrari a la reversió. D'aquí es dedueix que la reversió no és una norma imperativa, de manera que hem de determinar què és el que significa, perquè una primera interpretació ens podria dur a considerar que a través del pacte en contrari, es podria consolidar una situació de divisió del domini, que resultaria contrària a la mateixa naturalesa temporal del dret de superfície. Les parts poden pactar que el superficiari adquireixi el sòl, en allò que es denomina una *reversió o consolidació inversa* (BADOSA). Un altre pacte en contra de la reversió seria la conversió del dret de superfície en una comunitat, o bé la constitució d'un nou dret com podria ser el dret de vol, d'acord amb l'article 567-1. Finalment, es pot pactar que desaparegui allò plantat o edificat i que la finca torni al seu estat originari.

2n *La liquidació de l'estat possessori*. S'ha de liquidar la situació possessòria creada, tot aplicant allò pactat els interessats i en el cas que no existeixi pacte, pel que disposen els articles 522-2 a 522-5 (vegeu capítols II i III).

3r. *Els efectes sobre drets adquirits per tercers*. Els drets adquirits per tercers es mantenen segons el que disposa l'article 564-6.3, quan estableix que "l'extinció del dret de superfície no perjudica els drets que s'hagin constituït sobre aquest". Ara bé, aquesta norma no és pas la regla general, contràriament al que sembla, ja que té una excepció quan l'extinció del dret sigui deguda a l'arribada del termini pel qual es va pactar; d'aquí que la regla hagi de ser la contrària a la que sembla establir l'article 564-6.3, de manera que essent l'arribada del termini la causa més normal d'extinció, s'extingiran els que s'hagin constituït sobre el dret de superfície, inclosa la hipoteca, d'acord en aquest darrer cas amb el que disposa l'article 569-34.2, que estableix que "l'extinció del dret de superfície pel venciment del termini produeix l'extinció automàtica de la hipoteca constituïda sobre aquest dret". Les altres causes d'extinció no afecten els drets dels tercers sobre el de superfície, de manera que es mantindran els constituïts pel superficiari, llevat de la hipoteca. Ara bé, això no pot afectar els drets constituïts sobre el sòl, com ara succeeix amb els arrendaments, ja que en aquest cas s'hauria d'aplicar la regla general continguda en l'article 561-9.3 en relació a l'usdefruit, de manera que els contractes atorgats pels usufructuaris s'extingeixen en acabar-se l'usdefruit i així es confirma en els articles 13.2 LAU, que estableix que els arrendaments atorgats per superficiaris "se extinguirán al término del derecho del arrendador" i de l'article 10.1 LAR que estableix la mateixa regla en relació als arrendaments rústics, per bé que permet la subsistència durant l'any agrícola.

També s'extingirà el dret de propietat horitzontal pactat pel superficiari sobre un edifici d'apartaments, llevat de pacte en contrari (article 564-4.3, c).

Els efectes especials es produeixen quan es perden els béns en què consisteix la plantació o edificació. La regla general és que el dret no s'extingeix en els casos en què es tracti d'un dret de superfície constituït sobre edificacions o plantacions futures (article 564-6.4), ja que mentre no arribi el termini pactat, el superficiari pot refer allò que s'ha perdut i per tant aquesta és una excepció al que disposa l'article 532-2 en relació a l'extinció dels drets reals per causa de pèrdua de l'objecte.

Del que disposa l'article 564-6.3, s'ha de deduir que el dret s'extingeix quan es perden les construccions o plantacions ja existents en el moment de constituir-se el dret de superfície.

2. ELS DRETS DE VOL I SUBEDIFICACIÓ

I. Concepte

Sense tractar-se d'un dret de superfície, però amb una regulació molt semblant, el Codi civil català regula els drets de vol i de subedificació. L'article 567-1 els defineix de forma unitària com aquell dret real "sobre un edifici o solar edificable que atribueix a algú la facultat de construir una o més plantes sobre l'immoble gravat i fer seva la propietat de les noves construccions". Les regles que regulen aquest dret s'apliquen també segons el mateix article 567-1.1 *in fine*, al "dret de subedificació". Diu PUIG BRUTAU que aquest dret consisteix en què el propietari d'una edificació pot concedir a una altra persona el dret a construir nous pisos o plantes sobre o sota de l'edificació, sense que es tracti d'un dret de superfície i que encara que no és una modalitat regulada en l'ordenament civil en general, resulta possible la creació d'aquest dret, en tant que està reconegut en l'article 16 RH, desprès de la seva reforma efectuada en 1959. La norma, mantinguda en vigor malgrat la reforma de 1998, declarada il·legal en la ja referida

STS de 31 gener 2001, estableix que serà inscriptible, "el derecho de elevar una o más plantas sobre un edificio o el de realizar construcciones bajo el suelo, haciendo suyas las edificaciones resultantes, que, sin constituir derecho de superficie, se reserve el propietario en caso de enajenación de todo o parte de la finca o transmita a un tercero". La jurisprudència ha reconegut que si el dret de vol està separat del sòl queda configurat com un dret real inscriptible en el Registre (SSTS de 23 juny 1998 i 27 gener 2000).

Els drets de vol o de subedificació creen propietats separades sobre un mateix objecte de dret. Així es dedueix del que disposa l'article 567-5, quan en els paràgrafs 3 i 4, fixa quin és l'objecte del dret del titular del vol i el dels titulars de l'immoble preexistent: el dret de vol atorga al seu titular el ple domini dels elements privatius "situats a les plantes o els edificis que en resulten", mentre que els titulars de l'immoble preexistent "mantenen la propietat dels elements privatius situats a les plantes o els edificis ja existents en constituir-se el dret". Aquesta distribució fa que sigui molt més semblant al règim de la propietat horitzontal, que, però, pot no ser originària, sinó posterior a una ja constituïda; ara bé, la distribució de la propietat en aquest cas pot estar regulada bé pel sistema de la propietat horitzontal, bé per un règim diferent, com ara la comunitat, o bé es pot també constituir el règim de la propietat horitzontal com a conseqüència de l'atorgament del dret de vol o del de subedificació.

Les característiques d'aquest dret són: a) que es tracta d'un dret real; b) suposa l'existència d'un edifici o bé un solar edificable; c) produeix l'adquisició de la propietat d'allò edificat, i d) està limitat a les normes de planejament urbanístic.

Aquests drets proporcionen al seu titular la propietat d'allò construït, no essent temporal com passa en el dret de superfície. Una demostració d'això la trobem en l'article 567-4, que estableix l'alienabilitat d'aquests drets, així com la possibilitat que es puguin hipotecar i gravar independentment de la propietat i, a diferència del dret de superfície, no s'extingeix pel transcurs del termini pactat, perquè no hi ha termini, a no ser que es pacti així; però el que volem dir és que no es tracta de drets naturalment temporals. Com afirma PUIG BRUTAU, aquests drets tenen la seva seu natural en el règim de la propietat horitzontal, que és, també, la forma com estan concebuts en la Compilació de Navarra (lleis 435-442), per bé que en el Codi civil català no es lliga amb aquesta, sinó que es regula de manera autònoma.

II. Constitució

A) CAPACITAT

L'article 567-3 permet etablir aquests drets als propietaris de l'immoble, que el constituiran segons la seva capacitat per ells mateixos o per mitjà del seu representant legal, com ja s'ha vist en tractar del dret de superfície. Legitima també als usufructuaris que tinguin facultat d'alienar, segons l'article 561-21, entenent que la facultat de disposar inclou les disposicions a títol onerós. Per tal com es tracta de la creació d'un dret real no temporal, no podran atorgar-los aquells usufructuaris que no gaudeixin de la facultat de disposar i el mateix es pot dir dels fiduciaris que l'hauran d'atorgar d'acord amb les regles dels articles 221 i següents CS.

En el cas de la propietat horitzontal es poden produir dues situacions: i) que es reservi o constitueixi en el títol de constitució de la propietat horitzontal; en aquest cas s'exigeix que consti de forma expressa (article 567-3.2); ii) que es constitueixi pels propietaris en règim de propietat horitzontal; en aquest cas s'exigeix unanimitat (article 567-3.3).

B) FORMA

Aquest dret s'ha de constituir necessàriament en escriptura pública.

C) CONTINGUT

De la mateixa manera que succeeix en el dret de superfície, el Codi civil català en l'article 567-2 estableix uns continguts obligatoris i admet la possibilitat de continguts voluntaris.

-Continguts obligatoris de l'escriptura de constitució dels drets de vol o subedificació són la determinació del nombre màxim de plantes, d'edificis si es tracta d'un vol sobre solar edificable, i d'elements privatius. Tot això té com a límit la normativa urbanística continguda en la Llei d'urbanisme, ja citada. Si es tracta d'edificacions que tinguin relació amb un edifici ja construït, s'hauran de tenir en compte les normes de la propietat horitzontal "vigents en el moment de constituir-se el dret".

També és obligatòria la determinació de les quotes de participació "que corresponen als elements privatius situats en les plantes o edificis nous" quan es tracti d'edificacions de nova planta, i també les que "corresponen als situats en les plantes o els edificis preexistents". Aquests criteris han de garantir la proporcionalitat adequada de les quotes, la qual cosa significa que en el cas que es tracti d'edificacions o subedificacions en immobles ja existents, això produirà la modificació de les quotes, la qual cosa exigeix, evidentment, la unanimitat tal com estableix l'article 567-3.3.

És obligatori fixar el termini per a l'exercici del dret, que no podrà superar en cap cas, pròrrogues incloses, els trenta anys. No es tracta d'un termini de durada del dret, sinó del termini per al seu exercici.

Finalment, cal determinar la contraprestació, cas que es tracti d'una constitució a títol onerós, perquè res no impedeix que es pacti a títol gratuït. Cal posar l'atenció que l'article 567-2.1,d) no es refereix únicament al preu, perquè també considera possible el pagament d'una contraprestació, la qual cosa ens porta a l'article 2 de la llei 23/2001, que permet que la cessió de finca a canvi d'edificabilitat tingui lloc per mitjà de la transmissió de l'edificabilitat de la finca a canvi de la construcció futura.

-*Continguts voluntaris.* El mateix article 567-2.2 admet que en virtut de l'autonomia de la voluntat, les parts incloguin tots aquells pactes que considerin convenients, entre els quals es troben els següents:

Per una banda, les normes de la comunitat o de la propietat horitzontal per les quals s'haurà de regir l'edifici. El règim jurídic doncs, constitueix una facultat dels constituents del dret. Pot succeir que l'edifici estigui ja en règim de propietat horitzontal i en aquest cas serà suficient una referència a la que ja està en vigor, amb un ajustament de les quotes, tal com exigeix l'article 567-2.1. Pot succeir que es constitueixi un nou règim de propietat horitzontal ja sigui perquè abans no estava constituïda, ja sigui perquè es constitueixi aquest dret sobre un solar edificable en previsió d'una futura edificació. Pot succeir també que s'estableixi el règim de la comunitat (en el mateix sentit l'article 16.2,d) RH).

També es pot limitar la disponibilitat del dret de vol, tal com es podia limitar en el dret de superfície (article 564-4.2,a). Aquesta limitació pot consistir en l'exclusió de les facultats de disposar del titular del dret de vol o del de subedificació, d'establir concretes limitacions o l'exigència del consentiment dels altres propietaris, la qual cosa pot ser factible en una propietat horitzontal ja constituïda. Si es pactés, aquesta regla constitueix una excepció al principi de lliure transmissió dels drets establerta a l'article 567-4.

III. Efectes

Com ja s'ha dit abans, el dret creat és un dret real sobre un immoble que atorga al seu titular un dret disposable, dins les limitacions que s'hagin pactat, transmissible, gravable i hipotecable. L'article 567-5 estableix unes obligacions i els corresponents deures com a contingut del dret, que és el que segueix:

-El dret de vol o el de subedificació donen dret als seus titulars a edificar d'acord amb el que s'hagi pactat. Conseqüència d'això, adquireixen la propietat del que edifiquin, segons disposa l'article 567-5.3. Tenen també el dret a fer la declaració d'obra nova i si s'ha pactat, establir el règim de propietat horitzontal.

-El dret d'edificar s'ha d'exercir d'acord amb les obligacions imposades en el mateix article 567-5 i que són:

* l'edificació s'ha de fer segons el projecte i les llicències administratives que corresponguin.
* Han de dotar al conjunt de l'edifici de la seguretat i els elements exigibles per la normativa de l'edificació i de l'habitatge. En aquest sentit s'hauran d'aplicar les normes contingudes en l'article 3 de la llei 38/1999, de 5 novembre *ordenación de la edificación* i l'anomenat Codi tècnic de l'edificació, aprovat pel R.D. 314/2006, de 17 de març.
* L'edificació s'ha de fer de manera que causi les menys molèsties possibles als propietaris preexistents o als ocupants de les plantes o edificis.

Els perjudicis causats han de ser indemnitzats.

IV. Extinció

El dret de vol i el de subedificació s'extingeixen per les mateixes causes que els drets reals, segons els articles 532-1 a 532-4, si bé l'article 567-6.2 estableix que no s'extingeix per la destrucció de l'edifici sobre el qual recau.

Existeixen, però, causes específiques d'extinció del dret, que estan establertes a l'article 567-6.1:

* Manca d'acabament de les obres en el termini previst. Ara bé, si ha començat ja l'edificació en el moment d'arribar el

termini, hi ha una pròrroga legal pel temps que es preveu per a l'acabament de les obres en la llicència, sempre que l'escriptura de declaració o ampliació de l'obra nova s'hagi presentat tempestivament en el Registre de la Propietat.

- Quan es produeixi un canvi en la normativa urbanística que impedeixi la possibilitat d'edificar el que s'havia previst, amb les modificacions adequades quan la modificació impedeixi solament edificar una part.
- Si com a conseqüència del planejament urbanístic, el solar sobre el qual recau el dret de vol és subrogat per un solar edificable, mantenen el dret en una part proporcional a la que tenien en la finca a la qual aquest solar substitueix.

BIBLIOGRAFIA SUMÀRIA

ROCA SASTRE. "Ensayo sobre el derecho de superficie". *R.C.D.I.*, 1961, p. 7; DOMENGE *El derecho de sobreedificación y subedificación*, Palma de Mallorca, 1983; DE LA IGLESIA MONJE, I. *El Derecho de superficie. Aspectos civiles y registrales.* 2ª Ed. Centro de Estudios Registrales, 2000; GIMÉNEZ COSTA. "La obligación de mantener en el derecho de superficie". *La Notaria.* 2001, nº 9-10, p. 183, BADOSA COLL. "Comentario a la ley 22/2001, de 31 de diciembre, de Regulación del derecho de superficie, de servidumbres y de adquisición voluntaria o preferente" a Colegio de Registradores (coordinación). *Comentarios de Derecho patrimonial Catalán.* Barcelona, 2005, Editorial Bosch, S.A. pp 451; LARRONDO LIZARRAGA Comentario a los articles 4 y 5 de la Ley 22/2001, *Comentarios* cit., p. 525 ss; YSÁS SOLANES, M. "La regulación civil del derecho de superficie en la normativa catalana". *Libro Homenaje al Profesor Manuel Albaladejo Garcia.* T. II, Madrid, 2004, p. 5025.

JURISPRUDÈNCIA CITDA

Tribunal Suprem

6 octubre 1987: naturalesa de dret real del dret de superfície.

23 juny 1998: dret de vol com a dret real. Inscripció en el Registre de la Propietat.

27 gener 2000: dret de vol com a dret real. Inscripció en el Registre de la Propietat.

31 gener 2001, Sala 3ª: anul·lació de la reforma de l'article 16 RH per la declaració de nul·litat parcial del R.D. 1867/1998, de 4 setembre.

26 novembre 2002: No necessitat de la inscripció del dret de superfície privat.

Tribunal Superior de Justícia de Catalunya

29 maig 1991: compravenda amb finalitats de garantia: a Catalunya no regeix la prohibició del pacte comissori.

31 octubre 1991: no aplicació a Catalunya de la prohibició del pacte comissori.

Capítol XXI
Els drets de cens

1. CONSIDERACIONS GENERALS

I. Normativa vigent a Catalunya

Amb caràcter general es defineixen els censos com uns drets reals limitats, ja que impliquen un poder immediat sobre un bé immoble, que es pot fer efectiu *erga omnes*, que es caracteritzen per conferir la facultat d'obtenir del bé gravat una renda, pensió o prestació, que des d'aquesta perspectiva es poden configurar com uns supòsits d'obligacions *propter rem* perquè l'obligat a realitzar la prestació es determina no en relació amb la persona sinó per la seva relació amb el bé gravat i, també, perquè el deure de fer efectives les prestacions futures es transmeten passivament o s'extingeixen com a conseqüència de l'extinció del dret real (PEÑA BERNALDO DE QUIROS). Com a modalitats del dret de cens el Codi civil espanyol regula els anomenats cens consignatiu, reservatiu i cens emfitèutic (vegeu els seus articles 1604 i seg.), dels quals sols el darrer d'ells ha tingut una incidència clara en el dret civil català tradicional, motiu que justifica que les referències que es fan en els apartats següents als censos es concretin al cens emfitèutic, que ha tingut en el nostre dret una regulació molt diferent a la que regia a la resta d'Espanya.

El cens emfitèutic ha tingut una regulació més aviat complicada en el dret civil català. Les normes estrictament catalanes s'estableixen en un context en el qual predominen les relacions de caràcter feudal, que en èpoques posteriors conviuen amb la regulació romana sobre l'emfiteusi que va ésser objecte de la recepció dels del segle XIII, circumstància que va determinar que els juristes catalans de l'època del *ius commune* intentessin clarificar les diferències entre el feu i l'emfiteusi. En tot cas a finals del segle XVIII els juristes catalans no posen en dubte els avantatges que per a l'economia i l'organització social catalana es derivaven de l'emfiteusi, que comencen a ésser qüestionades des de la primera meitat del segle XIX com a conseqüència de la difusió dels criteris liberals que propugnen suprimir els vincles o gravàmens feudals, ja que no cal oblidar que la majoria de les emfiteusis catalanes es van constituir amb el caràcter de perpètues o amb una durada indefinida. Un fet important en aquest procés legislatiu va representar el projecte de Codi civil espanyol de l'any 1851, que prohibia constituir emfiteusis en el futur i proclamava la redimibilitat de les constituïdes amb anterioritat, encara que s'hagués pactat la seva irredimibilitat, d'acord amb les principis que havia establert la Reial Cèdula de 17 de gener de 1805, que perjudicava greument els interessos dels censalistes catalans. De totes formes aquest perill es va esvair com a conseqüència del fracàs del projecte de Codi civil, ja que el Codi civil de l'any 1889 admet i regula amb detall l'emfiteusi i, a més, el seu article 12 deixava vigent la normativa catalana sobre aquesta modalitat dels censos, aspecte aquest darrer molt important, atès que el dret català tradicional regulava la institució d'acord amb uns criteris molt diferents dels que inspiren la normativa vigent en el dret espanyol en general.

Així i tot la vigència del Codi civil espanyol va revifar el problema de si el censatari podia redimir el cens emfitèutic constituït amb el caràcter de perpetu o irredimible, ja que el seu article 1608 estableix la seva redimibilitat encara que s'hagués pactat el contrari i l'aplicabilitat del precepte a tots els censos existents. Això va provocar inacabables discussions a nivell doctrinal i la publicació de diferents projectes legislatius, que intentaven conciliar les posicions oposades de censalistes i censataris sobre la valoració dels drets d'aquells que s'extingien com a conseqüència de la redempció. En el seu dia va posa fi a aquesta polèmica la Llei de 31 de desembre de 1945 sobre inscripció, divisió i redempció dels censos a Catalunya, que clarament es va decidir pel criteri de la seva redimibilitat, ja que segons el seu preàmbul l'opinió pública demanava la redempció dels censos emfitèutics per un imperatiu de l'època.

L'article 296 CDC va optar pel criteri de no incorporar aquesta normativa en el seu articulat i es va limitar a mantenir la seva vigència, acompanyada d'una regulació de l'emfiteusi en el seu Llibre III, títol IV (articles 296 al 319), a vegades excessivament fidel als precedents i que a més no era completa, ja que permetia la vigència de determinats preceptes del Codi civil espanyol sobre la institució. Un intent més seriós d'ajornament de la normativa aplicable a l'emfiteusi catalana representa la Llei 6/1990, de 16 de març, dels censos, que segons el seu preàmbul s'inspira en els principis de refondre en un sol text legal tot el conjunt de disposicions referents als censos, la necessitat d'adaptar la legislació especial de censos als principis constitucionals, la possibilitat d'atribuir una configuració jurídica clara als censos i l'oportunitat de facilitar l'alliberament de càrregues de finques que actualment encara estaven gravades amb censos (sobre irretroactivitat de la Llei 6/1990 vegeu STSJC d'1 de desembre de 2003). Aquesta llei és el precedent immediat del títol VI, capítol V del llibre cinquè del Codi civil de Catalunya que s'intitula "Els drets de cens", que segons el seu preàmbul es regulen seguint la Llei 6/1990, "en la qual s'introdueix una norma de procediment per a la reclamació de les pensions, s'harmonitzen els terminis i es fixa d'una manera més entenedora el valor de la redempció". Afegim en aquesta introducció que el Codi civil de Catalunya segueix la sistemàtica que en el seu dia va adoptar la Llei 6/1990, en el sentit d'establir unes disposicions generals aplicables a tots els censos i de regular després en seccions diferents el cens emfitèutic i el cens vitalici. Amb una modificació terminològica, ja que la Llei anterior s'intitulava "Dels censos", mentre que el Codi civil de Catalunya es val de l'expressió "Els drets de cens", derivada tal vegada de la seva inserció en un títol que regula els drets reals limitats.

II. Concepte

Segons l'article 565-1.1 "El cens és una prestació periòdica anual, de caràcter perpetu o temporal, que es vincula amb caràcter real a la propietat d'una finca, la qual en garanteix el pagament directament i immediatament". El precepte reprodueix essencialment l'article 1,I de la Llei 6/1990 i presenta com a modificacions més significatives introduir en la definició del cens l'expressió "caràcter real" a la vinculació de la prestació a la propietat de la finca, tal vegada amb la finalitat de destacar la inherència del dret a percebre la pensió a la propietat de la finca gravada, inherència que posa de manifest l'adscripció del dret de cens a la categoria dels drets reals; criteri que es deriva també de l'altra modificació que estableix l'article 565-1.1, com és la de substituir la paraula "respon" que apareix a l'article 1,I anterior, que escau per a delimitar els drets personals o de crèdit en base a l'element responsabilitat que integra la relació obligatòria, per la paraula "garantia", que posa de manifest que el pagament de les pensions recau directament sobre la finca, encara que es modifiqui la persona del deutor. Sobre diferències entre el dret real de cens i l'obligació personal de pagar unes prestacions periòdiques és interessant la STSJC 19 de novembre de 1991, que accepta el raonament de la sentència d'apel.lació, segons el qual "quan l'obligació té un subjecte passiu determinat individualment contra el qual s'atribueix el dret, encara que l'obligació sigui "propter rem", cal situar-la en el camp de les relacions jurídiques obligacionals i, per tant, fora de les pròpiament reals".

III. Naturalesa jurídica

La naturalesa jurídica dels censos en general i de l'emfiteusi en particular ha estat controvertida. D'acord amb la normativa romana el propietari que cedeix la finca a un tercer no es desprèn del dret de propietat sinó que es limita a separar de les seves facultats dominicals unes facultats determinades, amb les quals atribueix a l'emfiteuta un dret real més o menys ampli de gaudiment sobre la finca, que continua essent propietat del cedent. En aquest context jurídic l'emfiteuta no és altra cosa que titular d'un dret real de gaudiment sobre finca propietat del censalista.

Aquesta configuració jurídica de l'emfiteusi és substituïda a l'època medieval per una altra, que porta a qualificar l'emfiteusi de supòsit de domini dividit, en el sentit que el cedent o censalista és el titular del domin directe i l'emfiteuta titular del domini útil (vegeu en aquest sentit STS de 3 de febrer de 1896).

Des de la Llei de 31 de desembre de 1945 s'havia modificat una vegada més la naturalesa jurídica dels censos, en el sentit que s'havia de considerar que el propietari de la finca era l'emfiteuta, amb la conseqüència d'atribuir al censalista la condició de titular d'un dret real de gaudiment sobre predi propietat de l'emfiteuta. Pel dret actual no es presenten problemes sobre aquest punt, ja que segons el preàmbul de la Llei 6/1990 una de les seves finalitats és la "d'atribuir una configuració jurídica als censos mitjançant una regulació nova i d'eliminar la complexa divisió del domini". Afegeix el mateix preàmbul de la Llei 6/1990 que "la finalitat de la nova Llei s'orienta a culminar el procés normatiu iniciat amb la Llei de Censos de 1945 i a establir una regulació clara del cens com a institució jurídica de caràcter real, en virtut de la qual el censatari esdevé titular del dret de propietat sobre una finca que resta subjecta al pagament d'una pensió periòdica", tesi que recolza l'article 565-1.1. Cal afirmar doncs que una vegada constituït el cens el censatari adquireix, a canvi del pagament d'una pensió periòdica, el dret de propietat sobre la finca que abans era propietat del censalista; i que des de la constitució del cens el censalista adquireix un dret real limitat de gaudiment sobre la finca propietat del censatari, garantint la mateixa finca el pagament de la pensió establerta a favor del censalista (vegeu també en aquest sentit la interlocutòria del president del Tribunal Superior de Justícia de Catalunya de 12 de setembre de 1995). Segons la doctrina actual, això justifica que la Llei 6/1990 substitueixi l'expressió "emfiteusi" per la de "cens emfitèutic", que posa de manifest la voluntat del legislador de convertir l'emfiteusi en un cens (MIRAMBELL I ABANCÓ).

Aquesta evolució legislativa que ha determinat convertir el censatari en propietari de la finca, ha originat que la doctrina més recent pensi en l'oportunitat d'utilitzar els censos, especialment en la seva modalitat del cens emfitèutic, com un instrument al servei de la política d'ordenació urbana per part dels poders públics, amb la finalitat d'oferir sòl i habitatges a cens emfitèutic, ja que suposaria abaratir el sòl incidiria en el mercat immobiliari a l'establir una competència en relació amb els particulars, possibilitat que es podria fer extensiva a les inversions immobiliàries empresarials d'amortització breu (GONZALEZ BOU).

IV. Classes

Amb la finalitat de simplificar la confusible classificació dels censos segons el dret tradicional l'article 2 de la Llei 6/1990, i darrera seu l'article 565-2, opten per diferenciar entre el cens emfitèutic i el cens vitalici en els termes següents: "1. El cens és emfitèutic si es constitueix amb caràcter perpetu i redimible a voluntat del censatari, d'acord amb els requisits que estableixen els articles 565-11 i 565-12. 2. El cens és vitalici si es constitueix amb el caràcter de temporal i irredimible a voluntat del censatari, sens perjudici que se'n pugui pactar la redimibilitat de manera expressa".

2. CONSTITUCIÓ DELS DRETS DE CENS

I. Objecte

El dret de cens és un dret real immobiliari, ja que segons l'article 565-1 s'estableix amb el caràcter de dret real sobre una finca, que té la condició de bé immoble per naturalesa (article 511-2.2,a). Si ens atenem al dret tradicional, es constata que el cens emfitèutic s'ha emprat a Catalunya per a millorar les finques rústegues i les urbanes.

II. Subjectes

Pel que fa referència a les persones involucrades en el dret real de cens, l'article 565-1.2 precisa que "Rep el nom de censatari la persona que està obligada a pagar la pensió del cens, que és el propietari o propietària de la finca, i el de censalista, la persona que té dret a rebre-la, que és el titular o la titular del dret de cens". Poden ésser censalista o censatari tant les persones físiques com les jurídiques.

En relació amb els requisits de capacitat per a constituir un dret de cens, pel cas de constitució via contractual de l'article 565-3,a), primer, en resulta que el legislador preveu com a normal que es constitueix per contracte que sempre tindrà el caràcter onerós, perquè parla de transmissió de la finca a canvi del pagament d'una pensió periòdica. I si es té present que pot comportar transmissió del domini de la finca i/o constitució d'un dret real immobiliari sobre la mateixa, pels casos de constitució del dret de cens via contracte tant el censatari com el censalista han de gaudir dels requisits de capacitat que exigeix la llei per a disposar de béns immobles. I si el dret de cens es constitueix per disposició per causa de mort, segons preveu l'article 565-3,b), regeixen les normes generals sobre capacitat per a atorgar testament (articles 103 i 104 CS) o heretament (article 67,III idem), i les que fan referència a la capacitat per a succeir (articles 9 i 10 CS) i a la indignitat successòria (article 11 idem).

Com que el cens comporta una alienació actual i potencial de la finca el censatari a més dels requisits de capacitat esmentats, ha de gaudir també del poder de disposició de la finca. Per tant sols pot constituir un dret de cens el propietari legitimat per a disposar lliurement dels seus béns, però no l'hereu gravat de restitució fideïcomissària (article 228,I CS), llevat que es tracti d'una substitució fideïcomissària condicional (segons l'apartat II del precepte), amb subjecció al que disposa l'article 217,II CS, és a dir, que l'eficàcia del dret de cens queda supeditada a la possible efectivitat del fideïcomís. En l'heretament simple o d'herència (vegeu l'article 79,I CS), entre les facultats dispositives de l'heretant no s'inclouen atorgar contractes de vitalici, censal o cens sobre els béns compresos en l'heretament, llevat de pacte exprés en contrari (article 80,I CS).

III. Formes de constitució

La llei preveu tres formes possibles de constitució del cens:

En primer lloc per contracte que anomena d'establiment (article 565-3,a), que podem considerar la forma normal de constitució del cens. Segons el precepte la constitució pot fer-se via reserva, que consisteix en transmetre la propietat de la finca i reservar-se el qui transmet el dret de cens sobre la mateixa; supòsit en el qual es constitueix el dret de cens "Per la transmissió de la titularitat del dret de propietat de la finca al censatari, a canvi de la constitució del dret a percebre la prestació periòdica anual a favor del censalista", que possibilita que en el mateix títol o document s'instrumentalitzi el contracte que té com a finalitat la transmissió de la finca al censatari i un segon contracte de constitució del cens. O per via de consignació (infreqüent a la pràctica), que consisteix en crear un dret de cens a favor de tercera persona de manera que el propietari conservi el dret de propietat sobre la finca, gravada ara amb un dret real limitat; i en paraules de l'article 565-2,a) segon, en aquest cas la constitució del cens té lloc "Per revessejat", que es tradueix en la constitució del cens pel propietari o propietària de la finca i la cessió a una tercera persona del dret a rebre la prestació periòdica anual".

En qualsevol dels dos casos esmentats, i segons l'article 565-4, "La constitució o l'establiment d'un cens ha de constar necessàriament en una escriptura pública, en la qual s'ha de fer constar la pensió i la quantitat convinguda a l'efecte de redempció". D'aquí en resulta que s'exigeix l'escriptura pública com a requisit de forma *ad solemnitatem,* amb la conseqüència que l'incompliment d'aquest requisit determina que el cens no quedi vàlidament constituït. Malgrat això el contracte de cens s'ha de considerar *inter partes* vàlid i obligatori quan no s'ha observat la forma que exigeix l'article 565-4, però sense virtualitat per originar el dret real de cens (GETE-ALONSO CALERA). Segons la STSJC de 20 de setembre de 2004 l'escriptura pública és un requisit *sine qua non* de l'existència jurídica del cens, que no es pot substituir per qualsevol altra forma de constitució, a menys que tingui com a finalitat acreditar l'existència de l'escriptura pública, però no per a suplir-la. I pel que fa referència al requisit de la determinació del valor de la finca a l'efecte de la redempció, s'ha precisat que s'ha de determinar el valor del cens o càrrega que s'extingirà perquè el legislador es refereix a censos que permetin la transmissió de la finca amb pensions econòmicament equivalents a l'interès meritat pel valor de la finca que serà pagat ajornadament en el moment de la redempció (JOU-MIRAMBEL-QUINTANA).

Una segona modalitat de constitució del cens és per la via de la usucapió, ja que segons l'article 565-3,c) un dels títols de constitució del cens és la usucapió. Per conseguent si una persona, sense ésser realment censalista, ha percebut la pensió periòdica que segons l'article 565-8.1 constitueix el contingut essencial del cens, adquirirà la titularitat del dret de cens si l'ha percebuda com a mínim durant el període de vint anys que exigeix l'article 531-27 pels drets reals immobiliaris (vegeu també STS de 25 de febrer de 1956, 12 de maig de 1961, 21 d'abril de 1964 i 3 d'octubre de 1974). Precisa la DT 15ª, en el seu apartat 1, que "Les normes del capítol cinquè del títol sisè que regulen els terminis per a la usucapió i prescripció de censos, pensions i lluïsmes s'apliquen a tots els censos, siguin de la classe que siguin i siguin quines siguin la data de constitució i la normativa aplicable"; i amb referència als problemes de dret transitori que es poden derivar com a conseqüència de l'escurçament del termini per a usucapir estableix l'apartat 2 de la mateixa DT que "El termini per a la prescripció o la usucapió que estableix aquest codi comença a comptar des del moment en què entra en vigor aquest llibre. No obstant això, si el termini que establia la regulació anterior, tot i ésser més llarg, venç abans que el termini que estableix aquest codi, la prescripció es consuma quan venç el termini que establia la regulació anterior".

Per últim preveu l'article 565-3,b) la constitució del cens per la via de "La disposició per causa de mort", que implica la possibilitat de poder crear un cens en testament, codicil o heretament, sempre que es compleixin els requisits de forma que estableix la llei per a cadascú d'aquests negocis jurídics per causa de mort.

Resta únicament afegir que l'article 565-4 exigeix els requisits de fer constar la pensió i la quantitat convinguda a l'efecte de redempció quan el cens es constitueix per negoci jurídic, que ens porta a pensar que aquests requisits també s'han de complir quan el cens es constitueix per negoci jurídic *mortis causa*.

IV. Inscripció

D'acord amb l'article 7,I LH la primera inscripció de cada finca en el Registre de la Propietat serà de domini; i quan es tracta d'una finca emfitèutica l'article 377 RH explicita que en aquest cas pot obrir foli registral qualsevol dels dos dominis, però si després s'inscriu l'altre, la inscripció es practica després de la primera.

Pel que fa referència a les circumstàncies de la inscripció, s'han de complir les prescripcions de l'article 9 LH i article 51 RH. Així mateix les de l'article 565-7.1, segons el qual "Les inscripcions dels censos en el Registre de la Propietat han d'assenyalar les circumstàncies següents: a) La classe de cens i el títol de constitució. b) La pensió que implica. c) La quantitat convinguda a l'efecte de la redempció. d) El procediment d'execució, el lluïsme i la fadiga, si s'han acordat. e) Les altres que estableix la legislació hipotecària".

3. DRETS DEL CENSATARI

D'acord amb la regulació actual dels censos el censatari és titular dels drets següents:

I. Dret de propietat sobre la finca

Segons el dret actual la posició jurídica del censatari és la de propietari de la finca, encara que el seu dret de propietat no és ple o absolut, sinó limitat pel dret real del censalista de percebre una prestació periòdica en diners que grava la finca (article 565-1.1).

Entre les facultats dispositives del censatari s'inclou la d'agrupar finques gravades amb un dret de cens (vegeu l'article 45 RH), però amb observació de les limitacions que es deriven de l'article 565-7.2, en el qual es preveu que "No es poden inscriure en el Registre de las Propietat les agrupacions de finques subjectes a

cens sense la descripció corresponent de totes les finques o par-
cel.les gravades i dels censos que les afecten mentre ni siguin
redimits". Precepte que obliga a mantenir en la inscripció de la
nova finca agrupada la descripció de la finca antiga gravada amb
el dret de cens (MIRAMBELL I ABANCÓ).

II. Divisió dels censos

Tradicionalment ha regit en el nostre dret el principi d'indi-
visibilitat dels censos. Tanmateix aquest principi no suposava la
impossibilitat que el censatari dividís la finca, sinó únicament
que la divisió no afectava al censalista, llevat que la consentís;
i si no donava el seu consentiment, el censalista podia reclamar
la pensió íntegrament a qualsevol dels censataris (STS de 15 de
desembre de 1922).

La Llei de 31 de desembre de 1945 va trencar el principi d'indi-
visibilitat dels censos, com resulta de la seva mateixa denominació
Llei d'inscripció, *divisió* i redempció dels censos a Catalunya. El
canvi de criteri obeeix a raons múltiples, d'entre les que podem
esmentar els inconvenients que es derivaven de la indivisibilitat
quan moltes finques havien estat objecte de divisions i segrega-
cions considerables; i les dificultats que imposava el criteri de la
indivisibilitat al principi d'especialitat que es deriva de l'article
8 LH. Aquestes raons continuen vigents, fet que justifica que el
dret actual mantingui de forma estricta el principi de divisió dels
censos.

A) DRET VIGENT

Pel que fa referència a la divisió dels censos segons la nor-
mativa actual, és fonamental l'article 565-6.1, que de forma im-
perativa estableix que "Els censos són essencialment divisibles.
La divisió d'una finca gravada amb un cens, que correspon de
fer al censatari, comporta la divisió del gravamen, de manera
que hi hagi tants censos com finques gravades". La legitimació
per a demanar i practicar la divisió s'atribueix unilateralment
al censatari segons el precepte transcrit; i afegeix l'apartat 2 del
precepte que "El censatari, en dividir la finca, ha de distribuir
la pensió entre les finques resultants en proporció a la superfície,
sense tenir en compte les diferències de valor o qualitat. En cas
que es constitueixi el règim de propietat horitzontal sobre la finca

gravada, la pensió es distribueix entre els elements privatius que configuren la dita comunitat en proporció a la quota de participació que correspon a cadascun d'aquests elements". Respecte els requisits de forma preveu l'article 565-6.3 que "El censatari ha de notificar notarialment la divisió al censalista en el seu domicili en el termini de tres mesos. Si el domicili no és conegut, cal fer constar aquesta circumstància a l'escriptura pública de divisió de la finca, que comporta la divisió del cens, i el registrador o registradora de la propietat, una vegada inscrita, ha de publicar un edicte que anuncii durant tres mesos la dita divisió al tauler d'anuncis de l'ajuntament del terme municipal on radiqui la finca dividida". Finalment es preveu a l'article 565-6.4 que "El censalista té un termini de caducitat d'un any comptat des de la notificació o, si escau, des de la inscripció per a impugnar judicialment la divisió". En aquest punt s'ha precisat que la impugnació ha d'anar adreçada, no a evitar la divisió de la finca, sinó a modificar la divisió del cens entre les finques resultants (JOU-MIRAMBELL -QUINTANA).

B) DRET TRANSITORI

L'eficàcia del principi de divisió dels censos segons article 565-6 depèn en bona part de les sancions previstes pel legislador pels casos d'incompliment del deure de divisió. Per tal de fer-lo efectiu la DT 1ª de la Llei 6/1990 va establir que "Transcorreguts tres anys des de l'entrada en vigor d'aquesta Llei, tot els censos, de qualsevol classe que siguin, que afectant diverses finques no hagin estat objecte de divisió entre aquestes resten extingits i poden ésser cancel.lats a petició del censatari, segons les disposicions de la legislació hipotecària". Aquesta disposició es va interpretar en el sentit que no es podien cancel.lar els censos mitjançant una instància del censatari adreçada al Registrador de la Propietat, encara que haguessin transcorregut els tres anys que establia el precepte sense existir constància registral de la divisió, ja que aquesta es podia haver practicat al marge del registre i per tant la cancel.lació sols era possible si constava el consentiment del titular registral o la resolució judicial escaient. Criteri que s'estimava compatible amb la DT 3ª de la mateixa Llei 6/1990, en la qual es preveia que es conferia als titulars dels drets de cens inscrits en el Registre de la Propietat un termini de cinc anys per tal d'acreditar la vigència de la seva titularitat mitjançant instància signada pel seu titular, amb la precisió que si dins aquest termini no s'havia acreditat la vigència del cens, es produïa la seva extinció i podia ésser cancel.lat prèvia instància del censatari. Per tant la cancel.lació dels censos no dividits mitjançant instància del censatari sols era possible després dels cinc anys que preveia la DT 3ª de la Llei 16/1990, con resulta de la interlocutòria del president del Tribunal Superior de Justícia de Catalunya de 25 de juny de 1999 —que reprodueix el criteri mantingut en interlocutòries anteriors— i de la resolució de la Direcció General de Dret i d'Entitats Jurídiques de 28 de setembre de 2006.

La DT 1ª de la Llei 6/1990 s'ha convertit en la DT tretzena de la Llei 5/2006, que en el seu apartat 2 precisa que "No es poden fer assentaments registrals relatius als censos constituïts abans del 16 d'abril de 1990 la vigència dels quals no estigui acreditada, si afecten diversos finques, fins que s'inscrigui l'escriptura de divisió, atorgada de la manera i amb el termini que estableix la disposició transitòria primera de la Llei 6/1990. Si l'escriptura de divisió no s'inscriu en el termini d'un any comptat des de l'entrada en vigor d'aquest llibre, els censos s'extingeixen i es poden cancel.lar d'acord amb el que estableix l'apartat 1".

Als efectes que aquí interessen s'ha precisat que la constitució d'un règim de propietat horitzontal sobre la finca no equival a la seva divisió als efectes de la DT 1ª de la Llei 6/1990 (interlocutòria del president del Tribunal Superior de Justícia de Catalunya de 27 de juliol de 1993), ni als efectes de la DT tretzena 2 actual (resolució de la Direcció General de Dret i d'Entitats Jurídiques de 28 de novembre de 2006).

4. DRETS DEL CENSALISTA

Constituït el dret de cens la legislació actual confereix al censalista els drets següents:

I. Entrada

Segons l'article 565-3,a), primer, quan el cens es constitueix per transmissió del dret de propietat al censatari, "En aquest cas, es pot determinar el pagament a favor del censalista, per una sola vegada, el comptat o a terminis, d'una quantitat que s'anomena entrada". El precepte recull una pràctica que s'havia introduït especialment en les emfiteusis modernes, que té com efecte principal el que es deriva de l'article 565-13.4, segons el qual, i pels casos de redempció del cens, "Del preu de redempció, se'n dedueix l'entrada, si se n'ha estipulat el pagament en el títol de constitució".

II. Transmissió del cens

Com que la constitució del cens origina que el censalista esdevingui titular d'un dret real limitat sobre la finca gravada amb el cens, la proposició segona de l'article 565-5.1 preveu que "El censalista també ho pot fer (alienar) respecte al seu dret de cens". De totes formes cal esmentar que la facultat de disposició del dret de cens té les limitacions derivades del dret d'adquisició preferent que la llei estableix a favor del censatari, que en el llenguatge tradicional català rep el nom de fadiga (que conserva l'article 565-5.2). El dret de fadiga és objecte d'estudi en el capítol següent.

III. Pensió

Respecte el dret de pensió a favor del censalista cal fer referència a les qüestions següents:

A) CARÀCTER ESSENCIAL DE LA PENSIÓ

Segons el dret català la pensió era un element essencial del dret de cens, i per consegüent era ineficaç el pacte que eximia el censatari de pagar qualsevol tipus de pensió, perquè això s'estimava contrari a la naturalesa del cens; però res impedia que es considerés vàlid el cens quan s'havia pactat una pensió de caràcter més aviat simbòlic, perquè amb ella es feia reconeixement dels drets del censalista (COMES). El caràcter essencial de la pensió segons el dret vigent es deriva en primer lloc de l'article 565-1.1, que fa esment concret de la pensió dinerària que ha de pagar el censatari a l'hora de definir el cens; i d'una forma més clara a l'article 565-8.1, segons el qual "La pensió o prestació periòdica constitueix el contingut essencial del dret de cens". Vegeu en el mateix sentit la interlocutòria del president del Tribunal Superior de Justícia de Catalunya de 27 de febrer de 1992.

B) DETERMINACIÓ

Tant l'article 565-1 com l'article 565-8 configuren la pensió com una prestació periòdica, i per tant com una prestació de tracte successiu. Segons l'article 565-8.3 "La pensió ha d'ésser sempre anual, sens perjudici que per estipulació o per clàusula expressa es pugui determinar una forma fraccionada de pagament"; possibilitat raonable en atenció al fet d'haver desaparegut pràcticament les pensions de caràcter més aviat simbòlic.

Els interessats poden fixar lliurement la quantia de la pensió, sense que els afecti cap límit, a l'empara del principi d'autonomia privada que es deriva de l'article 1255 CC. Segons el dret anterior la pensió es podia fixar en diners o en fruits. Aquesta segona possibilitat desapareix del dret actual, ja que d'acord amb l'article 565-8.2 "La pensió solament pot consistir en diners", segurament amb la finalitat d'evitar confusions entre els censos i els contractes parciaris.

Atès que el cens té normalment una durada llarga (vegeu l'article 565-1 i 2), i que en els temps actuals les relacions jurídiques de llarga durada es veuen sovint afectades de forma negativa pel procés de devaluació del signe monetari, s'ha considerat oportú sancionar la validesa de les clàusules d'estabilització en els censos. En aquest punt el mateix article 565-8.2 preveu que "El títol de constitució del cens o un acord posterior entre el censalista i el censatari pot incloure una clàusula d'estabilització del valor de la pensió". Sembla que també és admissible el pacte en virtut del qual el censalista pot modificar unilateralment la quantia de la pensió si concorren circumstàncies determinades, com poden ésser el canvi e destí econòmic o una sobrevaloració de la finca gravada amb el dret de cens.

C) PAGAMENT

El censalista és la persona legitimada per a reclamar el pagament de les pensions (article 565-8.4), que tenen el caràcter de fruits civil, ja que representen els fruits o rendiments del dret real de cens (vegeu l'article 511-3.2). El censatari és la persona obligada al pagament de les pensions, però com que segons l'article 565-1-1 el pagament de les pensions es vincula amb caràcter real a la propietat de la finca que en garanteix el pagament directa i immediatament (vegeu també en aquest sentit STSJC de 19 de novembre de 1991), d'aquest fet en resulta que cada censatari és deutor de les pensions que s'han meritat mentre era propietari de la finca. Per tal de fer efectives les pensions el censalista pot exercitar una acció personal enfront el censatari deutor de les pensions i, també, una acció real, ja que segons l'article 565-8.6 "La finca garanteix el pagament de les pensions vençudes i no satisfetes i, si escau, el pagament dels lluïsmes...". El possible conflicte entre l'anterior i el nou censatari, quant a la garantia que ofereix la finca pel pagament de les pensions vençudes i no satisfetes, el soluciona la proposició darrera de l'article esmentat en el sentit que "Respecte a una tercera persona, cal atenir-se al que estableix la legislació hipotecària", és a dir, a les prevencions que estableixen els articles 114, 115 i 116 LH sobre garantia de la finca hipotecada pels interessos que merita el crèdit garantit amb un dret real d'hipoteca.

Com a novetat més significativa respecte a la Llei 6/1990, dels censos, el preàmbul del llibre cinquè del Codi civil de Catalunya esmenta la introducció duna norma de procediment per a la reclamació de les pensions, que s'estableix a l'empara de l'article 130 EAC que atribueix a la Generalitat de Catalunya competència exclusiva sobre normes processals que es deriven de les particularitats del dret civil de Catalunya. Aquesta previsió del preàmbul es concreta a l'article 565-9, l'aparat 1 del qual estableix que "S'aplica, per a la reclamació del pagament de les pensions vençudes i no satisfetes i, si escau, dels lluïsmes, el procediment per a exigir el pagament de deutes de venciments fraccionats garantits amb hipoteca, si així s'ha pactat de manera expressa en l'escriptura de constitució del cens i si, a més, s'ha fixat un domicili del censatari als efectes dels requeriments, s'ha determinat la quantia del lluïsme, si escau, i s'ha taxat la finca als efectes de subhasta". La remissió s'ha d'entendre feta al procediment que estableix l'article 157 LH pel cas de constitució d'hipoteca en garantia de rendes o pensions periòdiques, que determina a més —segons l'article 565-9.2— que "La persona que adquireix la finca en una subhasta l'adquireix gravada amb el cens i assumeix l'obligació de pagar la pensió fins que aquest s'extingeixi". I pel que fa referència al gravamen que suporta la finca gravada en relació amb les pensions i el lluïsme meritats i no satisfets, cal atenir-se a l'article 565-9.3, segons el qual "Hom s'ha d'atenir, respecte a una tercera persona, al que estableix la legislació hipotecària. La finca solament garanteix el darrer lluïsme, la pensió de l'any corrent i les dues anteriors. En cas de pacte, no pot garantir en perjudici de tercera persona el pagament de les cinc darreres pensions". En relació amb el precepte transcrit es precisa que es pronuncia en el sentit que l'adquirent de la finca assumeix de forma automàtica l'obligació de pagar la pensió fins a l'extinció del dret de cens; i que respecte els tercers el seu apartat 3 es remet als articles 114, 115 i 116 LH (MIRAMBELL I ABANCÓ).

Quant a les circumstàncies del pagament, regeix en primer lloc el que han convingut els interessats (article 565-8.4). En defecte de pacte el precepte estableix que "El censalista té dret a rebre la pensió per anualitats vençudes o, en el cas del cens vitalici, per anualitats avançades, si no es determina el contrari. El lloc de pagament, si no hi ha una determinació expressa, és el domicili del censatari" (vegeu STS de 3 de desembre de 1987).

Sobre càrrega de la prova del pagament de les pensions vegeu STSJC de 16 de juny de 2003.

D) EFECTES DE LA MANCA DE PAGAMENT DE LES PENSIONS

Per dret romà (vegeu la Novel.la 120, cap. 8), si el censatari incomplia l'obligació de pagar les pensions convingudes, el censalista podia recuperar la plena propietat de la finca, facultat que s'anomenava comís. Però el dret català no ha estat favorable al comís (vegeu l'article 43 de la Llei de 31 de desembre de 1945 i la STS de 3 de desembre de 1987). El legislador actual culmina aquest procés contrari al comís, ja que segons l'article 565-8.7 —i el seu precedent l'article 8.7 de la Llei 6/1990— "L'impagament de les pensions no fa caure la finca en comís. El comís no es pot pactar en el títol de constitució del cens ni en cap de posterior que hi faci referència". L'incompliment d'aquesta prevenció originarà un supòsit de nul.litat parcial del negoci jurídic de constitució del cens.

E) MODIFICACIÓ DE LA PENSIÓ

Segons l'article 532-2.1 els drets reals en general s'extingeixen per la pèrdua total i sobrevinguda del bé que en constitueix l'objecte, que en la seva aplicació al cas que ara ens interessa, determinarà l'extinció del dret real de cens i en conseqüència l'extinció del dret del censalista a rebre la pensió convinguda (vegeu també l'article 565-11.1). Si la pèrdua de la finca gravada amb el dret de cens és parcial, es preveu a l'article 565-11.2 que el censatari no s'eximeix de pagar la pensió "llevat que la pèrdua afecti la major part de la finca, cas en el qual es redueix proporcionalment la pensió". L'expressió "major part de la finca" entenem es refereix al cas de pèrdua de la major part de la seva superfície, encara que no necessàriament, ja que s'aplicarà igualment el precepte si la pèrdua afecta sols una petita part de la finca, però d'un valor notablement superior al de la resta.

F) INEXIGIBILITAT

Estableix l'article 565-10 sota al rúbrica "Inexigibilitat de la pensió" en el seu apartat 1 que "La reclamació de pensions degudes no pot excedir les deu darreres". En aquest punt el precepte modifica l'article 9.1 de la Llei 6/1990, que concretava l'exigibilitat de les pensions a les vint-i-nou darreres, d'acord amb el criteri que informava el tradicional termini de prescripció dels trenta anys derivat de l'usatge *omnes causae*. El fet que l'article 121-10 hagi reduït a deu anys el termini de prescripció de qualsevol classe de prestacions, justifica que la reclamació de pensions no pugui excedir les deu darreres.

Preveu l'article 565-10.2 que "El pagament de tres pensions consecutives sense reserva del censalista eximeix de pagar les anteriors". Segons els juristes catalans de l'època del *ius commune* la regla tenia el sen fonament en la presumpció que el censatari ja havia pagat les anteriors. Si es considera vàlida aquesta justificació, entenem que s'ha de qualificar de presumpció *iurs tantum* de pagament, amb els efectes que en deriva l'article 385 LEC.

5. EXTINCIÓ DELS CENSOS

I. Causes

Segons l'article 565-11.1 "El cens s'extingeix per les causes generals d'extinció dels drets reals i, a més, per redempció". Les causes d'extinció dels drets reals en general són les que enumera l'article 532-1, és a dir, pèrdua del bé, consolidació i la renúncia del seu titular. Pel que f referència a la pèrdua del bé, ens remetem al que s'ha exposat fa uns moments sobre modificació de la pensió. Com s'ha exposat abans (*supra*, capítol VIII, 4,I) la pèrdua del bé es refereix no sols a la seva desaparició física sinó també a la jurídica, precisió que cal recordar en aquests moments; ja que segons l'article 565-11.2 s'aplica el mateix règim al cas d'expropiació forçosa de la finca gravada amb el dret real de cens, que determina la seva extinció o la seva reducció segons que l'expropiació forçosa afecti la totalitat o sols una part de la finca gravada. Amb la precisió que segons l'article 565-11.3 "El cens s'ha de redimir necessàriament en el cas d'expropiació forçosa total"; circumstància que determina que en aquest cas el censalista participa de la indemnització que percep el censatari propietari de la finca d'acord amb les normes sobre redempció dels censos.

L'extinció del dret real de cens ha de determinar la seva cancel.lació en els llibres registrals, per tal d'assolir la sempre desitjable concordança entre registre i realitat. En aquest punt precisa l'article 565-11.4 que "S'aplica, per a cancel.lar en el Registre de la Propietat els censos constituïts per un termini determinat, el que estableix la legislació hipotecària en relació amb la cancel.lació de les hipoteques constituïdes en garantia de rendes o pensions periòdiques" (vegeu l'article 157,VI LH i l'article 248,III RH).

Si el dret de cens es troba sotmès a una condició o termini resolutoris, el compliment del termini o de la condició, a menys que s'hagi convingut altra cosa, determinen que el transmissor de la finca en recuperi la titularitat plena.

Pel que fa referència a l'extinció i cancel.lació dels censos constituïts amb anterioritat a la vigència de la Llei 6/1990, cal atenir-se a la DT 13ª.1, en la qual es preveu que "Els censos constituïts abans del 16 d'abril de 1990, siguin de la classe que siguin, els titulars dels quals no en van acreditar la vigència d'acord amb les disposicions transitòries primera o tercera de la Llei 6/1990, del 16 de març, dels censos, s'extingeixen i es poden cancel.lar a simple petició dels propietaris de la finca gravada, d'acord amb el que estableix la legislació hipotecària i sense que calgui tramitar l'expedient d'alliberament de càrregues".

II. La redempció dels censos

El cens, i particularment el cens emfitèutic que tradicionalment s'havia practicat a Catalunya, tenia per voluntat dels particulars una durada perpètua, indefinida o molt llarga, i aquesta circumstància va plantejar en el segle XIX el problema de si el censatari podia redimir el cens, problema que va originar discussions inacabables, especialment enverinades des de la vigència del Codi civil espanyol. La Llei de 31 de desembre de 1945 va posar fi al problema, ja que el seu article 20 declarava redimibles a voluntat del censatari o emfiteuta tots els censos catalans, tant els constituïts abans com després de la seva vigència. I el mateix criteri segueix evidentment el dret actual, ja que tant l'article 10 de la Llei 6/1990 com l'article 565-11.1 estableixen l'extinció del cens per redempció. L'estudi dels problemes que planteja la redempció dels censos catalans el fem en la forma següent:

A) DRET VIGENT

Segons el dret actual són redimibles a voluntat del censatari tots el censos emfitèutics, ja siguin perpetus o temporals i fins i tot els censos vitalicis, encara que aquests darrers únicament quan de forma expressa s'ha estipulat la redimibilitat (article 565-12.2). Pel que fa referència als censos emfitèutics llur redimibilitat a voluntat del censatari es subjecta als condicionaments següents: "Els censos de caràcter perpetu i els de caràcter temporal constituïts expressament com a redimibles es poden redimir per la voluntat unilateral del censatari" (article 565-12.1). Afegeix l'apartat 2 del precepte que "El censatari, en els censos de caràcter perpetu i en els de caràcter temporal constituïts com a redimibles, no pot imposar la redempció fins que han transcorregut vint anys de la constitució del cens si no s'ha pactat altrament". I finalment preveu l'apartat 3 del mateix article que "Es pot pactar, en els censos de caràcter perpetu, la no-redimibilitat del cens per un període màxim de seixanta anys o durant la vida del censalista i una generació més. La generació es considera extingida en morir el darrer dels descendents en primer grau del censalista".

Són pressupòsits de la redempció (segons l'article 565-13.2) que "El censatari no pot imposar la redempció si no està al corrent en el pagament de tot allò que degui al censalista per raó del cens"; i que "La redempció no pot ésser parcial, de manera que ha de comprendre necessàriament i integrament la pensió i, si escau, els altres drets inherents al cens".(article 565-13.1).

Amb referència als subjectes implicats en la redempció s'ha de precisar que qualsevol censatari pot interessar la redempció. La llei no precisa els requisits de capacitat que ha de reunir i això fa pensar que s'exigeix la capacitat necessària per a contractar i obligar-se (article 1263 CC); amb la precisió que segons l'article 151.1,a) CF el pare i la mare o, si és el cas, l'administrador especial, no necessiten autorització judicial per a la redempció dels censos. Respecte al censatari hereu fiduciari pot ell sol redimir, sota la seva responsabilitat, tota mena de censos segons l'article 220,2n CS. La redempció s'ha d'intentar davant el censalista que té inscrit el dret de cens al seu nom en el Registre de la Propietat (argument article 38 LH). I si el cens està sotmès a una substitució fideïcomissària s'apliquen en relació amb els fideïcomissaris les regles sobre el litisconsorci passiu necessari (STSJC de 19 de juny de 2006).

La qüestió fonamental que s'ha suscitat gairebé sempre en relació a la redimibilitat dels censos catalans ha estat la valoració dels drets redimibles. Sobre aquest extrem preveu l'article 565-13.3 que "La redempció es formalitza en una escriptura pública i s'efectua, si no hi ha un acord en contra, amb el lliurament de la quantitat convinguda en el títol de constitució. En el cas que s'hagi estipulat el lluïsme, el preu de redempció ha d'incloure, a més, l'import d'un lluïsme. En el cas que el cens s'hagi adquirit per usucapió, la quantitat a satisfer als efectes de redempció és, llevat que s'hagi pactat altrament, l'equivalent de capitalitzar la pensió anyal al 3% i sumar-hi, si escau, un lluïsme comptat sobre el valor que tenia al finca en el moment d'iniciar-se la dita usucapió". Afegeix l'article 565-13.4 que "Del preu de redempció, se'n dedueix l'entrada, si se n'ha estipulat el pagament en el títol de constitució".

Respecte els requisits de forma de la redempció la proposició primera de l'article 565-13.3 exigeix que "es formalitzi en una escriptura pública". I estableix finalment l'article 565-13.5 que "El preu de redempció, si no es pacta el contrari, s'ha de satisfer en diners i al comptat".

B) DRET TRANSITORI

Com s'ha esmentat abans, el designi fonamental de la Llei de 31 de desembre de 1945 va ésser establir amb caràcter imperatiu la redempció de totes les emfiteusis catalanes a voluntat del censatari. I com que el mateix criteri va informar l'article 11 de la Llei 6/1990 i ara l'article 565-12, això comportava la necessitat d'establir una regulació sobre redempció dels censos constituïts segons el dret anterior. La qüestió es regula amb detall a la DT 14ª, que en bona part és tributària de les normes sobre redempció dels censos segons la Llei de 31 de desembre de 1945 i de les DT 4ª i 5ª i DF 3ª de la Llei 6/1990. Pel que fa referència a la DT 14ª interessa fer aquí les precisions següents:

a) Principi general de redimibilitat

Segons la DT 14ª.1 "Tots els censos, siguin de la classe que siguin, constituïts d'acord amb la legislació anterior a la Llei 6/1990, siguin quines siguin les condicions pactades en llur títol de constitució, es poden redimir a petició del censatari en el termini pactat i, en tots els casos, si han transcorregut més de vint anys des de llur constitució i el censatari està al corrent en el pagament al censalista de pensions, de lluïsmes i de qualsevol altre concepte derivat del cens". Sobre redimibilitat d'un cens constituït a l'empara de la Llei de 31 de desembre de 1945 amb el caràcter de perpetu en relació amb el censalista, sens perjudici de la facultat de redempció establerta a favor del censatari després de la vida dels establient si una altra generació, vegeu STSJC de 31 de desembre de 2001. I sobre possibilitat de redimir la pensió i deixar vigent el cens en relació amb els constituïts abans de la vigència de la Llei de 1945, vegeu STSJC de 28 d'abril de 2003 i 19 de juny de 2006.

b) Subjectes

La legitimació per a instar la redempció del cens es confereix inicialment al censatari segons la DT 14ª.1. Però amb la finalitat de facilitar la redempció dels censos anteriors, la DT 14ª.2, que té el seu precedent en la DT 4ª.2 de la Llei 6/1990, preveu la redempció dels censos a instàncies del censalista en els termes següents: "El censatari ha de redimir els censos a què fa referència l'apartat 1 a petició del censalista si aquest ha acreditat la vigència del seu dret d'acord amb les disposicions transitòries de la Llei 6/1990" (vegeu la interlocutòria del president del Tribunal Superior de Justícia de Catalunya de 12 de setembre de 1995). Per aquest cas, i amb la finalitat d'evitar problemes econòmics al censatari quan se li presenta de forma imprevista la petició de redempció, s'ha considerat oportú establir que "El censatari, en les redempcions fetes a petició del censalista, pot optar per capitalitzar l'import de les quantitats que ha de pagar per la redempció i imposar el capital a interès legal garantint-lo amb una primera hipoteca que sigui suficient, la qual s'ha d'amortitzar en el termini de deu anys. L'autoritat judicial ha de decidir sobre la procedència d'aquesta capitalització si el censalista no accepta la decisió del censatari". Això comporta mantenir l'existència d'un dret real sobre la finca (el dret de cens és substituït per la hipoteca), i que el nou dret real constituït ocupi el mateix rang que l'anterior (principi de subrogació real), i possibilita l'extinció de la càrrega en el termini prudencial de deu anys (JOU-MIRAMBELL-QUINTANA).

També amb la finalitat de facilitar la redempció del censos, perquè es parteix de la premissa que en els temps actuals la redempció beneficia els interessos generals, s'estableixen unes prevencions especials pel cas de no ostentar el censatari una titularitat definitiva sobre la finca gravada amb el dret de cens. Segons la DT 14^a.3,i) "El fet que el cens estigui adscrit a condicions, retractes, substitucions, reserves, gravàmens de qualsevol classe o limitacions a la facultat de disposar, encara que hi tinguin interès persones incertes o no nascudes, no és cap obstacle per a demanar la redempció al censatari. En virtut d'això, els censos es poden redimir a petició dels titulars de la finca gravada. Les persones que els tinguin inscrits a llur favor, sigui amb caràcter de marmessor o hereu fiduciari i, en general, les persones que exerceixen la representació de la titularitat dels dits censos han d'accedir a redimir-los. En aquest cas, l'import de la redempció s'ha de dipositar, amb la intervenció d'un notari o notària, en un establiment bancari o en una caixa d'estalvis, a disposició dels qui en puguin ésser beneficiaris definitius. En la redempció dels censos afectes a llegítimes corresponents a herències causades abans de l'entrada en vigor de la Llei 8/1990, de modificació de la regulació de la llegítima, hom s'ha d'atenir al que estableix la legislació hipotecària" (vegeu l'article 15 LH i l'article 366 CS). Vegeu també l'article 151.1,a) CF.

Pel que fa referència als requisits de forma de la redempció, la DT 14^a.3,c) estableix que "La redempció s'ha de formalitzar en una escriptura pública", que s'estableix com a requisit de forma *ad solemnitatem*.

c) *Valoració dels drets redimibles*

Aquesta va ésser la qüestió més controvertida que va afrontar la Llei de 31 de desembre de 1945, que amb caràcter general i com recull la DT º4^a.3,c) estableix que la redempció "s'efectua per la quantitat convinguda en constituir-se el cens o en un pacte posterior. El preu de la redempció, si no hi ha pacte en contra, s'ha de satisfer en diners i al comptat. Les despeses de la redempció i de les operacions de registre són a càrrec del censatari" (sobre redempció d'un cens constituït l'any 1921, en el qual es va convenir que el preu de redempció es pagaria en moneda d'or o plata amb exclusió de paper moneda, vegeu STSJC de 10 de maig de 2004). A manca de pacte s'estableix amb un acusat detallisme la normativa aplicable als diferents supòsits que poden presentar-se, que són els següents:

- En els casos de censos amb domini, és a dir, aquelles censos que atribueixen al censalista els drets de pensió, lluïsme, fadiga i capbrevació (vegeu l'article 297 CDC), d'acord amb la DT 14ª.3,d) es preveu: "En els censos amb domini, si no hi ha un conveni entre les persones interessades, s'apliquen les regles següents: Primera. El censalista percep, en concepte de redempció de la pensió, la quantitat que resulta de capitalitzar-la al tipus acordat o, si no se n'ha acordat cap, al 3%. Si la pensió es paga en fruits, aquests s'estimen al preu mitjà que en el darrer quinquenni han obtingut en el terme municipal on radiquen les finques. Si la pensió consisteix en una part alíquota dels fruits, es pren també com a base per a capitalitzar-la la quantitat mitjana que el censalista hagi percebut o hagut de percebre en el darrer quinquenni. Si el cens presta corresponsió, entès això en el sentit que els subemfiteutes paguen el total de la pensió convinguda als senyors mitjans, la dita corresponsió es dedueix de la pensió a l'efecte de capitalitzar-la. Els rediments se subroguen en l'obligació de pagar les corresponsions deduïdes. Segona. El censalista percep, per extinció dels drets de lluïsme, fadiga i altres inherents al domini, l'import d'un lluïsme al tipus pactat en el títol de constitució o, si no hi ha pacte, al 2%, o bé al 10% si es tracta de l'antic territori emfitèutic de Barcelona, calculat sobre el valor total de l'immoble, que comprèn les edificacions fetes, les accessions i les millores anteriors a l'entrada en vigor d'aquest llibre, però no les posteriors. Ha de percebre, a més, una quarentena part d'un altre lluïsme per cada any complert transcorregut des de la darrera transmissió de la finca que l'hagués meritat, fins a rebre, com a màxim, l'import de dos lluïsmes. Tercera. El preu de la finca a l'efecte de la redempció, si no hi ha acord, és el valor cadastral en el moment en què es demana la redempció si la finca és urbana i el que es determini judicialment si és rústica. Quarta. S'han de deduir, per a determinar el lluïsme i els altres drets dominicals del valor atribuït a la finca, el preu de redempció del cens, calculat d'acord amb el que estableix aquesta lletra, i l'entrada, si es va pagar en constituir-se el cens. Cinquena. No tenen eficàcia, en aplicació del que estableix aquesta lletra, cap de les al.legacions formulades pels censalistes sobre l'impagament d'algun dels lluïsmes meritats, ni el fet que els hagin percebut persones diferents de la que era titular del cens, ni el fet que el lluïsme hagi estat d'un import menor amb relació al major dels que li corresponen per raó de les millores posteriors a la darrera transmissió" (vegeu STSJC de 26 d'octubre de 1998 sobre inclusió del valor de les millores als efectes del càlcul del lluïsme, que estableix un criteri diferent en base a la DT 4ª.4, quarta,e) de la Llei 6/1990). En aquests casos de redempció dels censos amb domini constituïts segons el dret anterior a la Llei de 31 de desembre de 1945 es donava amb una certa freqüència el fet que el censatari hagués fet ús de la facultat de constituir una subemfiteusi, que provocava una concurrència simultània de censalistes sobre la mateixa finca, amb el problema subsegüent de distribució entre ells de les quantitats que havien de percebre per a la redempció del cens. I per tal de solucionar aquest problema es preveu a la DT 14.3,f) que "Les quantitats a percebre per l'extinció del lluïsme i altres drets dominicals s'han de distribuir de la manera següent: Primer. Si el domini directe és únic, li correspon el total del preu. Segon. Si hi ha un domini directe i un domini mitjà, n'han de percebre una quarta part i tres quartes parts, respectivament. Tercer. Si hi concorren un domini directe i dos mitjans, el segons mitjà ha de cobra dues quartes parts i l'altre mitjà i el directe, una quarta part cadascun. Quart. Si ho concorren un domini directe i tres mitjans, correspon una quarta part a cadascun". Als efectes de la distribució anterior cal tenir present la DT 14ª.3,g), en la qual es preveu que "S'ha de tenir en compte, a l'efecte de la distribució que estableix la lletra f, el no-acreixement del lluïsme que estableix la lletra d. segona". La remissió s'ha d'entendre feta a la DT 14ª.3,b). Sobre càlcul del preu de redempció en base a les normes transcrites en relació amb la Llei 6/1990, vegeu STSJC de 10 de desembre de 2001.

- A més dels censos amb domini, el dret anterior admetia els anomenats censos a nua percepció, que atribuïen al censalista el dret a cobrar la pensió i el dret de fadiga; i els censos sense domini, que únicament atribuïen al censalista el dret a cobrar la pensió (vegeu l'article 297 CDC). En l'aspecte que ara interessa, o sigui les quantitats que ha de percebre el censalista en els casos de redempció d'aquests censos, la DT 14ª.3,e) ordena que: "El censalista, en els censos a nua percepció o en els de tota altra classe, tant si són emfitèutics com si no ho són, i també si el cens procedeix de la desamortització i ha estat transmès per l'Estat, ha de percebre únicament la suma a la qual fa referència la lletra d. primera".

d) Limitacions

Segons la DT 14ª.3,h) "La quantitat total que ha de percebre el censalista, en els censos transmesos una o més vegades a títol onerós des de l'1 de gener de 1900 fins al 31 de desembre de 1945, no pot excedir del quàdruple del preu lliurat en la darrera de les dites transmissions, ni la quantitat que en concepte de redempció li correspondria d'acord amb el que estableix aquesta disposició transitòria". Sobre justificació d'aquesta limitació vegeu el preàmbul de la Llei de 31 de desembre de 1945. Precisa en aquest punt la STSJC de 10 de desembre de 2001 que aquesta disposició es refereix a la "transmissió de censos, i no a la transmissió de les finques".

e) Regla especial pels casos de subemfiteusi

L'article 38 de la Llei de 31 de desembre de 1945 va prohibir que es constituïssin noves subemfiteusis. I per tal de facilitar l'extinció de les creades amb anterioritat a la seva vigència va establir una disposició transitòria, que actualment és la DT 14ª.3,b) que "El censatari pot exigir, conjuntament o separadament, en l'ordre que estimi pertinent, la redempció dels censos que hi hagi sobre la finca, siguin de la naturalesa o la subordinació que siguin. La part de lluïsme relativa a un cens redimit no acreix els subsistents. Es considera també extingida en benefici del censatari la part de lluïsme dels censos anteriorment existents que hagi restat sense efecte per redempció, per prescripció o per qualsevol altra causa".

f) Redempció del cens vitalici

A l'hora de precisar les diferències entre el cens emfitèutic i el cens vitalici l'article 565-2 assenyala el caràcter redimible del primer a voluntat del censatari, mentre que el cens vitalici es declara inicialment irredimible a voluntat del censatari "sens perjudici que se'n pugui pactar la redimibilitat de manera expressa". Pel cas de redempció del cens vitalici constituït abans de la vigència de la Llei 6/1990, dels censos, s'ha considerat oportú establir una disposició transitòria que determini la normativa aplicable a aquesta modalitat dels censos, que la DT 14ª.4 concreta en els termes següents: "Les normes que estableix l'apartat 3 no són aplicables als censos vitalicis constituïts d'acord amb la legislació anterior a la Llei 6/1990, llevat que s'hi hagués pactat expressament la redempció".

g) Censos de l'Estat

Per últim la DT 14ª.5 estableix una norma específica per a la redempció dels censos de l'Estat, en la qual es precisa que "Hom s'ha d'atenir, pel que fa a la redempció dels censos de l'Estat, a les normes vigents sobre el patrimoni d'aquest".

III. Prescripció

El dret tradicional català no admetia l'extinció dels censos per prescripció en base a la disposició del Codi 7,39,7-6, tesi que va fer seva la doctrina jurídica clàssica catalana, però que va contradir la jurisprudència del Tribunal Suprem que va establir l'extinció del dret real del censalista per prescripció si no havia reclamat el pagament de les pensions a favor seu durant trenta anys en aplicació de l'usatge *omnes causae*. Així ho va acceptar també l'article 299,6è CDC, que preveia l'extinció de l'emfiteusi per prescripció, que corria des del dia que l'emfiteuta deixava de pagar la pensió i que va fer seu l'article 10 de la Llei 6/1990 i darrerament la STSJC de 23 de desembre de 1993. El Codi civil de Catalunya no esmenta la prescripció com a causa d'extinció del dret de cens (article 565-11) ni tampoc a l'article 532-1, que amb caràcter general no inclou la prescripció com a causa d'extinció dels drets reals, amb inclusió doncs dels drets de cens, silenci que pot donar a entendre que el dret actual refusa l'extinció dels censos per prescripció. En contra d'aquesta tesi s'al.lega la

DT quinzena, 1 CCC que fa esment de la prescripció dels censos i que el fet de no esmentar l'article 565-11 la prescripció com a causa d'extinció dels censos obeeix a una imprecisió del legislador derivada del seu afany simplificador, segurament per entendre que la prescripció dels censos ja encaixa en l'expressió "causes generals d'extinció dels drets reals" MIRAMBELL I ABANCÓ). Sense posar en dubte aquesta possibilitat, encara que no cal oblidar que el Codi civil de Catalunya no esmenta la prescripció extintiva com a causa d'extinció dels drets reals en general, creiem que també es pot argumentar que no hi ha hagut en aquest cas un imprecisió del legislador.

Davant el silenci del codi civil de Catalunya sobre extinció dels censos per prescripció es constata que l'article 565-10, sota la rúbrica "Inexigibilitat de la pensió", estableix que "La reclamació de pensions degudes no pot excedir les deu darreres", en harmonia amb l'article 121-20 que estableix el termini general de prescripció dels deu anys; de la mateixa manera que l'article 565-20 preveu que "El dret a reclamar el lluïsme prescriu al cap de deu anys des del dia en què s'ha meritat". D'aquest fet en resulta que el Codi civil de Catalunya preveu l'extinció de determinades facultats que confereix el dret real de cens, com són les d'exigir el pagament de les pensions convingudes i el lluïsme, però no l'extinció del dret de cens com a dret real limitat que grava la finca propietat del censatari. Canvi legislatiu que en bona part hauria propiciat el fet que l'article 344 CDC establia la prescripció extintiva dels drets i de les accions que dels drets se'n deriven, mentre que l'article 121-1 ja no preveu que els drets i les accions constitueixin l'objecte de la prescripció sinó que l'objecte de la prescripció són les pretensions, que es poden desestimar si s'al.lega amb èxit —en el cas que ara ens interessa— l'excepció material de prescripció. Circumstància que determinarà la inexigibilitat de les pensions meritades en els deu anys anteriors i no reclamades i l'extinció del lluïsme meritat en els deu anys anteriors, que són les úniques prestacions afectades per la prescripció, però no el dret real de cens, que continua vigent i amb la facultat subseguent del censalista d'exigir les pensions i els lluïsmes futurs, ja que tant l'article 565-10.1 com l'article 565-20 sols es refereixen als anteriors, però no als futurs. Que en definitiva suposa tornar a la tesi tradicional contrària a la prescripció extintiva del dret de cens, perquè la manca de pagament dels pensions i dels lluïsmes no suposa obrir el termini de prescripció perquè el començament d'aquest termini exigeix quelcom més, com és que l'emfiteuta per actes propis negui l'existència del dret de cens i el seu titular no contradigui eficaçment l'acte obstatiu, circumstància que originaria l'extinció del dret de cens per haver usucapit l'emfiteuta la llibertat del domini (BROCÀ). Sobre interrupció del termini de prescripció en base a l'article 44 de la Llei de 31 de desembre de 1945 vegeu STSJC de 16 i 26 de juny i 1 de desembre de 2003.

És oportú ara esmentar que el dret actual aboca a un nou problema, derivat del fet que la usucapió del dret de cens en base a l'article 563-3,c) exigeix un termini de vint anys (article 531-27.1), mentre que els terminis de prescripció per a reclamar les pensions vençudes i el lluïsme meritat es fixa en deu anys (articles 565-10.1 i 565-20). Davant d'aquest desajustament de terminis s'esmenta com a solució que en el cas de la usucapió es podran reclamar deu pensions i no vint (MIRAMBELL I ABANCO).

IV. Cancel.lació dels censos extingits

En relació amb els censos constituïts amb anterioritat a la vigència de la Llei 6/1990, dels censos, i amb la finalitat segons el seu preàmbul d'afavorir l'alliberament de les càrregues de les finques i facilitar la cancel.lació d'inscripcions registrals, la seva DT 3ª va establir que els titulars del censos inscrits en el Registre de la Propietat havien d'acreditar la seva vigència durant el termini de cinc anys a comptar de la seva entrada en vigor i cas d'incompliment d'aquest deure, es preveia l'extinció del cens i la seva cancel.lació a instància del censatari, segons les disposicions de la legislació hipotecària. Sobre l'abast d'aquesta disposició transitòria són interessants les interlocutòries del president del Tribunal Superior de Justícia de Catalunya de 23 de maig i 24 de novembre de 1997 i 25 de juny de 1999 i RDGRN de 23 i 24 de març de 1999.

Transcorreguts aquests cinc anys la DT 3ª esmentada s'ha convertit en la DT tretzena, que en el seu apartat 1 estableix que: "Els censos constituïts abans del 16 d'abril de 1990, siguin de la classe que siguin, els titulars dels quals no en van acreditar la vigència d'acord amb les disposicions transitòries primera o tercera de la Llei 6/1990, del 16 de març, dels censos, s'extingeixen i es poden cancel.lar a simple petició dels propietaris de la finca gravada, d'acord amb el que estableix la legislació hipotecària i sense que calgui tramitar l'expedient d'alliberament de càrregues".

BIBLIOGRAFIA SUMÀRIA

GINOT LLOBATERAS, *División y redención de censos en Cataluña,* a "Estudios de Derecho Privado" (coordinados por Martínez-Radío). Madrid, 1962, volum I, pàg. 465 i seg.; PARELLADA I CARDELLAH, *Sobre la prescriptibilitat dels censos emfitèutics,* a la RJC, 1982, pàg. 659 i seg.; MIRAMBELL I ABANCO, *Comentarios al Código Civil y Compilaciones Forales.* Madrid, 1987, volum XXX, pàg. 166 i seg.; JOU-MIRAMBELL-QUINTANA, *La Llei de Censos de Catalunya,* a la RJC, 1991, pàg. 9 i seg.; TELLEZ CODORNIU, *Extinción, cancelación y redención de censos según la Ley 6/1990, de 16 de marzo, de los censos catalanes,* a la RJC, 1991, pàg. 715 i seg.; PUIG I FERRIOL, *Temes bàsics del dret civil. Una visió actual.* Barcelona, 1993, volum II, pàg. 251 i seg.; SAVALL LOPEZ-REYNALS, *L'emfiteusi catalana,* a idem, pàg. 281 i seg.; AVILA NAVARRO, *Notas sobre la cancelación de censos no divididos,* a la RJC, 1996, pàg. 101 i seg.; MIRAMBELL I ABANCO, *Els censos en el dret civil de Catalunya: la qüestió de l'emfiteusi (a propòsit de la Llei especial 6/1990).* Barcelona, 1997; GONZALEZ BOU, *El censo enftéutico en Cataluña: Configuración actual y perspectivas de futuro,* a "La Notaria", 2003 (núm. 6), pàg. 15 i seg.; MIRAMBELL I ABANCO, *Els censos en l'actual Codi civil de Catalunya,* a la RJC, 2006, pàg. 337 i seg.

JURISPRUDÈNCIA CITADA

Tribunal Suprem

3 febrer 1896: naturalesa jurídica de l'emfiteusi
6 desembre 1899: extinció dels censos
15 desembre 1922: divisió dels censos. Prescripció dels censos
14 maig 1952: extinció dels censos
25 febrer 1956: prescripció dels censos
12 maig 1961: adquisició del dret de cens per usucapió
21 abril 1964: adquisició del dret de cens per usucapió
3 octubre 1974: adquisició del dret de cens per usucapió
3 desembre 1987: pagament de la pensió

Tribunal Superior de Justícia de Catalunya

19 novembre 1991: diferències entre el dret de cens i els drets obligacionals. Pagament de la pensió
23 desembre 1993: prescripció dels censos
26 octubre 1998: dret transitori sobre redempció dels censos
10 desembre 2001: redempció dels censos
31 desembre 2001: redempció dels censos
28 abril 2003: necessitat de la pensió
16 juny 2003: pagament de la pensió
26 juny 2003: irretroactivitat de la Llei de censos

1 desembre 2003: irretroactivitat de la Llei de censos
10 maig 2004: redempció dels censos
20 setembre 2004: forma de constitució dels censos
19 juny 2006: redempció dels censos

Direcció General dels Registres i del Notariat

10 març 1998: redempció parcial del cens
24 març 1999: cancel.lació dels censos
24 març 1999: cancel.lació dels censos

Direcció General de Dret i d'Entitats Jurídiques

26 novembre 2006: divisió dels censos

Interlocutòries del President del Tribunal Superior de Justícia de Catalunya

27 febrer 1992: caràcter essencial de la pensió
27 juliol 1993: divisió dels censos
12 setembre 1995: naturalesa jurídica dels censos
23 maig 1997: cancel.lació dels censos
24 novembre 1997: cancel.lació dels censos
25 juny 1999: divisió dels censos

Capítol XXII
Els drets de cens (II)

1. EL CENS EMFITÈUTIC

I. Noció

El cens emfitèutic, que es considera el cens per antonomàsia de l'ordenament jurídic català ((MIRAMBELL I ABANCÓ), és una institució que a més de la seva transcendència jurídica, també té o ha tingut una incidència econòmica i social molt important a Catalunya. Ja que es tracta d'una de les possibles institucions que ofereix la llei, per tal de regular aquelles relacions jurídiques que s'originen quan el propietari d'una finca la cedeix a un tercer amb la finalitat de posar en explotació uns terrenys erms o introduir millores en els cultius existents. També el cens emfitèutic ha tingut una gran influència en el món urbà, com ho acredita l'afirmació molt corrent que el creixement de Barcelona ha tingut la seva base en aquesta modalitat dels censos. De totes maneres en els temps actuals el cens emfitèutic té poca importància i les principals qüestions que ofereix, gairebé sempre fan referència a la redempció dels censos emfitèutics que subsisteixen.

Els romanistes defineixen l'emfiteusi dient que consisteix en la cessió d'unes terres a particulars per un termini llarg a canvi del pagament d'un cànon, gairebé sempre anual; i parteixen de la premissa que la propietat de la finca és del cedent i que la concessió es fa sobre terrenys incultes o mal cultivats, que el cessionari es compromet a millorar. Era també característica de l'emfiteusi romana que s'establís a perpetuïtat o per un termini molt llarg, característica que s'ha donat també a les emfiteusis catalanes tradicionals; però des de la Llei de 31 de desembre de 1945 s'introdueix el principi de la redimibilitat de l'emfiteusi a voluntat del censatari o emfiteuta, amb la conseqüència que la característica de la perpetuïtat queda força malparada. I si des d'una perspectiva romana la facultat principal de caire econòmic del cedent era la de percebre un cànon o pensió a càrrec de l'emfiteuta, en les emfiteusis catalanes la pensió ha tingut una importància més aviat secundària, ja que vegades el censatari pagava una pensió més aviat simbòlica. Però com a contrapartida el censalista català resultava beneficiat per l'atribució d'un lluïsme molt més crescut que el que el que havia establert la legislació romana, probablement per la influència que en èpoques determinades va tenir la legislació feudal sobre les emfiteusis catalanes.

Com resulta dels articles 565-1.1 i 565-2.1 el cens emfitèutic es pot definir com una prestació periòdica dinerària anual de caràcter perpetu o temporal, i redimible a voluntat del censatari, que es vincula a la propietat d'una finca, que en garanteix directament i immediata del seu pagament. Com s'ha posat de manifest en el capítol anterior, la legislació actual sobre censos catalans culmina el procés que s'ha anat consolidant al llarg dels temps; que es caracteritza per una progressiva consolidació de la posició jurídica del censatari, que de titular d'un dret real limitat de gaudiment sobre la finca gravada amb el dret de cens ha passat a convertir-se en propietari de la finca en detriment de la posició jurídica del censalista, que si segons la configuració romana de l'emfiteusi era el propietari de la finca gravada amb el dret real de cens a favor del censatari, ara el titular del dret real de gaudiment és el censalista. (vegeu en aquest sentit STSJC de 23 de desembre de 1993).

Pel que fa referència a la constitució i extinció del cens emfitèutic, ens remetem al que s'ha exposat en el capítol anterior sobre els drets de cens en general. Igualment ens remetem al capítol anterior per a l'estudi de les qüestions que fan referència al dret de propietat del censatari o emfiteuta sobre la finca gravada amb el dret de cens i el dret del censatari de procedir a la seva divisió; i també per tot allò que fa referència als drets del censalista de percebre una entrada, la transmissió dels dret de cens i d'exigir al censatari el pagament d'una pensió o prestació periòdica dinerària anual. Per consegüent ens limitem aquí a considerar els altres drets que es deriven únicament del cens emfitèutic, i no de tots els censos en general, com són el dret de lluïsme a favor del censalista i el dret de fadiga a favor del censatari.

II. Lluïsme

A) NOCIÓ

Amb aquesta denominació, i també amb la més arcaica de foriscapi, es fa referència a la quantitat que té dret a exigir el censalista per cada transmissió de la finca per part del censatari o emfiteuta (article 565-15.1). El lluïsme es fonamentava tradicionalment en el reconeixement del dret de propietat del censalista sobre la finca gravada amb el dret de cens, i des d'aquesta perspectiva es configurava com la retribució que podia exigir el censalista si permetia la transmissió de la finca o per consentir el canvi de censatari com a conseqüència de la transmissió de la finca; aquesta fonamentació va originar un augment important de la quantia dels lluïsmes, per influència sobretot de les confusions que en certs moments es van produir entre els feus i les emfiteusis. Actualment el lluïsme té un fonament molt diferent, com és consistir en una participació del censalista en el valor de la finca en el moment de la seva transmissió (vegeu STS de 5 de novembre de 1898 i 16 de juny de 1917 i STSJC de 26 d'octubre de 1998).

Segons el dret tradicional de Catalunya una de les característiques fonamentals del lluïsme era que el censalista tenia dret a exigir-lo per cada transmissió de la finca gravada amb el dret de cens, i això encara que res s'hagués pactat sobre el lluïsme quan es va constituir l'emfiteusi, ja que s'entenia que el dret a exigir-lo era una de les facultats que integraven el contingut del dret real de gaudiment del censalista, a menys que s'hagués exclòs per pacte; cosa poc freqüent a la pràctica atesa la modicitat de la pensió en les emfiteusis catalanes tradicionals, que portava inevitablement a considerar el lluïsme com el dret fonamental de caràcter econòmic del censalista.

El legislador modern ha mostrat una clara tendència contrària als lluïsmes, influïda tal vegada per les crítiques que s'han produït entorn aquest dret del censalista, a voltes qualificat clarament de feudal. Aquesta postura apareix molt clarament a l'article 40 de la Llei de 31 de desembre de 1945, que configura el lluïsme com una prestació accessòria derivada de l'emfiteusi, en el sentit que el censalista sols podia exigir el lluïsme que s'hagués pactat en constituir-se l'emfiteusi o en un moment posterior; i el mateix criteri va adoptar en el seu dia l'article 305 CDC i després l'article

13.1 de la Llei 6/1990. I d'acord amb aquests precedents estableix ara l'article 565.14.1 que "El cens emfitèutic, a més del dret a la prestació anyal, pot atorgar al censalista el dret de lluïsme... si s'ha estipulat en el títol de constitució" (vegeu també l'article 565-15.1). Segons l'article 565-14.2 l'estipulació "ha d'ésser expressa i el contingut dels drets establerts s'ha d'ajustar necessàriament a les disposicions d'aquesta secció". L'adverbi "necessàriament" que apareix en el precepte, posa de manifest el criteri del legislador contrari a la bel.ligerància del principi d'autonomia privada en aquest punt, que gairebé sempre havia suposat un mitjà per tal d'afavorir els interessos dels censalistes; i s'adscriu també als criteris moderns sobre la matèria, favorables a restringir la incidència dels lluïsmes en les emfiteusis actuals, fins i tot en relació amb la seva quantia (vegeu l'article 565-17.1).

En el dret anterior s'havia qüestionat a voltes si el lluïsme tenia la condició de fruit, qüestió que tenia una rellevància especial quan el dret real de gaudiment del censalista estava gravat amb un usdefruit. Des del moment en que el lluïsme es deixa de configurar com un dret de caire més aviat senyorial i es converteix en un dret patrimonial del censalista, s'imposa de forma progressiva la tesi de configurar-lo com un fruit del dret del censalista. Tesi que accepta l'article 565-15.2, segons el qual "El dret a percebre el lluïsme, en cas d'usdefruit, correspon als usufructuaris", que tindrà la condició de fruit del dret als efectes de l'article 511-3.2, en aquest cas del dret de de cens. En consonància, cal pensar, amb el caràcter imperatiu de les normes referents al lluïsme segons l'article 565-14.2, el mateix precepte (i abans l'article 14.2 de la Llei 6/1990) modifiquen l'article 305,II CDC, que també atribuïa el lluïsme a l'usufructuari, si no disposava altra cosa el títol de constitució de l'emfiteusi, però aquesta possibilitat no l'admet el legislador actual. Si la condició de censalista l'ostenta un hereu gravat de restitució fideïcomissària, l'hereu fiduciari fa seu de forma irrevocable el lluïsme que s'ha meritat abans de la delació fideïcomissària en concepte de fruit de l'herència fideïcomesa (vegeu l'article 213 CS).

B) QUANTIA DEL LLUÏSME

Sobre la quantia del lluïsme sembla oportú fer unes consideracions. Pel que fa referència al dret general de Catalunya, la jurisprudència va imposar el tradicional del dos per cent (vegeu

STS de 30 de desembre de 1862, 12 de juny de 1875 i 16 de desembre de 1917), llevat que en el títol de constitució de l'emfiteusi s'hagués pactat un lluïsme diferent. I respecte a les emfiteusis subjectes al dret local de Barcelona, la sentència arbitral de l'any 1310 (vegeu Llibre IV, títol XII del volum 2n de les Constitucions i altres drets de Catalunya) el va fixar en el deu per cent a les emfiteusis laiques. Aquest dret tradicional el van respectar l'article 40 de la Llei de 31 de desembre de 1945, l'article 309 CDC (vegeu STS de 12 de març de 1959) i l'article 16 de la Llei 6/1990.

El Codi civil de Catalunya modifica en part aquesta normativa, ja que segons l'article 565-17.1 "La quantia del lluïsme és la pactada i mai no pot ésser superior al 10% del preu o del valor de la finca transmesa en el moment de la transmissió". La novetat més significativa que estableix el precepte és suprimir la possibilitat de fixar la quota del lluïsme a l'empara del principi d'autonomia privada, que creiem acceptaven tant l'article 309 CDC com l'article 16 de la Llei 6/1990, ja que es fixa com a quota màxima del lluïsme el deu per cent del valor de la finca en el moment de la seva transmissió, que era la quota vigent a l'antic territori emfitèutic de Barcelona, que curiosament va substituir la quota més elevada que regia abans de la sisena part del preu pagat per la transmissió. A manca de pacte es manté el criteri fins ara vigent, que fixa la seva quota en el dos per cent del valor de la finca transmesa en el moment de la transmissió (article 565-17.2). Respecte el valor de la finca als efectes del càlcul del lluïsme s'ha precisat que l'import de les hipoteques i altres gravàmens imposats pel censatari s'han d'afegir al preu de venda (STS de 12 de març de 1959); i que pels casos de compravenda de la finca gravada amb el dret de cens el càlcul del lluïsme s'ha de fer sobre el preu convingut i no sobre el valor de la finca (STSJC de 26 d'octubre de 1998).

C) MERITACIÓ DEL LLUÏSME

La regla general l'estableix l'article 565-15.1, del qual en resulta que quan s'ha pactat el lluïsme en el títol de constitució del cens emfitèutic, el censalista pot exigir-lo "per cada transmissió de la finca", és a dir, cada vegada que el censatari per negoci jurídic entre vius i a títol onerós transmet a tercera persona la finca gravada amb el dret de cens. A la regla general que es merita lluïsme per cada transmissió de la finca gravada amb el dret de cens, el mateix precepte exceptua "llevat dels casos que regula l'article 565-16", en el qual es preveuen les excepcions següents a la meritació del lluïsme tot dient que "El lluïsme no es merita en els casos següents:

"a) En alienacions fetes per expropiació forçosa, per aportació de la finca a juntes de compensació o per adjudicacions de la finca fetes per la junta de compensació als seus membres" (vegeu els articles 124 i següents del Decret Llei 1/2005, de 26 de juliol, pel qual s'aprova el text refós de la Llei d'urbanisme de Catalunya i els articles 170 i següents del Decret 305/2006, de 18 de juliol, que aprova el reglament de la Llei d'urbanisme). Amb aquesta excepció es vol fer referència a les alienacions no voluntàries per part del propietari de la finca gravada amb el dret de cens, que segons la doctrina s'ha d'interpretar en sentit estricte, amb la conseqüència que no s'ha d'excloure la meritació del lluïsme en el cas d'execució de la finca derivada de l'acció dels creditors en contra del propietari gravat (MIRAMBELL I ABANCÓ).

"b) Les alienacions a títol gratuït, entre vius o per causa de mort, a favor de qualsevol persona". Si es compara aquesta norma amb els seus precedents (especialment l'article 306 ÇDC), cal precisar que l'excepció s'ha de fer extensiva a qualsevol negoci jurídic entre vius que comporti una transmissió i que es fonamenti en una causa gratuïta (segons l'article 1274 CC); i a qualsevol adquisició hereditària, ja sigui a títol d'institució hereditària o de llegat. I segons la doctrina tradicional catalana es feia extensiva igualment a l'adjudicació de la finca gravada amb el dret de cens a un dels cohereus com a conseqüència de la partició hereditària, ja que s'entenia era una derivació necessària de la transmissió per causa de mort, que no meritava lluïsme (SOLSONA).

"c) En les adjudicacions de la finca per dissolució de comunitats matrimonials de béns, de comunitats ordinàries indivises entre esposos o convivents estables o per cessió substitutiva de pensió, en casos de divorci, separació o nul.litat del matrimoni i d'extinció de la unió estable de parella" (vegeu articles 43, 56, 63 i 75 CF i els articles 13, 14, 18 29 i 31 de la Llei 10(/998, d'unions estables de parella). Aquesta excepció es justifica per la conveniència d'atorgar una protecció adequada als interessos familiars en els supòsits de dissolució del matrimoni o de crisi matrimonial, que pot tenir una clara incidència en l'economia de les famílies catalanes com a conseqüència de la vigència del règim de separació de béns; protecció que també es fa extensiva als interessos familiars derivats d'una unió estable de parella.

"d) En l'agnació de bona fe, "entesa com la declaració que, dins de l'any de la signatura del contracte, fan els compradors d'haver fet l'adquisició en interès i amb diners de les persones que designen". Es tracta d'una excepció molt arrelada a Catalunya, que persegueix evitar que en casos de transmissió de la finca per negoci fiduciari es puguin exigir dos lluïsmes.

I finalment es preveu una altra excepció, aquesta de caràcter local, a l'apartat c) del mateix article 565-16, segons el qual no es deu lluïsme "En les transmissions de finques situades a la vall de Ribes i a Moià". L'excepció té un caràcter purament territorial, i per tant afecta únicament les finques que es troben en les localitats esmentades, amb independència del veïnatge civil o administratiu del transmissor i adquirent o del lloc on s'atorgui el negoci transmissiu.

Determinats actes de transmissió de la finca gravada amb un dret de cens havien provocat dubtes a l'hora de determinar si meritaven lluïsme. Per tal d'evitar problemes semblants el legislador modern ha considerat adient fer unes precisions. Quan es tracta d'una venda a carta de gràcia, no es produeix una transmissió definitiva de la finca, sinó que el comprador adquireix un dret de propietat claudicant sobre la mateixa, que sols es converteix en definitiu quan s'extingeix el dret de recuperar que s'havia reservat el transmissor (articles 326 i 328 CDC). I si es projecta aquesta situació que es dóna en les vendes a carta de gràcia sobre el lluïsme, l'article 565-18.1 precisa que "En les vendes a carta de gràcia, es merita la meitat del lluïsme en la venda i l'altre meitat en la retrovenda o quan s'extingeix el dret de redimir".

Pels casos de permuta es preveu a l'article 565-18.2 que "El lluïsme, en les permutes... s'ha de calcular sobre el valor de la finca en el moment de la transmissió". El que es preveu sobre les permutes, es pot fer extensiu al supòsit de la *datio in solutum* de la finca gravada amb el dret de cens.

I finalment el mateix article 565-18.2 estableix que "El lluïsme... en les aportacions a societats o les adjudicacions als socis, en el cas de reducció de capital o de dissolució, s'ha de calcular sobre el valor de la finca en el moment de la transmissió". Pels casos de transformació de la societat a la qual s'ha aportat la finca gravada amb un dret de cens, no es produeix cap transmissió de la finca (segons l'article 228 de la Llei de societats anònimes) i per tant no es merita lluïsme. I amb referència als supòsits de fusió, i d'acord amb el que estableix l'article 233 de la Llei esmentada, sols es merita lluïsme quan la societat a la qual s'aporta la finca gravada amb el dret de cens s'extingeix per tal de crear una nova societat amb les altres que també s'extingeixen com a conseqüència de la fusió.

Cal considerar en aquest apartat un darrer problema, que és determinar el règim jurídic del lluïsme quan es declara ineficaç l'acte transmissiu que va determinar la transmissió. Segons l'article 565-19 "El lluïsme cobrat, si la transmissió de la finca esdevé ineficaç a conseqüència de demanda judicial presentada dins els quatre anys següents, s'ha de restituir en el termini de sis mesos comptats des de la data de la sentència". L'expressió "esdevé ineficaç" —referida a la transmissió— entenem que es refereix a qualsevol obstacle o defecte que impedeixi al negoci transmissiu produir els efectes que li són propis, i per tant es pot fer extensiu als supòsits d'inexistència, nul.litat, anul.labilitat i rescissió (DE CASTRO).

D) SUBJECTES

Segons l'article 565-22.1 "El pagament del lluïsme, llevat de pacte en contra, correspon als adquirents i es fa en el domicili dels deutors". La persona legitimada per exigir el pagament del lluïsme és el censalista que ho sigui en el moment de perfeccionar-se l'acte transmissiu (articles 565-15 i 565-17.1) d'acord amb prodeiment judicial sumari que preveu l'article 565-9 i també mitjançant l'exercici de l'acció real escaient, ja que segons l'article 565-21 "La finca garanteix directament i immediatament el pagament dels lluïsmes meritats i no satisfets, sigui qui en sigui el titular o la titular. Amb relació a una tercera persona, hom s'ha d'atenir al que estableix la legislació hipotecària". És a dir, el censalista té una acció real contra la finca per a reclamar els lluïsmes que li deu el titular anterior, perquè amb referència al tercer hipotecari es pot entendre que la constància en el Registre de la Propietat de l'existència del cens i la constància en el mateix Registre de les transmissions efectuades, són indicis suficients perquè el tercer no pugui al.legar bona fe i que desconeixia que el lluïsme es devia (JOU-MIRAMBELL-QUINTANA). A més gaudeix també el censalista d'una acció de caràcter personal contra l'adquirent de la finca per a reclamar el lluïsme.

E) EXTINCIÓ

Pel que fa a l'extinció del lluïsme, s'apliquen les causes generals d'extinció de les obligacions (article 1156 CC). Respecte a la prescripció l'article 565-20 preveu que "El dret a reclamar el lluïsme prescriu al cap de deu anys del dia en què s'ha meritat"; i això tant si el censalista exercia una acció real o una acció personal per a reclamar-lo (article 121-20), precepte que ha determinat que l'article 565-20 redueixi el termini tradicional per a la reclamació del lluïsme.

Esmentem finalment que l'article 21.2 de la Llei 6/1990 establia una presumcpció *iuris tantum* contrària al pagament o renúncia a reclamar el lluïsme, ja que segons el precepte "El lluïsme no es presumeix satisfet o renunciat pel sol fet que el censalista cobri al nou censatari les pensions del cens". L'article 565-22.2 modifica aquesta regla tradicional i estableix ara una presumpció de pagament o de renúncia, que sols es destrueix per la via d'una reserva expressa a la seva reclamació; segons el precepte "El lluïsme es presumeix satisfet o renunciat si el censalista cobra al nou censatari tres pensions del cens consecutives sense fer-ne una reserva expressa". Cal destacar que el canvi de criteri té un sentit més clar a l'exigir-se ara que el censalista hagi cobrat al nou censatari tres pensions consecutives.

III. Fadiga

A) NOCIÓ I FONAMENT

La fadiga és un dret d'adquisició preferent que la llei reconeix al censatari i que per pacte exprés pot ésser atorgar al censalista (article 565-23.1). Segons aquest article "El dret de fadiga, el qual es reconeix per llei només al censatari, es pot atorgar al censalista si ho determina expressament el títol de constitució".

Amb la denominació de dret de fadiga, i també amb les de retracte, dret de retenir o de prelació, el dret tradicional català es rcferia al dret que reconeixia al censalista de quedar-se la finca emfitèutica pel mateix preu amb preferència a qualsevol tercer. Aquest dret d'adquisició preferent sols es reconeixia al censalista (vegeu Llibre IV, títol XXXI, constitució 5ª del volum 1r de les Constitucions i altres drets de Catalunya), però la jurisprudència —així la STS de 25 de juny de 1877— el va convertir en bilateral, en el sentit de conferir el dret d'adquisició preferent tant al censalista com al censatari. El mateix criteri va adoptar l'article 1636 CC i després l'article 42 de la Llei de 31 de desembre de 1945, segons el qual el censalista i el censatari tindran recíprocament el dret de fadiga o tempteig en els casos que esmenta el precepte. Aquesta normativa va informar els articles 312 al 315 CDC, que es remetien a les disposicions de la Llei de l'any 1945. El Codi civil de Catalunya, i abans l'article 22 de la Llei 6/1990, tornen al criteri tradicional de conferir el dret de fadiga amb caràcter unilateral, però en un sentit invers al tradicional en el nostre dret, perquè ara el dret de fadiga la llei l'atribueix únicament al censatari (article 565-23.1). La posició del legislador actual es fonamenta amb la configuració jurídica dels censos segons l'article 565-1.1 perquè si l'únic propietari de la finca és el censatari, es considera conforme als interessos generals facilitar l'extinció de la càrrega a vegades perpètua que representa el dret de cens i alliberar el dret de propietat de gravàmens.

Pel que fa al fonament del dret de fadiga, la STS de 4 de desembre de 1896 precisa que persegueix la consolidació en un sol titular dels anomenats domini directe i domini útil; i segons la posterior STS de 10 de març de 1898 el dret d'adquisició preferent s'estableix per raó d'interès públic a fi de consolidar ambdós dominis.

B) SUBJECTES

La llei sols confereix el dret de fadiga al censatari (article 565-23.1); però es pot fer extensiu al censalista si així s'ha pactat de forma expressa. En aquest cas s'ha d'ajustar necessàriament a les disposicions legals pel que fa referència al seu contingut (article 565-14.2), amb la finalitat de no perjudicar l'exercici del dret de fadiga que la llei reconeix al censatari. El dret de fadiga a favor del censalista es pot pactar juntament amb el dret de lluïsme o bé limitar-se a un sol d'aquests drets (article 565-14.1).

Interessa considerar ara els problemes que planteja el dret de fadiga quan la posició jurídica de censalista o de censatari correspon a una pluralitat de persones. Aquesta situació pot originar la concurrència de drets de retracte de comuners i l'emfitèutic, que es soluciona a favor del primer, ja que segons l'article 568-27.1 "Si, amb motiu d'una mateixa alienació, són procedents diversos drets legals d'adquisició preferent, preval en tots els casos el dret de tanteig que correspon als copropietaris o els cohereus en la venda

d'una quota i, si no n´hi ha, el dels nus propietaris en l'aliena-
ció de l'usdefruit o el dels censataris en l'alienació del dret de
cens". L'altre qüestió que es pot presentar, és si en el cas d'una
pluralitat de censalistes o emfiteutes el dret d'adquisició preferent
s'ha d'exercitar o no conjuntament per tots ells; qüestió que l'ar-
ticle 565-28.1 resol en el sentit que "El dret de fadiga no es pot
exercir si el cens que grava la finca alienada pertany a diverses
persones en comunitat ordinària o indivisa i no l'exerceixen totes
conjuntament o bé una o unes quantes per cessió de les altres".

Si el titular del dret de fadiga està gravat amb un usdefruit,
l'article 565-28.2 estableix que correspon sempre las nus propietaris.
I pel cas de concórrer un gravamen fideïcomissari preveu l'apartat
3 del mateix article que "El dret de fadiga, si el cens està gra-
vat amb un fideïcomís, correspon als fiduciaris, que poden pagar
el preu d'adquisició a càrrec del fideïcomís o a llur càrrec, si bé
en aquest darrer cas poden reclamar als fideïcomissaris l'import
satisfet i els interessos quan s'extingeixi el fideïcomís".

Quan a la possibilitat que pugui exercir el dret de fadiga un
tercer per cessió per part del censalista o del censatari, això es
soluciona en sentit negatiu a l'article 565-25.1, en el qual es preveu
que "Els drets de fadiga no es poden transmetre mai separadament
de la finca o del cens"; disposició que es fonamenta en la finalitat
del dret de fadiga, tal com s'ha exposat abans.

C) RELACIÓ ENTRE ELS DRETS DE TEMPTEIG I DE RE-TRACTE

En aquest apartat interessa considerar si en els censos catalans
els drets de tanteig i de retracte es donen de forma cumulativa o
subsidiària. Recordem inicialment que el dret de tanteig faculta el
seu titular per a adquirir a títol onerós un bé amb les mateixes
condicions pactades amb un altre adquirent (article 568-1.1,b); i
que el dret de retracte faculta el seu titular per a subrogar-se en
el lloc de l'adquirent amb les mateixes condicions convingudes en
un negoci jurídic onerós una vegada ha tingut lloc la transmissió
(article 568-1.1,c). I que segons el moment que operen els drets
de tanteig i de retracte, es pot distingir entre la conversió del
tanteig en retracte, que es dóna quan l'alienant no ofereix el bé
al titular del dret de tanteig, i frustra d'aquesta forma el dret
d'adquisició preferent, que es converteix ara en un dret de retrac-
te; i la concessió cumulativa dels drets de tanteig i de retracte,

que implica que si l'alienant ofereix el bé al titular del dret de tanteig, encara que aquest no l'exerciti, pot exercitar després el dret de retracte (ALBALADEJO).

Segons l'article 565-24.2 el dret de fadiga no es confereix amb el caràcter de cumulatiu de dret de tanteig i dret de retracte, ja que sols es pot exercitar en la seva modalitat del retracte si no s'ha notificat de forma fefaent la decisió d'alienar o quan la transmissió es fa per un preu o en unes condicions diferents de les que apareixen a la notificació. Segons el precepte "El tanteig, si no hi ha notificació, o la transmissió es va fer per un preu o unes circumstàncies diferents de les que hi consten, comporta el retracte, que es pot exercir en el termini de tres mesos comptats des de la data en què el censatari o el censalista té coneixement de l'alienació i de les seves circumstàncies, o, si escau, des de la inscripció de la transmissió en el Registre de la Propietat".

D) SUPÒSITS EN QUÉ ÉS PROCEDENT

Segons l'article 565-23.2 es pot exercir el dret de fadiga quan concorre el doble requisit que el dret de cens o la finca gravada han estat objecte d'una alienació i que aquesta alienació sigui a títol onerós.

Pel que fa al primers d'aquests requisits, això vol dir que ha de concórrer un acte jurídic que comporti la sortida del dret real de cens o de la finca gravada del patrimoni del seu titular i la seva entrada en el patrimoni de l'adquirent en virtut d'un negoci jurídic entre vius. Aquesta alienació ha de tenir el caràcter de projectada en el cas del dret de tanteig i de consumada quan es vol exercitar el retracte (article 565-23.2).

El segon requisit que exigeix el precepte és que aquesta alienació sigui "a títol onerós", encara que l'alienació no sigui voluntària, i en aquest cas cal notificar el procediment al censalista com a "tercer" que és, quan el seu dret consti inscrit en el Registre de la Propietat (JOU-MIRAMBELL-QUINTANA).

Encara que concorrin els dos requisits esmentats, per excepció no es confereix el dret de fadiga en els supòsits de l'article 525-26, en el qual es disposa que "El dret de fadiga no es pot exercir en els casos següents: a) En les permutes. b) En les retrovendes. c) En les transaccions. d) En les altes alienacions en les quals els titulars del dret no poden fer o donar allò a què s'han obligat els adquirents". Vegeu STS de 28 de desembre de 1912.

E) PÈRDUA DEL DRET DE FADIGA

Amb aquesta expressió ens referim a uns supòsits en els quals no opera el dret d'adquisició preferent per unes raons de caràcter subjectiu, és a dir, perquè el censalista o el censatari observen una conducta que d'acord amb els usos generals del tràfic jurídic, s'ha d'interpretar com una renúncia tàcita o presumpta del dret a exercir la fadiga.

Segons l'article 565-27 "El dret de fadiga, en qualsevol de les seves manifestacions de tanteig o de retracte, es perd en els casos següents: a) Si hom ha cobrat el lluïsme corresponent. B) Si s'exerceixi el dret de redempció, sempre que sigui abans de dictar-se la sentència que dóna lloc a la fadiga". Vegeu STS de 18 de febrer de 1954 i 17 de desembre de 1957.

F) EXERCICI DEL DRET DE FADIGA

El dret de fadiga en els censos l'estableix la llei de forma directa i, per conseigüent, existeix des de la constitució del dret de cens a favor del censatari i per estipulació expressa en el títol de constitució es pot atribuir al censalista (article 565-23.1). Tanmateix una cosa és l'existència del dret de fadiga, i altra la possibilitat del seu exercici, que solament es dóna en el supòsit en què el censalista o el censatari alienin a títol onerós llurs drets derivats de la relació jurídica que origina el dret de cens (vegeu STS de 22 de juny de 1979 sobre necessitat d'acreditar la simulació de l'acte dispositiu, quan es nega l'existència del dret de fadiga).

El dret de fadiga —en la seva modalitat del tanteig— apareix quan el titular del dret es proposa alienar-lo a un tercer, però abans d'haver-se consumat l'alienació. En canvi en la modalitat del retracte pressuposa que ja s'ha consumat l'alienació a favor del tercer i, per tant, en aquest cas el censalista o el censatari retraients adquireixen del tercer pel mateix preu i condicions en què aquest va adquirir del censalista o del censatari (vegeu STS de 17 d'abril de 1958 i STSJC de 20 de març de 1995).

Quant al termini per a exercir el dret de fadiga, s'ha de distingir:

- En las modalitat del tanteig, i segons l'article 565-24.1 "El tanteig es pot exercir, per raó del dret de fadiga, en el termini d'un mes comptat des de la notificació fefaent de la decisió d'alienar, de la identitat de l'adquirent, del preu i de les altres circumstàncies de la transmsissió que ha de fer el censalista al censatari o viceversa".

- Respecte el retracte, i d'acord amb l'article 565-24.2 "El tanteig, si no hi ha notificació o la transmissió es fa per un preu o per unes circumstàncies diferents de les que hi consten, comporta el retracte, que es pot exercir en el termini de tres mesos comptats des de la data en què el censatari o el censalista té coneixement de l'alienació i de les seves circumstàncies o, si escau, des de la inscripció de la transmissió en el Registre de la Propietat".

G) EFECTES

L'article 565-25.2 preveu que "El censalista que hagi adquirit la propietat de la finca gravada fent ús del dret de fadiga no la pot transmetre a títol onerós abans de sis anys comptats des de l'adquisició, llevat que l'adquirent sigui un organisme públic". Segons el precepte transcrit aquesta limitació afecta únicament al censalista.

2. EL CENS VITALICI

I. Noció

La Compilació del dret civil de Catalunya de l'any 1960 definia el vitalici en el seu article 336 com "La constitució d'un cens sense domini a canvi de la transmissió d'una finca que queda gravada pel dit cens, que dóna al censualista el dret de percebre una pensió periòdica, en diners o en fruits, durant la vida d'una o dues persones que a la saó existeixin, s'anomena vitalici, i es podrà constituir a favor de qualsevol persona o persones, encara que no siguin les que transmetin la finca.- El vitalici es constituirà en escriptura pública i serà irredimible, llevat d'acord mutu".

Els compiladores van regular el vitalici en el Llibre IV del text compilat, que s'intitula "De les obligacions i els contractes i de la prescripció", i més concretament en el seu títol primer, capítol IV que portava per rúbrica "Dels censals, els violaris i els vitalicis". D'aquest fet se'n podia deduir que la relació jurídica en virtut de la qual es crea el vitalici sol podia ésser qualificada de relació obligatòria i que, per tant, el vitalici no originava la constitució d'un dret real, ja que en el text compilat de l'any 1960 els drets reals es regulaven en el Llibre III, intitulat precisament "Dels drets reals", Però aquesta tesi la desmentia el mateix article 336 CDC, que configurava jurídicament el vitalici com la "constitució d'un cens sense domini", i segons l'article 297 CDC els censos sense domini no eren sinó una modalitat del cens emfitèutic. Per conseqüent la sistemàtica adoptada pels compiladors de regular el vitalici en el Llibre IV, que tractava de les obligacions i els contractes, no tenia una justificació clara, i sols s'explica per la circumstància que els autors catalans acostumaven a tractar el vitalici juntament amb el violari, que genera un vincle simplement obligatori entre els interessats; però la sistemàtica adoptada per la Compilació s'havia de considerar irrellevant a l'hora de resoldre el problema de la naturalesa jurídica del vitalici. Perquè el cens sense domini de durada vitalícia de l'article 336 CDC té caràcter real, ja que és la modalitat temporal del cens en sentit estricte i per tant la seva configuració jurídica no és emfitèutica (MARSAL).

La legislació actual confirma aquest punt de vista. Recordem que tant l'article 1 de la Llei 6/1990 com l'article 565-1.1 defineixen el cens com una prestació periòdica dinerària anual de caràcter perpetu o temporal que es vincula a la propietat d'una finca, la qual en garanteix el pagament directament i immediatament; i que segons l'article 2n de la Llei 6/1990 i l'article 565-2.1 el cens pot ésser constituït amb caràcter perpetu i redimible a voluntat del censatari, el qual pren la denominació de cens emfitèutic; o amb caràcter temporal i irredimible a voluntat del censatari, sens perjudici que expressament se'n pugui estipular la redimibilitat, el qual pren la denominació de cens vitalici. I d'acord amb els preceptes esmentats, dels quals en resulta que el cens vitalici es vincula amb caràcter temporal a la propietat d'una finca, essent normalment irredimible a voluntat del censatari, l'article 565-29 estableix que "El cens vitalici atorga al censalista el dret a percebre una pensió periòdica anual durant la vida d'una o dues persones que visquin en el moment de la constitució del cens". I l'article 565-30 afegeix que "El cens vitalici és irredimible, llevat d'acord mutu o de disposició en contra".

II. Constitució

Pel que fa els requisits de capacitat dels subjectes, objecte del cens vitalici i forma de constitució, ens remetem al que s'ha exposat en el capítol anterior sobre aquestes qüestions.

I pel que fa referència a les formes de constitució del cens vitalici, ens remetem igualment al que s'ha dit en el capítol anterior sobre aquest punt. Afegim ara únicament que en el supòsit de constituir-se el cens vitalici per via de reserva, és a dir la transmissió del dret de propietat de la finca al censatari a canvi del pagament de la prestació periòdica anual al censalista, externament almenys el cens vitalici es crea en forma de compravenda de la finca, amb la particularitat que l'adquirent no en paga un preu cert, sinó una quantitat aleatòria que es fixa en forma de prestació periòdica dinerària anual, la durada de la qual es concreta a la vida de dues persones que visquin en el moment de la constitució del cens (article 565-29).

III. Efectes

Una vegada creat el cens vitalici el censatari es converteix en propietari de la finca, gravada amb la càrrega de la prestació periòdica anual de caràcter vitalici. Per tant el censatari pot exercir sobre la finca les facultats dominicals de possessió, gaudiment, disposició i reivindicació; a menys que, i pel que fa referència a les facultats de possessió i de gaudiment, es doni el supòsit de l'article 565-33, que recull unes pràctiques actuals quan es constitueix un dret de cens, ja que al mateix temps s'atorga un dret d'usdefruit o d'habitació permetent al propietari d'un habitatge de convertir-se en usufructuari-censalista o en habitacionista-censalista, de manera que es possibilita mantenir l'habitatge i obtenir una pensió addicional (MIRAMBELL I ABANCÓ); segons el precepte "Es pot pactar vàlidament que la persona que transmet la finca a canvi de la pensió retingui, amb caràcter vitalici o temporal, el dret d'usdefruit o d'habitació sobre la mateixa finca, els quals es consoliden necessàriament amb la propietat quan s'extingeix el cens". I pel que fa referència a la facultat de disposició del censatari, recordem breument que encara que la finca passi a ésser propietat d'un tercer, continua gravada amb el cens vitalici, ja que en garanteix el pagament directament i immediatament.

Quant el dret del censalista d'exigir la pensió o prestació periòdica dinerària anual, hem de precisar que segons l'article 565-32.1 "El pagament de les pensions, amb independència de la forma de pagament fraccionat convinguda, si es paga per anualitats vençudes, s'ha de fer de manera que la corresponent a l'any en què mor la darrera de les persones a favor de les quals s'ha constituït el cens s'ha de pagar als seus hereus en la part proporcional al nombre de dies que ha viscut aquell any. En canvi, si es paga per anualitats avançades, la que correspon a l'any de la defunció s'ha de pagar íntegra, sense que el censatari tingui dret a devolució". I afegeix l'apartat 2 del precepte que "No es pot exigir el pagament de la pensió sense acreditar que la persona per a la vida de la qual s'ha establert és viva".

Respecte a les altres facultats que integren el contingut del dret real del censatari i del censalista, ens remetem al que respecte a aquests punts s'exposa en el capítol anterior en relació amb els efectes dels censos en general.

IV. Extinció

Les causes que determinen l'extinció dels censos en general segons l'article 565-11 s'apliquen també al cens vitalici, encara que amb unes particularitats determinades, ja que la seva extinció per redempció no li és aplicable normalment, llevat de pacte en contra (article 565-30).

La causa que podem anomenar natural d'extinció del cens vitalici, i que fins i tot dóna nom a la institució, és la mort de la persona o persones sobre la vida de les quals es va constituir el cens. Així resulta clarament de l'article 565-29 que defineix el cens vitalici com el dret a rebre una prestació periòdica anual "durant la vida d'una o dues persones que visquin en el moment de la constitució del cens". Del precepte en resulta ben clar que la durada del cens es pot establir com a màxim per la vida de dues persones, però no per la vida de més de dues.

La forma corrent de constituir el cens vitalici és quan el propietari de la finca la transmet a l'adquirent, amb la càrrega de la prestació periòdica anual a favor d'aquell per durant la seva vida. Però això no es absolutament necessari, ja que segons l'article 565-31.1 "El cens es pot constituir a favor de qualsevol persona o persones, encara que no siguin les que transmeten la finca que resta gravada". I pensem que a l'empara del principi d'autonomia privada *ex* article 1255 CC es pot pactar la durada de la pensió periòdica anual ja sigui sobre la vida del transmissor, de l'adquirent de la finca, per la vida de la persona o persones a favor de les quals es va constituir la pensió o, fins i tot, per durant la vida d'un tercer o terceres persones, sempre que segons l'article 565-29 visquin en el moment de constituir-se el cens. Aquest requisit s'estableix amb la finalitat d'evitar que per mitjà del cens vitalici es puguin vincular finques més enllà dels límits que estableix la llei, segons resulta de l'article 204 CS.

El cens vitalici té un caràcter clarament aleatori perquè la durada de la pensió anual és incerta, com per definició és incert el temps de vida de les persones. Això no obstant la quantia de la pensió es fixa normalment en relació amb els possibles anys de vida que restin a la persona o persones per la vida de les quals es constitueix el cens vitalici. I si d'entrada manca una clara equivalència entre la quantia de les prestacions periòdiques anuals i el risc que assumeix el censatari, com succeeix en el cas de l'article 565-31.2, es preveu la possibilitat d'obtenir la declaració d'ineficàcia del cens; ja que segons el precepte "El cens constituït resta sense efecte si la persona o les persones sobre la vida de les quals s'ha constituït moren dins dels dos mesos següents a la constitució com a conseqüència d'una malaltia que ja existia en el moment de la dita constitució".

Si la prestació econòmica anual s'estableix a favor de dues persones i mor una d'elles o no accepta el cens constituït al seu favor, es preveu a l'article 565-31.3 que "En cas de cotitularitat del dret de cens, si la designació dels beneficiaris ha estat conjunta i un d'ells no l'accepta o, havent-la acceptada, mor, la seva quota en el dret de cens incrementa la dels altres". Es produeix doncs en aquests casos un dret d'acréixer a favor del titular del dret de cens, a menys que s'hagi convingut una altra cosa.

BIBLIOGRAFIA SUMÀRIA

A més de l'esmentada en el capítol anterior, vegeu també PUIG FERRIOL, veu *Laudemio* a la "Nueva Enciclopedia Jurídica". Barcelona, 1971, volum XIV, pàg. 776 i seg.; ROCA TRIAS, *Comentarios al Código Civil y Compilaciones Forales*. Madrid, 1987, volum XXX, pàg. 716 i seg.; LASO MARTINEZ, *Enfiteusis sobre fincas afectadas por planes de ordenación*, a la RCDI, 1987, pàg. 47 i seg.; MARSAL, *El cens vitalici en el dret vigent a Catalunya*. Barcelona, 1989; SERRATE ABADAL, *La institució del cens vitalici en l'actualitat*, a "Boletín del Centro de Estudios Registrales en Cataluña", 1997 (núm. 751), pàg. 497 i seg.

JURISPRUDÈNCIA CITADA

Tribunal Suprem

30 desembre 1862: quantia del lluïsme
12 juny 1875: quantia del lluïsme
25 juny 1877: dret de fadiga
4 desembre 1896: dret de fadiga
10 març 1898: dret de fadiga
5 novembre 1898; fonament del lluïsme
16 juny 1917: fonament del lluïsme
28 desembre 1912: procedència del dret de fadiga
16 desembre 1917: quantia del lluïsme
18 febrer 1954: pèrdua del dret de fadiga
17 desembre 1957: pèrdua del dret de fadiga
17 abril 1958; exercici del dret de fadiga
12 març 1959: quantia del lluïsme
22 juny 1979: exercici del dret de fadiga

Tribunal Superior de Justícia de Catalunya

23 desembre 1993: noció de l'emfiteusi
20 març 1955: pèrdua del dret de fadiga
26 octubre 1998: fonament i quantia del lluïsme

Capítol XXIII

Les servituds

1. NORMATIVA VIGENT A CATALUNYA

Tradicionalment ha regit a Catalunya en relació amb el dret real de servitud el dret romà. És cert que durant segles ha estat vigent a la nostra Comunitat Autònoma una normativa pròpia que recullen les "Ordinacions de Sanctacilia", recopilades en el segle XIV, que posteriorment es van inserir en el Llibre IV, títol II, capítol 1 del volum 2n de les Constitucions i altres drets de Catalunya. Aquest text legal es referia fonamentalment a les "servituts de las casas e honors", denominació que pot induir a confusions, ja que com va posa en relleu la doctrina tradicional catalana, la gran majoria de les seves disposicions es refereixen a les limitacions que la llei imposa als propietaris de les finques veïnes o, si es vol, a les relacions de veïnatge (PELLA Y FORGAS). Si d'aquest dret tradicional passem a la Compilació del dret civil de Catalunya de l'any 1960, es pot observar que el seu Llibre III sobre els drets reals incloïa un títol III, que s'intitulava "De les servituds", en el qual es recollia la part més significativa i que es podia considerar vigent de les "Ordinacions de Sanctacilia" amb l'inconvenient abans esmentat, ja que en aquest títol es regulaven conjuntament una part del dret real de servitud i determinades relacions de veïnatge.

Arrel de la recuperació de les competències legislatives en matèria de dret civil el Parlament de Catalunya ha regulat amb reiteració el dret real de servitud. Inicialment mitjançant la Llei 13/1990, de 9 de juliol, de l'acció negatòria, les immissions, les servituds i les relacions de veïnatge, que en el seu moment va representar un intent seriós de modificació i d'ajornament de la normativa tradicional sobre la matèria, a la qual es va considerar oportú dedicar una llei especial, que com resulta de la seva denominació regulava conjuntament dues institucions diferents, com són les servituds i les relacions de veïnatge. Un segona regulació apareix a la Llei 22/2001, de 31 de desembre, dels drets de superfície, de servitud i d'adquisició voluntària o preferent, que segons el seu preàmbul tenia com a finalitat renovar aquesta part de la llei anterior. Tots aquests precedents han originat la regulació actual del dret real de servitud en el llibre cinquè del Codi civil de Catalunya relatiu als drets reals, i més concretament en el seu títol VI, capítol VI "Les servituds", que segons explicita el seu preàmbul, es regula d'acord amb la Llei esmentada 22/2001, sense altres modificacions que les sistemàtiques i les necessàries per a l'harmonització del text en el Codi.

2. CONCEPTE I CARACTERÍSTIQUES

L'article 566-1.1 defineix el dret real de servitud en els termes següents: "La servitud és un dret real que grava parcialment una finca, que és la servent, en benefici d'una altra, que és la dominant, i pot constituir en l'atorgament a aquesta d'un determinat ús de la finca servent o en una reducció de les facultats del titular o la titular de la finca servent". En base al precepte transcrit, en relació amb altres preceptes de la mateixa llei, el dret real de servitud presenta les característiques següents:

- El concepte de servitud pressuposa que la finca presta un servei o utilitat determinada a una altra finca, ja que de forma clara el precepte configura el dret real de servitud com un dret real que grava una finca en benefici d'una altra; criteri que confirma l'article 566-4.1, quan precisa que "La servitud es constitueix per a la utilitat exclusiva de la finca dominant, de la qual és inseparable". S'ha de precisar que qualsevol servei o utilitat que una finca pugui proporcionar a una altra pot constituir objecte d'una servitud, ja que els ordenaments jurídics moderns han superat la característica de la tipicitat de les servituds. Sobre diferències entre les servituds predials i les personals vegeu STSJC de 24 de març de 1994 i les consideracions que es fan en el capítol següent en relació amb els drets d'aprofitament parcial.
- El concepte de servitud porta implícita la característica que el gravamen imposat sobre una finca en benefici d'una altra finca és un gravamen parcial, perquè no es pot fer extensiu a tot l'aprofitament econòmic del predi gravat amb el dret

real de servitud o predi servent, ni buidar pràcticament de contingut el dret de propietat, com resulta de l'article 566-1.1 que configura la servitud com un dret real que grava parcialment una finca a favor d'una altra i, també, del mateix precepte que confereix al titular del dret de servitud únicament unes facultats determinades sobre el predi servent (vegeu també en aquest sentit RDGRN de 7 d'abril de 2000). D'aquesta característica se'n deriva igualment que en els casos de dubte, l'abast de la servitud s'ha d'interpretar en benefici del predi servent (STS de 9 de maig de 1989).

- La servitud predial ha de prestar una utilitat actual o potencial a una altra finca, utilitat que no ha d'ésser perpètua (argument articles 566-2.2 i 566-11); però sí ha de tenir una durada temporal perquè s'estableix en benefici d'una finca i les utilitats a favor d'una finca es perllonguen en el decurs del temps.
- De la definició del dret de servitud que apareix a l'article 566-1.1 en resulta que el precepte no exigeix que les finques que tenen la condició de predi dominant i servent pertanyin a propietaris diferents (vegeu en contraposició l'article 530 CC que exigeix aquest requisit). Per això hem d'entendre que el dret civil català actual admet l'anomenada servitud de propietari, l'eficàcia de la qual depèn, naturalment, de la circumstància que els finques dominant i servent arribin a pertànyer a propietaris diferents perquè mentre no concorri aquesta circumstància, la servitud és pràcticament inútil. Vegeu l'aute del president del TSJC de 20 de juliol de 2000.
- Pel que fa referència al contingut possible del dret de servitud, l'article 566-1.1 preveu que pot consistir en atorgar al titular del predi dominant fer un ús determinat del predi servent (per exemple mitjançant una servitud de pas), és a dir, que el titular del predi servent hagi de tolerar que el titular de la servitud exerceixi sobre la seva finca una activitat determinada, que es tradueix en una invasió material de la finca (BIONDI); però no imposar al titular del predi servent un *facere*, perquè en aquest cas no ens trobaríem davant d'un dret real de servitud sinó d'una eventual obligació *propter rem* (vegeu sobre aquests conceptes *supra*, capítol I 2,IV,B). El contingut de la servitud també es pot traduir en el fet de reduir les facultats del titular del predi servent —per exemple limitació de la facultat d'edificar o d'instal.lar una

empresa determinada— segons resulta de l'article 566-1.1 Aquest contingut positiu o negatiu de la servitud té transcendència en matèria de la seva extinció, segons resulta de l'article 566-11.1,a).

- Cal assenyalar també que es predica del dret real de servitud la característica de la indivisibilitat, que de totes formes és compatible amb la possibilitat de modificacions formals de les finques dominant o servent en els casos d'agrupació, agregació, divisió i segregació de finques segons els articles 45 al 48 RH. La regle general és que aquestes modificacions formals, si afecten a la finca que tenia la condició de predi dominant, no modifiquen la servitud, ja que segons l'article 566-12.1 "no extingeixen la servitud ni en poden fer més carregós l'exercici, amb les excepcions que estableix aquest article". Aquestes anomenades excepcions en realitat persegueixen obrir la possibilitat que l'exercici de la servitud es concentri en una part de la finca objecte de les modificacions formals esmentades. Concretament, i pel cas de divisió o segregació de la finca dominant, si la servitud solament és útil per a alguna de les finques resultats, els propietaris de la finca servent poden exigir l'extinció de la servitud respecte a les altres finques (article 566-12.2), que d'aquesta forma perden la condició de predi dominant. Pels casos d'agrupació i agregació de la finca dominant, si de l'estructura de la nova finca en resulta que la servitud ja no li confereix utilitat, el titular del predi servent pot exigir l'extinció de la servitud (article 566-12.3), perquè la utilitat que proporcionava la servitud pot obtenir-la per una altra via. I pels casos de divisió o segregació de la finca que tenia la condició de predi servent, els titulars de les finques resultants que no reporten cap utilitat a la finca dominant, poden exigir l'extinció de la servitud respecte a elles segons l'article 566-12-4.

- I per últim hem de predicar de la servitud la característica de la inseparabilitat, ja que segons l'article 566-4.1 "La servitud es constitueix per a utilitat exclusiva de la finca dominant, de la qual és inseparable". La inseparabilitat determina a la vegada la inalienabilitat del dret real de servitud, en els termes que precisa l'article 108, núm. 1 LH.

Sobre diferències entre el dret real de servitud i els pactes simplement obligacionals entre els propietaris de les dues finques vegeu RDGRN de 4 d'octubre de 1999 i les interlocutòries del president del Tribunal Superior de Justícia de Catalunya de 9 de juny de 1997 i 10 de febrer de 1999.

3. CONSTITUCIÓ

En aquest apartat interessa tractar les qüestions següents:

I. Subjectes

La relació jurídica de servitud s'estableix entre els titulars dels predis dominant i servent, respecte als quals interessa fer unes precisions sobre els requisits de capacitat per a constituir el dret real de servitud. Pel cas de constitució per negoci jurídic entre vius, i amb excepció del cas de la servitud de propietari segons l'article 566-3.1, el negoci jurídic té el caràcter de bilateral ja que la servitud imposa també unes obligacions a càrrec del titular del predi dominant (vegeu l'article 566-6.1); i cal recordar ara que la servitud imposa un gravamen sobre el predi servent de durada tendencialment llarga, que des d'aquesta perspectiva s'ha de qualificar d'acte dispositiu, amb la conseqüència que el titular del predi servent sols pot constituir una servitud si gaudeix de la capacitat d'obrar necessària per a disposar dels seus béns immobles (vegeu articles 151, 159 i 212 CF), atès que el dret real de servitud recau sempre sobre finques (article 566-1.1) o la capacitat per a donar béns immobles si la servitud es constitueix via donació (article 531-10). Si la servitud es constitueix per testament, s'exigirà la capacitat necessària per a testar que exigeix la llei (vegeu l'article 104 CS). Pel que fa referència al titular del predi dominant, no hem d'obligar que la servitud proporciona una utilitat o benefici als seus interessos patrimonials, però també que la constitució de la servitud pot originar la realització d'unes prestacions a càrrec seu; en conseqüència i a nivell molt general serà suficient esmentar aquí que en relació amb el titular del predi dominant la seva capacitat d'obrar estarà en funció de les contraprestacions a càrrec seu per a la constitució de la servitud, que normalment serà la capacitat per a contractar o fins i tot uns requisits menys estrictes si la servitud es constitueix via donació (v egeu l'article 531-21); i si la servitud es constitueix per testament, serà suficient la capacitat per a succeir *mortis causa* que exigeix la llei (article 9 CS).

Pressuposada la capacitat dels interessats hem de fer ara unes referències a la legitimació per a constituir el dret real de servitud. Evidentment estarà legitimat el propietari (vegeu l'article 566-2.2), encara que en relació amb el que ho sigui del predi servent es pot veure restringida pels efectes d'una prohibició de disposar vàlida que afecti al que seria predi servent (vegeu l'article 166 CS), Si la titularitat del predi servent correspon simultàniament a una pluralitat de propietaris, hem de fer referència a l'article 552-7.6, que exigeix el requisit de la unanimitat pels actes de disposició; mentre que en relació amb els cotitulars del predi dominant entenem que s'exigiran els requisits que estableix l'article 552-7 respecte als actes d'administració ordinària i extraordinària, en funció de les contraprestacions que hagin de realitzar per a la constitució de la servitud. Si la finca que ha de tenir la condició de predi servent està en règim de propietat horitzontal, s'haurà d'estar a les previsions de l'article 553-25, a més de l'exigència del consentiment exprés del propietari afectat si la constitució de la servitud afecta les seves facultats d'ús i gaudi segons l'apartat 4 del mateix precepte.

Cal afegir ara que no sols el propietari està legitimat per a constituir un dret real de servitud, ja que l'article 566-2.2 fa extensiva la legitimació a altres persones que gaudeixen d'una titularitat determinada sobre el predi servent, com són segons el precepte els titulars de drets reals possessoris sobre el predi servent, és a dir, l'usufructuari o el superficiari; amb la prevenció que en el cas de l'usdefruit el nu propietari sols està legitimat per a constituir servituds mentre està vigent el dret d'usdefruit quan no alteren la forma ni la substància del bé sobre el que recau el dret d'usdefruit i que no perjudiquin l'usufructuari segons article 561-9.4. En conseqüència no estan legitimats per a constituir servituds aquelles altres persones que ostenten unes facultats possessòries sobre el predi servent, posem per cas els arrendataris, ja que no són titulars d'un dret real limitat sobre la finca, com exigeix l'article 566-2.2. Particularitat interessant de les servituds constituïdes pels titulars dels esmentats reals possessoris és que la servitud té l'abast i la durada dels drets que ostenta el titular sobre el predi servent, en aplicació del conegut principi que la resolució del dret del transmitent provoca la resolució del dret atribuït. Règim jurídic que s'ha de fer extensiu al propietari que no té un dret de propietat definitiu sobre la finca, com és l'hereu fiduciari condicional, que sols pot disposar dels béns fideïcomesos amb subsistència del gravamen fideïcomissari segons l'article 217,II CS; solució que cal fer extensiva als titulars d'un bé subjecte a pacte reversional segons l'article 87 del mateix Codi o als béns subjectes a una reserva hereditària d'acord els articles 387 i 389 CS. I precisem també que aquesta legitimació —amb els condicionaments esmentats— sols es fa extensiva a la constitució de servituds amb el caràcter de voluntàries, que dóna a entendre que la voluntat del legislador actual ha estat que per a la constitució de servituds amb el caràcter de forçoses (amb els efectes de l'article 566-10) s'exigeix a més la intervenció del propietari, que es pot justificar en base a la consideració que la servitud forçosa ha de tenir normalment una durada superior a la del dret real possessori, perquè es constitueix per tal de satisfer un interès perdurable en el temps.

Amb referència al requisit de la legitimació cal fer referència a la proposició darrera de l'article 566-2.2, segons la qual "Les referències que aquesta secció fa als propietaris d'una finca s'han d'entendre fetes també als titulars de drets reals possessoris sobre la finca". Aquesta previsió no apareixia a l'article 7.2 de la Llei 22/2001, ni tampoc a l'article 566-2.2 dels "Treballs preparatoris del llibre cinquè del codi civil de Catalunya", omissió que en l'aspecte que ara interessa té la seva transcendència. Ja que l'article 566-6.2 sols conferia a la persona titular del dret de propietat d'una finca sense sortida a una via pública legitimació per a exigir la constitució d'una servitud de pas amb el caràcter de forçosa, encara que en els comentaris a l'article s'esmenta sense ambigüitats que també poden demanar la constitució de la servitud els usufructuaris, els superficiaris i, en general, qualsevol persona que tingui un dret d'ús sobre la finca d'acord amb les prevencions de l'article 566-2.2; que tant en el seva redacció segons els treballs preparatoris com segons el text definitiu estableixen la legitimació, no sols del propietari, sinó també dels titulars de drets reals possessoris legitimació per a constituir servituds, si bé respecte a aquests darrers amb la limitació de la durada dels seus drets, però sense cap altra limitació. Que en canvi apareix en el text definitiu de la llei quan precisa que les referències que fa la secció primera "Disposicions generals" (en matèria de servituds) als propietaris de les finques, "s'han d'entendre fetes també als titulars de drets reals possessoris sobre la finca", que porta a creure que el criteri del legislador ha estat excloure aquesta interpretació extensiva respecte a les servituds forçoses, que es regulen a la secció segona d'aquest mateix capítol VI; *iter* legislatiu que porta a la conseqüència que quan els articles 566-7.1, 566-8.1 i 566-9.1 legitimen el propietari per a constituir la servitud forçosa de pas, d'accés a una xarxa general o d'aqüeducte, la legitimació no es pot fer extensiva als titulars de drets reals possessoris. Tesi que recolzen els articles 12.1, 13.1 i 14.1 de la Llei 22/2001, que de forma expressa legitimen els titulars de drets reals possessoris per a interessar la constitució de servituds legals, legitimació que no apareix en els articles 566-7.1, 566-8.1 i 566-9.1, creiem que com a conseqüència d'excloure la proposició darrera de l'article 566-2.2 la interpretació favorable a equiparar propietaris i titulars de drets reals possessoris en qüestions de legitimació quan es tracta de servituds forçoses.

Per últim cal admetre la constitució d'un dret real de servitud *a non domino* segons els articles 32 i 34 LH.

En relació amb l'aspecte subjectiu del dret real de servitud hem de fer també una referència a l'article 566-1.2, segons el qual "Els titulars del dret de servitud es poden beneficiar de la finca servent en la mesura en què ho permeti el títol constitutiu o aquest codi". El precepte es refereix al cas de constitució -posem per cas- per part del propietari de la finca dominant una servitud a favor de la seva finca, sobre la qual s'ha constituït després un dret real de gaudiment, com pot ésser un dret d'usdefruit o de superfície, o un dret possessori de caràcter personal com és l'arrendament; casos en els quals l'usufructuari, el superficiari o l'arrendatari es poden beneficiar de les utilitats que la servitud atribueix al predi dominant, encara que no de forma il.limitada, sinó únicament en la mesura que determini el títol de constitució o la llei.

II. Objecte

De l'article 566-1.1 clarament en resulta que la servitud s'ha de configurar jurídicament com un dret real immobiliari, ja que sols pot recaure sobre béns immobles, i més concretament sobre finques que segons l'article 511-2.2,a) tenen la condició de béns immobles per naturalesa.

Amb anterioritat hem esmentat que tenen la condició de coses, com a objecte possible dels drets reals, les coses futures que quan arriben a existir siguin susceptibles d'apropiació (vegeu *supra*, capítol I, 3,II,A), que ens portava a la possibilitat que els drets reals poguessin recaure sobre coses futures. Una manifestació concreta d'aquesta possibilitat apareix en relació amb el dret real de servitud, que ja des dels seus orígens admetia una resposta afirmativa segons resulta del Digest 8,2,23, encara que aquesta qüestió no va ésser objecte de regulació en èpoques posteriors. No obstant el silenci legislatiu existia un consens general sobre possibilitat de constituir una servitud a favor d'un edifici futur per raons d'utilitat evidents, possibilitat que de totes formes originava dubtes considerables a l'hora de donar-li una configuració jurídica escaient. Amb referència al dret anterior la STSJC de 5 de febrer de 1990, en relació amb una servitud de llums i vistes, després de constatar la manca d'una solució concreta, precisa que no existeix cap obstacle perquè es pugui conferir validesa en el nostre dret a la servitud constituïda a favor d'un predi existent i a favor dels pisos d'un edifici per construir, perquè si bé és cert que l'efecte real de la servitud no es pot produir fins després de la construcció, mentre existeix la situació de pendència es pot parlar d'un precontracte que té per objecte la creació de la servitud, d'una situació preliminar, de constitució de la servitud sota condició suspensiva, de *condicio iuris* o de *ius ad rem*. Amb la finalitat d'evitar dubtes semblants l'article 566-2.3 estableix que "Les servituds el contingut de les quals consisteix en una utilitat futura, entre les quals s'inclouen les referides a la construcció o enderrocament d'immobles, es consideren constituïdes sota condició". Creiem que del precepte en resulta que es permet constituir servituds que consisteixen en una utilitat futura en la doble modalitat de la condició suspensiva o resolutòria, qualificació que s'obtindrà per la via d'interpretar en cada cas concret la voluntat dels interessats. En qualsevol cas la constitució sota condició resolutòria es deriva de l'article 532-1. Sobre constatació registral del compliment de la condició vegeu l'article 23 LH.

III. Formes

En base a la normativa que estableix el llibre cinquè del Codi civil de Catalunya s'admeten les formes següents de constitució del dret real de servitud:

A) TÍTOL

Segons l'article 566-2.1 les servituds es poden constituir per títol atorgat de forma voluntària, expressió que la STS de 2 de juny de 1969 interpreta en el sentit que s'ha d'entendre per títol qualsevol acte jurídic, ja sigui onerós o gratuït, entre vius o d'última voluntat, la forma del qual ha d'estar en relació amb la materialitat de l'acte.

Si el dret real de servitud es constitueix en testament, s'han d'observar els requisits de forma que exigeix la llei per a cada tipus de disposició testamentària que admet el nostre dret. La constitució de servituds en testament o en codicil es pot fer mitjançant un llegat d'eficàcia real, que permet al legatari adquirir de forma immediata el dret real de servitud (vegeu els articles 253,II i 267,I CS) o, també, per mitjà d'un llegat d'eficàcia obligacional, que obliga el gravat a realitzar els actes necessaris per a la constitució del dret real de servitud (cfr. els articles 253,III i 303 CS).

També es pot constituir el dret real de servitud via donació, que en aquest cas determinarà s'hagin de complir els requisits de forma que la llei estableix per a la donació de bens immobles (vegeu l'article 531-12.1), atès que la servitud recau sempre sobre finques (article 566-1.1); vegeu en el mateix sentit STS de 23 d'octubre de 1993.

La forma més freqüent de constitució de es servituds és per negoci jurídic entre vius o contracte, que no precisa d'uns requisits de forma especials, amb la conseqüència doncs que es pot constituir la servitud de forma verbal i mitjançant document públic o privat (vegeu STSJC de 5 de febrer de 1990, 4 de juny de 1998 i 20 de desembre de 2004); però si la constitució del dret de servitud es vol inscriure en el Registre de la Propietat, el negoci jurídic constitutiu s'ha de sotmetre als requisits de forma que exigeix l'article 3 LH (vegeu també RDGRN de 21 de novembre de 1998). Segons la STSJC de 5 de febrer de 1990 la voluntat de constituir una servitud es pot exterioritzar de forma explícita —verbal o escrita—, implícita per mitjà de fets concrets i fins i tot de forma tàcita, quan en uns situació i en unes circumstàncies determinades es guarda silenci i s'hagués tingut o s'hagués pogut parlar (vegeu també la sentència del mateix Tribunal de 13 de desembre de 1990).

Pel cas de constituir-se la servitud per contracte recordem que segons l'article 531-1 aquest opera únicament com a títol d'adquisició de la servitud, però l'efecte transmissiu sols es produeix si el contracte va seguit de la tradició de l'objecte del contracte transmissiu, com s'ha argumentat abans (vegeu *supra,* capítol IV

2,1). Aquest sistema transmissiu heretat de la tradició romanista, aplicable no solsament al dret de propietat sinó també als drets reals limitats que comporten facultats possessòries, s'havia qüestionat respecte al dret de servitud invocant precisament textes del dret romà, ja que com posa en relleu doctrina autoritzada el lliurament o tradició de la cosa corporal implica una activitat positiva, mentre que el contingut fonamental de la servitud es tradueix en un *nequit*, en el sentit que el constituent de la servitud no ha de realitzar cap activitat, sinó únicament abstenir-se de qualsevol activitat que impedeixi l'exercici de la servitud (BIONDI). Aquests arguments o altres semblants creiem han influït en la posició del legislador català, ja que per a la constitució del dret real de servitud l'article 566-2.1 exigeix únicament el títol, que en aquest cas el precepte qualifica de voluntari, sense fer referència al requisit posterior de la tradició, que ens porta a considerar que el legislador estableix una excepció al criteri general de títol més tradició *ex* article 531-1 perquè per a la constitució de la servitud via contracte és suficient el títol; posició que hem de qualificar de realista, perquè l'exercici de la servitud per part del titular del predi dominant es pot qualificar d'acte força més expressiu que la majoria de formes de tradició fingida o simbòlica que apareixen a l'article 531-4.

A més del títol voluntari al qual ens hem referit fins ara, l'article 566-2.1 permet també la constitució de les servituds per títol atorgat de forma forçosa, que origina la categoria de les anomenades servituds forçoses, que amb aquesta mateixa denominació es regulen a la secció segona d'aquest mateix capítol VI. El Codi civil de Catalunya bandeja d'aquesta forma el qualificatiu de servituds legals i el substitueix pel de servituds forçoses, que té el sentit de significar que en aquest es pot constituir el dret real de servitud sense o fins i tot contra la voluntat del titular del predi servent, perquè així ho exigeix un interès general superior, que permet substituir al voluntat del propietari del predi servent per una resolució judicial o administrativa. Per altra part el qualificatiu de servituds legals és ambigu, ja que la llei no constitueix de forma directa les servituds sinó que el seu abast és més limitat, en el sentit de permetre la imposició de la servitud sobre el predi servent, a instàncies del titular del que serà després predi dominant, perquè així ho exigeix un interès que mereix una protecció legal. Que porta com a darrera conseqüència que en matèria de servituds forçoses impera el principi de la tipicitat o, si es vol, del *numerus clausus.*

B) *SERVITUD DE PROPIETARI*

En el dret tradicional català havia regit sense problemes el principi que no es pot tenir un dret real de servitud sobre una finca pròpia, en aplicació del conegut principi *nemini res sua servit* (vegeu Digest 8,2,26), principi que va fer crisi arrel de la vigència de la Llei 13/1990, de 9 de juliol, de l'acció negatòria, les immissions, les servituds i les relacions de veïnatge, ja que el seu article 4.1 definia el dret real de servitud sense fer referència al fet que els propietaris dels predis dominant i servent fossin persones diferents (compari's amb l'article 530 CC); criteri que confirmava l'article 17 de la mateixa Llei quan precisava que "La servitud no s'extingeix pel fet que s'arribin a reunir en una sola persona les propietats dels predis dominant i servent...". Aquesta posició del legislador de l'any 1990 s'ha mantingut, ja que l'article 8 de la Llei 22/2001, de 31 de desembre, de regulació dels drets de superfície, de servitud i d'adquisició voluntària o preferent regulava en el seu article 8 la servitud sobre finca pròpia, precepte que essencialment ha passat a formar l'article 566-3.1 segons el qual "El propietari o propietària de més d'una finca pot constituir sobre aquestes les servituds que consideri convenients". L'admissió de la servitud de propietari suposa un intent seriós de modernització del dret civil català, ja que ofereix als operadors jurídics solucions escaients en els casos de parcel.lació i urbanització de finques, així com en relació a la propietat horitzontal, que permet al constructor de l'edifici establir relacions de servitud entre els diferents pisos abans de separar la propietat dels mateixos, aspecte aquest que d'alguna forma es relaciona amb el problema abans esmentat de la constitució de servitud en benefici d'una construcció futura.

La servitud de propietari planteja d'entrada un problema dogmàtic, ja que respecte a la finca que té la condició de predi dominant el titular de la servitud exerceix les seves facultats a títol de propietari i no com a titular d'un dret real de servitud, de la mateixa manera que sobre la finca que tindrà la condició de predi servent continua en l'exercici de les seves facultats dominicals encara que estigui gravada amb una servitud que no li permetria l'exercici d'alguna d'aquestes facultats; però aquest objeccions de tipus dogmàtic no han impedit que per raons pràctiques perfectament atendibles, admetin el dret civil català i altres ordenaments jurídics moderns la servitud de propietari, en base a la utilitat que reporta en els supòsits esmentats fa uns moments. En tot cas és suficient esmentar aquí que mentre no es separa el dret de propietat entre les finques que tenen la condició de predi dominant i predi servent la servitud ja existeix o ha nascut a la vida del dret, perquè d'acord amb la definició del dret real de servitud que apareix a l'article 566-1.1 es dóna una relació d'utilitat entre els predis dominant i servent, però aquest existència de la servitud és compatible amb el fet que el seu exercici, precisament a títol de dret de servitud, sols tingui sentit des del moment en què es separa el dret de propietat de les dues finques; amb la conseqüència que fins i tot abans de la separació del dret de propietat de les dues finques es pot fer constar l'existència del dret real de servitud en la inscripció de la finca servent com a qualitat de la finca (vegeu l'article 13 LH). De forma sintètica es precisa que en la dinàmica de la servitud de propietari s'imposa distingir el moment de la seva constitució, que li confereix inicialment eficàcia real tant si s'inscriu com si no, i el de l'alienació d'una de les finques, que es refereix al seu exercici que esdevenia impossible abans, perquè les facultats que comprèn el dret de servituds es poden exercir en concepte de propietari (LLÁCER MATACAS).

Pel que fa referència a la constitució de la servitud de propietari la doctrina esmenta la doble possibilitat de la seva constitució originària o inicial, pel supòsit de crear el propietari de la finca de forma unilateral i per la seva única declaració de voluntat la servitud, i de constitució final, que s'origina quan les finques que tenien la condició de predi dominant i de predi servent pertanyen a propietaris diferents i en un moment posterior arriben a ésser propietat d'una sola persona (MATEO BORGE). La primera d'aquestes modalitats es donarà quan el propietari de la finca única, que podia dividir la finca o segregar-ne una part a l'empara dels articles 46 i 47 RH, prefereix establir una relació de servitud entre dues parts de la seva finca; mentre que en el cas de constitució final de la servitud de propietari hem d'atenir-nos a l'article 566-3.3, segons el qual "Una servitud no s'extingeix pel sol fet que s'arribi a aplegar en una sola persona la propietat de les finques dominant i servent, però l'únic titular d'ambdues finques la pot extingir i obtenir-ne la cancel.lació en el Registre de la Propietat, sens perjudici de terceres persones". Per tant en aquest darrer supòsit el propietari únic de la finca pot optar pel

manteniment o per l'extinció de la servitud i la subsegüent cancel.
lació en aquest darrer cas en el Registre de la Propietat, però
sense que aquesta opció pugui perjudicar a terceres persones in-
teressades en el manteniment de la servitud. La servitud perdura
-al menys de forma parcial- si una de les finques està gravada
posem per cas amb un dret real d'usdefruit, perquè encara que
existeixi un propietari únic de les dues finques, l'usufructuari és
titular d'unes facultats que es separen del dret de propietat i
s'atribueixen a un titular diferent (ALONSO PEREZ).

C) PER SIGNE APARENT

Qüestió molt discutida en el dret civil català anterior ha estat
la vigència o no en el nostre dret de l'anomenada constitució de
la servitud per destinació del pare de família o per signe apa-
rent, que va introduir en el dret civil espanyol l'article 541 CC.
El problema té fins i tot uns orígens més remots, que es deriven
de la disposició que es troba en el Digest 33,3,1, segons la qual
quan el *paterfamilias* en la seva disposició testamentària assignava
béns determinats entre els seus descendents, i afegia la clàusula
que les finques que atribuïa als afavorits les havien de rebre
en la situació en què es trobaven abans de la seva mort, si el
testador havia establer una relació de servitud entre dues cases,
la seva voluntat era que quan es produïa la separació del dret
de propietat sobre les dues cases continués la situació que havia
establert abans, amb la conseqüència doncs que d'aquesta forma
s'havia constituït el dret real de servitud. De la lletra del precep-
te se'n deriva que únicament s'aplicava dins l'àmbit estrictament
familiar i en relació amb el cas concret d'una divisió dels béns
hereditaris, amb la finalitat d'adjudicar a cada successor allò a
què ja tenia dret segons el títol successori concretat ara en béns
determinats (BIONDI). Però des de l'època dels postglossadors
s'origina un corrent doctrinal favorable a la constitució del dret
real de servitud per destinació del pare de família, quan aquest
mitjançant un acte dispositiu separava una part de la finca o
una de les finques entre les quals havia establert una relació
de servitud, criteri que va influir els Costums de París del segle
XVI i va acollir després el Codi civil francès i darrera d'ell els
Codis civil italià, portuguès i l'espanyol, aquest darrer en el seu
article 541. Aquesta novetat va plantejar, a més de molts altres
problemes ja que el precepte ha esdevingut molt conflictiu, el de

la seva vigència en el dret civil català, que va originar un important dissens doctrinal i jurisprudencial; en aquests moment sols cal recordar que mentre la STS de 31 de gener de 1990 de forma expressa considera aplicable l'article 541 CC en el dret civil català, la tesi contrària a la seva vigència segons el dret tradicional i el dret compilat és la que apareix a les STSJC de 3 de febrer de 2000, 18 i 22 de setembre, 2 d'octubre 2003, 4 de març de 2004 i 13 d'octubre de 2005.

Arribats a quest punt interessa precisar que el debat s'havia produït mentre el dret civil català, d'acord amb els precedents romans sobre la matèria, refusava al servitud de propietari, circumstància que ens porta a plantejar si l'admissió de la servitud de propietari en el nostre dret permet enfocar la qüestió d'acord amb uns paràmetres diferents. Com s'ha esmentat a l'apartat anterior, la Llei 13/1990 va introduir en el nostre dret la servitud de propietari i l'article 7 de la mateixa llei precisava que "L'existència d'un signe aparent de servitud entre dues finques diferents pertanyents a un únic propietari no es considera, si se'n transmet una, títol suficient perquè la servitud continüi si en l'acte de disposició no es disposa així"; precepte que s'havia d'interpretar en el sentit que volia posar de manifest la no vigència en el nostre dret de l'article 541 CC, perquè la seva aplicació esdevenia inútil des del moment en què es sancionava per via legislativa l'admissió de la servitud de propietari. En una posició semblant s'havia afirmat que la introducció en el dret civil català de la servitud de propietari posa de manifest que el signe aparent no és títol constituïu suficient per a la creació de la servitud, que en canvi sí ho és segons l'article 541 CC, però sí que el considera com a fonament, encara que insuficient, de continuïtat de la servitud, ja que s'ha de complementar mitjançant una declaració de voluntat favorable a la continuïtat (MATEO BORGE).

L'article 7 de la Llei 13/1990 es va convertir en l'article 8.2 de la Llei 22/2001, segons el qual "En cas d'alienació de qualsevol de les finques, dominant o servent, la servitud sobre finca pròpia publicada únicament per l'existència d'un signe aparent, només subsisteix si s'estableix expressament en l'acte d'alienació". Amb unes modificacions de caire més aviat formal aquest precepte s'ha convertit en l'article 566-3.2, segons el qual "La servitud sobre una finca pròpia publicada únicament per l'existència d'un signe aparent, si s'aliena la finca dominant o la servent, solament subsisteix si s'estableix expressament en l'acte d'alienació". La sistemàtica adoptada por la llei de l'any 2001 i darrera d'ella pel Codi civil de Catalunya, que suposa regular la constitució de la servitud per signe aparent en el mateix precepte en que es regula las servitud de propietari, posa de manifest el que s'ha esmentat abans, és a dir, que l'admissió amb caràcter més o menys general d'aquesta forma de constitució del dret real de servitud, es fa en funció del criteri que adopti el legislador sobre admissibilitat de la servitud de propietari.

En una aproximació al precepte sembla oportú precisar que s'aplica al supòsit de servitud sobre una finca pròpia, és a dir, una servitud de propietari, que operarà en el doble cas de constitució de la servitud sobre dues parts d'una finca única o sobre dues finques diferents en sentit material o registral, sempre que existeixi un dret de propietat únic sobre ambdues finques. La servitud establerta pel propietari no subsisteix, a manca de manifestació expressa en l'acte de l'alienació, únicament en els casos d'alienació de la finca, amb la conseqüència que el precepte no s'aplica quan el propietari únic grava la finca amb un dret real limitat; i d'acord amb els precedents esmentats hem d'entendre que tampoc s'aplica en els casos de divisió o de partició hereditària, que porta implícita la gran majoria de les vegades la voluntat de mantenir la situació jurídica anterior (vegeu STSJC de 3 de febrer de 2000).

Un altre requisit que exigeix el precepte és que la servitud establerta pel propietari es manifesti per un "signe aparent". Que hem d'entendre fa referència a les tradicionalment anomenades servituds aparents, respecte a les quals es presenten dificultats a l'hora de fixar el seu concepte; i com que el legislador actual no l'ha precisat, sembla prudent atenir-nos al criteri tradicional que resultava de l'article 283,8è CDC, que qualificava d'aparents les servituds que eren fàcilment visibles des de l'interior del predi, que entenem era el predi servent. Pels casos d'alienació la declaració de voluntat per a la subsistència de la servitud exigeix el precepte que sigui expressa, amb la finalitat d'evitar que les declaracions de voluntat no massa explícites es puguin interpretar com una forma de constitució sorpresiva d'un gravamen tant significatiu com és un dret de servitud; i a més que la declaració de subsistència de la servitud es faci precisament en l'acte d'alienació, ja que la feta amb posterioritat implicaria la creació *ex novo* d'una servitud a l'empara del principi d'autonomia privada que apareix a l'article 566-2.1. Si l'alienació es fa primer en document privat i posteriorment es formalitza en escriptura pública, entenem que la declaració de subsistència s'ha d'exterioritzar en el moment de l'atorgament del document privat, ja que la documentació posterior del contracte no implica una nova declaració de voluntat negocial. Per últim esmentem que amb referència a l'article 8.2 de la Llei 22/2001, i l'afirmació ens sembla igualment vàlida respecte a l'article 566-3.2, s'ha argumentat que el precepte no s'aplica a la servitud manifestada per signe aparent que s'hagués inscrit en el Registre de la Propietat ja que en el cas d'alienació de la finca, a menys que concorri una declaració expressa d'exclusió, subsistirà i produirà els seus efectes com a dret real a l'empara dels articles 32 i 34 LH (GINER GARGALLO-DEL POZO CARRASCOSA). De la mateixa manera que s'apunta la conveniència de mantenir la servitud manifestada per un signe aparent, encara que no es manifesti de forma expressa en l'acte d'alienació, quan l'adquirent tenia coneixença de l'existència de la servitud —per exemple per la seva condició d'arrendatari de la finca o per haver-la constituït ell mateix amb el propietari anterior de la finca— perquè així ho exigeix el principi de la bona fe, encara que no encaixa massa bé amb la rellevància que s'atribueix a l'aparença (LLÀCER MATACÀS).

D'aquest procés legislatiu en resulta també que no és aplicable a Catalunya l'article 541 CC respecte a situacions nascudes a l'empara de la legislació anterior a la Llei 13/1990 (LLÀCER MATACÀS).

D) NO CONSTITUCIÓ PER USUCAPIÓ

El dret civil català -almenys el dels darrers anys- ha seguit un procés que tal vegada es pot qualificar d'erràtic, en matèria d'usucapió del dret real de servitud. Si ens atenem al dret romà que durant segles va ésser la normativa fonamental vigent a Catalunya en matèria de servituds, de la disposició que es troba en el Codi 7,33,12 en resulta que s'admetia la usucapió de qualsevol tipus de servitud que sembla va tenir un abast molt general, ja que les excepcions que s'esmentaven en base a les "Ordinacions de Sanctacilia", que en part va recollir l'article 283 CDC, segons el qual no es podien adquirir per usucapió, ni tan sols immemorial, les servituds que enumerava en els seus vuit apartats, constitueixen unes excepcions més aparents que reals, ja que la gran majoria d'elles es referien, no a drets reals de servitud, sinó a determinats límits o limitacions del dret de propietat, derivades de les anomenades relacions de veïnatge.

Aquesta tradició jurídica és la que va acollir el legislador català de l'any 1990, i més concretament l'article 11 de la Llei 13/1990, que amb caràcter general admetia la constitució de les servituds per usucapió mitjançant una possessió pública, pacífica i ininterrompuda, en concepte de titular del dret de servitud, durant un període de trenta anys. Aquesta tradició es trenca de forma esclatant a la Llei 22/2001, ja que segons el seu article 7.4 "Cap servitud no es pot adquirir per usucapió", precepte que reprodueix literalment l'article 566-2.4. Si ens atenem al preàmbul de la Llei 22/2001, resulta que no dóna cap argument per a justificar un canvi tan radical, ja que es limita a dir que "Com a novetat, cap servitud no es podrà adquirir per usucapió. Resta eliminada, doncs, la usucapió com a mecanisme d'adquisició de les servituds". A nivell doctrinal, i amb referència a la Llei 22/2001, s'ha apuntat la conveniència de suprimir la usucapió de les servituds en base a l'oportunitat d'eliminar definitivament els dubtes i incerteses que havia originat la usucapió de les servituds, el màxim respecte al principi de llibertat del domini i la dificultat de provar una possessió en concepte de titular del dret real de servitud i una possessió tolerada d'exercir les facultats pròpies d'una servitud, que mai pot originar la seva usucapió (GINER GARGALLO-DEL POZO CARRASCOSA i ALONSO PEREZ). Altra cosa és que aquests arguments es puguin considerar convincents, perquè en matèria de servituds i amb referència a moltes altres institucions s'ha produït una litigiositat molt freqüent, que no s'ha considerat ni es considera i tal vegada no es considerarà en un futur més o menys proper raó suficient per a la seva supressió. Com també es pot considerar opinable el criteri que aquesta supressió suposa tornar a la tradició jurídica catalana, que havia trencat la Llei 13/1990 quan declarava susceptibles d'usucapió totes les servituds; ja que un examen més detingut de la qüestió pot portar a la tesi que aquesta llei entroncava directament amb la tradició jurídica catalana favorable a la usucapió de totes les servituds d'acord amb el dret romà vigent a Catalunya amb caràcter general sobre la matèria, perquè la impossibilitat d'adquirir determinats drets segons els textos tradicionals catalans, no s'establia amb referència al dret real de servitud sinó amb referència a les relacions de veïnatge, que mai poden originar una possessió *ad usucapionem* segons l'article 531-24. És suficient la lectura de l'article 283 CDC, versió moderna dels costums tradicionals catalans en matèria de relacions de veïnatge. Des d'una altra perspectiva s'argumenta que el criteri d'admetre la constitució del dret de servitud per usucapió protegeix el propietari diligent que iniciava una possessió *ad usucapionem* enfront a l'altre propietari negligent en la defensa dels seus interessos; mentre que el criteri prohibitiu de la usucapió implicarà premiar el propietari negligent, i no sols el propietari que tolerava la possessió del seu veí com succeïa segons el dret tradicional, i a la vegada sancionar a l'altre propietari que obtenia una utilitat o profit per a la seva finca durant un llarg període de temps de forma pública, pacífica i ininterrompuda (CERDEIRA BRAVO DE MURILLO).

Més sorprenent és de totes formes que un canvi tan radical no hagi mogut el legislador a establir una norma transitòria sobre una matèria que havia originat molts problemes i que és possible augmentin com a conseqüència de la supressió d'aquesta forma de constitució del dret real de servitud. Davant d'aquest silenci del legislador es pot pensar en l'oportunitat d'invocar la DT setzena del llibre cinquè del Codi civil de Catalunya, segons la qual "Les servituds constituïdes abans de l'entrada en vigor d'aquest llibre es regiran per les normes d'aquest a partir a partir del dia en què entra en vigor"; tesis que no sembla massa convincent, ja que la disposició transitòria transcrita es refereix al dret real de servitud ja constituït i una possessió *ad usucapionem* del dret real de servitud no dóna cap seguretat que s'arribi a constituir la servitud per usucapió i per tant no es pot projectar sobre una servitud encara no constituïda. Per aquest motiu sembla oportú fonamentar qualsevol altra opinió en altres normes transitòries properes a la qüestió que ara ens ocupa, com són la DT segona del llibre cinquè del Codi civil de Catalunya, que en matèria d'usucapió dels drets reals en general estableix un criteri ampli de retroactivitat de les seves normes, amb unes matisacions respecte els terminis d'usucapió en curs; i la DT quinzena, segons la qual les normes sobre usucapió dels censos s'apliquen a tots ells, amb independència de la data de la seva constitució i de la normativa aplicable, amb unes restriccions semblants respecte els terminis d'usucapió en curs. I si ens atenem a aquests criteris generals que informen las disposicions transitòries esmentades, inspirades en uns principis clarament favorables a la retroactivitat, es poden establir les conclusions següents:

- Si ens trobem davant d'una usucapió consumada abans de la vigència de la Llei 22/2001, que recordem és la que va introduir inicialment la prohibició d'usucapir el dret real de servitud, s'aplica el dret anterior respecte a aquesta forma de constitució de les servituds; sens perjudici que després es regeixi per les normes del Codi civil de Catalunya després de la seva entrada en vigor, segons la DT setzena.

- Si a l'entrada en vigor de la Llei 22/2001 corria una possessió *ad usucapionem* d'una servitud i aquesta usucapió es podria haver consumat després de la vigència de la nova llei que prohibeix la usucapió de les servituds, el principi de retroactivitat del Codi civil de Catalunya que informa les seves disposicions transitòries segona i quinzena ens porta a la conclusió que aquesta servitud no es podrà constituir per usucapió; ja que la usucapió sols produeix els seus efectes immediats una vegada transcorregut íntegrament el temps que exigeix la llei per a adquirir d'aquesta forma un dret real i aquest efecte es donaria en un moment en què la llei prohibeix de forma taxativa adquirir el dret real de servitud per usucapió. Per tant d'això se'n deriva que no siguin aplicables al cas les prevencions de les DT segon i quinzena del llibre cinquè del Codi civil de Catalunya, que permeten consumar la usucapió mitjançant l'aplicació del termini transcorregut durant la vigència de la nova llei, perquè són coses diferents escurçar un termini per a usucapir que prohibir —per les raons que siguin— la usucapió (vegeu STSJC de 13 d'octubre de 2005 sobre una pretesa usucapió de servitud iniciada abans de la vigència de la Llei 22/2001). En contra d'aquesta tesi es podia al.legar, almenys mentre va estar vigent la Llei 22/2001, la vigència com a supletori de l'article 1939 CC que permetia consumar l'adquisició de servituds començades a usucapir d'acord amb la normativa permissiva; però no sembla que aquest raonament es pugui invocar després de la vigència del llibre cinquè del Codi civil de Catalunya, ja que entenem que les seves disposicions transitòries no permeten aplicar com a supletori l'article 1939 CC. Altra cosa és que aquesta solució es pugui considerar com la més escaient a l'hora de resoldre aquest conflicte d'interessos.

- Una altra situació es pot donar en el cas d'haver-se iniciat la possessió d'una servitud que segons l'article 283 CDC no es podia adquirir per usucapió per considerar-se que es tractava d'una possessió tolerada pel propietari de la finca, que en el seu cas tindria la condició de predi servent i per tant inhàbil per usucapir per manca del requisit d'una possessió en concepte de titular d'un dret real de servitud. Cal tenir present que des de la vigència de a Llei 13/1990, que permetia adquirir per usucapió totes les servituds, aquest canvi legislatiu podia originar el problema de si era possible prendre en consideració el període de temps escolat mentre estava vigent la normativa que prohibia adquirir per usucapió aquestes servituds. La resposta negativa sembla la més escaient, ja que la llei esmentada no tenia entitat suficient per a transformar una possessió tolerada en una possessió *ad usucapionem* del dret real de servitud (CERDEIRA BRAVO DE MANSILLA); a menys que s'hagués produït una inversió del concepte possessori eficaç en el període comprès entre la vigència de la Llei 13/1990, que permetia adquirir per usucapió totes les servituds, i la Llei 22/2001, que establia el criteri prohibitiu, ja que en aquest cas des de la inversió del concepte possessori començaria a córrer el termini per a usucapir la servitud.

- Apuntem finalment la possibilitat que origini un problema de dret transitori la usucapió immemorial de determinades servituds segons l'article 343,II CDC, derivat en aquest cas del fet que ni la Llei 13/1990, ni la Llei 22/2001 ni el llibre cinquè del Codi civil de Catalunya admeten l'adquisició d'aquestes servituds en base a una usucapió immemorial. En relació amb aquest cas es posa en relleu que en la usucapió immemorial no existeix un període de temps inicial i final sinó únicament un període inicial indeterminat o —en expressió que ha esdevingut clàssica *cuius memoriam non exat* (CERDEIRA BRAVO DE MANSILLA). Això vol dir per tant que no és possible una usucapió immemorial començada però no acabada, que porta a la conseqüència d'admetre la possibilitat d'adquirir la servitud en base a una usucapió immemorial que s'hagués consumat abans de la vigència de la Compilació de l'any 1960.

BIBLIOGRAFIA SUMÀRIA

PELLA Y FORGAS, *Tratado de las relaciones y servidumbres entre las fincas.* Barcelona, 1969; BONET CORREA, *La incaplicabilidad de la constitución de servidumbres por signo aparente en Cataluña (comentario a la STS de 10 de diciembre de 1976)*, a l'ADC, 1978, pàg. 193 i seg.; GARCIA GARCIA, *Comentario a la sentencia de 6 de diciembre de 1976*, a la RCDI, 1978, pàg. 1266 i seg.; BIONDI, *Las servidumbres* (traducció espanyola). Madrid, 1978; PUIG FERRIOL, *Comentari a la sentència del Tribunal Suprem de 21 de novembre de 1985*, a CCJC, 1985 (núm. 9), pàg. 3107 i seg. PARA MARTIN, *Comentarios al Código Civil y Compilaciones Forales*. Madrid, 1987, volum XXX, pàg. 90 i seg.; AMAT I LLARI, *Comentari a la sentència del Tribunal Suprem de 31 de gener de 1990*, a CCJC, número 22 (1990), pàg. 291 i seg.; ISAC I AGUILAR, *La regulació futura de les servituds*, a "Materials V Jornades de Dret Català a Tossa. Cent anys de Codi civil des de Catalunya". Barcelona, 1990, pàg. 311 i seg.; AMAT LLARI, *Aplicabilidad del artículo 541 del Código Civil y otras cuestiones (comentario a la STSJC de 5 de febrero de 1990)*, a LCB, 1991-1, pàg. 52 i seg.; BRANCOS NUÑEZ, *Immissions, servituds i relacions de veïnatge*, a "El futur del dret patrimonial de Catalunya (Materials de les Desenes Jornades de Dret Català a Tossa). València, 2000, pàg. 323 i seg.; MATEO BORGE, *Notes sobre la supressió de la constitució de servitud per "destinació del pare de família" i la seva relació amb la servitud de propietari*, a idem, pàg. 731 i seg.; MATEO BORGE, *La servidumbre de propietario*. Madrid, 2000; ALONSO PEREZ, *El derecho real de servidumbre y su contenido (desde la perspectiva de la legislación de Cataluña)*, a "La Notaria", 2001 (núm. 9-10), pàg. 229 i seg.; LLACER MATACAS, *Alienació de finques i servitud sobre finca pròpia*, a idem, pàg. 261 i seg.; LLACER MATACAS *et alii, Tratado de servidumbres* (coordinat per A. REBOLLEDO VARELA). Cizur Menor, 2002; LLACER MATACAS, *La previsió del Dret Transitori: la seva transcendència en la constitució de les servituds,* a "L'exercici de les competències legislatives sobre dret civil de Catalunya. (Materials de les Onzenes Jornades de Dret Català a Tossa). València, 2002, pàg. 605 i seg.; SOLE RESINA, *La nueva regulación del derecho de servidumbre en Cataluña*, a "Actualidad Aranzadi", 2002, núm. 533, pàg. 7 i seg.; COBACHO GOMEZ, *Reflexiones sobre la nueva regulación de las servidumbres en el Derecho civil de Cataluña*, a "Estudios Jurídicos en homenaje al profesor Luis Díez-Picazo". Madrid, 2003, volum III, pàg. 3665 i seg.; GINER GARGALLO-DEL POZO CARRASCOSA, *Comentarios de Derecho patrimonial catalán*. Barcelona, 2005; ZAHIÑO RUIZ, *Aproximació al règim jurídic de les servituds en la Llei 22/2001, de 31 de desembre, de regulació dels drets de superfície, de servitud i d'adquisició voluntària o preferent*, a "La Notaria", 2005 (núm. 23-24), pàg. 73 i seg.; LLÀCER MATACÀS, *La inaplicabilitat transitòria de l'article 541 del Codi civil a Catalunya (comentari a la sentència de la Sala Civil del Tribunal Superior de Justícia de Catalunya 29/2003, de 18 de setembre,* a la "Revista Catalana de Dret Privat", 2005, pàg. 209 i seg.; CERDEIRA BRAVO DE MANSILLA, *Usucapión de servidumbres en Cataluña*, a "Homenaje al profesor Lluís Puig i Ferriol". València, 2006, volum I, pàg. 861 i seg.

JURISPRUDÈNCIA CITADA

Tribunal Suprem

2 juny 1969; constitució de les servituds
9 maig 1989: concepte de servitud
31 gener 1990: constitució de servituds
23 octubre 1993: constitució de servituds

Tribunal Superior de Justícia de Catalunya

5 febrer 1990: constitució de les servituds
13 desembre 1990: constitució de les servituds
26 març 1994: concepte de les servitud
4 juny 1998: constitució de les servituds
3 febrer 2000: constitució de servituds
18 setembre 2003: constitució de les servituds
22 setembre 2003: constitució de les servituds
2 octubre 2003: constitució de les servituds
4 març 2004: constitució de les servituds
20 desembre 2004: constitució de les servituds
13 octubre 2005: constitució de les servituds

Direcció General dels Registres i del Notariat

21 novembre 1998: constitució de les servituds
4 octubre 1999: concepte de servitud
7 abril 2000: concepte de la servitud

Interlocutòries president del Tribunal Superior de Justícia de Catalunya

9 juny 1997: concepte de servitud
10 febrer 1999: concepte de servitud
20 juliol 2000: concepte de servitud

Capítol XXIV
Les servituds (II)

1. CONTINGUT

I. En general

El dret real de servitud atribueix al titular de la finca dominant unes facultats sobre la finca servent, l'extensió de les quals ve determinada pel títol de constitució o per la llei (article 566-1.2), que li proporcionen uns beneficis o utilitats de contingut diferent segons sigui el tipus de servitud i les finalitats que en van determinar la seva constitució; i que poden ésser no sols de caràcter econòmic sinó també posem per cas estètic, encara que la majoria de les vegades també tindran les seves repercussions —encara que siguin indirectes— de caràcter econòmic. Aquestes utilitats o beneficis s'estableixen "per a utilitat exclusiva de la finca dominant", segons l'article 566-4.1, requisit que es deriva en bona part del caràcter inseparable del dret de servitud respecte al predi dominant d'acord amb la proposició següent de l'article, inseparabilitat que apareix també a l'article 108,1r LH. De totes formes la utilitat exclusiva que la servitud confereix al predi dominant no s'ha d'entendre en sentit massa estricte, ja que l'article 566-6.2 preveu la possibilitat que la servitud reporti també una utilitat efectiva al predi servent, Amb la conseqüència doncs que el caràcter exclusiu de la utilitat sols té un caràcter absolut respecte a tercers; si bé en relació amb aquest punt s'ha precisat que la utilitat que poden obtenir els propietaris de la finca servent es recolza en el fet de la constitució de la servitud en benefici d'una altra finca (LAUROBA LACASA).

La proposició darrera de l'article 566-4.1 precisa que "Igualment, es poden constituir servituds recíproques entre finques dominants i servents", possibilitat que tal vegada no exigia una declaració legal expressa, que en tot cas no es pot qualificar de sobrera, ja que les servituds recíproques entre finques es donen amb certa freqüència a la pràctica. Això determina que cadascuna de les finques tingui a la vegada la condició de finca dominant i de finca servent i que, per tant, s'apliquin a ambdues les consideracions fetes amb referència a la utilitat. En base el criteri que resulta de les interlocutòries del president del Tribunal Superior de Justícia de Catalunya de 27 de març i 4 d'abril de 1997, s'apunta l'oportunitat d'encarrilar per aquesta via la constitució d'elements d'aprofitament comú a vàries finques, que permetria mantenir la propietat individual separada del terreny, que restaria gravada amb unes servituds recíproques a favor de cadascuna de les finques implicades (BOSCH CAPDEVILA).

II. Exercici

El dret romà (Digest 8,1,9) va sancionar ja fa molts segles que el titular del predi dominant havia de comportar-se respecte a la servitud *suo iure civiliter uti*, requisit aquest de l'exercici *civiliter* de la servitud que d'una forma o altre acullen els ordenaments jurídics moderns, entre ells el català, ja que segons l'article 566-4.2 "La servitud s'exerceix de la manera més adequada per a obtenir la utilitat de la finca dominant, i, alhora, de la menys incòmoda i lesiva per a la finca servent", precepte que en certa manera es pot considerar com una manifestació concreta del principi general de dret, que imposa observar sempre les exigències de la bona fe en les relacions jurídiques privades (vegeu l'article 111-7). Els criteris de la utilitat de la finca dominant i de la mínima incomoditat de la finca servent que delimiten l'exercici de la servitud, es determinen en funció de com es va convenir la servitud i, en el seu cas, d'acord amb la manera en què s'ha exercitat la servitud, ja que si segons l'article 566-4.1 es constitueix per a la finalitat exclusiva de la finca dominant, es tracta de les necessitats que es van preveure quan es va constituir la servitud. Encara que és una mica arriscat portar aquestes consideracions fins a les seves darreres conseqüències, ja que els interessats —encara que sigui de forma implícita— poden haver albirat una adequació de la servitud a unes necessitats futures més o menys previsibles, amb la finalitat de no originar la seva extinció com a conseqüència de a impossibilitat del seu exercici (segons preveu l'article 566-11.1,c). Amb més seguretat es pot afirmar que quan la servitud es constitueix per tal de satisfer un avantatge futur, es prendrà en consideració la necessitat que concorri en el moment en què la utilitat es converteix en actual (DIEZ-PICAZO). En qualsevol cas l'exercici irregular de la servitud pot originar una responsabilitat a càrrec del titular de la finca dominant, que implicarà la indemnització dels danys i perjudicis que pugui haver ocasionat (STSJC de 5 d'octubre de 2000).

Una manifestació particular del criteri de l'exercici *civiliter* de la servitud es troba a l'article 566-4.3, en el qual es preveu que "Els propietaris de la finca servent, si l'exercici de la servitud esdevé excessivament carregós i incòmode, poden exigir, a llur càrrec, les modificacions que siguin convenients en la manera i en el lloc de prestar la servitud, sempre que no en disminueixin el valor i la utilitat". Ens trobem aquí davant d'un cas de modificació de la servitud imposada de forma unilateral pel propietari de la finca servent, única persona legitimada per a instar la modificació, però sols en el supòsit que l'exercici de la servitud esdevingui excessivament carregós i incòmode, és a dir, faci possible -encara que amb aquests inconvenients- l'exercici de la servitud, ja que si el seu exercici resultés impossible, escauria exigir l'extinció de la servitud a l'empara de l'article 566-11.1,c). La modificació s'ha de concretar a "la manera i el lloc de respectar la servitud", és a dir, sobre la forma d'exercici de les facultats que confereix al seu titular o sobre el lloc on s'exercita la servitud, que entenem ha de recaure sobre la mateixa finca que té la condició de predi servent, ja que en altre cas ens trobaríem davant l'extinció de la seva extinció i la creació d'una altra servitud (argument RDGRN de 20 d'octubre de 1998).

III. Contingut accessori de la servitud

Sota la rúbrica "Contingut accessori de la servitud" l'article 566-6 estableix el règim jurídic aplicable a les obres i activitats necessàries per a constituir i conservar la servitud, normes que tenen un caràcter clarament dispositiu, com resulta dels apartats 1 i 2 del precepte, que estableixen l'eficàcia del pacte contrari a les previsions legislatives; però que no es fa extensiu a l'apartat 4 del precepte, tal vegada perquè el pacte en contrari comporta el risc de deixar sens e efectes el concepte i contingut del dret real de servitud.

Segons l'article 566-6.1 "Les obres i les activitats necessàries per a establir i conservar la servitud són a càrrec del qui n'és titular, llevat que el títol de constitució estableixi una altra cosa.

Els propietaris de la finca servent, si cal, n'han de tolerar l'ocupació parcial perquè s'executin les dites obres". Del precepte resulta que a manca de pacte en contrari, les obres i les activitats necessàries per a l'establiment i conservació de la servitud són a càrrec del propietari del predi dominant o en el seu cas dels titulars dels drets reals possessoris legitimats per a la constitució de la servitud segons l'article 566-2.2, però no les altres persones que poden beneficiar-se de l'existència de la servitud d'acord amb l'article 566-1.2, perquè respecte a aquests el deure de contribuir o no a sufragar les despeses esmentades s'establirà en funció dels pactes convinguts amb el constituent de la servitud, però sense que puguin afectar el propietari de la finca que té la condició de predi servent. Aquesta faculta del titular de la servitud determina, segons la proposició darrera de l'article 566-6.1 que "Els propietaris de la finca servent, si cal, n'han de tolerar l'ocupació parcial perquè s'executin les dites obres", obligació que repercutirà a vegades sobre els titulars dels drets reals possessoris sobre la finca que té la condició de predi servent, els quals si escau podran fer les reclamacions que considerin procedents al propietari del predi servent. L'ocupació parcial de la finca servent s'haurà de fer de la manera menys incòmode i lesiva, d'acord amb allò que preveu l'article 566-4.2.

El precepte no preveu el destí que s'ha de donar a les obres necessàries per a establir i mantenir la servitud després de la seva extinció. Arrel de la vigència de la Llei 22/2001 la doctrina esmentava com a solució més raonable reconèixer el *ius tollendi* a favor del titular de la servitud i si això no era possible, s'argumentava l'oportunitat d'imposar al titular de la servitud el deure de retornar la finca al seu estat originari i d'indemnitzar els danys i perjudicis ocasionats, si la servitud s'havia establert únicament en benefici del titular del predi dominant; mentre que si les obres que subsisteixen beneficiaven al propietari del predi servent, es considerava no aplicable l'alternativa anterior i també que el propietari del predi dominant no hagués de pagar cap indemnització (GINER GARGALLO-DEL POZO CARRASCOSA).

L'obligació inicial que el precepte esmentat imposa al titular de la servitud d'assumir les despeses per a la seva constitució i establiment té una excepció limitada en el cas que preveu l'article 566-6.2, segons el qual "Els propietaris de la finca servent, si la servitud reporta una utilitat efectiva a llur finca, han de contribuir proporcionalment a les despeses d'establiment i conservació, llevat de pacte en contra". Si el propietari de la finca servent es vol alliberar de l'obligació de contribuir al sosteniment de les despeses de conservació, podrà renunciar la seva titularitat sobre la part de la finca gravada amb al servitud, ja que segons l'article 532-4.1, aplicable a tots els drets reals, "El dret real s'extingeix si els titulars, unilateralment i espontàniament, el renuncien", renúncia que en aquest cas s'ha de qualificar de transmissiva, ja que té com a destinatari el propietari de la finca dominant. S'addueix també que el titular de la finca dominant, per la seva condició de creditor *propter rem*, pot acceptar la renúncia transmissiva feta pel titular del predi servent com a deutor *ob rem*, que compleix l'obligació a càrrec seu mitjançant lliurar una prestació diferent a la convinguda en base a l'article 1166 CC (ALONSO PEREZ).

2. PROTECCIÓ DEL DRET DE SERVITUD

I. Concepte de l'acció confessòria de servituds

L'acció confessòria de servitud té els seus orígens en el dret romà i en el *ius commune* i si bé és cert que aquests precedents no van tenir una repercussió clara en els ordenaments jurídics moderns, a la pràctica es seguia aplicant la normativa romana en relació amb aquest acció fonamental establerta per a la protecció del dret real de servitud. Aquests precedents han tingut la seva transcendència en el dret civil català dels darrers anys, ja que l'acció confessòria de servitud va ésser objecte d'una regulació *ad hoc* a l'article 5 de la Llei 13/1990, criteri que va seguir després l'article 18 de la Llei 22/2001 i, darrerament, la secció quarta del capítol del llibre cinquè del Codi civil de Catalunya que regula el dret real de servitud, que s'intitula "Protecció del dret de servitud".

Segons la tradició romanista l'acció confessòria es defineix com aquella acció que s'atorgava al titular de la servitud per tal d'afirmar la seva existència. I seguint aquests precedents es preveu ara a l'article 566-13.1 que "Els titulars de la servitud tenen acció real per a mantenir i restituir l'exercici de la servitud contra qualsevol persona que s'hi oposi, que el pertorba o que amenaça de fer-ho". D'aquesta definició en podem deduir que l'acció confessòria de servitud té com a finalitat principal la declaració d'existència de la servitud, amb la conseqüència que una vegada decretada la seva existència, persegueix evitar qualsevol oposició o pertorbació real o futura a l'exercici de la servitud.

Pel que fa referència a la seva naturalesa jurídica, el precepte transcrit qualifica l'acció confessòria de servitud d'acció real, que hem de considerar plenament ajustada, ja que es tracta d'una acció establerta amb la finalitat de constatar l'existència del dret real de servitud i, a la vegada, declarativa, ja que la protecció del dret real de servitud pressuposa evidentment la seva existència contrastada; sens perjudici que pugui tenir una segona finalitat de condemna en els casos d'oposició o pertorbació efectiva a l'exercici de la servitud, que en canvi no serà necessària en el cas d'amenaça de pertorbació o de pertorbació futura.

II. Legitimació

Pel que fa referència a la legitimació activa, s'atribueix als "titulars de la servitud" segons l'article 566-13.1, que en relació amb l'article 566-2.2 determina que estiguin legitimats per a l'exercici de l'acció confessòria de servitud el propietari de la finca dominant i els titulars dels drets reals possessoris sobre la mateixa. Pel cas de cotitularitat sobre el predi dominant considerem aplicable el conegut criteri jurisprudencial, favorable a conferir legitimació a qualsevol dels cotitulars sempre que actuïn en benefici de tots ells.

Respecte a la legitimació passiva l'article 566-13.1 l'atribueix a "qualsevol persona" que s'oposi, pertorbi o amenaci pertorbar l'exercici de la servitud, és a dir, el titular del predi servent o qualsevol tercer; que és per altra part la solució que es deriva de la qualificació de l'acció confessòria de servitud com acció real segons el mateix precepte i que, a més, està d'acord amb els precedents, segons resulta del Digest 8,5,10-1. Sobre legitimació passiva en el cas d'exercici de l'acció confessòria de servitud per un tercer hipotecari vegeu STSJC de 13 d'octubre de 2005.

III. Requisits

De forma clara l'article 566-13.1 preveu que l'acció confessòria de servitud pot tenir per objecte mantenir i restituir l'exercici de la servitud, si bé qualsevol pronunciament de condemna en un sentit o altre pressuposa que la resolució judicial ha declarat prèviament l'existència de la servitud, que haurà d'ésser objecte d'una prova escaient, en aplicació del conegut principi que el dret de propietat es troba lliure de càrregues (egeu STSJC de 9 de novembre de 1992), que apareix a l'article 541-1.1 quan precisa que el titular del dret de propietat pot usar "de forma plena" dels béns objecte del seu dret. Respecte a les accions de condemna en l'exercici de l'acció negatòria de servitud, quan s'exercita per a mantenir i restituir el seu exercici, hem d'entendre que l'acció serà viable quan es produeix un impediment o una pertorbació a l'exercici de la servitud que afecta a la seva existència, contingut o modalitats d'exercici; però no quan s'incompleixen les obligacions o les facultats accessòries derivades del negoci jurídic de constitució de la servitud (vegeu l'article 566-6), que s'han de reprimir mitjançant l'exercici de l'acció personal escaient (BIONDI). És igualment viable l'exercici de l'acció confessòria de servitud quan sense existir una oposició o pertorbació efectives sobre l'exercici de la servitud, existeix en canvi una amenaça d'oposició o de pertorbacions futures, ja que una declaració de condemna en aquest sentit és compatible amb la funció inicialment declarativa de l'acció confessòria de servitud.

L'article 566-13.1 no preveu que quan s'exerciti l'acció confessòria de servitud amb les finalitats declaratives i de condemna es demani també una indemnització derivada dels danys i perjudicis derivats d'una oposició o pertorbació il.legítimes a l'exercici de la servitud, mentre que sí es preveu aquesta possibilitat quan s'exercita l'acció negatòria de servitud en base a l'article 544-6.2. La tesi negativa s'ha fonamentat en què forma part del contingut de l'acció confessòria que torni a ésser possible l'exercici de la servitud, mentre que el rescabalament de danys ha d'ésser objecte d'una acció independent (SOLE RESINA). Sembla oportú entendre que l'article 566-13 no prohibeix que s'exerciti a la vegada una acció indemnitzatòria, ja sigui en base a la categoria jurídica de l'acumulació d'accions perquè no es tracta d'unes accions incompatibles (com exigeix l'article 71.2 i 3 LEC) o en base al principi d'economia processal; encara que l'estimació de l'acció indemnitzatòria exigirà que l'oposició o la pertorbació a l'exercici de la servitud es pugui qualificar d'il. legítima. De la mateixa manera que en el cas d'exercici de l'acció confessòria de servitud amb la finalitat de prevenir pertorbacions o amenaces futures a l'exercici de la servitud es pugui demanar la mesura cautelar escaient, com pot ésser la prevista a l'article 727,7è LEC, és a dir, l'ordre judicial d'abstenir-se temporalment de mantenir una conducta determinada.

IV. Prescripció

L'article 5.3 de la Llei 13/1990 va mantenir el termini de prescripció dels trenta anys per a la prescripció de l'acció confessòria de servitud, que era també el que s'aplicava quan l'acció confessòria es regulava en el nostre dret d'acord amb la tradició procedent del dret romà, en aquest cas per aplicació de l'usatge *omnes causae*. El mateix termini de prescripció dels trenta anys va mantenir l'article 18.3 de la Llei 22/2001, però com que després de la seva vigència va entrar en vigor la primera Llei del Codi civil de Catalunya, és a dir la Llei 29/2002, de 30 de desembre, que reduïa el termini general de prescripció dels trenta als deu anys (vegeu el seu article 121-20), per raons de coherència l'article 566-13.2 ha reduït també a deu anys el termini de prescripció de l'acció confessòria de servitud. En tot cas, i com precisa el mateix article, el termini de prescripció es comença a computar des de l'acte obstatiu a l'exercici de la servitud, acte obstatiu que té el seu origen en el fet d'haver iniciat el titular del predi servent una possessió de la finca en concepte de lliure per la via de l'anomenada usucapió alliberatòria (vegeu l'article 531.23).

3. EXTINCIÓ DE LES SERVITUDS

Segons l'article 566-11 "La servitud s'extingeix per les causes generals d'extinció dels drets reals i, a més, per les causes següents", que enumera el precepte en els seus quatre apartats. Com a causes d'extinció dels drets reals en general s'estableixen la pèrdua del bé, la consolidació i la renúncia (article 532-1), que en la seva aplicació concreta al dret real de servitud requereixen a vegades determinades precisions, com es veurà en els apartats següents.

Les causes d'extinció de les servituds admeten la classificació següent:

I. Per causes relatives als subjectes

Com a causa d'extinció dels drets reals en general, aplicable per tant al dret real de servitud, l'article 532-1 esmenta la renúncia per part del seu titular, renúncia que segons l'article 532-4-1 ha de provenir d'una declaració de voluntat emesa pel titular i no s'ha d'adreçar a ningú i sense que s'exigeixi cap requisit de forma especial, encara que s'aplicarà també en aquest cas el criteri general que no es presumeixen les renúncies. La renúncia —com a causa d'extinció del dret real de servitud— ha de provenir del titular del predi dominant i si aquesta titularitat correspon de forma simultània a una pluralitat de persones, s'aplicarà el criteri de la unanimitat que exigeix l'article 552-7.6. De totes formes, i com precisa l'article 532-4.2, "La renúncia feta en frau de creditors dels renunciants o en perjudici dels drets de tercers és ineficaç"; precepte que s'ha de relacionar amb l'article 111-6, segons el qual encara que es consideri vàlida la renúncia, no és oposable a tercers si en podien resultar perjudicats. Sobre intervenció del creditor hipotecari en el cas de renúncia a la servitud per part del seu titular vegeu la interlocutòria del president del Tribunal Superior de Justícia de Catalunya de 20 de juliol de 2000.

L'article 532-1 esmenta també com a causa d'extinció del dret real de servitud la consolidació, que segons l'article 532-3.1 té lloc quan es produeix la reunió de titularitats entre els propietaris i els titulars del dret real, causa d'extinció que pot presentar una excepció notable en el cas que hem esmentat en el capítol anterior de constitució final de la servitud de propietari (3,III,B), ja que segons l'article 566-3.3 "Una servitud no s'extingeix pel sol fet que s'arribi a aplegar en una sola persona la propietat de les finques dominant i servent, però l'únic titular d'ambdues finques la pot extingir i obtenir-ne la cancel.lació en el Registre de la Propietat, sens perjudici de terceres persones".

Segons l'article 566-11.1,a) la servitud s'extingeix per "La manca d'ús durant deu anys comptats des del moment en què consta el desús o l'acte obstatiu, excepte en el cas de servitud sobre finca pròpia". En relació amb aquesta causa d'extinció de les servituds interessa inicialment posar en relleu que l'article 344 CDC establia que les servituds prescrivien al cap de trenta anys, precepte que en part va modificar l'article 13 de la Llei 13/1990, en el sentit de mantenir el termini dels trenta anys, però no per a la prescripció de les servituds sinó per a provocar la seva extinció per no-ús durant aquest termini. Amb aquesta modificació es pot entendre que el legislador català considera que el no-ús és una categoria jurídica diferent a la prescripció extintiva, perquè el no-ús es refereix —no a l'exercici d'accions o facultats jurídiques— sinó a la manca d'aprofitament material de la cosa sobre la qual recau el dret. (ALBALADEJO). Pel que fa referència al termini tradicional dels trenta anys, el va mantenir l'article 13 de la Llei 13/1990 i l'article 15,a) de la Llei 22/2001; mentre que l'article 566-11.1,a) redueix el termini a deu anys, segurament perquè es va creure oportú fer extensiu al no-ús l'escurçament de termini de prescripció, que dels trenta anys ha passat als deu anys arrel de la vigència de l'article 121-20. Sobre computació del termini preveu l'article 566-11.1,a) que si com estableix l'article 566-1.1 la servitud atorga al seu titular fer un ús determinat del predi servent, el termini comença a córrer des del moment en què consta el desús de la servitud; mentre que si la servitud comporta una reducció de les facultats del titular del predi servent (segons l'article 566-1.1), el termini dels deu anys comença a córrer des de la realització de l'acte obstatiu a l'exercici de la servitud per part del titular de la finca servent, que d'aquesta forma comença una usucapió alliberatòria sobre la seva finca (vegeu l'article 531-23.3). No opera aquesta causa d'extinció de les servituds, segons la proposició darrera de l'article 566-11.1,a) en el cas de servitud sobre finca pròpia, perquè en aquesta situació el propietari ha fet ús de les seves facultats dominicals, entre les quals s'inclouen les que es deriven d'un dret real de servitud en estat latent. Si la servitud que té el caràcter de forçosa es restableix amb posterioritat, l'article 566-11.3 preveu que "Els titulars d'una servitud forçosa que es restableix en els deu anys següents a la seva extinció per alguna de les causes que estableixen les lletres a i c de l'apartat 1 no han de pagar cap indemnització, llevat del cas què la dita servitud s'hagués extingit per un acte propi dels titulars de la finca dominant".

Una altra causa subjectiva d'extinció de les servituds és la que es deriva de l'article 566-11.1,d), en base a la qual s'extingeix la servitud com a conseqüència de "L'extinció del dret dels concedents o del dret real dels titulars de la servitud"; ja que segons l'article 566-2.2. els titulars de drets reals possessoris sobre la finca dominant estan legitimats per a constituir un dret real de servitud, amb la prevenció que quan s'extingeix la seva titularitat, s'aplica el conegut principi *resoluto iure concedentis, resolutur ius concessum.*

I finalment s'inclou entre les causes subjectives d'extinció del dret real de servitud, segons l'article 566-11.1,e) "El supòsit al qual fa referència l'article 566-3.2, si no s'ha fet declaració expressa de l'existència de la servitud", perquè segons aquest precepte en el cas de servitud sobre finca pròpia, si s'alienen les finques dominant o servent la servitud sols subsisteix si així s'estableix expressament en l'acte d'alienació. El supòsit s'ha qualificat, no d'extinció de la servitud, sinó de renúncia a la seva constitució (PETIT SEGURA).

II. Per causes referents a l'objecte

Com a causa d'extinció dels drets reals en general l'article 532-1 preveu la pèrdua del bé, precepte que desenvolupa l'article 532-2 en el sentit que la causa d'extinció ve determinada per la pèrdua total i sobrevinguda del bé en que constitueix l'objecte (apartat 1); mentre que si la pèrdua afecta únicament una part del bé, el dret real continua existint sobre la part que subsisteix. En relació amb aquesta causa d'extinció s'ha de precisar que provocarà l'extinció del dret real de servitud en el casos de pèrdua total de la finca que té la condició de predi dominant o servent segons l'article 566-11.1,b); perquè en els casos de pèrdua parcial pot subsistir perfectament la servitud si no s'ha perdut la part del predi servent gravada materialment amb la servitud, com igualment pot subsistir en el cas de procurar una utilitat a la part que resta de la finca dominant.

Una segona causa objectiva d'extinció de les servituds opera davant "La impossibilitat d'exercir-la" segons l'article 566-11,c). Es tracta d'una causa d'extinció fonamentada en uns fets objectius que s'han produït al marge de la voluntat del titular del dret real de servitud, que opera de forma automàtica, ja que s'ha suprimit la prevenció que establia l'article 14.1 de la Llei 13/1990, que pels casos d'impossibilitat d'exercici de la servitud facultava al titular del predi servent per exigir la seva extinció; encara que aquest automatisme s'estima compatible, a efectes de inscripció de l'extinció en el Registre de la Propietat, que s'acrediti el consentiment de tots els titulars del dret de servitud sobre la finca dominant o una resolució judicial ferma en un procediment en el qual hagin tingut la condició de part processal (GINER GARGALLO-DEL POZO CARRASCOSA). La llei no estableix cap termini per a fixar l'abast jurídic de la impossibilitat; de forma prudent hem d'entendre que no serà suficient una causa d'impossibilitat momentània o de curta durada, amb la precisió que aquesta darrera es determinarà segons les particularitats que concorrin en cada cas concret.

L'extinció de les servituds per impossibilitat del seu exercici segons l'article 566-11.1,c) presenta una qüestió nova pel cas de desaparèixer en un moment posterior la causa d'impossibilitat, en el sentit de determinar si aquest fet originarà el restabliment de la servitud ja extingida. L'article 566-11.2 soluciona la qüestió en sentit negatiu, ja que segons el precepte "La servitud, si s'extingeix la impossibilitat d'exercir-la, no es restableix encara que amb posterioritat torni a ésser possible exercir-la"; sens perjudici que una vegada desapareguda la causa que va determinar la impossibilitat del deu exercici, els interessats puguin convenir la constitució d'un altre dret real de servitud idèntic a l'extingit a l'empara del principi d'autonomia privada que apareix a l'article 566-3,1, que en qualsevol cas naixerà a la vida del dret en el moment de la seva constitució d'acord amb els requisits que estableix la llei. Una matisació al principi d'extinció esmentat apareix a l'article 566-11.3, segons el qual "Els titulars d'una servitud forçosa que es restableix en els dos anys següents a la seva extinció per les causes que estableixen les lletres a i c de l'apartat 1 no han de pagar cap indemnització, llevat del cas en què dita servitud s'hagués extingit per un acte propi dels titulars de la finca dominant", perquè en aquest darrer cas l'extinció de la servitud és imputable al seu titular i aquest fet no ha de perjudicar els titulars del predi servent.

III. Condició i termini

L'article 532-1 preveu com a causa d'extinció dels drets reals en general els derivats del títol de la seva constitució, circumstància que determina la possibilitat de constituir un dret real de servitud sotmès a una condició o termini resolutoris, amb els efectes propis d'aquestes modalitats en els negocis jurídics entre vius o per causa de mort; perquè els ordenaments jurídics moderns refusen la causa perpètua —per altra part molt discutida— que el dret romà d'èpoques determinades exigia per a les servituds.

4. LA SERVITUD DE LLUMS I VISTES

El tractament de la servitud de llums i vistes en el dret civil català no ha tingut uns perfils massa definits, ja que es va establir en ocasions segons el dret tradicional autòcton, que presenta certes confusions entre las servitud de llums i vistes i els límits del dret de propietat en matèria de llums i vistes. Principi fonamental sobre la matèria han estat les ordinacions 11 i 66 de les "Ordinacions de Sanctacilia", la primera de les quals establia que ningú pot tenir vistes sobre la finca veïna si abans no mira sobre la finca pròpia, mentre que l'ordinació 66 establia que no es poden tenir vistes des del terrat sobre el terrat del veí, si abans no mira sobre el propi, disposicions que d'una forma o altra van informar la redacció dels article 285, números 3 i 4, 293 i 295 CDC. I és precisament en base a aquesta normativa que la doctrina va posar en relleu que en una paret pròpia afrontant amb la del veí no es pot, *ex iure propietatis,* obrir forats amb destinació a llums i vistes, facultat que sols s'adquiria en virtut d'un dret de servitud, que des d'aquesta perspectiva suposa una derogació o alteració del règim normal del dret de propietat segons l'article 293,I del text compilat (MELON INFANTE).

Aquests precedents legislatius van ésser recollits en part pels articles 25 i 26 de la Llei 13/1990, que amb bon criteri va regular la servitud voluntària de llums i vistes com institució diferent a les limitacions del dret de propietat sobre la matèria; criteri que va seguir també l'article 10 de la Llei 22/2001. I amb una dicció encara més explícita s'afirma la distinció en el llibre cinquè del Codi civil de Catalunya, que en el seu article 546-10 regula les relacions de veïnatge respecte a llums, vistes i finestres, mentre que la servitud voluntària de llums i vistes es regula de forma separada i escaient en el capítol que tracta del dret real de servitud.

Precepte fonamental, que té uns antecedents prou clars en el Digest 8,2,4 i 16, és l'article 566-5 defineix la servitud de llums de la forma següent: "La servitud de llums permet, d'acord amb el títol de constitució, rebre la llum que entra per la finca servent i passa a la dominant a través de finestres o lluernes"; és a dir, el precepte considera que el forat per on es rep la llum es troba a la paret de la finca dominant i, com a servitud negativa, obliga el titular de la finca servent a una abstenció, que es tradueix en no impedir el pas de la llum i, també, a tolerar de forma permanent el pas de la llum i, en conseqüència, l'existència dels forats per on es rep la llums troben en la paret de la finca dominant (ALONSO PEREZ). I a la servitud de vistes es refereix l'apartat 2 del mateix precepte, segons el qual "la servitud de vistes comprèn necessàriament la del llums i permet obrir finestres de la forma i de les mides convingudes o habituals segons les bones pràctiques de la construcció". Si la servitud de llums i vistes s'ha constituït per qualsevol de les vies que preveu l'article 566-2.1, l'existència de la servitud limita les facultats d'edificar del predi servent en la mesura que preveu l'article 546-10.2, segons el qual "Llevat que el títol de constitució estableixi una altra cosa, si la finca té constituïda a favor seu una servitud de llums i de vistes, el propietari o propietària de la finca servent que vulgui edificar ha de deixar davant de l'obertura una androna, però pot obrir finestres que rebin la llum per la dita androna. Si la servitud és només de llums, el propietari o propietària pot edificar dins l'espai de l'androna fins al caire inferior de l'obertura que dóna llum". En relació amb l'esmentat article 546-10.2 vegeu supra, capítol X, 1.III,A),c). Precisem finalment que segons la STSJC de 13 d'octubre de 2005 la servitud de llums i vistes no es pot qualificar de no aparent, als efectes de l'article 283,7è CDC.

5. SERVITUDS FORÇOSES

I. Concepte i requisits per a la seva constitució

Com s'ha apuntat amb anterioritat, l'article 566-2.1 esmenta com a formes de constitució del dret real de servitud les que tenen el seu origen en un títol atorgat de manera forçosa, que origina la categoria jurídica de les servituds forçoses, que es regulen amb aquesta mateixa denominació a la secció segona del capítol VI "Les servituds". Del preceptes en resulta que també es considera títol la resolució judicial que constitueix la servitud forçosa, amb la conseqüència que la constitució del dret real de servitud mai es produeix de forma automàtica, ja que la solució contrària ens portaria davant d'un límit del dret de propietat, que faria innecessari el títol constitutiu (ZAHIÑO RUIZ).

La servitud forçosa restringeix les facultats normals del propietari de la finca servent en benefici del propietari d'una altra finca, circumstància que per ella sola justifica que la imposició de la servitud ha d'anar acompanyada d'una indemnització o compensació econòmica escaient a favor del propietari de la finca servent. Així resulta ben clarament de l'article 566-10.1 "Les servituds forçoses solament es poden establir amb el pagament previ d'una indemnització igual a la disminució del valor de la finca servent afectada pel pas o la canalització". El precepte exigeix el "pagament previ" de la indemnització per a l'establiment de la servitud, exigència que sembla excessivament rígida, ja que entenem hauria d'ésser suficient un acord entre els interessats sobre l'import de la indemnització, encara que no s'hagués pagat, si així s'hagués convingut a l'empara del principi d'autonomia privada; que en canvi sí té el seu sentit a manca d'acord, és a dir quan l'import de la indemnització l'ha de fixar l'organisme jurisdiccional o un tercer, per tal de no lesionar de forma excessiva els interessos del propietari de la finca servent. L'import de la indemnització poden fixar-lo lliurament els interessats i, a manca de conveni, s'establirà per la resolució judicial escaient en base a la disminució del valor que experimenti la finca servent com a conseqüència de la imposició de la servitud, perquè no cal oblidar en aquest punt que el propietari de la finca servent continua essent propietari —encara que no lliure de gravàmens— de la part de la finca por on discorre la servitud. Si l'establiment de la servitud forçosa comporta també beneficis a la finca servent, cal tenir present que segons l'article 566-10.3 "La indemnització es redueix proporcionalment si els propietaris de la finca servent també utilitzen el pas, la connexió a la xarxa o l'aigua transportada o si, en general, obtenen algun benefici de les obres executades per a l'exercici de la servitud". I com que la servitud forçosa, una vegada constituïda, s'exercita mentre està vigent amb una vocació de perdurabilitat, aquest exercici pot comportar també uns perjudicis futurs al propietari de la finca servent, situació que preveu l'article 566-10.2, segons el qual "Els propietaris de la finca dominant han d'indemnitzar els propietaris de la finca servent pels perjudicis que l'exercici de la servitud causi a llur finca". Respecte a l'abast d'aquesta indemnització es precisa que si l'exercici de la servitud causa uns perjudicis a la finca servent extraordinaris, en el sentit de no previsibles quan es va constituir la servitud, també s'hauran d'indemnitzar si s'arriben a produir (ALONSO PEREZ).

Finalment es preveu a l'article 566-10.4 que "No s'ha de pagar cap indemnizació si una finca resta sense sortida a una via pública, sense connexió a una xarxa general o sense accés a l'aigua com a conseqüència d'un acte de disposició sobre una o més parts de la finca originària o de divisió del bé comú efectual per qui tindria dret a reclamar-la". El precepte es fonamenta en el fet que la necessitat que justificaria la constitució d'una servitud amb el caràcter de forçosa l'ha originat de forma voluntària el propietari de la finca que tindria la condició de predi dominant.

II. La servitud de pas

És la primera que regula la secció dedicada a les "Servituds forçoses", perquè té fins i tot un cert caràcter emblemàtic, en atenció que la necessitat de donar sortida a una finca que no té accés a una via pública resulta evident i no es pot fer dependre dels interessos o de les conveniències privades. Segons l'article 566-7.1 "Els propietaris d'una finca sense sortida o amb una sortida insuficient a una via pública poden exigir als veïns que s'estableixi una servitud de pas per a accedir-hi d'una amplada suficient i unes característiques adequades perquè la finca dominant es pugui explotar normalment". En aquest punt s'observa que mentre l'article 566-2.2 legitima els propietaris i els titulars de drets reals possessoris per a constituir servituds sobre la finca dominant, l'article 566-7.1 restringeix la legitimació als propietaris quan es tracta de la servitud de pas, limitació que hem de creure intencionada, ja que si ens atenem al precedent immediat al precepte, és a dir l'article 12.1 de la Llei 22/2001, podien exigir la constitució de la servitud forçosa de pas el titular del dret de propietat o els titulars de drets possessoris sobre la finca; i que a més es deriva de l'article 566-2.2, que sols legitima els titulars dels drets reals possessoris per a constituir servituds voluntàries, amb exclusió doncs de les forçoses, respecte a les quals s'exigirà la intervenció del propietari perquè la utilitat que es deriva de la servitud tindrà gairebé sempre una durada temporal superior a la del titular del dret real possessori. I per altra part la intervenció del propietari té igualment una altra justificació, derivada del fet que la indemnització que s'ha de pagar o s'ha de percebre com a conseqüència de la constitució d'una servitud amb el caràcter de forçosa (segons l'article 566-10) afecta no sols els interessos del titular del dret real possessori, sinó també als interessos del propietari, si la servitud ha de perdurar després d'extingida la titularitat del dret real possessori.

Si concorre la necessitat de tenir sortida a un camí públic, això és suficient per a exigir la constitució forçosa de la servitud de pas sobre la finca veïna que tindrà la condició de predi servent i, per tal d'evitar que la constitució de la servitud representi un gravamen excessiu sobre la finca que pugui repercutir de forma negativa sobre el seu valor, es preveu a l'article 566-7.2 que "El pas s'ha de donar pel punt menys perjudicial o incòmode per a les finques gravades i, si és compatible, pel punt més beneficiós per a la finca dominant". Segons la STSJC de 26 de febrer de 1993 la demanda de constitució d'una servitud de pas amb el caràcter de forçosa s'ha d'adreçar contra els titulars de tots els predis veïns, d'acord amb les regle del litisconsorci passiu necessari.

Qüestió important és la que fa referència a la determinació de l'abast de la servitud forçosa de pas, si entre els interessats no existeix acord sobre aquest extrem. L'article 566-7.1 precisa que es pot demanar la constitució de la servitud —amb el caràcter de forçosa— no sols en el cas més evident de manca de sortida a una via publica, sinó també cn cl cas de tenir la finca sortida a una via pública, sempre que aquesta sortida sigui insuficient per a les necessitats de la finca. En qualsevol d'aquests casos el precepte exigeix que el pas sigui "d'una amplada suficient i unes característiques adequades perquè la finca dominant es pugui explotar normalment". En la interpretació del precepte resulten d'interès les precisions que fa la STSJC de 3 de febrer de 2000, que estableix com a criteris rellevants el destí econòmic, producció i finalitats de la finca dominant, que exigeixen conjugar interessos públics i particulars mereixedors de tutela, adreçada a protegir la funció social de la propietat, el lliure desenvolupament de l'activitat mercantil i industrial i els drets legítims dels particulars. Aquestes precisions s'han de projectar sobre el moment de constitució de la servitud forçosa de pas, però cal apuntar també la qüestió de si el canvi d'activitat que es porta a terme en la finca dominant ha de permetre donar un abast més ampli a la servitud de pas per tal d'adequar-la a les noves necessitats de la finca; qüestió que es resol en el sentit que el criteri del legislador ha estat deixar la solució del problema a l'arbitri judicial, atès que la casuística sobre la matèria és essencialment variable (GINER GARGALLO-DEL POZO CARRASCOSA).

III. La servitud d'accés a una xarxa general

La servitud d'accés a una xarxa general va ésser objecte d'una primera regulació a l'article 22 de la Llei 13/1990 i després a l'article 13 de la Llei 22/2001, que constitueixen els precedents immediats de l'article 566-8, l'apartat 1 del qual estableix que "Els propietaris d'una finca sense connexió a una xarxa general de sanejament o subministradora d'aigua, energia, comunicacions, serveis de noves tecnologies o altres serveis semblants poden exigir als veïns que s'estableixi una servitud d'accés de característiques adequades per a obtenir el servei i amb les connexions més adequades". La legitimació per a constituir aquesta servitud s'atribueix al propietari de la finca que tindrà la condició de predi dominant, amb exclusió doncs dels titulars de drets reals possessoris, com resulta de l'article 566-2.2; sens perjudici que la servitud es pugui constituir si intervenen conjuntament el propietari i el titular del dret real possessori.

Pel que fa referència a l'objecte de la servitud d'accés a una xarxa general segons l'article 22 de la Llei 13/1990 la doctrina havia manifestat que encara que el precepte esmentat podia donar a entendre que la servitud sols es podia constituir sobre terrenys, amb bon criteri apuntava la possibilitat de fer extensiva la servitud a les finques urbanes per a facilitar la rehabilitació dels nuclis antics de les ciutats amb la finalitat d'estimular la renovació urbana (BRANCOS NUÑEZ). Possibilitat que entenem no refusa l'article 566-8.

La servitud d'accés a una xarxa general pot gravar el vol, la superfície o el subsòl de la finca que té la condició de predi servent, modalitats que d'alguna forma predeterminen el contingut possible de la servitud. Així s'esmenta que la servitud de pas aeri comprèn el vol sobre el predi servent, introduir-hi pilars o punts de fixació dels elements conductors de la xarxa, el dret d'accés a la instal·lació i el seu control posterior, el seu manteniment i reparació, així com l'ocupació del sòl i del subsòl per a instal·lar-hi les conduccions d'acord amb els paràmetres legals sobre la matèria, l'establiment dels dispositius necessaris per a la fixació dels elements de conducció, canonades o elements conductors i el dret d'accés per a atendre la instal·lació, vigilància i conservació i reparació, així com l'ocupació material i temporal del terreny (VILLAGRASA ALCAIDE).

El caràcter forçós de la servitud, en consonància amb els perjudicis que pot comportar pel propietari de la finca que tindrà la condició de predi servent que en darrer terme s'han de conjugar amb els interessos generals, determina que segons l'article 566-8.2 que "La servitud solament es pot exigir si la connexió a la xarxa general no es pot fer per cap altra lloc sense despeses desproporcionades i si els perjudicis ocasionats no són substancials". I els mateixos criteris inspiren l'apartat 3 del precepte, en el qual es preveu que "L'accés a la xarxa general s'ha de donar pel sistema tècnicament més adequat i pel punt menys perjudicial o incòmode per a les finques gravades i, si és compatible, pel més beneficiós er a la finca dominant"; que en el fons no fa altra cosa que reproduir de forma més aviat innecessària els articles 566-4.2 i 566-7.2. Del precepte creiem en resulta que es pot fer la connexió a la xarxa general, amb independència que aquesta sigui de titularitat pública o privada.

IV. La servitud d'aqüeducte

Atesa la importància que l'ús de l'aigua té moltes vegades per a les finques, ha existit des de fa segles una normativa sobre la servitud d'aqüeducte, que el legislador català ha considerat oportú incloure a la secció que regula les servituds forçoses, amb la finalitat d'actualitzar la normativa tradicional. Va iniciar aquesta nova regulació l'article 23 de la Llei 13/1990, que va ésser derogat per l'article 14 de la Llei 22/2001, que s'ha convertit finalment en l'article 566-9, l'apartat 1 del qual estableix que "Els propietaris d'una finca que, a més, siguin titulars d'un recurs hidràulic extern a aquesta poden exigir als veïns que s'estableixi una servitud d'aqüeducte d'una amplada suficient i de les característiques adequades perquè la finca dominant es pugui explotar normalment". Sobre legitimació dels titulars de drets reals possessoris sobre la finca dominant per a constituir una servitud d'aqüeducte, ens remetem a les consideracions que s'han fet en relació amb la servitud d'accés a una xarxa general; com ens remetem igualment a les consideracions que s'han fet abans respecte a l'article 566-7.2 sobre servitud de pas a l'hora d'interpretar l'article 566-8.3, en el qual es preveu que "El pas d'aigua s'ha de donar pel punt i pel sistema de conducció tècnicament més adequats i alhora, si és compatible, menys perjudicials i incòmodes per a les finques gravades".

La constitució de la servitud d'aqüeducte -amb el caràcter de forçosa- exigeix que el titular del predi dominant sigui a la vegada titular d'un recurs hidràulic extern a la seva finca i que per a l'aprofitament de la mateixa l'aigua hagi de passar per una o més finques veïnes (article 566-9.1); en aquest extrem les previsions que estableix el precepte esmentat s'han de complementar amb les disposicions escaients del text refós de la Llei d'aigües aprovat pel Reial Decret Legislatiu 17/2001, de 20 de juliol, i pel Reglament del domini públic hidràulic aprovat pel Reials Decret 849/1986, d'11 d'abril.

Sobre l'abast de la servitud forçosa d'aqüeducte precisa el mateix article 566-9.1 que ha de tenir l'amplada suficient i unes característiques adequades per tal que la finca dominant es pugui explotat normalment; i en atenció una vegada més al caràcter bàsic que s'atribueix a la servitud forçosa de pas, apuntem l'oportunitat d'interpretar aquests requisits d'acord amb els criteris —amb les adaptacions escaients— assenyalades per a la servitud de pas, és a dir, el destí econòmic, producció i finalitats de la finca dominant i una composició adequada dels interessos públic i particulars mereixedors de tutela, adreçats a protegir la funció social de la propietat, el lliure desenvolupament de les activitats d'explotació de les finques i els drets legítims dels particulars.

Respecte al seu contingut accessori es preveu a l'article 566-9.2 que "La servitud d'aqüeducte permet a qui n'és titular fer totes les obres necessàries per a portar l'aigua, entre les quals s'inclouen les canonades, les sèquies, les mines, les rescloses i les altres de semblants. El dit titular, a càrrec seu, han de mantenir aquestes instal·lacions en bon estat de conservació". Sobre responsabilitat derivada d'una conservació negligent d'una sèquia, vegeu STSJC de 5 d'octubre de 2000.

6. ELS DRETS D'APROFITAMENT PARCIAL

I. Precedents i règim jurídic

Es regulen en el llibre cinquè, títol VI, capítol III del Codi civil de Catalunya amb aquesta mateixa denominació, drets que l'apartat III del preàmbul de la Llei 10/2006 qualifica d'"autèntic calaix de sastre", que considera oportú prendre en consideració atesa la seva utilitat "per a promoure la conservació dels boscos i dels espais naturals mitjançant una explotació racional, agrupa les antigues servituds personals". Aquesta referència a les servituds personals posa de manifest que no es tracta d'una institució jurídica nova, ja que les servituds personals s'esmenten a l'article 531 CC, que la doctrina jurídica catalana immediatament posterior a la Compilació de l'any 1960 considerava vigent a Catalunya. En el cas que va originar la STSJC de 16 de setembre de 2002 es qualifica de servitud personal l'autorització conferida al propietari d'una de les finques amb caràcter personal i exclusivament a favor d'ell per a obrir unes finestres a la paret divisòria de les finques, que segons la mateixa sentència té el seu fonament en l'article 531 CC i en el Digest 8,3,4; i precisa també que d'acord amb allò que preveuen els articles 7 i 8 RH, les servituds personals poden tenir per objecte qualsevol utilitat que una finca pugui proporcionar a persona o persones determinades.

Com a precedent més immediat de la normativa actual es pot esmentar la Llei 22/2001, que regulava el dret real de servitud en els seus articles 6 al 18 com el gravamen parcial establert sobre una finca en benefici d'una altra finca, fet que determinava que quan el gravamen s'establia sobre la finca en benefici d'una persona la figura no es pogués qualificar de servitud, denominació que la disposició addicional de la llei esmentada substituïa per la de "Drets d'aprofitament parcial sobre una finca aliena". El mateix criteri adopta el llibre cinquè del Codi civil de Catalunya, amb la precisió de substituir aquesta denominació per la de "Drets d'aprofitament parcial".

Si ens atenem a aquest procés legislatiu es pot afirmar inicialment que els drets d'aprofitament parcial que regulen els articles 563-1 al 563-4 es poden qualificar en termes generals com una categoria més actual i moderna de les tradicionals servituds personals. El canvi de denominació és encertat, ja que l'expressió servituds personals té un sentit ambigu; recordem que segons els precedents romans es qualificaven de servituds personals els drets d'usdefruit, ús i habitació i, també, que des d'una altra perspectiva l'expressió servituds personals té una connotació negativa, ja que es pot relacionar amb situacions de vassallatge o de tipus feudal. Una segona consideració que cal fer, es posar en relleu la voluntat del legislador català de conferir una autonomia als drets d'aprofitament parcial, que ja no es configuren com una modalitat de les servituds —personals en contraposició a les predials—, sinó com un dret real independent, com resulta de la sistemàtica del títol VI del llibre cinquè del Codi civil de Catalunya que regula les servituds en el capítol VI, mentre que els drets d'aprofitament parcial es regulen en el capítol III del mateix títol VI. Una tercera consideració que cal fer, és que el legislador actual no estableix una normativa completa dels drets d'aprofitament parcial, ja que segons la proposició darrera de l'article 563-1 s'estableix la supletorietat de les normes reguladores del dret d'usdefruit, encara que sols en la mesura que siguin compatibles. Amb aquesta precisió es vol posar de manifest que si bé és cert que els drets d'aprofitament parcial presenten unes característiques comunes amb el dret de servitud, i tal vegada com a més clara que ambdues categories jurídiques suposen un gravamen parcial sobre la finca —com resulta de la seva denominació com a dret d'aprofitament *parcial* i de l'article 566-1.1 pel dret real de servitud—, aquesta característica comuna no es creu tingui entitat suficient per a assimilar una i altra institució, ja que existeixen diferències significatives entre elles. Com són la durada tendencialment perpètua o indefinida de les servituds i la durada temporal limitada dels drets d'aprofitament parcial, normalment en funció de la vida del seu titular o en funció del fet de no transmetre la seva titularitat a una altra persona. Això explica que la proposició darrera de l'article 563-1 declari aplicable com a supletòria als drets d'aprofitament parcial la normativa establerta pel dret d'usdefruit, encara que sols en allò que resulti compatible; perquè el dret d'usdefruit és també un dret real de durada temporal limitada (segons els articles 561-3.2 i 3 i 561-15); i per altra part el dret d'usdefruit es pot constituir perfectament com un dret real limitat de gaudiment parcial, com resulta de l'article 561-3.1 que permet es constitueixi sobre la totalitat o una part de les utilitats que es deriven dels béns objecte del dret d'usdefruit. Això i tot no és oportú marginar totalment la normativa sobre el dret de servitud, amb la finalitat de complementar els preceptes específics que el Codi dedica als drets d'aprofitament parcial, ja que tan la servitud com el dret d'aprofitament parcial recauen sempre sobre finques o béns immobles per naturalesa (segons l'article 511-2.2,a).

El legislador actual es decideix pel criteri d'atribuir una eficàcia general retroactiva als preceptes que dedica als drets d'aprofitament parcial, ja que segons la DT desena "Els drets d'aprofitament parcial existents en el moment de l'entrada en vigor d'aquest llibre es regeixen per les normes d'aquest. No obstant això, el termini de redempció que estableix l'article 563-3 es computa a partir de la seva entrada en vigor".

II. Concepte

L'article 563-1 estableix que "Els drets d'aprofitament parcial establerts amb caràcter real a favor d'una persona sobre una finca aliena amb independència de tota relació entre les finques...", expressió que serveix per a definir la institució objecte del nostre estudi. Del precepte en resulta inicialment que el dret d'aprofitament parcial sobre finca aliena es pot constituir com un dret personal o com un dret real a favor del seu titular, i serà el títol de la seva constitució l'element fonamental per a determinar la seva adscripció a una o altra categoria dels drets patrimonials, en aplicació de la normativa general sobre interpretació dels negocis jurídics. La possibilitat d'establir un dret d'aprofitament parcial sobre finques per la via de crear un dret personal no ofereix problemes, amb la precisió que es pot originar mitjançant qualsevol contracte típic o atípic que tingui com a finalitat transmetre l'ús i el gaudiment de la finca; més problemes presenta determinar si aquest contracte ha de produir efectes estrictament obligatoris o personals o si ha d'operar, a més, com a títol per a la constitució d'un dret real limitat de gaudiment, ja que el compliment del contracte originarà a la vegada transmetre la possessió de la finca al titular del dret d'aprofitament parcial i aquesta tradició precedida del títol pot originar la constitució d'un dret real segons els articles 531-1 i 531-3.

A l'hora de resoldre la qüestió plantejada sembla oportú fer referència en primer lloc a l'expressió que apareix a l'article 563-1 "amb independència de tota relació entre finques", que serveix per a posar de manifest que si el dret d'aprofitament parcial s'estableix a favor d'una finca, i no per a atendre necessitats o conveniències del seu propietari actual, la voluntat dels interessats s'haurà d'interpretar en sentit favorable a la constitució d'una servitud predial segons l'article 566-1.1. I en segon lloc cal fer una referència especial a l'expressió que apareix a l'article 563-1, que posa un èmfasi especial en el fet que el dret d'aprofitament parcial s'estableixi "amb caràcter real", que posa de manifest el criteri del legislador favorable inicialment al dret d'aprofitament parcial constituït amb el caràcter de personal, a menys que la voluntat dels interessats es pugui considerar favorable a la seva constitució com un dret real limitat de gaudiment, perquè aquesta voluntat s'adreça a establir el dret d'aprofitament parcial, no a favor de qualsevol persona, sinó únicament a favor de la persona que tingui la condició de titular de la finca; que a la vegada pressuposa la voluntat d'atribuir-li la titularitat d'un dret real, encara que limitat a una o més persones i a la vegada d'una eficàcia temporal limitada (BIONDI).

III. Objecte

Els drets d'aprofitament parcial s'han de qualificar de drets reals immobiliaris, com resulta de l'article 563-1 que els configura com uns drets reals limitats de gaudiment que recauen sobre finques (vegeu l'article 511-2.2,a) i d). Com qualsevol altre dret real limitat de gaudiment els drets d'aprofitament parcial permeten al seu titular gaudir de determinades utilitats que es poden derivar de la finca gravada, utilitats que es poden qualificar de molt heterogènies, ja que en definitiva estan en funció de les característiques de la finca gravada o de les finalitats que persegueix o interessen al titular del dret real limitat de gaudiment sobre finca aliena.

Des d'una perspectiva que podem anomenar tradicional, que es projecta fonamentalment sobre els interessos que predominen en les societats de tipus agrari, la manifestació tal vegada més significativa dels drets d'aprofitament parcial es troba en els drets de pastures, llenyes i altres aprofitaments agrícoles, pecuaris i forestals, esmentats a l'article 563-1 com a drets que confereixen al seu titular les facultats de "pasturar bestiar i ramats, el de podar arbres i tallar mates" (en relació amb aquests darrers vegeu també els articles 561-23 i 561-31). Al costat d'aquestes manifestacions tradicionals dels drets d'aprofitament parcial el legislador actual —amb bon criteri— ha volgut instaurar un caire de modernitat en base a criteris que predominen en el context social i econòmic dels nostres temps; com resulta del mateix article 563-1, que permet configurar com a drets d'aprofitament parcial els que confereixen al seu titular la facultat d'instal.lar sobre finca aliena cartells publicitaris i els anomenats drets de llotja i de balcó. L'enumeració no té el caràcter d'exhaustiva, com resulta del mateix precepte, que inclou altres drets semblants, com poden ésser el dret de pas a favor d'un ajuntament, per tal de facilitat l'accés a una platja, però no el de mantenir un determinat estil d'edificació o de no dur a terme determinades activitats en un local (segons els "Treballs preparatoris del llibre cinquè del codi civil de Catalunya. Els drets reals", pàg. 227 i seg.). Creiem que també es pot constituir sobre finca aliena un dret de caça amb el caràcter de dret real de gaudiment parcial. Respecte a les particularitats que presenta el teatre Liceu de Barcelona i la possibilitat —discutible— d'aplicar-li la normativa sobre els drets d'aprofitament parcial vegeu FOLLIA CAMPS, *El gran teatre del liceu. Estudi jurídic d'uns institució típicament barcelonina*". Barcelona, 1990, discurs d'ingrés a l'Acadèmia de Jurisprudència i Legislació de Catalunya i contestació de Vilaseca i Marcet.

IV. Constitució

Segons l'article 563-2.1 "Poden constituir un dret d'aprofitament parcial els propietaris de la finca gravada i els titulars de drets reals possessoris constituïts sobre aquesta. En aquest darrer cas, el dret d'aprofitament parcial té l'abast i la durada dels dits drets reals possessoris". Si es relaciona el precepte transcrit amb l'article 561-3.1 es pot establir en primer lloc que el dret d'aprofitament parcial es pot constituir —com el dret d'usdefruit— per qualsevol títol (argument article 563-1), és a dir, per negoci jurídic entre vius o per causa de mort, per usucapió i *a non domino* (com s'ha argumentat *supra,* capítol XVII, 2). Pel que fa referència als requisits de capacitat i legitimació per a constituir un dret real d'aprofitament parcial creiem que no obstant l'oportunitat d'aplicar la normativa sobre el dret d'usdefruit com preveu l'article 563-1, sembla més ajustat a la naturalesa dels drets reals de garantia aplicar la normativa exposada sobre constitució del dret real de servitud (vegeu capítol anterior, 3), atesa la naturalesa immobiliària del dret de servitud i del dret d'aprofitament parcial.

Pel que fa referència a les seves modalitats entenem que d'acord amb les previsions de l'article 561-3.1 el dret d'aprofitament parcial es pot establir a favor d'una pluralitat de persones, ja sigui amb el caràcter de simultani o successiu, d'acord amb les precisions que s'han fet abans respecte els drets d'usdefruit simultani i successiu (vegeu *supra,* capítol XVII, 4,III). Aquesta darrera possibilitat permetria establir drets d'aprofitament parcial amb el caràcter de perpetus o de durada indefinida, possibilitat que no rebutjava el dret anterior, ja que es devia considerar que no presentaven els inconvenients que es poden derivar d'uns usdefruits perpetus o indefinits, ja sigui en base al caràcter essencialment parcial del dret d'aprofitament o en base a la possibilitat de redimir els drets d'aprofitament parcial segons els articles 603 i 604 CC. Així i tot el legislador actual ha considerat oportú establir el seu caràcter essencialment temporal, ja que segons l'article 563-2.4 "La durada dels drets d'aprofitament parcial no pot superar en cap cas els noranta-nou anys", és a dir, el mateix termini que estableix l'article 561-3.4 pel dret d'usdefruit i l'article 564-3.2.a) pel dret de superfície. Si es respecta aquest límit temporal, els interessats poden fixar la durada del dret d'aprofitament parcial a l'empara del principi d'autonomia privada; amb la prevenció que en defecte de pacte s'aplica l'article 563-2.3, en el qual es preveu que "S'entén que la durada del dret d'aprofitament parcial és de trenta anys, llevat que les parts fixin un termini diferent".

Pel que fa referència als requisits de forma per a la seva constitució, i en particular pel cas de la seva constitució per negoci jurídic entre vius, l'article 563-2.2 preveu que "La constitució per mitjà de negoci jurídic dels drets d'aprofitament parcial ha de constar necessàriament per escrit i només es pot oposar davant de terceres persones si consta en una escriptura pública i si s'inscriu en el Registre de la Propietat". L'adverbi necessàriament que apareix en el precepte dóna a entendre que la voluntat del legislador és que el requisit de l'escrit, amb independència que es materialitzi en un document públic o privat, opera com a requisit de forma *ad solemnitatem*, amb la conseqüència que el seu incompliment aboca a un supòsit de nul.litat del dret d'aprofitament parcial; excepte en el cas d'haver-se constituït per usucapió, ja que l'article 563-2.2 sols exigeix el document pel cas de constitució del dret d'aprofitament parcial en negoci jurídic.

La configuració del dret d'aprofitament parcial com un dret real limitat immobiliari de gaudiment determina la seva inscribilitat en el Registre de la Propietat a l'empara de l'article 2,2n LH, si bé en aquest cas la inscripció exigirà que la seva constitució es formalitzi en qualsevol dels documents que segons l'article 3 LH operen com a títols —en sentit formal— inscribibles. Afegim ara que el requisit de l'escriptura pública compleix també una segona finalitat segons l'article 563-2, com és que "només es pot oposar davant de terceres persones si consta en una escriptura pública i s'inscriu en el Registre de la Propietat". El precepte estableix per tant una regla d'opossibilitat paral.lela a la que estableix l'article 569-13.2 per a la penyora; que ens porta a l'afirmació que el precepte exigeix l'escriptura pública —i la inscripció registral subsegüent— com a requisit d'eficàcia o d'opossibilitat del dret d'aprofitament parcial enfront a tercers, però no com a requisit de validesa, ja que el dret d'aprofitament parcial ha quedat vàlidament constituït si consta per escrit.

V. Contingut

El conjunt de drets i facultats que genera el dret d'aprofitament parcial pel seu titular, i correlativament pel titular de la finca gravada, seran els que es derivin del títol de la seva constitució i, en el seu defecte, els que s'estableixen en relació amb el dret d'usdefruit, d'acord amb allò que preveu la proposició darrera de l'article 563-1. En base a aquest precepte ens remetem a l'exposició que s'ha fet abans en relació amb el dret d'usdefruit (vegeu *supra,* capítol XVIII). En conseqüència aquí sols esmentem que el titular del dret d'aprofitament parcial gaudeix normalment de les facultats de posseir els béns objecte del seu dret (segons l'article 561-2.2), que resultarà de l'entitat de les facultats que confereix al seu titular en cada cas concret i que a més poden ésser intermitents, com serà en el casos dels anomenats drets de llotja o de balcó. El titular del dret d'aprofitament parcial gaudeix també de les facultats d'ús i gaudi de la finca en la mesura que es derivi de l'abast parcial del seu dret, que inclou també les facultats de gestió escaients; com resulta igualment de l'article 563-1, que inclou entre les facultats del seu titular les de gestionar i obtenir els aprofitaments parcials de la finca a canvi de refer-la i conservar els recursos naturals i paisatgístics o de conservar la fauna i l'ecosistema.

El dret d'aprofitament parcial és en principi alienable, com resulta de l'article 561-9.1 respecte el dret d'usdefruit, d'acord amb la remissió que estableix l'article 563-1, i d'acord també amb l'article 107, núm. 5 LH que el declara hipotecable. Creiem de totes formes que es pot constituir amb el caràcter de personalíssim, perquè segons l'article 563-1 es regula en primer lloc pel títol de la seva constitució.

VI. Extinció

La norma de remissió de l'article 563-1 permet afirmar que les causes i el règim jurídic d'extinció del dret d'usdefruit (articles 561-16 al 561-19) s'apliquen també als drets d'aprofitament parcial, amb les adaptacions que escaiguin. Així tot l'article 563-3 estableix una altra causa particular d'extinció, ja que segons el precepte "1. Els drets d'aprofitament parcial es poden redimir per voluntat exclusiva dels propietaris de la finca gravada una vegada passats vint anys des de la constitució del dret. 2. Es pot pactar, no obstant el que estableix l'apartat 1, la no redimibilitat per un termini màxim de seixanta anys o durant la vida de la persona titular del dret d'aprofitament parcial i una generació més. 3. El preu de al redempció, llevat de pacte en contra, és el que resulta de la capitalització del valor anual de l'aprofitament, determinat per pèrits, prenent com a base l'interès legal del diner en el moment de la redempció". El precepte transcrit s'inspira en uns criteris semblants als que estableixen els articles 565-12 i 565-13 per a la redempció dels censos, que creiem aplicables al cas que ara interessa amb les adaptacions escaients, d'acord amb les consideracions que s'han fet *supra*, capítol XXI, 5,II,A).

Per últim, i amb la finalitat de facilitar l'extinció dels drets d'aprofitament parcial, l'article 563-4 preveu que "Els propietaris i els titulars d'un dret real possessori sobre una finca gravada tenen el dret d'adquisició preferent del dret d'aprofitament parcial en els termes que el tenen els nus propietaris en el cas de transmissió de l'usdefruit". Es tracta del mateix dret d'adquisició preferent que l'article 561-9 estableix respecte el dret d'usdefruit, amb la diferència que en el cas de l'usdefruit el dret d'adquisició preferent s'atribueix únicament al nu propietari, mentre que en relació amb els drets d'aprofitament parcial el dret d'adquisició preferent s'atribueix al propietari i als titulars dels drets reals possessoris sobre la finca gravada. Sobre el règim jurídic del dret d'adquisició preferent segons l'article 561-10 ens remetem a les consideracions que s'han fet *supra*, capítol XVIII, 1,I,B),d),b'.

BIBLIOGRAFIA SUMÀRIA

A més de l'esmentada en el capítol anterior, vegeu també:
MELON INFANTE, *Luces y vistas en la Compilación catalana*, a l'ADC, 1962, pàg. 107 i seg.; O'CALLAGHAN MUÑOZ, *La servidumbre de luces y vistas en la Compilación del Derecho civil de Cataluña (comentario a la STS de 31 de enero de 1969)*, a "El Derecho civil catalán en la jurisprudencia". Barcelona, 1970, volum VII, pàg. 31 i seg.; SALVADOR CODERCH-SANDIUMENGE FARRE, *La acción negatoria (Comentario a la sentencia del Tribunal Suremo de 3 de diciembre de 1987)*, a "Poder judicial", 1988 (núm. 10), pàg. 117 i seg.; AMAT LLARI, *La adquisición de la servidumbre de luces y vistas en la Compilación catalana de 1960. Comentario a la sentencia del TSJ de Cataluña, Sala de lo Civil, de 13 de diciembre de 1990*, a LCB, 1991-2, pàg. 700 i seg.; SOLE RESINA, *La acción confesoria de servidumbre. Configuración y régimen jurídico*. Madrid, 1998; FORTUNY BERENGUER, *La extinción de las servidumbres en la "Llei 13/1990, de 9 de juliol, de l'acció negatòria, les immissions, les servituds; les relacions de veïnatge"*, a "Boletín del Centro de Estudios Hipotecarios de Cataluña", 1998 (núm. 78), pàg. 117 i seg.; BOSCH CAPDEVILA, *La configuració jurídica dels elements d'aprofitament comú a vàries finques*, a "El futur del dret patrimonial de Catalunya (Materials de les Desenes Jornades de Dret Català a Tossa). València, 2000, pàg. 649 i seg.; VILLAGRASA ALCAIDE, *Las servidumbres forzosas de redes aéreas y conducciones su-*

perficiales o subterráneas en el Derecho civil catalán, a idem, pàg. 783 i seg.; VILLAGRASA ALCAIDE, *Prescripció extintiva de l'acció negatòria i adquisició de la servitud de llums i vistes,* a "La Notaria", 2001 (NÚM. 9-10), pàg. 272 i seg.; PETIT SEGURA, *La extinción de servidumbres en Cataluña (Comentario a la Sección Tercera del Capítulo II de la Ley 22/2001, de 31 de diciembre: arts. 15 a 17,* a "La Notaria", 2003 (núm. 9-10), pàg. 211 i seg.; PETIT SEGURA, *La extinción de servidumbres en Cataluña,* a "Boletín del Centro de Estudios Registrales de Cataluña", 2003 (núm. 105), volum I, pàg. 502 i seg.; DIEZ-PICAZO, *Los límites del derecho de servidumbre y el uso de los elementos accesorios,* a "Libro Homenaje al profesor Manuel Albaladejo Garcia". Murcia, 2004, volum I, pàg. 1261 i seg.; SOLE RESINA, *La acción confesoria de servidumbre: ámbito de protección; naturaleza jurídica; legitimación; contenido y efectos,* a "Estudios Jurìdicos en homenaje al profesor Luis Diez.Picazo". Madrid, 2004, volum III, pàg. 4329 i seg.; CABANAS TREJO, *Breve nota sobre la servidumbre personal en el Derecho catalán,* a "La Notaria", 2006 (núm. 35-36), volum I, pàg. 119 i seg.

JURISPRUDÈNCIA CITADA

Tribunal Suprem

26 febrer 1993: servitud de pas

Tribunal Superior de Justícia de Catalunya

9 novembre 1992: acció confessòria de servitud
26 febrer 1993: servitud de pas
3 febrer 2000: servitud de pas
5 octubre 2000: exercici de la servitud; servitud d'aqüeducte
16 setembre 2002: drets d'aprofitament parcial
13 octubre 2005: servitud de llums i vistes
13 octubre 2005: acció confessòria de servitud

Direcció General dels Registres i del Notariat

20 octubre 1998: contingut del dret real de servitud

Interlocutòries president del Tribunal Superior de Justícia de Catalunya

27 març 1997: contingut del dret real de servitud
4 abril 1997: contingut del dret real de servitud
20 juliol 2000: extinció de la servitud per renúncia del seu titular

Capítol XXV

Els drets d'adquisició

1. ELS PRECEDENTS

Junt amb els drets reals en general, la llei preveu drets que permeten els seus titulars adquirir una cosa amb preferència a qualsevol altre adquirent, ja sigui perquè així ho han acordat els interessats, ja sigui perquè la llei els hagi concedit per raons de contigüitat, d'accessió al dret de propietat, etc. El Codi civil català regula aquests drets sobre els que no existeix una real tradició catalana, fora de la *fadiga*, en els censos, i el dret de *torneria*, que és un retracte gentilici propi de la Vall d'Aran. Aquesta no és una manca específica del Dret català, perquè quan els autors es refereixen a aquests drets en el sistema general del Codi civil, solen posar de relleu que no existeix una regulació general, llevat del retracte convencional en la compravenda (articles 1507 i ss CC), i els retractes legals. PUIG BRUTAU posa de relleu que la doctrina espanyola parla de drets reals d'adquisició preferent per influència de la doctrina alemanya, segons la qual es tracta de gravàmens sobre una cosa que proporcionen al seu titular el dret de convertir-se en propietari (WOLFF-RAISER); ara bé, el mateix autor es cuida de matisar que aquesta definició és massa àmplia, de manera que s'ha de limitar el concepte a aquells que produeixen pretensions reals a la transmissió, que, sempre segons PUIG, seran el tanteig, el retracte i el dret d'opció.

S'ha dit ja que a Catalunya no hi ha una tradició entorn a aquests drets, per bé que la llei 22/2001, de 31 de desembre, *de regulació dels drets de superfície, de servitud i d'adquisició voluntària preferent*, regulés, en els articles 19 a 35, els anomenats "drets d'adquisició", amb una tècnica bastant diferent de la utilitzada en el Codi civil català, sense justificar de cap manera l'existència prèvia d'aquests drets en la tradició catalana com resultava normal en altres lleis d'aquest tipus. Un dels comentaristes de la llei descrivia les característiques dels drets d'adquisició que s'hi regulaven dient que, en primer lloc, la llei emplenava un buit important en la matèria, que per altra banda, tampoc es podia omplir amb el recurs al dret supletori; que es produïen algunes imprecisions i que resultava estrany que no s'hagués tingut en compte la institució catalana de la compravenda a carta de gràcia (BOSCH CAPDEVILA). Algunes de les crítiques que se li feien en aquell moment es poden haver superat, mentre que d'altres, com ara l'oblit de la compravenda a carta de gràcia, persisteixen.

El Codi civil català dedica el capítol vuitè del llibre cinquè als drets d'adquisició, regulant una part general comuna als tres tipus, dret d'opció, tanteig i retracte i dedicant normes específiques a cada un d'aquests drets. A més i a diferència de l'anterior llei, regula els retractes legals i la *torneria*, havent d'afegir-se les disposicions transitòries 18 i 19. Aquesta és, per tant, la normativa reguladora dels drets d'adquisició actualment en el Codi civil català.

2. LA REGULACIÓ GENERAL DELS DRETS D'ADQUISICIÓ

I. Concepte i característiques

La manca de regulació general d'aquests drets fa que no hi hagi hagut una literatura jurídica àmplia que estudiï la seva naturalesa, que és el problema més important que es planteja la doctrina i que tindrà repercussions en la pràctica: es tracta de determinar si els drets d'adquisició tenen naturalesa real o personal. D'aquí derivaran desprès les característiques i les conseqüències que tenen en relació als tercers adquirents.

L'anterior llei 22/2001 preveia que els drets d'adquisició preferent es podien pactar bé amb naturalesa real, bé amb naturalesa personal, i així l'article 20 de l'esmentada llei deia que "els drets d'adquisició poden tenir naturalesa real o personal". La llei entenia que solament eren reals quan s'haguessin constituït amb aquesta naturalesa en escriptura pública i s'haguessin inscrit en el corresponent registre. D'aquí en derivava la doctrina una doble conclusió: a) que els drets d'adquisició podien tenir una doble naturalesa, la qual cosa quedava absolutament confirmada en el preàmbul de la llei 22/2001, i b) que els drets tenien caràcter *naturalment personal*, quan no s'haguessin pactat amb caràcter real; és a dir, que la norma residual a manca de pacte, atorgava naturalesa personal als drets que ara ens ocupen. La doctrina havia lloat aquesta solució, de manera que BOSCH CAPDEVILA deia que la llei de 2001 resolia de forma satisfactòria la polèmica qüestió de si els drets d'adquisició tenien naturalesa real o personal, al permetre que es pactessin amb un o altre caràcter.

A la problemàtica anterior, s'ha d'afegir la discussió que sorgeix entorn a la naturalesa del dret d'opció. DIEZ PICAZO planteja clarament les dues alternatives que es produeixen en el dret d'opció: si es tracta d'un dret de naturalesa personal i, per tant, solament produeix eficàcia entre les persones que el pacten, en el cas que el concedent de l'opció contracti amb un tercer, el beneficiari únicament podrà reclamar els danys i perjudicis derivats de l'incompliment; mentre que si es configura com a dret real, el titular el podrà exercitar sobre la cosa a la que grava com una càrrega de la mateixa, sigui on sigui que aquesta cosa es trobi i sigui qui sigui el seu titular. D'aquí que la discussió en el Codi civil es traslladi a la solució donada en l'article 14 RH, de manera que es diu que solament quan el dret d'opció estigui inscrit en el Registre de la Propietat es pot considerar com un dret real, i per tant no ho seran aquells drets que no hi constin. Aquesta és la solució que ha estat més acceptada, per bé que no hi ha unanimitat en considerar-lo com a dret real ja que, per exemple, ROCA SASTRE entén que el fet que s'inscrigui no li canvia la naturalesa, de la mateixa manera com l'arrendament inscrit segueix essent un dret personal.

El Codi civil de Catalunya permet afirmar que aquests drets són de naturalesa real, la qual cosa es dedueix en primer lloc, de la mateixa sistemàtica utilitzada, al incorporar-los en el Llibre Cinquè, *relatiu als drets reals*. D'aquesta manera es pren partit per una de les solucions que estan presents en la doctrina en general en relació a la naturalesa d'aquests drets i molt especialment en allò que es refereix al dret d'opció, com ja s'ha tingut ocasió d'estudiar.

Les disposicions contingudes en el Codi civil de Catalunya porten clarament a considerar que els drets d'adquisició preferent tenen naturalesa real, en el sentit que s'utilitza en aquesta obra (vegeu cap I). I això es pot deduir de diverses disposicions:

1ª L'article 568-3 estableix que els drets d'adquisició preferent poden recaure sobre béns immobles o mobles; el paràgraf segon admet també la possibilitat que recaiguin sobre béns futurs, però en aquest cas solament seran eficaços si els béns afectats arriben a existir, de manera que es produeix una condició suspensiva mentrestant els béns no existeixin. Aquesta és una clara conseqüència de la naturalesa real del dret, de manera que és possible pactar-lo sense eficàcia real i en aquest cas tindran naturalesa personal, com veurem tot seguit.

2ª L'article 568-9.1 preveu un efecte clar de la naturalesa real dels drets: que segueixen afectant els béns sobre els que recauen encara que es transmetin a tercers que no els han creat, de manera que "els adquirents se subroguen en les obligacions que, si escau, corresponen als concedents del dret".

3ª L'article 568-10 permet l'exercici de determinades facultats de conservació i de control dels béns sobre els que recau el dret.

4ª Finalment, l'article 568-11 determina l'extinció del dret en els casos de destrucció dels objectes sobre els que recauen, aplicant la mateixa regla de l'article 532-2, que preveu l'extinció dels drets reals per la pèrdua total o sobrevinguda dels béns que en constitueixen l'objecte. Una cosa diferent és la regulació dels efectes que aquesta pèrdua produeix, la qual cosa és l'objecte de la regulació de l'article 532-2, però aquests efectes són precisament la conseqüència de l'extinció del dret.

5ª Els drets d'adquisició preferent s'han d'inscriure en el Registre de la Propietat, d'acord amb el que disposa l'article 568-2.1. Ara bé, aquesta no és una característica definitiva, perquè en realitat ni el tanteig ni el retracte requereixen de publicitat registral quan es tracta de drets d'origen legal, donat que a més, l'article 37.3 LH exceptua de la necessitat de la constància registral els retractes legals en els casos i condicions establerts a la llei; és evident, però, que aquest argument no es pot aplicar als drets d'origen voluntari que hauran de seguir la regla de l'article 568-2.1 per a què puguin afectar tercers.

Per tant, la conclusió a què ens porta l'examen de les regles establertes en relació sobretot a l'objecte dels drets d'adquisició, ha de fer-nos concloure que la regla en el Codi civil de Catalunya és que els drets d'adquisició preferent estan concebuts com a drets reals; en definitiva, es tracta de gravàmens sobre els béns. Això anterior no exclou, però, la possibilitat que, en virtut de l'autonomia de la voluntat, es puguin constituir amb caràcter personal i no real. Aquesta és una qüestió diferent i es poden trobar arguments normatius que avalen la tesis que es manté aquí. Efectivament, l'article 568-2.2 conté una referència a la possibilitat que el dret s'hagi constituït amb caràcter personal en dir que l'exercici dels drets d'adquisició comporta "l'extinció dels drets constituïts amb posterioritat sobre el bé *si el dret s'havia constituït amb caràcter real"*, de manera que no s'aplicarà aquest efecte si s'han constituït amb caràcter personal, en una interpretació *a contrario sensu*; el mateix es pot dir de l'article 569-35.1 que permet la hipoteca dels "drets d'adquisició *de caràcter real"*. Aquestes disposicions obren la possibilitat que en virtut de l'autonomia de la voluntat, els particulars creïn drets d'aquest tipus que no tinguin caràcter real, de manera semblant a allò que disposava l'article 20 de la llei 22/2001 i en aquest cas solament es regiran per les disposicions del Llibre cinquè del Codi civil de Catalunya en allò que els sigui aplicable segons la seva naturalesa. La conclusió és, per tant, que el Codi civil de Catalunya parteix de la naturalesa real dels drets d'adquisició, que solament tindran naturalesa personal quan així s'hagi pactat pels els interessats, solució absolutament contrària a la continguda en la derogada llei 22/2001.

Del que s'ha dit fins ara es poden deduir les característiques que el Codi civil de Catalunya atribueix als drets d'adquisició i que seran:

1ª Es tracta d'autèntics drets reals, tal com es dedueix del que s'ha argumentat fins ara. Com a drets reals, poden ser també objecte de gravamen, com ho demostra clarament la possibilitat que ofereix l'article 539-35 referida a la hipoteca dels drets d'opció i de tanteig.

2ª Són drets reals que configuren un gravamen sobre els béns sobre els que recauen. Aquest gravamen crea una limitació del dret de domini.

3ª Són de tracte únic, perquè s'esgoten amb l'exercici.

4ª Poden tenir origen legal o voluntari.

II. Els tipus

Tant el Codi civil de Catalunya com l'anterior llei 22/2001 tipifiquen els drets d'adquisició, la qual cosa no impedeix que en virtut de l'autonomia de la voluntat, reconeguda en l'article 545-4 (vegeu cap I), els particulars puguin constituir-ne de diferents i fins i tot, com ja s'ha dit, configurar aquests drets com a personals o reals.

El Codi civil de Catalunya parteix d'una distinció prèvia a la tipificació dels drets: pel seu origen, poden ser legals o voluntaris.

Segons les disposicions del Codi català, solament els drets de tanteig i de retracte poden tenir un doble origen, és a dir, poden sorgir per pacte o tenir origen legal, regint-se en aquest darrer cas per la normativa sectorial aplicable, com es veurà (capítol XXVI). Ara bé, en la normativa administrativa, l'art 50 de la Llei 24/1991, de 15 de gener, *de l'habitatge*, atorga a l'administració de la Generalitat un dret d'opció de compra per a les primeres transmissions dels habitatges de protecció oficial de promoció privada; es tracta, per tant, d'un dret atorgat per la llei, que s'haurà d'exercir en les condicions establertes a l'art 51 de la mateixa llei. Per tant, si bé el dret d'opció té, en general, origen voluntari i encara pot ser configurat com a real o personal pels interessats, pot tenir també origen legal en el cas previst en l'esmentat article 50 citat.

Els drets d'adquisició d'origen voluntari poden ser de tres tipus:

1º. El *dret d'opció*, que, segons l'article 568-1.1,a), "faculta el seu titular per a adquirir un bé en les condicions establertes pel negoci jurídic que el constitueix". Es regeix per la normativa del Codi civil de Catalunya, continguda en els articles generals en allò relatiu a les disposicions de tipus imperatiu, a més del que disposen els articles 568-8 a 568-12 i en allò establert als pactes continguts en el títol de creació del dret. Com afirma BOSCH, el dret d'opció no neix a partir de l'oferta que fa el titular del bé, sinó que es constitueix per contracte. DIEZ PICAZO diu que, es pot pensar en una semblança entre l'oferta irrevocable i el contracte d'opció, però que la diferència essencial es troba en què en l'oferta existeix únicament una declaració unilateral de voluntat, mentre que el contracte que crea el dret d'opció és un negoci bilateral, que obliga a les dues parts.

2º El *dret de tanteig*, que està definit a l'article 568-1,b) com aquell que "faculta el seu titular per adquirir a títol onerós un bé amb les mateixes condicions pactades amb un altre adquirent". La diferència essencial entre el dret d'opció i el tanteig es troba en què en l'opció es reconeix una facultat que permet adquirir el bé sobre el qual recau el dret durant el període pactat i a títol onerós o gratuït, mentre que en el tanteig es reconeix el dret preferent d'adquirir uns determinats béns en el cas que una tercera persona pretengui adquirir-los a títol onerós. Per tant es tracta d'un dret d'adquisició preferent en concurrència amb un altre adquirent, mentre que aquesta condició no es produeix en el dret d'opció. El tanteig requereix un contracte transmissor perfeccionat, de manera que s'ha d'interpretar conjuntament l'article

568-1.1,b) que el defineix, amb les disposicions reguladores del tanteig, és a dir, els articles 568-13 i 568-15, on es parla sempre de transmissions. En el tanteig, l'efectivitat del dret queda en màns del concedent, ja que si no decideix alienar a títol onerós els béns durant el període pactat, el titular del dret no podrà mai exercitar-lo, mentre que en l'opció, és el titular del dret qui té el control sobre l'efectivitat de l'opció.

3º *El retracte*, segons l'article 568-1,1,c) faculta "el seu titular per a subrogar-se en el lloc de l'adquirent amb les mateixes condicions convingudes en un negoci jurídic onerós una vegada ha tingut lloc la transmissió". En aquesta darrera frase es troba la diferència essencial amb el tanteig, ja que el retracte concedeix, no una preferència en l'adquisició com el tanteig, sinó una facultat per substituir un dels contractants un cop ha tingut ja lloc una transmissió. De la mateixa manera que el tanteig, el retracte requereix que el concedent hagi exercit la seva capacitat per transmetre els béns sobre els quals aquests drets recauen, de manera que un cop produït el supòsit previst, la preferència cobra eficàcia i passa a convertir el dret en una facultat d'adquirir, i així, l'adquirent d'un bé sobre el que recau un dret de retracte obté en realitat un bé sotmès a una facultat d'adquisició per part del titular del retracte (BOSCH).

III. L'objecte

D'acord amb l'article 568-3.1, els drets d'adquisició poden recaure sobre béns immobles i sobre béns mobles.

1º. Si es tracta de béns mobles, la llei exigeix que siguin susceptibles de poder ser identificats, per qualsevol mitjà, afegim aquí. Algun autor considera que la condició que s'exigeix en aquest article implica que els béns mobles no siguin fungibles, però aquest argument no és absolutament vàlid, ja que segons el que disposa l'article 568-3.2, en poder-se constituir aquests drets sobre béns futurs, es pot permetre la constitució sobre una cosa futura genèrica (una collita, p.e.), sempre que en el moment de l'exercici del dret es pugui identificar.

2º Si l'objecte és un bé immoble, la llei no exigeix el requisit anterior, però és evident que també serà necessària la seva identificació. A més, l'article 568-3.4 permet que es puguin constituir aquest drets sobre parts determinades de l'immoble, com ara els pisos o locals d'un edifici, o una parcel·la d'un terreny, la qual cosa obliga a identificar-los. També es pot constituir un dret preferent sobre l'edificabilitat d'un immoble. En aquests casos, l'article 568-3.4 estableix que el preu d'adquisició s'ha de fixar tenint en compte la mesura superficial o altres paràmetres o mòduls determinats. Aquesta, però, és una norma que indica com es pot fixar el preu, però no és imperativa, perquè els interessats podrien fixar-lo tenint en compte altres paràmetres que considerin més convenients.

3º Els drets d'adquisició poden recaure també sobre béns futurs. En aquest cas, l'article 568-3.2 destaca que es consideren sotmesos a una condició suspensiva que consisteix en l'existència efectiva de l'objecte; podem posar com exemples els pisos en construcció o una determinada collita. La llei de 2002 establia que els drets d'adquisició sobre béns futurs eren sempre personals, la qual cosa ha desaparegut en l'actual normativa; el que sí cal posar de relleu és que quan est tracta d'un dret real, com sembla ser el cas del qual parteix el Codi civil català, es plantegen alguns problemes com evidenciava BOSCH CAPDEVILA per a l'anterior regulació, per bé que alguns d'aquests problemes poden tenir solució amb l'actual norma de l'article 568-3.2. Així, certament no és possible la relació d'immediativitat amb els béns perquè encara no existeixen, però la solució es troba en què solament es podrà exercir el dret d'adquisició quan aquests arribin a ser realitat i per aquesta raó, la llei sotmet el dret a condició suspensiva, de manera que solament neix quan la condició es compleix. És certa l'objecció que formula BOSCH quan considera que essent necessària la inscripció en el Registre de la propietat, d'acord amb el que ara disposa l'article 568-2.1, és difícil que es pugui constituir el dret d'adquisició sobre un bé futur, ja que si els béns no existeixen, no es poden immatricular; ara bé, cal recordar que en alguns casos podrà ser inscrit en el Registre de la propietat quan així es permeti en la legislació hipotecària, com succeeix en els edificis constituïts en règim de propietat horitzontal encara no acabats (article 8.5 LH), però aquesta no és la regla general. De totes les maneres, algunes d'aquestes objeccions queden superades si es parteix de la qualitat de dret sotmès a condició suspensiva, que, per tant, depèn de l'existència efectiva dels béns per a la seva mateixa existència i com en aquest cas és molt poc necessària la publicitat del dret perquè no podrà mai ser exercit si els objectes no acaben essent materialitzats, la qüestió es converteix en un problema entre les parts, de tal manera que el titular del dret d'adquisició podrà exigir la seva inscripció en el moment en què arribin a existir els béns sobre els quals el dret recau. La conclusió és, doncs, que essent un dret sotmès a condició suspensiva, no es pot parlar de què tingui o no la característica de dret real fins que no es compleixi la condició i en aquest moment, neixerà com a real o personal segons s'hagi pactat.

4º Es pot constituir un dret d'adquisició sobre un conjunt de béns, d'acord amb l'article 568-3.3, que poden ser tots mobles o tot immobles, o bé un conjunt de béns mobles i d'immobles. En aquest cas, el Codi exigeix que s'assenyali un preu separat par a cada un dels béns per tal de permetre l'exercici del dret de forma individualitzada. És evident, però, que les parts poden constituir el dret d'adquisició sobre el conjunt, com quan es preveu exercir-lo sobre una casa i el seu contingut, considerat com una excepció a l'anterior regla pel mateix article 568-3.3.

IV. La constitució

El Codi civil català estableix unes regles per a la constitució en general d'aquests tipus de drets, en els articles 568-5 y 568-6, així com en la regulació dels drets d'opció i tanteig. En aquest apartat s'examinaran solament les regles generals, deixant per a l'estudi dels altres drets les regles especials que els afectin.

A) CAPACITAT

Encara que la llei no s'hi refereixi directament, s'ha d'entendre que cal distingir entre el concedent del dret i el titular. Respecte del concedent, cal la capacitat general per crear drets reals. Respecte del titular del dret, cal la capacitat per exercitar el contracte en què consisteix el dret d'adquisició (BOSCH). També es pot constituir el dret a favor d'una pluralitat de persones, cas en el qual l'article 568-4 estableix un sistema per a l'exercici.

B) TÍTOL

L'article 568-5.1 estableix que els drets d'adquisició es poden constituir per qualsevol títol, per tant, per actes entre vius i per causa de mort. També de manera onerosa o bé en forma gratuïta i en aquest darrer cas, s'hauran d'aplicar les disposicions dels articles 531-7 i següents, relatives a la donació.

L'article 23 de l'anterior llei especificava diverses formes de constitució del dret d'adquisició i deia que es podia atribuir directament o bé incorporar-lo mitjançant un pacte exprés o una estipulació, en un altre negoci, com ara, un arrendament amb opció de compra. Aquesta possibilitat no queda exclosa en el Codi civil català; per tant, es pot cedir el dret, mantenint la cosa en poder del cedent i també es podrà transmetre la cosa, reservant-se el cedent la facultat de recuperar-la, com passa en la compravenda a carta de gràcia (article 326.1 CDCC).

Malgrat la disposició general de l'article 568-5.1, l'exigència d'escriptura pública fa que no es pugui constituir el dret d'opció per mitjà de la usucapió, per les mateixes raons que s'han al·legat en parlar d'aquest problema en el dret de superfície (vegeu cap XX).

C) FORMA

S'exigeix l'escriptura pública en l'article 568-2.1 per a la validesa de la constitució del dret, sigui quin sigui l'objecte sobre el qual recaigui. Quan s'hagi constituït en un títol *mortis causa* s'hauran d'aplicar les regles establertes al Codi de successions.

L'article 568-2.1 exigeix que el dret s'inscrigui en el Registre de la propietat si el dret d'adquisició s'ha constituït sobre un immoble. En tractar-se, per tant, d'un dret real, es pot inscriure d'acord amb el que s'estableix en l'article 2.2 LH, aplicable tant als drets d'opció, com al tanteig i el retracte, i en l'article 14 RH, si es tracta d'un dret d'opció. En el cas de l'opció, s'ha de tenir en compte el diferent termini per a l'exercici del dret previst en l'article 568-8.1 i en l'article 14 RH, que estableix que no podrà excedir de quatre anys; aquesta regla no s'aplicarà quan es tracti d'un dret d'opció creat a Catalunya. És evident que quan es constitueixi el dret com a personal en virtut de l'autonomia de la voluntat, no es podrà inscriure en el Registre. Si el dret té la característica de real i no s'inscriu quan recaigui sobre béns immobles, la conseqüència serà el no naixement del dret, perquè l'article 568-2.1 l'exigeix com a requisit per a la vàlida constitució. En canvi, no cal la inscripció en cap registre quan es tracta del dret d'adquisició sobre béns mobles.

D) EL CONTINGUT

El principi que regeix el contingut dels pactes de creació dels drets d'adquisició preferent és el mateix que s'aplica en el Codi civil català respecte de la constitució dels altres drets: l'autonomia de la voluntat com a regla bàsica es troba limitada per l'exigència d'un contingut mínim en el títol de constitució, regla que en aquest cas està continguda en l'article 568-6. A diferència del que el Codi civil català estableix en relació al dret de superfície (article 564-4), no existeix aquí cap regla específica sobre pactes que poden considerar-se adients i que poden constar o no en la constitució del dret d'acord amb el principi de l'autonomia de la voluntat; és més, en aquest cas, no es produeix cap referència explícita, però, com s'ha dit abans, la regla general en el Codi civil català és l'autonomia de la voluntat, amb unes exigències mínimes, que és el que succeeix també en aquest cas. La manca d'alguna de les estipulacions establertes en aquest article hauria de produir la nul·litat del títol constitutiu, per bé que en algun cas, com el de l'article 568-6,a), la llei estableix una norma supletòria per evitar precisament aquesta ineficàcia.

Els continguts obligatoris establerts a l'article 568-8 són els següents:

1º *El termini de durada del dret.* Si res no s'estipula, l'article 568-6,a) estableix que el termini serà de quatre anys, per bé l'article 568-8.1 fixa un període més ampli per a la durada del dret d'opció (10 anys) i l'article 568-13.1 permet constituir el dret de tanteig amb durada indefinida. El que significa és que en el cas que no s'hagi pactat el dret amb la durada permesa i no s'hagi establert aquesta durada voluntària, el dret d'adquisició que es tracti tindrà una durada de 4 anys.

2º *El termini per a l'exercici del dret,* si escau. Aquest aspecte es refereix als drets de tanteig i de retracte, que tenen establert un termini per al seu exercici; no s'aplicarà al dret d'opció, perquè aquest s'esgota amb el seu exercici. Per tant, aquesta disposició actuarà com a supletòria del que es disposa en l'article 568-14.4, que estableix que en el cas que no s'hagi pactat cap termini per a l'exercici del dret de tanteig, caduca al cap de dos mesos a comptar des del dia que es notifiqui de forma fefaent l'acord de transmissió i l'article 568-15.2 que estableix un termini de tres mesos per a l'exercici del retracte. Cal posar de relleu que aquestes dues normes no coincideixen amb la regla general, ja que aquest el fixa en un mes a manca de pacte. En qualsevol cas, es tracta de terminis de caducitat.

3º *La prima pactada per a la constitució del dret* si s'ha establert a títol onerós i la manera com s'ha satisfet. Com s'ha dit abans, els drets d'adquisició es poden constituir a títol onerós o gratuït; en el primer cas, s'ha de fer constar el preu pagat en constituir-lo, al qual la llei denomina *prima* i en conseqüència, aquest és un element essencial solament quan es tracti d'una constitució onerosa. L'article 568-6,c) estableix que també cal fer constar la manera com s'ha fet efectiva aquesta prima, perquè no necessàriament ha de consistir en el pagament d'una quantitat de diners, sinó que pot ser la prestació d'un servei, l'abstenció d'una determinada activitat, etc. (BOSCH); en qualsevol d'aquests casos es tractarà d'un dret constituït a títol onerós i se li aplicaran les regles de la causa onerosa. Aquesta contraprestació pot ser independent del pagament del preu de l'adquisició o bé pot formar-ne part, de manera que el mateix article, en el seu paràgraf b), preveu el supòsit quan es tracti d'un dret d'opció.

Quan el dret s'hagi constituït a títol gratuït s'haurà d'aplicar la normativa sobre donacions, com ja s'ha dit.

4º *El domicili* dels concedents de l'opció o dels titulars dels drets de tanteig i de retracte, a l'efecte de les corresponents notificacions. Aquesta regla està dirigida a facilitar l'exercici dels drets i evitar la seva frustració per manca de coneixement del lloc on s'han de dirigir les comunicacions. Com afirma BOSCH, en el dret d'opció l'únic domicili que cal que consti és el del concedent, per facilitar al titular del dret la comunicació de la seva decisió d'exercitar-lo, ja què és aquest l'únic que té en les seves mans l'efectivitat del dret; en canvi, en els drets de tanteig i de retracte, el domicili que s'haurà de fer constar és el del titular del dret, perquè s'haurà de comunicar la decisió de transmetre el bé al tercer als efectes que els titulars d'aquest dret puguin exercitar-lo.

V. L'exercici

Amb una dubtosa sistemàtica, l'article 568-2.2 qualifica d'eficàcia la conseqüència de l'exercici d'algun dels drets regulats en el capítol VIII. La regla principal consisteix en què l'exercici del dret d'adquisició produeix l'adquisició dels béns que n'eren el seu objecte i a continuació s'estableixen unes normes destinades a fixar les condicions en què es trobava el bé als efectes de les corresponents accions indemnitzatòries si esqueia.

A) L'ADQUISICIÓ DE LA PROPIETAT DELS BÉNS SUBJEC-TES A UN DRET D'ADQUISICIÓ

A partir d'aquesta regla general, s'ha d'estudiar si l'exercici del dret d'adquisició produeix *per se* l'adquisició de la propietat, o bé caldrà el traspàs possessori per a l'adquisició. BOSCH posa de relleu el que qualifica de *tesi de l'adquisició immediata de la propietat* front a la *tesi tradicional*. La primera d'aquestes dues postures parteix de la idea que l'adquisició es produeix *ipso iure* per l'exercici del dret, que no cal aplicar la regla de l'adquisició mitjançant títol més la tradició continguda en l'article 531-1 (vegeu cap IV d'aquesta obra), mentre que la *tesis tradicional* exigiria la concurrència del títol i la tradició. BOSCH s'acull al primer plantejament i considera que l'adquisició de la cosa es produeix sense necessitat de tradició, en el moment en què la notificació de l'exercici pot arribar a coneixement del propietari dels béns afectats pel dret d'adquisició, sempre que s'hagin complert les condiciones estipulades i que s'hagi pagat el preu; afegeix aquest autor que l'atorgament de l'escriptura pública sí que requereix la col·laboració de l'anterior titular i que la tradició solament serà necessària per a adquirir la possessió. En definitiva entén que es tracta d'un nou mode d'adquirir la propietat en el dret català, front a la tesis que identifica amb l'adjectiu de *tradicional*, en virtut de la qual es requereix la tradició per a l'adquisició de la propietat també en els casos d'exercici de drets d'adquisició.

En aquesta obra s'opta per mantenir la que es denomina *tesis tradicional*, que s'ha manifestat en l'examen del dret d'opció, però que es pot extrapolar als altres drets d'adquisició. ROCA SAS-TRE, quan analitza el dret d'opció als efectes de la inscripció en el Registre de la propietat, diu que "con el ejercicio del derecho de opción de compra *la transmisión no se opera automáticamente*, pues falta completar aquel contrato de compraventa antes concluso como tal, para que se produzca el traspaso" i aquesta és la solució sostinguda de forma unànime per la jurisprudència del Tribunal Suprem: l'exercici de l'opció és un acte unilateral que efectua l'optant, que obligarà al propietari a atorgar la corresponent escriptura pública, que serà la forma de tradició habitual; la sentència de 18 juliol 2006, en un arrendament amb opció de compra exercida per l'arrendatari, diu que "entender la traditio brevi manu como el recurrente lleva a la consecuencia absurda de que el concesionario de la opción pierde la propiedad por el sólo ejercicio de aquélla por el optante, es decir, que se hace automático para él el cumplimiento de unas obligaciones que de la compraventa nacen (entrega de la cosa) si aquél tiene la posesión de la cosa", perquè "es cierto que el contrato se perfecció por el ejercicio de la opción, y que desde entonces nacieron las obligaciones propias de su naturaleza (entrega de la cosa y pago del precio), en otras palabras, se abrió la fase de consumación" (en el mateix sentit, SSTS de 27 octubre 2005 i 3 abril 2006). Per tant, es considera aquí que l'exercici del dret no comporta automàticament l'adquisició de la propietat, sinó que caldrà complir la forma adquisitiva prevista en l'article 531-1, que, a més, és absolutament taxatiu quan afirma que "per a [...] adquirir béns cal, a més del títol d'adquisició, la realització si escau, de la tradició o dels actes o de les formalitats que estableixen les lleis" i no s'estableix cap especialitat en l'article 568-2.2 pel que fa a la forma d'adquirir la propietat.

B) ELS EFECTES DE L'EXERCICI DEL DRET D'ADQUISI-CIÓ

Deixant de banda la qüestió relativa al moment de l'adquisició de la propietat, l'article 568-2.2 estableix tres efectes generals:

1º L'adquisició dels béns en la mateixa situació en què es trobaven en el moment de pactar el dret d'adquisició. Aquesta norma s'ha de completar amb les regles específiques contingudes en els articles 568-10 i 568-11, en relació a la conservació de l'objecte i la seva pèrdua, establertes en relació únicament al dret d'opció, però que constitueixen l'aplicació de la regla general continguda en l'article 568-2.2.

2º L'extinció dels drets incompatibles constituïts pel propietari posteriorment a la creació del dret real d'adquisició. Aquesta és novament una regla general, que després s'haurà d'aplicar de forma diferent en l'article 568-12 en relació al dret d'opció. Amb una excepció, que és la continguda en l'article 13 LAU, que permet l'arrendatari continuar durant cinc anys en l'arrendament en els casos en què es resolgui el dret de l'arrendador, entre altres possibilitats, per l'exercici d'un retracte convencional o d'un dret d'opció de compra.

3º Aquesta regla no sembla aplicar-se en el cas que, per acord entre concedent i titular, el dret d'adquisició s'hagi pactat amb caràcter personal.

C) L'EXERCICI DELS DRETS D'ADQUISICIÓ QUE ESTIGUIN CONSTITUÏTS A FAVOR DE DIVERSOS TITULARS

L'article 568-4 estableix que "han de ser exercits conjuntament per tots els titulars o per un o diversos d'ells per cessió dels altres". Es tracta de la mateixa regla que regeix en la comunitat de béns, d'acord amb el que disposa l'article 552-7.6 (vegeu cap XI). La regla és, per tant, la unanimitat. Certament es pot actuar per mitjà de representant, però l'article 568-4 afegeix que el dret d'adquisició que pertany a diverses persones pro indivís es podrà exercitar solament per un o alguns dels cotitulars sempre que s'hagi produït una cessió del dret; l'expressió és la mateixa que es trobava en l'article 22 de la llei 22/2001 i que la doctrina havia interpretat en sentit estricte, de manera que la paraula *cessió* no es pot entendre més que com transferència del dret als altres cotitulars i així solament es podrà fer efectiu cedint la quota a aquells que estan interessants en l'exercici (BOSCH CAPDEVILA). A partir d'aquí podem plantejar-nos si aquesta norma és imperativa o dispositiva; donat el reconeixement de l'autonomia de la voluntat en el Codi civil català, no sembla contrari a les seves normes admetre la possibilitat de l'exercici solidari del dret d'adquisició.

VI. L'extinció

L'article 568-7 estableix unes causes generals d'extinció i una d'específica pel dret de tanteig, que completa el que disposa l'article 568-14. Les causes són les que segueixen:

1º *Les causes generals d'extinció dels drets reals,* establertes als articles 532-1 al 532-4, per tant, la pèrdua dels béns, la consolidació i la renúncia. Cal, però fixar l'atenció en què pel que fa al dret d'opció, l'article 568-11 estableix uns efectes especials relatius a la pèrdua dels béns sobre els quals s'hagués constituït aquest dret i encara que s'extingeixi els béns han desaparegut, els efectes no seran l'alliberament del concedent, sinó l'aplicació de les regles de l'esmentat article.

2º *Per l'exercici del dret.* Ja s'ha dit que aquests drets són de tracte únic, i s'esgoten amb l'exercici.

3º *Pel venciment del termini establert per a la durada del dret.* Arribat el termini, s'haurà d'aplicar el que disposa l'article 122-1.1 que estableix que els poders de configuració jurídica "s'extingeixen pel venciment dels terminis corresponents". Aquesta norma es pot aplicar a tots els drets d'adquisició regulats en el Dret civil català, de manera que el dret d'opció s'extingeix, si arriba el termini sense que el seu titular l'exerceixi, a no ser que d'acord amb l'article 568-8.2 es pactin una o successives pròrrogues, amb el límit dels deu anys, establert a l'article 568-8.1. El tanteig s'extingeix també per les mateixes raons i, per tant, es requereix que s'hagi comunicat al titular l'acte de disposició amb les condicions establertes a l'article 568-14.4, ja que, extingit el dret de tanteig, encara pot exercitar-se el retracte, d'acord amb l'article 568-15.

Una qüestió addicional es refereix a la constància registral de la caducitat del dret. L'article 177.1 RH estableix que "los asientos registrales que tuviesen un plazo de vigencia para su ejercicio convenido por las partes, se cancelarán por caducidad transcurridos cinco años desde su vencimiento, salvo caso de prórroga legal, y siempre que no conste asiento alguno que indique haberse ejercitado el derecho, modificado el título o formulado reclamación judicial sobre su cumplimiento", consolidant així la doctrina de la Direcció General dels Registres, que havia aplicat la regla de la no caducitat automàtica del dret (vegeu RDGR de 23 abril 2003).

4º La renúncia és una causa general d'extinció dels drets reals, reconeguda en l'article 532-4 i, en conseqüència, és també causa d'extinció dels drets d'adquisició. Ara bé, l'article 568-7.2 estableix una regla específica sobre la renúncia al dret de tanteig, que s'estudia en la seva seu corresponent en aquest mateix capítol.

3. EL DRET D'OPCIÓ

I. Concepte, característiques i modalitats

L'estudi precedent relatiu a la regulació general dels drets d'adquisició en el Codi civil català fa que s'hagin d'estudiar aquí únicament aquelles qüestions referides de manera exclusiva a la regulació del concret dret d'opció, alguns dels problemes del qual han estat ja estudiats en les pàgines precedents. Cal recordar solament aquí que apareix definit a l'article 568-1.1,a) com aquell dret que faculta el seu titular per adquirir els béns concrets sobre els que recau en les condicions pactades, definició que coincideix amb les que ofereix la doctrina. Així, en una explicació molt descriptiva, ROCA SASTRE diu que aquest dret faculta a una o més persones per a què, al seu arbitri i dins el temps pactat, puguin decidir sobre el perfeccionament d'un contracte, que generalment serà una compravenda, front a una altra o altres persones, que de moment, queden vinculades a suportar els resultats de l'elecció del titular del dret; PUIG BRUTAU dirà que la realització del dret d'opció deixa a la iniciativa del possible adquirent, l'optant, l'eficàcia del dret concedit. I finalment, DIEZ PICAZO el defineix des del punt de vista contractual i diu que és aquell contracte en què una de les parts, el concedent de l'opció, atribueix a l'altre, beneficiària, un dret que li permet decidir, en un període de temps determinat, sobre la celebració d'un concret contracte. Totes aquestes definicions coincideixen amb la que ofereix el Codi civil català i, per tant, no cal insistir més en aquesta qüestió.

En el dret d'opció, com en tots aquests drets reals, existeixen dos negocis jurídics: el de creació del dret, que té les seves característiques pròpies i que és l'objecte de la regulació del Codi civil català en els articles que ara es comenten, i el que les parts puguin celebrar com a conseqüència del dret d'opció, que pot ser de qualsevol tipus; aquest darrer és precisament l'objecte de l'opció i pot acabar essent eficaç o no, depenent de la voluntat del titular del dret. Com s'afirma en les darreres sentències del Tribunal Suprem, el negoci jurídic que les parts preveuen en constituir el dret d'opció ha de seguir totes les condicions establertes per al negoci que es tracti i així, si s'ha previst que l'optant tindrà el dret a comprar la cosa que es preveu, s'hauran d'aplicar les normes de la compravenda i d'aquí que es digui que no hi ha una adquisició automàtica de la propietat en exercir el dret d'opció, sinó que es requereix el títol i la tradició (STS 3 abril 2006). Aquest doble nivell contractual és el que molts cops difumina l'autonomia del dret d'opció en relació al contracte que faculta per celebrar. Aquest doble nivell es preveu també en el Codi civil català, quan en l'article 568-12.1 estableix que l'exercici del dret d'opció exigeix el pagament de la contraprestació i el lliurament de la possessió, és a dir, el compliment del contracte que s'ha pactat realitzar.

Les característiques específiques d'aquest dret són:

1ª En el dret català, com ja s'ha vist, el dret d'opció té *naturalesa real*, sens perjudici que les parts puguin pactar un dret d'opció de naturalesa personal, en virtut de la seva autonomia.

2ª És un dret limitat en el temps, perquè ha de tenir una durada determinada pels seus constituents o per la llei, cas que aquests no fixin el termini.

3ª No és un dret personalíssim, perquè pot ser objecte de transmissió, segons disposa l'article 568-9.2, llevat de pacte en contrari.

4ª Sembla que el contracte que donarà lloc l'exercici del dret d'opció té caràcter onerós en relació al seu exercici, no en relació a la seva constitució, que pot ser onerosa o gratuïta, com ja s'ha vist abans. Aquesta onerositat de l'adquisició que té lloc com a efecte del dret, deriva del que disposa l'article 568-6, b), completat amb l'article 568-12.1. Això no significa que no es pogui pactar un dret d'opció que permeti adquirir els béns sense preu o contraprestació, per bé que no sembla una alternativa freqüent a la pràctica. Al nostre parer, aquest pacte no generaria un dret d'opció típic, perquè la regla continguda en les disposicions del Codi civil català, especialment la referida a la contraprestació, establerta en l'article 568-6, b), sembla portar a la conclusió que solament és possible un dret d'opció onerós.

4ª Gaudeix de la característica de l'oposabilitat quan s'ha inscrit en el Registre de la Propietat, però com d'acord amb l'article 568-2.1, s'ha d'inscriure per a la seva vàlida constitució quan recau sobre béns immobles, sempre afectarà a tercers. Diferent serà quan el dret d'opció té per objecte béns mobles que no puguin ser inscrits o no s'hagin inscrit en el Registre de Béns Mobles, cas en el qual l'oposabilitat a tercers ensopega amb el problema de la publicitat. Tampoc serà oposable el dret d'opció creat amb caràcter personal.

El dret d'opció pot aparèixer aïllat, és a dir, quan es pacta en previsió de la celebració d'un futur negoci jurídic, o bé pot constituir part integrant d'un altre negoci, com succeeix en el cas paradigmàtic de l'arrendament amb opció de compra, o en els contractes de *leasing*. L'única referència que hi fa el Codi civil català es troba en l'article 568-8.3, que determina el límit temporal del dret d'opció en aquest darrer cas, com veurem tot seguit.

II. Estructura

S'apliquen el dret d'opció les regles generals sobre drets d'adquisició que ja s'han estudiat. Ara bé, hi ha unes normes que determinen l'especialitat del dret d'opció i que s'expliquen tot seguit.

A) *CONTINGUT ESPECÍFIC DE L'ESCRIPTURA EN QUÈ ES CONSTITUEIX EL DRET D'OPCIÓ*

Els articles 568-6 i 568-8 estableixen unes regles concretes referides al contingut de l'escriptura de constitució d'aquest dret, sempre que es configuri com a dret real, ja que si es configura com a personal, regeix el principi de l'autonomia de la voluntat i els pactes no estan limitats.

a) *La contraprestació*

La regla b) de l'article 568-6 obliga a incloure en l'escriptura de constitució d'aquest dret "la contraprestació per a adquirir el bé o els criteris per a fixar-la i, si escau, el pacte d'exercici unilateral de la facultat d'optar. La contraprestació pot ser no dinerària". Això ens porta a afirmar que el dret d'opció és onerós; una cosa és que es pugui atorgar sense prima i una altra és que l'opció s'atorga per a una adquisició a títol onerós, que és el que es dedueix del que disposa la regla examinada. La contraprestació s'ha d'entendre, doncs, com a preu per adquirir el bé objecte de l'opció, que pot estar determinada en el mateix moment en què es pacta i s'atorga la corresponent escriptura, o bé pot ser determinable i llavors s'han de determinar els criteris per a la seva definitiva fixació, perquè no poden quedar a l'arbitri de les parts. Pot servir de guia per a la determinació del preu el que disposen els articles 1446-1449 CC. La contraprestació pot ser en diners, en serveis, o part en diners i part en serveis.

Cal tenir en compte en aquest aspecte, el que estableix l'article 568-3, 3 i 4 per aquells casos en què el dret d'opció recaigui sobre diversos béns, o bé sobre parts determinades d'un bé immoble; la llei ens dona aquí uns criteris per a la fixació del preu d'adquisició, que han de completar el que disposa l'article 568-6 en relació a la determinació de la contraprestació.

b) *La forma d'acreditació del pagament*

Com veurem, per al vàlid exercici del dret d'opció, l'article 568-12.1 exigeix que s'acrediti el pagament del preu convingut. És per aquesta raó que l'article 568-6, e) exigeix que consti en l'escriptura de creació del dret d'opció la forma com s'ha d'acreditar el pagament de la contraprestació pactada. Cal recordar que aquestes clàusules són essencials i han de figurar en l'escriptura pública de constitució del dret d'opció amb caràcter real.

B) LA DURADA DEL DRET

El dret d'opció té una durada limitada i aquesta és una de les seves característiques essencials. L'article 568-8 estableix un límit màxim per a la durada del dret i les parts són lliures d'establir-la dintre d'aquest límit, però l'article 568-8.2 admet les possibilitats de pròrroga, dient que cada una de les pròrrogues "no pot excedir el termini" de deu anys establert al primer paràgraf de l'article, és a dir, els deu anys. En conseqüència, la limitació de la durada del dret és una ficció, perquè a través del mecanisme de les pròrrogues successives es pot perllongar sense límits. No sembla que aquest sigui un descuit del legislador, perquè el tercer paràgraf de l'article conté la mateixa solució pel cas del dret d'opció constituït com a pacte integrant d'un altre negoci, cas en el qual es diu que l'opció té la durada del negoci al qual complementa, "amb les pròrrogues corresponents".

Aquesta prolongació del dret d'opció resulta absolutament contrària a la seva pròpia naturalesa, perquè concedir a una persona un dret d'adquisició sobre una cosa sense limitació, per bé que a través de la ficció de les successives pròrrogues, no sembla massa adequat en un mercat dinàmic, ja que encara que el propietari gravat pugui transmetre els béns, la permanència del dret produirà evidents repercussions en el preu, ja que els nous adquirents se subrogaran en la posició del concedent i estaran sotmesos a l'exercici a voluntat del titular de l'opció. Certament, si s'ha pactat un determinat límit, cal una pròrroga expressa per a l'ampliació, perquè arribat el termini sense haver estat exercit o prorrogat, el dret d'opció caduca.

A diferència de l'anterior article 25 de la llei 22/2001, el Codi civil català no distingeix entre béns mobles o immobles i per tant s'estableix un termini únic.

C) LA TRANSMISSIBILITAT

El dret d'opció és transmissible com a regla general, la qual cosa significa que és alienable, embargable i gravable. L'excepció a aquesta norma la trobem en l'article 568-9.2 quan exclou la transmissibilitat en els casos en què el dret s'hagi constituït "en consideració a llur titular", és a dir, a títol personalíssim. Sembla que en aquest punt el legislador hagi acceptat la crítica que la doctrina catalana havia fet a l'anterior article 28 de la llei 22/2001, que exigia que s'hagués autoritzat expressament el titular per a la transmissió (BOSCH CAPDEVILA).

El dret es pot transmetre a través d'actes de disposició entre vius i per causa de mort; pot ser també objecte d'embarg. És el mateix dret el que és objecte de contracte i té un contingut econòmic independent del que té en el mercat la cosa sobre la qual s'ostenta un dret real d'adquisició.

Es poden constituir també drets reals sobre el dret d'opció i concretament, l'article 569-35 en permet la hipoteca (també l'article 106.2 LH).

III. Efectes del dret d'opció entre les parts mentre està pendent

Mentre el dret està pendent d'exercici, produeix una sèrie d'efectes entre les parts, que són els relatius a la llibertat del concedent de l'opció i les obligacions del concedent de conservar l'objecte. Cal partir d'una evidència com és que el concedent de l'opció és propietari dels béns que en són l'objecte fins que el dret s'exerceixi o caduqui i per això fa seus els fruits produïts per la cosa fins el moment de la seva transmissió (article 568-10.3). Ara bé, el gravamen constituït sobre els béns té uns especials efectes, per protegir l'interès de l'optant, que no té cap relació directa amb els béns.

A) LA LLIBERTAT DEL CEDENT DE L'OPCIÓ

La concessió d'un dret d'opció no elimina la facultat de disposició del propietari dels béns gravats amb aquest dret. Així l'article 568-9.1 estableix que aquests béns són alienables "sense consentiment dels optants". L'alienabilitat inclou tant la disposició pròpiament dita, com el gravamen. El titular dels béns sobre els que pesa un dret d'opció pot, per tant, alienar-los i gravar-los lliurement, sense que calgui el consentiment dels titulars de l'opció.

Aquesta regla es veu compensada per la subrogació de l'adquirent en les obligacions que corresponen al concedent del dret, de manera que quan es produeix l'alienació per qualsevol títol, els adquirents dels béns sobre els que recau un dret d'opció es col·loquen en la mateixa posició jurídica que tenia el concedent i, per tant, no es poden oposar a l'exercici del dret per part del seu titular. L'única excepció es troba en l'expropiació forçosa abans de l'exercici del dret, cas que s'ha de considerar com a supòsit d'extinció del dret per pèrdua de l'objecte abans de l'exercici.

Els béns sobre els que recau el dret d'opció poden ser gravats i en aquest cas els problemes es traslladen al moment de l'exercici de l'opció per part del seu titular. La regla és l'extinció dels gravàmens constituïts amb posterioritat a la concessió de l'opció, d'acord amb l'article 568-2.2; per a aquest cas, l'article 568-12.2 estableix una regla compensatòria dels titulars dels drets que s'extingeixen, que tenen preferència sobre el concedent per al cobrament de la contraprestació pactada per a l'adquisició dels béns, de manera que se'ls ha de notificar l'exercici de l'opció i dipositar o consignar a llur favor el preu o la contraprestació pactats.

B) L'OBLIGACIÓ DE CONSERVAR

L'article 568-10 estableix una sèrie d'obligacions del propietari dels béns gravats amb el dret d'opció, que venen a aclarir el mateix principi contingut en l'anterior llei 22/2001, que solament deia que l'optant tenia dret a adquirir la cosa en les mateixes condicions en què es trobava en el moment de constituir-se el dret. La norma de l'article 568-10 imposa l'obligació de conservar. El primer paràgraf diu que "els propietaris estan obligats a conservar amb la diligència deguda el bé subjecte al dret d'opció", per a la qual cosa, estan obligats a reparar la cosa, essent a càrrec seu les despeses necessàries (article 568-10.3), llevat de pacte en contrari. El que pretén la llei és que la cosa no es deteriori per manca de reparacions, però el que es vol també és que es mantingui en el mateix estat en què es trobava quan es va concedir l'opció, de manera que el titular del dret no pot exigir que es facin millores o que se li entregui un bé en una situació millor que la que tenia en el moment de constituir-se el dret, però sí en la mateixa situació en què es trobava en pactar l'opció.

L'incompliment de l'obligació de conservar comporta la indemnització dels danys i perjudicis produïts en els béns subjectes al dret d'opció solament quan el propietari hagi actuat amb culpa o dol; s'exclouen per tant, les negligències.

C) LA FACULTAT D'INSPECCIÓ DE L'OPTANT

El dret d'opció autoritza al seu titular inspeccionar els béns que hi estan subjectes per a la comprovació de l'estat de conservació (article 568-10.2). Aquesta facultat, però, resta bastant inconcreta, perquè, a diferència del que succeeix en l'article 117 LH que autoritza el creditor hipotecari per sol·licitar unes mesures en el cas que els béns subjectes a la hipoteca es deteriorin per l'actuació o la manca de cura de del deutor-propietari, en el dret d'opció la facultat d'inspeccionar no comporta cap conseqüència immediata, llevat de la comprovació de l'estat de la finca amb la finalitat de l'exercici de les accions indemnitzatòries corresponents si hi ha dol o culpa del propietari.

IV. L'exercici del dret d'opció

A) LES REGLES GENERALS

L'exercici del dret és sempre unilateral: solament qui és titular del dret pot exercir-lo front a qui li ha concedit i aquest no s'hi pot oposar, sempre que l'exercici tingui lloc en les condicions pactades. Ara bé, l'exercici del dret es pot haver pactat com a *bilateral*, la qual cosa exigirà que ambdues parts, concedent i optant, hagin d'atorgar els corresponents documents per a la transmissió de la propietat o la constitució del dret pactat, o bé *de forma unilateral*, la qual cosa significa que la sola activitat de l'optant és suficient per a produir els efectes buscats amb el dret d'opció.

L'exercici del dret requereix el pagament del preu "en exercir el dret d'opció o abans d'exercir-lo". Aquesta és una de les qüestions problemàtiques, de tal manera que la jurisprudència del Tribunal Suprem ha considerat que el concedent no pot exigir les contraprestacions a l'optant abans de l'atorgament del contracte definitiu, a no ser que s'hagi pactat que l'opció ha de sotmetre's al requisit del pagament del preu (SSTS de 6 juliol 2001, 19 maig 2003 y 27 octubre 2005). En el dret català s'estableix la norma que exigeix el pagament anterior o en el moment de l'atorgament del contracte, de manera que un cop decidida l'opció, i per al definitiu contracte, s'haurà d'haver fet efectiva la contraprestació pactada, per a la qual cosa, l'article 568-6,e) exigeix que es pacti en l'escriptura de constitució del dret la manera de fer efectiu aquest pagament. Aquest és l'efecte més important de l'exercici del dret d'opció i un cop duta a terme la contraprestació pactada, els concedents han de lliurar la possessió de la cosa objecte del dret per qualsevol de les formes de lliurament previstes a l'article 531-4. El lliurament de la possessió inclou també la dels fruits pendents i les accessions introduïdes pels propietaris dels béns durant la vigència del dret, amb la particularitat que els titulars de l'opció que adquireixen els béns no tenen l'obligació de pagar l'import dels fruits i les accessions, llevat que existeixi un pacte en contrari (article 568-10.3).

És possible, però, que el concedent no vulgui atorgar el contracte previst; en aquest cas, es produirà un incompliment de les obligacions assumides en virtut del dret i si l'optant obté una sentència favorable, l'execució es podrà realitzar d'acord amb els criteris de l'article 708 LEC.

L'atorgament del contracte produirà el traspàs de la propietat o de la titularitat del dret que es tracti i a partir d'aquí es produeixen uns efectes indirectes, que es concreten en relació als tercers i a la liquidació d'algunes relacions entre cedent i optant.

1r. *Efectes front a tercers titulars de drets constituïts un cop concedit el dret d'opció.* Segurament els efectes més importants es refereixen a les conseqüències que l'exercici del dret d'opció produeix en els tercers que han adquirit drets durant el temps en què esta pendent l'exercici de l'opció, i que s'extingeixen com a efecte de la seva pràctica. L'article 568-12.2 diu que en aquest cas, el preu s'ha de dipositar o consignar a disposició dels titulars d'aquests drets. La llei exigeix que es notifiqui l'exercici del dret i el dipòsit constituït. Per a la cancel·lació dels drets reals inscrits en el Registre en aquest període de temps, l'article 82. 2 LH permet la cancel·lació sense més requisits quan "el derecho inscrito o anotado quede extinguido por declaración de la Ley o resulte así del mismo título en cuya virtud se practicó la inscripción o anotación preventiva".

2n. *Compensacions.* L'única compensació prevista a la llei és la relativa a les indemnitzacions que hagin patit els béns com a conseqüència de l'actuació dolosa o culposa del propietari, tal com estan previstes a l'article 568-10.1.

L'article 568-12.4 exigeix que l'optant comuniqui de forma fefaent als concedents del dret l'exercici d'aquest en el domicili que consti en el títol de constitució.

B) L'EXERCICI UNILATERAL

Les parts poden preveure un exercici unilateral del dret d'opció, la qual cosa significa que arribat el termini establert, la sola activitat de l'optant determina el compliment del contracte previst; l'article 32.2 de la llei 22/2001 tenia una tècnica més adequada que l'actual article 568-12.3, quan deia que la formalització unilateral de la transmissió requereix pacte exprés, perquè certament, com ja s'ha dit abans, l'exercici del dret d'opció és sempre unilateral (STS 27 octubre 2005); el que segurament vol dir l'article 568-12.3 en determinar que "l'optant pot exercir unilateralment el dret d'opció inscrit" és que l'exercici en forma positiva del dret per part del seu titular és el que perfecciona el contracte projectat sense necessitat de cap altre requisit. Aquesta regla significa, per tant, que l'optant no haurà de requerir el concedent per a l'atorgament del contracte definitiu. Però per a què es pugui acceptar aquest sistema, en el què no es té per res en compte el concedent a partir del moment de la constitució del dret, es requereixen tres requisits:

1r. Que el dret d'opció estigui inscrit en el corresponent Registre.

2n. Que existeixi un pacte exprés en el moment de constituir el dret; no sembla possible un pacte posterior, a no ser que s'hagi produït l'extinció del dret d'opció pactat i es pacti un nou dret amb aquesta possibilitat. Seria possible el pacte d'exercici unilateral en acordar-se una pròrroga.

3r. Que l'optant tingui la possessió del bé o la pugui adquirir instrumentalment per mitjà de la formalització de l'exercici del dret d'opció. Es tracta o bé dels casos en què l'optant posseeix, com en l'arrendament amb opció de compra, o bé quan es pot adquirir mitjançant l'atorgament de l'escriptura pública en què es formalitza el dret d'opció.

4t. Que es pagui el preu, o bé es posi a disposició dels propietaris o dels titulars dels drets que s'extingeixen, o bé que es garanteixi el preu, si se n'havia ajornat el pagament (vegeu RRDGN d'11 juny 2002 i 21 febrer 2005, així com la RDGDEJ de 10 maig 2006 en relació als problemes de consignació i pagament del preu).

També s'haurà d'aplicar en aquest cas l'exigència de la comunicació fefaent al concedent o al propietari, prevista en l'article 568-12.4.

V. L'extinció del dret d'opció

El dret s'extingeix per les mateixes causes previstes en general als articles 532-1 a 532-4 i a l'article 568-7.1. Cal, però, advertir que pel que fa a la pèrdua dels béns subjectes al dret d'opció, l'article 568-11 estableix unes normes especials que distribueixen el risc de la pèrdua entre concedent i optant. És a dir, la pèrdua dels béns origina l'extinció del dret i el que l'article 568-11 regula precisament són els efectes de l'extinció per aquesta causa, distingint tres casos: la pèrdua per cas fortuït o força major; la pèrdua originada per una conducta del concedent, i la pèrdua parcial.

1r. Si els béns objecte de l'opció es perden per cas fortuït o força major, o si aquesta pèrdua és deguda al fet de tercers, l'article 568-11.1 estableix que l'extinció del dret no permet a l'optant exigir la devolució de la prima satisfeta. Per tant, és l'optant el que corre amb el risc de la pèrdua de la cosa objecte del dret.

2n. Quan la cosa s'hagi perdut per activitat voluntària del concedent, o dels propietaris, són aquests els que corren amb el risc i hauran de tornar la prima pagada, i hauran d'abonar els danys i perjudicis que s'hagin ocasionat a l'optant. No es deuen interessos per la prima, sinó des del moment en què s'ha produït la pèrdua del bé.

3r. Si es produeix una pèrdua parcial, l'optant pot triar entre no exercir el dret o bé exercir-lo sobre la part que resta; en el primer cas, si la pèrdua s'ha ocasionat per força major, cas fortuït o fet d'un tercer no s'haurà de tornar la prima pagada, solució a la què s'arriba per mitjà d'una interpretació *a contrario* de l'article 568-11.2 *in fine*, que estableix la regla contrària quan la cosa s'hagi perdut per fet dels propietaris o concedents del dret. Si s'escull exercir el dret sobre la part subsistent, solament s'haurà de pagar el preu o contraprestació proporcional a la part que s'adquireixi, tenint en compte en aquest cas l'aplicació de les regles de l'article 568-3.3 i 4.

4t. Si aquesta pèrdua parcial ha estat deguda a l'activitat dolosa o culposa dels propietaris o dels concedents, també l'optant pot triar una de les dues possibilitats que se li ofereixen: o mantenir el dret d'opció, sense que tingui dret al retorn de la prima, però sí a l'ajustament del preu, o bé a no exercir el dret d'opció, cas en el qual tindrà dret a què se li retorni la prima pactada. En ambdós casos, a més, podrà demanar el rescabalament dels danys i perjudicis ocasionats.

4. ELS DRETS DE TANTEIG I DE RETRACTE

I. Concepte i característiques

L'article 568-1.1,b) defineix el dret de tanteig com aquell "que faculta el seu titular per adquirir a títol onerós un bé amb les mateixes condicions pactades amb un altre adquirent". La regulació del dret de tanteig, com succeeix amb el dret d'opció, està formada por aquelles normes específiques contingudes en els articles 568-13 a 568-15, així com per les regles generals que s'han estudiat en la primera part d'aquest capítol. Així com el dret d'opció dóna al seu titular la facultat per instar una alienació, el dret de tanteig limita la facultat de disposició del propietari dels béns que en són l'objecte, de manera que el seu titular no és lliure de vendre a qui vulgui (DIEZ PICAZO-GULLON) i actua abans de la projectada alienació.

El dret de retracte està definit també en l'article 568.1.1, c), com aquell dret que permet al seu titular "subrogar-se en el lloc de l'adquirent en les mateixes condicions convingudes en un negoci jurídic onerós una vegada ha tingut lloc la transmissió". Per tant, el retracte és posterior a l'acte d'alienació

L'expressió "subrogació" ha produït sempre dificultats interpretatives, ja que com afirmen DÍEZ PICAZO i GULLON, si la propietat ha passat ja a mans del comprador, ja no hi ha possibilitat de subrogació; aquests autors consideren que seria més adequat entendre que el que atorguen la llei o el contracte al titular del dret de retracte és una facultat semblat a una opció per a què adquireixi els béns en les mateixes condicions o amb les mateixes estipulacions amb què es va transmetre a un tercer. En un sentit semblant, BOSCH considera que l'expressió "subrogació" s'ha d'entendre en sentit ampli, perquè el que es produeix efectivament és una nova transmissió, de manera que el retraient fa efectiu el seu dret d'adquisició preferent front a un tercer, no front al propietari dels béns en qüestió.

Els drets de tanteig i de retracte estan regulats de forma específica en els articles 568-13 a 568-15, per bé que els dos primers es refereixen únicament a qüestions relatives al dret de tanteig.

Aquests drets tenen també naturalesa real i, per tant, es poden inscriure en el Registre de la Propietat i donen una preferència en l'adquisició dels béns que en són objecte, executable ja sigui front al propietari (tanteig), ja sigui front al tercer adquirent (retracte).

Aquesta naturalesa real fa es puguin oposar a tercers d'acord amb el que disposa la Llei Hipotecària; s'aplicarà allò que disposa l'article 568-2.2 pel que fa als drets constituïts pel propietari desprès d'haver-se creat els drets de tanteig i de retracte. Aquesta configuració jurídica fa que puguin ser objecte d'hipoteca, segons admet l'article 569-35.1 que estableix que "els drets d'adquisició de caràcter real es poden hipotecar".

II. Constitució

Poden tenir origen convencional i origen legal, com es veurà tot seguit. En aquest punt ens ocupem solament dels drets d'origen convencional o voluntari als quals s'aplicaran les normes de l'article 568-6 relatives al contingut del títol de constitució. L'única cosa que cal remarcar es refereix a la durada del dret, establerta a l'article 568-13, norma específica del dret de tanteig, però que donat el títol de la subsecció en què es troba, s'haurà d'aplicar al retracte en tot allò que sigui possible, tenint en compte la diferència essencial que ja hem vist es produeix entre ells. Aquesta disposició conté dos grups de normes relatives a la durada: la primera, en el primer paràgraf de l'article 568-13, que estableix que el dret "es pot constituir per temps indefinit per a la primera transmissió"; el segon grup de normes es refereix a la durada del mateix dret per a segones i ulteriors transmissions; en aquest cas té una durada de deu anys, prorrogable en les mateixes condicions i característiques que el dret d'opció, és a dir, que les pròrrogues successives no podran excedir cadascuna d'elles, dels 10 anys. La interpretació que s'ha de donar a aquestes normes ens l'ofereix BOSCH CAPDEVILA, en relació al mateix article de la llei 22/2001, de manera que el titular del dret de tanteig pot exercir-lo en la primera transmissió, però pot succeir que no ho faci; en aquest cas, es presenten dues opcions: a) pot ser que només s'hagi pactat per a aquesta primera transmissió i si no s'exerceix el tanteig, el dret s'extingeix; b) pot ser que s'hagi pactat el tanteig per a transmissions ulteriors i, per tant, si no s'exercita en la primera, el titular del dret encara podrà exercir-lo en les successives; aquest dret està llavors limitat temporalment, de manera que com diu l'autor citat, si s'hagués pactat amb un termini de 50 anys per a la primera transmissió i aquesta es realitzés al cap de 5 anys d'haver-se pactat el dret, per a la segona transmissió no hi haurà un termini de 45 anys, sinó que solament durarà durant el termini acordat, que no podrà excedir els 10 anys, amb les successives pròrrogues, tal com està previst a l'article 568-13.2.

III. Exercici del dret de tanteig i del retracte

A) REGLES GENERALS

En aquest cas, l'article 568-14 estableix una sèrie de normes específiques per a l'exercici del dret de tanteig, que s'apliquen al dret de retracte desconnectat d'un tanteig previ, segons el mateix article 568-14.4; es poden resumir de la manera següent:

1r. *L'exercici del dret en ulteriors disposicions.* La regla establerta a l'article 568-14.1 consisteix en limitar el dret de tanteig a la primera transmissió onerosa; per a què es pugui exercir en ulteriors actes de disposició, cal pacte exprés, amb les limitacions temporals a què ja ens hem referit. És cert que estendre el dret a ulteriors transmissions limita la facultat de disposar dels tercers adquirents que no han intervingut en el negocio jurídic de creació del tanteig, però això pot ser útil quan el primer acte de disposició és a títol gratuït, encara que en aquest cas no queda afectat el dret, però s'ha d'admetre l'opinió que considera que és correcte que l'adquirent a títol gratuït quedi gravat amb el dret de tanteig quan es disposi a efectuar un acte de disposició a títol onerós (BOSCH CAPDEVILA).

2n. Es pot exercir el dret de tanteig quan la transmissió es faci en subhasta judicial o extrajudicial. Aquesta possibilitat està prevista a l'article 568-14.2. S'estableix la forma d'exercici del dret, que serà igualant el millor preu ofert en la subhasta. No sembla que es pugui distingir segons les causes de la subhasta, ja que es podrà també exercir el dret en una subhasta subsegüent a un procés d'execució. El titular del tanteig no està obligat a participar-hi, sinó solament a oferir per la cosa el millor preu un cop hagi finalitzat el procediment. Per bé que la llei no imposa de manera clara cap obligació de comunicar ni el procediment ni el preu, s'ha d'entendre que aquesta existeix. D'acord amb la STS de 8 juny 1995, cal distingir entre l'aprovació del remat i l'adjudicació dels béns; el dret de tanteig ha de tenir lloc un cop aprovat el remat i abans de l'adjudicació; l'esmentada sentència diu que malgrat el dubte que en l'àmbit del Codi civil es presenta respecte a l'admissió del retracte en les subhastes judicials, "[l]a más reciente doctrina de esta Sala (contenida en las Sentencias de

30 octubre 1990 y 1 julio 1991) ha venido a cambiar el anterior criterio jurisprudencial, en el sentido de que la aprobación judicial de la subasta, al entrañar la perfección del contrato (como dice la primera de ellas) o la consumación del mismo (como afirma la segunda), determina el nacimiento de la acción de retracto, a lo que puede agregarse, reforzando la argumentación de las expresadas sentencias, que con la aprobación del remate y la subsiguiente adjudicación al rematante de la finca subastada, se opera la consumación del contrato (venta judicial), pues a la referida adjudicación que el juez hace al rematante no hay obstáculo legal alguno en atribuirle el carácter de tradición simbólica o "ficta", al no ser "numerus clausus" la enumeración de formas espiritualizadas de tradición que hacen los artículos 1462.2.º a 1464 del Código Civil (sentencia de 31 octubre 1983 y 20 octubre 1989, entre otras), con lo que, consumada ya la venta por la concurrencia de título (aprobación del remate) y modo (adjudicación al rematante de la finca subastada), el posterior otorgamiento de la escritura pública, aunque imprescindible para otros efectos trascendentes (entre otros, el acceso de la adquisición al Registro de la Propiedad), no será necesaria para que, a los efectos aquí estudiados, concurra el requisito de la tradición (la instrumental del artículo 1462.2.º del Código Civil), al haberse producido ya la misma con anterioridad en la forma "ficta" o simbólica antes expresada, por lo que con arreglo a dicha doctrina, que es la que mantiene esta Sala, la acción de retracto, en caso de subasta judicial, nace desde la celebración de dicha subasta, con aprobación del remate y adjudicación al rematante de la finca subastada (que es la tesis aquí mantenida por el recurrente), siempre, claro es, que el retrayente haya tenido conocimiento exacto de la subasta y de las condiciones de la misma". En conseqüència, l'adjudicació dels béns s'haurà d'ajornar fins que no hagi transcorregut el termini per exercitar el dret de tanteig.

3r. El dret de tanteig dóna dret a adquirir la cosa, pagant el mateix preu que s'ofereix per un tercer adquirent. Per tant, la llei lliga aquest dret a adquisicions a títol onerós fetes pel titular dels béns gravats i per aquesta raó, l'article 568-14.3 estableix que "les transmissions gratuïtes, entre vius o per causa de mort, no afecten el dret de tanteig", és a dir, que el dret seguirà en vigor i dins del termini pactat i el seu titular el podrà exercir quan es produeixi la transmissió onerosa, independentment que abans hagi tingut lloc una transmissió a títol gratuït o per causa de mort.

Aquesta regla s'ha d'aplicar igualment al dret de retracte.

B) TERMINI PER A L'EXERCICI

Independentment de la durada del dret, un cop s'ha produït la transmissió o bé s'ha comunicat de manera fefaent la intenció de realitzar-la el dret s'ha d'exercir en el termini establert. Per tant per a l'exercici caldrà:

1r. *Notificació de l'acord de transmissió*. Aquest requisit no està exigit directament pel dret de tanteig, a diferència de l'article 568-12.2 que ho exigeix expressament pel dret d'opció. Ara bé, l'article 568-14.4, en establir el *dies a quo*, es refereix a la notificació fefaent de l'acord de transmissió entre el propietari dels béns i el tercer, així com de les condicions pactades; si interpretem conjuntament aquest article amb l'article 568-6, d), que exigeix que el domicili dels titulars del tanteig consti en l'escriptura de constitució del dret, "als efectes de les notificacions preceptives", haurem de concloure que el propietari dels béns està obligat a comunicar de forma fefaent la seva intenció de vendre. En el cas que la transmissió tingui lloc en subhasta, s'hauran de comunicar al titular del dret les postures de la subhasta.

Si es tracta d'un retracte, el que s'ha de comunicar és la transmissió ja efectuada.

2n. *El còmput del termini*. En general, el termini per a l'exercici del dret comença a comptar des de l'endemà del dia en què es produeix l'acord fefaent de transmissió (article 568-14.4). Es preveu una regla especial quan la transmissió que ocasiona l'exercici del tanteig està sotmesa a condició suspensiva, ja que en aquest cas el termini comença a comptar des del coneixement del compliment de la condició, la qual cosa s'ha d'interpretar d'acord amb el que ja s'ha dit, o sigui, des que es comuniqui fefaentment al titular del tanteig aquest compliment. El mateix passa en el cas del contracte sotmès a termini suspensiu, ja que el termini compta a partir del venciment del termini. En el cas que s'hagin comunicat al titular del dret les característiques del contracte, els terminis per a l'exercici seran els que diu la llei; però quan el titular no els coneix, se li haurà de comunicar, tant el compliment de la condició com l'arribada del termini.

Les mateixes normes es poden aplicar al retracte, però computant el termini des del dia en què consta de forma fefaent la transmissió efectiva.

3r. *El termini*. Si no s'ha fixat res en el pacte de constitució, el dret "caduca als dos mesos a comptar de l'endemà del dia" de la comunicació fefaent. El primer que s'ha de dir és que es tracta de terminis de caducitat, als quals s'haurà d'aplicar el que es disposa en els articles 122-1, 122-3 i 122-5. La segona advertència que s'ha de fer es refereix a la diferència pel que fa al termini per a l'exercici un cop produït el fet que dóna dret a exercir el tanteig; l'article 568-6,a) estableix que en el títol de constitució s'ha de fixar la durada que, a manca de pacte, s'entén que serà d'un mes, mentre que l'article 568-14. 4 estableix un termini de dos mesos també a manca de pacte. Es tracta evidentment, d'una contradicció que s'ha de salvar en favor de la norma especial de l'article 568-14, que es refereix exclusivament al termini per a l'exercici del tanteig, mentre que la de l'article 568-6 és una regla general, aplicable a tots els drets d'adquisició i, per tant, s'haurà d'aplicar al retracte.

IV. Extinció

S'aplica l'article 568-7 en tant que considera que aquests drets s'extingeixen "per les causes generals d'extinció dels drets reals", com ja s'ha vist abans. Aquesta disposició conté una norma específica reguladora dels efectes de la renúncia al dret de tanteig que es permet en relació a una concreta transmissió, la qual cosa implica que s'hagi pactat un tanteig per a més d'una, ja que en el cas que s'hagi establert per a una única transmissió, la renúncia extingeix el dret. L'efecte de la renúncia s'estén al dret de retracte, de manera que renunciat el tanteig, desapareix el retracte i no sembla que la llei admeti interpretacions correctores en l'article 568-7.2.

V. La conversió del tanteig en retracte

El titular del dret de tanteig ostenta normalment el de retracte, de manera que efectuada ja una transmissió sense que s'hagi pogut exercir el tanteig, es pot exercir el retracte pel seu titular. És possible que existeixi solament un dret de retracte, la qual cosa succeeix en casos de retractes legals, però el titular del tanteig és sempre titular també del retracte per evitar que es vegi burlat el seu dret d'adquisició preferent. Aquest és el supòsit previst a l'article 568-15, que preveu la conversió del tanteig en retracte quan es donin algunes de les següents circumstàncies: a) que no s'hagi comunicat l'acord de transmissió; b) si la transmissió es fa en condicions diferents de les que constaven en la notificació, per exemple, si s'ha canviat el preu, i c) quan s'ha fet abans de vèncer el termini per a exercir el tanteig.

El termini per a l'exercici del retracte és el mateix que el que s'hagi pactat per a l'exercici del tanteig. Si no se n'ha pactat cap, s'haurà d'exercir el retracte en un termini de tres mesos des de la inscripció en el Registre de la Propietat, si es tracta de béns immobles que s'hagin inscrit, o bé des que es té coneixement de l'alienació en el cas d'immobles no inscrits o de béns mobles, perquè pot succeir que l'acord s'hagi ocultat per evitar precisament que el titular del dret l'exerceixi. La norma de l'article 568-15.2, però, té una evident dificultat de prova. El procediment per a l'exercici judicial del retracte és el judici ordinari previst expressament en l'article 249.1, 7 LEC.

BIBLIOGRAFIA SUMÀRIA

ROCA SASTRE, R. M. *Derecho hipotecario*, 6ª edición, Barcelona, 1968, T. III, p. 483; COCA PAYERAS, M. *Tanteo y retracto, función social de la propiedad y competencia autonómica*. Bolonia, 1988; ID. "Los derechos de adquisición preferente: Tanteo y retracto". *La Notaría* núm 9-10, 2001, p. 191; GONZÁLEZ BOU "La problemàtica notarial dels drets d'adquisició". *La Notaria,* núm 9-10, 2001, p. 215; DÍEZ SOTO "Notas sobre la nueva regulación de los derechos de adquisición preferente de origen voluntario en la Ley catalana 22/2001, de 31 de diciembre". *Estudios Jurídicos en Homenaje al Profesor Luís Díez Picazo*. T. II, Madrid, 2003, p.1697; BOSCH CAPDEVILA. *Opción, tanteo y retracto. La regulación catalana de los derechos voluntarios de adquisición*. Barcelona, 2004; BOSCH CAPDEVILA. Comentari al Capítulo III de la Ley 22/2001 a Colegio de Registradores, coordinación. *Comentarios de Derecho Patrimonial Catalán*. Barcelona, 2005, p. 605.

JURISPRUDÈNCIA CITADA

Tribunal Suprem

8 juny 1995: adquisició dels béns en subhasta; dret a exercitar el tanteig; diferència entre remat i adjudicació.

6 juliol 2001: opció de compra.

19 maig 2003: opció de compra.

27 octubre 2005: opció de compra. Formalització unilateral.

3 abril 2006: opció de compra. Adquisició de la propietat.

18 juliol 2006: opció de compra. Adquisició de la propietat. Arrendament amb opció de compra.

Direcció General dels Registre i del Notariat.

Resolució d'11 juny 2002: opció de compra. Constància del pagament del preu.
Resolució de 21 febrer 2005: opció de compra. Constància del pagament del preu.

Direcció General d'Entitats Jurídiques

Resolució de 10 maig 2006. Opció de compra. Consignació i pagament del preu.

Capítol XXVI
Els retractes legals

1. CONCEPTE I TIPUS

Juntament amb els retractes voluntaris que s'han estudiat en l'anterior capítol, el Codi civil català regula els retractes legals, als qual es refereix l'article 568-1.2. Recordem que la definició general del dret de retracte que ens dóna l'article 568-1 és la del dret a "subrogar-se en el lloc de l'adquirent amb les mateixes condicions convingudes en un negoci jurídic onerós una vegada ha tingut lloc la transmissió" i aquest dret es regula "per la norma sectorial específica corresponent", tenint en compte que hi ha diversos tipus de retracte d'origen legal regulats en el mateix Codi civil i en lleis especials.

En el Dret civil català es regulen els següents retractes:

- El retracte de confrontants, regulat als articles 568-16 al 568-20.
- El retracte de comuners, regulat a l'article 552-4.
- El retracte de coastres, en el cas que un dels membres de la comunitat hereditària vengui el seu dret a un estrany, regulat a l'article 51 CS.
- El retracte que correspon als nus propietaris i als usufructuaris en el cas que es proposin transmetre el seu dret, regulat a l'article 561-9.2 i que es desenvolupa a l'article 561-10 que regula el dret de retracte dels nus propietaris quan l'usufructuari es proposi transmetre el seu dret, tenint en compte que en aquest cas, la llei reconeix tant el dret de tanteig com de retracte.
- El dret de fadiga en el cens, que correspon al censatari d'acord amb l'article 565-23.
- El dret de tanteig i retracte que es reconeix al censalista i també al censatari, regulat en el mateix article 565-23.2.

- Els drets d'adquisició preferent en els drets d'aprofitament parcial (art. 563-4).
- El dret de torneria de la Vall d'Aran, regulat als articles 568-21 a 568-26.

A més d'aquests dret d'origen legal en l'àmbit del dret privat, l'article 568-1.2 es refereix als retractes inclosos en lleis del sector públic, que permeten a l'Administració adquirir de forma preferent determinats béns, siguin mobles o immobles, per tal d'acomplir les finalitats previstes a les lleis on es reconeixen. Aquests drets són:

- El retracte reconegut en l'article 164 LU per incrementar o constituir un patrimoni municipal pel compliment dels objectius relacionats amb la construcció d'habitatges.
- El retracte reconegut en els articles 50 a 55 de la Llei d'Habitatge
- El retracte dels articles 22 i 26 de la Llei 9/1993, de 30 setembre de patrimoni cultural català.
- El retracte de l'article 32 de la Llei 12/1985, de 13 de juny, d'espais naturals.

A més s'han d'afegir altres drets de retracte no continguts en lleis catalanes, però d'aplicació a Catalunya i al·ludits a l'article 568-27, que estableix la preferència entre retractes, com són els dels arrendataris de finques urbanes establerts a l'article 25 LAU, pel que fa als arrendaments d'habitatge i article 31 LAU, pel que fa als arrendaments de locals diferents de l'habitatge; l'article 22 LAR atribueix a l'arrendatari en els arrendaments rústics, els drets de tanteig i retracte en qualsevol transmissió entre vius de la finca arrendada, sigui a títol onerós o gratuït, sempre que sigui agricultor professional.

2. EL RETRACTE DE CONFRONTANTS

I. Concepte

El retracte de confrontants és un retracte legal que reconeix al seu titular el dret preferent d'adquisició en aquells casos en què es vengui una finca rústica confrontant amb la del titular del dret, sempre que això es produeixi d'acord amb les circumstàncies previstes a la llei. La finalitat d'aquest dret es troba en evitar la divisió excessiva de la propietat; en aquest sentit la jurisprudència ha vingut repetint que aquesta limitació del dret de propietat es justifica per posar remei al minifundisme allà on aquest excés significa un obstacle pel desenvolupament de la riquesa i que "como los demás derechos legales, son limitaciones de la propiedad a modo de cargas de derecho público, pues aunque puedan redundar en provecho de particulares están motivadas por el interés general" (STS de 20 juliol 2004).

Ens troben, per tant, davant d'un dret d'adquisició preferent, d'origen legal, que no requereix que el seu titular gaudeixi del tantcig, perquè es reconeix directament quan concorrin les circumstàncies establertes a la llei.

II. Circumstàncies que permeten l'exercici del dret de retracte

Per tal de poder exercir aquest dret d'adquisició preferent, la llei estableix uns requisits, que seran que les finques confrontants siguin rústiques; que es venguin a una persona que no sigui un propietari d'una de les finques, i que el negoci jurídic que origina la transmissió es realitzi a títol onerós.

1r. *Caràcter rústic de les finques*. Per bé que no hi ha cap disposició que directament exigeixi aquesta condició, les disposicions que regulen aquest retracte es refereixen constantment a la condició de conreador del titular del retracte, la qual cosa implica que la finca tingui aquesta condició. Aquest requisit comporta alguns problemes interpretatius. El primer es refereix a quan hem d'entendre que la finca té aquesta condició. La jurisprudència del Tribunal Suprem, en relació al mateix problema que es presenta en la interpretació de l'article 1523 CC, ha considerat que no es pot deduir la naturalesa rústica o urbana d'una finca únicament per la declaració dels interessats, sinó que, en sentències ja una mica antigues, ha considerat que s'havien de tenir en compte circumstàncies com la situació en el camp o en la ciutat; l'aprofitament de la finca, com ara si es dedica a una explotació agrària, habitatge, indústria, etc i en el cas que concorrin aquest dos criteris, la preponderància de l'un sobre l'altre (STS de 15 abril 1971), de manera que si el destí de la finca no era l'agricultura, no procedeix el retracte (STS de 20 maig 1993).

La finca que es ven i que és l'objecte del retracte ha de tenir una superfície inferior a la unitat mínima de conreu (article 568-18.2), d'acord amb el que desposa el D 169/1983, de 12 d'abril, sobre unitats mínimes de conreu, que, distingeix entre unitats de secà i de regadiu i segons diferents àrees geogràfiques (vegeu Annex I d'aquest Decret).

De totes les maneres, l'article 568-18.2 estableix que "el dret de retracte de confrontants no es pot exercir si dins la finca alienada hi ha construccions ajustades a la legalitat el valor de les quals representa més dels dos terços de la finca".

2n. *Que l'adquirent no sigui confrontant.* S'exclou el dret de retracte quan l'adquirent no sigui un dels propietaris confrontants, segons estableix l'article 568-18.1 quan diu que aquest dret es dona quan la finca s'hagi venut "a favor d'una persona que no sigui propietària de cap de les finques que hi confronten". La deficient redacció gramatical d'aquest paràgraf fa que s'hagi d'interpretar d'acord amb la proposta d'EGEA-FERRER en el sentit que el "retracte només es dóna quan la finca és alienada per venda o dació en pagament i l'adquirent no és un propietari confrontant, ja que si ho fos, no tindria sentit donar preferència a un altre dels confrontants en detriment d'aquell amb qui s'ha celebrat el contracte transmissiu"; s'ha d'afegir que això té lloc amb les limitacions de l'article 568-17.3, que estableix uns criteris de preferència quan hi hagi diverses persones legitimades i interessades en l'adquisició.

3r. *Caràcter onerós del títol de la transmissió.* Aquest requisit està exigit a l'article 568-18.1, que es refereix a la venda o dació en pagament d'una finca rústica. Per tant, s'exclou el dret de retracte en les adquisicions per títol successori i a títol gratuït. Ara bé, en l'expressió "venda" s'han d'incloure aquelles que tenen lloc en subhasta (STS 7 octubre 1987), així com per altres negocis jurídics a títol onerós.

III. El procediment

Determinades les circumstàncies que determinen el naixement del dret de retracte, cal ara examinar el procediment pel seu exercici.

1r. *Persones legitimades.* Poden exercir el dret de retracte els que en són titulars, segons el que disposa l'article 568-17, que l'atribueix a les persones físiques o jurídiques que tinguin la qualitat de conreador directe, sempre que siguin propietaris de les finques rústiques confrontants, ja que si no ho són i tenen la condició de conreador, per accedir a la propietat hauran d'utilitzar el retracte que els reconeix l'article 22 LAR, que, a més, té preferència segons disposa l'article 568-27.2 sobre el retracte de confrontants. Aquesta és la interpretació més correcte del que disposen els dos primers paràgrafs de l'article 568-17; per tant, si manca algun dels dos requisits, no s'estarà legitimat per a l'exercici d'aquest dret.

Per determinar qui té la qualitat de conreador, l'article 9.1 LAR estableix que serà agricultor professional aquella persona que obtingui uns ingressos bruts anuals procedents de l'activitat agrària superiors al "duplo del Indicador público de renta de efectos múltiples", establert al R.D.-llei 3/2004, de 25 de juny. Aquesta qualitat la poden tenir les persones jurídiques, com cooperatives d'explotació comunitària de la terra, societats agràries de transformació, etc. Aquestes societats hauran de preveure en l'objecte social l'activitat agrària per poder tenir la condició de conreador.

Quan existeixi més d'un propietari confrontant que estigui legitimat per a l'exercici del retracte, la llei dóna preferència a la finca de menys superfície, sempre que estigui confrontant amb la que és objecte de la venda i si són de superfície idèntica, serà preferit el propietari/conreador de la finca que tingui més perímetre confrontant (article 568-17.2).

Si el propietari confrontant és un menor d'edat, s'haurà d'exercir el dret de retracte pels seus representants legals, d'acord amb les disposicions dels articles 151 i 209 i ss CF.

2n. *El termini per a l'exercici del retracte.* El termini per a l'exercici del dret és de dos mesos, comptats des que els propietaris/conreadors directes "tenen coneixement de l'alienació i de les seves circumstàncies o des de la data en què la transmissió s'inscriu en el Registre de la Propietat" (article 569-19.1). Aquesta qüestió ha donat lloc a una llarga jurisprudència relativa a la determinació del *dies a quo* per al còmput del termini de dos mesos, el qual, en cap cas, serà el del dia de l'alienació, segons es dedueix de la disposició transcrita. Es tracta d'un termini de caducitat.

La regla general és la continguda en la primera part de l'article 568-19.1, és a dir, des que el titular del dret tingui coneixement de l'alienació, norma aquesta que està d'acord amb el que disposa l'article 122-5.1 respecte al còmput dels terminis de caducitat que s'inicien "quan neix l'acció o quan la persona titular pot conèixer raonablement les circumstàncies que fonamenten l'acció". Ajuda a interpretar aquesta disposició la sentència de 22 setembre 1988 que en relació a l'article 1524 CC, fixa dos principis perfectament aplicables a l'article 569-19; aquest dos principis són: a) que l'extensió del coneixement és una qüestió de fet i que per tant correspon determinar als òrgans d'instància, i b) que el coneixement "ha de ser cabal y completo, referido a todos los pactos y condiciones de la venta, en el momento de la consumación, no en el de su perfección, de tal manera que el retrayente pueda decidir si le conviene o no retraer, incluso aunque conozca un precio que le haya parecido caro". És indiferent la forma com hagi arribat a aquest coneixement, perquè en tractar-se d'un dret legal, no s'aplica la regla de la comunicació establerta pels retractes d'origen voluntari (vegeu cap XXV). Si la venda ha tingut lloc per mitjà de subhasta, el termini es començarà a computar des de la data de la celebració, amb aprovació del remat i adjudicació al rematant, sempre que el titular del retracte n'hagi tingut coneixement (SSTS d'1 juliol 1991 i 11 juliol 1992).

L'article 568-19.1 estableix un termini alternatiu, que és el de la inscripció de la venda en el Registre de la Propietat. Aquesta regla deriva d'una jurisprudència correctora dels efectes que un termini tan curt com aquell establert en l'article 1524 CC pot comportar i així ja des de finals del segle XIX s'ha admès que el còmput del termini comenci a comptar des de la inscripció (STS d'11 març 1994), si bé quan s'acrediti que es va conèixer la venda abans, el termini començarà a comptar des del coneixement efectiu, de manera que es computarà a partir de la inscripció quan el coneixement de l'acte d'alienació hagi tingut lloc després (STS de 21 juliol 1993). El termini compta des de la inscripció, no des de l'assentament de presentació.

3r. *El preu.* L'adquisició es fa "pel mateix preu o valor i en les condicions convingudes per la persona que ha transmès la finca i l'adquirent". El preu és el que realment s'ha pagat, independentment del que figuri en el contracte conclòs entre el venedor i el comprador, que és el que en definitiva, origina la facultat d'exercitar el retracte. L'article 568-19.2 afegeix que a més del preu pactat, l'adquisició es farà també en les condicions convingudes, perquè aquest és un clar efecte de la subrogació que es produeix en l'exercici del retracte; així, p.e., si s'havia pactat un pagament a terminis, es mantindrà aquest pacte. Així el venedor no pot exigir coses diferents d'aquelles que havien estat objecte de pacte amb el comprador. Diferent serà, però, el manteniment de les garanties que s'havien pactat amb el primer comprador, com ara fiançaments, que poden no continuar a la vista del retracte. I això sense perjudici de la subrogació del retraient en la hipoteca pactada pel comprador amb un tercer.

4t. *Procediment*. El dret de retracte es pot exercir privadament o per mitjà d'un procediment judicial. Quan s'exerciti de forma privada, es requereix sempre que s'hagi produït dins del termini establert a la llei, dos mesos, i que es pagui el preu.

En el cas que s'hagi de recórrer al procediment judicial, l'article 249.1,7 LEC estableix que es decidiran en el judici ordinari les accions de retracte, a les quals s'haurà d'acompanyar la documentació prevista a l'article 266 LEC. La demanda s'haurà de dirigir contra l'adquirent i en el cas que no sigui la primera transmissió, contra tots aquells que van adquirir, segons reiterada jurisprudència (per totes, STS 20 juny 1980). Quan s'exercita judicialment el dret de retracte, s'ha de consignar el preu seguint les regles establertes en la normativa reguladora de les consignacions judicials. En aquest sentit, la sentència de 19 octubre 2004 va considerar que no s'havia exercitat correctament el dret ja que per circumstàncies del funcionament del jutjat, no s'havia pogut efectuar el corresponent ingrés en presentar la demanda i s'havia fet uns dies més tard, un cop ja transcorregut el termini per a l'exercici del dret; aquesta sentència va ser anul·lada per la STC 327/2005, de 12 desembre, que va entendre que aquesta decisió comportava una lesió del dret a la tutela judicial efectiva (vegeu la STS de 28 novembre 2006; en altre sentit i en l'exercici d'un retracte voluntari vegeu la STS de 15 desembre 2005). Respecte a altres formes de pagament, la STC 12/1992, de 27 gener admet el xec conformat i la jurisprudència admet també l'aval bancari (STS 15 abril 1998).

IV. Efectes de l'exercici del retracte

Els efectes de l'exercici del retracte consisteixen fonamentalment en la substitució de l'adquirent pel retraient, que haurà de complir tots aquells pactes que hagin acordat el venedor amb l'adquirent, sempre i quan no siguin personalíssims. Efectuat el retracte d'acord amb les condiciones vistes, el retraient adquireix la propietat de la finca objecte del retracte.

Ara bé, l'article 568-20 estableix dos efectes específics, que són una conseqüència de la finalitat buscada amb aquest dret.

1r. L'obligació d'agrupar la finca adquirida amb la que era propietat del retraient. L'obligat a agrupar és el mateix retraient. Aquesta obligació comporta una operació registral d'agrupació de finques que es regeix per les regles dels articles 45, 49 i 50 RH quan les finques o una d'elles estiguin inscrites en el Registre o bé, s'inscriguin com a conseqüència de l'adquisició. Quan no estiguin inscrites, l'agrupació s'haurà de fer materialment, per bé que sembla derivar-se de l'article 568-20.1 *in fine*, que s'haurà de fer registralment, la qual cosa, però, no s'imposa en aquesta disposició. En resum, la llei obliga a agrupar, la qual cosa no implica que s'hagi de fer necessàriament per la via del Registre de la propietat.

El termini per a l'agrupació és de sis mesos comptats des de l'adquisició per part del retraient i comporta al mateix temps l'obligació de conservar la nova finca en les condicions subsegüents a l'agrupació durant un termini mínim de sis anys a partir de la inscripció. Com no hem exclòs la possibilitat d'agrupacions ex-trarregistrals, el termini de sis anys s'haurà de comptar a partir del moment en què materialment s'hagi produït l'agrupació exigida per la llei.

2n. La limitació de la facultat de disposar de la finca adquirida per mitjà del retracte durant un període de sis anys a comptar des de la data de l'adquisició. S'exceptua el cas en què la persona en el lloc de la qual es va subrogar el retraient, presti el seu consentiment per a la transmissió i també el cas que la finca adquirida representi menys del 20% de la superfície de la finca que resulta de l'agrupació.

3. EL DRET DE TORNERIA

I. Concepte

El dret de torneria està definit a l'article 568-21 com "aquell dret d'adquisició legal per retracte que té lloc exclusivament a la Vall d'Aran, en els casos i amb els requisits que estableix aquesta subsecció, en virtut del qual els seus titulars se subroguen el la posició jurídica dels adquirents". Aquesta definició no resulta massa explicativa, perquè sembla que es tracti d'un dret real de retracte legal, de característiques semblants als altres drets que s'han estudiat fins aquí, que té un àmbit d'aplicació limitat a la Vall d'Aran. En realitat, la torneria és un retracte gentilici, l'únic regulat al Dret civil català, que apareix regulat en normes històriques i que per primera vegada, gaudeix d'una regulació moderna àmplia i completa.

El dret de torneria apareix regulat en el Privilegi de la *Querimonia*, concedit per Jaume I a la Vall d'Aran i expedit a Lleida el 22 de setembre de 1313, on es confirmaven les llibertats, franquícies i immunitats concedides a la Vall d'Aran pels anteriors reis. El dret de torneria està recollit en el capítol 8 d'aquest Privilegi i va ser inclòs en l'article 329 de la Compilació de 1960.

La doctrina tradicional considerava que la torneria era l'únic retracte gentilici existent en el Dret civil català i per aquesta raó apareix actualment ben inserit en el Llibre 5, on es regulen els drets reals a la categoria dels quals pertany. En l'anterior regulació es deia que la torneria incloïa els drets de tanteig i de retracte, mentre que en l'actualitat es limita al dret de retracte, ja que la regulació anterior no resultava excessivament clara en el sentit esmentat; es deia així perquè el capítol 8 del Privilegi de la *Querimonia* obligava el venedor a comunicar els parents més propers de la línia d'on els béns procedeixen, la intenció d'alienar, cas en el qual, si aquests parents no feien ús del seu dret, el titular quedava en llibertat d'alienar-los a qui vulgués; però també incloïa el dret de retracte, perquè si no els havia comunicat la seva intenció abans de l'alienació, els parents tenien dret a recuperar els béns alienats. Aquest darrer és l'aspecte que ara resta del dret de torneria i per aquesta raó, s'ha de dir que actualment és tracta un dret de retracte, havent desaparegut qualsevol indici del tanteig.

Pel que fa a la seva regulació, l'article 568-21.2 es remet als costums de la Vall d'Aran en tot allò que no sigui incompatible amb la normativa establerta al Codi civil català. En tot cas, aquestes normes s'hauran de tenir en compte per a la interpretació d'allò establert en el Codi.

II. Circumstàncies que permeten l'exercici del dret de torneria

1r. Les finques sobre les que s'exercita el dret han de ser rústiques i estar situades a la Vall d'Aran. Poden ser també finques que constitueixin la casa pairal i les seves dependències, encara que es trobin en sòl urbà, llevat que formin part d'una explotació comercial o turística. (article 568-23). En aquest darrer cas, no està autoritzat l'exercici del dret de torneria.

2n. Que es venguin a una persona que no forma part de la família d'on procedeixen les finques o bé que tingui un parentiu més enllà del quart grau de la línia col·lateral, però en aquest cas, solament si la finca que es tracta de vendre "ha pertangut als parents per consanguinitat durant dues o més generacions immediatament anteriors a la del disposant" (article 568-23.1). Aquest parentiu s'ha de comptar en relació amb el disposant, de manera que els béns han d'haver arribat al disposant a través d'un ascendent comú a venedor i retraient.

3r. Caràcter onerós del títol de la transmissió. L'article 568-23.1 estableix que el dret de torneria es pot exercir quan s'ha produït un acte de disposició a títol onerós, venda o dació en pagament. També en aquest cas s'ha d'admetre l'exercici del dret en vendes en subhasta.

III. Procediment

1r. Estan legitimats per a l'exercici del dret de torneria les persones físiques que tinguin veïnatge local a la Vall d'Aran i que siguin parents fins el quart grau en la línia de la qual procedeixen els béns que es tracta d'alienar. L'article 568-22.3 aclareix que si hi ha diversos parents legitimats, el més pròxim exclou el més remot i que en igualtat de grau, el de més edat exclou el de menys. El còmput dels graus es fa d'acord amb les regles dels articles 324 i 325 CS.

2n. El termini per a l'exercici del dret de torneria es el d'un any i un dia a comptar bé des del coneixement de l'alienació i les seves circumstàncies, bé des de la inscripció de l'acte d'alienació en el Registre de la propietat. Aquesta regla recupera el termini establert al capítol 8 del Privilegi de la *Querimonia*, que havia estat exclòs per la sentència de 13 febrer 1915, que li va aplicar el termini de nou dies de l'article 1524 CC. L'antiga sentència de l'Audiència Territorial de Catalunya, de 25 de setembre de 1980 (RJC XXXX), va entendre que l'esmentat privilegi facultava "para el ejercicio del derecho de retracto sobre bienes patrimoniales de abolengo a los hermanos, primos hermanos o más propíncuos dentro de la línea de la parentela, *sólo cuando el que los vende no lo hubiese puesto en conocimiento de aquéllos con derecho al mismo con un plazo en el Derecho histórico de año y día* y actualmente el de 9 días establecido en el article 1524 CC", solució que en el seu moment varem considerar contrària a les regles de la *Querimonia* a les quals al·ludia el derogat article 329 CDCC, entre les quals es trobava, evidentment, el termini, ja que la Compilació no n'establia cap. Aquesta discussió acaba clarament amb la regla del Codi civil català.

El còmput per determinar el *dies a quo* és el mateix que s'estableix en l'article 568-19.1 per al retracte de confrontants, per la qual cosa ens remetem al que s'ha dit en l'apartat 2 d'aquest mateix capítol.

3r. El preu que s'ha de pagar és el mateix convingut entre el propietari/venedor i el tercer adquirent i s'han de complir també les mateixes condicions acordades.

4t. L'article 568-24.3 permet la renúncia al dret de torneria, però solament serà vàlida si consta en escriptura pública. El que no diu el Codi civil català és si és possible una renúncia preventiva o si solament es pot renunciar un cop nascut efectivament el dret com conseqüència de la transmissió efectuada. Aquesta qüestió va relacionada amb una de prèvia, relativa a si el dret es té per ostentar la condició de parent i independentment que el titular dels béns els hagi o no alienat, o bé solament és efectiu quan s'ha produït la transmissió. L'opinió que es manté aquí és que certament es pot renunciar el dret a la vista d'una concreta transmissió, però que res no impedeix que es pugui renunciar de manera genèrica, sempre que aquesta renúncia consti en escriptura pública, tal com exigeix l'article 568-24.3.

5è. Respecte del procediment, resulta aplicable el que s'ha dit abans en relació amb el dret de retracte (vegeu cp. XXV).

IV. Els efectes

L'exercici del dret de torneria produeix la subrogació del parent retraient en el lloc de l'adquirent, tal com ja s'ha dit en relació al retracte de confrontants.

L'única limitació de la facultat de disposar establerta pel parent adquirent per dret de torneria consisteix en què no la pot alienar entre vius en un termini de sis anys a comptar des del dia de l'adquisició feta pel parent retraient (article 568-25). La norma limita la facultat de disposició als actes entre vius, sigui quina sigui la seva causa, ja que inclou expressament els actes a títol gratuït. Solament desapareix aquesta limitació si la persona en el lloc de la qual es va subrogar en adquirir aquest béns permet l'alienació.

4. LA PREFERÈNCIA ENTRE DRETS D'ADQUISICIÓ LEGALS

L'article 568-27 estableix una sèrie de preferències entre drets legals de tanteig i de retracte, que s'hauran de completar amb les normes dels altres retractes. Per resumir les normes de preferència a Catalunya són les següents:

1ª El dret de torneria es preferent a qualsevol altre dret d'adquisició legal, llevat del dret dels copropietaris (article 568-26).

2ª El dret de tanteig que correspon als copropietaris o als cohereus és preferent.

3ª El dret d'adquisició preferent dels nus propietaris és preferent en l'alienació de l'usdefruit.

4ª El dret de tanteig dels censataris és preferent en l'alienació del dret de cens.

5ª Si no hi ha cap dels drets anteriors, és preferent el de tanteig dels arrendataris, segons els articles 25 i 21 LAU i 22 LAR.

6ª Si no hi ha cap persona amb un dret dels anteriors, és procedent el retracte de confrontants.

5. ELS DRETS D'ADQUISICIÓ PREFERENT DE L'ADMINISTRACIÓ PÚBLICA

Cal assenyalar breument els drets de tanteig i retracte que les lleis catalanes reconeixen a l'Administració en determinades lleis.

I. Els drets de tanteig i retracte en la transmissió d'espais naturals protegits

La Llei 12/1985, de 13 de juny, *d'espais naturals,* reconeix en l'article 32 a la Generalitat els drets de tanteig i de retracte que pot exercitar en aquelles transmissions oneroses per actes entre vius de béns immobles de superfície superior a 200 ha., que estiguin situats a l'interior d'espais naturals de protecció especial. El dret de tanteig, però no el retracte, podrà ser també exercitat per les entitats locals promotores, solament en el cas que ho acordi el decret de creació i en les condiciones determinades en aquest Decret.

El termini per a l'exercici del tanteig és de tres mesos a comptar des de la notificació prèvia de la transmissió. El termini per a l'exercici del retracte és de sis mesos a partir de la inscripció de la transmissió en el Registre.

Cal entendre que en tot allò no regulat, s'haurà d'aplicar supletòriament el que disposa el capítol VIII del Codi civil català, en virtut de l'article 111-4, que estableix que les disposicions del Codi "constitueixen el dret comú a Catalunya i s'apliquen supletòriament a les altres lleis".

II. Els drets de tanteig i retracte en la transmissió de béns que formen part del patrimoni cultural català

La llei 9/1993, de 30 setembre, del patrimoni cultura català regula dos tipus de drets preferents de la Generalitat en allò que es refereix als béns que constitueixen el patrimoni cultural català, determinat d'acord amb les regles dels articles 7 i següents de la mateixa Llei.

Per una banda, l'article 22 atorga a la Generalitat els drets de tanteig i retracte sobre qualsevol bé del patrimoni cultural que se subhasti a Catalunya. Els interessats han de comunicar la celebració de la subhasta. Aquest dret pot ser exercit en benefici de la mateixa Generalitat o d'una altra entitat pública o d'una privada sense ànim de lucre.

L'article 26 de la mateixa Llei atorga els mateixos drets a la Generalitat o, subsidiàriament, als consells comarcals i ajuntaments. El dret de tanteig es reconeix en les transmissions oneroses de la propietat o de qualsevol dret real de gaudi que afecti béns culturals d'interès nacional o béns mobles catalogats. Aquest article imposa als propietaris d'aquests béns que estiguin interessats en la seva alienació l'obligació de comunicar-ho al Departament de Cultura i hauran d'indicar el preu, les condicions de la transmissió i la identitat de l'adquirent. El termini per exercitar el tanteig és de dos mesos des de la comunicació fefaent.

Cas que no s'hagi notificat, es pot exercitar el dret de retracte que, per tant, s'atorga com a complementari del tanteig, que és el dret principal. Aquest dret s'haurà d'exercir en el termini de dos mesos a comptar des que la Generalitat tingui coneixement fefaent de la transmissió.

Aquest dret solament es pot exercir en les transmissions de bens que tinguin la condició d'immobles catalogats, i s'exclouen els que formin part de conjunts històrics que no tinguin la condició de monuments. I tot això, sens perjudici del dret de l'Estat quan així correspongui.

III. Els drets de tanteig i retracte en la transmissió d'habitatges de protecció oficial

La Llei 24/1991, de 29 de novembre, de l'habitatge, regula, en el capítol V, els drets d'adquisició preferent de l'Administració en els casos de transmissions d'habitatges de protecció oficial de promoció privada. La particularitat d'aquesta normativa rau en el diferent tractament de la primera i successives transmissions, perquè quan es tracta de la primera transmissió, les administracions públiques tenen un dret d'opció de compra, mentre que en les segones i successives transmissions se'ls reconeix un dret de tanteig i retracte (article 50).

1º *Opció de compra:* L'article 51 estableix que els promotors d'habitatges de protecció oficial de promoció privada, hauran de presentar l'oferta econòmica en sol·licitar la qualificació provisional, a fi i efecte que en el termini d'un mes a comptar des de la concessió d'aquesta qualificació provisional, la Generalitat pugui exercitar l'opció. Si no s'exerceix en el termini d'aquest mes, els promotors poden iniciar lliurement la promoció de venda. Per tant, als efectes de la interpretació de l'article 50, l'expressió *primera transmissió*, s'ha d'entendre en el sentit de la que realitza el promotor als compradors de l'habitatge en la promoció de venda del conjunt.

2º *Dret de tanteig.* Està regulat a l'article 52 on s'estableix que en el cas que els propietaris dels habitatges de protecció oficial estiguin interessats en transmetre'ls, comunicaran a l'administració o a la entitat pública promotora la seva decisió. Hauran d'indicar el preu, les condicions de la transmissió i la identitat de l'adquirent. Les administracions públiques tenen dret a exercir el tanteig en un termini de trenta dies naturals a partir del següent a la comunicació. Si en aquest termini, no s'ha exercitat el tanteig, el dret de les administracions concernides caduca i es pot dur a terme la transmissió.

3º *Dret de retracte.* Es reconeix aquest dret en l'article 53 pels casos en què no s'hagi notificat la transmissió, o havent-se produït, sigui incompleta o defectuosa o bé, que s'hagi produït la transmissió abans d'acabar-se el termini per a l'exercici del tanteig. El termini per a l'exercici del retracte és de trenta dies naturals a comptar des del següent al de la notificació de la transmissió, a la qual està obligat el transmetent.

Per tal d'assegurar l'efectivitat d'aquests drets, l'article 54 impedeix que s'inscriguin en el Registre les transmissions on no consti que s'han realitzat les comunicacions previstes en aquests articles.

Respecte al preu, cal dir que les administracions públiques estan obligades a adquirir els habitatges de protecció oficial pel preu acordat entre les parts; ara bé, l'article 55 estableix que si el preu és superior al màxim establert en la normativa reguladora d'aquest tipus d'habitatge, el dret s'ha de realitzar per aquest màxim establert legalment.

IV. Els drets de tanteig i retracte en la Llei d'Urbanisme

El Decret legislatiu 1/2005, de 26 de juliol, que aprova el text refós de la Llei d'Urbanisme estableix uns drets de tanteig i retracte, en el capítol IV del Llibre V als efectes d'incrementar o constituir el patrimoni municipal del sòl i de l'habitatge. Els articles 164 i 165 regulen aquests drets, establint l'objectiu que persegueixen, qui queda afectat per aquests drets i les garanties pel compliment de les limitacions dels règims de protecció pública dels habitatges.

L'objectiu pel qual es creen aquests drets està fixat en l'article 164.1, el qual estableix que tenen com a finalitat incrementar o constituir un patrimoni municipal pel compliment dels objectius relacionats amb la construcció d'habitatges. Amb aquesta finalitat, són els ajuntaments els que poden delimitar unes àrees en relació a les quals, les transmissions oneroses queden subjectes a l'exercici dels drets de tanteig i retracte per part de l'Ajuntament. Per tant, els elements d'aquests drets són:

1r. Pel que fa als subjectes afectats, el titular el dret de tanteig i de retracte serà l'Ajuntament, sempre que hagi delimitat les àrees afectades. El subjecte passiu del dret serà el propietari que es trobi en les condicions previstes en l'acord de delimitació de les àrees.

2n. L'objecte del tanteig i del retracte seran aquelles finques delimitades, que poden ser terrenys sense edificar, terrenys amb edificacions en estat de ruïna o totalment desocupades (art 164.2 LU), sòl classificat com a no urbanitzable (art 164.2 LU) i finques afectades per les previsions d'un programa de rehabilitació (art 164.3 LU), independentment que la transmissió en aquest cas es faci en relació al conjunt de la finca, o que es trobi en règim de propietat horitzontal. L'acord de delimitació de les àrees afectades pot declarar que estan subjectes a l'exercici d'aquests drets les transmissions de les finques en construcció o construïdes, sempre que els que transmeten a tercers hagin adquirit de la promotora.

3r. Per a què existeixin aquests drets s'ha d'haver establert per l'ajuntament una delimitació de les àrees afectades, que poden incloure també zones d'influència d'actuacions urbanístiques d'iniciativa privada als efectes d'evitar l'especulació i afavorir els reallotjaments.

4t. El termini màxim de subjecció de les transmissions a l'exercici dels drets de tanteig i retracte és de sis anys a comptar des de la data d'aprovació del projecte de delimitació de l'àrea (art 164.5 LU), que s'ha de fer seguint les regles de l'article 166 LU.

5è. Les transmissions afectades seran sempre les efectuades a títol onerós.

6è. Els propietaris de finques en les àrees afectades han de comunicar als ajuntaments titulars dels drets la seva decisió d'alienar-los (art 164.6 LU); la llei es remet a la forma que s'estableixi per reglament. La manca d'acreditació d'haver-se dut a terme la comunicació impedeix la inscripció de la transmissió en el Registre de la Propietat.

BIBLIOGRAFIA SUMÀRIA

A més de la citada en l'anterior capítol, vegeu YSÀS SOLANES. Comentari a l'article 329 CDC a *Comentarios al Código civil y Compilaciones forales.* T. XXX, Madrid, 1987, p. 662; MIRALLES GONZÁLEZ, I. "El desprecio a los plazos de caducidad ¿aplicación del principio constitucional de tutela judicial efectiva? Comentario a la sentencia del TC de 12 de diciembre de 2005". *RJC,* 2007, p. xxx

JURISPRUDÈNCIA CITADA

Tribunal Constitucional

Sentència 327/2005, de 12 desembre: retracte; consignació del preu.

Tribunal Suprem

13 febrer 1915: termini per a l'exercici del dret de torneria.

15 abril 1971: criteris per a qualificar una finca com a rústica.

20 juny 1980: retracte de confrontants. Segona venda.

7 octubre 1987: possibilitat d'exercir el retracte en les subhastes.

28 setembre 1988: *dies a quo* per a l'exercici del retracte.

1 juliol 1991: còmput del termini per a l'exercici del retracte.

11 juliol 1992: còmput del termini per a l'exercici del retracte en les subhastes.

20 maig 1993: El retracte de confrontants no és possible en finques no rústiques.

21 juliol 1993: el còmput del termini a partir de la inscripció és subsidiari del coneixement efectiu.

11 març 1994: còmput del termini pel retracte des de la inscripció.

15 abril 1998: l'aval és suficient per a l'exercici del retracte.

20 juliol 2004: finalitat del retracte de confrontants.

14 octubre 2004: necessitat de consignar el preu per a l'exercici del retracte.

15 desembre 2005: consignació del preu en un retracte voluntari.

28 novembre 2006: necessitat de consignar el preu per a l'exercici del retracte.

Audiència Territorial de Barcelona

25 setembre 1980: termini per a l'exercici del dret de torneria.

Capítol XXVII
Els drets reals de garantia

1. CONIDERACIONS GENERALS

El títol sisè del llibre cinquè del Codi civil de Catalunya, on es regulen els drets reals limitats, acaba amb un capítol IX que s'intitula "Els drets reals de garantia", com a darrera modalitat dels drets reals limitats. A l'hora de delimitar jurídicament la categoria dels drets reals de garantia s'imposa fer una referència breu al dret de crèdit, i més concretament a la posició jurídica del creditor, titular d'un dret que li confereix unes facultats determinades enfront el deutor per tal de satisfer el seu interès. A nivell més concret això es tradueix en el deure que assumeix el deutor de realitzar la prestació convinguda al temps de constituir-se l'obligació (article 1088 CC) i si el deutor incompleix l'obligació que ha assumit per causes a ell imputables, respon de l'incompliment amb tots els seus béns presents i futurs d'acord amb el principi de la responsabilitat patrimonial universal *ex* article 1911 CC. Del que s'acaba d'exposar en resulta que el deute i la responsabilitat són els dos elements que integren el concepte de relació obligatòria en termes jurídics. Hem d'afegir ara que aquesta responsabilitat patrimonial universal del deutor a la pràctica no sempre permet al creditor satisfer el seu interès, circumstància que posa de manifest l'oportunitat d'establir uns altres mecanismes que garanteixin al creditor l'efectivitat del seu dret. D'aquí se'n deriva el concepte de garantia, que en termes generals implica reforçar o ampliar mitjançant un acte les facultats normals que el dret de crèdit confereix al seu titular.

El dret de crèdit es pot garantir per dues vies diferents, que porten a establir una classificació general entre les anomenades garanties personals i les reals. El concepte de garanties personals té la seva manifestació més clara en la situació de fiança, que segons l'article 1822 CC implica que un tercer o uns tercers assumeixen el compliment de l'obligació pel cas d'incomplir el deutor el deure de prestació a càrrec seu. Al costat de les garanties personals apareix el concepte de garanties reals, que des d'una perspectiva molt general es poden definir com l'afectació d'un bé determinat a la satisfacció d'un dret de crèdit, encara que aquest bé deixi de formar part del patrimoni del deutor. El llibre cinquè del Codi civil de Catalunya regula els drets reals de garantia en un capítol que encapçala l'article 569-1, en el qual es precisa que "Aquest codi regula els drets reals de garantia següents, que es poden constituir per a assegurar el compliment d'una obligació principal: a) El dret de retenció. b) El dret de penyora. c) L'anticresi. d) La hipoteca. El Codi civil de Catalunya regula de forma completa els tres primers, mentre que respecte el dret real d'hipoteca estableix una regulació deliberadament parcial, que resulta de les referències reiterades que el seu articulat fa a la legislació hipotecària, on s'estableix una regulació detallada del dret real d'hipoteca (vegeu els articles 104 al 197 LH), amb una vocació clara de fer extensiva la seva normativa a tots els ordenaments jurídics que coexisteixen en el nostre país.

Del que s'ha exposat fins aquí en resulta que els drets reals de garantia recauen sobre el valor en venda del bé objecte d'aquests drets reals limitats, ja que el seu exercici es tradueix en l'alienació del bé gravat amb el dret real de garantia amb la subsegüent extinció del dret de propietat sobre el mateix bé, circumstància que posa de manifest que segons un corrent doctrinal d'arrel germànica els drets reals de garantia s'anomenen també drets de realització del valor del bé; encara que en relació amb aquesta terminologia es precisa que l'essència dels drets reals de garantia no es troba en el dret de realització del valor del bé sinó en la seva funció de garantia, que s'assoleix per la via de la realització del valor que s'obté mitjançant la subjecció d'un bé determinat al compliment d'una obligació (FERRANDIS VILELLA).

Conseqüència del que s'acaba d'exposar és el caràcter accessori que es predica dels drets reals de garantia, perquè pressuposen l'existència d'una relació obligatòria —que té el caràcter de principal— sense la qual no té sentit establir unes garanties amb la finalitat de millorar la posició jurídica de la part creditora. Aquesta característica de l'accessorietat resulta de l'apartat primer de l'article 569-1 quan estableix que els drets reals de garantia "es poden constituir per a assegurar el compliment d'una obligació principal"; característica que té la seva importància, ja que si s'extingeix l'obligació principal garantida, s'extingeix o es pot imposar l'extinció del dret real que assegura el seu compliment, com resulta de l'article 144 LH, precepte que en aquest punt es pot fer extensiu a tots els drets reals de garantia. Confirma el caràcter accessori dels drets reals de garantia l'article 569-2.5 quan precisa que "La transmissió del crèdit garantit comprèn també la de la garantia".

Fins aquí hem exposat allò que podem anomenar el vessant positiu dels drets reals de garantia, que s'ha de completar en l'estudi del seu vessant negatiu, és a dir, determinar en quina mesura els drets reals de garantia comprimeixen el nucli de les facultats que l'article 541-1 estableix com a pròpies del dret de propietat. Advertim inicialment que no és possible donar al problema proposat una resposta única, ja que els drets reals de garantia que preveu la llei comprimeixen de forma diferent les facultats del propietari. Una primera limitació que imposen al propietari afecta a les seves facultats possessòries, facultats que perd el propietari quan sobre el bé es constitueix un dret real de retenció o un dret real de penyora (vegeu l'article 569-2.1) o d'anticresi segons l'apartat 2 del mateix article, mentre que la constitució d'un dret real d'hipoteca no afecta normalment les facultats possessòries del propietari sobre el bé hipotecat, excepte en el cas de l'article 117 LH. Respecte a les facultats de gaudiment que confereix el dret de propietat al seu titular, les perd el seu propietari quan s'ha constituït un dret real d'anticresi segons l'article 569-2.2. I pel que fa referència a les facultats dispositives que es deriven del dret de propietat, el seu titular les conserva després de la constitució del dret real de garantia, si bé amb la precisió que després de la seva constitució el seu titular comparteix amb el propietari les facultats de disposició sobre el bé gravat en a forma que preveu la llei; com resulta de l'article 569-2.1,b) pels drets de retenció i de penyora, de l'apartat 2 del mateix precepte pel dret real d'anticresi i del seu apartat 3 en relació amb el dret real d'hipoteca.

Una altra característica que hem de predicar dels drets reals de garantia és la preferència que confereixen al seu titular, en relació amb els altres creditors del propietari del bé objecte del dret real de garantia. El legislador català s'ha abstingut de regular aquest aspecte, segurament perquè es pot posar en dubte la seva competència en base a l'article 149.1,8è CE, que confereix a l'Estat competència exclusiva per a regular les bases de les obligacions contractuals. Això explica que segons l'article 569-2.4

"El crèdit, tant en la imputació dels fruits com en l'atribució del preu obtingut en la realització del valor del bé, se sotmet a les regles generals sobre prelació de crèdits". El precepte té el seu antecedent en l'article 2.2 de la Llei 19/2002, de 5 de juliol, dels drets reals de garantia, en relació amb el qual la doctrina havia formulat les precisions següents: *i)* el dret de penyora i el dret de retenció sobre béns mobles gaudeixen de la prelació que es deriva dels articles 1922,2n i 1926,1r CC; *ii)* el dret real d'hipoteca gaudeix de la prelació que es deriva dels articles 1923.3r i 1927,2n CC; *iii)* els crèdits garantits amb un dret real d'anticresi o amb un dret de retenció sobre béns immobles inscrits en el Registre de la Propietat gaudeixen dels mateixos privilegis que els garantits amb un dret real d'hipoteca; i *iv)* amb referència amb el dret de retenció s'observa que l'article 89.2 de la Llei concursal no atribueix cap tipus de prelació al crèdit garantit amb aquest dret, probablement perquè és dubtós que en el sistema del Codi civil espanyol el dret de retenció es pugui configurar jurídicament com un dret real de garantia, però si des de la perspectiva del legislador català se'l configura com un veritable dret real de garantia, als efectes de la legislació concursal s'ha d'entendre que el crèdit garantit amb un dret real de retenció sobre bé moble gaudeix del mateixos privilegis que el crèdit pignoratici i que el crèdit garantit amb un dret real de retenció sobre béns immobles d'acord amb la normativa catalana, s'ha d'equiparar en relació amb la seva preferència als crèdits garantits amb un dret real d'anticresi sobre els fruits del bé immoble gravat i al crèdit hipotecari amb referència al mateix bé (GIMENEZ GOMEZ-LAFUENTE-DEL POZO CARRASCOSA-TORMO SANTONJA).

2. EL DRET DE RETENCIÓ

I. Normativa vigent a Catalunya

La Compilació del dret civil de Catalunya de l'any 1960 no va regular el dret de retenció, encara que en el seu articulat s'hi trobaven unes referències al mateix, com per exemple a l'article 206 en relació amb l'herència fideïcomesa, a l'article 226 respecte a la detracció de a quarta falcídia i a l'article 278 en matèria d'accessió immobiliària de bona fe en finca aliena. Una afirmació semblant es pot fer respecte el Codi civil espanyol, que fa unes uns referències al dret de retenció amb la finalitat d'atribuir-lo al posseïdor de bona fe (article 453), a l'usufructuari (articles 502 i 522), al constructor de bona fe en un bé moble (article 1600), al mandatari (article 1730), al dipositari (article 1780), al creditor pignoratici (article 1866) i al creditor anticrètic (article 1886); aquí sols cal afegir que aquesta fragmentària regulació del dret de retenció en el Codi civil espanyol ha originat dubtes no resolts mai de forma satisfactòria, tant a nivell doctrinal com jurisprudencial, sobre la seva configuració jurídica com una garantia real o personal.

Un primer intent de clarificar el problema apareix a la Llei catalana 22/1991, de 29 de novembre, de garanties possessòries sobre cosa moble, que el seu article 1 concreta en el dret de retenció i en el dret de penyora. Amb referència al dret de retenció precisa el seu preàmbul que "El dret de retenció passa a configurar-se com un dret real de garantia, de manera que el retenidor es pot negar, no solament davant del deutor, sinó també davant de qualsevol tercer, a la restitució de la cosa retinguda fins que no li hagin estat pagats totalment els deutes que van originar la retenció". I afegeix seguidament el mateix preàmbul que "L'eficàcia del dret de retenció com a garantia recolza, a més, en la possibilitat d'execució forçosa notarial establerta a l'article 6 d'aquesta Llei". Característica d'aquesta normativa era que seguia establint una regulació parcial del dret de retenció, ja que es concretava al que requeia sobre béns mobles, limitació que va superar la Llei posterior 19/2002, de 5 de juliol, de drets reals de garantia, que segons la seva DD substituïda la Llei 22/1991, que va establir una regulació del dret de retenció de cos aliena moble o immoble. Explicita el seu preàmbul que "Aquesta Llei amplia l'objecte del dret real de retenció als immobles. Es tracta de considerar el dret de retenció sobre immobles com un dret real, i donar-li els mateixos efectes actualment establerts per al dret de retenció sobre béns mobles. Això comporta, d'acord amb la legislació hipotecària, la constància registral d'aquest dret". L'intent de fer extensiu el dret de retenció als béns immobles va ésser objecte del recurs d'inconstitucionalitat 5840/2002 promogut pel president del govern espanyol. Posteriorment es va retirar el recurs, segons resulta de la interlocutòria del Tribunal Constitucional de 16 de novembre de 2004.

La Llei 19/2002 sobre drets reals de garantia ha estat derogada per la DD del llibre cinquè del Codi civil de Catalunya. La normativa actual sobre el dret de retenció es troba en els articles 569-3 al 569-11, que segueixen el criteri de configurar jurídicament el dret de retenció com una modalitat dels drets reals de garantia, com resulta de forma explícita dels articles 569-1 i 569-2. Segons la seva DT vintena "Els drets reals de garantia constituïts sobre béns situats a Catalunya abans de l'entrada en vigor d'aquesta llei es regeixen íntegrament per la legislació anterior que els era aplicable".

II. Concepte

Es el que es dedueix de l'article 569-3, en el qual es preveu que "Els posseïdors de bona fe d'un bé aliè, sigui moble o immoble, que hagin de lliurar a una altra persona en poden retenir la possessió en garantia del pagament dels deutes a què fa referència l'article 569-4 fins al pagament complet del deute garantit". Del precepte transcrit en resulta en primer lloc que el dret de retenció pressuposa que una persona es troba en possessió d'un bé propietat d'una altra persona i, per conseqüent, amb l'obligació de tenir que restituir el bé que posseeix en un moment determinat; i precisament en base a aquesta consideració hem d'entendre que —com ja van precisar les STSJC de 29 de setembre i 25 d'octubre de 1993— que no procedeix el dret de retenció quan s'ha perdut la possessió del bé abans de constituir-se el dret de retenció.

Una segona precisió que cal fer, és que l'article 569-3 no confereix el dret de retenció al qualsevol posseïdor, sinó únicament al posseïdor de bona de d'un bé aliè, requisit que exigeix fer unes precisions amb la finalitat de determinar l'àmbit d'aplicació de la norma. Si ens atenem a l'article 521-1.1, en resulta que es defineix la possessió com "el poder de fet sobre una cosa o un dret", del qual en resulta que el nostre ordenament jurídic admet la possessió dels béns corporals o materials i la possessió dels béns immaterials o drets. Amb referència al dret de retenció —configurat com un dret real de garantia— entrenem que quan els articles 569-2 i 569-3 es refereixen a la possessió d'un bé, el sentit d'aquesta expressió s'ha de relacionar amb l'article 511-1.1 que atribueix la condició de béns a les coses corporals o materials i als drets patrimonials o béns immaterials, que porta a la conclusió que pel nostre legislador es pot constituir un dret de retenció sobre els béns corporals o coses i sobre els béns immaterials o drets; com resulta també dels articles 569-5.3 i 4, 569-7.4 i 569-8.1, 2 i 3.

La tercera precisió que interessa fer és que l'article 569-3 confereix el dret de retenció al posseïdor d'un bé aliè. Això vol dir que ens trobem davant d'un supòsit en el qual el retenidor ostenta una possessió que no és en concepte de propietari i, també, que no és una possessió en concepte —posem per cas— d'arrendatari o d'usufructuari, perquè exercita el dret de retenció quan aquesta relació jurídica ja s'ha extingit i en conseqüència el retenidor hauria de lliurar la possessió del bé al seu titular, com precisa l'article 569-3.

L'article 569-3 sols confereix el dret de retenció al posseïdor de "bona fe", expressió que inicialment s'ha de relacionar amb l'article 521-7, l'apartat 1 del qual precisa que "La bona fe en la possessió és la creença justificable de la titularitat del dret. En cas contrari, la possessió és de mala fe". Aquest concepte de la possessió de bona fe ha d'ésser objecte d'uns observacions quan es projecta sobre el dret de retenció. Inicialment en base a que es tracta de la possessió d'un bé aliè, com precisa l'article 569-3, amb la conseqüència doncs que el retenidor es considera posseïdor de bona fe encara que de forma unilateral s'atribueixi la possessió en concepte de retenidor, sempre que no s'atribueixi una possessió en concepte de propietari del bé o de titular d'un dret real o personal sobre el mateix bé, perquè no contradiu amb la seva possessió l'obligació de restituir al titular del bé que l'imposa el precepte. Circumstància que determina projectar el requisit de la bona fe al moment previ de constitució de la relació jurídica que després va originar el dret de retenció, que permet qualificar de bona fe la persona que va rebre la possessió del bé del posseïdor anterior en la creença justificable de la seva titularitat i en la validesa del títol que va atribuir la possessió al retenidor (vegeu STSJC de 29 de setembre de 1993). En tot cas juga a favor del retenidor la presumpció de bona fe *ex* article 521-7.2.

Precisem finalment que mentre els altres drets reals de garantia operen davant qualsevol tipus d'obligacions (vegeu l'article 569-14.1 respecte el dret real de penyora i l'article 105 LH en relació amb el dret real d'hipoteca), el dret re retenció té un abast molt més limitat, ja que sols es pot exercitar per a garantir els deutes a què fa referència l'article 569-4, limitació que ha provocat que a nivell doctrinal es qualifiqui el dret de retenció com un cas de penyora legal (ABRIL CAMPOY i MIRALLES GONZALEZ). En qualsevol cas, i com resulta de la proposició darrera de l'article

569-3, si s'exercita el dret de retenció, subsisteix fins el pagament total del deute garantit.

III. Abast del dret de retenció

Com s'acaba d'esmentar, els dret de retenció sols pot garantir aquelles obligacions que tenen el seu origen en unes relacions jurídiques que segons criteri del legislador mereixen una protecció especial; ja que podrien provocar un empobriment possible del retenidor, que no es creu justificable en base a la relació estreta que existeix entre el bé objecte del dret de retenció i l'obligació que ha incomplet el deutor. El dret de retenció sols es pot constituir per a garantir un crèdit existent i exigible pel qual el legislador ha previst aquesta modalitat dels drets reals de garantia. De forma prudent s'esmenta la inoportunitat de constituir el dret de retenció quan el dret de crèdit s'ha garantit de forma escaient mitjançant un altre dret real de garantia o una fiança solidària d'una entitat de crèdit; i en particular s'assenyala la impossibilitat de constituir el dret de retenció sobre un bé determinat quan el compliment de l'obligació ja s'ha garantit de forma suficient amb una penyora amb desplaçament de la possessió o en el supòsit que contempla l'article 569-10 (BARRADA ORELLANA).

En primer lloc pot originar el dret de retenció "El rescabalament de les despeses necessàries per a conservar i gestionar el bé i de les despeses útils, si hi ha dret a reclamar-ne el reemborsament". (article 569-4,a). La proposició primera de l'article té el seu origen en l'article 4.1,a) de la Llei 22/1991, que feia referència a les despeses necessàries, que són aquelles despeses fetes amb la finalitat d'evitar la pèrdua o el deteriorament de la cosa, fet que determinaria no poder donar-li el destí econòmic adient a la seva naturalesa, motiu pel qual les hauria tingut que realitzar el propietari de la cosa si no s'hagués originat la situació possessòria que després ha permès exercitar el dret de retenció. Delimitada d'aquesta forma el concepte de despeses necessàries, s'ha d'afegir ara que només poden originar el dret de retenció les despeses necessàries "per a conservar" el bé, que són aquelles despeses fetes amb la finalitat que el bé pugui continuar prestant la utilitat que fins aleshores proporcionava al seu titular; a les quals el mateix precepte afegeix les despeses necessàries per a "gestionar el bé" que fan referència —no a la seva conservació material— sinó a la seva conservació en sentit jurídic, perquè eviten la pèrdua de la cosa i permeten a la vegada treure'n els aprofitaments normals de la mateixa (DEL POZO CARRASCOSA). El precepte exigeix un altre requisit per a l'exercici del dret de retenció en aquest cas, com és que el retenidor en aplicació de les normes generals tingui la condició de creditor per rescabalament de les despeses necessàries a que fa referència el precepte i que per aplicació d'aquestes normes generals li correspongui el dret a reclamar-les en base a la relació jurídica de la qual es deriven, perquè segons la proposició darrera del precepte sols es pot exercitar el dret de retenció "si hi ha dret a reclamar-ne el reemborsament"; amb la conseqüència doncs que no originen el dret de retenció, encara que es tracti d'unes despeses necessàries de conservació i gestió del bé, si la mateixa relació jurídica de la qual es deriven imposa el pagament d'aquestes despeses al posseïdor que desprês es vol convertir en retenidor del bé, com succeeix per exemple en relació amb el comodatari segons l'article 1743 CC (ABRIL CAMPOY). El dret de retenció s'origina inicialment en relació amb les despeses necessàries de conservació i gestió del bé realitzades abans de la constitució del dret de retenció, encara que l'article 569-6.2 permet fer-lo extensiu a les despeses necessàries de conservació realitzades pel retenidor mentre està vigent el dret de retenció.

La Llei 16/2002 va modificar l'article 4.1 de la Llei 22/1991, en el sentit de fer extensiu el dret de retenció pel rescabalament de les "despeses útils", precepte que també modifica en part l'article 469-4,a) en el sentit que sols permet constituir el dret de retenció per despeses útils "si hi ha dret a reclamar-ne el reemborsament", requisit que com s'acaba de veure s'exigeix també en relació amb les despeses necessàries. En aquest aspecte sols s'ha d'afegir que s'ha mantingut el criteri de limitar el dret de retenció a les despeses útils originades abans de la constitució del dret de retenció, però no a les originades durant la vigència del dret de retenció, perquè l'article 569-6.2 sols reconeix aquestes darreres en relació amb les despeses necessàries, prevenció justificada perquè entre les facultats que es deriven del dret de retenció, difícilment encaixen les de millorar el bé retingut, que en darrer terme podrien originar dificultats innecessàries al propietari del bé que vol posar fi al dret de retenció.

També poden originar el dret de retenció "El rescabalament dels danys produïts per raó de la cosa a la persona obligada al lliurament" (article 569-4,b), que manté la redacció que es deriva de l'article 4.1,) b) de la Llei 16/1991. El precepte s'ha de relacionar amb l'article 569-6.2, que imposa el retenidor el deure de conservar el bé retingut amb la diligència necessària i no fer-ne altres ús que el merament conservatiu; i de la necessària interrelació que existeix entre ambdós preceptes en resulta que si la persona obligada al lliurament del bé experimenta uns danys per raó del mateix que tenen el seu origen en el fet de no haver observat l'obligació de conservar el bé amb la diligència necessària o en el fet d'haver utilitzat el bé més enllà de l'ús conservatiu, en aquests casos no pot interessar la constitució del dret de retenció. I de la mateixa interrelació que existeix entre ambdós preceptes, creiem en resulta igualment que es pot exercitar el dret de retenció no sols amb referència als danys produïts per raó de la cosa abans de constituir-se el dret de retenció, sinó també als danys produïts per raó de la cosa mentre està vigent el dret de retenció. En tot cas l'aplicació del precepte ve condicionada per la concurrència d'un requisit objectiu, com és que els danys els ha ocasionat la mateixa cosa, amb exclusió per tant dels danys ocasionats per negligència del mateix retenidor o de tercera persona; i també per la concurrència d'un requisit subjectiu, en el sentit que els danys han d'ésser causats al retenidor i a la vegada posseïdor del bé (LUCAS ESTEVE).

El tercer supòsit de dret de retenció que preveu l'article 569-4 és el de l'apartat c), "La retribució de l'activitat acomplerta per a confeccionar o reparar el bé, si prèviament hi ha hagut, en el cas de mobles, un pressupost escrit i acceptat i, en el cas d'immobles, un acord exprés entre les parts, i si, en tots els casos, l'activitat s'adequa al pressupost o al pacte". El precepte modifica en part l'article 4.1,c) de la Llei 22/1991, que es referia a "l'activitat realitzada per raó de la cosa", mentre que l'article 569-4,c) substitueix —d'acord amb el seu precedent l'article 5 de la Llei 19/2002— aquesta expressió per "activitat acomplerta per a confeccionar o reparar el bé", que dóna a entendre que el precepte s'aplica a les relacions jurídiques derivades de l'activitat realitzada com a conseqüència de les obligacions assumides que es deriven de la mateixa relació jurídica que li va atribuir la possessió del bé, que normalment es centraran en un contracte d'obra o d'arrendament de serveis; que permeten exercir el dret de retenció no sols amb referència a l'activitat realitzada sobre el bé, sinó també en relació amb l'import dels materials incorporats a l'obra, sempre que hagin estat pagats pel contractista. Per a la constitució del dret de retenció en aquest cas l'article 4-1 de la Llei 22/1991 exigia que el retenidor hagués realitzat unes activitats "per encàrrec del posseïdor legítim" del bé objecte del dret de retenció, requisit que va suprimir l'article 5,c) de la Llei 19/2002 i darrera seu l'article 569-4,c); però que s'ha d'entendre subsisteix, ja que si el dret de retenció sols es confereix al posseïdor de bona fe segons l'article 569-3, ja hem argumentat abans que als efectes del dret de retenció no es pot atribuir la condició de posseïdor de bona fe a qui ha rebut en base a una relació jurídica antecedent, amb coneixença que ha rebut l'encàrrec d'una persona no legitimada per a contractar l'activitat que origina el crèdit que es vol garantir amb el dret de retenció.

Per a l'exercici del dret de retenció s'exigeix a més l'existència d'un pressupost escrit i acceptat, en el cas de béns mobles, o d'un acord exprés entre les parts en el cas de béns immobles, requisits que es configuren jurídicament com una càrrega imposada a la persona que vol exercitar el dret de retenció (GIMENO GO-MEZ-LAFUENTE-DEL POZO CARRASCOSA). Segons el precepte el pressuposat ha de constar per escrit, mentre que no s'exigeix el mateix requisit per a l'acceptació, que en el seu cas es podrà acreditar pels mitjans de prova que el retenidor tingui al seu abast; mentre que en el cas de l'acord s'exigeix únicament que sigui exprés, però sense exigir uns requisits de forma especials. La finalitat del pressupost o de l'acord no és altra que evitar la imposició del dret de retenció en base a un crèdit fins a cert punt sorprenent, que porta a la conseqüència que el dret de retenció sols es pot exercitar si "l'activitat s'adequa al pressupost o al pacte" (segons la proposició darrera de l'article 569-4,c). La configuració del pressupost o de l'acord com una càrrega imposada per la llei al retenidor justifica que si la persona que va encarregar l'activitat renuncia en el seu moment a la presentació del pressupost o no considera necessari l'acord exprés, en aquests casos el posseïdor del bé també podrà imposar la constitució del dret de retenció (MIRALLES GONZALEZ).

El quart supòsit que origina el dret de retenció s'estableix amb referència a "Els interessos de les obligacions que estableix aquest article, des del moment en què el dret de retenció es notifica de la manera que estableix l'article 569-5" (article 569-4,d). Per tant el precepte permet constituir el dret de retenció per a garantir el pagament de les despeses necessàries i útils a que fa referència el seu apartat a), el rescabalament dels danys que ha sofert el retenidor per raó de la cosa (apartat b), i l'import de les retribucions a favor del retenidor per l'activitat acomplerta per a reparar o confeccionar el bé (apartat c). Segons el mateix article en el seu apartat d) el dret de retenció es pot exercir respecte els interessos que es meriten per qualsevol dels conceptes a què fan referència els apartats anteriors, però amb un límit temporal, que es concreta als interessos meritats des de la notificació per part del retenidor adreçada al creditor a la restitució del bé, ja que aquesta notificació és el fet que determina la constitució del dret de retenció segons l'article 569-5, que permet al retenidor no restituir mentre no percep la totalitat del crèdit que ha originat el dret de retenció (article 569-6.1), que inclou els interessos meritats des del moment de la notificació. Altra cosa és que el deutor hagi incorregut en situació de morositat abans de la notificació que exigeix l'article 569-6 per a la constitució del dret real de retenció, en base al criteri general que resulta de l'article 1100 CC, que genera també la meritació d'uns interessos segons l'article 1108 CC; perquè aquests interessos moratoris no venen garantits pel dret de retenció, sens perjudici que el creditor pugui reclamar-los mitjançant l'exercici de l'acció personal escaient (BARRADA ORELLANA).

Per últim preveu l'article 560-4,e) que pot originar el dret de retenció "Qualsevol altre deute al qual la llei atorgui expressament aquesta garantia". El precepte no estableix un *numerus clausus* de supòsits en que opera el dret de retenció, sinó que preveu la possibilitat d'aplicar-lo a altres supòsits sempre que tinguin una cobertura legal escaient. De totes formes la cobertura legal ha d'ésser expressa perquè el dret de retenció el pot imposar de forma unilateral el retenidor, possibilitat que operarà sols en els casos en els quals el legislador valora de forma especial el conflicte d'interessos, que fins i tot aconsellen prescindir —almenys inicialment— de la voluntat del deutor a l'hora de constituir el dret real de garantia. La possibilitat de crear altres drets de retenció al marge de l'article 569-4 no planteja més problemes si el dret de retenció està previst en una llei catalana, ja que té una cobertura clara a l'apartat e) del precepte. En canvi ha provocat dubtes significatius a nivell doctrinal l'aplicació del dret de retenció com a dret real de garantia i amb els efectes que preveu la normativa catalana a supòsits de dret de retenció que no admet el nostre dret, però que tenen una cobertura legal escaient en normes no catalanes. Apuntem l'oportunitat de resoldre el problema en base al caràcter accessori dels drets reals de garantia, segons resulta de l'article 569-1 quan preveu la seva constitució per tal d'assegurar el compliment d'una obligació principal i, també, de l'article 569-2.4 que estableix la transmissió de la garantia juntament amb el crèdit garantit; que ens porta a considerar que la normativa catalana sobre el dret de retenció s'aplica sempre que la situació bàsica o principal que origina el dret de retenció estigui sotmesa a la normativa catalana, en aplicació del conegut principi *accessorium sequitur principale*.

IV. Constitució

En aquest apartat interessa fer unes consideracions sobre els aspectes següents:

A) CAPACITAT

Hem esmentat en els apartats anteriors que el dret de retenció té com a pressupòsit que el retenidor es troba en possessió d'un bé aliè que vol retenir i que es constitueix inicialment en base a la seva voluntat unilateral. D'aquestes consideracions se'n deriva que per a constituir el dret de retenció és suficient que el retenidor gaudeixi de la capacitat general per a contractar (segons l'article 1263 CC): i com que el dret de retenció no té el caràcter de personalíssim, el retenidor podrà instar la seva constitució personalment o per mitjà d'un representant o d'un mandatari emparat per un contracte de mandat conferit en termes generals (en expressió de l'article 1713,I CC). L'article 521-5 admet la copossessió, que s'origina quan de forma simultània dues o més persones tenen en el mateix concepte la possessió d'una cosa; cas en el qual hem d'entendre que totes elles conjuntament, o també una sola en interès de la comunitat de posseïdors, pot constituir el dret de retenció en base a l'article 569-5.

B) LA DECISIÓ DE RETENIR

a) Subjectes

El procés que porta a la constitució del dret de retenció com un dret real de garantia té els seus inicis en la notificació notarial que els retenidors han d'adreçar a determinades persones, en la qual exterioritzen la seva voluntat d'exercitar el dret de retenció. Segons l'article 569-5.1 la notificació de la decisió de retenir és una iniciativa del posseïdor de bona fe que vol originar un dret de retenció. Destinataris de la notificació són en qualsevol cas el deutor o deutors, ja que el dret de retenció com tots els drets de garantia en general té com a finalitat assegurar el compliment d'una obligació, que afecta sempre i d'una manera principal al deutor. De totes formes l'article 569-5.1 preveu també que s'adreci la notificació als propietaris del bé objecte del dret de retenció, ja que és possible que la persona que ha lliurat el bé sobre el qual es vol exercitar el dret de retenció no sigui el propietari, sense que això contradigui la bona fe del posseïdor que l'article 569-3 exigeix que concorri en la persona del retenidor, perquè és evident que el propietari —encara que no tingui la condició de deutor— té en els casos generals interès en recuperar el bé sobre el qual es vol constituir el dret de retenció; de la mateixa manera que el precepte esmentat preveu també que la notificació s'adreci "als titulars dels drets reals, si escau", perquè els titulars de determinats drets reals sobre el bé retingut poden tenir interès en conèixer l'existència del dret de retenció o, en el seu cas, en evitar que es constitueixi. Per altra part la configuració del dret de retenció com un dret real de garantia, que pot desembocar en l'alienació del bé a instàncies del retenidor, ha portat el legislador a preveure la seva incidència en relació amb la normativa sobre protecció de l'habitatge familiar (vegeu l'article 9 CF i els articles 11 i 28 de la LUEP), fet que ha originat l'article 569-5.2, en el qual es preveu que "La notificació a què fa referència l'apartat 1, si l'objecte que es reté és una finca que constitueix l'habitatge familiar, també s'ha de fer als cònjuges o als convivents, els quals no es poden oposar a la retenció"; és a dir, preval la protecció del creditor amb facultat d'exercir el dret de retenció sobre la protecció de l'habitatge familiar, amb la conseqüència que el cònjuge no deutor no es pot oposar eficaçment a la constitució del dret de retenció, sens perjudici que pugui deixar-lo sense efecte si d'alguna manera pot satisfer l'interès del creditor retenidor.

La llei no preveu cap termini per a la notificació, que podrà interessar el posseïdor retenidor quan se li reclami la restitució del bé o per la seva pròpia iniciativa, que li permet denegar eficaçment l'obligació de restituir. En aquest punt cal tenir present també que el creditor i retenidor pot tenir un interès perfectament legítim d'alliberar-se de l'obligació de restituir a càrrec seu; amb la conseqüència que l'exercici del dret de retenció pot determinar que el deutor o el propietari del bé paguin les quantitats que acredita el retenidor i que aquest retorni la possessió del bé; fet que determinarà s'alliberi de l'obligació de conservar el bé retingut que es deriva de l'article 569-6.

b) Requisits de forma

L'article 569-5.1 és clar i taxatiu, ja que exigeix que la notificació de la decisió de retenir es faci "notarialment", que exclou per tant la possibilitat d'exterioritzar la decisió de retenir per conveni o per mitjà d'altres formes fefaents de notificació, criteri tal vegada excessivament rígid, que es pot justificar en base a la constitució unilateral del dret i els privilegis que envolten el crèdit garantit amb el dret de retenció, que exigeixen una forma indubitada i fefaent de la seva constitució. En tot cas la notificació notarial es pot practicar mitjançant acta segons l'article 202 RN o, també, en la mateixa escriptura pública de constitució del dret de retenció, en la qual es requereixi al notari la pràctica de la notificació (FUENTES MARTÍNEZ).

Pel que fa referència al contingut de la notificació, preveu l'article 569-5.1 que ha de contenir "la decisió de retenir", que haurà de constar de forma expressa, amb la finalitat que el destinatari o destinataris de la notificació no tinguin dubtes sobre quina és la decisió del creditor, amb la conseqüència que no es compleix aquest requisit si el creditor es limita a reclamar el pagament del deute o a posar de manifest la seva voluntat d'exigir-lo judicialment o d'adoptar les mesures preventives que consideri escaients per a la seva efectivitat. A més d'aquesta decisió de retenir la notificació ha de fer referència expressa a la liquidació del deute practicada de forma unilateral pel mateix deutor, i per tant d'una eficàcia provisional, així com l'import de l'obligació garantida que segons l'article 569-4 pot originar el dret de retenció, en el qual es poden fer també les referències escaients als interessos, en la mesura que també venen garantits pel dret de retenció segons l'apartat d) del precepte.

c) Naturalesa jurídica

Per a la constitució del dret de retenció l'article 569-5.1 exigeix que els retenidors notifiquin notarialment als deutors o propietaris del bé objecte de la garantia la seva decisió de retenir, precepte que reprodueix essencialment l'article 4.2 de la Llei 22/1991 i l'article 4.1 de la Llei 19/2002, que a la pràctica ha originat una dualitat de posicions sobre la naturalesa jurídica d'aquesta notificació. Segons una possible interpretació del precepte la notificació té caràcter constitutiu del dret de retenció, en el sentit que sense aquesta notificació el dret de retenció no neix a la vida del dret, encara que concorrin tots els altres pressupòsits que exigeix la llei per a seva constitució. Mentre que segons un altre criteri el requisit de la notificació no s'exigeix per a la constitució del dret de retenció sinó únicament per tal de conferir-li una determinada publicitat, important als efectes de poder imposar eficaçment el dret de retenció a terceres persones (com preveu l'article 569-6.1) i per a poder instar l'alienació del bé retingut (articles 569-7 i 569-8.).

En contra del criteri constitutiu de la notificació s'ha pronunciat la STSJC de 19 de juliol de 2001, que amb referència a l'article 4.1 de la Llei 22/1991 considera que al no establir el precepte cap termini per a la notificació, aquesta indeterminació juga en contra del seu caràcter constitutiu; i afegeix que la notificació notarial té per objecte el coneixement per part del deutor dels fets que han provocat al retenció del bé, coneixement que li permet oposar-se al deute i a la retenció o, en el seu cas, substituir el bé objecte de la retenció per un altre i si el deutor coneix l'import del deute i les circumstàncies de la retenció i no s'ha vist privat del seus mitjans de defensa o de substituir el bé per un altre, res no justifica l'exigència de la notificació notarial amb efectes constitutius del dret de retenció, tesi que no refusa la sentència posterior del mateix Tribunal de 14 de juny de 2006. La doctrina posterior es decideix pel caràcter constitutiu de la notificació notarial als efectes d'originar el dret de retenció perquè es tracta d'un requisit que manca pel naixement del dret de retenció, ja que abans de la notificació ens trobem davant d'una situació fàctica de retenció possessòria, sense els beneficis addicionals que confereix la retenció configurada com un dret real de garantia (GIMENO GOMEZ-LAFUENTE-DEL POZO CARRASCOSA). I en el mateix sentit s'argumenta que la notificació notarial de retenir compleix una doble funció de publicitat —enfront a l'altra part i a tercers— i proporcionarà al retenidor la possibilitat d'acreditar enfront de l'altra part i dels tercers l'existència d'un dret real sobre el bé retingut i la data de la seva constitució, aspectes que posen de manifest el caràcter constitutiu de la notificació notarial si es vol crear un dret de retenció com un dret real de garantia (BARRADA ORELLANA).

A favor del caràcter constitutiu de la notificació notarial es pot al.legar que s'inclou en un precepte que regula la constitució del dret de retenció. Que en l'aspecte que ara interessa s'haurà de qualificar d'inversió del concepte possessori, ja que abans d'exterioritzar eficaçment la seva voluntat de retenir el creditor era únicament posseïdor del bé en el concepte que es derivava de la situació creada per la relació jurídica que havia establert amb el deutor o amb el propietari del bé, concepte possessori que modifica o inverteix des que notifica de forma fefaent la seva voluntat de posseir en concepte de retenidor del mateix bé i amb els efectes que la llei atribueix al dret de retenció configurat com un dret real de garantia. I no oblidem que la inversió del concepte possessori exigeix una determinada publicitat, que en aquest cas compleix la notificació notarial, amb la finalitat de destruir la presumpció *iuris tantum* de manteniment del concepte possessor derivat de l'article 521-6.2. De totes formes la possessió en concepte de retenidor continua essent una possessió en nom aliè, inhàbil per a usucapir el dret de propietat sobre el bé objecte del dret de retenció (vegeu els articles 522-6 i 531-24); però sí té eficàcia per a interrompre la prescripció del crèdit, ja que als efectes de l'article 121-11,c) equival a una reclamació extrajudicial de la pretensió.

d) Oposició

De l'article 569-5.1 en resulta que el dret de retenció es constitueix sempre en base a una decisió unilateral del creditor, que en ocasions pot resultar abusiva especialment a l'hora de fixar la quantia del deute, circumstància que per ella sola justifica conferir al deutor o al propietari del bé objecte de la retenció la possibilitat de fer oposició, ja sigui perquè considera que no concorren els requisits que exigeix la llei per a la vàlida constitució d'aquest dret real de garantia o per la seva no conformitat amb la liquidació practicada pel creditor o sobre l'import del deute que reclama (vegeu STSJC de 19 de juny de 2006). En aquest sentit la proposició darrera de l'article 569-5.1 confereix al deutor, al propietari del bé i, si escau, als titulars de drets reals sobre el bé objecte de la retenció que es puguin "oposar judicialment a la retenció en el termini de dos mesos a comptar de la data de la notificació". L'oposició sols és eficaç si es formula judicialment i determina, si s'admet a tràmit la demanda, que el dret de retenció sols s'entengui constituït amb caràcter claudicant, que permet al creditor seguir en possessió del bé objecte de la retenció perquè ja s'ha constituït.

L'oposició a la constitució del dret de retenció s'ha de formular dins el període de dos mesos a comptar de la data de la notificació segons l'article 569-5.1 perquè durant aquest interval el dret de retenció, encara que ja s'ha constituït amb el caràcter claudicant que hem esmentat, no obre la possibilitat de demanar la venda en subhasta pública del bé objecte del dret de retenció fins després d'haver transcorregut dos mesos des de la notificació notarial segons l'article 569-7.1, possibilitat que no s'esvaeix si l'oposició es formula de forma extemporània després del termini esmentat.

Cas de formular-se oposició dins el termini que preveu la llei, el creditor que exercita el dret de retenció haurà d'acreditar les quantitats que reclama si les contradiu l'opositor (article 217 LEC), sens perjudici de les proves que també poden proposar els opositors a la retenció. La sentència que posa fi al litigi declara, o bé que el dret de retenció ha quedat vàlidament constituït, o en el seu cas la seva ineficàcia o les correccions que cal fet respecte a les quantitats que reclama el retenidor.

C) PARTICULARITATS QUE PRESENTA LA CONSTITUCIÓ DEL DRET DE RETENCIÓ SOBRE BÉNS IMMOBLES

Com s'ha esmentat en apartats anteriors, tant la Llei 19/2002 com després el Codi civil de Catalunya admeten la possibilitat de constituir el dret de retenció sobre béns immobles, que inicialment es constitueix d'acord amb les requisits que preveu l'article 569-5.1. Interessa ara afegir que si el dret de retenció recau sobre un dret real immobiliari inscrit en el Registre de la Propietat, la seva constitució via notificació notarial determina una manca de concordança entre registre i realitat, ja que el foli real no posarà de manifest l'existència del dret real de garantia que limita o comprimeix les facultats del titular registral. Per aquest motiu, i en atenció a la sempre desitjable concordança entre registre i realitat, l'article 569-5.3 preveu que "Els retenidors, una vegada notificada notarialment la decisió de retenir, si el dret de retenció recau sobre una finca, poden exigir als seus titulars l'atorgament de l'escriptura de reconeixement del dret de retenció, als efectes de la inscripció d'aquest en el Registre de la Propietat". Del precepte en resulta que la inscripció registral no es pot qualificar de constitutiva del dret de retenció, ja que es refereix al "reconeixement" per part del titular del dret inscrit, reconeixement que sols té sentit respecte a un dret de retenció ja constituït. Si el titular del bé no presta la seva conformitat a l'atorgament del títol que permet la inscripció registral (en aquest cas una escriptura pública), el retenidor haurà d'exercitar les accions judicials escaients amb aquesta finalitat, amb l'oportunitat d'interessar l'anotació preventiva de la seva demanda a l'empara de l'article 42,1r LH.

Pel que fa referència al contingut de l'escriptura pública de reconeixement del dret de retenció, preveu l'article 569-5.4 que "L'escriptura a què fa referència l'apartat 3 ha de contenir les dades següents: a) La liquidació practicada i la determinació de l'import de les obligacions d'acord amb el pressupost, el pacte i l'obra executada. b) El valor en què les persones interessades taxen la finca o el dret retinguts, perquè serveixi de tipus en la subhasta. c) El domicili dels propietaris de la finca o dels titulars del dret retingut, per a fer requeriments i notificacions. d) Si s'ha pactat, l'acord que, en cas d'impagament, permet als retenidors, als propietaris o a terceres persones la venda directa de la finca i els criteris d'alienació de la finca o del dret inscrit. e) La designació, si escau, d'una persona, que pot ésser la creditora, perquè representi el titular o la titular de la finca o del dret en l'atorgament de l'escriptura d'adjudicació. f) Les altres dades que exigeix la legislació hipotecària".

D) PARTICULARITATS QUE PRESENTA LA CONSTITUCIÓ DEL DRET DE RETENCIÓ SOBRE MOBLES DE POC VALOR

Aquesta particularitat es regula a l'article 569-10, que en el seu apartat 1 estableix que "Es pot exercir el dret de retenció sobre un bé moble de valor inferior a l'import del tres mesos del salari mínim interprofessional originat per la retribució de l'activitat que s'hi ha acomplert per encàrrec dels posseïdors legítims, d'acord amb les regles que estableix aquest article". Si ens atenem al seu precedent, és a dir l'article 10 de la Llei 19/2002, és interessant recordar que el seu preàmbul destaca que s'introdueix aquesta modalitat per tal d'augmentar l'operativitat de la garantia i abaixar-ne els costos. Per altra part del precepte en resulta que les particularitats que estableix amb referència a la constitució del dret de retenció es concreten al que es deriva de l'article 569-4,c), que es refereix a "La retribució de l'activitat acomplerta per a confeccionar o reparar el bé", però no als altres supòsits que preveu el precepte; si bé en el cas que ara ens interessa, es suprimeix el requisit del pressupost escrit i acceptat, que en canvi és exigible —encara que el valor del bé moble sigui inferior a l'import de tres mesos del salari mínim interprofessional— si el retenidor opta per constituir el dret real de garantia segons la regla general de l'article 569-5.1. El dret de retenció sobre béns mobles de poc valor es fa extensiu no sols a la retribució de l'activitat del retenidor sinó també a les despeses de conservació del bé segons l'article 569-10.4); i s'argumenta també l'oportunitat de fer-lo extensiu als interessos del deute garantit meritats després de la constitució de la garantia en aplicació analògica de l'article 569-4,d) (BARRADA ORELLANA).

D'acord amb les finalitats que persegueix el legislador quan estableix aquesta particularitat, es simplifiquen les formalitats de la notificació que origina el dret de retenció, ja que segons l'article 569-10.2 "La comunicació de la decisió de retenir a què fa referència l'article 569-5 es pot substituir, en el cas de béns mobles de poc valor, per la notificació feta per burofax, per correu certificat amb acús de recepció o en qualsevol altre mitjà que n'acrediti suficientment la recepció".

V. Efectes

La vàlida constitució del dret de retenció com un dret real de garantia determina que en la seva fase de seguretat, és a dir abans de la realització del valor del bé, produeixi els efectes següents:

A) LA RETENCIÓ POSSESSÒRIA

El dret de retenció pressuposa que el retenidor ja es trobava en possessió del bé abans de la constitució del dret real de garantia, com resulta dels diferents supòsits que contempla l'article 569-4, però com que es tracta de la possessió d'un bé aliè (segons l'article 569-3), en un moment determinat s'haurà de lliurar la possessió al seu titular (com resulta el mateix precepte) quan aquest reclami fer efectiu el seu *ius possidendi*. Davant la reclamació del titular el posseïdor actual pot atendre el requeriment del titular i lliurar-li la possessió del bé, però si concorre qualsevol dels supòsits que segons l'article 569-4 poden originar el dret de retenció, pot negar-se de forma legítima a la seva restitució si es decideix per exercir el dret de retenció, ja que segons l'article 569-6.1 els retenidors es poden negar a restituir el bé "fins que no els hagin pagat totalment els deutes que han originat la retenció". Aquesta negativa comporta una inversió del títol possessori (com s'ha argumentat abans), que en el cas que ara interessa determina que si en la fase anterior el creditor ostentava sobre el bé una possessió de bona fe (com exigeix l'article 569-3), després de la inversió del títol possessori el retenidor segueix essent un posseïdor de bona fe del mateix bé, ja que ostenta unes facultats possessòries que es deriven d'un títol eficaç, com és el dret de retenció que permet retenir la possessió fins el pagament total del deute garantit (article 569-2.1,a).

Conseqüència del que s'acaba d'exposar és que el retenidor no es troba en situació de morositat en el compliment de l'obligació de restituir el bé al seu titular (vegeu l'article 1100 CC), ni assumeix responsabilitats de cap mena per la destrucció fortuïta del bé que segueix posseint, precisament perquè no es troba en situació de morositat (segons l'article 1096,III CC). I que el retenidor pot invocar l'article 522-7.1, que li permet exercir les pretensions escaients per a retenir i recuperar la possessió del bé i, en el seu cas, l'acció publiciana.

B) EFICÀCIA GENERAL

La facultat de retenció possessòria que acompanya el dret de retenció s'estableix —en el cas de la legislació catalana— en atenció a la seva configuració jurídica com un dret real de garantia, que com tots els drets reals es pot fer efectiu *erga omnes*, amb la conseqüència que es pot oposar a qualsevol tercer que pertorbi la titularitat i de perseguir el bé enfront a tercers (vegeu capítol 2,III). D'acord amb aquesta configuració jurídica del dret de retenció l'article 569-6.1 de forma explícita reconeix al retenidor la facultat de mantenir la possessió del bé, mentre no s'hagi fet efectiu el deute, "fins i tot davant de terceres persones". Del precepte se'n deriva per tant que si un tercer adquireix el bé objecte del dret de retenció, el tercer no pot exigir el lliurament del bé retingut perquè es troba en poder del retenidor mentre no s'hagi pagat totalment el deute que va originar la retenció; de la mateixa manera que si un tercer embarga el bé que posseeix el retenidor per deutes del propietari del bé, en retenidor pot continuar en possessió del bé fins el pagament total del deute, ja sigui enfront de qui ha embargat o del tercer que s'ha adjudicat el bé en la subhasta pública.

L'expressió de l'article 569.6.1 que permet al retenidor denegar la restitució del bé "fins i tot davant de terceres persones", hem constatat serveix per a posar de manifest que el dret de retenció, com qualsevol dret real, es pot fer efectiu *erga omnes*. Però aquesta eficàcia general del dret de retenció no determina a la vegada conferir-li una eficàcia absoluta enfront de qualsevol tercer, ja que en aquest punt s'ha de coordinar l'absolutivitat amb la protecció dels drets de tercers. Des d'aquesta perspectiva s'ha puntualitzat que en el cas de retenció de béns mobles el criteri general d'oposibilitat rau en la possessió del bé retingut, juntament amb el caràcter fefaent de la notificació notarial *ex* article 569-5.1 o els seus substitutius en el cas de retenció de béns mobles de poc valor (article 569-10.2), amb les precisions que resulten de l'article 569-7.5 pel cas de béns mobles inscrits en el Registre de Béns Mobles; i en el cas de retenció de béns immobles l'oposibilitat enfront a tercers dependrà fonamentalment de la inscripció del dret de retenció i dels drets que el puguin afectar en el Registre de la Propietat segons l'article 32 LH (GIMENO GOMEZ-LAFUENTE-DEL POZO CARRASCOSA).

C) CONSERVACIÓ DEL BÉ RETINGUT

L'article 569-6.2 precisa que "Els retenidors han de conservar el bé retingut amb la diligència necessària i no en poden fer cap altre ús que el merament conservatiu". El precepte no especifica quin grau de diligència ha d'emprar el retenidor en el compliment de l'obligació de conservació, que entenem serà el que estableix la llei per a cadascuna de les situacions que segons l'article 569-4 poden originar la possessió del creditor sobre el bé que després és objecte del dret de retenció. I en el seu defecte s'aplicarà l'article 1104 CC, que prescriu la diligència exigible a un bon pare de família. L'incompliment per part del retenidor de l'obligació de conservació facultarà al propietari del bé o al deutor per a demanar la constitució del bé en dipòsit (vegeu l'article 1870 CC) o en interessar la intervenció judicial en l'administració, a l'empara de l'article 117,II LH i l'article 18 LHM (BARRADA ORELLANA).

El deure de conservació en els termes que s'han exposat determina també, segons el mateix precepte, que el retenidor no pot fer altre ús del bé que el merament conservatiu. Aquesta obligació neix des del moment en què la possessió anterior del creditor es converteix en una possessió derivada del dret de retenció en virtut d'un acte unilateral del retenidor; i com que aquesta obligació neix com a conseqüència de la inversió del concepte possessori que origina el dret de retenció, hem d'entendre que si segons la situació possessòria anterior el creditor gaudia d'unes facultats més amples respecte a l'ús del bé, aquestes facultats es redueixen a l'ús conservatiu des de la constitució del dret de retenció. A menys que els interessats acordin una altra cosa.

El deure de conservació del bé que el precepte posa a càrrec del retenidor pot originar unes despeses, el pagament de les quals es sotmet al règim jurídic del dret de retenció segons la proposició darrera de l'article 569-6.2. Que amb bon criteri es limita a les despeses necessàries per a la conservació, amb exclusió per tant de les despeses útils que pugui haver fet el retenidor.

D) *LA SUBSTITUCIÓ DE LA GARANTIA*

L'article 569-11.1 permet la substitució del bé retingut a instàncies del deutor o del propietari del bé objecte del dret de retenció, que obliga el retenidor a consentir la substitució del bé per una altra garantia, ja que segons el precepte "Els deutors o els propietaris del bé retingut poden imposar als retenidors, mentre disposen del dret de retenció, la substitució de la retenció per una altra garantia real o pel fiançament solidari d'una entitat de crèdit que siguin suficients". El preàmbul de la Llei 22/1991 justifica aquesta disposició en base a la finalitat de no perllongar excessivament una situació que pot representar un perjudici important pel deutor en certs supòsits, tot mantenint la integritat de la garantia que representa el dret de retenció. I afegeix el mateix preàmbul que "amb aquest mecanisme es vol evitar, d'una banda, una desproporció excessiva entre l'import del deute que ve generar la retenció i el valor de la cosa retinguda i, d'altra banda, el perjudici que podria causar la retenció a objectes integrats en un determinat procés de producció".

El precepte —com el seu antecedent l'article 11 de la Llei 19/2002— estableix un règim més ampli amb referència a la possibilitat de substituir el bé objecte del dret de retenció, ja que permet es pugui fer no sols a instàncies del deutor sinó també del propietari del bé retingut, amb independència del fet que el dret de retenció recaigui sobre béns mobles o immobles. Pel que fa referència a l'àmbit de la substitució, el precepte ofereix la doble possibilitat de substituir el dret de retenció per una garantia personal com és la fiança, encara que amb un caràcter molt restringit. La segona possibilitat que ofereix la llei és substituir el dret de retenció per "una altra garantia real", que des d'aquesta perspectiva permet substituir la garantia que suposa el dret de retenció per qualsevol altre dret real de garantia, és a dir, per un dret de penyora amb o sense desplaçament de la possessió, per una hipoteca mobiliària o immobiliària o per un dret d'anticresi. Existeix un consens general a nivell doctrinal que no és possible substituir el dret de retenció per un altre dret de retenció que recaigui, evidentment, sobre un altre bé, perquè es considera que això implica l'extinció del dret de retenció i la creació d'un altre dret de retenció. La conclusió es fonamenta en uns arguments excessivament formals. En sentit contrari es pot opinar que la substitució "per una altra garantia real" no exclou el dret de retenció, que precisament el nostre legislador configura jurídicament com un dret real de garantia (article 569-1). I es pot argumentar també que si bé és cert que el dret de retenció és de creació unilateral per part del retenidor segons l'article 569-5.1, mentre que la substitució poden imposar-la unilateralment el deutor o el propietari del bé retingut, en el cas de la substitució d'un bé per un altre els fets es produeixen en relació amb un dret de retenció ja constituït, que poden modificar els interessats a l'empara del principi d'autonomia privada, sense que la modificació hagi de comportar necessàriament l'extinció del dret de retenció primitiu i la seva substitució per un altre (argument article 1204 CC).

La substitució de la garantia sols és possible quan el dret real de garantia o la fiança solidària són suficients per a garantir el crèdit del retenidor. Amb la finalitat d'evitar dubtes i pels casos de constitució d'una garantia real, es preveu a l'article 569-11.2 que "S'entén que la garantia real és suficient si el preu de mercat del bé ofert en garantia, encara que sigui inferior al dels béns retinguts, arriba a cobrir l'import del deute que va originar la retenció i un 25% més". Precisava en aquest punt el preàmbul de la Llei 22/1991 que "el concepte de "preu just" que s'utilitza es desprèn de l'article 323 de la Compilació: el valor de mercat de la cosa en el moment de substitució de la garantia. En definitiva, el preu just de la cosa donada en garantia s'ha de posar en relació amb l'import del deute que va originar la retenció, i no pas amb el preu just dels béns retinguts".

E) L'OBLIGACIO DE RESTITUCIÓ

El darrer efecte que es deriva del dret de retenció no és altre que l'obligació de restituir el bé retingut al deutor o al seu propietari, quan el retenidor ha fet efectiu la totalitat del crèdit que segons l'article 569-4 va originar el dret de retenció amb els seus interessos, així com les despeses necessàries derivades de la conservació del bé mentre estava vigent el dret de retenció (article 569-6.2). Així es deriva de l'article 569-3, segons el qual la facultat de retenir la possessió del bé objecte del dret de retenció perdura "fins el pagament complet del deute", amb la conseqüència doncs que una vegada extingit el deute que va originar el dret de retenció per pagament o per qualsevol altre substitutiu del pagament que preveu la llei, el retenidor ha de restituir el bé objecte del dret de retenció.

VI. La realització del valor

Fins aquí hem considerat el dret de retenció en la seva fase de seguretat, és a dir, des del moment de la seva constitució segons l'article 569-5 fins el moment en què el deutor incompleix l'obligació que ha originat la constitució d'aquesta modalitat dels drets reals de garantia. Hem d'afegir ara que l'incompliment d'aquesta obligació determina l'efectivitat del dret real en la seva fase de realització del valor del bé retingut, amb la finalitat que el retenidor pugui veure satisfet el seu dret de crèdit mitjançant percebre allò que s'ha obtingut per l'alienació del bé a instàncies del retenidor. Com succeeix en relació amb tots els drets reals de garantia en general, i en atenció al seu caràcter de drets accessoris que asseguren el compliment de l'obligació principal (vegeu l'article 569-1), el retenidor gaudeix de la doble possibilitat de fer efectiu el seu dret de crèdit mitjançant l'exercici de l'acció personal enfront el deutor per qualsevol dels procediments que preveu la llei o mitjançant l'exercici d'una acció real respecte el bé objecte del dret de retenció. Aquí ens referim únicament a aquesta segona possibilitat, d'acord amb l'esquema següent:

A) *RESPECTE ELS BÉNS MOBLES*

Si el dret de retenció recau sobre un bé moble, la realització del seu valor resta sotmesa a les prevencions generals de l'article 569-7, que en el seu apartat 1 preveu que "Els retenidors, una vegada transcorreguts dos mesos des de la notificació notarial de la decisió de retenir als deutors i als propietaris sense que s'hagi produït l'oposició judicial, poden realitzar el bé moble retingut per alienació directa o per subhasta notarial pública". El termini de dos mesos que estableix el precepte té la seva correspondència amb el mateix termini que preveu l'article 569-5.1 per tal que les persones legitimades segons el precepte puguin oposar-se a la constitució unilateral del dret de retenció per part del retenidor. Per tant si dins aquest termini prudencial no s'ha formulat oposició a la constitució del dret real de retenció, el legislador presumeix que s'ha constituït vàlidament i que es pot passar sense més tràmits de la fase de seguretat a la fase de realització del valor.

La realització del valor es pot encarrilar per la via de l'alienació directa del bé retingut, en els termes que preveu l'article 569-7.2: "Els retenidors i els propietaris del bé moble retingut poden acordar que l'alieni directament qualsevol d'ells o que l'alieni una tercera persona. Aquest acord s'ha de formalitzar necessàriament en una escriptura pública, ha de contenir els criteris de l'alienació i el termini en què aquesta s'ha d'efectuar, que no pot superar els sis mesos, i s'ha de notificar fefaentment als titulars dels drets reals coneguts sobre el bé, a fi que, si els interessa, paguin el deute i se subroguin en la posició dels creditors". Segons el preàmbul de la Llei 19/2002 aquesta possibilitat s'estableix amb la finalitat de reduir els costos possibles, en benefici tant de la persona deutora com de la creditora, possibilitat que es justifica també pels inconvenients que a la pràctica tenen les subhastes; en tot cas els interessos dels creditors es creu resten protegits per l'exigència d'un acord entre els interessats establert d'acord amb els requisits i finalitats que persegueix el precepte. Així i tot es posa de manifest que s'exigeix l'acord entre el retenidor i el propietari del bé retingut sense la intervenció del deutor quan no sigui el propietari del bé, omissió que es valora negativament, ja que la seva participació pot resultat necessària per tal de determinar l'import definitiu, l'existència o l'exigibilitat del deute, que aconsellarien almenys notificar-li l'acord sobre alienació directa (BARRADA ORELLANA).

Si els interessats no es posen d'acord sobre l'alienació directa del bé retingut, amb caràcter subsidiari es preveu la realització del seu valor via subhasta en base a l'article 569-7.3: "Els retenidors, si no hi ha acord per a la venda directa, poden alienar el bé retingut per subhasta pública notarial, d'acord amb les regles següents: a) La subhasta, llevat de pacte en contra, s'ha de fer en qualsevol notaria del municipi on els deutores tenen el domicili, si és a Catalunya, a elecció dels creditors. Si no hi ha cap notaria al dit municipi, s'ha de fer en qualsevol de les que hi ha a la capital del districte notarial corresponent. b) A la subhasta han d'ésser citats els deutors i, si són unes altres persones, els propietaris, de la manera que estableix la legislació notarial i, si no es troba alguna d'aquestes persones, per edictes. La subhasta s'ha d'anunciar, amb un mínim de deu i un màxim de quinze dies hàbils d'antelació respecte a la data d'aquesta, en un dels diaris de més circulació en el municipi on hagi de tenir lloc i en el DOGC. c) El tipus de subhasta ha d'ésser l'acordat entre els creditors i els propietaris. Si no hi ha acord, el tipus ha d'ésser, com a mínim, igual a l'import de les obligacions que han originat la retenció més les despeses previstes per a l'alienació i el lliurament del bé. No obstant això, es pot establir com a tipus l'import que resulti d'un peritatge tècnic aportat pels retenidors si és més alt que l'anterior. d) Si en la subhasta no es presenta cap postura, s'ha de fer una segona subhasta, en un termini d'entre tres i quinze dies hàbils a comptar de la primera. e) Els retenidors, si el bé no s'aliena en cap de les dues subhastes, el poden fer seu atorgant una carta de pagament de tot el crèdit i assumint les despeses originades pel procediment". El precepte, així com el seu antecedent l'article 7.3 de la Llei 19/2002, potencien de forma notable l'eficàcia del dret de retenció com a dret real de garantia en la fase de realització del valor, que restringia de forma significativa l'article 6.2 de la Llei 22/1991, que exigia un acord entre el retenidor i el propietari com a requisit previ a la subhasta notarial que difícilment s'assoliria a la pràctica, i que el dret actual substitueix de forma més escaient per les previsions que estableix l'apartat c) del seu número 3.

B) PARTICULARITATS EN MATÈRIA DE BÉNS MOBLES

La primera és la que resulta de l'article 569-7.4, en el qual es preveu que "L'alienació, en el cas de valors sotmesos a cotització oficial, s'ha de fer segons el procediment específic que correspongui d'acord amb la legislació aplicable en aquesta matèria". El procediment per a l'alienació de valors sotmesos a cotització oficial és el que resulta de l'article 322 CCo, que prescindeix del requisit de fixar el tipus de la subhasta que pels casos generals exigeix l'article 569-7.3,c), perquè en aquest cas el preu ja s'ha prefixat amb criteris objectius.

La segona particularitat és la que resulta de l'article 569-7.5 quan preveu que "S'han d'aplicar en el cas de retenció de béns mobles inscrits en el Registre de Béns Mobles, les lletres b) i c) de l'apartat 3 de l'article 569-8". D'aquesta remissió en resulta que si el dret de retenció sobre béns mobles s'ha constituït sobre béns inscrits en aquest registre, per a l'alienació del bé retingut s'han de tenir en compte les limitacions a la facultat de disposició del bé que poden afectar al propietari, derivada de la inscripció en aquest registre de les limitacions a la facultat de disposició o de les reserves de domini (vegeu l'article 7.10 i 11 de la Llei 28/1998, de 13 de juliol, de venda de béns mobles a terminis).

C) RESPECTE ELS BÉNS IMMOBLES

L'article 569-8.1 preveu per a la realització del valor dels béns immobles inscrits en el Registre de la Propietat les mateixes modalitats que l'article anterior preveu pels béns mobles, és a dir, l'alienació directa i la subhasta pública notarial. A la primera d'elles fa referència l'apartat 2 del precepte, segons el qual "Els retenidors i els titulars de la cosa o del dret real retinguts poden acordar que l'alieni directament qualsevol d'ells o que l'alieni una tercera persona. Aquest acord s'ha de formalitzar necessàriament en una escriptura pública, ha de contenir els criteris de l'alienació i el termini en què s'ha d'acomplir, que no pot superar els sis mesos, i s'ha de notificar fefaentment als titulars de drets reals posteriors inscrits, a fi que, si els interessa, paguin el deute i se subroguin en la posició dels creditors".

A manca d'acord, i amb caràcter subsidiari, l'apartat 3 del precepte estableix que "Els retenidors, si no hi ha un acord per a la venda directa, poden fer l'alienació per subhasta pública notarial, d'acord amb les regles següents: a) La subhasta s'ha de fer a la notaria del lloc on és situada la finca o, si n'hi ha més d'una, a la que li correspongui per torn. b) Els retenidors han de requerir el notari o notària competent la iniciació del procediment i han d'aportar la inscripció en una escriptura pública de la constitució de la retenció o, si escau, la resolució judicial corresponent. c) El notari o notària, després d'haver examinat la documentació presentada, ha de sol.licitar al Registre de la Propietat un certificat de domini i càrregues de la finca o el dret inscrits sobre els quals recau el dret objecte de la retenció. L'expedició del certificat s'ha de fer constaren el marge de la inscripció del dret de retenció. d) Una vegada transcorreguts cinc dies hàbils des de la recepció del certificat del Registre de la Propietat, sense necessitat de requerir de pagament als deutors, el notari o notària ha de notificar l'inici de les actuacions als titulars del dret retingut, als propietaris de la finca si són unes altres persones i, en ambdós casos, si consta que es tracta de llur habitatge familiar, als cònjuges o als convivents. e) Una vegada s'ha fet la notificació, els deutors i els propietaris poden paralitzar la subhasta dipositant davant el notari o notària, en els vint dies hàbils següents, l'import suficient per a satisfer el deute, amb els interessos corresponents i les despeses originades fins el moment de fer el dipòsit. Una vegada transcorregut aquest termini, s'ha d'anunciar la subhasta, amb una antelació d'almenys quinze dies hàbils, en un dels diaris de més circulació en el municipi on s'ha de fer i en el DOGC. f) El tipus de la subhasta és el que acorden els creditors i els propietaris d'acord amb l'article 569-7. g) Si no es presenta cap postura a la primera subhasta, se n'ha de fer una altra en un termini d'entre tres i quinze dies a comptar de la primera. h) Els retenidors, tan sols si el bé no s'aliena en cap de les dues subhastes, el poden fer seu atorgant una carta de pagament de tot el crèdit i assumint les despeses originades pel procediment. i) Una vegada adjudicada la finca o els drets retinguts, els seus titulars o, si s'hi neguen o no n'hi ha, l'autoritat judicial han d'atorgar una escriptura de venda a favor dels adjudicataris, que poden inscriure llur dret en el Registre de la Propietat. Les càrregues anteriors a l'adjudicació subsisteixen i les posteriors s'extingeixen i es cancel.len".

D) RESPECTE ELS BÉNS MOBLES DE POC VALOR

La realització del valor d'aquests béns es pot realitzar pel procediment que estableix l'article 569-10.3, del qual en resulta que "Els retenidors, una vegada transcorregut un mes des de la notificació sense que els deutors ni els propietaris del bé hagin pagat el deute o s'hagin oposat fefaentment a la retenció, poden disposar lliurement del bé. En aquest cas, les càrregues pree-xistents subsisteixen, llevat que constin inscrites en el registre corresponent limitacions de la facultat de disposició o reserves de domini". Aquesta possibilitat es configura jurídicament com l'exer-cici en interès propi d'una titularitat aliena que es fonamenta en un principi de desinterès per la cosa, que atribueix al retenidor un poder de disposició sobre un bé aliè, que li permet desfer-se materialment del mateix o destruir-lo o la seva alienació a títol onerós o gratuït (GIMENO GOMEZ-LAFUENTE-DEL POZO CAR-RASCOSA).

E) DESTINACIÓ DE L'IMPORT DE L'ALIENACIÓ

Segons l'article 569-9 "S'aplica el que estableix l'article 569-21 pel que fa a la destinació de l'import obtingut en la subhasta o encant públic". Ens remetem en aquest punt a les consideracions que es fan en el capítol següent sobre l'article 569-21.

Hem d'afegir ara únicament que si el dret de retenció recau sobre un bé moble de poc valor, cal atenir-se a l'article 569-10.4, segons el qual "Els propietaris, si el bé s'ha venut, tenen dret al romanent del preu obtingut una vegada deduïts l'import del crèdit que va originar la retenció i les despeses de conservació i alienació, si escau, del bé retingut". El precepte sols s'aplica quan el retenidor ha disposat del bé a títol onerós, ja que s'ha d'entendre ve obligat en aquest cas a fer les notificacions esca-ients al propietari del bé objecte del dret de retenció (GIMENO GOMEZ-LAFUENTE-DEL POZO CARRASCOSA).

VII. Extinció

La configuració que dóna el legislador català al dret de retenció com un dret real determina, en primer lloc, que s'extingeixi per les causes que preveu la llei en general per a l'extinció dels drets reals, com són la pèrdua del bé, la consolidació i la renúncia del seu titular (article 532-1). En segon lloc la configuració del dret de retenció com un dret real de garantia determina igualment que se li apliquen les causes d'extinció que preveu la llei per aquesta modalitat dels drets reals, com són l'acord de les parts interes-sades, la prescripció de la pretensió al cap de deu anys segons l'article 121-20 i singularment l'extinció de l'obligació garantida com a conseqüència del seu caràcter de dret accessori (articles 569-1 i

569-2). Ens cal ara fer referència a una particular causa d'extinció del dret real de retenció que estableix l'article 569-6.3, en el qual es preveu que "Els dret de retenció s'extingeix si els retenidors tornen voluntàriament el bé retingut als propietaris, encara que després en recuperin la possessió i, en la retenció immobiliària, se consenten la cancel.lació de la inscripció".

En relació amb aquesta causa d'extinció del dret de retenció hem de precisar que si s'extingeix l'obligació principal garantida, aquest fet determina a la vegada l'extinció del dret de retenció en atenció al seu caràcter de dret accessori encara que el retenidor segueixi posseint materialment el bé, que en aquest cas ja no serà una possessió en concepte de titular d'un dret de retenció perquè ja s'ha extingit. D'aquesta consideració en resulta que la causa d'extinció que contempla l'article 569-6.3 fa referència al cas que mentre el dret de retenció opera en la seva fase de seguretat, el retenidor torna voluntàriament la possessió del bé al seu propietari, conducta de la qual el legislador en dedueix una voluntat d'extingir el dret de retenció, que en els casos generals i com a conseqüència de la interpretació restrictiva que predomina en matèria de renúncies, determinarà la subsistència del dret de crèdit sense la garantia que representa el dret de retenció. D'aquesta segona precisió se'n dedueix que l'extinció del dret de retenció sols es produeix quan el retenidor perd la possessió del bé per haver-lo lliurat voluntàriament al seu propietari, amb la conseqüència que no s'extingeix el dret de retenció si el propietari obté la possessió del bé al marge de la voluntat del retenidor i, també, si obté la possessió del bé amb intervenció d'un vici de la voluntat rellevant que ha determinat la conducta del retenidor (vegeu l'article 1265 CC), perquè ja no es tracta d'un retorn voluntari de la possessió.

L'article 6.3 de la Llei 10/2002 establia l'extinció del dret de retenció quan el seu titular retornava voluntàriament la cosa sense més precisions, mentre que l'article 569-6.3 concreta l'extinció al cas de retornar voluntàriament el bé als propietaris, que presenta el dubte de si la causa d'extinció sols opera en aquest cas concret. Sembla oportú no fer en aquest cas una interpretació excessivament literal del precepte, ja que si segons l'article 569-5.1 el dret de retenció es pot oposar eficaçment al deutor i al propietari del bé objecte del dret de retenció, si després el retenidor retorna voluntàriament la possessió del bé al deutor no propietari, amb aquesta conducta exterioritza també una voluntat contraria a la subsistència del dret de retenció. Que en canvi no es pot fer extensiva al cas de lliurar la possessió del bé objecte del dret de retenció a qualsevol altra persona; sens perjudici que això es pugui configurar com un compliment defectuós de l'obligació de conservar el bé retingut que estableix l'article 569-6.2, amb les conseqüències que s'han exposat abans.

Precisem finalment que l'article 569-6.3 manté l'extinció del dret de retenció per renúncia del seu titular, encara que després en recuperi la possessió, sens perjudici que després pugui constituir un nou dret de retenció sobre el mateix bé. Que en tot cas serveix per a posar de manifest que el precepte no estableix una presumpció *iuris tantum* d'extinció del dret de retenció, sinó una veritable extinció del dret de retenció per renúncia del seu titular, que per aquest motiu no reviu pel fet de recuperar la possessió del mateix bé. Criteri que entenem confirma la proposició darrera del precepte quan precisa que si el titular del dret de retenció consent la cancel.lació de la seva constància registral, aquest fet determina l'extinció del dret de retenció i no una presumpció d'extinció del dret, com per altres casos estableix l'article 87 LH.

BIBLIOGRAFIA SUMÀRIA

FERRANDIS VILELLA, *Introducción al estudio de los derechos reales de garantia*, a l'ADC, 1960, pàg. 37 i seg.; DEL POZO CARRASCOSA, *El derecho de retener en prenda del depositario.* Barcelona, 1989; FELIU REY, *Garantias posesorias sobre cosa mueble en Cataluña*, a "Derecho de los Negocios". La Ley", any 3, núm. 20, pàg. 13 i seg.; MIRALLES GONZALEZ, *Ley catalana 22/1991, de 29 de noviembre, sobre Garanías Posesorias de Cosa Mueble*, a LCB, 1992,II, pàg. 712 i seg.; ABRIL CAMPOY, *El derecho de retención en el ordenamiento jurídico catalán*, a la RCDI, 1994, pàg. 1885 i seg.; ABRIL CAMPOY-NAVAS NAVARRO, *El derecho de retención en la jurisprudencia del Tribunal Superior de Justicia de Catalauña*, a "Tribunal", 1995-III, pàg. XI i seg.; SOLE RESINA, *La ejecución de la prenda y del derecho de retención en la Ley 22/1991, de 29 de noviembre, de garantías posesorias sobre cosa mueble*, a LCB, 1996 (núm. 1141), pàg. 1 i seg.; CAMPO VILLEGAS, *En torno a la ley catalana de garantías posesorias sobre cosa mueble*, a "La Notaria", 1996 (núm. 7-8), pàg. 93 i seg.; LUCAS ESTEVE, *El regimen jurídico del derecho de retención en la legislación catalana*, a "La Notaria" 1997 (núm. 6), pàg. 71 i seg.; LUCAS ESTEVE, *Les obligacions garantides amb dret de retenció a la llei catalana de garanties possessòries sobre cosa moble*, a la RJC, 2001, pàg. 67 i seg.; DEL POZO CARRASCOSA, *La retenció de béns mobles de poc valor,* a "La Notaria", 2001 (núm. 11-12), pàg. 221 i seg.; GRAMUNT FONBUE-

NA, *El règim jurídic de la retenció d'immobles,* a idem, pàg. 233 i seg.; FUENTES MARTINEZ, *El derecho de retención sobre bienes muebles en el ordenamiento civil de Cataluña: situación actual y perspectivas de futuro,* a idem, pàg. 242 i seg.; LUCAS FERNANDEZ, *El derecho de retención en Cataluña. Concepto y fundamento,* a la RCDI, 2002, pàg. 1011 i seg.; FUENTES MARTINEZ, *Algunas cuestiones prácticas sobre el derecho de retención,* a "La Notaria", 2003 (núm.9-10), pàg. 123 i seg.; DEL POZO CARRASCOSA, *Els drets reals de garantia,* a "Boletín del Servicio de Estudios Registrales de Cataluña", 2003 (núm. 105), volum I, pàg. 221 i seg.; CARRASCO PERERA, *Los derechos de retención y anticresis en la Ley 19/2002, de Cataluña, de derechos reales de garantía,* a la RJC, 2004, pàg. 9 seg.; GIMENO GOMEZ-LAFUENTE-DEL POZO CARRASCOSA-TORMO SANTONJA, *Comentarios de Derecho patrimonial catalán.* Barcelona, 2005, pàg. 917 i seg.; BARRADA ORELLANA, *Las garantías mobiliarias en el Derecho civil de Cataluña.* Valencia, 2005.

JURISPRUDÈNCIA CITADA

Tribunal Superior de Justícia de Catalunya

1 març 1993: noció del dret de retenció
29 setembre 1993: noció del dret de retenció
25 octubre 1993: noció del dret de retenció
19 juliol 2001: constitució del dret de retenció
19 juny 2006: constitució del dret de retenció

Capítol XXVIII
Dret de penyora

1. CONCEPTE I NATURALESA JURÍDICA

El dret de penyora ha estat objecte de regulació en el nostre dret de forma semblant a com es regula en els ordenaments jurídics moderns del nostre entorn cultural i jurídic. Inicialment per mitjà de la Llei 22/1991 de garanties possessòries sobre cosa moble, que a l'apartat III del seu preàmbul precisa que en la seva regulació "es manté l'eficàcia d'aquesta tradicional figura de garantia"; expressió que posa de manifest que la llei seguia la criteri tradicional de configurar jurídicament la penyora com un dret real de garantia mobiliària. Aquesta normativa va ésser substituïda per la Llei 19/2002, de 5 de juliol, de drets reals de garantia (vegeu la seva disposició derogatòria), que modificava en part la normativa anterior. Esmentem finalment que aquesta llei ha estat derogada per la DD del llibre cinquè del Codi civil de Catalunya, que regula el dret de penyora a la secció segona del capítol IX "Els drets reals de garantia", i més concretament en els seus articles 569-12 al 569-22, que segons el seu preàmbul segueixen la normativa derogada. Això vol dir per tant que es manté el criteri tradicional de configurar la penyora com una modalitat dels drets reals de garantia, com resulta de forma prou clara de la seva normativa.

Pel que fa referència al seu concepte ens hem d'atenir a l'article 569-12, en el qual es precisa que "El dret de penyora, que es pot constituir sobre béns mobles, valors, dret de crèdit o diners en garantia del compliment de qualsevol obligació, faculta el creditor a posseir-los, per ell mateix o per una tercera persona si s'ha pactat, i, en cas d'incompliment de l'obligació garantida, a sol.licitar-ne la realització del valor". Del precepte transcrit en resulta en primer lloc que el dret de penyora és un dret real de garantia que recau sempre sobre béns mobles, encara que de forma innecessària inclou en la seva definició els valors, drets de crèdit o diners, que en realitat es refereixen al seu objecte i no al concepte de penyora, perquè tots ells tenen la condició de béns mobles segons l'article 511-2.3. Es segueix per tant el criteri tradicional d'assenyalar com a objecte del dret de penyora els béns mobles, encara que en aquest punt s'ha de precisar que actualment determinats béns mobles també poden ésser objecte d'una hipoteca mobiliària segons l'article 12 LHM. En segon lloc precisa l'article 569-13.1,a) que per a la constitució del dret de penyora s'exigeix la transmissió de la cosa empenyorada al creditor o a un tercer, transmissió que es manté fins el pagament complet del crèdit garantit (article 569-19.1); encara que aquest requisit no s'exigeix actualment de forma absoluta, ja que també és possible la constitució d'un dret real de penyora sense necessitat de transmetre la possessió del bé, com resulta de l'article 53 LHM que permet aquesta modalitat del dret de penyora sobre els béns que esmenta. En qualsevol cas la normativa catalana sobre el dret de penyora no persegueix privar de vigència en el nostre dret a la penyora sense desplaçament possessori constituïda a l'empara de la Llei estatal de 15 de desembre de 1954, perquè regula únicament el dret de penyora que comporta un desplaçament possessori. Assenyalem també com a característica del dret real de penyora la facultat que la llei confereix al creditor pignoratici de procedir a l'alienació del bé empenyorat una vegada vençut i no pagat el deute garantit d'acord amb els tràmits que preveu l'article 569-20, facultat que es deriva també de l'article 569-12.

Sembla oportú esmentar en aquest apartat la característica de la indivisibilitat de la penyora, que apareix de forma explícita a l'article 569-15.2 quan precisa que "La garantia és indivisible, encara que es divideixi el crèdit o el deute", a menys —cal entendre— que els interessats convinguin la seva divisibilitat. En conseqüència del principi de indivisibilitat de la garantia se'n deriva que: i) si es produeix una fragmentació de l'obligació garantida que afecta a la part deutora (cas per exemple de l'article 1,II CS), la garantia resta indivisible encara que qualsevol dels deutors hagi pagat la part que li corresponia en el deute i per tant el dret de penyora subsisteix íntegrament fins el pagament total del deute garantit (article 569-19.1); ii) si la fragmentació de l'obligació garantida es produeix amb referència a la part creditora, el creditor que ha cobrat íntegrament la part que li correspon no pot retornar el bé empenyorat en perjudici dels altres creditors que encara no

han cobrat; i *iii)* si el creditor accepta voluntàriament un paga-
ment parcial (com preveu l'article 1169 CC) amb això disminueix
la quantia del deute garantit, però el dret de penyora subsisteix
íntegrament (article 569-19.1). Així i tot s'estableix una excepció
limitada a l'article 569-20.7, en el qual es preveu que "Els deu-
tors, si els objectes empenyorats són diversos, poden exigir que
en fineixi la realització quan l'alienació d'alguns ja hagi cobert el
deute garantit i les despeses d'execució".

2. OBJECTE

En aquest apartat hem de fer referència a les qüestions se-
güents:

I. Béns que poden ésser objecte de penyora

A) EN GENERAL

L'article 569-12 precisa que el dret de penyora es pot consti-
tuir sobre "béns mobles, valors, drets de crèdit o diners". Si ens
referim a l'expressió inicial del precepte "béns mobles", hem de
recordar que no tots els béns mobles poden ésser objecte d'un dret
real de penyora, ja que la seva constitució implica una alienació
en potència del bé empenyorat si s'incompleix l'obligació garantida
(article 569-2.2,b), amb la conseqüència doncs que sols poden ésser
objecte d'un dret real de penyora els béns mobles que tinguin la
condició d'alienables.

Pel que fa referència al sentit de l'expressió "béns mobles" de
l'article 569-12, el precepte s'ha de relacionar amb l'article 511-1,
que atribueix la condició de béns mobles no sols a les coses corpo-
rals, entre elles els diners esmentats a l'article 569-12, sinó també
als béns incorporals o drets que no recauen sobre béns immobles
(com resulta de l'article 511-2.2), d'entre els quals l'article 569-12
esmenta els valors i els drets de crèdit. I com que segons l'article
569-13.1,a) la constitució del dret de penyora exigeix transmetre
la possessió del bé empenyorat al creditor o a un tercer, hem de
concloure que sols es pot constituir un dret de penyora sobre els
béns mobles posseïbles; amb la precisió que segons el nostre dret
poden ésser objecte de possessió no sols les coses corporals sinó
també els drets (article 521-1.1). Recordem també que encara que

es tracti d'un bé mobles susceptible d'ésser objecte d'una hipoteca mobiliària segons l'article 12 LHM o d'una penyora sense desplaçament possessori (article 52 idem), aquests béns també poden ésser objecte d'un dret real de penyora segons la normativa catalana, sempre que es constitueixi d'acord amb les seves prescripcions; ja que de l'article 55,II LHM en resulta que poden ésser objecte de penyora ordinària els béns mobles que no han estat empenyorats d'acord la Llei de 1954.

B) PLURALITAT DE PENYORES SOBRE UN MATEIX BÉ

Encara que un bé moble reuneixi els requisits esmentats que fan possible el seu empenyorament, per excepció "Un bé empenyorat no es pot tornar a empenyorar, llevat que sigui a favor dels mateixos creditors i es distribueixi la responsabilitat de les obligacions garantides" (article 569-15.1). El precepte inicialment és contrari a la possibilitat de constituir sobre un mateix bé una pluralitat de drets de penyora i que cadascuna d'elles tingui un rang o categoria derivat del principi *prior tempore, potior iure,* en base segurament a raons de caràcter pràctic, derivades dels conflictes gens fàcils de resoldre en el cas de pluralitat de penyores. Una prohibició semblant apareix a l'article 55,II LHM, que no permet es pugui constituir un dret de penyora sobre béns que ja han estat empenyorats en la modalitat de la penyora sense desplaçament possessori. Les mateixes raons pràctiques que fonamenten la prohibició s'haurien de fer extensives a la prohibició de constituir un dret de penyora sobre un bé sobre el qual ja s'ha constituït un dret de retenció segons l'article 569-4.

Sembla oportú recordar ara que la prohibició de constituir successius drets de penyora sobre un mateix bé té uns precedents clars a l'article 10.1 de la Llei 22/1991 i a l'article 14.1 de la Llei 19/2002, que no preveien cap excepció, mentre que l'article 569-15.1 exceptua el cas de constitució del segon o ulteriors drets de penyora a favor dels mateixos creditors, sempre que es distribueixi la responsabilitat de les obligacions garantides. De totes formes no es tracta d'una modificació absoluta, ja que té el seu precedent a l'article 13.3 de la Llei 19/2002, que regulava l'anomenada en expressió gràfica penyora flotant o, també, penyora de màxim, que era la constituïda per tal de garantir diverses obligacions ja contretes o per contraure de manera simultània o successiva entre els mateixos deutor i creditor durant un període de temps i per una quantitat màxima convingudes. La penyora flotant no opera realment com una excepció al principi que un bé empenyorat no es pot tornar a empenyorar, perquè ens trobem aquí davant del fet que un mateix bé respon del compliment de més d'una obligació actual o futura i per tant existeix un únic dret real de garantia que assegura de forma conjunta el compliment d'aquestes obligacions, ja que no cal oblidar que l'article 569-15.1 es refereix al supòsit que totes les obligacions garantides s'hagin convingut entre les mateixes parts deutor i creditora, que ocupen la mateixa posició jurídica en cadascuna d'elles, que té com a finalitat oferir als interessats una garantia flexible que es pot projectar sobre totes les relacions econòmiques convingudes per les parts durant un període determinat de temps (BARRADA ORELLANA). Particularitat d'aquesta modalitat del dret de penyora és que es desconeix la quantia real del deute garantit, que fins i tot pot ésser inexistent perquè el deutor no ha fet ús del crèdit que el convertiria en deutor de la contrapart, però aquesta circumstància és compatible amb el fet de reconèixer eficàcia al dret de penyora ja constituït d'acord amb els requisits que exigeix la llei per a la seva naixença a la vida del dret (CARRASCO-CARRETERO). Encara que la indeterminació de la quantia del deute no pot ésser absoluta, ja que entenem s'aplica al supòsit de l'article 569-15.1 la prevenció de l'article 569-14.2, que pels casos de penyores constituïdes per a garantir obligacions de les quals es desconeix el seu import, exigeix que en el moment de la seva constitució es determini la quantitat màxima que garanteix. Exigència que té el seu reflex en el cas de l'article 569-15.1 de drets de penyora successius entre les mateixes parts creditora i deutora, ja que el precepte exigeix que es distribueixi l'import de les obligacions garantides entre els successius drets de penyora, requisit que té com a finalitat protegir els drets dels tercers que es poden veure afectats pels successius drets de penyora sobre un mateix bé.

Existeix un consens general que el criteri contrari a la possibilitat d'empenyorar un bé ja empenyorat es fa extensiu a la impossibilitat que el creditor pignoratici pugui empenyorar el seu dret de penyora, que origina la figura anomenada *subpignus*; encara que en aquest cas la prohibició no es fonamenta en l'article 569-15.1, sinó en la consideració que el creditor pignoratici està mancat del poder de disposició sobre el seu dret, ja que la llei li confereix únicament la possibilitat d'instar la realització del bé empenyorat pel cas d'incompliment de l'obligació garantida, que no es pot fer extensiva a la possibilitat d'establir un gravamen sobre el seu dret (DEL POZO CARRASCOSA-TORMO SANTONJA).

C) PENYORA DE DINERS

El mateix article 569-12 preveu de forma expressa la possibilitat de constituir un dret de penyora sobre diners, que tenen la condició de béns essencialment fungibles en el sentit que resulta de l'article 569-16.2 de béns que es determinen en el tràfic tenint-ne en compte el nombre, el pes o la mida i són per tant substituïbles els uns pels altres. En el cas que podem qualificar d'excepcional que el creditor pignoratici hagi de restituir els mateixos diners que ha rebut en concepte de penyora ens trobem davant d'un dret de penyora normal, encara que recaigui sobre béns essencialment fungibles; en altre cas el que ha empenyorat diners perd el dret de propietat sobre els mateixos, dret de propietat que adquireix el creditor que haurà de restituir el seu import si es compleix l'obligació garantida amb el dret de penyora, ja que d'aquesta forma el creditor veu satisfet el seu interès, que no es centra en rebre unes monedes determinades sinó en una quantitat determinada de diners amb independència de la seva individualitat.

D) PENYORA DE TÍTOLS VALORS

L'article 569-12 preveu també la possibilitat de constituir un dret de penyora sobre valors, que permet incloure dins d'aquesta modalitat del dret de penyora la que té per objecte les accions de societats, els bons els crèdits i els efectes en general (segons l'enumeració segurament no exhaustiva que fa l'article 569-16.3), que presenta les seves particularitats en relació amb el bé empenyorat (article 569-17.2) i en l'aspecte de realització del seu valor (article 569-20.6). La constitució del dret de penyora sobre títols valors resta sotmesa en general al requisit de l'article 569-13.1,a), és a dir, la transmissió de la seva possessió al creditor o a un tercer designat d'acord amb el pignorant, transmissió que s'encarrila per vies diferents segons recaigui sobre títols al portador (com resulta de l'article 545 CCo. i de la DA 3ª de la Llei 24/1988, de 28 de juliol del mercat de valors), de títols a l'ordre que exigeixen el requisit de l'endossament (vegeu l'article 22.1 de la Llei 18/1985, de 16 de juliol, canviària i del xec) que exigeixen s'esmenti la clàusula valor en garantia o valor en penyora, o de títols nominatius respecte als quals l'article 57 de la Llei de societats anònimes preveu que l'empenyorament es faci d'acord amb les normes de dret civil o per mitjà d'endossament acompanyat de la clàusula valor en garantia, amb la possibilitat de fer constar l'empenyorament en el llibre d'accions nominatives de la societat (article 57 idem), i uns requisits semblants estableixen els articles 26 i 27 de la Llei sobre societats de responsabilitat limitada per a constituir un dret de penyora sobre participacions socials. Si els títols valors estan representats per anotacions comptables, de l'article 11 de la Llei esmentada del mercat de valors en resulta que en aquesta modalitat del dret de penyora la seva inscripció en el registre oficial que preveu té el caràcter de constitutiva, que des d'aquesta perspectiva es configura jurídicament com un acte d'execució del contracte de penyora, que imposa al deutor realitzar tots els actes necessaris per a la inscripció del contracte en el registre oficial escaient, amb la finalitat de complir l'obligació que ha assumit enfront el creditor respecte el dret real de penyora, que sols neix a la vida del dret després de la seva constància registral (CAMACHO CLAVIJO).

E) PENYORA DEL DRET DE CRÈDIT

Finalment l'article 569-12 preveu també la possibilitat de constituir un dret de penyora sobre els drets de crèdit, que reuneix els requisits necessaris per a ésser objecte d'un dret de penyora, com són els de recaure sobre un bé alienable (com resulta de la rúbrica del Llibre IV, títol IV, capítol VII del Codi civil espanyol *"De la transmisión de créditos y demás derechos incorporales"*), de la seva condició de bé moble segons l'article 511-2.3 i de bé moble posseïble en base a la seva consideració com a bé incorporal o dret (article 511-1.1), perquè l'article 521-1.1 admet de forma explícita no sols la possessió de les coses corporals o materials sinó també la possessió dels drets. La penyora del dret de crèdit es configura jurídicament com un dret real limitat perquè manté la funció típica d'afectar-ne el valor patrimonial i de canvi que, suposada la seva transmissibilitat, permetrà subjectar el crèdit gravat a la satisfacció d'allò garantit i realitzar-lo, si escau, mitjançant l'execució o alienació pertinent (ESPINA). L'article 569-13.1 exigeix per a la constitució del dret de penyora el requisit de la transmissió possessòria del bé empenyorat, que en el cas de la penyora de crèdits es complex des del moment en què per a la seva constitució l'article 569-13.3 exigeix el requisit del document públic, que equival a la transmissió dels béns incorporals o drets segons l'article 531-5. En tot cas la constitució del dret de penyora sobre un crèdit pot originar que el bé empenyorat es faci efectiu abans del venciment del crèdit garantit amb el dret de penyora, supòsit en el qual es creu que el creditor pignoratici estarà legitimat per a exigir el seu pagament —en el supòsit que el deutor no hagi pagat voluntàriament el deute— a l'empara de l'article 569-19.2, que imposa al creditor pignoratici l'obligació de conservar el bé empenyorat amb la diligència exigible, que determinarà que el deutor del crèdit empenyorat hagi de procedir a la consignació de la prestació deguda, perquè el creditor pignoratici és un tercer aliè a la seva pròpia relació obligatòria (DEL POZO CARRASCOSA-TORMO SANTONJA). I si el deutor de l'obligació paga el deute abans d'ésser exigible, en aquest cas opera el principi de la subrogació real, ja que segons l'article 569-18 "La garantia, si l'objecte de la penyora és un dret de crèdit i aquest es paga abans que venci el crèdit garantit per la penyora, recau sobre l'objecte rebut com a conseqüència del pagament".

Es pot donar el cas de constitució d'un contracte d'assegurança de crèdit a l'empara de l'article 69 de la Llei que regula el contracte d'assegurança i si el fet assegurat es produeix abans del venciment de l'obligació garantida, el creditor pignoratici —si així s'ha convingut al temps de la constitució del dret real de penyora— estarà legitimat per a l'exercici del dret de crèdit i en altre cas existirà una legitimació conjunta per a rebre el pagament i l'aplicació del principi de subrogació real sobre l'import de la indemnització en base a l'article 569-18 (FUGARDO ESTIVILL).

La possibilitat de constituir un dret de penyora sobre drets de crèdit amb caràcter general a l'empara de l'article 569-12, permet afirmar que el nostre dret admet la penyora constituïda sobre el ròssec d'un dipòsit bancari derivat de les llibretes a termini, ja que recau sobre el crèdit derivat de la restitució del dipòsit (vegeu en aquest sentit STS de 19 d'abril de 1997 i 10 de març de 2004).

F) PENYORA DE BÉNS FUNGIBLES

Des d'una perspectiva tradicional quan es volien empenyorar una pluralitat de coses de propietat exclusiva del pignorant s'havia de constituir un dret de penyora diferent sobre cada cosa individualment considerada, perquè així ho exigia el principi segons el qual els drets reals recauen sempre sobre un objecte determinat i el requisit del traspàs possessori, que s'havia de complir en relació amb cadascun dels béns objecte del dret de penyora; circumstància aquesta darrera que justifica es permetés constituir un dret de penyora únic sobre una universalitat de béns mobles a l'empara de l'article 54 LHM, precisament perquè en aquesta modalitat del dret de penyora no s'exigeix el requisit de la transmissió de la possessió dels béns empenyorats. En aquest punt el legislador català ha anat més enllà, amb la finalitat de permetre un dret de penyora únic sobre una pluralitat de coses fins i tot en relació amb el dret de penyora que exigeix la transmissió de la possessió dels béns empenyorats (segons l'article 569-13.1,a). Ho posa de manifest l'apartat III del preàmbul de la Llei 22/1991, on de forma directa i explícita es posa de manifest que: "Així mateix es regula la penyora de coses fungibles. Aquesta figura té com a base el pas del concepte de "penyora d'objecte" al de "penyora de valor"; expressió que després va concretar el seu article 11.2, en el qual es precisava que "Es considera com un únic objecte de penyora el conjunt de coses el valor de les quals en el tràfec es determina en consideració al seu nombre, pes o mida"; i que va recollir en termes semblants l'article 15.2 de la Llei 19/2002, en el qual es precisava que "Es considera com un únic objecte de penyora el conjunt de coses el valor de les quals en el tràfic es determina en consideració al nombre, el pes o la mida". I d'acord amb aquests precedents es preveu ara a l'article 569-16.2 que "El conjunt de béns el valor dels quals es determina en el tràfic tenint-ne en compte el nombre, el pes o la mida és un únic objecte de penyora".

El precepte permet constituir un dret de penyora únic sobre una determinada categoria de béns, concretament els que en el tràfic es determinen tenint-ne en compte el nombre, el pes o la mida, que el preàmbul de la Llei 22/1991 qualifica de béns fungibles, que ens porta a considerar que l'article 569-16.2 s'estableix amb la finalitat de regular un dret de penyora sobre béns corporals o materials fungibles, ja que sols a aquests béns són aplicables les característiques que el precepte considera pròpies de la categoria jurídica dels béns fungibles. En tot cas el que ara interessa precisar és que el dret de penyora que regula l'article 569-16.2 recau sobre una pluralitat d'objectes que no és necessari constitueixin una universalitat en sentit jurídic, ja que és suficient la designació comuna d'una pluralitat de béns no necessàriament homogenis, connectats tots ells per la seva afecció al gravamen derivat del dret de penyora (LAUROBA LACASA). I precisar també que l'aplicació del precepte exigeix que d'alguna forma aparegui la voluntat dels interessats de constituir un dret de penyora únic sobre els diferents objectes que integren la pluralitat, respecte als quals el pignorant conserva el dret de propietat, que perdrà si s'arriba a fer efectiu el dret de realització del valor de la penyora segons l'article 569-20. Per tant, i com precisa l'apartat III del preàmbul de la Llei 22/2001, la penyora de valor "significa la possibilitat de substituir la totalitat o una part de les coses donades en penyora per altres de la mateixa espècie i qualitat, sempre que s'hagués pactat expressament, la qual cosa implica el manteniment de la garantia"; precisions que a nivell legislatiu concreta ara l'article 569-17.1 quan esgtableix que "El deutor o deutora o, si és una altra persona, el pignorant o la pignorant, si la penyora recau sobre béns fungibles i s'ha pactat expressament, pot substituir la totalitat o una part dels béns empenyorats". La facultat de substitució, a manca de pacte en contrari, correspon únicament al pignorant per deute propi o aliè, encara que sols pot exigir-la si així s'ha convingut, amb la precisió que el pacte ha d'ésser exprés, perquè la facultat de substitució d'una forma o altra contradiu el règim jurídic normal del dret de penyora. En qualsevol cas la substitució de la totalitat o d'una part dels béns inicialment empenyorats per uns altres béns no significa l'extinció del dret de penyora inicial i la constitució successiva d'un altre dret de penyora, sinó la subsistència del mateix dret sobre el nou bé, ja que com preveu l'article 569-17.4 "S'entén a tots els efectes, en els casos de substitució del bé empenyorat, que la data de l'empenyorament es manté, com si s'hagués constituït inicialment sobre els béns que substitueixen els inicialment gravats". Atès que segons l'article 569-15.1 un bé empenyorat no es tornar a empenyorar, hem d'entendre que el bé o els béns que substitueixen els empenyorats inicialment no poden estar gravats amb un dret de penyora anterior o amb un dret de penyora sense desplaçament (article 55,II LHM).

Com a modalitat de la penyora de valor, que en aquest cas recau sobre títols valors, l'article 569-16.3 esmenta "Els conjunts o paquets de valors, entre els quals s'inclouen les accions, les obligacions, els bons, els crèdits i els efectes en general, es poden configurar com objectes unitaris de penyora, d'acord amb la legislació aplicable en aquesta matèria". El precepte regula el que s'anomena una "cartera de valors", que es projecta sobre una part del patrimoni personal que no ha de comprendre necessàriament tots els valors negociables de l'interessat, sinó únicament el conjunt de valors als quals l'interessat atribueix una característica o destinació especial d'unitat econòmica, encara que no amb caràcter necessari (FUGARDO ESTIVILL). La constitució d'un dret de penyora sobre un conjunt o paquet de valors com un objecte unitari requereix un acord entre el pignorant i el creditor pignoratici com resulta de l'expressió legal "es poden configurar", que ha d'ésser objecte d'interpretació d'acord amb els paràmetres legals sobre interpretació dels negocis jurídic entre vius, que porta a la conseqüència que totes les unitats que integren el conjunt o paquet de valors responen de forma conjunta del pagament del deute garantit.

També en aquest cas, i en atenció a les característiques que informen el dret de penyora sobre una cartera de valors, es preveu la possibilitat de substituir els valors inicialment empenyorats per uns altres en els termes que preveu l'article 569-17.2: "La substitució d'uns valors per uns altres, en el cas de valors cotitzables, es fa d'acord amb el preu de les cotitzacions respectives en el mercat oficial el dia de la substitució. En el cas de valors no cotitzables, per a acreditar la substitució és suficient que els tinguin en llur poder els creditors pignoratius o les terceres persones designades i que consti inscrita en el mateix efecte o document que acredita el dret". Si es relaciona el precepte transcrit amb el seu apartat anterior, cal entendre que la facultat de substitució dels elements que integren el conjunt o paquet de valors correspon sols al pignorant, sempre que així s'hagi pactat, fins i tot amb la possibilitat de conferir al creditor pignoratici un mandat irrevocable per a la substitució (CARRASCO PERERA-CARRETERO GARCIA). Amb referència a la substitució de valors cotitzables s'assenyala que la llei no preveu la possibilitat que el creditor pignoratici s'oposi a la substitució, encara que s'admet la possibilitat de formular oposició en base a una aplicació analògica de l'article 117 LH i, també, que es pugui considerar legitimat per a demanar la substitució, si el deutor no procedeix a fer-ho, cas de disminuir de forma notable el valor dels béns objecte del dret de penyora fins el punt de comprometre l'efectivitat de la garantia que representa el dret de penyora (DEL POZO CARRACOSA-TORMO SANTONJA). I amb referència a la substitució de valors no cotitzables es precisa que —a manca de pacte— la seva substitució es farà d'acord amb el preu de mercat fixat pericialment, prèvia notificació per part del pignorant a l'entitat emissora dels valors, que a la vegada haurà de comunicar la decisió de substituir al creditor pignoratici quan es tracta de valors no representats en títols ni en anotacions comptables, mentre que pel cas de valors anotats comptablement el pignorant haurà d'adreçar la seva voluntat de substitució al registre corresponent, que precedirà a la substitució (BARRADA ORELLANA).

Si es procedeix a la substitució dels valors d'acord els requisits i procediment esmentats, els seus efectes són els que resulten de l'article 569-17.3, en el qual es preveu que ""S'entén a tots els efectes, que en els casos a què fa referència l'apartat 2, que la data de l'empenyorament es manté, com si s'hagués constituït inicialment sobre els béns que substitueixen els inicialment gravats".

II. Obligacions que es poden garantir

Amb caràcter general estableix l'article 569-14.1 que "La penyora pot garantir qualsevol obligació, present o futura, pròpia o aliena, dels pignorants". Del precepte en resulta en primer lloc que l'existència d'una obligació assegurable és indispensable per a constituir un dret real de garantia, asseveració que es deriva també del caràcter accessori dels drets reals de garantia segons l'article 569-1. L'obligació garantida amb un dret real de penyora no ha d'ésser una obligació pròpia del pignorant, ja que de forma explícita preveu el precepte la possibilitat de constituir un dret real de penyora per tal de garantir un deute aliè, que en aquest cas determinarà que el creditor pugui exercitar una acció de caràcter personal enfront el deutor en reclamació del seu dret de crèdit o, alternativament, que pugui exercitar l'acció real derivada del dret de penyora. Des d'una altra perspectiva interessa assenyalar que l'obligació assegurada amb un dret real de penyora ha d'ésser una obligació vàlida, ja que si aquesta ha estat declarada nula d'acord amb les prescripcions legals, la seva nul.litat determinarà a la vegada la nul.litat del dret accessori de garantia, precisament pel seu caràcter de dret accessori; mentre que pels casos d'ésser anul.lable o impugnable l'obligació garantida amb un dret real de penyora, es pot mantenir inicialment la seva validesa en base a l'article 1824,II CC, que considerem aplicable als drets reals de garantia per raons d'analogia encara que el precepte contempla sols una garantia de caràcter personal.

Segons el mateix article 569-14.1 la penyora pot garantir una obligació present o futura. No presenta problemes la possibilitat d'establir una garantia pignoratícia en relació amb una obligació present, sempre que sigui vàlida, com s'ha argumentat fa uns moments; mentre que d'entrada pot oferir dubtes la possibilitat de garantir amb un dret real de penyora una obligació futura com a conseqüència del caràcter accessori del dret de penyora segons l'article 569-1, que es pot considerar queda en entredit quan ha de garantir una obligació futura i, per tant, inexistent en el moment de constituir-se el dret real de penyora. Però pel damunt d'aquesta consideració essencialment dogmàtica preval el criteri de constituir un dret real de penyora per tal de garantir una obligació futura i fins i tot es pot afirmar que la possibilitat es dóna amb freqüència. Això no ens ha de portar de totes formes a prescindir absolutament del caràcter accessori del dret de penyora, perquè hem de precisar ara que la seva constitució, amb la finalitat de garantir una obligació futura, serà viable sempre que en el moment de constituir-se la garantia aparegui la possibilitat que arribi a existir l'obligació futura que es vol garantir perquè existeixen ja unes relacions jurídiques prèvies entre els interessats. En tot cas es precisa que la possibilitat de constituir una penyora en garantia d'obligacions futures s'ha de relacionar amb el requisit de validesa que estableix l'article 569-13.1,a) de la transmissió de la possessió del bé empenyorat, que s'ha de complir des de la constitució del dret de penyora; sens perjudici que una vegada constituït, deutor i creditor acordin que el pignorant mantingui la possessió del bé en concepte de dipositari fins que l'obligació futura neixi a la vida del dret (DEL POZO CARRASCOSA-TORMO SANTONJA).

La possibilitat de garantir amb un dret real de penyora qualsevol obligació (en paraules de l'article 569-4.1) determina la possibilitat de constituir un dret de penyora amb la finalitat de garantir el compliment d'una obligació sotmesa a condició suspensiva. Aquesta possibilitat no ha d'oferir dubtes des del moment en què s'admet respecte a una obligació futura, és a dir una obligació que encara no existeix; perquè cal tenir present que en el cas d'obligacions sotmeses a condició suspensiva l'obligació ja existeix, encara que la seva eficàcia es supedita al compliment de la condició (vegeu l'article 1121 CC).

La característica tantes vegades esmentada del caràcter accessori del dret real de penyora (vegeu l'article 569-1), comporta que en els casos generals es constitueixi amb la finalitat de garantir una obligació que des del moment de la constitució de la garantia té un import concret o determinat. Però això no és absolutament necessari, ja que segons l'article 569-14.2, proposició primera, "La penyora pot garantir obligacions de les quals es desconeix l'import en el moment de constituir-la", que origina l'anomenada penyora de màxim, que permet garantir amb un dret de penyora una obligació que ja existeix, però que en el moment de constituir-se la garantia es desconeix el seu import, o una obligació o unes obligacions futures de les quals en pot resultar un deute eventual o en tot cas de quantia no quantificable en el moment de constitució de la penyora. Atesa aquesta indefinició inicial de l'import del crèdit garantit amb el dret real de penyora, la proposició segona del mateix precepte exigeix que "En aquest cas, s'ha de determinar la quantia màxima que garanteix", prevenció que s'estableix amb la finalitat de protegir terceres persones que es poden veure afectades per l'existència d'un dret real de penyora, però no en les relacions internes entre deutor i creditor, ja que en aquest aspecte encara que el crèdit superi el màxim estipulat, la penyora garanteix la totalitat del crèdit —fins i tot per damunt del màxim— si en el moment de la realització del valor no apareix un possible tercer perjudicat (DEL POZO CARRASCOSA-TORMO SATONJA).

3. CONSTITUCIÓ

I. En general

L'article 569-13.1 estableix unes prevencions sobre la penyora "constituïda per qualsevol títol", i si recordem ara que el nostre legislador manté el criteri tradicional de configurar el dret de penyora com una modalitat dels drets reals de garantia (vegeu l'article 569-1), apareix l'oportunitat de relacionar l'article 569-13.1 amb les consideracions que s'han fet amb anterioritat sobre adquisició dels drets reals (vegeu *supra,* capítol IV, 1), que ens han portat a establir com a títols de constitució i d'adquisició dels drets reals en general els negocis jurídics entre vius i per causa de mort, la donació, la usucapió i les adquisicions *a non domino.* Per tant ens hem de limitar ara a fer unes precisions sobre les particularitats que presenten aquests títols d'adquisició dels drets reals en relació amb el dret real de penyora.

II. Per negoci jurídic entre vius

A) SUBJECTES

La penyora es constitueix normalment via contracte, en el qual apareixen en els casos més freqüents com a parts el deutor i el creditor, però com que l'article 569-14.1 permet constituir un dret real de penyora amb la finalitat de garantir un deute aliè, si es dóna aquesta circumstància el dret de penyora es constitueix per negoci jurídic entre vius convingut entre el tercer que garanteix un deute aliè i el creditor.

Pel que fa referència als requisits de capacitat per a constituir un dret real de penyora, és oportú recordar una vegada més que comporta una alienació en potència del bé empenyorat pel cas d'incompliment de l'obligació garantida (article 569-12), circumstància que determina que la persona que grava el bé amb un dret real de penyora ha de gaudir de la capacitat necessària que exigeix la llei per a disposar del bé empenyorat, requisit que ha de concórrer en el moment de constitució del dret real de garantia (STS de 9 de febrer de 1943). Segons l'article 569-12 el dret de penyora recau sempre sobre béns mobles, amb la conseqüència que el pignorant ha de reunir els requisits de capacitat que exigeix la llei per a disposar dels seus béns mobles, requisits que concorren en la persona major d'edat (article 322 CC) i en el menor emancipat o que ha obtingut el benefici de la majoria d'edat (articles 159.1 i 217.2 CF), excepte en relació amb els casos que preveu l'article 151.1,a), b) i g) CF); i si es tracta d'una persona incapacitada per resolució judicial, la seva capacitat per a empenyorar estarà en funció de l'extensió i els límits que assenyali la sentència que decreta la incapacitació (article 210 CC). I pel que fa referència als requisits de capacitat que han de concórrer en la persona del creditor pignoratici, entenem és suficient la capacitat per a contractar (vegeu l'article 1263 CC), ja que la constitució d'un dret real de garantia és un acte favorable als seus interessos (vegeu RDGRN de 15 de desembre de 1953).

Pressuposada la capacitat en els termes exposats, per a la constitució del dret real de penyora s'exigeix també que el pignorant estigui legitimat per a disposar del bé objecte del dret de penyora, ja que com precisa l'article 569-13.1,b) la seva constitució requereix "El poder de lliure disposició sobre el bé empenyorat per la persona que l'empenyora". El poder de lliure disposició correspon en general al propietari (vegeu l'article 541-1), a menys que l'afecti una prohibició de disposar vàlida segons la llei (vegeu l'article 166 CS); encara que no s'ha d'excloure la possibilitat que el titular d'un dret real limitat que ostenta unes limitades facultats dispositives sobre el bé pugui constituir un dret real de penyora sobre el mateix dins els límits del seu dret, com resulta de l'article 107, núm. 1, 5, 6 i 10 LH. Si el dret de propietat sobre el bé correspon simultàniament a una pluralitat de propietaris, pel seu empenyorament s'exigirà el requisit de la unanimitat segons l'article 552-7.6; sens perjudici que cada copropietari pugui constituir un dret real de penyora sobre la quota que li correspon sobre el bé en les situacions de comunitat ordinària indivisa, penyora que en la seva fase de seguretat determinarà que el creditor pignoratici assumeixi el deure de conservació de la quota empenyorada amb la diligència exigida (vegeu l'article 569-19.2) i que si s'arriba a la fase de realització del valor del bé empenyorat, li correspongui allò que s'ha atribuït al pignorant com a conseqüència de l'extinció de la comunitat (article 552-12.1).

La constitució d'un dret real de penyora per contracte no s'ha de qualificar d'acte jurídic personalíssim, amb la conseqüència de poder-lo constituir els interessats mitjançant la intervenció d'un mandatari o representant amb poders suficients, que en relació amb el pignorant han de preveure la possibilitat de disposar dels béns del poderdant (vegeu l'article 139 LH i l'article 1713,II CC).

B) LA TRANSSMISSIÓ POSSESSÒRIA

Per a la constitució del dret real de penyora l'article 569-13.1,a) exigeix "La transmissió de la possessió dels béns als creditors o a terceres persones, d'acord amb els pignorants, per qualsevol mitjà admès per aquest codi". En base al precepte transcrit s'ha d'afirmar que el contracte que opera com a títol per a la constitució del dret real de penyora s'ha de qualificar de contracte real, en el sentit que per a la seva perfecció no sols s'exigeix el consentiment dels interessats, suficient per a la perfecció dels contractes consensuals (vegeu l'article 1258 CC), sinó també el lliurament de la possessió del bé objecte del contracte. Requisit igualment exigible pel dret de penyora com a dret real de garantia, ja que segons l'article 531-1 per a l'adquisició dels drets reals s'exigeix el títol d'adquisició seguit de la tradició, que l'article 531-2 delimita com el lliurament de la possessió d'un bé pels anteriors posseïdors als nous.

Segons l'esmentat article 569-13.1,a) la transmissió de la possessió es pot realitzar "per qualsevol mitjà admès per aquest codi", expressió que ens sembla no té un sentit unívoc, ja que està en funció de la naturalesa dels béns objecte del dret real de penyora. Si ens atenem al cas més freqüent de constitució d'un dret real de penyora sobre un bé corporal o material, la transmissió de la possessió al creditor o a un tercer es pot encarrilar, evidentment, per la via de la tradició real o material que segons l'article 531-2 suposa el lliurament de la possessió del bé pels anteriors posseïdors als nous; lliurament material innecesasari en el cas de l'anomenada *raditio brevi manu* que apareix a l'article 531-1.4,e) —però que produeix els seus mateixos efectes— perquè l'adquirent ja es troba en possessió material del bé. En tot cas amb això es vol posar de manifest que la transmissió possessòria exigeix una transmissió real de la possessió que té una fonamentació seriosa, ja que persegueix sostraure al pignorant la possibilitat de disposar del bé empenyorat i, a la vegada, facilitat la disposició del bé quan escaigui per part del creditor pignoratici; sense oblidar que el traspàs efectiu de la possessió contribueix de forma positiva a poder oposar el dret de penyora *erga omnes*, aspecte aquest comú a tots els drets reals, que exigeix una determinada publicitat per tal que es pugui posar realment a terceres persones, publicitat que en el cas dels béns mobles es centra normalment en la possessió real o efectiva del bé, que contribueix de forma important a potenciar la seguretat del tràfic jurídic. En el mateix sentit, i de forma sintètica, es precisa que el dret de penyora es constitueix sempre que la possessió del creditor o del tercer vagi acompanyada d'un signe exterior de reconeixement que permet als tercers assabentar-se que s'ha produït la transmissió de la possessió (DIEZ-PICAZO).

El que s'ha exposat fins aquí respecte a la transmissió de la possessió dels béns corporals s'ha de contrastar amb l'article 569-12 que de forma explícita preveu que es puguin empenyorar els valors i els drets de crèdit, que segons l'article 511-1 també tenen la condició de béns, encara que es tracta de béns immaterials o drets, que per la seva naturalesa no poden ésser objecte d'una tradició material *ex* article 531-2. Si es tracta de la penyora d'un dret de crèdit, és oportú recordar que l'article 569-13.3 estableix en la seva proposició primera que "s'ha de constituir en document públic", expressió que cal entendre en el sentit que el document públic s'exigeix com a requisit de forma *ad solemnitatem*, amb la conseqüència que el seu compliment determinarà a la vegada la transmissió de la possessió per la via de la tradició instrumental segons l'article 531-4.1,a); mentre que el requisit de la notificació de constitució del dret de penyora al deutor del crèdit empenyorat —que exigeix la proposició segona del precepte— no té el mateix abast, sinó que es limita a determinar la legitimació per a rebre el pagament. I pel que fa referència al compliment del requisit de la transmissió de la possessió en els demés casos de penyora de béns immaterials o drets, el requisit es pot complir per les vies que preveu l'article 531-5 per la tradició dels béns immaterials o, també, de les anotacions comptables en el registre oficial que estableix la Llei 24/1998, de 28 d juliol, del mercat de valors com s'ha exposat abans (vegeu *supra*, 2,I,D).

La transmissió possessòria que exigeix l'article 569-13.1,a) es compleix amb independència del fet que es lliuri la possessió del bé empenyorat al creditor o a un tercer, però en aquest darrer cas sols si així s'ha pactat, que pressuposa un acord de voluntats entre el pignorant i el creditor pignoratici, susceptible de produir uns efectes jurídics en l'esfera del tercer designat si accepta aparèixer com a posseïdor del bé objecte del dret de penyora.

C) REQUISITS DE FORMA

En els apartats anteriors ens hem referit al contracte com a títol de constitució del dret real de penyora, respecte al qual no s'exigeixen uns requisits de forma especials, amb la conseqüència dons que aquest contracte s'ha de qualificar d'aformal, en el sentit que es pot convenir de forma verbal o en document públic o privat; amb l'excepció que resulta de l'article 569-13.3 respecte a la penyora de crèdits que exigeix el requisit de la seva formalització en document públic. En tot cas el contracte es qualifica de real, ja que per a la seva perfecció s'exigeix el requisit de la transmissió del bé empenyorat al creditor o a un tercer (segons l'article 569-13.1,a); amb la conseqüència doncs que contracte i transmissió de la possessió determinen el naixement de la penyora com a dret real de garantia mobiliària, amb tots els seus efectes.

El que s'ha exposat fins aquí és plenament aplicable al dret real de penyora en les relacions entre pignorant i creditor pignoratici, però hem de recordar una vegada més que el dret de penyora —com tots els drets reals en general— es pot fer efectiu *erga omnes* (vegeu *supra,* capítol I,2,III), que de forma immediata presenta el problema de còm es pot fer efectiu el dret real de penyora enfront a terceres persones que es poden veure afectades per la seva existència. El problema té una resposta concreta a l'article 569-13.2 quan estableix que "La penyora sols té efectes contra terceres persones des del moment en què la data en què s'ha acordat de constituir-la consta en un document públic". Del precepte en resulta que el dret de penyora sols es pot oposar eficaçment a tercers des del moment en que la data de la seva constitució consta de forma fefaent, és a dir en document públic, ja que segons l'article 1218,I CC la data d'atorgament d'un document públic fa prova fins i tot enfront a tercers, i no sols la data sinó també el fet, l'acte o l'estat de coses que documenta (vegeu l'article 319.1 LEC); amb la precisió que aquesta eficàcia enfront a tercers opera com a requisit d'eficàcia, o si es vol d'opossibilitat del dret de penyora enfront a tercers, però no com a requisit de validesa, ja que el dret de penyora ha quedat vàlidament constituït d'acord amb els requisits que exigeix l'article 569-13.1. El requisit del document públic als efectes esmentats no s'aplica a la penyora de valors, que es substitueix eficaçment per la referència que es fa en el mateix títol de l'existència del gravamen pignoratici o per la seva constància en el registre oficial que preveu l'article 10.2 de la Llei de mercat de valors.

III. Per negoci jurídic *mortis causa*

La possibilitat de constituir un dret de penyora per negoci jurídic per causa de mort en el nostre dret no ofereix dubtes. Si es tracta d'un llegat de dret de penyora d'eficàcia obligacional no es presenten més problemes, ja que en aplicació de l'article 303 CS quan el llegat té per objecte la constitució d'un dret real, la persona gravada ha de realitzar els actes necessaris per a la seva constitució. Hem d'afegir ara que el Codi de successions també permet ordenar llegats amb eficàcia real, que en aplicació del seu article 253,II determina que per la sola virtualitat del llegat l'afavorit adquireixi drets reals, en el cas que ara interessa el dret real de penyora, i també que el legatari adquireixi un dret real per raó del mateix llegat que recau sobre cosa pròpia del testador.

Del precepte en resulta que en els llegats d'eficàcia real el dret objecte del llegat l'adquireix el legatari des del moment de la seva delació (vegeu l'article 267,I CS), delació que normalment es produeix a la mort del testador (article 265,I idem), amb la conseqüència que en el llegat d'efectes reals el dret de penyora es constitueix des del moment de la mort del testador i subsegüent delació del llegat a favor del legatari, sempre que l'afavorit no hagi renuncia el llegat (article 267,I CS). De totes formes hem d'afegir que segons l'article 271,II CS en el llegat amb efectes reals quan el dret real susceptible de possessió ha fet trànsit al legatari, aquest té acció per exigir-se el lliurament de la possessió (article 271,II CS), ja que segons l'apartat III del mateix precepte sense el consentiment de la persona gravada o de la facultada pel lliurament del llegat el legatari no pot prendre possessió per a seva pròpia autoritat del dret real objecte del llegat; precepte que cal contrastar amb l'article amb l'article 569-13.1,a) segons el qual per a la constitució del dret real de penyora, qualsevol que sigui el títol de la seva constitució, s'exigeix el requisit de la transmissió de la possessió del bé empenyorat, en el nostra cas al legatari, del qual en resulta que la delació del llegat no és suficient per a constituir el dret real de penyora, que exigeix el requisit posterior del lliurament de la possessió del dret real objecte del llegat. Davant aquest dualitat de regulacions escau precisar que l'article 531-3 exigeix el requisit de la tradició per adquirir un dret real únicament quan el títol adquisitiu és un contracte i en el cas que ara es considera el títol adquisitiu del dret real és un testament, exclòs de l'àmbit de la tradició per l'article 531-3. Una segona consideració que cal fer, és que l'adquisició dels drets reals exigeix, a més del títol d'adquisició, el compliment dels actes o de les formalitats que exigeix la llei (article 531-1), que en la seva aplicació al cas que ara interessa suposaria exigir la concurrència del títol —testament o codicil— i el lliurament de la possessió del dret real per part del gravat al legatari (article 270,I CS), que des d'aquesta perspectiva implicaria la realització dels actes o de les formalitats que exigeix la llei per a l'adquisició dels drets reals segons l'article 531-1. En contra d'aquest criteri es pot al.legar que segons l'article 267,I CS que des del moment de la delació el legatari ha esdevingut titular del dret de penyora perquè des d'aquest moment el dret real ha nascut a la vida del dret i, per tant, el requisit de la transmissió possessòria que exigeix l'article 569-13.a) per a la constitució del dret real de penyora no té sentit en el cas d'un llegat d'efectes reals perquè existeix una norma específica, com és l'article 271,I CS, que pressuposa que el dret de penyora ja s'ha constituït abans de l lliurament de la possessió del bé objecte del llegat al legatari. Sens perjudici que el lliurament de la possessió pugui tenir la seva transcendència enfront a tercers segons l'article 569-13.2.

IV. Per usucapió

Segons l'article 531-23 la usucapió opera com a títol adquisitiu dels drets reals possessoris i com que els articles 569-12 i 569-13.1,a) configuren el dret de penyora com un dret real possessori, d'això se'n deriva la possibilitat d'adquirir per usucapió el dret real de penyora en base a una possessió en concepte de titular d'aquest dret real, pública, pacífica i ininterrompuda (article 531-24.1) per un període de tres anys (article 531-27.1).

Aquí sols cal afegir que si bé és cert es discuteix a nivell doctrinal la possibilitat d'adquirir per usucapió el dret real de penyora en el context del dret civil espanyol, la tesi afirmativa es defensa en base a considerar que la penyora és un dret posseïble, que són perfectament possibles situacions en les quals pot operar la usucapió amb referència al dret de penyora, que el fonament de la usucapió en general es pot aplicar al dret de penyora i als demés drets reals usucapibles, i que si es pot adquirir per usucapió el dret de propietat, entès com a dret real ple o absolut, si el dret de penyora reuneix els requisits necessaris per a ésser usucapible, no seria congruent que es pogués usucapir un dret real ple i no es pogués adquirir per usucapió un dret real limitat (ALBALADEJO GARCIA).

V. A non domino

No existeix unanimitat sobre si es pot adquirir el dret de penyora quan el creditor rep en garantia un bé que creu és propietat del pignorant, quan aquesta creença no es correspon amb la realitat. En contra s'ha al.legat i s'al.lega que per a la vàlida constitució del dret real de penyora s'exigeix el poder de lliure disposició del bé moble empenyorat (vegeu l'article 569-13.1,b), poder de disposició que no ostenta el propietari aparent. De totes formes cal examinar el problema amb un cert deteniment. Sembla clar que si el creditor pignoratici rep la possessió del bé empenyorat amb coneixença que el pignorant és sols titular aparent del dret objecte de la penyora no s'haurà constituït la penyora d'acord amb el precepte esmentat i, també, perquè l'acte és contrari al principi de la bona fe que informa la totalitat de l'ordenament jurídic, com resulta de l'article 111-7. Altra cosa és que el creditor pignoratici rebi el bé en la confiança que el pignorant ostenta una titularitat que li atribueix el poder de disposició sobre el mateix, que dóna oportunitat d'oposar a l'article 569-13.1,b) l'article 522-8, que en el seu apartat 1 preveu que "L'adquisició de la possessió d'un bé moble de bona fe i a títol onerós comporta l'adquisició del dret en què es basa el concepte possessori, encara que els posseïdors anteriors no tinguessin poder de disposició suficient sobre el bé o el dret". Del precepte en resulta que el conflicte que inicialment es planteja entre ambdós preceptes, clarament es resol a favor de l'article 522-8, que de forma explícita preveu la seva aplicació "encara que els posseïdors anteriors no tinguessin poder de disposició suficient sobre el bé o dret"; que permet deixar sense efectes el poder de lliure disposició sobre el bé empenyorat que exigeix l'article 569-13.1,b) en el cas que ara es considera del titular aparent, sens perjudici de l'operativitat d'aquest precepte en els altres casos de manca del poder de disposició.

Interessa afegir ara que la prevalença del principi de seguretat del tràfec *ex* article 522-8 opera amb determina condicionaments. En primer lloc s'exigirà la bona fe del creditor pignoratici, en el senti abans exposat de desconèixer d'acord amb el grau de diligència exigible que el pignorant sols ostenta una titularitat aparent sobre el bé que ofereix en garantia. I en segon lloc que l'adquisició de la possessió del bé es fonamenti en una causa onerosa (en el sentit de l'article 1274 CC), de difícil caracterització en les relacions jurídiques que originen un dret real de garantia; que es pot solucionar en base a la consideració que concorre quan l'onerositat es troba almenys en l'operació principal garantida o en el seu cas en la relació causal del que constitueix la penyora amb l'operació principal garantida (MEJIAS GOMEZ). Amb una excepció, ja que si el bé empenyorat és un bé moble perdut, furtat, robat o indegudament apropiat sols esdevé irreivindicable per part dels seus titulars legítims si s'ha adquirit de bona fe i a títol onerós en subhasta pública o en un establiment dedicat ala venda d'objectes semblants al dit bé i establert legalment (article 522-8.3).

4. CONTINGUT

Com efectes fonamentals del dret de penyora segons l'ordenament jurídic català esmentem els següents:

I. Possessió del bé empenyorat

La constitució del dret real de penyora permet al creditor o al tercer designat de comú acord posseir el bé objecte de penyora, ja que segons l'article 569-2.1,a) els drets reals de garantia permeten retenir la possessió del bé fins el pagament total del deute garantit; a menys que el dret de penyora s'hagi constituït sota condició o termini resolutori, ja que en aquests casos el creditor perd la facultat de retenir la possessió des que es compleix la condició des del venciment del termini. Aquesta facultat possessòria determina a la vegada la legitimitat de l'oposició del creditor a restituir la possessió del bé empenyorat al seu propietari mentre no hagi vist satisfet el seu interès, ja que segons l'article 569-19.1 "Els creditors pignoratius es poden negar a restituir el bé empenyorat fins que se'ls pagui totalment el crèdit garantit per principal, els interessos i les despeses de procediment pactades".

Mentre el creditor reté la possessió del bé empenyorat manifesta la seva voluntat d'exigir el crèdit garantit, de manera que ens trobem aquí davant d'un supòsit d'interrupció de la prescripció a l'empara de l'article 121-11,c), fonamentada en la reclamació extrajudicial de la pretensió.

Esmentem finalment en aquest apartat que la negativa a la restitució del bé empenyorat en base a l'article 569-19.1 és eficaç no sols enfront el titular del bé empenyorat sinó enfront a qualsevol tercer, perquè els drets reals tenen eficàcia *erga omnes*; a menys que un determinat tercer acredités un millor dret a posseir el bé empenyorat.

II. Conservació del bé empenyorat

Encara que en la fase de seguretat del dret de penyora el creditor ostenta un títol eficaç que li permet posseir el bé empenyorat (article 522-1.1), no cal oblidar que el creditor pignoratici posseeix un bé aliè, que en principi ve obligat a restituir al pignorant en un moment posterior, circumstància que justifica que la facultat possessòria del creditor pignoratici ve acompanyada del deure de conservació del bé empenyorat per tal que en el seu moment pugui ésser efectiu el deure de restitució. En aquest sentit precisa l'article 569-19.2 que "Els creditors pignoratius han de conservar el bé empenyorat amb la diligència exigible i no en poden fer cap altre ús que el merament conservatiu", precepte que reprodueix l'article 569-6.2 amb referència al dret de retenció; amb la diferència que en el cas del dret de retenció s'imposa al retenidor observar la diligència *necessària*, mentre que amb referència al dret de penyora s'imposa observar la diligència *exigible*, dualitat d'expressions que no sembla hagi de tenir altra transcendència que posar de manifest que en el cas del dret de retenció es considera oportú substituir el qualificatiu exigible pel de necessària en base a que el dret de retenció el constitueix de forma unilateral el retenidor; per tant ens remetem a les consideracions que s'han fet en el capítol anterior sobre dret de conservació del retenidor.

L'article 569-19.2 concreta en la persona del creditor pignoratici el deure de conservar el bé empenyorat, però si es relaciona el precepte amb l'article 569-13.1,a) cal entendre que el deure de conservació afecta igualment al tercer designat de comú acord. La infracció del deure de conservació i de no fer ús del bé empenyorat creiem ha de facultat el pignorant per a demanar la constitució en dipòsit del bé empenyorat (vegeu l'article 1870 CC); com apuntem també l'oportunitat de relacionar el precepte amb els articles 1182 al 1186 CC sobre extinció de les obligacions per pèrdua de la cosa deguda.

Afegim que la proposició segona de l'article 569-19.2 precisa que "Les despeses necessàries per a conservar-la (la cosa empenyorada) se sotmeten al règim de retenció"; expressió que interpretem en el sentit que el creditor pignoratici pot invocar l'article 569-4,b) i constituir un dret de retenció sobre el bé objecte del dret de penyora que li asseguri el pagament de les despeses necessàries per a la conservació del bé empenyorat (BARRADA ORELLANA).

III. Dret de penyora sobre una pluralitat de béns

Interessa fer en aquest apartat unes consideracions sobre el règim jurídic del dret de penyora quan antre els mateixos interessats, i amb la finalitat de garantir el mateix deute, es constitueix un dret de penyora que recau sobre dos o més béns. Aquest règim jurídic ha experimentat unes modificacions significatives en els darrers anys, a les quals fem una breu referència.

L'article 11.1 de la Llei 22/1991 regulava el supòsit d'acord amb el que podem anomenar principi d'especialitat que es deriva de l'article 119 LH, que suposava constituir un dret de penyora independent sobre cadascun dels béns empenyorats, ja que segons el precepte "Quan els objectes donats en penyora siguin diversos, s'ha de fixar la part de crèdit que cadascun d'ells garanteix. S'entenen constituïts tants drets de penyora com objectes hi hagi". El preàmbul de la Llei 19/2002 assenyala com una de les seves novetats més significatives en relació amb el dret de penyora que: "S'elimina el principi d'especialitat de la penyora. Cal tenir en compte que, en un sistema de publicitat que es basa principalment en la possessió i, de manera secundària, en l'existència d'un instrument públic, el principi d'especialitat pot ésser de difícil concreció a la pràctica. En aquest sentit, la distribució de responsabilitat entre els diferents objectes donats en penyora ha d'ésser merament voluntària, en comptes de venir imposada per la Llei". Aquesta superació del principi d'especialitat es traduïa a nivell legislatiu en l'article 15.1 en el qual es preveia que "Quan els objectes donats en penyora siguin més d'un, la persona deutora o, en el cas que sigui diferent, la propietària i la creditora poden fixar la part del crèdit que cadascun garanteix; en aquest cas, s'entenen constituïts tants drets de penyora com objectes hi hagi". Amb certes variants, que no impliquen canvi de la posició adoptada pel legislador de l'any 2002, estableix ara l'article 569-16 que "Els creditors i els deutors o, si escau, els propietaris del bé, si hi ha més d'un objecte empenyorat, poden fixar la part del crèdit que garanteix cadascun. En aquest cas, s'entén que s'han constituït tants drets de penyora com objectes hi ha". D'aquesta evolució legislativa en resulta per tant que mentre l'article 11 de la Llei 22/1991 imposava fixar la part del crèdit que garantia cada bé empenyorat, la Llei 19/2002 i ara l'article 569-16.1 permeten que els interessats puguin fixar la part del crèdit que garanteix cada bé empenyorat.

Arribats a aquest punt interessa fer unes consideracions sobre el sentit de l'expressió "s'entén que s'han constituït tants drets de penyora com objectes hi ha". Inicialment es pot entendre que aboca a un supòsit d'existència d'una pluralitat d'obligacions garantides en funció de les quotes en què s'ha dividit el crèdit, que determina a la vegada l'existència del mateix nombre de drets reals de garantia; encara que també es pot interpretar en el sentit que la distribució de la responsabilitat entre els diferents béns empenyorats no determina l'existència del mateix número de drets de penyora com objectes empenyorats. Aquesta segona possibilitat és la que s'ha de considerar més ajustada al context de la llei, que obliga d'alguna forma a no atenir-se a la literalitat de l'expressió d'haver-se constituït una pluralitat de drets de penyora. Inicialment no hem d'oblidar que el principi d'indivisibilitat del dret de penyora, indivisibilitat que l'article 569-15.2 estableix "encara que es divideixi el crèdit o el deute" i per tant —i fins i tot amb un fonament més clar— si en base a l'article 569-16.1 els interessats procedeixen a determinar en quina mesura cadascun dels béns empenyorats respon del compliment del deute garantit, la distribució de la responsabilitat és perfectament compatible i segurament més en consonància amb la voluntat dels interessats amb l'existència d'un deute únic, garantit igualment amb un únic dret de penyora. Una segona consideració que cal fer, és que el principi d'especialitat del dret de penyora s'introdueix a la Llei 22/1991 per influència del principi d'especialitat en relació amb el dret d'hipoteca segons l'article 119 LH i si això és així, és oportú recordar que la RDGRN d'1 d'octubre de 2000 precisa que la constitució d'un dret real d'hipoteca sobre una pluralitat de finques no implica divisió del crèdit garantit en una pluralitat de crèdits en funció del nombre de finques objecte del dret d'hipoteca ja que el crèdit conserva la seva unitat originària, que permet al creditor refusar pagaments parcials en base a l'article 1169 CC; arguments aplicables al dret de penyora, atesa la dependència de l'article 569-16.1 de l'article 119 LH, paradigma del principi d'especialitat en el dret espanyol (segons el comentari a aquesta resolució de GONZALEZ-MENESES, a "La Notaria", 2001 <núm. 11-12>, pàg. 205 i seg.). Conseqüència del que s'acaba d'exposar és que la distribució de la part de crèdit garantit entre els diferents béns objecte del dret de penyora determina que ens trobem davant d'un dret de penyora únic, i que la distribució és intranscendent en les relacions jurídiques entre els interessats. Que en canvi pot tenir la seva transcendència si s'executa del dret de penyora i un tercer ostenta uns drets determinats sobre qualsevol dels béns empenyorats, ja que respecte a aquest tercer el pacte de distribució produeix tots els seus efectes (DEL POZO CARRASCOSA-TORMO SANTONJA).

L'article 569-16.1 preveu l'oportunitat que els interessats puguin fixar la part del crèdit que garanteix cadascun dels béns empenyorats, que deixa oberta la possibilitat que ni en el moment de constitució del dret de penyora ni en un moment posterior s'hagi produït a la distribució que el precepte no exigeix, que deixa en el dubte els efectes que en aquest cas s'han d'atribuir al dret de penyora. En base a l'article 569-20.7 i l'article 643 LEC s'argumenta que encara que tots els béns empenyorats siguin objecte d'una subhasta única, els diferents béns es poden alienar per separat o en lots, sempre que sigui possible preveure que el preu obtingut sigui suficient per a satisfer el dret del creditor i les despeses de la subhasta, circumstància que determinarà que el lot es formi únicament quan sigui previsible que el preu obtingut superarà el que es podria obtenir si no es procedeix a subhastar cadascun dels béns per separat (BARRADA ORELLANA).

IV. Transmissibilitat

En la fase de seguretat del dret de penyora el creditor pignoratici pot transmetre el seu dret de crèdit, que d'acord amb l'article 1528 CC determinarà —a menys que existeixi pacte en contrari— la cessió dels seus accessoris, entre ells el dret de penyora que garanteix el crèdit. El cessionari del crèdit pignoratici assumeix l'obligació de conservar el bé objecte del dret de penyora en els termes que preveu l'article 569-19.2, però sense que això impliqui que el cedent resti exonerat de responsabilitat, a menys que el titular del bé empenyorat consenti la cessió del crèdit garantit amb el dret de penyora (argument article 1205 CC).

V. El deure de restitució

Pressuposada la validesa del negoci jurídic que va originar el deute garantit amb un dret de penyora, recordem una vegada més el seu caràcter accessori (segons l'article 569-1), amb la conseqüència que si el deute garantit s'extingeix per pagament o per qualsevol dels subrogats del pagament que preveu la llei, l'extinció del deute garantit determinarà igualment l'extinció del dret de penyora que el garanteix, com també que perdi la seva eficàcia el títol que permetia al creditor mantenir la possessió del bé empenyorat (argument article 569-19.1). I a la vegada l'efectivitat de l'obligació de restitució al deutor o al tercer que va empenyorar un bé de la seva propietat en garantia d'un deute aliè (article 569-14.1).

El deure des restitució del bé objecte del dret de penyora opera no sols en els casos esmentats sinó també quan s'extingeix el dret de penyora, encara que subsisteixi l'obligació principal garantida, si la penyora s'ha constituït sota condició resolutòria que es compleix abans del venciment del deute garantit o perquè el creditor decideix renunciar a la garantia que suposa el dret de penyora. Respecte a la renúncia es preveu a l'article 569-19.3 que "S'entén que s'ha renunciat al dret de penyora si el bé empenyorat es troba en mans del seu propietari o propietària". A l'hora d'esbrinar el sentit del precepte és oportú posar de manifest que el bé objecte del dret real de penyora es pot trobar a mans del seu titular perquè el creditor pignoratici li ha lliurat de forma voluntària la seva possessió, si bé no hem de descartar la hipòtesi que el titular del bé hagi recuperat la seva possessió sense o contra la voluntat del creditor pignoratici. Davant d'aquest plantejament hem de precisar que la presumpció de renúncia sols opera quan el creditor pignoratici ha lliurat de forma voluntària la possessió del bé objecte del dret de penyora al seu titular, ja que de la voluntat de restituir se'n pot deduir de forma congruent una voluntat de renunciar a la garantia que suposa el dret real de penyora constituït en base a una transmissió de la possessió. I amb la precisió que del context del precepte en podem deduir que si el bé empenyorat es troba en mans del seu titular és perquè el creditor pignoratici ha renunciat al dret de penyora, encara que es tracta d'una presumpció que podrà destruir el creditor pels mitjans que estableix la llei, amb la finalitat d'acreditar que mai va tenir la intenció de renunciar al dret de penyora.

Si el bé objecte del dret de penyora es troba en mans del creditor sense o contra la voluntat del creditor pignoratici, interessa recordar que el dret de penyora —com tots els drets reals en general— atorga al seu titular l'anomenada reipersecutorietat o *droit de suite,* que permetrà recuperar la possessió del bé enfront el seu titular i enfront a qualsevol tercer mitjançant l'exercici de la pretensió de restitució, fonamentada en la tradicional *actio pignoraticia in rem* (vegeu l'article 522-7).

La presumpció de renúncia al dret de penyora s'estableix a l'article 569-19-3 pel cas de trobar-se el bé objecte del dret de penyora "en mans" del seu propietari, mentre que l'article 13.3 de la Llei 1/1991 i l'article 18.3 de la Llei 19/2002 establia la mateixa presumpció pel cas de trobar-se el bé "en poder" del seu propietari. Podem entendre que el sentit d'aquesta modificació es troba en la conveniència de posar de manifest que la presumpció de renúncia sols opera quan s'ostenta una possessió real o material del bé empenyorat, perquè en aquest cas el bé es troba en les seves mans. I assenyalem finalment que si el dret de penyora s'ha constituït sobre una pluralitat de béns (com preveu l'article 569-16.1), si el creditor pignoratici sols lliura de forma voluntària la possessió d'un d'ells al seu titular, hem d'entendre que la seva voluntat es concreta a renunciar a la garantia que ofereix el dret de penyora sobre aquest bé, però no sobre els altres.

5. REALITZACIÓ DEL BÉ EMPENYORAT

I. Posició jurídica del creditor

El caràcter accessori dels drets de garantia (vegeu l'article 569-1) determina que en el cas d'incompliment de l'obligació garantida el creditor pot exercitar una acció de caràcter personal contra el deutor per tal de fer efectiu el seu dret de crèdit, o alternativament, una acció de caràcter real adreçada a l'alienació en subhasta pública del bé o dels béns mobles objecte del dret de penyora; que en definitiva afectarà a qui siguin titulars d'aquests béns, que pot ésser el mateix deutor, el tercer que ha empenyorat el bé en garantia d'un deute aliè o el tercer adquirent d'un bé empenyorat.

Per a la realització del bé empenyorat l'article 569-20 preveu un procediment de subhasta notarial amb caràcter facultatiu, com resulta de l'apartat 1 del precepte que es val de l'expressió "poden realitzar el valor del bé empenyorat", que clarament posa de manifest la possibilitat que el creditor pignoratici interessi la realització del bé empenyorat per qualsevol dels procediments judicials que estableix la llei (vegeu STS de 5 d'octubre de 1926). No és necessari el procediment judicial ni la subhasta notarial en el supòsit que preveu l'article 569-20.3, segons el qual "Els creditors pignoratius i els pignorants poden acordar que qualsevol d'ells o una tercera persona vengui el bé empenyorat. Aquest acord, que s'ha de formalitzar en un document públic, ha de contenir els criteris de l'alienació i el termini en què s'ha de complir, que no pot superar cls sis mesos, i s'ha de notificar fefaentment als titulars coneguts dels drets reals sobre el bé, a fi que, si els interessa, paguin el deute i se subroguin en la posició dels creditors pignoratius". Ni tampoc en el cas de la penyora dinerària, ja que segons l'article 569-20.5 "Els creditors pignoratius, si la penyora recau sobre diners o sobre un títol representatiu de diners, sempre que sigui per una quantitat líquida i exigible, els poden fer seus, sense necessitat de subhasta prèvia, però solament fins al límit de l'import del crèdit garantit, amb l'únic requisit de notificar-ho fefaentment als deutors abans de fer-ho"; precepte que en aquest cas deixa sense efectes la prohibició del pacte commissori *ex* article 1859 CC perquè no concorre el perill que el creditor obtingui un guany il.lícit, que en tot cas vol evitar el legislador quan preveu la liquidesa i l'exigibilitat del deute, el límit de l'import del crèdit garantit i la notificació prèvia i fefaent al deutor.

II. La subhasta notarial

Té com a tràmit previ el requeriment de pagament en els termes que preveu l'article 569-20.1: "Els creditors, una vegada vençut el deute garantit amb la penyora, poden realitzar el valor del bé empenyorat, d'acord amb el que estableix aquest article, si han requerit el pagament als deutors i si en el termini d'un mes no hi ha oposició judicial d'aquests acompanyada de la consignació o del fiançament del valor del deute per una entitat de crèdit". El requeriment s'ha de practicar i s'ha d'acreditar una vegada vençut el deute garantit amb la penyora i no s'exigeixen uns requisits de forma especials, ja que si es relaciona el precepte transcrit amb els seus apartats 2 i 4, sembla prudent entendre que el requeriment ha de constar de forma fefaent i a més ha d'expressar la quantitat total que reclama el creditor. Els deutors gaudeixen del termini d'un mes, a comptar de la recepció del requeriment, per a formular oposició judicial a la pretensió del creditor pignoratici adreçada a obtenir la suspensió de la subhasta notarial fins que recaigui resolució judicial ferma respecte a l'oposició, sempre que vagi acompanyada de la consignació del deute reclamat o del fiançament del valor del deute que es reclama per part d'una entitat de crèdit. L'article 569-20 concreta en la persona del deutor o deutors la possibilitat de formular oposició al requeriment de pagament. Si el deute s'ha garantit amb un dret de penyora que recau sobre accions o participacions socials preveu l'article 569-20.2 que "El notari o notària, en els casos d'empenyorament de participacions socials o accions nominatives, ha de notificar, d'ofici, a la societat l'inici del procés". El precepte té com a finalitat facilitar el compliment de les prevencions que es deriven de l'article 64 de la Llei de societats anònimes i l'article 32 de la Llei de societats de responsabilitat limitada.

Pel que fa referència al procediment que s'ha de seguir per a la subhasta notarial, hem d'atenir-nos a l'article 569-20.4, en el qual es preveu que: "Els creditors pignoratius, si no hi ha un acord per a la venda directa, poden alienar el bé per mitjà d'una subhasta notarial si aporten al notari o notària que l'autoritzen el títol de constitució de la penyora i el requeriment de pagament i li garanteixen la manca d'oposició judicial, d'acord amb les regles següents: a) La subhasta, llevat de pacte en contra, s'ha de fer en qualsevol notaria del municipi on els deutors tenen el domicili, si és a Catalunya, a elecció dels creditors. Si no hi ha cap notaria al dit municipi, s'ha de fer en qualsevol de les que hi ha a la capital del districte notarial corresponent. b) A la subhasta han d'ésser citats els deutors i, si són unes altres persones, els propietaris, de la manera que estableix la legislació notarial i, si no es troba alguna d'aquestes persones, per edictes. La subhasta s'ha d'anunciar, amb un mínim de cinc i amb un màxim de quinze dies hàbils d'antelació respecte a la data d'aquesta, en un dels diaris de més circulació al municipi on hagi de tenir lloc i en el DOGC. c) No s'admeten, en primera subhasta, postures inferiors a l'import del deute garantit amb la penyora més un 20% per les despeses originades pel procediment. La segona subhasta, que es pot celebrar immediatament després de la primera, té com a tipus mínim el 75% d'aquesta quantitat. d) Els creditors, tan sols si el bé no s'aliena en cap de les subhastes, el poden fer seu atorgant una carta de pagament de tot el crèdit i assumint es despeses originades pel procediment. e) El romanent, si el bé se subhasta per un import superior al crèdit, s'ha de lliurar als propietaris del bé o, si escau, als creditors que correspongui". Si el dret de penyora recau sobre una pluralitat de béns, la realització del seu valor s'ha de sotmetre a les prevencions de l'article 569-20.7 en el qual, i per tal d'evitar perjudicis injustificats al deutor, es preveu que "Els deutors, si els objectes empenyorats són diversos, poden exigir que en fineixi la realització quan l'alienació d'alguns ja hagi cobert el deute garantit i les despeses d'execució".

Si el dret de penyora s'ha constituït sobre valors cotitzables o altres instruments financers assimilats, cal atenir-se a l'article 569-20.6, en el qual es preveu que "L'alienació, si la penyora recau sobre valors cotitzables i altres instruments financers que s'hi assimilin d'acord amb les lleis, s'ha de fer segons el procediment específic que estableix la legislació aplicable en matèria de mercat de valors". Aquesta legislació es troba fonamental a l'article 322 CCo. i en el Reial Decret-Llei 5/2005, d'11 de març, sobre reforma urgent per a impulsar la productivitat i la millora de la contractació pública.

Per últim preveu l'article 569-20.8 que "L'execució que estableix aquest article és aplicable supletòriament a les penyores que constitueixen els monts de pietat reconeguts legalment i a les penyores de garantia financera". Aquesta normativa es troba fonamentalment en el Reial Decret de 12 de juny de 1909, que serà d'aplicació preferent encara que únicament en les qüestions de procediment de realització dels béns empenyorats.

III. Destinació de l'import de l'alienació

La realització del valor del bé empenyorat determina que s'ha de preveure el destí que s'ha de donar als diner obtingut de la subhasta. Segons l'article 569-21.1 "L'import obtingut de la subhasta o l'encant públic s'ha de destinar primerament a pagar les despeses de l'alienació i, després, a satisfer el deute". El concepte de despeses d'alienació es refereix únicament a les despeses que ha originat el procediment de realització del valor, però no als honoraris dels professionals que han intervingut en el procediment (FUENTES MARTINEZ). Recordem que els crèdits garantits amb un dret de penyora gaudeixen de la preferència que es deriva de l'article 569-2.4, en la forma que s'ha exposat abans (vegeu *supra*, capítol anterior 1).

Si el que s'ha obtingut com a conseqüència de la realització del valor del bé o béns empenyorats és una quantitat superior a l'import del deute garantit i despeses de la seva alienació, s'han d'aplicar les prevencions de l'article 569-21.2, és a dir, "El romanent, si n'hi ha, sens perjudici del que estableix la legislació concursal, es destina a pagar els titulars de les càrregues inscrites o els creditors amb millor dret posteriors al deute que va originar la constitució del dret real de garantia, segons l'ordre de prelació que correspongui. Finalment, el darrer romanent es lliura al propietari o propietària del bé". Del precepte clarament en resulta que la preferència dels creditors que esmenta el precepte en relació amb el propietari del bé empenyorat respecte al romanent.

Finalment preveu l'article 569-21.3 que "El notari o notària, si no hi ha un acord entre el propietari o propietària dels bé i els creditors posteriors pel que fa al romanent, l'ha de consignar judicialment".

BIBLIOGRAFIA SUMÀRIA

A més de l'esmentada en el capítol anterior vegeu:

GIMENEZ DUART, *Consideraciones en torno a la Ley catalana 22/1991, de garantías posesorias sobre cosa mueble y sus implicacines con el Código civil*, a "El tutur del dret patrimonial de Catalunya (Materials de les Desenes Jornades de Dret Català a Tossa". Valencia, 2000, pàg. 397 i seg.; LAUROBA LACASA, *Notes sobre la fungibilitat en l'objecte de la penyora a l'ordenament civil català*, a "La Notaria", 2001 (núm. 11-12), pàg. 365 i seg.; FUGARDO ESTIVILL, *Consideraciones sobre la prenda y el ius distrahendi. (En torno a la Ley 22/1991, de 29 de noviembre de Garantías Posesorias sobre Cosa Mueble y el Anteproyecto de Ley de Derechos Reales de Garantía*, a idem, pàg. 263 i seg.; MEJIAS GOMEZ, *Adquisición "a non domino" de un derecho de prenda sobre acciones*, a "La Notaria", 2002 (núm. 1), pàg. 17 i seg.; ESPINA, *Drets reals catalans amb objecte mercantil. L'usdefruit de participacions en fons d'inversió i la penyora de valors*, a la RJC, 2002, pàg. 945 i seg.; CARRASCO PERERA-CARRETERO GARCIA, *El derecho de prenda en la ley 19/2002, de Cataluña, de derechos reales de garantia*, a la RJC, 2003, pàg. 973 i seg.; CAMACHO CLAVIJO, *La prenda de valores anotados en cuenta: constitución y efectos*. Valencia, 2003; FUGARDO ESTIVILL, *La prenda de créditos y la pignoración del seguro de crédito. Requisitos para sus constitución. Efectos del "pactum de non cedendo". (Comentario a la Sentencia del Tribunal Supremo, Sala Primera, de 26 de setiembre de 2002)*, a "La Notaria", 2003 (núm. 3), pàg. 15 i seg.; ALBALADEJO GARCIA, *La usucapión*, Madrid, 2004; DEL POZO CARRASCOSA-TORMO SANTONJA, *Comentarios de Derecho patrimonial catalán*. Barcelona, 2005, pàg. 973 i seg.

JURISPRUDÈNCIA CITADA

Tribunal Suprem

5 octubre 1926: realització del bé empenyorat
9 febrer 1943: constitució de la penyora
19 abril 1997: béns objecte del dret de penyora
10 març 2004: béns objecte del dret de penyora

Direcció General dels Registres i del Notariat

15 desembre 1943: constitució de la penyora
1 febrer 2000: penyora sobre una pluralitat de béns
1 febrer 2001: dret de penyora sobre una pluralitat de béns

Capítol XXIX
Els drets reals de garantia

1. EL DRET D'ANTICRESI

I. Concepte

El dret d'anticresi es va regular per primer cop a Catalunya de manera autònoma als articles 21 a 23 de la llei 19/2002 de 5 de juliol de drets reals de garantia. Aquesta llei, derogava la 22/1991 de 29 de novembre de garanties possessòries sobre cosa moble, referida al dret de retenció i a la penyora, modificant-la i ampliant als béns immobles l'abast de les garanties que recollia, raó per la que regulava el dret de retenció sobre immobles, donant-li els mateixos efectes establerts pel dret que requeia sobre béns mobles, i també el dret d'anticresi. D'acord amb l'exposició de motius de la llei del 2002, el fet de regular el dret de retenció sobre immobles obligava també a fer-ho respecte del dret real d'anticresi, ja que s'entenia que la única diferència entre un i altre es trobava en el fet que el dret de retenció era de constitució unilateral, imposat per la persona retenidora, mentre que l'anticresi era de constitució bilateral a partir d'un acord de voluntats, malgrat aquesta no era ni és la única diferència entre aquestes institucions, ja que, entre altres coses, el titular del dret de retenció no té dret a gaudir dels fruits del bé que reté, mentre que sí en gaudeix el creditor anticrètic i mentre sols determinades obligacions poden donar lloc al dret de retenció, l'anticresi pot assegurar tota mena d'obligacions i, de fet, dins de les normes pròpies de l'anticresi sols hi ha una remissió al dret de retenció respecte de la realització de valor del bé que el creditor anticrètic pot exigir en el supòsit que s'incompleixi l'obligació.

No obstant, aquesta normativa ha estat derogada per l'aprovació del llibre cinquè del Codi civil de Catalunya que en el capítol novè del títol sisè referit als drets reals limitats regula els drets reals que es poden constituir per assegurar el compliment d'una obligació principal i entre ells el dret de retenció, la penyora i l'anticresi, afegint respecte a la regulació anterior una sèrie de normes referides a la hipoteca, fonamentalment a les hipoteques especials. Pel que fa a l'anticresi, a la que es refereixen els articles 569-23 a 569-25, s'estableix quins són els requisits per la seva constitució, el règim jurídic aplicable i el sistema de realització de valor de l'objecte de la mateixa de manera molt similar a com ho feia la llei del 2002 i afegint sols un article en el què es dóna el concepte d'aquest dret.

Malgrat la constitució d'un dret d'anticresi com a garantia del compliment de l'obligació no és freqüent, ja que, a diferència de la hipoteca, suposa la transmissió de la possessió sobre el bé al creditor i per aquest motiu comporta obligacions per aquest, com ara la d'administrar-lo i tenir-ne cura, que habitualment no està especialment interessat en assumir i d'altra banda priva al deutor de poder obtenir unes rendes amb les què fer efectiu el deute. No obstant, quan el titular del dret és un particular o el bé que es subjecta a la garantia produeix fruits substanciosos, la facultat de posseir-lo i gaudir-ne mentre no es fa efectiu el pagament del deute comporta una major probabilitat de no haver de recórrer a la realització del seu valor com a mínim respecte dels interessos i per tant assegura la satisfacció del creditor i l'alliberament del deutor encara en major mesura que la hipoteca i això potser explica la seva regulació a la llei catalana en un sentit similar al recollit tant als articles 1881 a 1886 CC, com als articles 2085 a 2091 del Codi civil francès i als articles 1960 a 1964 del italià.

El dret d'anticresi es pot definir com aquell dret de caràcter real que es constitueix en garantia del compliment d'una obligació principal de qualsevol mena, però que pot tenir un valor en diners, que subjecta a aquesta finalitat un bé immoble idoni per produir fruits, propietat el deutor o d'un tercer, que atribueix al seu titular la facultat de posseir d'aquest bé, per ell mateix o mitjançant una tercera persona si s'ha pactat, i a més el dret a percebre'n els fruits per aplicar-los al pagament de l'obligació garantida i si s'escau dels seus interessos, a retenir-lo mentre no es satisfaci la obligació principal i a realitzar el seu valor per fer-se pagament d'allò que resti del deute en cas d'incompliment del deutor, definició que es deriva de la que es recull a l'article 569-23 i de la normativa que regula aquesta institució al llibre cinquè.

D'altra banda, cal tenir a més en compte la possibilitat que l'article 676 LEC dóna al creditor executant de demanar al tribunal que se li donin en administració tot o part dels béns embargats per aplicar el seus rendiments al pagament del principal, interessos i costes de l'execució que es podria considerar com una mena de dret d'anticresi judicial.

També cabria admetre la possibilitat de pactar que el creditor veiés satisfet el seu crèdit exclusivament fent seus els fruits que produís el bé que se li transmet, institució que es coneix com anticresi compensatòria, o que els fruits compensessin globalment els interessos, o fins i tot el capital, assumint les dues parts el risc de que no existís equivalència entre ells, sense que el creditor tingués obligació d'obtenir-los ni de rendir comptes, encara que llavors no es tractaria d'una anticresi subjecte a la llei catalana i caldria regular les relacions entre les parts per allò que haguessin pactat.

Per últim, la norma catalana, que configura el dret d'anticresi com un dret de garantia autònom, no exclou que el dret a posseir la cosa o a percebre'n els fruits pugui nàixer d'un pacte anticrètic afegit a la hipoteca o a la penyora, de la qual els romans consideraven una modalitat, pacte que segurament ha estat molt més freqüent que la constitució d'una garantia independent i que permet al creditor hipotecari o pignoratici obtenir els fruits de la cosa per aplicar-los al pagament dels interessos i el capital deguts en virtut de l'obligació que aquesta garanteix, en el mateix sentit que ho admet la llei 471 de la Compilació navarresa, ja sigui pactant que l'ús i els fruits del bé es compensin amb els interessos o que aquells s'imputin a aquests o al capital.

II. Règim jurídic

El dret d'anticresi es regula per les normes contingudes als articles 569-23 a 569-25, que en alguns aspectes es remeten a les normes pròpies de la penyora (article 569-25), en altres a les corresponents al dret de retenció (article 569-26) i finalment també cal aplicar normes anàlogues a les que regulen el dret d'hipoteca, com per exemple les normes de capacitat de la persona que subjecta un bé de la seva propietat a aquest tipus de garantia que recull l'article 569-29. No obstant, entre aquestes institucions i l'anticresi existeixen clares diferències, ja que en tots els casos es tracta de drets que garanteixen al creditor la satisfacció del seu crèdit, però mentre en la hipoteca el bé subjecte a la garantia continua en possessió del deutor, en l'anticresi és el creditor el que en té la possessió i a més pot fer seus els fruits que produeixi i mentre l'anticresi recau sobre béns immobles, la penyora té per objecte els béns mobles dels quals té la possessió el creditor però no en pot rebre els fruits i, a diferència de l'anticresi, el titular del dret de retenció té la possessió de béns que poden ser mobles o immobles, però no pot fer seus els fruits. Per aquesta raó, si bé algunes de les normes que regulen aquestes garanties s'apliquen a l'anticresi, cal tenir sempre en compte la naturalesa d'aquesta institució

Igualment cal senyalar les similituds existents entre anticresi i usdefruit, encara que en aquella els fruits del bé sols es poden destinar a eixugar els interessos o el capital que garanteixen i es pot exigir la realització del valor del bé en cas d'incompliment de l'obligació garantida, mentre que en aquest cap d'aquestes dues coses succeeix. No obstant, l'article 561-3.2,c) permet que es pacti en el títol de constitució que l'usdefruit es constitueixi en garantia o en seguretat d'una obligació dinerària, cas en el qual les utilitats del bé gravat s'imputen al pagament del deute, supòsit que es pot equiparar a la que hem anomenat anticresi compensatòria. Per totes aquestes raons, algunes de les normes de l'usdefruit s'han d'entendre aplicables també a l'anticresi, com ara l'obligació del creditor anticrètic d'assumir les mateixes obligacions que l'usufructuari en matèria de conservació del bé o el pagament de les despeses que aquesta generi.

III. Característiques

De l'anterior definició i de les normes que entenem aplicables a l'anticresi es dedueix que aquesta:

a) és un dret de naturalesa real, ja que subjecta de manera directa i immediata els béns sobre els quals recau per tal d'assegurar el compliment de l'obligació garantida, atès que la possessió del bé i el gaudiment dels fruits que se li atorga al creditor sols tendeix a aquesta finalitat, comporta un dret de preferència del seu titular front a d'altres creditors sobre el valor que s'obtingui del bé en cas d'incompliment de l'obligació i li permet retenir-ne la possessió i recuperar-lo si es troba en poder de tercers i fins i tot del mateix propietari mentre no se li satisfaci l'obligació garantida.

b) a diferència de l'anticresi subjecta al CC, s'ha de constituir en escriptura pública, com a requisit de validesa, i s'ha d'inscriure al Registre de la Propietat per tal que produeixi efectes front a tercers (article 569-24.2),

c) té caràcter accessori, com tot dret real de garantia, ja que la seva finalitat és assegurar el compliment d'una obligació principal que pot ser de qualsevol naturalesa (article 569-1) i amb la que està estretament connectada, ja que no pot existir anticresi sense una obligació present o futura a garantir, satisfeta aquesta s'extingeix el dret d'anticresi, encara que calgui procedir a la seva cancel·lació en el Registre, i el seu titular no el pot transmetre de manera independent de l'obligació que garanteix. De tota manera es podria també concebre el pacte en virtut del qual la possessió d'un bé es lliuri al creditor amb la única finalitat de liquidar el deute amb els fruits que aquest produeixi (HERNANDEZ MORENO, A.).

d) té caràcter indivisible, ja que encara que es divideixi el crèdit o el deute o aquest es pagui en part, la garantia continua subjectant de la mateixa manera el bé gravat (article 569-14.2 per remissió del 569-25)

e) recau sobre un bé immoble que potencialment sigui idoni per produir fruits (article 569-23), encara que, com posa de relleu ALBALADEJO, aquesta exigència és irrellevant, ja que qualsevol immoble pot produir en tot cas fruits civils i sols caldria excloure aquests supòsits en què un determinat immoble estigués sotmès a una prohibició d'obtenir-ne qualsevol tipus de fruits, situació com a mínim poc freqüent.

f) faculta al seu titular per posseir el bé i retenir-lo fins la total satisfacció de l'obligació assegurada, comprenent els interessos i les despeses de procediment pactades (article 569-19.1 en relació a la penyora per remissió del 569-25). Possibilitat que cal entendre com una facultat i no una obligació, a la què per tant el creditor podria renunciar tant en el títol constitutiu com en un moment posterior, sense que es pogués entendre que renúncia també al seu dret de garantia (ALBALADEJO), solució que, malgrat no existeix a la llei catalana un article anàleg al 1883 CC, caldria admetre també a l'ordenament català, ja que es tracta d'una facultat establerta en benefici del creditor i a la què per tant aquest podria renunciar.

És igualment possible que la possessió del bé no es lliuri al creditor sinó a una tercera persona (article 569-24.1b) sense que per aquest fet aquell perdi les demés facultats que li concedeix el dret, especialment la de fer-se pagament dels interessos amb els fruits del bé, ja que si es renunciessin aquestes dues facultats de fet ens trobaríem davant d'un dret d'hipoteca i, en tot cas, sense poder renunciar tampoc a fer-se pagament de l'obligació garantida amb el seu valor, ja que llavors deixaria de ser efectiva la garantia que es persegueix.

D'altra banda, el fet que la possessió del bé la tingui el creditor o un tercer no impedeix que el seu propietari en disposi, ja sigui *inter vivos o mortis causa*, però l'adquirent rebrà el bé amb la càrrega en que consisteix l'anticresi, no podrà gaudir de la possessió directa de la cosa, ni dels seus fruits fins que no s'extingeixi el dret del creditor anticrètic i haurà de suportar en el seu cas l'exercici del dret del creditor a realitzar el valor del bé.

g) permet al seu titular gaudir dels fruits del bé subjecte anticresi amb la única finalitat d'aplicar-los al pagament dels interessos que generi l'obligació i a l'amortització del capital (article 569-23). Entre els fruits de la cosa caldrà tenir en compte també el valor que pugui tenir el seu ús per part del creditor anticrètic. Pel que fa a l'obligació d'aplicar els fruits preferentment als interessos o al capital, cal destacar que, a diferència del que disposa de manera clara l'article 1881 CC que imputa aquests en primer lloc als interessos, en consonància amb l'article 1173 del mateix codi, l'article 569-23 no dóna preferència a cap dels dos, encara que menciona en primer lloc l'aplicació als interessos, mentre que el 569-25.4 torna a referir-se a aquestes dues possibilitats mencionant aquesta vegada en primer lloc la imputació al capital i sols "si escau" als interessos, és a dir si s'han pactat, en sentit contrari a l'article 2.1b) de la llei del 2002 que disposava que primer s'imputarien als interessos del deute garantit i, si escau, al capitat. Per aquesta raó, cal entendre que es possible pactar que els fruits s'imputin al capital o als interessos i, a manca de pacte, serà el creditor el que decideixi a quin deute els vol imputar, ja que li pertanyen i és difícil pensar que els imputi al capital, ja que mentre aquest no es redueixi continua generant interessos. Si es pacta que els fruits s'imputin als interessos, sols reduiran el deute principal en aquella part que superin l'import d'aquests.

h) com qualsevol dret de garantia, faculta al seu titular per exercitar el *ius distrahendi* en el supòsit d'incompliment per part del deutor de l'obligació garantida per fer-se pagament del deute d'acord amb el procediment establert legalment (articles 569-23 i 569-26), sense que es pugui apropiar directament del mateix amb aquesta finalitat, ja que el pacte comissori no està permès. La facultat d'exercitar aquest dret naixerà en el moment que arribi el termini fixat pel compliment de l'obligació principal sense que aquesta sigui satisfeta, o quan ja sigui evident que el deutor no pot complir, sense que sigui necessari establir un termini especial a partir del qual la percepció dels fruits ja no sigui suficient per satisfer l'interès del creditor i es pugui procedir a la realització de valor, ja que l'anticresi no suposa una novació de l'obligació (CARRASCO PERERA, CARRETERO GARCIA), sinó una garantia del compliment mitjançant tant la percepció dels fruits per imputar-los als interessos com per la realització de valor en cas d'incompliment de l'obligació, a no ser que s'hagi pactat una compensació entre fruits per un cantó i interessos i capital per un altre, supòsit que no comporta una veritable anticresi.

No obstant, la regulació catalana no estableix quina preferència tindrà el seu titular per fer-se pagament del deute en front d'altres possibles creditors, segurament per estimar que no és competent per fer-ho, de tal manera que l'article 569-2.4 disposa que tant en la imputació dels fruits, com en la realització del valor del bé se sotmet a les regles generals sobre prelació de crèdits, preferència que pot ser decisiva i es pot fer valer tant en un procediment d'execució singular a través de l'exercici d'una terceria de millor dret, com dins d'un procediment concursal i que resulta imprescindible per l'efectivitat de la garantia, ja que en cas contrari el *ius distrahendi* seria inútil i la venda del bé seria un perjudici pel deutor sense cap utilitat pel creditor, que perdria en tot cas la garantia de veure satisfet el crèdit amb els fruits del bé (ALBALADEJO, SANZ, CARRASCO, CARRETERO).

Es pot argumentar que aquesta preferència es pot obtenir aplicant per analogia el que disposa l'article 1923.3 CC per la hipoteca, tenint en compte a més a més que en el dret català el dret d'anticresi s'ha de constituir en escriptura pública i inscriure's al Registre de la Propietat, encara que aquesta preferència sols es podrà exercitar respecte de l'obligació principal i no respecte d'altres despeses com ara les generades per la conservació del bé (GUILARTE). No obstant, l'article 1925 CC sembla impedir aquesta aplicació analògica.

D'altra banda, en el supòsit de concurs de creditors l'article 90.1.2 de la llei concursal disposa una preferència a favor del creditor anticrètic pel cobrament sobre els fruits produïts per l'immoble gravat, norma que és innecessària ja que aquest és propietari dels fruits del bé gravat amb anticresi, però en canvi no es refereix a cap preferència sobre l'immoble gravat amb aquesta garantia per tal de cobrar el deute principal que és al que fa referència l'article 569-2.4. No obstant, de l'exposició de motius de la llei es dedueix el principi general que tota garantia real dóna lloc a un privilegi especial en matèria de concurs, de tal manera que caldria entendre inclosa l'anticresi entre les garanties a les que fa referència l'article 90.1.1 LCon, identificant privilegi especial i garantia real sempre que aquesta consti inscrita al Registre de la Propietat, tant als efectes del concurs com al de les execucions singulars (ANDERSON).

Per aquestes raons, la possibilitat de constituir un dret real d'hipoteca i afegint-hi un pacte anticrètic, si es desitja gaudir dels fruits del bé donat en garantia, és indubtablement la que ofereix majors seguretat al creditor i sens dubte és i serà la més practicada mentre, com a mínim, el legislador estatal no equipari l'anticresi a la penyora o a la hipoteca pel que fa a la preferència respecte d'altres creditors

IV. Constitució

D'acord amb el que disposa l'article 569-24 l'anticresi la poden constituir el creditor i el deutor per qualsevol títol, norma que permet que es constitueixi mitjançant un negoci *inter vivos o mortis causa,* sempre que consti en escriptura pública, ha de recaure sobre un bé immoble fructífer, propietat del deutor o d'un tercer que ho consenti, requereix la transmissió de la finca al creditor o a un tercer i ha de respectar una determinada forma *ad solemnitatem.* En tot cas una vegada constituïda l'anticresi, el bé subjecte a aquesta garantia no es pot subjectar a cap altre garantia anticrètica si no és a favor del mateix creditor, ja que no és possible que dos creditors diferents posseeixin el bé i n'obtinguin els fruits. Cal a més que es distribueixi la responsabilitat de les obligacions garantides, de tal manera que no s'admet una anticresi solidària (article 569-15. 1 per remissió del 569-25.1). No obstant, no es prohibeix que el bé es subjecti a un altre garantia com ara la hipoteca, que no comporta transmissió possessòria, amb la jerarquia que derivi de la inscripció al Registre. D'altra banda tampoc es contempla la possibilitat de l'anomenat *pignus gordianus* que recull l'article 1866 del CC, de tal manera que, el creditor anticrètic no podrà retenir el bé que posseeix en virtut de l'anticresi per tal de garantir el pagament d'un altre deute contreta amb ell pel mateix deutor si no es subjecta el bé en garantia d'aquest segon deute.

A) SUBJECTES

L'anticresi es constitueix per acord entre creditor i deutor d'una determinada obligació com a garantia de compliment de la mateixa i tant un com l'altre han de gaudir de la capacitat general per obligar-se. No obstant, l'anticresi subjecta un bé immoble a l'esmentada garantia i aquest pot ser propietat del deutor o d'un tercer que accepti aquest gravamen i en aquest cas, com succeeix en el dret d'hipoteca, la relació obligatòria tindrà uns subjectes i la relació anticrètica uns altres (DIEZ-PICAZO, GULLON). Aquesta subjecció es pot pactar a títol onerós o gratuït, tenint en compte que, a diferència de la hipoteca, aquest tercer no sols corre el perill de que el creditor exigeixi la realització del valor del bé en cas d'incompliment per part del deutor, sinó que, a més a més en perd la possessió mentre l'obligació no es compleixi i en perd també els fruits que aquesta produeixi durant aquest temps, que en tot cas haurà de recuperar del deutor, raó per la què el sacrifici del que subjecte un bé seu en garantia de l'obligació d'un altre pateix un perjudici econòmic superior.

El propietari del bé que es subjecta a aquesta garantia, ja sigui el deutor o un tercer, ha de tenir capacitat per disposar d'un bé immoble en el moment de constituir l'anticresi. En aquest sentit, no ho podran fer ni els menors d'edat, ni els emancipats si no gaudeixen del necessari complement de capacitat del seus progenitors, o a manca d'aquests del curador o si és casat amb una persona major d'edat del cònjuge (articles 159 i 151a) CF), ni els progenitors, ni l'administrador especial, en relació als béns dels menors sense autorització judicial (article 151 CF), excepte en els supòsits que recull l'article 153 CF, ni els administradors judicials o els tutors sobre els béns dels administrats o tutelats sense la mateixa autorització (articles 151 i 212 CF), ni els incapacitats als quals la Sentència els hi prohibeixi els actes de disposició (article 210 CC).

La persona que subjecta un bé seu per garantir el compliment d'una obligació, ja sigui el deutor o un tercer, ha de tenir a més la lliure disposició de l'immoble sobre el qual recau la garantia (article 569-24.1b) en el moment de constituir-la, ja que a partir de llavors existeix la possibilitat potencial de que el creditor exigeixi la realització del seu valor en cas d'incompliment de l'obligació garantida per part del deutor. No podran per tant constituir un dret d'anticresi sobre els seus béns aquells propietaris que estiguin afectats per una prohibició de disposar-ne.

La persona que subjecta un bé en garantia del compliment de l'obligació, ja sigui el deutor o un tercer, ha de ser en principi propietari de la mateixa, no obstant cabria admetre la possibilitat que un titular d'un dret real limitat sobre un bé immoble pogués constituir anticresi sobre el dret del que és titular sempre que aquest comportés possessió sobre el mateix, com ara el censatari, l'usufructuari, el superficiari, el titular d'una concessió administrativa, el d'un bé objecte de litigi o sotmès a condició resolutòria o dins d'un règim de propietat horitzontal (article 107 LH apartats 1, 5, 6, 9, 10 i 11) per analogia amb la hipoteca i amb les limitacions que aquest article disposa.

En el supòsit que la persona que subjecta el bé a la garantia no en sigui propietari, es podria argumentar que el dret del creditor sobre la cosa que li ha estat lliurada es pot adquirir per usucapió, atès que l'anticresi comporta possessió del bé donat en garantia i aquesta possessió podria comportar la usucapió del dret si es mantenia en el temps i amb les característiques que assenyalen els articles 531-24 i 531-27. Si es considerés que l'anticresi és un dret de constitució registral, la constitució d'una anticresi per un *non domino,* igual que en el supòsit d'hipoteca, comportaria que el creditor anticrètic fos mantingut en el seu dret si reunia les condicions de l'article 34 LH, però no es podria entendre que hagués adquirit el seu dret per usucapió (DIEZ-PICAZO GULLON). No obstant, l'article 569-24.2 disposa que el dret d'anticresi s'ha de constituir necessàriament en escriptura pública, raó per la què no sembla admissible la possibilitat d'usucapir-lo, encara que la inscripció no sigui constitutiva sinó obligatòria, ja que sols és precisa per tal de poder oposar-la a tercers.

D'altra banda, en el supòsit que el bé que es vol subjectar a anticresi sigui propietat de més d'una persona caldrà que tots ells consentin aquest gravamen, malgrat és també possible que un comuner subjecti a l'anticresi amb efectes purament obligacionals sols la quota de la què és titular.

La constitució de l'anticresi no és un negoci personalíssim, raó per la qual podrà constituir-la un mandatari del propietari del bé, però per la validesa d'aquesta constitució el mandatari ha de disposar d'un poder atorgat pel propietari que, tant si és especial com general, ha de contenir expressament la facultat de subjectar a anticresi alguns o tots els béns del poderdant. En cas que el mandatari no disposi d'aquest poder o el poder sigui insuficient, el propietari dels béns pot ratificar la seva actuació sempre que ho faci abans que l'altra part hagi revocat el seu consentiment.

B) OBLIGACIÓ GARANTIDA

L'anticresi igual que la penyora pot garantir obligacions de tota mena, presents o futures, no obstant, en aquest darrer cas caldrà que estiguin determinades o siguin determinables per tal de protegir als possibles adquirents del bé i en tot cas, si es desconeix l'import de l'obligació garantida en el moment de constituir l'anticresi caldrà determinar la quantitat màxima que garanteix, ja que l'article 569-25 es remet al 569-14 que delimita en aquest sentit les obligacions que pot garantir una penyora. Igual que succeeix amb la penyora, aquesta quantitat màxima es fixa amb la finalitat de protegir a terceres persones, però entre creditor i propietari del bé aquest garanteix qualsevol quantitat encara que sigui superior a la màxima pactada sempre que això no perjudiqui a tercers (DEL POZO-TORMO) En aquest cas cal entendre que es podria suspendre també la tradició del bé fins el naixement de l'obligació, ja que en l'anticresi la tradició no és requisit de perfecció del contracte, i en tot cas el creditor no podria percebre els fruits fins aquells moment. L'anticresi pot garantir també obligacions condicionals, ja que es poden garantir les futures, amb les mateixes condicions que aquestes fins que es complís la condició

D'altra banda, l'anticresi pot garantir obligacions pròpies dels que grava un bé seu en garantia del seu compliment o obligacions alienes a ell, però en tot cas han de ser vàlides.

En tot cas l'obligació garantida ha de tenir un valor en diners, valoració que ha de constar ja en el moment de la constitució (GUILARTE) perquè en cas contrari no es podria conèixer quin és l'import que garanteix el bé.

Atesa la indivisibilitat del dret d'anticresi, encara que es divideixi el crèdit o el deute o s'extingeixi en part la garantia continua gravant íntegrament el bé immoble subjecte a ella (article 569-15.2 per remissió del 569-25).

C) OBJECTE

El dret real d'anticresi pot recaure sobre un bé immoble o sobre un dret real sobre immoble de caràcter alienable i idoni per produir fruits, ja siguin naturals o civils, i per tant d'acord amb l'article

511-2 pot subjectar a aquesta garantia el sòl, les construccions i les obres permanents, els drets reals i les concessions administratives que recaiguin sobre béns immobles, ports, refugis nàutics i també els drets d'aprofitament urbanístic. A més a més cal considerar que el dret s'estén als vegetals, als minerals, mentre no estiguin separats o extrets del sòl, als béns mobles incorporats de manera fixa a un bé immoble del qual no poden ésser separats sense que es deteriorin, a les accessions naturals, a les millores útils i a les de decoració o gaudiment, a les indemnitzacions per raó del sinistre del bé i als excessos de cabuda, aplicant analògicament els articles 109, 110 LH i 215 RH. D'altra banda, en virtut de pacte l'anticresi es pot estendre també a altres béns que es troben vinculats a l'immoble per destí.

En tot cas l'objecte sobre el que recau l'anticresi ha d'estar clarament determinat en el moment de fer la tradició de l'objecte, però també pot ser determinable en base a criteris objectius en el moment de constituir el dret. Aquesta determinació és de totes maneres exigible en el moment de la inscripció al Registre del dret en virtut del principi d'especialitat, de tal manera que quedi perfectament descrit l'objecte sobre el qual recau el dret.

L'immoble ha de ser fructífer, segons disposa l'article 569-23, no obstant el que es requereix no es que l'immoble produeixi fruits, sinó que els pugui produir i, com hem posat de relleu, en principi qualsevol immoble pot produir com a mínim fruits civils, encara que no en produeixi de naturals. El que no sembla acceptable és que el creditor podent obtenir un rendiment de l'immoble no ho faci, deixant-lo improductiu, cedint-lo en precari o utilitzant-lo personalment sense imputar el valor d'aquest ús al deute, ja que l'article 569-25.4 obliga al creditor a administrar-lo amb la diligència necessària per obtenir-ne el màxim rendiment possible, ja que en cas contrari el deutor veuria perjudicat el seu dret a veure reduïts els interessos o el capital degut com a conseqüència de la percepció del fruits del bé per part del creditor.

Segons disposa l'article 569-25.2 si es grava amb anticresi més d'una finca el crèdit que aquesta garanteix s'ha de distribuir entre elles per determinar la part de responsabilitat que assumeix cadascuna, en concordança amb allò que disposa l'article 216 RH. En cas que aquestes finques posteriorment s'agrupessin caldria pensar que per escriptura pública el creditor i el propietari podrien pactar que la finca resultant respongués de manera íntegre de l'obligació garantida, aplicant per analogia i en sentit contrari el que disposa l'apartat tercer del mateix article.

En el supòsit que la finca gravada es segregui o es divideixi els creditors i els propietaris del bé poden pactar, sempre que ho facin en escriptura pública, la part del crèdit que garanteix cada una de les finques resultants i si no ho fan totes elles continuen garantint el crèdit de manera solidària (article 569-25.3)

Un bé subjecte al dret d'anticresi no es pot gravar una segona vegada amb aquest dret, a menys que sigui a favor dels mateixos creditors i es distribucixi la responsabilitat de les obligacions garantides, en el mateix sentit que el dret de penyora ja que l'article 569-25 es remet també a l'article 569-14 que estableix aquests límits per la penyora, és a dir no s'admet, a diferència del que succeeix amb la hipoteca, la constitució d'un segon dret d'anticresi, conseqüència derivada del fet que sols un titular del dret pot posseir la cosa i fer seus els fruits que produeixi. No obstant, sembla possible entendre que el mateix bé es pogués gravar amb posterioritat a la constitució de l'anticresi amb un dret d'hipoteca, ja que aquest no comporta transmissió possessòria.

D) TRANSMISSIÓ DE LA POSSESSIÓ

De manera similar, però no igual, al que succeeix en el cas de la penyora, pel naixement del dret real d'anticresi, a més del títol constitutiu, és precisa la transmissió al creditor de la possessió del bé subjecte a l'anticresi, l'article 569-24 b) ho exigeix acabant així dins de l'ordenament català amb les discussions sorgides en seu del CC sobre la possibilitat de constituir una anticresi sense desplaçament de la possessió al creditor (DIEZ-PICAZO, GULLON). No obstant, la tradició del bé subjecte a la garantia no és un requisit de perfecció del contracte, ja que per que aquest sigui perfecte sols és precís el consentiment de les parts implicades i no es pot considerar per tant un contracte real, com el que dóna vida a la penyora, sinó consensual, però la tradició és una premissa ineludible pel naixement del dret real d'anticresi, de tal manera que el negoci jurídic en virtut del qual aquesta es constitueix sols comporta el naixement del dret real una vegada feta la tradició del bé al creditor (ALBALADEJO). No obstant, per acord entre les parts, inclòs el garant, la possessió de l'immoble es pot lliurar també a un tercer i, en aquest cas seria aquest l'obligat a conservar la cosa, administrar-la i lliurar els seus fruits al creditor.

La transmissió de la possessió es pot fer per qualsevol mitjà admès en dret (article 569-24 b)) raó per la què, d'acord amb l'article 531-4, cal entendre produïda la tradició quan es lliura el bé al creditor o a un tercer i aquest en pren possessió d'acord amb el transmitent (article 531-4.1), tradició que es pot anomenar real o material. Malgrat això, d'acord amb l'article 531.2, la tradició també pot ser instrumental, que s'entén produïda quan el contracte es formalitza en escriptura pública a menys que en ella es manifesti el contrari i, atès que per la constitució de l'anticresi és precís respectar aquesta formalitat, s'ha d'entendre produïda la tradició per aquest mitjà. També es pot fer la tradició mitjançant un pacte entre el titular del bé i el creditor en virtut del qual aquell lleva del seu poder i possessió el bé i el transfereix al creditor anticrètic facultant-lo perquè el pregui i es constitueixi ínterim en posseïdors en nom seu, a través del denominat *constitutum possessorium* o mitjançant la *traditio brevi manu,* si el creditor o el tercer ja tenien la possessió del bé que garanteix el crèdit per alguna altre causa i l'únic que fan es canviar el concepte possessori. En tot cas les despeses de la tradició seran en aquest cas a càrrec del deutor, ja que l'article 569-25 disposa que serà d'aplicació a l'anticresi l'article 569-19.1 relatiu a la penyora que permet al creditor negar-se a la restitució del bé fins que se li abonin, a més del principal garantit i els interessos, les despeses de procediment pactades.

No obstant, es podria argumentar que, si bé la tradició del bé és indispensable a l'hora de constituir el dret, seria possible que el creditor renunciés posteriorment a aquest dret si la possessió del bé se li fa excessivament onerosa, ja que es tracta d'una disposició ordenada en benefici seu i no en una càrrega o obligació com entenen alguns autors (ANDERSON) i per tant a la què aquest pot renunciar sempre que no perjudiqui a tercers, no obstant, per aquesta sola raó no es pot entendre renunciat el dret de realització de valor, ni en principi al d'obtenir els fruits de la cosa.

La possessió que es transmet com a conseqüència del pacte anticrètic es pot retenir fins que el deutor no aboni la totalitat del deute degut més les despeses, més els interessos corresponents article 569-25.1.

E) FORMA

A diferència de la normativa que recull el CC i d'acord amb el que disposa l'article 569-24.2 el dret d'anticresi subjecte a la norma catalana s'ha de constituir necessàriament en una escriptura pública, de tal manera que la llei exigeix una forma *ab substantiam* per la seva validesa, s'ha de fer tradició del bé al creditor o a un tercer per tal que neixi el dret real i s'ha d'inscriure al Registre de la Propietat per tal de poder-lo oposar a terceres persones. Per aquesta raó, cal entendre que un contracte d'anticresi que no constés en escriptura pública sols es podria considerar una promesa d'anticresi (ANDERSON), mentre que si constés en una escriptura pública però no s'hagués inscrit tindria efectes *inter partes*, però no front a tercers, de tal manera que la inscripció no es podria considerar constitutiva, però perdent en aquest darrer supòsit l'eficàcia *erga omnes* decisiva per tal que el dret de garantia compleixi la finalitat per la qual es constitueix, ja que sols quedarien obligats aquells tercers que coneguessin la seva existència, tenint en compte que el fet que el seu propietari no tingui la possessió del bé constitueix un sistema de publicitat que podria impedir que el tercer es considerés un tercer de bona fe. Per aquesta raó, s'ha argumentat que llavors la reipersecutorietat de la garantia no deriva de la pròpia consideració com dret real, sinó del fet de constar al Registre i la seva eficàcia no és més gran que la d'un embargament anotat (CARRASCO PERERA – CARRETERO GARCÍA).

V. Contingut

El dret d'anticresi comporta pel seu titular una sèrie de facultats i obligacions que es recullen en ocasions dins del capítol destinat a regular-la mentre en altres ocasions se li imposen per remissió a les normes de la penyora o les del dret de retenció i fins i tot cal tenir en compte per analogia les que regulen la hipoteca.

A) DRETS DEL CREDITOR ANTICRÈTIC

El creditor té dret:

a) a posseir el bé objecte de la garantia, facultat que li permet interposar interdictes per defensar-la. Aquest dret a posseir continua mitjançant un dret de retenció fins el total pagament del deute, els seus interessos i les despeses fetes per tal que el bé pugui produir fruits i per conservar-lo.

b) a fer seus els fruits amb la finalitat de fer-se pagament de les despeses originades per la conservació del bé i la producció dels fruits, dels interessos i del capital ja que té dret a obtenir els fruits nets. En virtut d'aquesta facultat el creditor pot exigir els fruits civils que el bé produeixi a les persones deutores en virtut d'un dret propi, no obstant, és dubtós que estigui facultat per arrendar-los o per desnonar als arrendataris i alguns autors, com ara GUILARTE, entenen que aquesta facultat correspon sols al propietari, però el creditor pot oposar-se a determinades actuacions d'aquell. Malgrat això, de la normativa catalana es dedueix l'obligació del creditor d'administrar el bé que posseeix i d'intentar obtenir-ne el màxim rendiment possible (article 569-25.4), raó per la que caldria entendre que està legitimat per portar a terme qualsevol acte que es pugui entendre com d'administració i fins i tot de disposició en relació als fruits naturals que pugui produir la cosa, de manera molt similar a la facultat que se li concedeix a l'usufructuari i amb uns límits anàlegs.

c) a rescabalar-se de les despeses que li ocasioni la producció dels fruits, ja que l'article 569-25.4 li permet fer seus els fruits nets, i per tant descomptades les despeses. No obstant, si els fruits obtinguts després de portar a terme despeses extraordinàries per la seva producció fossin iguals o inferiors als que s'obtindrien sense elles el deutor podria negar-se a que es descomptessin de les sumes obtingudes (GUILARTE). Cal entendre també que el creditor pot descomptar de l'import dels fruits que ha d'imputar als interessos les despeses que hagi portat a terme per la conservació del bé donat en garantia, perquè en cas de no fer-se aquest podria deixar de ser fructífer o disminuir la producció. Aquestes despeses poden ser tant ordinàries com extraordinàries, però en cap cas es poden referir a aquelles originades per actuacions que no tendeixin a conservar el bé o garantir la producció dels fruits. En el supòsit que les despeses que hagi de pagar siguin superiors als interessos del crèdit, la diferència la podrà reclamar o retenir el bé en garantia de les mateixes encara que s'hagi pagat la totalitat del deute. El creditor podrà reclamar igualment el pagament de les millores fetes per ell en l'immoble que el seu propietari hagués consentit (GUILARTE)

d) a realitzar el valor del bé en cas d'incompliment pels procediments recollits en relació al dret de retenció (article 569-8 per remissió del 569-26) i a fer-se pagament amb l'import obtingut d'acord amb que disposa l'article 569-21 en relació a la penyora.

e) gaudir de preferència en front d'altres creditors, tal com hem defensat, encara que sols pel que fa a l'obligació principal (GUILARTE) destinant el romanent al pagament de càrregues posteriors inscrites o als creditors de millor dret posteriors al deute que va originar la constitució del dret real de garantia, segons l'ordre de prelació que correspongui (article 569-21).

B) OBLIGACIONS DEL CREDITOR ANTICRÈTIC

El creditor anticrètic mentre dura la retenció té obligació de:

a) administrar els béns subjectes a la garantia de tal manera que produeixin el màxim de rendiment possible segons les seves característiques (article 569-25.4), ja que d'aquesta manera satisfà no sols el seus propis interessos sinó també els del deutor. Per aquesta raó cal entendre que la diligència que ha d'observar ha de ser la d'un bon administrador i no pas la diligència mitja o d'un bon pare de família, de tal manera que en cas que no actuï diligentment serà responsable davant del deutor dels danys que aquesta actuació li hagi pogut produir. Amb aquesta exigència la regulació de l'anticresi es diferencia clarament de la que recau sobre l'usdefruit, ja que l'usufructuari no té cap obligació d'obtenir del bé sobre el qual recau aquest dret el màxim de fruits possibles, ja que tant sols ell està interessat en que aquests siguin abundants.

b) conservar-los en bon estat d'acord amb la seva naturalesa, ja que si no porta a terme la deguda conservació del bé és evident que aquest pot perdre o veure disminuïda la facultat de produir fruits. No obstant, en aquest cas per analogia amb l'usdefruit, el creditor anticrètic no pot donar als béns un destí contrari a la seva naturalesa. En aquest punt es discuteix si el creditor anticrètic té o no l'obligació de pagar les despeses generals de comunitat en el supòsit que l'immoble estigués sotmès a un règim de propietat horitzontal o els impostos que gravin la finca i, tenint en compte que la finca respon d'aquestes obligacions, cal entendre que està obligat a fer-ho, encara que no reculli aquesta obligació cap norma en concret, sense perjudici de la seva facultat de rescabalar-se dels imports pagats i del fet que davant els creditors per aquest concepte el deutor és el seu propietari, a diferència del que succeeix amb l'usufructuari.

c) rendir comptes, ja sigui anualment o en el moment en què es liquidi el deute. L'article 569-25.4 in fine, dóna al propietari de la finca gravada la facultat d'exigir aquesta rendició anualment o quan es retorni la possessió. L'article 569-25,4 dóna aquesta facultat al propietari de la finca gravada, però en el supòsit que aquest fos un tercer el deutor també podria exigir aquesta rendició per tal de constatar quins han estat els fruits obtinguts i la seva aplicació al pagament dels interessos o el capital. Aquesta obligació de rendir comptes no seria exigible en el supòsit que s'hagués pactat la compensació dels fruits amb els interessos de manera global, assumint per tant les dues parts el risc d'insuficiència o d'excés.

Si el creditor entengués que aquestes obligacions són excessivament oneroses sembla que podria renunciar a la possessió dels béns, com també hem defensat, sense que aquest fet suposés renunciar a la garantia de realització de valor, ni a la de percepció dels fruits

VI. Extinció

L'anticresi s'extingeix en cas de pagament de l'obligació principal, els seus interessos i les despeses generades per l'obtenció dels fruits o per la conservació de l'immoble. En el supòsit d'incompliment el creditor té dret a la realització del valor del bé per tal de fer-se pagament dels imports deguts. El procediment de realització de valor és el que regula en relació al dret de retenció (article 569-8), mentre que la destinació de l'import obtingut s'ha de regir per allò que estableix l'article 569-9 en relació a la penyora. És a dir els titulars del dret poden realitzar el valor del bé per alienació directa o per subhasta pública notarial sense que se'ls hi reconegui una via judicial específica i idònia, ni es pugui recórrer al procediment dels articles 681 i ss de la LEC ja que el legislador català, potser per un excés de prudència, no s'ha remès a aquesta normativa. D'altra banda, recórrer a la subhasta sols seria possible si l'anticresi està inscrita al Registre de la Propietat, mentre que per l'alienació directa seria suficient l'escriptura pública, excepte en cas de concurrència amb un creditor hipotecari (ANDERSON).

2. EL DRET D'HIPOTECA

I. Concepte

El llibre cinquè del Codi civil de Catalunya inclou per primera vegada a l'ordenament català una regulació del dret d'hipoteca dins del títol sisè, que fa referència als drets reals limitats, i específicament dins el capítol novè, que comprèn els drets reals de garantia que es poden constituir per assegurar el compliment d'una obligació principal. No obstant, els articles 569-27 a 569-42 no regulen de manera completa aquesta institució, per tal de no reiterar el que ja disposa la norma estatal, sinó que incideixen exclusivament en la hipoteca que té per objecte o que garanteix béns o drets que tenen una regulació pròpia dins del ordenament català, encara que en ocasions aquests supòsits estan també regulats a l'estatal, però als què, segons s'argumenta en l'exposició de motius d'aquest llibre cinquè, la legislació hipotecaria no donava una solució adequada.

La secció tercera d'aquest capítol novè dedica una primera subsecció a les disposicions generals que es refereixen als béns i drets hipotecables, a les obligacions que es poden garantir mitjançant una hipoteca i a la capacitat i legitimació per constituir-la. La regulació és sens dubte molt parcial i en tot allò no contemplat per ella cal remetre's a les disposicions de la Llei hipotecària sempre que aquestes no es contradiguin amb les que recull l'ordenament català, ni amb els principis generals que l'informen. Per aquesta raó, l'estudi d'aquesta institució dins del dret català s'ha de restringir a aquells supòsits que regula el llibre cinquè del Codi civil de Catalunya.

La llei catalana no dóna una definició del dret d'hipoteca, ja que, com hem dit, es tracta d'una regulació parcial d'aquest dret referida sols a supòsits específics, per tant, cal considerar que el terme hipoteca tampoc és una expressió unívoca al nostre ordenament, sinó que es refereix tant a l'acte jurídic en virtut del qual es constitueix aquest el dret real, com al dret que neix com a conseqüència del contracte, d'un acte unilateral o per exigència de qui està legitimat per reclamar la seva constitució (BLASCO GASCÓ).

El dret d'hipoteca es pot definir com aquell dret real accessori, indivisible, de constitució registral, que recau sobre béns immobles aliens i alienables, que queden en possessió del seu propietari o titular i que subjecta immediatament el bé hipotecat, sigui qui sigui el seu titular, al poder d'exigir eventualment la realització del seu valor, així com l'adopció de mesures de protecció, tot això en garantia de l'efectivitat d'una obligació dinerària (ROCA SASTRE). D'altra banda, els articles 1876 CC i 104 LH per tal de definir-la fan referència a la subjecció a què està sotmès el bé hipotecat per tal de garantir el compliment de l'obligació per la seguretat de la qual ha estat constituïda.

II. Subjectes

La llei catalana no fa referència a la capacitat que han de tenir el creditor i el deutor per tal de pactar aquest tipus de garantia, ja que aquesta no és altre que la capacitat general d'obrar. Pel contrari l'article 569-29 conté unes disposicions relatives a la capacitat i la legitimació que es requereix per tal d'hipotecar un bé en garantia d'un deute, posant de relleu que l'hipotecant és aquella persona que subjecta un bé de la seva propietat en garantia del compliment d'una obligació, ja sigui seva o d'un tercer i que per fer-ho ha de tenir la lliure disposició dels seus béns (article 569-29,1). Amb aquesta exigència la llei catalana no fa altre cosa que reproduir el que ja disposen els articles 1857.3 CC i 138 LH, atès que la subjecció d'un bé que es troba dins del nostre patrimoni a la garantia hipotecària no és altre cosa que un acte de disposició, perquè a partir d'aquell moment existeix la possibilitat de que s'hagi de procedir a la realització del seu valor per tal de satisfer el deute que garanteix. Per aquesta raó, no podran hipotecar els seus béns aquelles persones que estiguin subjectes a una prohibició de disposar-ne (article 26 LH), excepte que s'estableixi que la garantia sols serà efectiva en el moment que aquesta prohibició finalitzi.

Aquells que subjecten els seus béns a una hipoteca han de tenir igualment la capacitat d'obrar necessària per alienar béns immobles, ja que la constitució d'una hipoteca és, com hem dit un acte de disposició sobre un bé immoble. L'article 569-29.2 recorda que els menors d'edat i els incapacitats sols poden constituir una hipoteca sobre els seus béns si es compleixen els requisits que el Codi de família i altres lleis estableixen per l'alienació i el gravamen de llurs béns, norma que no fa més que reproduir l'article 322 CC a contrari, quan disposa que el major de d'edat és capaç per tots els actes de la vida civil, i els articles 155 i 209 CF relatius a la representació dels menors pels seus progenitors i a la dels sotmesos a tutela pel seu tutor. No obstant, la norma no fa referència a una situació molt propera a la dels anterior com és la de l'emancipat, ja que, pel fet de recaure el gravamen sobre béns immobles, requeriria un complement de capacitat per constituir-lo vàlidament (article 151.1 CF per remissió del 159 CF).

D'altra banda, atès que la constitució d'una hipoteca no és un acte personalíssim aquesta es pot constituir per mitjà d'apoderats i l'article 569.3 destaca que el poder, tant si és especial com general, ha de contenir expressament la facultat d'hipotecar els béns del poderdant i que, en cas que aquest no existeixi o sigui insuficient, l'actuació del mandatari pot ser ratificada pel propietari del bé, de tal manera que la garantia quedarà vàlidament constituïda sempre que aquesta ratificació es notifiqui al creditor abans que aquest hagi revocat el consentiment prestat al contracte de constitució d'hipoteca i amb aquesta regulació no es fa altre cosa que reproduir el que disposen els articles 1713 i 1259 CC. No obstant, no es fa referència ni a la necessitat d'acord unànime dels comuners per hipotecar un bé propietat de la comunitat (article 552-7.6), ni a la legitimació per gravar els béns del declarat absent (article 184 CC i 209 CF) o a la que és precisa en cas que l'objecte de la hipoteca sigui l'habitatge familiar (article 9 CF).

Per últim, la llei catalana tampoc exigeix que el que subjecta un bé a la garantia hipotecaria en sigui propietari, encara que en principi és qui està legitimat per fer-ho, encara que també és possible que el titular d'un dret real limitat hipotequi aquest dret ja sigui per garantir una obligació pròpia o aliena, supòsits que recull l'article 107 LH amb els límits que aquest imposa. En tot cas, si el que subjecta un bé a aquesta garantia no és propietari del bé, ni titular del dret que recau sobre ell, la doctrina majoritària entén que el creditor hipotecari, si reunia les condicions que exigeix l'article 34 LH, seria mantingut en el seu dret, però no es podria dir que l'havia adquirit per usucapió, considerant que el dret d'hipoteca és de constitució registral (DIEZ-PICAZO, GULLON). D'altra banda, si el creditor hagués actuat de mala fe, coneixent que la cosa no era propietat del garant, la hipoteca no es podria consolidar per prescripció extintiva, ja que el dret de veritable propietari a reivindicar-la no prescriu a l'ordenament català (article 544-3)

III. Objecte

D'acord amb els articles 106 LH i 1874 CC sols poden ser objecte d'hipoteca els béns immobles i els drets reals alienables d'acord amb les llei que recaiguin sobre béns d'aquesta classe. No obstant, cal tenir en compte que no poden ser objecte d'hipoteca ni les servituds, a menys que s'hipotequin juntament amb la finca dominant, exceptuant la d'aigües, ni els usdefruits legals, excepte el del cònjuge vidu, ni el d'ús i habitació (article 108.3 LH). Pel contrari, la llei catalana permet la hipoteca del dret d'ús i habitació, d'acord amb el que disposa l'article 562-4.1, però aquesta sols seria possible si la consent el propietari del bé, ja que es tracta d'un dret que s'ha atorgat de manera personalíssima i, per tant, aquell que l'ha constituït o els seus successors han de consentir que en pugui gaudir una persona diferent a la que va ser afavorida per ell. D'altra banda, els propietaris del bé objecte a un dret d'ús i habitació també el poden hipotecar, mantenint-se el dret dels seus titulars a usar i habitar l'immoble sigui qui sigui el seu propietari, excepte en el supòsit que aquests consentin en que el bé sobre el que recau el seu dret sigui subjecte a aquesta garantia, ja que llavors aquest s'extingirà d'acord amb el que disposa l'article 562-4.2, seguint el que ja recollia l'article 36.2 de la llei 13/2000 de 20 de novembre de regulació dels drets d'usdefruit, d'ús i d'habitació. En tot cas, l'article 562-4.2 afegeix al que disposava la llei del 2000 que aquesta conseqüència es produirà sense perjudici del que disposa l'article 83 del Codi de família en matèria d'ús d'habitatge familiars, norma que no fa més que recordar que també en cas d'atribució de l'ús d'un habitatge com a conseqüència d'un procés de nul·litat, separació o divorci, una vegada constituït el dret d'ús i habitació, és precís el consentiment del seu titular per tal que la hipoteca constituïda pel propietari del bé afecti a aquell que en té l'ús.

L'article 569-27 disposa que, a més dels béns i drets hipotecables d'acord amb la legislació hipotecaria, poden ser objecte d'hipoteca els que estableix la subsecció segona, és a dir els articles 569-30 a 569-42. No obstant, aquesta subsecció sols es refereix a l'objecte de la hipoteca de l'article 569-30 al 569-35, mentre que d'aquest article al 569-42 es fa referència a les obligacions que es poden garantir amb hipoteca.

Els drets que són hipotecables segons la legislació catalana ho poden ser, com es diu sovint, amb restriccions, expressió que AL-BALADEJO rebutja ja que el que succeeix no és que aquesta possibilitat tingui uns límits, sinó que en ocasions, tenint certs límits les coses o drets hipotecables de que es tracta, la hipoteca sobre els mateixos no pot anar més allà del dret del seu titular.

El Codi civil de Catalunya preveu la possibilitat de que l'objecte de la hipoteca siguin altres béns que els què recull la llei estatal o regula els efectes dels que ja poden ser objecte d'hipoteca d'acord amb la llei estatal de manera diferenciada.

A) *HIPOTECA SOBRE BÉNS COMPRATS AMB PACTE DE SUPERVIVÈNCIA O SOBRE BÉNS COMUNS COMPRATS EN RÈGIM MATRIMONIAL DE COMUNITAT*

L'article 569-30 disposa que si es vol hipotecar un bé adquirit pels esposos amb pacte de supervivència serà precís el consentiment dels dos cònjuges. La garantia hipotecària recau en aquest cas sobre un bé subjecte a un pacte al que poden arribar els cònjuges casats en règim de separació de béns quan adquireixen un bé conjuntament i per meitat, en virtut del qual en el moment de la mort de qualsevol d'ells el supervivent esdevé titular únic de la seva totalitat (article 44 CF). De fet l'article 569-30 no fa més que reiterar en el seu primer punt el que ja recull el Codi de família en l'apartat 2 a) del seu article 44, és a dir que, mentre no es produeixi la defunció d'un dels esposos, és precís el consentiment de tots dos per tal d'alienar o gravar el bé subjecte a aquest pacte. Norma que concorda amb la que, en seu de comunitat, requereix el consentiment de tots els comuners per constituir un gravamen que es tradueix en un acte de disposició (article 552-7.6), ja que el pacte de supervivència crea una situació de comunitat entre els esposos i el bé objecte de la hipoteca queda subjecte des del moment de la seva constitució a la possibilitat que s'exigeixi la realització del seu valor en cas d'incompliment del deutor de l'obligació garantida. No obstant, l'article 569-30 afegeix al que disposa l'article 44 CF la possibilitat de que en el mateix títol d'adquisició els esposos pactin que qualsevol d'ells gaudeixi de la facultat de disposar unilateralment del bé adquirit, facultat que és certament estranya en una situació de comunitat en la què no es permet exercitar l'acció de divisió i que suposa la concessió recíproca per part dels cònjuges d'un poder, que ha de ser exprés i no es pot presumir, per actuar cada un d'ells en nom de l'altre per la part del bé que correspon al poderdant, que podria ser o no el deutor de l'obligació garantida per la hipoteca, poder fonamentat en la confiança que presideix les relacions entre cònjuges, i que en tot cas no es podria considerar irrevocable. D'altra banda, aquesta possibilitat podria derivar també, segons el citat article, d'una disposició legal que preveiés aquesta facultat.

La mateixa normativa s'aplica en el supòsit que es vulgui hipotecar un bé comú comprat pels cònjuges sotmesos a un dels règims de comunitat previstos en la legislació catalana, és a dir el d'associació a compres i millores (articles 61 a 63 CF), l'agermanament o pacte de mig per mig (article 64 CF) i el règim de comunitat de béns (articles 66 a 75 CF), encara que en aquest cas el consentiment pot ser prestat per l'autoritat judicial, que el pot atorgar en interès de la família o per un altre justa causa.

B) HIPOTECA SOBRE L'HABITATGE FAMILIAR O COMÚ

L'article 569-321, reiterant el que disposen els articles 9 CF i 11 i 28 de la LUEP, disposa que per tal d'hipotecar els drets o participacions que recaiguin sobre un habitatge familiar, el cònjuge o el membre de la unió estable de parella titular dels mateixos haurà de comptar amb el consentiment de l'altre cònjuge o de l'altre membre de la parella estable i, si manca aquest consentiment, la constitució d'una hipoteca sobre el bé sols es possible si s'obté l'autorització judicial, ja que hipotecar un bé equival a disposar-ne.

L'apartat segon del mateix article del Codi civil català afegeix que, si l'habitatge que es vol gravar amb aquesta garantía no es pot considerar com familiar, el titular de tot o d'una quota del mateix que vol constituir una hipoteca sobre ell ho de manifestar expressament en l'escriptura de constitució, reiterant el que ja disposa l'article 91.1 RH.

Atès el que disposen els articles 9.2 CF i 11.2 i 28.2 LUEP, l'acte portat a terme unilateralment pel titular de l'habitatge és impugnable per aquell cònjuge o membre de la parella estable que no l'ha consentit, sempre que ho faci dins el termini de quatre anys. No obstant, l'article 569-31.2 in fine reitera el que ja posen de relleu els citats articles en un tercer apartat, és a dir, que la impugnació feta pel cònjuge o el membre de la parella estable que no ha consentit no pot afectar a l'adquirent, o en aquest cas al creditor hipotecari de bona fe, del que per tant no s'ha pogut provar que coneixia el caràcter familiar de l'habitatge, si la declaració era falsa o errònia, sense perjudici de la responsabilitat civil i penal en la què el declarant hagués pogut incórrer.

C) HIPOTECA SOBRE L'USDEFRUIT LEGAL DELS CÒNJU-GES VIDUS

Malgrat l'article 108.2 LH disposa que els usdefruits legals no es poden hipotecar, recull com excepció la possibilitat de gravar amb aquesta garantia el que correspon al cònjuge vidu en virtut de que estableix l'article 331 CS en el supòsit que el consort mori intestat i, admetent aquesta possibilitat, l'article 569-32 regula el seu exercici. Per tant, atès que el del cònjuge vidu és l'únic usdefruit legal que perviu després de la reforma del CC de 1981 s'ha de mantenir que tots els usdefruits legals es poden hipotecar (BLASCO GASCÓ)

Aquesta hipoteca recau, segons una part de la doctrina, sobre el bé amb uns límits temporals, (CARRASCO PERERA, CORDERO LOBATO) mentre que altres (ROCA SASTRE) mantenen, seguint la doctrina clàssica, que sols suposa una cessió de l'exercici del dret d'usdefruit, o que en tot cas el que es cedeix és el conjunt de facultats que l'integren, que també pot hipotecar separadament el titular de la propietat plena (ALBALDEJO) com de fet admet la resolució de la DGRN de 27 de maig del 1968, solució que cal entendre més correcta, ja que ningú pot alienar, ni gravar més del que ell mateix té i l'usufructuari només té dret als fruits, de tal manera que quan desapareix aquest dret la hipoteca s'extingeix, ja que no té objecte sobre el qual recaure i si s'executa abans l'executant sols tindrà dret als fruits que produeixi el bé i no a aquest en sí que sols pot posseir. D'altra banda, la hipoteca no s'estén a la nua propietat, però tampoc s'extingeix en cas de consolidació dels drets del nu propietari i l'usufructuari, ni en el supòsit que l'usufructuari adquirís voluntàriament la nua propietat (CARRASCO PERERA, CORDERO LOBATO).

En tot cas, el dret d'hipoteca que recau sobre aquest dret s'extingeix, en primer lloc, sempre que ho faci l'usdefruit sobre el qual recau, ja que el creditor hipotecari no pot mantenir el seu dret més enllà del moment en què s'ha extingit el dret del titular del bé. No obstant, si aquest s'ha extingit per voluntat de l'usufructuari i no per causes alienes a ell, com pot ser el transcurs del termini pactat o la seva mort, cal entendre que subsistirà la hipoteca fins que arribi el moment de compliment de l'obligació assegurada o aquell en el què l'usdefruit s'hauria extingit a no ser la renúncia de l'usufructuari, per raons d'equitat i bona fe (ROCA SASTRE) tal com disposen els articles 107.1 LH i 175.1 RH.

L'article 569-32.2 menciona com altres causes d'extinció de la hipoteca les que estableix el Codi per l'extinció de l'usdefruit, referint-se a les que es recullen a l'article 331.3 del Codi de successions en el supòsit que el cònjuge vidu usufructuari es torni a casar o convisqui maritalment amb un altre persona, excepte que el nu propietari hagués consentit la seva constitució, però llavors no és que s'estengui la hipoteca al ple domini, com sembla indicar l'article, sinó la totalitat del domini sempre ha estat subjecte a aquesta garantia pel consentiment dels seus titulars.

No obstant, el legislador català no regula els efectes del gravamen que el propietari pot establir sobre la nua propietat.

D) HIPOTECA SOBRE ELS DRETS RESULTANTS DE LA VENDA A CARTA DE GRÀCIA

a) Quan un bé es ven a carta de gràcia el dret a redimir es pot hipotecar

D'acord amb l'article 326 CDCC, en la venda a carta de gràcia el venedor es reserva temporalment en el moment de la venda el dret a redimir, és a dir a recuperar la cosa venuda, aquest dret té caràcter real i és susceptible de transmissió i gravamen. Atesa la naturalesa jurídica real que la Compilació dóna a al dret de redimir, l'article 569-33 reconeix al seu titular la facultat d'hipotecar-lo amb el límit que la durada per exercitar el dret d'hipoteca no sigui superior a la durada del dret sobre el qual recau, encara que podria ser inferior, ja que quan s'extingeix el dret de l'hipotecant a recuperar la finca s'extingiria també la hipoteca per manca d'objecte.

L'article 326.CDCC disposa també que, quan el dret es sotmet a gravamen i es produeix l'incompliment de l'obligació que garanteix, el creditor pot executar-lo sense necessitat d'exercir prèviament el dret a redimir, facultat derivada de la naturalesa real d'aquest dret a l'ordenament català, a diferència del pacte de retorvenda en el CC. L'article 569-33.2 reitera aquesta facultat, afegint la possibilitat de que creditor hipotecari prefereixi exercitar prèviament el dret, subrogant-se en la posició del venedor hipotecant i recuperant d'aquesta manera la finca venuda a carta de gràcia i realitzant tot seguit el valor de la dita finca, encara que és dubtós que aquesta opció sigui beneficiosa pel creditor, possibilitat que la Compilació no contempla, però tampoc prohibeix i que és la única que es permet al creditor hipotecari quan l'objecte de la hipoteca és un retracte convencional, que no té naturalesa real (article 107.8 LH).

D'altra banda, si el venedor que ha garantit amb el seu dret a recuperar la finca un deute seu o aliè exercita el dret a redimir abans del venciment del termini de la hipoteca, la finca recuperada es subroga en el lloc del dret a redimir sobre el que requeia la hipoteca i si l'hipotecant no exercita el dret a redimir dins del termini pactat amb el comprador, el creditor hipotecari podria subrogar-se en el seu dret per recuperar el bé venut a carta de gràcia i exercitar la garantia sobre ell.

b) El que compra un bé a carta de gràcia també és titular d'un dret real sobre el mateix, en aquest cas de propietat encara que resoluble o claudicant, i per aquest motiu l'article 569-33.4 permet que el comprador a carta de gràcia hipotequi la finca gravada amb el dret de redempció, en el mateix sentit que l'article 327.1 CDCC i 107.7 LH., però, a diferència del que disposa aquest darrer article, la subjecció de la finca comprada a la garantia hipotecaria no ha de ser notificada al titular del dret de redimir.

Si el venedor exercita el dret de redempció abans de que s'executi la hipoteca, l'article 569-33.4 exigeix que aquest fet es comuniqui fefaentment als titulars del dret d'hipoteca sobre la finca i disposa que l'exercici del dret a redimir comporta la recuperació de la finca venuda lliure de la hipoteca, encara que el preu de la redempció queda subjecte al pagament del crèdit hipotecari. Per aquesta raó, obliga a acreditar que s'ha consignat notarialment o judicialment el seu import a favor del creditor hipotecari i, si escau, de terceres persones titulars de drets sobre la finca gravada, norma que, com destaca la doctrina (ROCA TRIAS), deriva del principi segons el qual l'exercici del dret a redimir el bé venut a carta de gràcia no és una nova venda. No obstant, com destaca igualment ROCA TRIAS l'efecte alliberador sols es produirà quan consti inscrit al Registre que el domini sobre la finca subjecta a hipoteca és de caràcter resoluble, ja que, en cas contrari, s'aplicaria el principi de fe pública registral en favor del creditor hipotecari que hagués actuat de bona fe i la finca seguiria subjecta a la hipoteca. D'altra banda, la menció a terceres persones titulars de drets sobre la finca gravada a favor dels quals s'ha de consignar una part del preu que es pagui sembla referir-se als titulars d'altres drets reals limitats amb els què l'hipotecant hagués pogut gravar la finca i dels què quedaria igualment alliberada, ja que els contractes d'arrendament excessivament gravosos que el propietari del bé hagi realitzat sobre el bé i que d'acord amb l'article 327.2,2 CDCC el que redimeix pot impugnar, sempre que en el cas de que l'arrendament estigués sotmès a la LAU haguessin transcorregut els primers cinc anys de vigència, no donarien als arrendataris dret a cap tipus de compensació.

No obstant, la citada norma no diu qui ha de fer aquesta comunicació, ni qui ha de consignar el preu que es pagui per la redempció. En principi, caldria pensar que aquesta obligació ha de recaure sobre el que ha hipotecat la finca en garantia d'una obligació pròpia o d'un tercer, perquè el que redimeix és un tercer tant respecte a la relació obligacional, com a la hipotecaria, al què, a més a més, no se li ha comunicat ni tant sols la constitució de la hipoteca. Malgrat això, el citat article disposa que el que redimeix recupera la finca venuda lliure d'hipoteca i per tant és ell l'interessat en què es cancel·li la inscripció de la hipoteca de la finca al Registre, cancel·lació que, segons l'article 569-33.4 *in fine* no es pot inscriure si no s'ha acredita haver fet la citada consignació. Per aquesta raó, cal considerar que és el que exercita el dret a redimir qui ha de notificar a un creditor hipotecari, del què sols pot conèixer l'existència a través del Registre, l'exercici del dret del què és titular i el que ha de consignar la part del preu que ha de pagar per redimir d'acord amb l'import del crèdit garantit o, en tot cas, fins a on arribi, ja sigui notarialment o judicialment. No obstant, si després de consignar aquesta quantitat resta encara part del preu, aquest romanent s'haurà de lliurar al hipotecant que veu resolt el seu dret de propietat, mentre que les despeses de notificació i consignació les podrà imputar el retraient al preu que ha de pagar per redimir.

Si el venedor no ha exercitat el seu dret a redimir quan ha transcorregut el termini fixat, l'article 569-33.5 disposa que la hipoteca continuarà gravant la finca lliure del dret de redempció

E) HIPOTECA DEL DRET DE SUPERFICIE

D'acord amb l'article 564-1 el dret de superfície es pot definir com aquell dret real limitat sobre finca aliena que atribueix temporalment al seu titular la propietat separada de les construccions que hi estiguin incloses. Atesa la naturalesa jurídica d'aquest dret i el fet que està regulat dins de l'ordenament català, l'article 569-34 del Codi civil de Catalunya contempla la possibilitat de gravar amb hipoteca aquest dret real, sense afectar el que té per objecte el sòl sobre el qual s'assenta la construcció, en el mateix sentit que l'article 107.5 LH., tant si l'han concedit ens públics com persones privades. No obstant, en relació a la hipoteca d'aquest dret cal tenir igualment en compte els articles 287.3 i 289.4 del text refós de la Llei del Sòl RD 1/1992 de 26 de juny.

No obstant, el dret de superfície és, segons el que disposa l'article 564-3.2 a), un dret temporal, ja que la seva durada no pot ser superior en cap cas a noranta-nou anys. Per aquesta raó l'article 569-34.2 estableix l'extinció automàtica de la hipoteca constituïda sobre aquest dret una vegada arriba el termini pactat, o en tot cas el fixat legalment com a màxim, en virtut del principi citat repetidament en relació als drets que contempla l'ordenament català com a susceptibles de ser hipotecats, que no permet que el dret d'hipoteca perduri més enllà del dret del què sigui titular l'hipotecant. No obstant, caldria entendre que no s'extingeix la hipoteca si el superficiari renuncia al seu dret abans del termini fixat, aplicant per analogia el que s'ha dit per l'usdefruit, sinó que la hipoteca es subroga en aquest cas en el preu de redempció (CARRASCO PERERA, CORDERO LOBATO), ni tampoc si es consolida el dret de superfície amb el de la propietat del sòl en mans de l'hipotecant per haver-ne adquirit la propietat. A més a més, l'article 569-34.2 *in fine* recull la possibilitat que l'extinció de la hipoteca no es produeixi una vegada extingit el dret de l'hipotecant si així s'ha pactat en el títol de constitució, pacte que sols es pot entendre possible si l'hipotecant ofereix substituir la garantia sobre el bé, del qual ja no seria titular quan finalitzi el termini pactat, per un altre bé de la seva propietat, o si consta en el títol de constitució de la hipoteca el consentiment del propietari del terreny sobre el que s'ha constituït el dret de superfície, que en principi no tindria perquè participar-hi, per tal que aquesta continuï sobre la construcció una vegada extingit el dret de l'hipotecant pel transcurs del termini pactat, ja que llavors la construcció esdevé de la seva propietat i sols ell pot acceptar que el gravamen perduri.

D'altra banda, el propietari del sòl sobre el que es troba la construcció també el pot hipotecar i en el supòsit que el titular del dret sobre el sòl hipotecat i el del que recau sobre la construcció hipotecada esdevinguin una mateixa persona per consolidació, l'article 569-34.3 disposa que la hipoteca continuï gravant separadament el sòl i el dret de superfície, però la que recau sobre aquest dret s'extingirà quan acabi el termini pel qual es va pactar, a menys, s'ha d'entendre, que s'hagi pactat altre cosa, en el mateix sentit que disposa l'article 569-34.2 *in fine*

F) HIPOTECA SOBRE ELS DRETS D'ADQUISICIÓ PREFERENT

L'article 569-35 disposa que els drets d'adquisició preferent de caràcter real es poden hipotecar, en el mateix sentit que l'article 107.8 LH permet la hipoteca del retracte convencional, i, per tant, dins de l'ordenament català s'han d'entendre hipotecables el dret d'opció i el de tanteig convencional, regulats dins del llibre cinquè del Codi civil de Catalunya i que els articles 568-8 i 568-13 defineixen com reals.

1) Pel que fa al dret d'opció, l'article 568-1. a) el defineix posant de relleu que és aquell dret faculta al seu titular per adquirir un bé en les condicions establertes pel negoci jurídic que la constitueix, de tal manera que es tracta d'un dret potestatiu que el seu titular pot decidir exercir o no.

Per aquestes raons, el dret d'opció es pot hipotecar amb les conseqüències que es deriven del fet de ser un dret potestatiu. Així cal distingir dos possibles situacions:

a) si el titular del dret d'opció ja ha exercitat el seu dret a adquirir la finca en el moment d'execució de la hipoteca que recau sobre ell, aquesta s'estén a la finca adquirida (article 569-35. 2)

b) si en el moment d'executar la hipoteca encara no s'ha exercitat el dret d'opció, el creditor hipotecari pot optar per executar directament el dret d'opció, o bé subrogar-se en el dret del seu titular, exercint-lo en nom seu en el moment en què aquest hi tingui dret, sense que sigui precís que es donin els requisits que exigeix l'article 1111 CC (CARRASCO PERERA CORDERO LOBATO) avançant la quantitat que calgui, i seguidament instant l'execució sobre la finca adquirida, perquè el creditor no podria demanar l'execució del dret sobre la finca si prèviament no s'havia exercitat l'opció i aquesta havia esdevingut propietat de l'hipotecant. No obstant, aquesta darrera possibilitat, malgrat permet al creditor hipotecari executar la finca adquirida en virtut de l'opció, li exigeix l'avançament del preu a pagar per ella, preu al qual no s'estén la hipoteca (CARRASCO PERERA, CORDERO LOBATO) amb la necessitat de disposar del capital i amb el risc que això comporta.

2) Pel que fa al dret de tanteig, cal tenir en compte en primer lloc que la llei catalana es refereix exclusivament a ell quan fa referència als drets voluntaris d'adquisició, entenent que el dret real de tanteig implica el de retracte si manquen els requisits que la llei estableix per la seva efectivitat (article 568-15.1.

L'article 569-35.4 disposa que el que hem posat de relleu en relació a l'opció s'aplica també al dret de tanteig voluntari. Pel que fa a la possibilitat d'exercitar la hipoteca que recau sobre un dret de tanteig aquesta remissió no presenta cap problema especial, de fet l'article 326.4 CDCC ja ho preveu en relació al dret de redimir del què gaudeix el que ven un bé a carta de gràcia. No obstant, com assenyalen EGEA i FERRER a les seves notes al Codi civil de Catalunya, l'alternativa que s'ofereix al creditor hipotecari d'exercir el tanteig prèviament i després instar l'execució sobre la finca sembla inviable, o com a mínim difícil, ja que el tanteig depèn necessàriament del fet que el propietari de la finca arribi a un acord de transmissió amb un altre persona, raó per la què al creditor sols podria ser-li útil aquesta alternativa si el titular del dret de tanteig podia exercitar-lo per existir un acord de transmissió del propietari de bé obligat a respectar aquest dret amb un tercer precisament en el moment d'executar la hipoteca.

Per últim, l'article 569-35.5 disposa que en tots els tipus d'arrendament que inclouen una opció de compra, la hipoteca pactada sobre la opció recau també sobre l'arrendament. En aquest cas es tracta d'una mena d'extensió del dret d'hipoteca a un dret, que segons la majoria de la doctrina té un caràcter personal, però que en aquest cas es troba íntimament vinculat a un de real, ja que sols si es manté l'arrendament és possible l'opció, en el mateix sentit que la Llei d'Hipoteca mobiliària i penyora sense desplaçament configura el dret d'arrendament del local com un element integrant de la hipoteca d'establiment mercantil.

IV. Obligacions garantides

L'article 569-28 disposa que es pot constituir la hipoteca en garantia de tota mena d'obligacions, sempre que com hem dit tinguin un valor en diners, i els articles 569-36 a 569-42 recullen tota una sèrie d'obligacions que poden ser garantides amb hipoteca i que, o bé deriven d'una norma catalana, o bé es tracta de supòsits que el legislador ha considerat que no estaven ben resolts a la legislació estatal.

A) HIPOTECA EN GARANTIA DE PENSIONS COMPENSATÒRIES

Els articles 76.3d) i 84.1 CF disposen la necessitat d'establir en el conveni la pensió compensatòria o d'aliments que, si és el cas, correspongui satisfer a un dels cònjuges en favor de l'altre en els supòsits de nul·litat, separació o divorci, mentre que l'apartat quart d'aquest darrer article i el 7 del mateix codi permet al cònjuge que té dret a rebre la pensió a demanar a l'autoritat judicial que acordi la prestació de les garanties pertinents en els supòsits d'incompliment del deure de pagament de la pensió, en consonància amb el que disposa l'article 157 LH.

D'acord amb aquestes disposicions, l'article 569-36 regula la hipoteca que garanteix el pagament d'aquestes pensions, que es pot establir tant per pacte entre els cònjuges, com de la petició d'un d'ells i aquesta disposició s'aplicarà igualment per analogia a les pensions que reconeixen els articles 14 i 31.3 LUEP per les unions estables de parella amb allò que sigui possible ateses les seves particularitats. D'altra banda, l'article 569-36, en virtut del que disposa el seu apartat vuitè, s'aplica igualment a la compensació econòmica per raó de treball que reconeix en alguns supòsits l'article 41 CF al cònjuge en casos de separació, nul·litat o divorci si se n'ha ajornat el pagament.

Així, aqueta garantia es pot pactar en el conveni regulador de mutu acord aprovat judicialment, o en un conveni posterior en les situacions de nul·litat, separació o divorci, o be l'autoritat judicial que ha conegut el procediment a petició del cònjuge amb dret a pensió en pot fixar les condicions per mitjà d'una resolució donant audiència a les parts (article 569-36.2).

S'ha d'establir, en tots els casos, a més del valor de taxació de la finca sotmesa hipoteca, el domicili per rebre notificacions, el termini de durada de la garantia, l'import de la pensió i la manera i els terminis de pagament. Si s'ha pactat l'actualització de la pensió amb referència a un índex, que ha de ser objectiu, s'ha d'establir un percentatge màxim als efectes de la responsabilitat hipotecària (article 569-36.3).

L'apartat quart d'aquest mateix article destaca que la persona que remata els béns respon del pagament de les pensions garantides amb una responsabilitat real, encara que les pensions vençudes i no satisfetes en el temps d'execució sols perjudiquen a tercers en els termes que estableix la legislació hipotecària, és a dir en relació als interessos cal aplicar els articles 114 i 115 LH, sense que per aquest fet s'extingeixi la personal del cònjuge deutor.

Atès que l'import de la pensió es pot modificar per resolució judicial, la hipoteca també s'haurà de modificar i si no hi ha acord dels cònjuges per fer-ho, la decisió la prendrà l'autoritat judicial a instància de l'interessat. D'altra banda, si la pensió s'extingeix pel transcurs del termini establert en la Sentència o per nova resolució judicial, la hipoteca també s'extingeix i llavors es pot cancel·lar la inscripció al Registre amb consentiment dels cònjuges, d'acord amb el que disposa l'article 142.2 LH o sense aquest consentiment si han transcorregut sis mesos des de la data del venciment de la darrera pensió sense que consti en el Registre de la Propietat l'inici de l'execució de la hipoteca, reiterant en aquest cas l'article 569-36.6 el que disposa l'article 157.4 LH. En el supòsit de defunció de la persona que té dret a la pensió aquesta s'extingeix, però si la que mor és la persona obligada a pagar-la els seus hereus estan obligats a prestar-la, encara que poden demanar a l'autoritat judicial la seva reducció o l'exoneració si la rendibilitat dels béns de l'herència no resulta suficient per fer-ne el pagament, d'acord amb el que disposa l'article 86.2 CF.

B) HIPOTECA EN GARANTIA D'ALIMENTS

L'article 260 CF disposen que els cònjuges, els descendents, els ascendents i els germans estan obligats a prestar-se aliments i el 259 del mateix codi posa de relleu que cal entendre per aliments.

Per tal de garantir el compliment d'aquesta obligació legal els articles 268.3 i 269.2 CF disposen que l'autoritat judicial pot adoptar les mesures necessàries per assegurar aquest compliment ateses les circumstàncies o a petició de l'entitat pública o privada o de la persona que tingui cura del necessitat d'aliments. En relació a les crisis matrimonials l'article 76.1 d) disposa també la possibilitat d'establir garanties per assegurar la pensió d'aliments deguda als fills.

D'acord amb aquestes normes, l'article 569-37 disposa que l'autoritat judicial pot exigir a la persona obligada a pagar la pensió que constitueixi una hipoteca sobre els seus béns, i aquesta queda sotmesa a les normes pròpies de la hipoteca en garantia de pensions compensatòries en allò que no s'oposi a la naturalesa jurídica del dret d'aliments. Les mateixes normes s'han d'entendre aplicables en els supòsit d'aliments pactats voluntàriament si s'ha establert aquesta garantia, sempre evidentment en qualsevol cas que l'obligat sigui titular de béns immobles.

C) HIPOTECA EN GARANTIA DE PENSIONS PERIÒDI-QUES

L'article 5.2, 6 de la Llei 6/2000 de 19 de juny de pensions periòdiques que fa referència al censal i al violari com a drets a rebre una pensió amb caràcter indefinit o vitalici, disposa la possibilitat d'establir garanties de pagament del censal en el títol de constitució i l'article 15.2 i 3 en relació a la pensió vitalícia o violari permet que aquesta garantia sobre els béns del deutor s'estableixi al títol constitutiu de la pensió o es demani a l'autoritat judicial en cas d'impagaments reiterats.

D'acord amb aquesta norma l'article 569-38 regula la constitució d'hipoteca en garantia de l'obligació de pagar aquestes pensions remetent-se a la regulació recollida en la Llei hipotecària per la hipoteca en garantia de rendes o prestacions periòdiques (article 157 LH).

A més a més en la hipoteca en garantia d'un censal s'ha de fer constar si s'ha fet o no un pacte de millorament i si el censal s'ha constituït o no com irredimible. D'altra banda, en relació al censal es pot pactar que els adquirents de la finca hipotecada se subroguin en l'obligació de pagar les pensions quedant els venedors alliberats de la seva obligació, sempre que els creditors de la pensió consentin de manera expressa o tàcita aquesta subrogació.

Pel que fa a la hipoteca en garantia de pensió vitalícia, l'article 569-38.3 disposa que en la seva constitució s'ha de determinar la persona, o les persones, sobre la vida de les quals es constitueix, la naturalesa simultània o successiva de la designació dels creditors o beneficiaris i, especialment, l'existència d'un pacte de resolució del contracte per impagament de les pensions

D) HIPOTECA PER RAÓ DE TUTELA O ADMINISTRACIÓ PATRIMONIAL

L'article 189 CF disposa que l'autoritat judicial, ateses les circumstàncies de la tutela, pot exigir caució a la persona designada per exercitar-la i el mateix pot fer en referència al administrador patrimonial abans de donar-los possessió del càrrec per tal de garantir el compliment de les seves obligacions. Aquesta caució pot consistir en una hipoteca sobre els béns dels tutors o administradors.

Per aquesta raó, l'article 569-39 regula aquest tipus d'hipoteca barrejant dues modalitats d'hipoteca en les tres opcions que ofereix, com destaquen EGEA i FERRER en les anotacions al Codi. En primer lloc, aquest article posa de relleu que la hipoteca serà en tot cas de màxim (lletra a), com no podria ser d'altre manera no coneixent-se encara quines responsabilitats pot garantir, ni per quin import, aplicant per tant el que disposa l'article 269.6 RH. Aquesta hipoteca es podrà constituir de forma unilateral (d'acord amb el que disposen els articles 141 LH i 237 RH), i en aquest cas l'autoritat judicial la pot aprovar (lletra b) en l'expedient de presa de possessió del càrrec de tutor o administrador patrimonial (lletra c). Si no s`hagués constituït unilateralment en el moment de presa de possessió, o la constituïda no fos aprovada per l'autoritat judicial, aquesta determinarà la modalitat de la caució i les seves característiques i no donarà possessió del càrrec al tutor o administrador fins que s'hagi constituït.

Les mateixes normes seran aplicables per analogia en el supòsit recollit a l'article 134 CF si l'exercici de la potestat del pare i de la mare sobre el fill resulta perjudicial pel seu patrimoni

E) HIPOTECA PER RAÓ DE RESERVA VIDUAL

La reserva denominada binupcial regulada als articles 387 a 391 CS obliga al cònjuge supervivent a reservar a favor dels fills comuns d'un anterior matrimoni els béns que el reservista hagués rebut del seu difunt consort o per successió intestada d'un fill comú o d'un descendent d'aquest, a partir del moment que el cònjuge vidu contrau nou matrimoni, té un fill no matrimonial o n'adopta un.

Si hi ha béns immobles reservables, l'article 569-40 obliga al reservista a fer constar la qualitat de reservables en nota al marge de la inscripció dels béns al Registre de la Propietat, d'acord amb el que disposa la legislació hipotecària (articles 184 a 189 LH i 259 a 265 RH) i permet als titulars de la reserva, als seus representants legals i al Ministeri Fiscal exigir que es constitueixi una hipoteca de màxim, que cal qualificar de legal, en garantia no sols del valor dels béns mobles reservables, sinó també dels perjudicis que es puguin causar a aquests béns, d'acord amb l'article 269.6 RH, sobre qualsevol bé immoble del reservista suficient per garantir aquest valor.

F) HIPOTECA EN CAS DE SUBSTITUCIÓ FIDEICOMISSÀRIA

Atès que l'article 207 CS disposa que qualsevol fideïcomissari pot exigir al fiduciari, si el testador no ha disposat el contrari, que presti caució en seguretat dels béns mobles fideïcomesos, cal entendre que una de les garanties que es poden exigir és la hipotecària En aquest cas, l'article 569-41 disposa que aquesta serà, com en el cas anterior, una hipoteca de màxim, en garantia no sols dels béns mobles fideïcomesos, sinó també dels hipotètics perjudicis causats pels fiduciaris als dits béns i les costes del procediment. No obstant, aquesta disposició sols és aplicable a les hipoteques recollides als apartats 1 i 5 d'aquest article, mentre que les restants són hipoteques ordinàries (EGEA i FERRER). Es tracta en tot cas d'hipoteques de caràcter legal de tal manera que s'ha de fixar, per conveni o per resolució judicial, la quantitat màxima que garanteixen, en el supòsit que es tracti d'hipoteques d'aquesta naturalesa i el termini de compliment de l'obligació en qualsevol cas.

Si no hi ha acord entre els fiduciaris sobre la prestació o l'import de la hipoteca, el fideïcomissari podrà utilitzar el procediment que estableix la legislació hipotecària per la constitució de les hipoteques legals, raó per la què l'article 569-41.2 es remet a l'article 165 LH, i respectar els requisits de capacitat i legitimació que disposen els articles 569-29 i 138 LH. D'altra banda, per inscriure les hipoteques constituïdes caldrà complir el que disposen els articles 217 a 228 CS, a més dels que recull la legislació hipotecària, com posa de relleu l'article 569-41.3.

L'article 569-41.3 i 4 faculta al fideïcomissari per constituir hipoteca sobre llur dret a adquirir l'herència o el llegat fideïcomesos, que també pot ser objecte d'una anotació preventiva, sempre que consti inscrita a llur favor la clàusula de substitució fideïcomissària. La hipoteca s'ha de limitar als béns que li corresponguin en deferir-se el fideïcomís, moment en el qual es converteix en una inscripció d'hipoteca sobre els béns amb intervenció dels creditors hipotecaris. Si el fideïcomís era condicional i no s'arriba a deferir per incompliment de la condició, la hipoteca resta sense efecte. Norma que s'ha d'entendre, com posen de relleu EGEA i FERRER, en el sentit que, mentre no es produeix la delació a favor seu, el fideïcomissari només té una expectativa de dret a favor seu, de tal manera que el que subjecta la hipoteca no és el dret del fideïcomissari a adquirir l'herència, com diu l'article, sinó els béns que hipotèticament li correspondran si es produeix la delació a nom seu, raó per la què fins que no arribi aquesta no es pot produir la inscripció, sinó que l'únic possible és deixar constància de la voluntat del fideïcomissari de constituir hipoteca en la inscripció de la propietat a favor del fiduciari o mitjançant una anotació preventiva.

En el supòsit de fideïcomís de residu, els fideïcomissaris poden exigir als fiduciaris que se'ls hi garanteixi amb hipoteca el seu dret a una quarta part dels béns subjectes al fideïcomís en virtut del que disposa l'article 245.3 CS pel que es coneix com *de eo quod supererit*, excepte disposició en contra del testador. A mes, aquest dret es pot fer constar al Registre de la Propietat mitjançant nota marginal per acord amb els fiduciaris i, si no n'hi ha, per decisió judicial i, mentre aquest no s'inscrigui, els fiduciaris poden alienar o gravar els béns fideïcomesos, sense perjudici de les responsabilitats en les què incorrin

Pel que fa al dret a la quarta trebel·liànica que recull l'article 229 CS, els fiduciaris poden igualment fer constar al Registre de la Propietat el seu dret una vegada deferit el fideïcomís als fideïcomissaris amb una nota marginal, sempre que n'acreditin els requisits i també poden constituir hipoteca sobre els seu dret a dita quarta per acord amb els interessats (article 569-41.6) acord al què s'ha d'entendre han d'arribar el fiduciari i el creditor hipotecari.

G) HIPOTECA EN GARANTIA DE L'OBLIGACIÓ D'URBANITZAR

L'article 569-42 contempla la possibilitat de constituir una hipoteca per assegurar a l'ajuntament o a l'òrgan actuant l'obligació d'urbanitzar que tenen els promotors dels plans d'urbanisme d'iniciativa particular d'acord amb la legislació urbanística.

La hipoteca que garanteix aquesta obligació es pot constituir unilateralment, restant en aquest cas pendent d'acceptació per part de l'administració actuant, que ho ha d'acceptar per mitjà d'una escriptura pública o un document administratiu. Aquesta hipoteca s'ha de constituir per un valor suficient per tal d'assegurar l'obligació que garanteix, fixant en tot cas el màxim que cobreix, encara que també pot garantir un import menor sempre que es complementi amb un altre garantia (article 569-42.2).

Com destaca l'apartat tercer de l'article 569-42.3, es pot pactar a l'acte de constitució una clàusula de posposició automàtica d'aquesta hipoteca a qualsevol altre que es constitueixi en garantia de préstecs o crèdits destinats a finançar les obres d'urbanització o d'edificació que pot interessar que siguin preferents, si s'acredita de manera suficient aquesta circumstància o be es pot pactar en la constitució de la hipoteca que s'anteposa a la constituïda abans, notificant fefaentment aquesta escriptura a l'administració actuant.

Per tal de cancel·lar aquesta hipoteca és precís un certificat expedit per l'administració actuat que acrediti el compliment dels requisits que aquesta garantia. D'altra banda, si una entitat urbanística col·laboradora se subroga en les obligacions dels promotors, la hipoteca solament es pot cancel·lar si aquesta entitat constitueix una altre garantia a satisfacció del l'ajuntament o de l'òrgan actuant (article 569-4.4).

Si el projecte de reparcel·lació o distribució equitativa té per objecte l'execució d'una unitat compresa en l'àmbit territorial d'un pla d'ordenació d'iniciativa particular, l'aprovació definitiva del projecte en el qual es fa constar que les finques resultants s'afecten al pagament del saldo de la liquidació de les despeses d'urbanització o altres del projecte o que s'ha constituït una garantia suficient de l'obligació d'urbanitzar davant de l'òrgan actuant implica la cancel·lació de la hipoteca constituïda pels promotors del pla d'iniciativa particular en garantia de les obres d'urbanització (article 569-4.5).

Per últim, l'artcile 569-4.6 disposa que no cal afectar les finques del projecte al pagament del saldo de liquidació definitiva si una hipoteca acceptada per l'ajuntament o l'òrgan actuant en l'expedient de compensació o reparcel·lació garanteix el pagament de les despeses d'urbanització i les altres del projecte.

BIBLIOGRAFIA SUMÀRIA

ANDERSON, M. "L'anticresi catalana en la nova llei concursal: la preferència per al cobrament". RCDP vol 6. 2006. BATLLE VAZQUEZ, M. "voz anticresis" *Nueva Enciclopedia Juridica*. Barcelona 1983. BLASCO GASCÓ, F. *La hipoteca inmobiliaria y el crédito hipotecario*. Valencia 2000. CARRASCO PERERA, A. I CARRETERO GARCIA, A. "Los derechos de retención y anticresis en la Ley 19/2002 de Catalunya, de derechos reales de garantía" a RJC 2004-I. CARRASCO PERERA, A., CORDERO LOBATO, E., MARÍN LÓPEZ, M.J-. *Tratado de los derechos de garantía*. Aranzadi 2002. DEL POZO CARRASCOSA, P – TORMO SANTONJA. *Comentarios de Derecho Patrimonial catalán*. Barcelona 2005. EGEA FERNÁNDEZ, J. – FERRER RIBA, J. "Notes de concordança i jurisprudència" al *Codi civil de Catalunya i legislació complementària*. Barcelona 2006. GARCIA GRANERO "Acerca de la naturaleza jurídica del derecho de anticresis" RCDI 1945. GUILARTE ZAPARERO, V. "Comentarios a los artículos 1881 a 1886" en *Comentarios al Código civil y Compilaciones forales*. Edersa. Madrid 1990. HERNADEZ MORENO, A. "Comentario a los artículos 1881 a 1886" *Comentario del Código civil*. T. II Ministerio de Justicia. Madrid 1991. ROCA SASTRE, ROCA-SASTRE MONCUNILL. *Derecho hipotecario*. Barcelona 1998. SANZ FERNANDEZ, A. "El derecho de preferencia en la anticresis" RDP 1943.